Les Éditions du Boréal 4447, rue Saint-Denis, Montréal (Québec) H2J 2L2 www.editionsboreal.qc.ca

HISTOIRE DE
LA LITTÉRATURE
QUÉBÉCOISE

MICHEL BIRON
FRANÇOIS DUMONT
ÉLISABETH NARDOUT-LAFARGE

avec la collaboration de
MARTINE-EMMANUELLE LAPOINTE

BORÉAL

Les Éditions du Boréal reconnaissent l'aide financière du gouvernement du Canada par l'entremise du Programme d'aide au développement de l'industrie de l'édition (PADIÉ) pour ses activités d'édition, et remercient le Conseil des Arts du Canada pour leur soutien financier.

Les Éditions du Boréal sont inscrites au Programme d'aide aux entreprises du livre et de l'édition spécialisée de la SODEC et bénéficient du Programme de crédit d'impôt pour l'édition de livres du gouvernement du Québec.

Photo de la couverture : Christopher DeWolf
Conception graphique (intérieur et couverture) : Glenn Goluska

Dépôt légal : 3e trimestre 2007
Bibliothèque et Archives nationales du Québec

Diffusion au Canada : Dimedia
Diffusion et distribution en Europe : Volumen

Catalogage avant publication de Bibliothèque et Archives nationales du Québec et Bibliothèque et Archives Canada

Biron, Michel, 1963 5 mars-
Histoire de la littérature québécoise

Comprend des réf. bibliogr. et un index.
ISBN 978-2-7646-0522-6

1. Littérature québécoise - Histoire et critique. 2. Québec (Province) dans la littérature.
I. Dumont, François, 1956- . II. Nardout-Lafarge, Élisabeth, 1957- . III. Titre.

PS8131.Q8B57 2007   C840.9'9714   C2007-940780-3

SOMMAIRE

Remerciements   9

Introduction   11

Première partie : Les écrits de la Nouvelle-France (1534-1763)   17

1. Les premiers textes : Cartier, Champlain, Lescarbot   22
2. Les *Relations des jésuites* et l'utopie religieuse   29
3. La vision mystique de Marie de l'Incarnation   34
4. Nouvelles relations de voyage   39
5. L'histoire de la Nouvelle-France   44
6. La Nouvelle-France au quotidien   50

Deuxième partie : Écrire pour la nation (1763-1895)   55

1. La littérature par le journal   62
2. François-Xavier Garneau, écrivain   73
3. Le *Répertoire national*   83
4. L'Institut canadien   87
5. Arthur Buies, chroniqueur éternel   91
6. Le mouvement littéraire de 1860   96
7. Octave Crémazie : le choc de la réalité   99
8. La poésie patriotique et ses marges   106
9. Contes et légendes   114
10. Le succès des *Anciens Canadiens*   123
11. Le roman contre lui-même   128
12. Les romans à thèse : *La Terre paternelle, Charles Guérin, Jean Rivard*   131
13. Romans historiques et romans d'aventures   136
14. *Angéline de Montbrun* : la voix d'une romancière   144

Troisième partie : Le conflit entre l'ici et l'ailleurs (1895-1945)   149

A. *L'attrait de Paris : 1895-1930*   155
1. La nouveauté de Nelligan   158
2. La littérature canadienne-française existe-t-elle ?   170
3. La querelle entre régionalistes et exotiques   180
4. Les poètes modernistes   186
5. L'horizon du terroir   193

6. Les voix de *Maria Chapdelaine*   199

7. Le roman entre liberté et censure   207

8. Le théâtre comme loisir   212

B. *Un monde en crise : 1930-1945*   217

1. Alfred DesRochers et sa province aux noms exotiques   220

2. La langue littéraire   226

3. Des femmes de lettres   233

4. Le roman et la fin d'un monde   239

5. Romans d'initiation   251

6. Alain Grandbois : l'expérience tourmentée de l'ailleurs   254

7. Saint-Denys Garneau : l'écriture ou la quête de soi   262

8. La guerre et le boom éditorial   271

Quatrième partie : L'invention de la littérature québécoise (1945-1980)   275

A. *L'autonomie de la littérature : 1945-1960*   281

1. La France et nous   284

2. *Refus global*   289

3. Gabrielle Roy entre réalisme et intimisme   293

4. Rina Lasnier : la poésie comme exercice spirituel   305

5. Anne Hébert : la violence intérieure   310

6. La poésie d'inspiration surréaliste   319

7. Roland Giguère : la marche en avant   324

8. Frank R. Scott et les « deux solitudes »   332

9. Le roman de « l'homme d'ici »   339

10. La naissance d'une dramaturgie nationale   353

B. *L'exposition de la littérature québécoise : 1960-1970*   361

1. L'Hexagone et la poésie du pays   367

2. Gaston Miron : le poème et le non-poème   380

3. Paul-Marie Lapointe et Fernand Ouellette : la poésie assumée charnellement   389

4. Le cheminement de Jacques Brault   401

5. L'essor de l'essai : Jean Le Moyne, Pierre Vadeboncœur, Fernand Dumont   407

6. Le poids de la critique   413

7. Roman et jeux d'écriture   419

8. Hubert Aquin : une nouvelle capacité de noirceur   426

9. Jacques Ferron : la littérature par la petite porte   432

10. Marie-Claire Blais et le chœur des misères lointaines   440

11. La langue de Réjean Ducharme   448

12. L'écriture, la parole et le joual   456

13. La bataille des *Belles-sœurs*   463

14. Les romanciers du Jour   470

15. L'imaginaire anglo-montréalais : Mavis Gallant, Mordecai Richler,
   Leonard Cohen   476

C. *Avant-gardes et ruptures : 1970-1980*   483

 1. Contre-culture et « nouvelle écriture »   486

 2. Voix fraternelles : Gilbert Langevin, Juan Garcia, Michel Beaulieu   495

 3. Le désenchantement romanesque   502

 4. Théâtre et québécité   511

 5. Nicole Brossard et l'écriture féministe   517

Cinquième partie : Le décentrement de la littérature (depuis 1980)   529

 1. Des best-sellers   536

 2. Jacques Poulin et le roman en mode mineur   544

 3. Romans baroques et hyperréalisme   552

 4. L'écriture migrante   561

 5. La nouvelle francophonie canadienne   568

 6. La traduction de la littérature anglo-québécoise   573

 7. Le théâtre comme performance   581

 8. La spécialisation des genres   591

 9. L'opposition entre la recherche et l'essai   597

10. La poésie et la fiction intimistes   604

11. Du pays au paysage   613

12. La postérité des avant-gardes   618

13. Les fictions de soi   624

Conclusion   627

Chronologie   631

Autorisations de reproduction   650

Bibliographie   652

Index   663

REMERCIEMENTS

Ce livre n'aurait pas vu le jour sans François Ricard, qui, en plus d'avoir été l'instigateur du projet, nous a accompagnés tout au long de sa réalisation, prodiguant avec clairvoyance conseils et remarques. Nous l'en remercions.

Nous avons bénéficié de l'appui financier du Conseil de recherches en sciences humaines du Canada et du programme de Chaires de recherche du Canada. Leurs subventions ont permis d'engager des auxiliaires de recherche dont la participation a été importante à chacune des étapes de notre travail. Nous tenons à remercier, pour leur précieuse contribution, Karine Bernard, Jean-François Bourgeault, Alain Charpentier, Laëtitia Desanti, Déborah Deslierres, Marianne Devlin-Campeau, Andrée-Anne Giguère, Claire Jaubert, Marie-Christine Lalande, Vincent Charles Lambert, Jean-Pierre Leroux, Gwénaëlle Lucas, Julie Martin-Guay, Christine Poirier, Frédéric Rondeau, Marie-Pierre Sirois et Karine Tardif.

Enfin, nous exprimons notre gratitude à nos collègues Monique LaRue, Laurent Mailhot, Gilles Marcotte, Robert Melançon et Lucie Robert, qui ont lu attentivement et annoté notre manuscrit.

INTRODUCTION

Ce livre constitue à la fois une mise en situation et une relecture des textes littéraires québécois, des origines à nos jours. De très nombreux travaux de recherche ont renouvelé depuis une trentaine d'années l'étude de la littérature québécoise, mais l'ensemble du corpus n'a pas été relu à la lumière de ces travaux ni, d'ailleurs, en fonction du développement récent de la littérature elle-même. Nous avons essayé de combler cette lacune en nous basant sur trois grands principes : faire prédominer les textes sur les institutions; proposer des lectures critiques; marquer les changements entre les conjonctures qui distinguent chacune des périodes.

UNE HISTOIRE DES TEXTES LITTÉRAIRES

Les deux plus récents travaux d'ensemble sur l'histoire de la littérature québécoise sont *La Vie littéraire au Québec*, série en cours dirigée par Maurice Lemire et Denis Saint-Jacques (cinq tomes parus, couvrant la période de 1764 à 1918), et l'essai de Laurent Mailhot intitulé *La Littérature québécoise depuis ses origines* (1997), version revue et augmentée d'un livre paru d'abord dans la collection « Que sais-je ? » en 1974. *La Vie littéraire au Québec*, selon les termes de ses directeurs, « n'est pas principalement organisée autour des œuvres ou des auteurs ». Comme son titre l'indique, elle porte sur « la vie littéraire » de sorte que l'accent est mis sur l'étude des conditions matérielles (maisons d'édition, librairies, bibliothèques, etc.), sur la formation des écrivains, sur les groupes et sur les enjeux idéologiques propres à chacune des périodes. Le livre de Laurent Mailhot, pour sa part, beaucoup plus condensé, représente une introduction qui pose les balises historiques tout en faisant le bilan des travaux réalisés sur la littérature québécoise. Les pistes y sont nombreuses, mais la lecture des textes y est forcément rapide à cause du format réduit. Dans la mesure où une histoire littéraire du Québec fondée sur la lecture des textes n'a pas été proposée depuis l'ouvrage collectif dirigé par Pierre de Grandpré à la fin des années 1960 sous le titre *Histoire de la littérature française du Québec*, il nous a semblé que le temps était venu d'entreprendre une nouvelle lecture historique des textes littéraires québécois.

Qu'entend-on par « textes littéraires »? Un récit de voyage, comme on en trouve des dizaines dans le corpus de la Nouvelle-France, est-il littéraire au même titre que le sera la poésie d'Émile Nelligan? La question ne concerne pas seulement les textes rédigés sous le Régime français. Elle se pose tout autant pour des textes du XIXe siècle, comme l'*Histoire du Canada depuis sa découverte jusqu'à nos jours* de François-Xavier Garneau, et même pour des textes parus à l'époque de Nelligan, comme les articles d'Olivar Asselin ou de Jules Fournier. En réalité, tous ces textes font partie depuis longtemps de la littérature québécoise, mais sont-ils pour autant littéraires de la même façon? Cette question, qui reviendra tout au long de cet ouvrage, met en cause les frontières qui séparent le littéraire et le non-littéraire au Québec. Pour beaucoup de commentateurs, y compris nous-mêmes, le meilleur de la littérature québécoise se trouve à certaines époques du côté de genres non canoniques, comme la chronique ou la correspondance, et non du côté du roman ou de la poésie. Le mot « littéraire » a donc une acception particulièrement large au Québec. Pendant longtemps, des textes qui ailleurs appartiendraient aux marges de l'histoire littéraire en forment ici l'armature.

En cela, il apparaît assez évident qu'on n'écrit pas l'histoire littéraire du Québec comme on écrit l'histoire littéraire de la France, de la Russie ou de l'Angleterre. Dans ces traditions influentes, structurées autour d'œuvres universellement reconnues, l'histoire littéraire semble aller de soi. La littérature jouit d'un rayonnement tel qu'elle se constitue comme un monde autonome, ayant sa propre histoire. Il n'en va pas ainsi dans ce que Franz Kafka appelle, dans son journal, les « petites littératures », comme la littérature yiddish ou la littérature tchèque, où la question nationale devient déterminante. Parmi les petites littératures francophones, la littérature québécoise paraît illustrer ce phénomène de manière exemplaire. Dès le XIXᵉ siècle, cette littérature s'est définie comme un projet « national ». Le mot est repris au début du XXᵉ siècle par Camille Roy, auteur d'un *Manuel d'histoire de la littérature canadienne-française* qui fait autorité jusque vers 1950. Plus tard, au cours de la Révolution tranquille, la question nationale se fait plus urgente que jamais, la littérature devenant l'expression d'un Québec en effervescence. C'est dire que, d'une époque à l'autre, l'histoire littéraire du Québec s'accompagne inévitablement de la référence nationale, peu importe si on parle de littérature *canadienne*, de littérature *canadienne-française* ou, comme ce sera le cas à partir du milieu des années 1960, de littérature *québécoise*. (Notons que, si elle est relativement récente, l'expression « littérature québécoise » ne désigne pas seulement la littérature contemporaine, mais s'emploie rétroactivement pour parler de l'ensemble de la littérature du Québec depuis les premiers écrits de la Nouvelle-France.)

Faire l'histoire de la littérature québécoise, est-ce pour autant faire l'histoire de la nation? Nous croyons que les liens entre le milieu et les œuvres doivent être considérés, mais que les textes imposent aussi leurs propres perspectives. Il ne s'agit pas de choisir entre deux conceptions antagonistes, l'une qui relèverait de l'histoire proprement dite, inscrivant la littérature dans un ensemble de faits sociaux et culturels, et l'autre qui ressortirait plus spécifiquement à la littérature et à la critique, s'attachant à décrire l'évolution de la littérature comme si cette dernière s'engendrait elle-même. Pour nous, ces deux conceptions ont chacune le défaut de s'ériger en système et de se justifier l'une par opposition à l'autre. Plusieurs travaux récents ont permis de surmonter une telle opposition entre l'approche externe et l'approche interne de la littérature. Les ambitions individuelles, les choix esthétiques et les inventions formelles s'éclairent si on les articule à ce qui se passe dans l'ensemble du champ littéraire de même que dans les autres sphères d'activité (culturelle, sociale, politique, religieuse, économique). D'où l'alternance, dans le plan de notre ouvrage, des chapitres portant sur la singularité des œuvres avec des chapitres s'attachant davantage au contexte et au continuum historiques. À partir d'un point de vue contemporain sur l'histoire, nous avons visé à dégager la cohérence et l'originalité des œuvres littéraires. Nous avons aussi cherché le plus souvent possible à mettre le lecteur en présence des textes eux-mêmes afin qu'il soit en mesure de saisir et de sentir la spécificité des écritures. En outre, nous avons tenté d'établir des rapprochements entre les œuvres et de les situer dans un contexte littéraire élargi, en regard d'autres littératures.

LA SÉLECTION DES ŒUVRES

L'inventaire du corpus québécois est aujourd'hui très avancé, grâce à de nombreux outils de recherche, comme le *Dictionnaire des œuvres littéraires du Québec*. Il s'est agi pour nous d'essayer d'en déchiffrer le sens et le contenu, de distinguer les œuvres majeures et d'en montrer l'intérêt à la fois par rapport au contexte d'origine et par rapport au monde actuel. Nous avons cherché à mettre en valeur les œuvres les plus déterminantes, qui font l'objet de chapitres distincts, tout en présentant d'autres œuvres comme illustrations d'une époque ou d'un courant esthétique. Nos choix se justifient tantôt par l'impact que les textes ont eu au moment de leur parution, tantôt par le poids qu'ils acquièrent aux yeux de la postérité, tantôt par le sentiment que des œuvres méconnues méritent d'être mises en avant.

L'histoire de la littérature québécoise que nous proposons est précédée de nombreuses interprétations, parmi lesquelles il s'agissait aussi d'opérer une sélection. Il y a aujourd'hui une « tradition de lecture » au Québec, contrairement à ce que constatait Georges-André Vachon à la fin des années 1960. La littérature québécoise n'est plus un projet, comme à l'époque de la Révolution tranquille, mais un héritage de lectures qui se sont plus ou moins imposées dans la critique contemporaine. Pour bon nombre d'écrivains et de critiques québécois nés après 1960, l'initiation à la littérature s'est faite au moins en partie à travers la lecture des œuvres de Nelligan, d'Anne Hébert, de Gabrielle Roy ou de Réjean Ducharme. Ces œuvres, parmi quelques autres, occupent ainsi, dans l'imaginaire contemporain québécois, le statut de classiques au sens le plus courant du terme, à savoir que ce sont des œuvres découvertes en classe, depuis l'école secondaire jusqu'à l'université. La tradition de lecture au Québec s'étend également aux écrits de la Nouvelle-France, même si ce corpus est tout autant un rejeton de l'histoire littéraire de la France qu'une préhistoire de la littérature québécoise. Nous avons choisi de commencer cet ouvrage en remontant à Jacques Cartier pour rendre compte de la vie des textes de la Nouvelle-France dans la littérature québécoise et, plus généralement, de leur intégration à un ensemble de référence proprement québécois.

Notre sélection concerne aussi, plus largement, les genres du théâtre et de l'essai dont l'appartenance à la littérature ne va pas toujours de soi. Dans le cas du théâtre, nous laissons aux historiens du théâtre ce qui touche la vie théâtrale ainsi que la représentation, c'est-à-dire la théâtralité proprement dite, mais nous intégrons ce qui relève de la dramaturgie, à savoir les textes des pièces de théâtre. Cela dit, nous considérons l'ensemble de la création théâtrale afin d'éclairer les transformations de l'écriture dramatique, de même que nous situons brièvement ces transformations dans l'évolution générale des institutions. En ce qui a trait à l'essai, nous tenons à en restreindre la définition afin de distinguer l'essai littéraire du vaste domaine de la prose d'idées qui lui est souvent associé. Cela n'empêche pas, comme l'illustrent plusieurs chroniques et correspondances, que de nombreux textes ne revendiquant pas, au départ, une visée littéraire soient aujourd'hui ceux qu'on relit avec le plus d'intérêt d'un point de vue littéraire. Enfin, nous avons exclu de notre corpus les traditions orales ainsi que les arts dans lesquels le texte, intrinsèquement lié à l'image ou à la musique, ne jouit pas d'une véritable autonomie : c'est le cas du cinéma, de la bande dessinée et de la chanson.

S'il existe bel et bien une tradition de lecture au Québec, elle ne fournit pas toutes les réponses, puisqu'elle maintient aussi un certain nombre d'usages plus ou moins artificiels qui demandent de toute façon à ce qu'on éprouve leur résistance par la relecture. C'est le cas de la place qu'il convient d'accorder aux œuvres de langue anglaise. Dans l'historiographie littéraire du Canada, il existe, comme on le sait, deux ensembles parallèles : d'un côté, l'histoire littéraire canadienne, qui englobe en général la littérature de langue anglaise écrite par des Québécois, tout en excluant la littérature québécoise de langue française ; de l'autre côté, l'histoire littéraire québécoise, qui intègre l'ensemble de la littérature canadienne-française, tout en excluant la littérature de langue anglaise écrite par des Québécois. Il y a certes des exceptions, mais l'usage s'est installé, sans qu'on sache trop s'il se justifie pour des raisons esthétiques ou pour des raisons idéologiques. Nous croyons qu'il n'est plus possible aujourd'hui de nous retrancher derrière cet usage. Adopter un point de vue contemporain sur la littérature québécoise, c'est forcément aborder la question de ses frontières non seulement au regard de la tradition, mais aussi à partir des interrogations auxquelles fait face à présent la culture québécoise. Cette ouverture ne concerne pas seulement la période contemporaine : depuis le xixe siècle, les écrivains de langue anglaise ont joué un rôle dans l'évolution de la littérature au Québec, principalement à Montréal. Sans nier l'étanchéité, relative et variable, des deux traditions, nous avons tenté de rendre compte des œuvres de langue anglaise qui, par leur circulation grâce aux traductions et par leur retentissement critique, se sont avérées les plus significatives du point de vue des lecteurs francophones. Par ailleurs, la question des frontières se pose également dans le cas des écrivains de langue française hors Québec. En évoquant la littérature acadienne et la littérature franco-ontarienne qui défendent maintenant leur autonomie, nous avons voulu souligner les liens qui unissent les littératures issues du Canada français.

LA PÉRIODISATION

La périodisation de l'histoire de la littérature ne peut être totalement indépendante de l'histoire sociale et politique, mais nous avons cherché, ici encore, à accorder un statut central aux œuvres, en signalant les transitions proprement littéraires. Nous avons essayé de caractériser chaque période à la fois par les enjeux esthétiques qu'elle révèle et par les conditions générales dans lesquelles s'écrivent les œuvres. Au total, nous avons distingué cinq grandes périodes. La première va du début à la fin de la Nouvelle-France (1534-1763), époque à laquelle les écrits s'adressent à la métropole française et entretiennent des rapports étroits avec le développement de la colonie. La deuxième période, qui va de 1763 jusqu'à 1895, est associée au projet national, qui rallie la plupart des écrivains. À partir de 1895, qui marque le début de l'École littéraire de Montréal, la littérature fait l'objet de débats de plus en plus âpres entre les « parisianistes » ou les « exotiques » et les défenseurs du régionalisme. Le conflit entre l'ici et l'ailleurs, qui sous-tend toute cette troisième période, se comprend mieux toutefois si on le subdivise en deux sous-périodes : la première (1895-1930) s'articule autour du nouvel attrait exercé par Paris sur les écrivains et les intellectuels québécois ; la deuxième (1930-1945) se définit par une vision plus pessimiste, celle d'un monde en crise, qui culmine au moment de la Seconde Guerre mondiale. Au lendemain de ce conflit, la situation change profondément et, dans ce qui constitue une quatrième période, on voit s'élaborer un grand projet, celui d'inventer la littérature qu'on appellera « québécoise ». Ce grand projet devient le lieu de rencontre de l'ensemble des textes littéraires, de 1945 à 1980, mais de façon si variée qu'il importe d'introduire, ici encore, des subdivisions : de 1945 à 1960, la littérature revendique son autonomie, d'abord face à la France, et puis en tant qu'activité esthétique ayant sa légitimité en elle-même et voulant se donner les moyens matériels (édition, enseignement, etc.) de se développer ; de 1960 à 1970, la littérature québécoise s'expose sur la place publique et se situe par rapport aux autres littératures nationales; de 1970 à 1980, on assiste à une série de ruptures (esthétiques et idéologiques) incarnées notamment par les avant-gardes. À partir de 1980, sans qu'il y ait de rupture à proprement parler, une cinquième période commence, caractérisée par le décentrement de la littérature et marquée à la fois par un pluralisme exacerbé et par l'expansion phénoménale de la production littéraire.

Par cette périodisation, nous avons voulu dégager certains nœuds historiques propres à la littérature québécoise. Mais nous avons aussi cherché à clarifier les grands changements qui touchent cette littérature. Comparativement à la littérature française, dont l'histoire est ponctuée, à partir du XIXᵉ siècle, par la succession d'écoles et de mouvements qui s'opposent les uns aux autres, les ruptures esthétiques que connaît l'histoire de la littérature québécoise sont moins spectaculaires, moins radicales. Elles sont d'ailleurs souvent atténuées par ceux-là mêmes qui les provoquent. Toutefois, les cinq périodes que nous distinguons n'en témoignent pas moins de changements profonds dans l'évolution littéraire. D'une période à l'autre, il s'agit moins d'une suite de ruptures que de ce que Saint-Denys Garneau nomme le « commencement perpétuel » : la découverte, le projet d'une littérature nationale, l'avènement conflictuel de la modernité, puis de la littérature québécoise. Cette série de commencements est suivie de la marginalisation actuelle de la littérature, où domine plutôt le sentiment d'une fin; or, comme on le verra, ce sentiment a lui aussi une longue histoire, inséparable de l'incessante volonté de recommencement.

Chacune de ces parties, relativement autonome, n'a pas la même ampleur. Nous avons voulu éviter une uniformisation artificielle et faire ressortir un intérêt littéraire inégalement réparti. Les proportions sont pour nous aussi significatives que la structure; c'est pourquoi, à partir des années 1930, l'espace que nous accordons aux œuvres va croissant. Toutefois, pour l'époque actuelle, nous sommes restés plus mesurés, estimant qu'il faudra un certain temps avant de pouvoir l'évaluer avec la distance critique requise. Mais, pour chaque partie, l'objectif reste le même : situer les œuvres et les auteurs dans la période, c'est-à-dire assurer une lecture cohérente de l'ensemble, tout en observant les transformations, les contradictions, voire les diverses formes de résistance que certaines œuvres et certains auteurs opposent au mouvement général. Toute histoire de la littérature, en effet, et plus encore une histoire qui se veut d'abord attentive aux textes mêmes, se compose également de ce qui résiste aux classifications et aux interprétations qu'elle propose.

PREMIÈRE PARTIE

Les écrits de la Nouvelle-France

1534–1763

LES ÉCRITS DE LA NOUVELLE-FRANCE FORMENT UN CORPUS d'environ cinquante textes rédigés au cours de la période qui va de la découverte du Canada par Jacques Cartier en 1534 jusqu'au traité de Paris, par lequel la France cède le Canada à l'Angleterre en 1763. Ces textes appartiennent principalement aux genres suivants : la relation ou le récit de voyage, le journal, la correspondance (publique ou familière), l'histoire, la chronique, les mémoires et les annales. Longtemps lus comme de simples documents historiques, ces écrits sont aujourd'hui considérés comme faisant partie de la littérature au même titre que des œuvres de fiction. Sans doute ne peut-on pas oublier les fonctions immédiates, d'ordre économique, religieux ou politique, que ces textes ont eues à l'origine, en conformité avec la mission de la colonie. Mais tous, peu importe leur genre, comportent une part de récit ou de description et mêlent le réel et l'imaginaire. L'art de voyager (plus de la moitié des auteurs de la Nouvelle-France sont des voyageurs ou des explorateurs) est intimement lié à l'écriture. Ceux qui, à l'instar des jésuites et des autres missionnaires, s'attachent plutôt à décrire l'installation de la colonie ou les mœurs des Amérindiens sont, eux aussi, attentifs aux symboles autant qu'aux réalités de ce Nouveau Monde. Dans tous les cas, l'appropriation du territoire engendre son propre récit, comme si la littérature de la Nouvelle-France cherchait à frapper l'imagination et à donner un sens historique à des expériences singulières, toutes placées sous le signe de la découverte. Dès la seconde moitié du XIXᵉ siècle, ces textes seront réédités, relus et intégrés à l'histoire puis à la littérature nationales.

Cela dit, les écrits de la Nouvelle-France ne correspondent guère à l'idée moderne de littérature. Les visées proprement esthétiques y sont le plus souvent marginales, subordonnées à l'impérieuse nécessité que suscitent la découverte du territoire, la rencontre des Amérindiens et les aléas de l'établissement. Les historiens littéraires Camille Roy et Gérard Tougas ont tour à tour écarté ce qui s'était écrit avant 1760 sous le double motif que les auteurs de la Nouvelle-France s'adressaient à des lecteurs de la mère patrie et qu'ils pratiquaient des genres non littéraires. Mais cette position n'est plus défendue à partir de la Révolution tranquille. Les histoires littéraires de Pierre de Grandpré et de Laurent Mailhot intègrent le corpus de la Nouvelle-France. De nombreux chercheurs littéraires, après les historiens, consacrent alors d'importants travaux à cette période et présentent ces textes comme étant à la fois littéraires et québécois.

Quatre arguments principaux justifient l'intégration du corpus de la Nouvelle-France à l'histoire littéraire du Québec. Le premier argument est d'ordre thématique : tous ces textes abordent des thèmes propres à la Nouvelle-France, que ce soient les particularités du territoire, les progrès et les difficultés de la colonie, le choc des civilisations européennes et amérindiennes ou d'autres aspects de la vie en Nouvelle-France. Ces textes s'adressent à un lecteur de la France, mais ils parlent des réalités du Nouveau Monde. Le deuxième argument, d'ordre éditorial, est aisément mesurable : la plupart de ces écrits ont été réédités au Québec et ont donné lieu à des éditions parues dans des collections littéraires. Rares sont ceux qui mettent aujourd'hui en doute la valeur littéraire de ces écrits. D'où un troisième argument, d'ordre esthétique cette fois : même si l'on parle d'écrits en tous genres plutôt que d'œuvres au sens littéraire, les textes de la Nouvelle-France n'en ont pas moins des qualités narratives ou poétiques comparables à celles que l'on trouve dans des textes appartenant à des genres littéraires canoniques comme le roman ou la poésie. Les métaphores rencontrées dans les relations de voyage de Jacques Cartier, le sens du récit manifesté par le père Paul Le Jeune, la spiritualité de Marie de l'Incarnation ou la dimension philosophique des textes du baron de Lahontan relèvent tous, à quelque degré, de la tradition littéraire. Un dernier argument touche à la mémoire des textes de la Nouvelle-France à l'intérieur de la littérature québécoise. Les écrivains du XIXe et du XXe siècle construiront une tradition de lecture qui inclura et privilégiera même les écrits de la Nouvelle-France. On pense non seulement à des auteurs de romans historiques comme Joseph Marmette ou Laure Conan, ou encore à des écrivains-historiens comme Jacques Ferron, mais aussi à des poètes comme Pierre Perrault ou à des romanciers comme Jacques Poulin.

Au départ, les raisons d'aller vers le Nouveau Monde sont connues : trouver de nouvelles routes maritimes dans l'espoir de découvrir un passage vers l'Orient, exploiter de nouvelles richesses naturelles et élargir l'espace habitable afin de créer un empire colonial en Amérique comme avaient commencé à le faire les Portugais et les Espagnols. Écrire en Nouvelle-France, c'est participer directement à cet effort de colonisation : les explorateurs comme Jacques Cartier ou Samuel de Champlain puis des missionnaires religieux mettent leur plume au service de cette entreprise. La force de séduction de ces textes tient peut-être à leur précarité même : on y sent tout à la fois les attentes extrêmement élevées des premiers voyageurs face à ce monde dit nouveau et l'expression d'une expérience personnelle souvent dramatique, qui ne peut prendre appui sur la durée ou la tradition. Qu'il s'agisse d'observer un continent aux dimensions extraordinaires, de se dévouer à la cause de la colonie en suscitant l'intérêt du pouvoir politique et la charité des donateurs ou, sur un plan plus personnel, de compenser l'éloignement du pays et des proches, on peut imaginer à quel point l'écriture, dont les conditions matérielles pénibles sont fréquemment évoquées (qu'on pense à l'encre gelée dont parle le père Le Jeune ou au départ des vaisseaux qui impose son rythme à la correspondance de Marie de l'Incarnation), rattache les auteurs à ce qu'ils ont quitté. La tentation de l'héroïsme est là, mais il y a peu de victoires à célébrer. Bien au contraire, la difficile cohabitation avec les Amérindiens, toujours désignés comme des « Sauvages », les rigueurs des hivers et les lents progrès de la colonisation, tout cela trouve des résonances multiples dans les écrits et dans les complaintes des colons.

Les Amérindiens sont très souvent valorisés (à l'exception des Iroquois, en guerre contre les Hurons, alliés des Français). Cependant, leur parole est absente, même si certains auteurs, comme Joseph-François Lafitau, s'intéressent à leurs coutumes. Plusieurs auteurs de la Nouvelle-France se servent de la comparaison avec les Amérindiens pour critiquer leur propre culture, mais peu se mettent à l'écoute de traditions différentes. Plus tard, les écrivains québécois seront nombreux à puiser dans l'histoire et les légendes amérindiennes, de l'historien François-Xavier Garneau aux poètes Gilles Hénault ou Paul-Marie Lapointe et aux romanciers Yves Thériault, Robert Lalonde ou Suzanne Jacob. Mais, comme les traditions orales amérindiennes n'ont guère été transposées avant tout récemment sous forme écrite (par exemple par Pierre DesRuisseaux dans *Hymnes à la grande terre : rythmes, chants et poèmes des Indiens d'Amérique du Nord-Est*, 1997), elles demeurent en marge de l'histoire littéraire et ont surtout été étudiées par des anthropologues.

Pour qui écrit-on sous l'Ancien Régime ? La question du lecteur éclaire l'ensemble des écrits de cette période. Ces textes sont presque toujours destinés à quelqu'un en particulier, ou à quelques-uns. Même s'ils appartiennent à des genres variés, ces écrits fonctionnent plus ou moins sur le modèle de la lettre. Deux des auteurs les plus importants de cette période, Marie de l'Incarnation et Élisabeth Bégon, ont entretenu une correspondance que l'on peut relire aujourd'hui. Observons aussi que la lettre, loin d'être un genre réservé aux femmes, constitue une voie privilégiée de l'expérience d'écriture dans l'ensemble du Nouveau Monde. Qu'il s'agisse de relations, de rapports ou de mémoires, on a, par définition, affaire à un type ou à un autre de correspondance. Même les textes à caractère historique, comme *Histoire du Montréal, 1640-1672* de François Dollier de Casson rédigée à la manière d'une longue lettre, ou la monumentale *Histoire et Description générale de la Nouvelle-France* de François-Xavier Charlevoix qui adopte partiellement la forme de lettres, s'adressent à des individus bien précis et construisent leur propos en fonction de ces destinataires connus. Bien qu'ils soient les plus éloignés dans le temps, les écrits de la Nouvelle-France ont ainsi un air familier et personnel qui les rend plus proches de nous que bien des textes ultérieurs. D'une certaine façon, l'étrangeté dont témoignent les auteurs de la Nouvelle-France, écrivant loin de la mère patrie, est aussi la nôtre. Les écrivains québécois ne cesseront en tout cas de s'y référer comme à une sorte d'origine lointaine de leur propre écriture. Cette origine ne leur est jamais donnée : il leur faut, au contraire, aller vers elle, se l'approprier, la redécouvrir en somme. La littérature de la Nouvelle-France ne se présente pas sous la forme d'un héritage, mais d'un travail de relecture.

1

Les premiers textes : Cartier, Champlain, Lescarbot

Du seul fait que ce sont les premiers écrits français en Amérique, les trois récits de voyage de Jacques Cartier (1491-1557) ont un statut fondateur dans la littérature québécoise. La paternité de ces textes reste toutefois controversée aujourd'hui encore, à la fois parce qu'on sait peu de choses de Cartier lui-même et parce que les manuscrits originaux des trois relations ont été perdus. La première relation, de 1534, a été traduite et publiée en italien (1565) et en anglais (1580) avant de paraître en français en 1598. La deuxième relation (1535) a été publiée de façon anonyme en français en 1545 sous le titre *Brief Récit & succincte narration de la navigation faicte es ysles de Canada, Hachelaga & Saguenay & autres, avec particulieres meurs, langaige & cerimonies des habitans d'icelles : fort délectable à veoir,* mais elle ne sera connue qu'à travers des copies dont l'authenticité fait problème. Quant à la troisième et dernière relation (1540-1541), nous n'en possédons qu'une traduction anglaise parue en 1600. Si les spécialistes ne s'entendent pas sur l'authenticité de ces textes, qui pourraient avoir été écrits à partir du livre de bord de Cartier plutôt que par ce dernier, cela n'enlève rien à l'intérêt historique et littéraire de tels récits de voyage, animés par le sentiment de découvrir un monde jamais décrit auparavant.

Texte oublié puis découvert par un xixᵉ siècle à la recherche du passé national, les *Relations* de Cartier appartiennent d'abord à la Renaissance et font partie d'un vaste corpus transnational. Dans la course que se livrent alors les Espagnols, les Portugais et les Français pour la découverte du Nouveau Monde, les observations de Cartier constituent un document précieux qui sera maintes fois repris par les explorateurs venus après lui. En France, les écrivains de la Renaissance n'accordent cependant au Nouveau Monde qu'une place restreinte si on la compare avec celle qu'occupe l'Orient. L'Amérique se ramène à des histoires et à des mythes comme celui du « bon sauvage » que Montaigne, à l'instar de nombreux penseurs humanistes, développera dans ses essais. Durant tout le xviᵉ siècle, les efforts de colonisation sont restés vains. Les trois expéditions de Cartier, comme celle de Nicolas Durand de Villegagnon dans la baie de Rio (1555-1558) ou celle de Jean Ribault et René de Laudonnière en Floride (1562-1565), n'ont pas permis de fonder des colonies françaises en Amérique. Malgré une brève apparition dans *Le Cinquiesme Livre* de Rabelais, Cartier ne se distingue guère des autres auteurs de récits de voyage. Il n'entre véritablement dans l'histoire littéraire que rétroactivement, par le biais de la littérature québécoise plutôt que par celui de la littérature française, grâce à des historiens et à des écrivains comme Louis Fréchette, Lionel Groulx ou Félix-Antoine Savard, qui, tour à tour, l'intègrent à une sorte d'épopée nationale. D'autres, comme Marius Barbeau et Pierre Perrault, cherchent en lui moins un héros qu'un témoin essentiel et le lisent de plus près. Ils se reconnaissent dans le style dépouillé que Cartier utilise pour nommer et inventorier le territoire, la faune et la flore. Écrits dans une langue on ne peut moins recherchée, ses textes acquièrent ainsi une valeur poétique par leur simplicité même. L'absence d'intention littéraire, le caractère improvisé et souvent naïf des observations, la rédaction au jour le jour, tout cela traduit une certaine façon de parler et d'être qui allie l'intensité du geste fondateur et l'authenticité de l'écriture. Loin de reléguer ces écrits au rang de documents historiques, plusieurs écrivains québécois s'en servent pour créer une tradition où la quête de l'origine et l'appropriation du territoire deviennent centrales. Cartier n'est plus alors un simple explorateur qui découvre le Nouveau Monde, mais le grand ancêtre.

Durant la première exploration des côtes du continent en 1534, Cartier passe devant le Labrador, qu'il compare à un désert où ne se trouvent que de la mousse et une terre infertile, « la terre que Dieu donna à Cayn ». Au sud du golfe du Saint-Laurent, le désert devient au contraire une sorte de jardin d'Éden. Ce mouvement de l'émotion, qui passe de la déception initiale à l'émerveillement, se perçoit aisément lorsqu'on juxtapose les deux passages suivants :

Si la terre estoit aussi bonne qu'il y a bons hables[1] se seroit ung bien mais elle ne se doibt nommer Terre Neuffve mais pierres et rochiers [effarables] et mal rabottez car en toute ladite coste du nort je n'y vy une charetée de terre et si[2] descendy en plussoures lieux. Fors à Blanc Sablon il n'y a que de la mousse et de petiz bouays avortez. Fin j'estime mieulx que aultrement que c'est la terre que Dieu donna à Cayn. Il y a des gens à ladite terre qui sont assez de belle corpulance mais ilz sont gens effarables et sauvaiges. Ilz ont leurs cheveulx liez sur leurs testes en faczon d'une pongnye de fain teurczé[3] et ung clou passé par my ou aultre chosse et y lient aulcunes plumes de ouaiseaulx.

À celuy cap [cap Sauvage, soit North Point à l'île du Prince-Édouard] nous vint ung homme qui couroit apres nos barcques le long de la coste qui nous fessoict pluseurs signes que nous retournissions vers ledit cap. Et nous voyans telz signes commenczames à nages vers luy et luy voyans que retournyons commencza à fuir et à s'en couriz davant nous. Nous dessandimes à terre davant luy et luy mysmes ung cousteau et une saincture de laine sur une verge et puix nous en allames à nos navires. Celuy jour rangeames ladite terre neuff ou dix lieues pour cuydez[4] trouvez hable ce que ne peumes car comme j'ay cy

1 Havre ou port. Cette traduction, comme les suivantes, est tirée de l'édition de la « Bibliothèque du Nouveau Monde » (Les Presses de l'Université de Montréal, 1986), réalisée par Michel Bideaux.
2 Pourtant.
3 Comme une poignée de foin en torsade.
4 Penser.

davant dit c'est terre basse et sonme[5]. Nous y dessandimes celuy jour en quatre lielx pour voir les arbres queulx sont merveilleusement beaulx et de grande odeur. Et trouvames que c'estoint cedres iffz pins ormes blancs frainnes sauldres et aultres pluseurs à nous incongneuz touz arbres sans fruictz. Les terres où il n'y a bouays sont fort belles et toutez plaines de poys grouaiseliers blans et rouges frasses franboysses et blé sauvaige comme seille quel il semble y abvoir esté semé et labouré. C'est terre de la meilleure temperance qui soict possible de voir et de grande chaleur et y a plusieurs teurtres et ramyers[6] et aultres ouaiseaulx. Il n'y a faulte que de hables.

L'année suivante, Cartier revient au Canada, bien décidé à remonter le fleuve Saint-Laurent, qu'il appelle encore « le grand fleuve de Hochelaga ». Il y fera un dernier séjour en 1540-1541. C'est la deuxième relation (*Brief Récit*) qui est la plus riche des trois. Parvenu à Québec, il y décrit avec amusement la scène au cours de laquelle quelques Hurons se déguisent en diables afin de le dissuader d'aller plus loin en amont. À la recherche d'un passage vers l'Orient, il fouille systématiquement chaque baie, chaque rivière dans l'espoir qu'une nouvelle route s'ouvrira devant lui. Quelques scènes frappent l'imagination, comme le moment où il gravit le mont Royal (qu'il baptise à cette occasion) et semble saisi par le vaste horizon qui s'étend de part et d'autre. Le plus souvent toutefois, Cartier se contente d'accumuler des notes de voyage. Il décrit le paysage de l'extérieur comme s'il n'y prenait pas encore part, voulant le traverser plutôt que l'habiter.

Autant Cartier s'émerveille et se laisse parfois emporter par l'émotion que suscite en lui le paysage, autant Samuel de Champlain (1580-1635) se veut un observateur rigoureux et pragmatique qui résiste à la tentation du superlatif. Il écrit aussi davantage que Cartier, dans un style à la fois plus méthodique et plus répétitif. Rédigées entre 1603 et 1629, les relations de voyage de Champlain sont beaucoup plus ambitieuses que celles de son prédécesseur, qui n'avait pas réussi à coloniser la Nouvelle-France. Les mille pages d'informations recueillies par le fondateur de Québec, lors de ses onze voyages en Nouvelle-France, ont la prétention de décrire un monde qui n'avait jamais été observé jusque-là. Dans son premier *Voyage* de 1603, Champlain ne cite Cartier qu'une fois, et c'est pour affirmer faussement que le navigateur malouin n'avait pas dépassé la rivière Sainte-Croix (aujourd'hui Saint-Charles). Nulle continuité avouée, donc, de Cartier à Champlain même si leurs observations portent en grande partie sur les mêmes réalités. Aux yeux du second explorateur, les notations les plus précieuses restent celles qui concernent la navigation; elles s'adressent d'abord à lui-même ainsi qu'aux autres navigateurs. C'est pourquoi un homme de lettres comme l'avocat Marc Lescarbot, qui s'empresse de publier en 1609 une première *Histoire de la*

5 Banc de gravier, de sable, ou de vase, situé au dehors d'un port ou de l'embouchure d'un fleuve.
6 Teurtres et ramyers désignaient un même oiseau, la tourte.

Nouvelle-France après avoir passé seulement un an en Acadie, avoue son ennui à la lecture des descriptions d'îles, de ports, de caps, de rivières et de lieux contenues dans les premiers récits de voyage de Champlain. Ce dernier, plus géographe qu'écrivain, se contente de relever avec le maximum d'exactitude les faits observables et de dessiner des cartes remarquables. Alors que Cartier insiste sur les faits qui frappent l'imagination, Champlain note scrupuleusement les menus événements des débuts de la colonie sans trop se soucier de leur donner de l'importance. On le voit bien dans la séquence suivante :

Le premier Octobre je fis semer du bled, & au 15. du seigle.

Le 3. du mois il fit quelques gelées blanches, & les fueilles des arbres commencerent à tomber au 15.

Le 24. du mois, je fis planter des vignes du pays, qui vindrent fort belles. Mais après que je fus party de l'habitation pour venir en France, on les gasta toutes, sans en avoir eu soin, ce qui m'affligea beaucoup à mon retour.

Le 18. de Novembre tomba quantité de neges, mais elles ne durerent que deux jours sur la terre.

Le 5. Février il negea fort.

Cette énumération strictement chronologique est suivie toutefois d'un paragraphe beaucoup plus élaboré évoquant cette fois la rencontre des Amérindiens. Champlain ne se contente plus alors de consigner les faits, mais construit un récit circonstancié de la scène :

Le 20. du mois il apparut à nous quelques Sauvages qui estoient de dela [au-delà] de la rivière, qui crioient que nous nous les allassions secourir, mais il estoit hors de nostre puissance, à cause de la rivière qui charrioit un grand nombre de glaces car la faim pressoit si fort ces pauvres miserables, que ne sçachans que faire, ils se resolurent de mourir, hommes, femmes, & enfans, ou de passer la rivière, pour l'esperance qu'ils avoient que je les assisterois en leur extréme necessité. Ayant donc prins ceste resolution, les hommes & les femmes prindrent leurs enfans, & se mirent en leurs canaux, pensans gaigner nostre coste par une ouverture de glaces que le vent avoit faite : mais ils ne furent si tost au milieu de la rivière, que leurs canaux furent prins & brisez entre les glaces en mille pieces. Ils firent si bien qu'ils se jetterent avec leurs enfanss, que les femmes portoient sur leur dos, dessus un grand glaçon. Comme ils estoient là-dessus, on les entendoit crier, tant que c'estoit grand pitié, n'esperans pas moins que de mourir : Mais l'heur en voulut tant à ces pauvres miserables, qu'une grande glace vint choquer par le costé de celle où ils estoient, si rudement, qu'elle les jetta à terre. Eux voyans ce coup si favorable, furent à terre avec autant de joye que jamais ils en receurent, quelque grande famine qu'ils eussent eu. Ils s'en vindrent à nostre habitation si maigres & deffaits, qu'ils sembloient des anathomies, la plus-part ne se pouvans soustenir.

Carte géographique de la Nouvelle Franse faictte par le sieur de Champlain, 1612
(reproduite pour la première fois en 1613 dans *Les Voyages du Sieur de Champlain*).
Bibliothèque et Archives nationales du Québec.

Les relations détaillées de Champlain font entrer le lecteur plus avant dans la réalité du pays. Les portraits sont plus riches que ceux de Cartier, et les lieux sont évoqués avec davantage de précision. Sans doute le narrateur s'arrête-t-il surtout à l'utilité des individus et des choses en vue de l'exploration et de la colonisation. Le paysage n'est jamais peint en lui-même, mais au regard des usages qu'il permet. L'Amérindien n'est pas évoqué dans sa réalité propre, mais évalué selon sa plus ou moins grande crédibilité. Reste que Champlain a le mérite de tout noter à une époque où la colonie prend véritablement son essor.

Les raisons de lire aujourd'hui Marc Lescarbot (1570-1642) sont tout autres. Venu en Nouvelle-France en compagnie de Champlain, en 1606, ce curieux érudit a joui d'une renommée littéraire considérable en son temps, si l'on en juge par le succès de son *Histoire de la Nouvelle-France*, deux fois rééditée et augmentée en 1611-1612 et en 1617-1618. Longue de 888 pages, cette histoire contient un plaidoyer non équivoque en faveur du projet de colonisation de la Nouvelle-France. Elle comprend aussi treize œuvres poétiques, dont un jeu théâtral, inti-

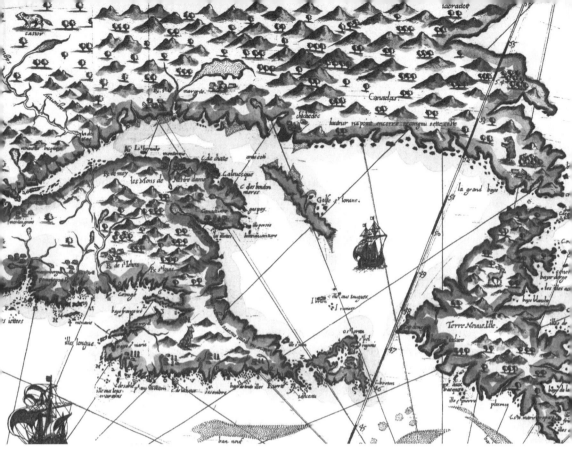

tulé *Le Théâtre de Neptune* et présenté à Port-Royal (plus tard Halifax) en l'honneur du gouverneur Poutrincourt, ce qui en fait la plus ancienne création théâtrale en Nouvelle-France. Cette qualité est toutefois son mérite principal, la pièce de Lescarbot étant avant tout une pièce de circonstance, une « gaillardise en rimes ». Les représentations théâtrales ne sont pas exceptionnelles en Nouvelle-France et en Acadie, mais, sauf celle de Lescarbot, ce sont toujours des pièces écrites en France. *Le Cid* de Corneille, par exemple, est présenté à Québec en 1646, soit seulement dix ans après sa création à Paris. À partir de 1694 toutefois, la vie théâtrale est pratiquement réduite à néant après que l'évêque de Québec, Mgr de Saint-Vallier, fait interdire la représentation de *Tartuffe* de Molière. Le gouverneur Frontenac, lui-même favorable à la présentation de la pièce, se plie finalement au mandement épiscopal, moyennant cent pistoles. Il faudra attendre la fin du XVIIIe siècle pour voir le théâtre renaître au Québec.

Soucieux de plaire, Lescarbot ne s'intéresse pas, comme Cartier ou Champlain, aux faits de navigation : ce sont les faits de société qu'il veut décrire, comme le montre son goût pour les festins organisés conformément à l'esprit de l'Ordre de Bon Temps, créé par Champlain pour pallier les rigueurs de l'hiver en 1606-1607. Comparant la table du sieur de Poutrincourt avec les tables de Paris, Lescarbot s'amuse à évoquer dans le moindre détail l'abondance de la chère à Port-Royal :

Mais je diray que pour nous tenir joieusement et nettement quant aux vivres, fut établi un Ordre en la Table dudit sieur de Poutrincourt, qui fut nommé L'ORDRE DE BON-TEMPS, mis premierement en avant par le sieur Champlain, auquel ceux d'icelle table estoient Maitres-d'hotel chacun à son jour, qui estoit en quinze jours une fois. Or avoit-il le soin de faire que nous fussions bien et honorablement traittés. Ce qui fut si bien observé, que (quoy que les gourmens de deçà nous disent souvent que nous n'avions point là la ruë aux Ours de Paris) nous y avons fait ordinairement aussi bonne chere que nous sçaurions faire en cette ruë aux Ours et à moins de frais. Car il n'y avoit celui qui deux jours devant que son tour vinst ne fut soigneux d'aller à la chasse, ou à la pécherie, et n'apportast quelque chose de rare, outre ce qui estoit de nôtre ordinaire. Si bien que jamais au déjeuner nous n'avons manqué de saupiquets de chair ou de poissons, et au repas de midi et du soir encor moins : car c'estoit le grand festin, là où l'Architriclin, ou Maître-d'hotel (que les Sauvages appellent *Atoctegic*), ayant fait preparer toutes choses au cuisinier, marchoit la serviette sur l'épaule, le baton d'office en main, et le colier de l'Ordre au col, qui valoit plus de quatre escus, et tous ceux d'icelui Ordre apres lui, portans chacun son plat.

Un tel pantagruélisme ne relève pas de la simple fiction, puisque le rituel de l'Ordre de Bon Temps a réellement existé. Mais l'évocation de cet Ordre sert surtout à dépasser l'image austère d'une contrée barbare où l'Européen peut à peine survivre à un hiver. La bonne entente décrite par Lescarbot entre les Européens et les Amérindiens est loin de la vérité historique. Mêlant sans vergogne toutes les formes savantes du récit, que ce soit l'histoire, la mythologie, l'épopée ou l'allégorie, l'*Histoire de la Nouvelle-France* est moins un témoignage qu'une fiction baroque. Porté par son extravagance et par sa curiosité, l'auteur écrit dans un style mondain, souvent verbeux, trop peu personnel pour faire entendre sa propre voix. Les libertés qu'il se donne par rapport au genre historique sont au service d'une utopie qui attend encore sa forme.

2
Les *Relations des jésuites* et l'utopie religieuse

De tous les écrits de la Nouvelle-France, les *Relations des jésuites* composent l'ensemble le plus massif et le plus important. Fondée par Ignace de Loyola en 1534, la Compagnie de Jésus s'impose rapidement dans la hiérarchie de l'Église catholique comme l'un des ordres les plus influents. Les jésuites misent sur l'enseignement afin d'assurer le succès de leur apostolat, mais ils se distinguent surtout des autres ordres par leurs visées politiques. En Nouvelle-France, ils jouent un rôle capital. De 1632 à 1672, les missionnaires jésuites y exercent un monopole religieux et participent également de près à la vie politique et sociale. Les pères récollets et capucins, déjà présents en Nouvelle-France et en Acadie, se retrouvent alors en position subalterne. Par la suite, même après la fin du monopole missionnaire jésuite et l'arrivée des sulpiciens, l'influence des jésuites continuera d'être prépondérante dans la société canadienne-française.

Habitués aux subtilités de l'écriture, les jésuites écrivent des textes d'une qualité littéraire et d'une richesse documentaire exceptionnelles. Rédigés principalement de 1632 à 1672 par une dizaine d'auteurs, ces textes renferment des témoignages fondamentaux tant sur le plan littéraire que sur les plans historique, géographique et ethnographique. Les *Relations* sont publiées à Paris l'année qui suit leur rédaction, signées et présentées comme des lettres adressées au révérend supérieur. Elles ne seront rééditées ensemble qu'au milieu du XIXe siècle. Elles seront vite traduites en anglais par Reuben Gold Thwaites, qui leur ajoutera une série de documents postérieurs au cycle initial dans une édition monumentale en soixante-treize volumes. On voit l'ampleur de ce corpus, qui constitue une des sources majeures des historiens du XIXe siècle comme François-Xavier Garneau et l'Américain Francis Parkman.

Même limité au cycle des textes écrits dans le cadre annuel des *Relations* inaugurées par Paul Le Jeune en 1632, l'ensemble compte plus de deux mille cinq cents pages. On y associe généralement les relations de Pierre Biard en Acadie (1611) ainsi que la lettre de Charles Lalemant (1626). Destinées à convaincre la cour et le clergé français des progrès de la mission des jésuites en Nouvelle-France, ces relations sont écrites à une époque où la littérature jésuite culmine en Europe. Durant quatre décennies, les jésuites sont les seuls à publier une chronique régulière sur la vie en Nouvelle-France. Ces textes jouent un rôle majeur dans le maintien et le développement de leur mission. Tout y est consigné, avec un luxe de détails qui peut sembler excessif aujourd'hui, mais qui fait l'intérêt même de ce travail d'observation. Chaque auteur livre ainsi sa vision des choses, sans trop se soucier le plus souvent de donner une forme structurée à ces notations.

Malgré leur aspect hétérogène, ces textes forment un tout relativement cohérent, soutenu par une sorte de grand récit opposant la vision évangélisatrice des jésuites aux croyances ou aux superstitions des Amérindiens. Cette rencontre de deux civilisations est la grande affaire pour chacun des auteurs, de même que pour une bonne partie de la littérature de la Nouvelle-France. Elle donne lieu à l'héroïsation de quelques jésuites comme Gabriel Lalemant ou Jean de Brébeuf, transformés en véritables martyrs. Plus que tout autre texte de la Nouvelle-France, les *Relations des jésuites* laissent à la postérité des figures mémorables, symboles tragiques de l'utopie religieuse. Née pour faire contrepoids à la réforme protestante et pour étendre la foi catholique aux pays païens (en Asie et en Amérique), la littérature jésuite se veut persuasive et militante, à mi-chemin entre la pédagogie et la guerre sacrée. Son déclin, à partir de la fin du XVIIᵉ siècle, coïncide en France avec l'émergence d'une littérature d'idées (de Pascal à Voltaire) qui lui est directement opposée.

Les commentateurs s'entendent pour reconnaître le caractère particulièrement vivant des descriptions contenues dans plusieurs *Relations*. Le plus bel exemple de ces descriptions entrelacées à des récits se trouve sous la plume de Paul Le Jeune, considéré comme le père des missions jésuites en Nouvelle-France et l'un des plus doués au point de vue littéraire. Né près de Châlons-sur-Marne de parents calvinistes, Paul Le Jeune (1591-1664) se convertit en 1608 et sera professeur de rhétorique et de belles-lettres avant d'arriver au Canada, en 1632. Il y travaille durant dix-huit ans, après quoi il retourne en France, où il occupera la fonction de procureur des missions de la Nouvelle-France jusqu'à sa mort. Si sa relation de 1634 a reçu à juste titre plus d'attention que les autres, c'est à la fois à cause de la maîtrise rhétorique de Le Jeune, de la description dramatisée des « Sauvages » et d'une certaine intensité du récit qui n'est pas courante dans les *Relations*. On y trouve également de minutieuses observations sur les animaux, la végétation et la géographie. Même lorsqu'elle n'est que descriptive, l'écriture de Le Jeune, comme celle des autres missionnaires, exprime une fascination pour la mort et la torture. Le jésuite, jamais à l'abri des souffrances qu'il décrit, tient le rôle de « héros par anticipation », selon l'expression de Réal Ouellet.

Après avoir simplement repris la forme chronologique commune à la plupart des relations de voyage, Le Jeune structure son propos autour de divisions thématiques : scènes de baptêmes et stratégies de conversion, tableau des vertus et des vices des « Sauvages », observations et commentaires sur les mœurs indigènes (la nourriture, les habitudes de chasse et de pêche, les vêtements et les ornements, les langues indiennes, les croyances). S'ajoutent parfois des portraits d'individus, notamment des sorciers, présentés comme des rivaux malveillants. À plusieurs moments, un bilan rappelle aux destinataires l'état précaire de la colonie et fournit l'occasion de formuler des requêtes précises, comme celle de construire, en 1636, un hôpital qui serait dirigé par les ursulines. L'année suivante, les jésuites créent le premier séminaire pour instruire les jeunes et leur enseigner la vie « à la française ». Ces initiatives, jointes à un inventaire presque systématique des nouveaux baptisés, témoignent de l'intention, maintes fois répétée par les auteurs des *Relations,* de sédentariser les « Sauvages » en les intégrant aux mœurs et aux institutions françaises.

Dès la traversée en 1632, Le Jeune donne à son récit un ton dramatique qui tranche avec la sobriété des récits de Cartier et de Champlain :

J'avois quelquesfois veu la mer en cholere, des fenestres de nostre petite maison de Dieppe ; mais c'est bien autre chose de sentir dessous soy la furie de l'Ocean, que de la contempler du rivage ; nous estions des trois et quatre jours à la cappe, comme parlent les mariniers, nostre gouvernail attaché, on laissoit aller le vaisseau au gré des vagues et des ondes qui le portoyent par fois sur des montagnes d'eau, puis tout à coup dans les abysmes ; vous eussiez dit que les vents estoient deschaisnez contre nous. À tous coups nous craignions qu'ils ne brisassent nos mats, ou que le vaisseau ne s'ouvrist ; et de fait il se fit une voye d'eau, laquelle nous auroit coulez à fond, si elle fust arrivée plus bas, ainsi que j'entendois dire. C'est autre chose de mediter de la mort dans sa cellule devant l'image du Crucifix, autre chose d'y penser dans une tempeste et devant la mort mesme. [...] Quand je me figurois que peut estre dans peu d'heures je me verrois au milieu de vagues et par advanture dans l'espaisseur d'une nuict tres obscure, j'avois quelque consolation en ceste pensée, m'imaginant que là où il y auroit moins de la creature, qu'il y auroit plus du Createur, et que ce seroit là proprement mourir de sa main ; mais ma foiblesse me fait craindre que peut estre si cela fust arrivé j'eusse bien changé de pensée et d'affection.

La suite est du même souffle : « Au reste, nous avons trouvé l'hyver dans l'esté », explique le narrateur, surpris par le froid et par les icebergs, qu'il compare, comme Pierre Biard avant lui, à des églises (« ou plustost des montagnes de crystal »).

Décidé à ordonner son récit à sa manière au lieu de se laisser guider par le seul écoulement des jours, Le Jeune possède une conscience aiguë de l'importance de faire image et de s'inclure lui-même dans la scène. Décrivant les lucioles, il établit le rapprochement avec l'univers de son lecteur français : « les mouches luisantes ne font point de mal, vous diriez la nuict que ce sont des estincelles de feu ; elles jettent plus de lumiere que les vers luisants que j'ai veus en France ; tenant une de ces mouches et l'appliquant auprès d'un livre, je lirois fort bien ». Parmi toutes les difficultés liées à la vie quotidienne, celles qui concernent l'écriture elle-même occupent une place importante. Le simple fait de noircir du papier constitue une prouesse. Dans sa relation de 1633, Le Jeune parle ainsi du début de l'hiver : « Le froid estoit par fois si violent, que nous entendions les arbres se fendre dans le bois, et en se fendans faire un bruit comme des armes à feu. Il m'est arrivé qu'en escrivant fort prés d'un grand feu, mon encre se geloit, et par necessité il falloit mettre un rechaut plein de charbons ardens proche de mon escritoire, autrement j'eusse trouvé de la glace noire, au lieu d'encre. » De même, Le Jeune parle du « brouillard » (au sens ancien de « brouillon ») que représente sa relation : « Mais il est tantost temps de m'aviser que je n'escry plus une lettre, mais un livre, tant je suis long : ce n'estoit pas mon dessein de tant escrire ; les feuillets se sont multipliés insensiblement, et m'ont mis en tel point qu'il fault que j'envoie ce brouillard pour ne pouvoir tirer et mettre au net ce que je croirois debvoir estre presenté à V[otre] R[évérence]. »

La relation de 1634 est elle aussi divisée par thèmes : vices et vertus des « Sauvages », pêche, chasse, vêtements, nourriture (festins), langue, etc. Le Jeune consacre, par exemple, deux pages à la description de la chasse au castor l'hiver ; puis un chapitre sert à exposer quelques aspects de la langue des Montagnais : sa pauvreté « en matière de piété, de vertu, de théologie, de philosophie, de mathématique, de médecine, de mille et mille inventions, de mille beautez et de mille richesses, tout cela ne se trouve point ny dans la pensée, ny dans la bouche des Sauvages ». Mais Le Jeune observe que même en apprenant les mots, la syntaxe, il reste un ignorant, tant la langue montagnaise est malgré tout complexe et tant les conditions d'apprentissage sont mauvaises. Pour illustrer la difficulté à faire parler les Montagnais lorsqu'ils ont l'estomac vide, Le Jeune écrit : « Leur estomach n'est pas de la nature des tonneaux, qui resonnent d'autant mieux qu'ils sont vuides ; il ressemble au tambour, plus il est bandé mieux il parle. » Rien n'est plus important toutefois que cette initiation à la langue montagnaise. Attentif au pouvoir du langage, Le Jeune célèbre dans l'extrait suivant l'éloquence du « Capitaine » :

Secondement qui sçauroit parfaitement leur langue, il seroit tout puissant parmy eux, ayant tant soit peut d'eloquence. Il n'y a lieu au monde où la Rhetorique soit plus puissante qu'en Canadas : et neantmoins elle n'a point d'autre habit que celuy que la nature luy a baillé : elle est tout nuë et toute simple, et cependant elle gouverne tous ces peuples, car leur Capitaine n'est esleu que pour sa langue : et il est autant bien obeï, qu'il l'a bien penduë, ils n'ont point d'autres loix que sa parole. Il me semble que Ciceron dit qu'autrefois toutes les nations ont esté vagabondes, et que l'eloquence les a rassemblées ; qu'elle a basti des villes et des citez. Si la voix des hommes a tant de pouvoir, la voix de l'esprit de Dieu sera-t-elle impuissante ? Les Sauvages se rendent aisément à la raison ; ce n'est pas qu'ils la suivent tousjours, mais ordinairement ils ne repartent rien contre une raison, qui leur convainc l'esprit.

La plus longue partie de cette relation est, de loin, le récit de l'hivernement, avec les nombreuses stations, les déplacements (lorsque toute la tribu décide, faute de nourriture, de « décabaner »). Deux maux sont pires que tout, selon Le Jeune : la fumée dans la cabane (elle est si dense qu'il doit se coucher ventre à terre pendant plusieurs heures, se résignant parfois à sortir au grand froid, mais au péril de sa vie) et surtout le sorcier. Le Jeune consacre plusieurs chapitres au récit des calomnies que le sorcier propage à son sujet. Au centre de cette relation se trouve ainsi la lutte d'influence entre le missionnaire et le sorcier : « Le 3. de Decembre, nous commençasmes nostre quatriesme station, ayans délogé sans trompette, mais non pas sans tambour, car le Sorcier n'oubliait jamais le sien. » D'étape en étape (Le Jeune en compte vingt-trois de décembre à avril), le missionnaire s'affaiblit, mais il doit néanmoins garder une contenance, faute de quoi le sorcier se moquerait de lui et lui ferait valoir qu'il n'est donc plus protégé par son Dieu. On peut comprendre pourquoi Le Jeune conclut ensuite que la première chose à faire, si l'on veut évangéliser les « Sauvages », serait de les sédentariser. Il n'est en effet pas possible, selon lui, de les convertir au prix d'épreuves comme celles que lui-même vient de subir. C'est dans cet esprit qu'on décidera de former de jeunes Hurons, les garçons au séminaire, les filles sous la responsabilité de Marie de l'Incarnation.

À la suite du père Le Jeune, plusieurs missionnaires jésuites vont poursuivre la rédaction des *Relations*. Le plus célèbre d'entre eux est le père Jean de Brébeuf (1593-1649), « l'apôtre au cœur mangé » selon le titre d'une hagiographie. Il est capturé puis mis à mort en 1649 par les Iroquois, avec le père Gabriel Lalemant (1610-1649). On lui doit, outre les *Relations* de 1635 et 1636 dans lesquelles il admire l'éloquence des chefs amérindiens, un journal spirituel, des lettres, un catéchisme, une grammaire et un dictionnaire iroquois. Avec moins de style que Brébeuf et Le Jeune, Jérôme Lalemant, de 1639 à 1644, Barthelemy Vimont, de 1642 à 1645, et François Le Mercier, de 1652 à 1656, puis de 1664 à 1667, sont les auteurs les plus prolifiques. En 1672, les *Relations* sont supprimées et le clergé ne parvient plus à contrer l'influence des marchands qui vendent de l'eau-de-vie aux Amérindiens malgré l'opposition radicale de Mgr de Laval. La logique commerciale qui avait présidé à la création des premiers comptoirs de traite devient déterminante. Les jésuites continueront toutefois de jouer un rôle de premier plan dans l'évolution intellectuelle de la Nouvelle-France par le truchement de l'enseignement classique.

3
La vision mystique de Marie de l'Incarnation

Marie Guyard (1599-1672), en religion mère Marie de l'Incarnation, fondatrice et première supérieure des ursulines de Québec, est née à Tours. La Nouvelle-France, qu'elle appelle plus souvent le Canada – « quand j'entendais proférer ce mot, je croyais qu'il n'était inventé que pour faire peur aux enfants », lit-on dans une lettre du 3 octobre 1645 –, constituera l'accomplissement de sa vocation : « L'Amérique n'est pas pour elle un projet, c'est un sacrifice » (Pierre Nepveu). En ce sens, elle arrive, le 31 juillet 1639, sur le lieu même de sa foi, d'emblée déterminée à y rester, et ni le martyre des pères Jogues et Lalemant en 1646, ni l'incendie du monastère des ursulines en 1650, ni les ennuis de santé, ni les dettes ne lui feront quitter Québec. C'est là qu'elle mourra en 1672, âgée de plus de soixante-dix ans, longévité étonnante pour l'époque et compte tenu des conditions de vie qu'elle s'était imposées, révélatrice d'une force peu commune. Issue de la bourgeoisie commerçante, veuve en 1619, elle entre chez les ursulines de Tours en 1631 après avoir abandonné son fils de douze ans qu'elle sacrifie à sa vocation religieuse. Lui-même, Claude Martin (1619-1696), entre en religion en 1641, chez les bénédictins de Saint-Maur, ordre au sein duquel il occupera des fonctions importantes. Il est l'un des principaux correspondants de sa mère, qu'il pousse à écrire ; il en sera aussi l'éditeur et le premier biographe, avant le père Charlevoix (auteur en 1724 d'une *Vie de la Mère Marie de l'Incarnation, institutrice et première supérieure des Ursulines de la Nouvelle-France*). Instruite, lectrice des écrits mystiques, Marie de l'Incarnation entretient, à partir de 1635, une vaste correspondance et rédige dès 1633 à Tours ses premiers textes spirituels, dont une relation autobiographique qui contient le « songe » dans lequel le Canada lui apparaît : « La Sainte-Vierge, mère de Dieu, regardait ce pays, autant pitoyable qu'effroyable », écrit-elle. À dater de ce rêve, l'ursuline sait que sa vocation est en Nouvelle-France et elle met au service de sa volonté d'aller convertir les jeunes filles amérindiennes son habileté, sa détermination et ses relations. Elle correspond avec les pères Garnier et Le Jeune, et lit assidûment les *Relations des jésuites*. Grâce aux dons de Mme de La Peltrie, elle fonde le couvent des ursulines de Québec dont elle sera la première supérieure et l'administratrice. Les religieuses se consacrent à l'éducation et à l'évangélisation des jeunes filles « françaises et sauvages », et secondent les pères jésuites qui s'efforcent de sédentariser et de convertir les Hurons refoulés vers la mission française par les victoires iroquoises. Très vite, les ursulines apprennent les langues amérindiennes : Marie de Saint-Joseph, le huron, et Marie de l'Incarnation, les langues algonquine et montagnaise. Perdus aujourd'hui, des dictionnaires et grammaires autochtones que

Couvent des Ursulines, Québec, peinture de Joseph Légaré, copie réalisée pour Robert Glasgow, 1914-1915, VIEW-14839, Archives photographiques Notman, Musée McCord, Montréal.

cette dernière avait écrits ont été utilisés au XIXe siècle par les missionnaires oblats de Marie Immaculée. L'afflux de Hurons après 1646 la pousse à se mettre aussi à l'étude de leur langue, ainsi qu'elle l'écrit à son fils :

Ces nouveaux habitants nous obligent d'étudier la langue huronne à laquelle je n'étais point parvenue à m'appliquer, m'étant contentée de savoir seulement celle des Algonquins et Montagnais qui sont toujours avec nous. Vous rirez peut-être de ce qu'à l'âge de cinquante ans je commence à étudier une nouvelle langue ; mais il faut tout entreprendre pour le service de Dieu et le salut de son prochain. [...] Comme nous ne pouvons étudier les langues que l'hiver, j'espère que quelque autre descendra cet automne qui nous rendra la même assistance.

Dès son entrée dans le noviciat de Tours et jusqu'à la fin de sa vie, Marie de l'Incarnation ne cesse d'écrire : le récit de ses expériences mystiques que lui demande son fils, et surtout une impressionnante quantité de lettres, de sept à huit mille selon Dom Albert Jamet, auteur de l'édition des *Écrits spirituels et historiques* en 1929-1939, dont seule une petite partie a été retrouvée (l'édition de Dom Guy-Marie Oury en 1973 en compte 278). Ces écrits permettent de mieux se représenter la vie extrêmement précaire des premières missions installées en Nouvelle-France. À son fils qui en a exprimé le désir, l'ursuline décrit le monastère nouvellement construit, l'existence quotidienne qu'y mènent les religieuses et leurs élèves de même que les vêtements des Amérindiens. Sans doute parce que l'élan mystique qui l'habite pousse Marie de l'Incarnation à l'exalter, le dénuement des religieuses frappe particulièrement le lecteur contemporain. Jamais il n'apparaît aussi total que lors de l'incendie de 1650, et Marie de l'Incarnation prend d'ailleurs soin de le montrer de l'extérieur :

C'était un spectacle pitoyable à voir. Une bonne personne qui regardait les sœurs, les voyant si tranquilles, dit tout haut qu'il fallait que nous fussions folles ou que nous eussions un grand amour de Dieu d'être sans émotion dans la perte de tous nos biens, et de nous voir en de petits moments réduites à rien sur la neige.

Comme le père Le Jeune avec qui elle correspond, l'ursuline cite le nombre encourageant de nouveaux baptisés et résume les harangues iroquoises prononcées au cours des pourparlers de paix tenus à Trois-Rivières en juillet 1645. À plusieurs reprises, elle insiste sur la piété et la conversion sincère des Hurons, et loue le zèle des néophytes sur qui repose l'entreprise de conversion telle que la conçoit Le Jeune. Si un certain optimisme de commande dicte l'enthousiasme de ses remarques, Marie de l'Incarnation reconnaît la difficulté de la tâche : « On fait plus facilement un Sauvage avec un Français qu'un Français avec un Sauvage », écrit-elle. Elle craint les « perfides Hiroquois » qui menacent la survie de l'établissement chrétien en Nouvelle-France. Les « Sauvages » restent, à ses yeux, plus victimes que coupables de leur incroyance, et sont ses égaux devant les duperies du Diable. Particulièrement attachée aux jeunes filles algonquines, montagnaises et huronnes, qu'elle instruit et convertit, elle présente ces nouvelles baptisées aux « dames de qualité » qui ont accepté d'être leurs marraines, de sorte qu'il reste une trace de Madeleine Amiskoueian, Marie-Madeleine Abatenau, Marie-Ursule Gamitiens, Agnès Chabdikouechich, Nicole Assepanse. Dans une lettre à son amie mère Marie-Gillette Roland, qui commence par un salut en langue abénaquise, on lit : « Nous faisons nos études en cette langue barbare comme font ces jeunes enfants qui vont au collège pour apprendre le latin. »

En cela, les écrits de Marie de l'Incarnation ressemblent à ceux des jésuites : ils consignent les faits et gestes qui contribuent à la mission évangélisatrice. Mais leur intérêt littéraire dépasse celui des *Relations* et peut-être aussi celui de tous les autres écrits de la Nouvelle-France. L'expérience qu'elle raconte déborde de beaucoup la description de la colonie. C'est sa propre vie qui est en jeu, comme si le départ pour le Canada, qui devient aussitôt pour elle sa véritable patrie, était le début d'une douloureuse réconciliation avec elle-même. « Dès que je me vis séparée de la France, et que je sentis que mon corps suivait mon esprit sans que rien lui fît obstacle, je commençai à respirer à mon aise, dans la pensée qu'ils se joindraient bien tôt, et qu'ils se serviraient mutuellement dans l'accomplissement des desseins de Dieu. » Avec Marie de l'Incarnation, nous quittons le terrain solide du journal de bord pour entrer dans une prose vibrante d'émotion. Dans une étude intitulée « Une femme au milieu de la mer », Bruno Pinchard compare même Marie de l'Incarnation à Chateaubriand puis à Baudelaire. Il la lit comme une écrivaine véritable assoiffée d'infini et tout entière vouée à sa propre « alchimie de la douleur ».

Lus par Bossuet, qui trouve que « tout y est admirable » et qui voit en Marie de l'Incarnation une « seconde Thérèse, la Thérèse de nos jours et du Nouveau-Monde », ces écrits appartiennent à la littérature mystique chrétienne comme l'illustre cet extrait de l'épithalame du Supplément de la *Relation* de 1654 :

Non, mon Amour, je n'ignore pas qui je suis. Je sais que je suis le néant digne de tout mépris, et néanmoins vous êtes mon Amour. Venez, venez que je vous possède hors du commerce des créatures, et dans la solitude où je puisse être consommée en vos chastes embrasements!
Que je vous fasse un festin dans mon âme, et que je vous serve les mêmes mets que vous y avez mis par la communication de votre divin Esprit. Rassasiez-vous de vos biens. Mais en revanche il faut que vous me consommiez en votre amour, afin que je puisse dire en vérité : *Mon Bien-Aimé est à moi, et je suis à lui.*
Ce que je viens de rapporter n'est qu'un crayon léger de ce qui se passait en de petits moments ; car les jours et les nuits se passaient dans ces souffrances amoureuses. Et il est à remarquer que l'Esprit qui agissait et remuait l'âme, la remplissait de lumières, auxquelles elle répondait par son amoureuse activité, ce qui faisait un entretien continuel comme entre deux amis très intimes. La langue ne le saurait dire, car cette comparaison quoique forte, est encore trop basse et trop terrestre pour l'exprimer.

Cette exaltation de l'union avec Dieu, composée à partir du Cantique des cantiques comme beaucoup de textes mystiques, est écrite, ainsi que la correspondance, dans des conditions difficiles : « Je suis si enfoncée dans le tracas des affaires extérieures, que je ne vous écris qu'à de petits moments que je dérobe. Avec tout cela, je dois répondre, comme je crois, à plus de six-vingts [cent vingt] lettres, outre les expéditions des écritures de la communauté pour la France. » Dans les écrits de Marie de l'Incarnation, la plongée mystique et l'œuvre missionnaire, la contemplation et l'action ne sont pas séparées mais au contraire interdépendantes. Non seulement la Nouvelle-France correspond au songe dont elle fait le déclencheur de sa vocation – « Étant donc arrivée en ce pays, le voyant, je le reconnus être celui que Notre Seigneur m'avait montré il y avait six ans », écrit-elle dans la *Relation* de 1654 –, mais elle devient la réalisation même de l'absolu sacrifice de soi qu'elle a promis à Dieu : « il serait difficile de croire combien il se rencontre de difficultés dans un établissement qui se fait en un pays nouveau et tout barbare, éloigné de la France et de tout secours et dans un abandonnement si pur à la divine Providence qu'il ne peut être davantage ». En Nouvelle-France, Marie de l'Incarnation atteint « le néant qui est le moins et le rien des choses », ainsi qu'elle le nomme dans la *Relation* de 1654. Plus que d'autres auteurs, Marie de l'Incarnation comprend que le pays exige d'elle un complet renoncement à ses habitudes intellectuelles et morales européennes. Le 24 août 1641, alors qu'elle n'est à Québec que depuis deux ans, elle écrit à une de ses anciennes compagnes de couvent :

Savez-vous bien que les cœurs ont ici de tout autres sentiments qu'en France ? Non des sentiments sensibles, car il n'y a point d'objets qui puissent flatter les sens ; mais des sentiments tout spirituels et tout divins, car Dieu y veut le cœur si dénué de toutes choses, que la moindre occasion lui serait un tourment, s'il y voulait d'autres dispositions que celles que la divine Providence fait naître à chaque moment [...] Nous voyons néanmoins ici une espèce de nécessité de devenir sainte ; ou il faut mourir, ou y prêter consentement.

L'œuvre de Marie de l'Incarnation nous parvient aujourd'hui précédée et parfois déformée par les diverses entreprises d'héroïsation dont l'ursuline a rapidement fait l'objet. Pendant longtemps, seuls certains extraits de ses écrits, choisis pour leur valeur édifiante, circulaient hors de l'institution cléricale. À cette relative marginalisation a succédé, à partir des années 1970 et dans la foulée des études d'histoire et d'anthropologie religieuses sur les mystiques, un regain d'intérêt générateur de nouvelles lectures. Plus récemment, la perspective féministe, tant en histoire qu'en littérature, a également donné lieu à des interprétations renouvelées. Suivant ce point de vue, les écrits de Marie de l'Incarnation constituent, avec d'autres textes dont il sera question plus loin, notamment l'*Histoire simple et véritable* de Marie Morin et la correspondance d'Élisabeth Bégon, le corpus féminin de la Nouvelle-France et sont appelés à témoigner du rôle majeur des femmes dans l'établissement de la colonie.

4

Nouvelles relations de voyage

L'envergure des *Relations des jésuites* a jeté dans l'ombre *Le Grand Voyage du pays des Hurons* (1632) du frère Gabriel Sagard, qui venait de séjourner un an en Acadie et espérait vainement retourner en Nouvelle-France. Sagard fait partie de l'ordre des frères mineurs récollets qui ont été les premiers missionnaires à arriver au Canada. Ils ont toutefois été déclassés par les jésuites, qui ont obtenu de Richelieu le monopole des affaires spirituelles en Nouvelle-France. L'humble récollet qu'était Sagard reprend son texte en 1636 dans son *Histoire du Canada et Voyages que les Frères mineurs Recollects y ont faicts pour la conversion des infidelles*, qu'il rédige pour protester contre l'exclusion des récollets de la Nouvelle-France. Les autorités religieuses reprochent aux récollets leur relâchement et Sagard veut faire valoir leurs réalisations. Il adopte une posture assez unique, qui vise moins à marquer les progrès de la mission religieuse qu'à décrire, de la façon la plus vivante et la plus détaillée possible, les réalités géographiques et anthropologiques de la colonie. On sent chez lui le désir de tout raconter : « J'escris non-seulement les choses principales, comme elles sont, mais aussi les moindres et plus petites, avec la mesme naïfveté et simplicité que j'ay accoustumé. » Lorsque la description frôle l'indécence, le missionnaire s'excuse de devoir imposer un tel langage à son lecteur :

Il se fit un jour une dance de tous les jeunes hommes, femmes et filles toutes nuës en la presence d'une malade, à laquelle il fallut (traict que je ne sçay commen excuser, ou passer sous silence) qu'un de ces jeunes hommes luy pissast dans la bouche, et qu'elle avallast et beust cette eau, ce qu'elle fit avec un grand courage, esperant en recevoir guerison.

Le souci de rapporter fidèlement ce qu'il observe conduit même Sagard à indiquer les notes des chansons accompagnant des danses pour que le lecteur puisse ainsi les fredonner lui-même. Curieux de tout, il s'abandonne souvent au pouvoir de séduction qu'il ressent au seuil de ce qui semble tout à la fois une nouvelle civilisation et un nouveau paysage. Sa plume, moins retenue que celle des jésuites, est pleine de trouvailles, telle cette description de l'oiseau-mouche, souvent considérée, pour la fraîcheur du regard, comme un morceau d'anthologie :

Premièrement, je commenceray par l'Oyseau le plus beau, le plus rare et plus petit qui soit, peut-estre, au monde, qui est le Vicilin, ou Oyseau-mousche, que les Indiens appellent en leur langue Ressuscité. Cet oyseau, en corps, n'est pas plus gros qu'un grillon, il a le bec long et tres-delié, de la grosseur de la poincte d'une aiguille, et ses cuisses et ses pieds aussi menus que la ligne d'une escriture; l'on a autrefois pezé son nid avec les oyseaux, et trouvé qu'il ne peze d'avantage de vingt-quatre grains; il se nourrist de la rosée et de l'odeur des fleurs sans se poser sur icelles; mais seulement en voltigeant par dessus.

Après l'interruption des *Relations des jésuites* en 1672, dont les ambitions avaient fini par indisposer le pouvoir royal, d'autres récollets, de nouveau autorisés à venir en Nouvelle-France, écrivent des relations de voyage : Chrestien Leclercq décrit la Gaspésie (*Nouvelle Relation de la Gaspesie*, 1691) et Louis Hennepin la Louisiane (*Nouvelle Découverte d'un tres grand pays*, 1697, *Nouveau Voyage d'un pais plus grand que l'Europe*, 1698). S'y ajoutent de nombreux mémoires et journaux d'explorateurs : ceux de Pierre-Esprit Radisson (figure du coureur des bois), de Louis Jolliet (Labrador), de Nicolas Jérémie (baie d'Hudson), de Nicolas Perrot (sud-ouest des Grands Lacs), de Pierre de La Vérendrye et ses fils (montagnes Rocheuses) et, plus tard, du navigateur Louis Antoine de Bougainville, qui a accompagné Montcalm. Quelques-unes de ces figures feront de valables héros chez des écrivains du XXe siècle, comme Louis Jolliet, dans *Né à Québec*, récit historique d'Alain Grandbois. Ils rejoignent par là d'autres figures légendaires qui n'ont pas laissé de relations de voyage, comme Pierre Le Moyne d'Iberville, né à Montréal celui-là et ayant voyagé du nord au sud (baie d'Hudson, Terre-Neuve et Louisiane), ou le controversé Cavelier de La Salle, tué par ses compagnons à l'embouchure du Mississippi.

En réaction aux *Relations des jésuites*, les relations du baron de Lahontan (né en 1666 et mort entre 1710 et 1715) sont écrites d'un point de vue résolument profane. L'historien Michelet n'hésite pas à faire de ce franc-tireur le véritable précurseur du XVIIIe siècle français. Ses *Dialogues* philosophiques avec un Huron appelé Adario constituent, vingt ans avant les *Lettres persanes* de Montesquieu, une première tentative pour relativiser, donc critiquer, les fondements de la conscience européenne. Noble de province dépossédé de ses terres, Lahontan s'engage à l'âge de dix-sept ans dans la marine française et participe, de 1684 à 1693, à diverses expéditions militaires, principalement contre les Iroquois. Esprit indépendant fort apprécié par Frontenac qui l'invitait à sa table, Lahontan est envoyé à Terre-Neuve, où il entre en conflit avec le gouverneur de Brouillan qui l'accuse d'insubordination. En décembre 1693, il retourne précipitamment en Europe et passe pour déserteur, ce qui l'oblige à chercher asile en dehors de la France. À partir de 1703, toujours en disgrâce, il publie à La Haye les trois livres qui seront immédiatement reçus comme des attaques contre la monarchie française et la religion catholique : il s'agit des *Nouveaux Voyages de Mr. le baron de Lahontan, dans l'Amérique septentrionale*, des *Mémoires de l'Amérique septentrionale* et de la *Suite du voyage de l'Amérique*, dans laquelle se trouvent les importants *Dialogues*.

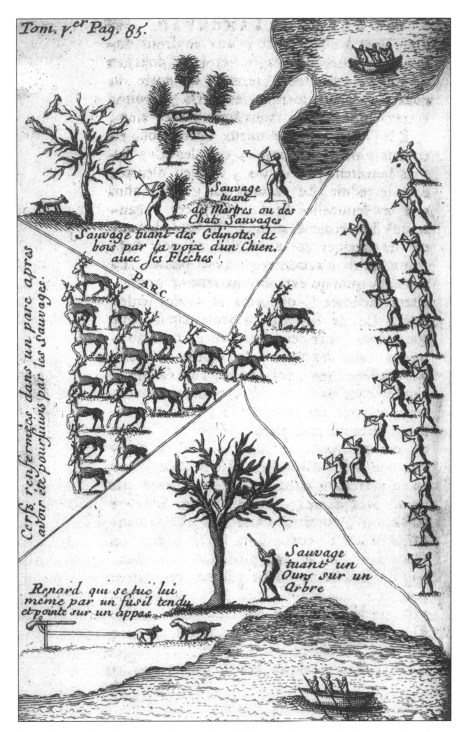

Baron de Lahontan, *Chasses des Sauvages* dans *Dialogue curieux entre l'auteur et un Sauvage de bons sens qui a voyagé et Mémoires de l'Amérique Septentrionale* (1703), avec sept gravures originales, publié par Gilbert Chinard, The Johns Hopkins Press, Baltimore, 1932, p. 132.

En préface aux *Nouveaux Voyages [...] dans l'Amérique septentrionale*, Lahontan conteste d'emblée la sincérité des relations de voyage qui ont paru avant la sienne, toutes écrites par des « missionnaires »,

c'est à dire par des gens engagez par leur profession à persuader au Monde, que leur peine, qui d'ailleurs est loüable, n'est pas tout à fait infructueuse. De là vient que leurs narrations ne sont dans le fond à proprement parler qu'un détail de *Messes*, de *Miracles*, de *conversions*, & d'autres minuties directement frauduleuses, où le bon sens du siecle ne donne pas facilement.

Parodiant les *Relations des jésuites*, les *Dialogues* associent les observations ethnographiques à une réflexion d'ordre philosophique et polémique. Divisés en cinq parties (religion, lois, bonheur, médecine et mariage), les dialogues font ironiquement apparaître le « Sauvage » comme un être de raison, quoique non dépourvu de contradictions. Sur le thème du bonheur, par exemple, Adario fait la leçon à son interlocuteur :

Mais voyons ce que l'homme doit être extérieurement; Premiérement, il doit sçavoir marcher, chasser, pêcher, tirer un coup de flèche ou de fusil, sçavoir conduire un Canot, sçavoir faire la guerre, conoître les bois, estre infatiguable, vivre de peu dans l'ocasion, construire des Cabanes & des Canots, faire, en un mot, tout ce qu'un Huron fait. Voilà ce que j'appelle un homme. Car di-moy, je te prie, combien de millions de gens y-a-t-il en Europe, qui, s'ils étoient trente lieües dans des Forêts, avec un fusil ou des fléches, ne pourroient ni chasser de quoi se nourrir, ni même trouver le chemin d'en sortir. Tu vois que nous traversons cent lieües de bois sans nous égarer, que nous tuons les oiseaux & les animaux à coups de fléches, que nous prenons du poisson par tout où il s'en trouve, que nous suivons les hommes & les bêtes fauves à la piste, dans les prairies & dans les bois, l'été comme l'hiver, que nous vivons de racines, & quand nous sommes aux portes des Iroquois, que nous sçavons manier la hache & le coûteau, pour faire mille ouvrages nous-mêmes. Car, si nous faisons toutes ces choses, pourquoy ne les feriés vous pas comme nous? N'étes vous pas aussi grands, aussi forts, & aussi robustes? Vos Artisans ne travaillent-ils pas à des ouvrages incomparablement plus dificiles? plus rudes que les nôtres? Vous vivriés tous de cette maniére là, vous seriés aussi grands maîtres les uns que les autres. Vôtre richesse seroit, comme la nôtre, d'aquérir de la gloire dans le métier de la guerre, plus on prendroit d'esclaves, moins on travailleroit; en un mot, vous seriez aussi heureux que nous.

Tout en prenant le contre-pied des jésuites, qui l'accuseront d'être un auteur dangereux et libertin, Lahontan contribue à l'élaboration du mythe du « bon Sauvage ». Les *Dialogues* se servent d'Adario pour élaborer une critique des institutions européennes, opposant le civilisé au sauvage suivant une formule qui sera maintes fois reprise ultérieurement. Le philosophe et mathématicien allemand Leibniz verra dans les *Mémoires* et les *Dialogues* de Lahontan l'illustration de la possibilité d'un « miracle politique », à savoir l'existence de peuples qui vivent « ensemble sans aucun gouvernement mais en paix ; ils ne connaissent ni luttes, ni haines, ni batailles, ou fort peu, excepté contre des hommes de nations et de langues différentes. Je dirais presque qu'il s'agit d'un miracle politique, inconnu d'Aristote et ignoré par Hobbes. » En dépit des échos qu'on trouvera chez Diderot, chez Rousseau et plus tard chez Chateaubriand (qui nomme Adario un personnage des *Natchez*), Lahontan est éclipsé par la montée des philosophes et on ne le lit plus guère en France à partir de 1750.

Au Québec, on ne le lit pas davantage, mais c'est pour de tout autres raisons. En choisissant d'écrire « comme s'il n'avoit ni Patrie, ni Religion », Lahontan devenait irrécupérable aux yeux de l'historiographie nationale. Tour à tour, Bacqueville de La Potherie, les jésuites Lafitau et Charlevoix lui enlèvent tout crédit, bien qu'ils le paraphrasent régulièrement. La charge, loin de s'adoucir par la suite, prend la forme d'une réfutation. L'un des passages les plus souvent incriminés est celui de la lettre II des *Nouveaux Voyages* qui raconte la venue au pays des « filles du Roy » :

Après la reforme de ces Troupes on y envoya de France plusieurs Vaisseaux chargez de filles de moyenne vertu, sous la direction de quelques vielles Beguines qui les diviserent en trois Classes. Ces Vestales étoient pour ainsi dire entassées les unes sur les autres en trois differentes sales, où les époux choisissoient leurs épouses de la manière que le boucher va choisir les moutons au milieu d'un troupeau. Il y avoit dequoi contenter les fantasques dans la diversité des filles de ces trois Serrails, car on en voyoit de grandes, de petites, de blondes, de brunes, de grasses & de maigres ; enfin chacun y trouvoit chaussure à son pied. Il n'en resta pas une au bout de 15. Jours. On m'a dit que les plus grasses furent plûtôt enlevées que les 12 autres, parce qu'on s'imaginoit qu'étant moins actives elles auroient plus de peine à quitter leur menage, & qu'elles resisteroient mieux au grand froid de l'hiver, mais ce principe a trompé bien des gens. Quoiqu'il en soit on peut ici faire une remarque assez curieuse. C'est qu'en quelque partie du monde où l'on transporte les plus vicieuses Europeanes, la populace d'outre mer croit à la bonne foi que leurs pêchez sont tellement effacez par le batême ridicule dont je vous ai parlé, qu'ensuite elles sont sensées filles de vertu, d'honneur, & de conduite irreprochable.

Benjamin Sulte et Gustave Lanctot, parmi d'autres historiens, dénonceront avec vigueur la « calomnie » de Lahontan et étendront l'accusation à l'ensemble de l'œuvre, jugée tendancieuse. Lahontan deviendra un personnage frondeur, vantard, rancunier, couard, mystificateur. En 1940, Lanctot publiera deux mémoires inédits adressés aux autorités anglaises et qui montrent l'intention évidente de Lahontan de se ranger du côté des Anglais contre son propre pays. Lionel Groulx parlera dès lors du « traître Lahontan ».

L'histoire de la Nouvelle-France

Certains écrits de la Nouvelle-France ont une visée proprement historique ; c'était déjà le cas, on l'a vu, du livre de Lescarbot au moment des premières découvertes. Par la suite, d'autres auteurs, comme Bacqueville de La Potherie (1663-1736) avec son *Histoire de l'Amérique septentrionale* (1722), s'appliqueront à raconter la jeune histoire de l'Amérique. Parmi les historiens qui ont vécu en Nouvelle-France, Pierre Boucher et Dollier de Casson se démarquent par leur écriture, Lafitau et Charlevoix par l'ampleur de leurs synthèses.

L'*Histoire véritable et naturelle des mœurs et productions du pays de la Nouvelle-France, vulgairement dite le Canada*, de Pierre Boucher (1622-1717), paraît en 1664, alors que selon lui se dessine la possibilité d'une renaissance de la colonie, qui souffre encore de son trop faible peuplement. Cette menace est visiblement toujours à l'esprit de Boucher, qui s'intéresse avant tout à la mise en valeur de la Nouvelle-France. Car, malgré le titre, c'est surtout l'avenir du pays qui l'intéresse, comme c'est si souvent le cas dans les textes de cette époque. Ainsi, il dédie son ouvrage à un conseiller du roi, croyant « que ce narré pourroit contribuer quelque chose aux inclinations que vous avez déjà, de faire fleurir notre Nouvelle-France, & d'en faire un Monde nouveau ». Sa description qui ressortit davantage aux sciences naturelles et à l'ethnologie qu'à l'historiographie, s'avère avant tout une incitation pour les « gens de bien » à venir s'établir dans la colonie en connaissance de cause. Ce « prospectus de colonisation », selon le mot de l'historien Jacques Rousseau, s'apparente par son dépouillement aux récits des découvreurs et on lui a parfois attribué une valeur littéraire pour cette raison. Mais Boucher se défend bien de toute visée de ce genre : « ce n'est pas mon métier de composer », précise-t-il d'entrée de jeu, préférant exposer sa connaissance intime des lieux, lui qui, alors au début de la quarantaine, vit en Nouvelle-France depuis une trentaine d'années.

Son ouvrage est divisé en quinze chapitres. Après une présentation de la géographie, l'auteur s'attache à la flore et à la faune, puis aux Amérindiens, et conclut par des conseils destinés aux nouveaux colons, dont le ton enthousiaste et déterminé s'apparente à celui du roman *Jean Rivard*, que publiera Antoine Gérin-Lajoie au XIXe siècle. Les descriptions de la nature, sobres et relativement précises, témoignent d'une véritable passion pour les lieux. Le discours sur les Amérindiens, pour sa part, passe de la condescendance pour les Algonquins et les Hurons à la haine pure et simple pour les Iroquois. Présentant ces derniers comme la menace suprême pour l'avenir de la colonie, Boucher espère « que notre bon Roy assistera ce pays icy, & qu'il fera destruire cette canaille d'Iroquois ».

« [A]près la défaite de l'Iroquois », prophétise-t-il ensuite, « il ne manquera que des habitants icy, pour y avoir tout ce que l'on peut souhaiter. »

Une histoire événementielle commence à se mettre en place dès 1672 avec François Dollier de Casson (1636-1701), ancien militaire devenu prêtre, futur urbaniste de la ville (c'est à lui qu'on doit les plans du Vieux-Montréal), auteur d'une « relation » des événements qui ont marqué la trentaine d'années à laquelle se résume alors l'histoire de Ville-Marie. *Histoire du Montréal, 1640-1672* prend la forme de lettres envoyées à ses confrères sulpiciens de France dont la congrégation, fondée en 1644 à Paris par le curé de Saint-Sulpice (Jean-Jacques Olier), sera très présente en Nouvelle-France. Du point de vue informatif, cette histoire complète les données fournies par les *Relations des jésuites*, qui font peu de cas de Montréal. Mais le texte de Dollier de Casson ne sera connu qu'à partir de sa mise en circulation par Louis-Joseph Papineau en 1845, de sorte qu'il ne s'inscrit que tardivement dans le corpus historiographique.

En dépit du souci d'objectivité dont se réclame l'auteur, c'est surtout la dimension très personnelle de son texte qui retiendra l'attention de certains critiques de la fin du xxe siècle, lorsqu'on relira et rééditera massivement les textes de la Nouvelle-France. Ainsi, au moment de la célébration des 350 ans de Montréal, le texte de Dollier de Casson suscite l'enthousiasme de Georges-André Vachon :

l'*Histoire du Montréal* fut écrite sous la pression d'une véritable nécessité intérieure. François Dollier de Casson, personne ne la lui a demandée, cette chronique des temps héroïques, et, qui sait si elle trouvera même un seul lecteur. Le voici donc, libre de toute obligation ou envie, hors celle de dire qu'il est, lui, vivant. La joie animale avec laquelle il reprend chaque jour la plume, est partout sensible à fleur de texte.

Esprit conteur, Dollier de Casson s'amuse à dater plusieurs lettres en fonction de la période à laquelle elles font référence. La subjectivité et le plaisir d'écrire se mesurent par la rhétorique raffinée, par l'humour et par le goût de l'interprétation. Il s'agit donc, au bout du compte, d'un texte trouble sous ses allures factuelles, ce qu'illustre bien la fin précipitée. Comme le bateau doit partir, Dollier de Casson termine à la hâte sa longue lettre et choisit quelques anecdotes pour conclure son récit. La dernière est assez étrange. Elle apparaît comme une préfiguration du type romanesque du coureur des bois et en même temps comme une parabole – qui cependant ne s'avoue pas telle – sur la liberté qui menacerait la colonie de l'intérieur :

un célèbre prisonnier que nous avons eu cette année [...] s'est sauvé dix ou douze fois tant ici qu'à Kebecq & ailleurs, dans desquels endroits les serruriers ont perdu leur crédit à son égard, les charpentiers & maçons y ont tombé en confusion. Les menottes lui étaient des mitaines ; les fers aux pieds, des chaussons ; et le carcan, une cravate. Qu'on lui fasse des ouvrages de charpente propres à enfermer un prisonnier d'Etat, il en sortait plus aisément qu'un moineau de sa cage, lorsque la porte en est ouverte. Il trouvait si bien le faible d'une maison qu'enfin, il n'y a point de muraille à son épreuve : il tirait les pierres aussi facilement des murailles que si les maçons y avaient oublié le ciment et leur industrie. Bref, il s'est laissé reprendre plusieurs fois, comme s'il avait voulu insulter tous ceux qui voulaient se mêler de le garder. [...] cet athlète de la liberté a enfin si bien combattu pour elle qu'il semble s'être délivré une bonne fois pour toujours. [...] il est erant parmi les bois. Il pourra bien peut-être être le chef de nos bandits et faire bien du désordre dans le pays, quand il lui plaira de revenir du côté des Flamands [les Hollandais de New York] où on dit qu'il est allé avec un autre scélérat et une femme française si perdue, qu'on dit qu'elle a donné ou vendu 2 de ses enfants aux Sauvages.

Ce sont là les derniers mots du texte, condensé proprement romanesque de rumeurs qui se présentent bien davantage comme les matériaux d'une bonne histoire (« pour finir agréablement cette relation », annonce l'auteur) que comme des références crédibles.

Joseph-François Lafitau (1681-1746), qui publie en 1724 *Mœurs des Sauvages amériquains, comparées aux mœurs des premiers temps,* affiche pour sa part avec panache des visées scientifiques. Comme chez Lahontan, sa description est marquée par une valorisation relative de la civilisation amérindienne. Loin de condamner les modes de vie des « Sauvages », Lafitau veut faire valoir la parenté entre les attitudes des Amérindiens et les fondements de la religion chrétienne. Sa perspective historique s'avère fort différente de celle de ses prédécesseurs : c'est l'histoire précédant les débuts de la Nouvelle-France qui l'intéresse d'abord et avant tout. Selon sa thèse, les Amérindiens auraient une intuition primitive de la religion chrétienne, qu'il suffirait d'orienter vers sa pleine reconnaissance. Pour étayer son point de vue, il décrit avec une grande précision les mœurs et les coutumes des Amérindiens, qu'un séjour de cinq années lui a permis de connaître. En comparant cette description avec la documentation existante sur les pratiques religieuses des peuples primitifs, Lafitau veut montrer que l'histoire de la religion universelle trouve son origine dans une source commune, et rapproche pour ce faire les Iroquois et les Hurons des Grecs, des Romains, des Ibériens et des Gaulois :

Je crois [...] devoir prévenir ceux qui pourroient être étonnez de voir que dans le cours de cet Ouvrage j'aille fouiller non-seulement dans les Mœurs des Grecs postérieurs qui avoient formé leur République sur celle des Anciens Crétois, mais encore dans celles des anciens Romains, des Ibériens & des Gaulois, pour y trouver des similitudes qui pourroient paroître hors de propos. Mais selon le témoignage des Auteurs, rien n'étoit plus semblable que les mœurs des Ibériens, des Gaulois & des Peuples de la Thrace & de la Scythie, parce que ces Barbares s'étoient répandus de tous ces côtez-là. Il me semble néanmoins reconnoître les Iroquois & les Hurons d'une manière plus particulière dans ces Peuples de la Thrace Asiatique, qui des extrémitez de l'Asie Mineure, & de la Lycie même, pénétrerent dans le Pont, & s'arrêterent dans l'Asie & dans l'Areiane. J'apporterai dans la suite les raisons qui peuvent appuyer mes conjectures sur ce point.

Lafitau concède qu'il s'agit de « conjectures », mais cela ne l'empêche pas de développer ses comparaisons avec assurance, car si ses preuves sont pour le moins contestables, il ne doute pas de la validité de ses conclusions : il n'y a toujours eu et il n'y aura jamais qu'une seule religion, qui apparaît sous diverses formes selon l'époque et le lieu. C'est ainsi qu'il termine ses observations sur les rites entourant la mort chez les « Sauvages » par cette réfutation : « Quoiqu'en puissent prétendre les impies, qui veulent que tout périsse avec le corps, ils peuvent s'instruire de la vérité par la pratique de ces Peuples grossiers [qui est] un témoignage de la Foy ancienne. »

Sur le plan historiographique, même s'il n'aura jamais le poids de l'*Histoire du Canada* à venir de François-Xavier Garneau, le maître ouvrage du père jésuite François-Xavier de Charlevoix (1682-1761), *Histoire et Description générale de la Nouvelle-France* (1744), se démarque nettement de toutes les publications qui l'ont précédé. Plus complet et mieux ordonné, il affiche une visée scientifique qui est davantage assumée que chez Lafitau. Il sera d'ailleurs salué, à titre de devancier précieux, par Garneau, même si ce dernier remettra en question l'objectivité de l'historien jésuite. Charlevoix est un personnage d'envergure : il a été le professeur de Voltaire et le rédacteur du prestigieux *Journal de Trévoux* de la Compagnie de Jésus durant une vingtaine d'années. Il a aussi publié des ouvrages historiques sur le Japon, une biographie de Marie de l'Incarnation et plusieurs travaux d'érudition. Son histoire de la Nouvelle-France est loin d'être improvisée. Pendant ses séjours en Amérique du Nord, le père Charlevoix a beaucoup voyagé : il s'est rendu à La Nouvelle-Orléans et même jusqu'au Cap (Haïti), cherchant à découvrir un passage vers la Chine. Chaque fois, il ne cessait de prendre des notes, préparant de très longue haleine un travail minutieux basé sur l'observation, mais surtout sur les écrits de ses prédécesseurs. Charlevoix fournit la liste de ces travaux, qu'il transcrit souvent en les corrigeant ou en les complétant. Le rassemblement et la critique des sources font de lui un historien au sens moderne du terme, et non un auteur de « relation » parmi d'autres. Charlevoix est très conscient de cette nouveauté et du tour austère que son parti pris impose :

Il m'auroit sans doute été plus aisé & plus agréable de ne prendre, si j'ose ainsi m'exprimer, que la crême de l'Histoire du nouveau Monde. J'aurois été bien-tôt à la fin de ma carrière, & j'aurois eu apparemment plus de Lecteurs ; mais ceux, qui en veulent être instruits à fond, seroient obligés d'avoir recours à une infinité d'autres Livres, qu'on n'a pas aisément à la main, dont quelques-uns sont très-rares, où les choses interessantes sont noyées dans des détails & des écrits fort ennuyeux, & où il n'est pas facile de démêler le vrai d'avec le faux; outre qu'il en est plusieurs, dont la lecture n'est pas sans danger du côté des mœurs & de la Religion.

C'est donc au nom de la véracité comme de la morale que Charlevoix propose cette synthèse monumentale, appuyée par une véritable réflexion sur la pratique de l'histoire.

L'ouvrage, qui paraît simultanément en deux formats (en trois tomes et en cinq volumes), s'accompagne de plusieurs cartes et plans détaillés. Il se divise en deux parties principales : l'histoire proprement dite, qui épouse le déroulement chronologique des événements de la découverte jusqu'en 1732, et un journal élaboré (environ le tiers de l'ensemble) par lequel l'historien donne un tour plus personnel à son bilan. L'ensemble se clôt par une « Description des plantes principales de l'Amérique septentrionale », transition entre les esquisses de Pierre Boucher et le chef-d'œuvre futur du frère Marie-Victorin.

Le travail de Charlevoix est donc fondateur, et cette première véritable histoire sera souvent utilisée par la suite. Malgré des inexactitudes et l'inévitable éloge de l'intervention de ses collègues jésuites, on lui reconnaît une fiabilité sans précédent. D'un point de vue littéraire, c'est le journal qui a retenu davantage l'attention. Dans ce journal, après une brève « Dissertation préliminaire, sur l'origine des Amériquains » qui s'inspire largement de Lafitau, Charlevoix opte pour la même méthode « littéraire » que celle de Lahontan ou de Dollier de Casson, en transformant ses notes en lettres. Il les adresse à la duchesse de Lesdiguières. Refusant dès le début de jouer le jeu de l'embellissement littéraire, il concède à l'avance le peu d'intérêt d'une bonne partie des propos qui suivront, et insiste même sur l'indifférence réciproque des explorateurs et des Amérindiens :

vous n'ignorez pas que l'on m'envoye dans un Pays, où je ferai souvent cent lieuës, & davantage, sans rencontrer un Homme, & sans voir autre chose que des Bois, des Lacs, des Rivieres & des Montagnes. Et quels Hommes encore, que ceux, qu'on y peut rencontrer? Des sauvages, dont je n'entends point la Langue, & qui ne sçavent pas la mienne. De plus, que me diroient-ils? Ils ne sçavent rien; et que leur dirai-je? Ils ne sont pas plus curieux d'apprendre des nouvelles d'Europe, que vous ni moi, Madame, ne le sommes d'être instruits de leurs affaires.

L'invention est exclue dès le départ, au profit de l'exactitude, car, en dépit de la forme « littéraire », il ne saurait être question pour l'historien de s'écarter de sa vocation : « je ne me sens point d'inclinaison à forger des aventures; j'ai déjà fait l'expérience de ce que dit un Ancien qu'on ne change point de caractère en passant la Mer, ni en changeant de Climat, & j'espère conserver celui de sincérité, que vous me connoissez ». Comme chez Marie de l'Incarnation, la Providence intervient « naturellement », par exemple dans la description du fameux trem-blement de terre de 1663, qui trouve son explication dans la colère de Dieu, mécontent du trafic de l'eau-de-vie, « première source de tout le mal ». Charlevoix se fait prudent au seuil de l'épisode, prenant ses distances à l'égard de l' « exagge-ration ». Mais il place tout de même son lecteur, avec empathie, du point de vue des témoins de l'époque :

On entendit [...] des bruits de toutes les sortes ; tantôt c'étoit celui d'une Mer en fureur, qui franchit ses bornes ; tantôt celui, que pourroient faire un grand nombre de Carosses, qui rouleroient sur le pavé ; & tantôt le même éclat, que feroient des Montagnes de rochers et de marbre, qui viendroient à s'ouvrir & à se briser. Une pous-sière épaisse, qui s'éleva en même-tems, fut prise pour une fumée, & fit craindre un embrasement universel [...].

Dans des passages comme celui-là, l'historien se laisse emporter par son récit, mais le plaisir d'écrire est le plus souvent tempéré par le souci de trier et d'ordon-ner, de sorte que l'intérêt documentaire reste le principe fondamental de ce monument d'érudition.

6
La Nouvelle-France au quotidien

Parallèlement aux études historiques proprement dites, les chroniques de certaines femmes, dont Marie Morin et Élisabeth Bégon, s'attachent à la vie quotidienne. Formée chez les ursulines avant d'entrer chez les religieuses hospitalières, Marie Morin (1649-1730) écrit modestement pour édifier ses consœurs de France. Mais en combinant la chronique de sa communauté avec l'histoire des débuts récents de Montréal, elle fait valoir le courage des religieuses de la colonie. Née à Québec, celle qui se présente comme une « chétive historienne » a forcément un rapport à la Nouvelle-France très différent de celui de visiteurs comme Lafitau ou Charlevoix. Son écriture mêle allègrement le factuel et le merveilleux – le diable a autant de réalité que Maisonneuve – et Marie Morin prend un plaisir particulier à chanter les vertus de ses contemporaines, comme Jeanne Mance, fondatrice du premier hôpital montréalais (Hôtel-Dieu), ou Marguerite Bourgeoys, qui établit une école pour filles (françaises et amérindiennes) et laisse avant de mourir des mémoires destinés à ses filles spirituelles. Ce corpus féminin constitue, avec les annales des sœurs de l'Hôtel-Dieu de Québec, éditées en 1751 sous le titre *Histoire de l'Hôtel-Dieu de Québec*, un témoignage essentiel sur la vie en Nouvelle-France qui fait voir un autre type d'écriture que les relations de voyage. On y découvre moins les hauts faits de quelques individus voués à l'exploration qu'une chronique détaillée de la vie sur place, dans les limites des fortifications et des toutes nouvelles institutions. Parmi tous ces textes, les *Annales de l'Hôtel-Dieu de Montréal* (1697) de Marie Morin, auxquelles on donnera plus tard le titre figurant sur le manuscrit (*Histoire simple et véritable*), occupent une place à part, car elles brossent un tableau de la jeune société, comme le montre cette description des origines et des progrès de la colonie :

le Seigneur donnèt tant de benediction aux traveaux de ce petit peuple qu'ils recullois autant de bled de la semance d'un seul minot que nous fesons aujourdhy de 28 et 30, sans hiperbolles. Aussy vivois ils en saints, tous unaniment, et dans une piété et religion envers Dieu telles que sont maintenant les bons Religieux. [...] Rien ne fermèt a clef en ce tamps, ni maison, ni cofre, ni caves, &c., tout estoit ouvert sans jamais rien perdre. Celuy qui avète des commoditees a sufisance en aidèt celuy qui en avoit moins, sans atandre qu'on luy demanda, ce faisant au contreire un for grand plaisir de le prevenir et luy donner cette marque d'amour et d'estime. Quand l'inpatiance avoit fait parler durement a son voisin ou autre, on ne se couchèt point sans luy en faire excuse a genoux. On n'enteandèt pas seulement parler du vice d'inpureté, qui estoit en horreur mesme aux hommes les moins devots en aparence. Enfin c'etoit une image de la primitive Eglise que ce cher Montreal dans son commancement et progres, c'est a dire pandant 32 ans ou environ.

Mais ce temps hureux est bien passé, la guerre continuelle des Yrocois aiant obligé notre bon Roy d'anvoier dans le Canada, a plusieurs fois, cinq ou six mil hommes soldats et officiers qui ont ruiné la vigne du Seigneur et estably le visce et le peché, qui est presque aussy commeun a presant que dans l'ancienne France [...].

Au siècle suivant, le témoignage le plus riche sur l'évolution de la société en Nouvelle-France est encore celui d'une femme, Élisabeth Bégon (1696-1755). Découvertes en 1932, publiées pour la première fois en 1935 et rééditées en 1972 par Nicole Deschamps sous le titre de *Lettres au cher fils*, les lettres qu'Élisabeth Bégon, née Rocbert de La Morandière, adresse à son gendre Honoré-Michel de Villebois de La Rouvillière entre 1748 et 1753 relèvent d'abord du témoignage privé, du journal d'une famille et de la chronique sociale. Il s'agit de la seule femme laïque dont on possède un texte. De ces lettres réparties en neuf « cahiers », auxquelles manquent les réponses de leur destinataire, la première partie uniquement est écrite à Montréal, puisqu'en octobre 1749 Élisabeth Bégon, accompagnée de son père et de sa petite-fille, s'embarque pour la France et Rochefort où elle demeurera jusqu'à sa mort en 1755. Née à Montréal et surnommée « L'Iroquoise » par une belle-famille française qui l'avait jugée indigne d'elle, Élisabeth Bégon se trouve, par sa position de veuve de Claude-Michel Bégon, gouverneur de Trois-Rivières, au centre de la société coloniale de la Nouvelle-France à la veille de la Conquête. Amie de La Galissonière, gouverneur de la Nouvelle-France, qui la protège, entretenant des relations avec l'intendant Bigot à qui elle vendra sa maison de Montréal, alliée à la famille La Vérendrye, elle évoque dans sa correspondance ses démarches et tractations pour faire obtenir à son gendre lui-même ou à certains de leurs protégés communs des postes militaires ou des avantages commerciaux liés à la traite des fourrures.

Dans ce milieu d'administrateurs et de marchands, elle a un ascendant de notable, qu'elle perd en passant en France, où elle commente les difficultés qu'elle éprouve pour survivre décemment sans ce réseau d'influences : « Je me regarde ici tombée des nues », écrira-t-elle le 4 février 1750 de Rochefort, « ne trouvant pas plus de secours dans mes proches que dans les étrangers. » Les soucis d'argent occupent aussi beaucoup cette correspondance, qu'il s'agisse de vendre la maison de Montréal à Bigot, après en avoir loué une partie à La Galissonière, ou de se débarrasser, pour le compte de Michel de La Rouvillière qui apparemment lui en saura bien peu gré, de vignobles tourangeaux peu rentables. Des appréhensions précises et ponctuelles, notamment quant à l'avenir de son gendre et de son petit-fils, font intervenir la politique dans la correspondance de Bégon, qui s'écrit sur fond de sourde inquiétude au sujet de la guerre contre les Anglais et du devenir de la colonie. La vie culturelle, tant en Nouvelle-France qu'à Rochefort, est assez peu présente ; aucune lecture n'est évoquée. Tout au plus saurons-nous qu'elle achète à sa petite-fille, malgré le montant élevé d'une telle dépense, « tous les Corneille de l'univers, les Fables, les Henriade, les Don Quichotte et les Duranceau, et je ne me souviens plus quels autres, mille dictionnaires latin et français et autres livres latins ». On ne trouve ni descriptions de lieux ou d'événements, ni portraits de personnages illustres, ni même de véritables anecdotes. L'information se déduit plutôt de l'évocation d'une atmosphère ou se reconstitue par le recoupement des allusions. Par ailleurs, Élisabeth Bégon n'écrit pas pour un public, son destinataire étant privé et unique ; elle exprime même le désir que sa correspondance soit détruite, dans un souci de discrétion. Son écriture est simple, souple, sans effet. Son humour s'effrite au fur et à mesure que s'installe le découragement, et les considérations moralisantes se font proportionnellement plus nombreuses.

Marquées par le double espoir de quitter le pays et de revoir son « cher fils », les lettres de Montréal sont plus légères que celles de France. On peut y lire entre autres des fragments d'une chronique mondaine de la ville qui permet de nuancer l'image de la vie austère des premiers colons en faisant apparaître au contraire une société joyeuse, qui se retrouve à des bals très courus malgré les interdictions du clergé, et à de multiples réceptions qu'Élisabeth Bégon compare, non sans nostalgie, à celles, plus fastueuses, de sa jeunesse.

Le 21 [janvier 1749]

Il y a eu de belles souleries hier, au dîner chez M. de Lantagnac. Tous furent, comme on me l'avait dit, cher fils, danser un menuet avec peine : puis il fut conclu qu'on irait chez Deschambault manger la soupe à l'oignon. Il y fut bu encore beaucoup de vin, surtout cinq bouteilles entre M. de Noyan et Saint-Luc qui, comme tu penses, restèrent sur la place. On mit Noyan dans une carriole en paquet et on l'amena chez lui. Les autres se retirèrent chacun chez eux.

C'est Mme. Varin qui m'a conté cela en dînant, étant venue dîner avec nous, son mari ayant été chez M. Martel dîner avec MM. de Longueuil et Lantagnac. Martel fait aujourd'hui le petit seigneur. Si tu pouvais, cher fils, voir ce qui se passe au travers de quelques nuages, tu rirais.

Adieu, en voilà assez. J'ai grand mal à la tête et n'ai rien de joli à te dire que ces folies.

Les allusions à des bagarres, à des procès ou à des scandales contribuent à esquisser un tableau de la colonie plus agité et moins moral que celui qu'en ont fait les premiers historiens. Enfin, le dernier sujet de ces lettres, et non le moindre au regard de l'espace qu'il occupe, est par excellence quotidien : le temps. Les hivers en Nouvelle-France et l'humidité de Rochefort donnent lieu aux mêmes plaintes et sont l'occasion d'exprimer des craintes sur le prix du bois et le danger des incendies à Montréal, sur les maladies et la nourriture à Rochefort.

Tout au long des lettres écrites en Nouvelle-France, Élisabeth Bégon aspire à vendre ses biens et à convaincre son père d'aller s'établir en France où, espère-t-elle, son gendre les rejoindra :

Il n'y aurait, cher fils, que ton retour en Canada qui pût me déterminer à y rester ou la volonté de mon cher père qui, j'espère, se laissera gagner par raison à nos intérêts ; car il n'est plus possible de vivre en Canada. Le bois est à quinze et vingt la corde ; le blé à trois, les veaux à trente, la dinde à cinq pièce, les chapons vingt-cinq pièce, et le reste à proportion.

Le 12 mai 1749, après avoir noté qu'« il fait un froid terrible, il neige, il pleut, il grêle et crois que l'hiver va recommencer. Nous avons du feu partout et nous gelons », Bégon cite cette remarque de sa petite-fille à son père : « Aurais-tu du regret de laisser un pareil pays ? » Mais sa vie ne sera pas meilleure en France, où son gendre, nommé à La Nouvelle-Orléans d'où il donne manifestement peu de nouvelles, ne la rejoindra pas (il mourra en Louisiane en 1753 alors que sa correspondante, qui ignore son décès, continue de lui écrire). La lettre du 29 octobre 1750 exprime sa déception :

Je trouve tous les jours, cher fils, des sujets de faire des reproches à tous ceux à qui j'ai tant ouï dire qu'en France on fait tout dans un ordre sans égal ; en France, on a tout aisément, en France, on est bien servi, et enfin en ce pays, je croyais qu'avec de l'argent, on avait tout à souhait. Mais en vérité si j'eusse été assez dupe pour le croire, je serais bien trompée, car je ne vois rien de ce que j'ai entendu dire et ne trouve ici de mieux qu'en Canada que décembre, janvier et février, car tout le reste est pire. Il n'y a pas dans cette ville, un ouvrier qui vaille Labrosse ou Durye. Le temps y est actuellement plus vilain qu'à Montréal. Les domestiques y sont infâmes et je me désespérerais pour peu.

Adieu. Voici un gâchis qui doit t'ennuyer. Adieu.

Élisabeth Bégon donne à lire, plus que d'autres, l'extrême difficulté de la vie en Nouvelle-France. Dans sa correspondance de la Nouvelle-France, tous les inconvénients du régime colonial, du climat au prix des aliments, de la moralité des habitants aux dangers d'une guerre, lui servent à justifier et à entretenir son désir de quitter Montréal pour aller s'établir en France. Sa vision est alors globalement négative. Mais dans ses lettres de Rochefort, marquées par la déception qu'elle éprouve une fois installée en France, son jugement sur la Nouvelle-France se transforme en regret. Le mot « pays », dont il est intéressant de voir le déploiement dans les lettres, désigne avec une netteté sans doute assez neuve la Nouvelle-France. Là réside surtout l'intérêt de ce texte, celui de nommer clairement la Nouvelle-France, plus souvent appelée le Canada, comme son pays. En ce sens, déclassée et amère dans la province française dont elle ne parvient pas à s'approprier les codes, suspendue aux nouvelles d'outre-mer et à l'affût des vaisseaux qui partent et arrivent pour tâcher de joindre son correspondant, déplacée, nostalgique, « L'Iroquoise » est bien l'une des premières Canadiennes. Il reste significatif qu'elle le soit devenue en quelque sorte malgré elle.

DEUXIÈME PARTIE

Écrire pour la nation

1763–1895

Vue de la prise de Québec, 13 septembre 1759, 1797, M3971, Musée McCord, Montréal (détail).

LA PÉRIODE QUI VA DU DÉBUT DU RÉGIME ANGLAIS À LA FIN DU XIXᵉ siècle présente une série de textes souvent épars dont le dénominateur commun est de servir à construire la nation et, de façon plus immédiate, de s'adresser à un lecteur d'ici. En cela, la littérature canadienne-française de cette période se distingue fortement des écrits de la Nouvelle-France, tous destinés à un lecteur de la France. Le changement de régime en 1763 entraîne une réorganisation sociale au cours de laquelle l'activité intellectuelle locale prend forme peu à peu. Cette activité s'effectue presque exclusivement dans les journaux jusqu'aux années 1830. Après les Rébellions de 1837-1838, l'écrivain devient le porte-parole de la collectivité et participe à l'élaboration d'une nouvelle conscience nationale. Les Rébellions des patriotes éclatent à la suite du rejet, par la Grande-Bretagne, des demandes de réforme formulées en 1834 par le Parti patriote dans un texte contenant 92 Résolutions. Entre 700 et 800 jeunes patriotes radicaux créent l'Association des Fils de la liberté et s'appuient sur les idéaux de la Révolution américaine pour réclamer l'indépendance de la colonie. Passant de la parole aux actes, plusieurs d'entre eux prennent les armes. Ils sont rapidement vaincus, après quoi Londres envoie un émissaire, Lord Durham, chargé de faire des recommandations pour trouver une solution politique à la situation de la colonie. Son fameux rapport de 1839 prône l'assimilation des Canadiens français par la majorité anglo-saxonne. Le rapport est aussitôt interprété par l'élite politique et intellectuelle canadienne-française comme une provocation. En réaction à cette politique d'assimilation qui se traduit par l'Acte d'Union de 1840, les Canadiens français misent sur la défense de leurs droits politiques. Ils veulent aussi faire mentir Lord Durham qui a vu les Canadiens français comme un peuple « sans histoire et sans littérature ». Le lien entre la survie politique et l'essor d'une littérature nationale se fait de lui-même, comme vers la même époque en Pologne ou en Belgique. Cette fonction politique de la littérature est par ailleurs renforcée par la nouvelle vision du monde romantique selon laquelle le poète, sans être forcément un mage comme en France, se sent désormais investi du pouvoir d'éclairer et d'unifier sa patrie.

Les textes littéraires qui paraissent au XIXᵉ siècle assument tous plus ou moins directement une telle fonction politique. C'est ce qui fonde l'unité de cette période. Celle-ci ne constitue pas pour autant un bloc homogène, mais se subdivise en trois sous-périodes. Du Traité de Paris (1763) jusqu'aux Rébellions de 1837-1838, une littérature politique se met en place dans les journaux qui constituent, on l'a souvent dit, le « berceau » des lettres canadiennes-françaises. Les œuvres romanesques et poétiques commencent à paraître à partir de 1837, mais l'idée d'une littérature nationale se matérialise surtout par la publication de l'*Histoire du Canada* (1845-1852) de François-Xavier Garneau et par la mise en place d'un milieu intellectuel avec notamment la création en 1844 de l'Institut canadien, foyer du libéralisme canadien-français. La vie culturelle s'organise alors autour de certains éditeurs-imprimeurs, de quelques librairies et de journaux ou revues à caractère littéraire. À compter de 1860, les signes d'une effervescence sont si forts que l'abbé Henri-Raymond Casgrain a pu parler d'un « mouvement littéraire en Canada ». À la fois acteur et observateur de ce mouvement, l'abbé Casgrain fait la synthèse de la littérature nationale et en fixe le programme : « elle sera essentiellement croyante et religieuse ».

Un programme aussi conservateur tranche nettement avec l'esprit libéral qui s'était manifesté auparavant. Alors que les premiers efforts pour élaborer une conscience nationale se font sous le signe d'une ouverture sur le monde contemporain, les positions se radicalisent après 1860. L'Église catholique canadienne-française s'en prend à l'Institut canadien, qui perd peu à peu de son rayonnement avant de disparaître. Langue, religion et patrie vont désormais de pair et se définissent l'une par rapport à l'autre, toutes trois placées sous l'autorité des mêmes individus. Quant à la littérature, elle subit, elle aussi, l'influence clérico-nationale. Mais il serait excessif de réduire cette littérature au programme établi par l'abbé Casgrain. Le nombre et la qualité des textes littéraires ne cessent de s'accroître dans le dernier tiers du siècle. La scolarisation représente à cet égard un facteur plus déterminant que le seul contexte idéologique. Le taux d'analphabétisme, extrêmement élevé au début du siècle, diminue constamment par la suite. Il s'ensuit que le nombre d'écrivains augmente à proportion du nombre de lecteurs potentiels. L'émergence de voix singulières, comme celles d'Arthur Buies et d'Octave Crémazie, constitue le signe probant d'une telle évolution.

Le mouvement littéraire de 1860 embrasse un ensemble de textes qui ont surtout en commun de donner du poids à l'idée de littérature nationale. Des textes publiés plus tôt, comme l'*Histoire du Canada* de Garneau, sont réédités, de même que les écrits de la Nouvelle-France que l'on redécouvre avec enthousiasme. Les écrivains contemporains, eux, sont invités à collaborer à ce « mouvement littéraire en Canada ». De façon générale, les genres privilégiés sont ceux qui font appel au passé, que ce soient les ouvrages proprement historiques, les romans, les contes ou les légendes qui permettent de conserver la mémoire de la tradition canadienne-française. Il n'est pas rare qu'un écrivain change de façon radicale son style et son idéologie, dans un sens comme dans un autre. On verra ainsi Octave Crémazie, en exil à Paris, se moquer de ses premiers poèmes, d'allure patriotique, et se réclamer d'un réalisme en phase avec la littérature française contemporaine ; à l'inverse, le chroniqueur anticlérical Arthur Buies s'assagit à la fin du siècle et met sa plume de pamphlétaire au service du curé Labelle.

Loin de l'Europe et isolés en Amérique, les écrivains canadiens-français du XIXᵉ siècle se heurtent à des contradictions qui restent à de nombreux égards celles des écrivains du XXᵉ siècle. Entre les faibles moyens dont ils disposent et le désir d'honorer la littérature et la nation, ils mesurent bien l'effarante distance. De là sans doute le mépris de l'œuvre gratuite ; de là aussi l'importance de l'écrivain-journaliste, qui participe directement à la vie sociale et politique, de l'historien, qui construit la mémoire de la nation, et du prêtre, qui est le mieux placé pour élever la littérature vers les « saines doctrines » (Casgrain). Le romancier, lui, fait œuvre utile s'il peint les mœurs de la société en vue de fournir des modèles positifs ou s'il invoque des figures de l'histoire canadienne-française. Le poète fait de même s'il écrit des poèmes patriotiques. Les genres canoniques (poésie, roman, théâtre) se développent toutefois avec lenteur. La plus grande partie du corpus poétique paraît dans les journaux, les revues et les albums littéraires, qui prennent peu à peu la place de la tradition orale alors en perte de vitesse. Le roman, genre réputé immoral au Québec comme en France, suscite mille réserves, y compris de la part des romanciers eux-mêmes. La dramaturgie locale reste quasi inexistante, bien que quelques troupes se forment ici et là autour des collèges classiques. Le voisinage des discours historiques, journalistiques et littéraires colore d'ailleurs nombre de textes de cette période et constitue une part de son intérêt. Ces textes refusent de séparer tout à fait la littérature et les débats d'idées. L'*Histoire du Canada* de Garneau, qui s'est d'abord fait connaître comme poète, est écrite et lue comme une réfutation du rapport Durham, la preuve que le Canada français possède bel et bien une histoire. Toute la seconde moitié du siècle cherchera ensuite à prouver que le Canada français possède aussi une littérature.

De fortes contraintes pèsent sur les textes de cette période. La double édification – de la nation dont il faut écrire l'histoire et qu'il faut doter d'une littérature, et de l'individu qu'il faut contribuer à rendre meilleur – est la plus visible. Mais la conscience nationale qui traverse la plupart des textes littéraires canadiens-français ne se manifeste pas uniquement sous la forme positive du patriotisme. S'engage aussi un examen critique de la nation à la lumière de ce qui se passe ailleurs au même moment. Les idées débattues sont largement nourries de celles qui circulent aux États-Unis et en Europe où plusieurs écrivains séjournent. Adressés à un lecteur d'ici, les textes du XIXᵉ siècle réfléchissent à l'identité canadienne et ne cessent de se comparer, tantôt pour s'en distinguer, tantôt pour s'y reconnaître, à des modèles européens ou américains. De sorte qu'il faut décidément nuancer l'image de repli que conserve le siècle. C'est au contraire au carrefour d'influences de plus en plus nombreuses et variées que se construit l'idée d'une littérature nationale.

Avec l'arrivée au Québec de quelque 7000 loyalistes fuyant la Révolution américaine de 1775, la population anglophone augmente rapidement, tant dans des zones rurales des Cantons-de-l'Est et de l'Outaouais que dans les villes de Montréal et de Québec. Au moment de l'Acte constitutionnel de 1791, qui sépare le Canada en deux entités politiques, le Bas-Canada compte environ 140 000 francophones et 10 000 anglophones. Cette proportion se modifie profondément au XIXᵉ siècle avec l'anglicisation de Montréal et de Québec. Vers 1840, 40 % des Montréalais sont originaires de l'étranger, principalement de Grande-Bretagne. Même phénomène à Québec, où la population anglaise atteint près de 40 % en 1861. Déjà, lors de son bref passage au Canada en 1831, le Français Alexis de Tocqueville observe : « Dans les villes, les Anglais et les Canadiens forment deux sociétés. Les Anglais affichent un grand luxe ; il n'y a parmi les Canadiens que des fortunes très bornées. » À Montréal comme à Québec, les anglophones disposent d'une organisation sociale et d'une vie culturelle de plus en plus distinctes. On le voit notamment par le type de librairies qui se mettent en place, suivant le modèle du Mechanic's Institute Movement créé en Angleterre en 1823 et qui s'implante à Montréal en 1828. Avec ses *newsrooms* et ses *reading rooms,* ce type de bibliothèque fait partie de la culture des marchands, classe dynamique pour qui les journaux et les revues sont des moyens privilégiés d'information et de culture. Du côté francophone, la création de l'Institut canadien de Montréal en 1844 aura une visée similaire, mais sa riche bibliothèque suscitera l'hostilité de la part du clergé catholique, comme on le verra plus loin.

De façon générale, le milieu de vie et l'horizon culturel de l'écrivain anglophone du Québec ont peu à voir avec ceux de l'écrivain francophone. Demeuré plus près de l'Europe, l'écrivain canadien-anglais n'écrit pas pour la nation. C'est à l'intention des lecteurs anglais qu'est destiné le premier roman canadien, *The History of Emily Montague* (1769), de Frances Brooke (1723-1789), roman sentimental de forme épistolaire qui se déroule dans la région de Québec, où la romancière anglaise a brièvement vécu. En revanche, des écrivains irlandais de Montréal comme Rosanna Eleanor (Mullins) Leprohon (1829-1879) s'identifient aux lecteurs francophones par leur religion et se reconnaissent volontiers dans le catholicisme de la Nouvelle-France. Les romans historiques de Leprohon (dont *The Manor House of de Villerai*, 1859, et *Armand Durand or A Promise Fulfilled*, 1868) ont d'ailleurs connu plus de succès dans leur version française que dans leur version originale. Réciproquement, *La Noël au Canada* de Louis Fréchette paraît d'abord en anglais (1899) et *La Chasse-galerie* d'Honoré Beaugrand (1900) paraît simultanément dans les deux langues. Toutefois, ces exemples de traduction presque instantanée n'entraînent pas un rapprochement véritable entre les deux littératures, qui restent largement étrangères l'une à l'autre. On arrive au même constat à propos du nationalisme qui sous-tend les deux littératures. L'année 1867 (début de la Confédération canadienne), par exemple, qui n'a guère de poids dans l'évolution de la littérature canadienne-française, est considérée, en revanche, comme une date clef de la littérature canadienne-anglaise.

Celle-ci n'est pas, pour autant, l'expression d'un mouvement patriotique semblable à celui qu'incarne l'abbé Casgrain.

Nous avons tenté de dégager les principales dimensions de cette période en insistant d'abord sur l'activité littéraire dans les nombreux journaux qui ont vu le jour dès le XVIIIe siècle, d'où émerge la figure du journaliste qui sera centrale tout au long du XIXe siècle. Au lendemain de l'Acte d'Union, la conscience nationale donne lieu à une première œuvre majeure, celle de l'historien et poète François-Xavier Garneau, de même qu'à la publication du *Répertoire national* de James Huston. Parallèlement, le milieu du siècle voit la création de l'Institut canadien, auquel appartient le chroniqueur Arthur Buies. Mais c'est surtout le mouvement littéraire de 1860, animé par l'abbé Casgrain, qui donne son impulsion à la littérature canadienne-française. Plusieurs œuvres parues durant cette période se rattachent directement à ce mouvement. C'est à l'abbé Casgrain que répond, de façon à la fois franche et amicale, le poète et critique Octave Crémazie dont l'œuvre marque pour longtemps les débats sur la littérature locale. C'est aussi à ce mouvement que sont liés la poésie patriotique, les contes et les légendes de même qu'un roman comme *Les Anciens Canadiens* de Philippe Aubert de Gaspé père. Si le genre du roman soulève au cours du siècle une certaine résistance, en grande partie à cause des impératifs moraux qui pèsent sur lui, comme on le verra dans le chapitre intitulé « Le roman contre lui-même », il trouve néanmoins son public au fur et à mesure qu'on avance dans le siècle. Son évolution chronologique sera décrite dans deux chapitres, l'un portant sur le roman à thèse, l'autre sur les romans historiques et les romans d'aventures. Une œuvre se distingue de cet ensemble et c'est celle d'une femme : *Angéline de Montbrun* de Laure Conan.

1
La littérature par le journal

Après la Conquête de 1759 et jusqu'aux années 1830, aucune œuvre littéraire marquante ne voit le jour. Pourtant, cette longue période de transition est déterminante à plusieurs égards, comme le montrent les travaux de Bernard Andrès. On y découvre l'une des caractéristiques fondamentales de la littérature québécoise, à savoir sa relation profonde et comme naturelle avec cette forme nouvelle qu'est le journal. La Nouvelle-France n'avait jamais pu compter sur son propre système d'imprimerie : ce n'est qu'avec le Régime anglais que les premières presses sont installées au pays (en 1764). Dès lors et encore longtemps après, on accède à la littérature par le journal. Les premières discussions littéraires se déroulent dans des journaux et les premiers lettrés, souvent des journalistes eux-mêmes, seront d'ardents défenseurs de la liberté de la presse. Quelques livres paraissent également, mais ils restent extrêmement rares. Le journal s'impose comme le lieu de diffusion par excellence de toutes sortes de textes : on y trouve des poèmes, des contes, des satires, des textes d'opinion, des écrits de circonstance. Loin d'être unique, ce phénomène s'apparente à ce qu'on observe ailleurs au même moment. Dans la France révolutionnaire, par exemple, le journal constitue l'un des principaux instruments de combat pour mobiliser l'opinion publique. Toutefois, l'écrivain canadien-français, plus proche en cela de l'écrivain canadien-anglais ou américain que de l'écrivain européen, ne verra jamais dans le journal une forme dégradée du discours littéraire, un concurrent méprisable du livre. Le journaliste et conférencier le plus influent du XIXe siècle, Étienne Parent, parlera élogieusement du journal comme de « la seule bibliothèque du peuple ». La presse périodique, au fur et à mesure qu'elle se développera, semblera le complément nécessaire de la pensée, de l'écriture.

Rappelons que le pays est dirigé, après le traité de Paris de 1763, par le gouvernement de Londres, représenté sur place par un gouverneur, qui doit cependant composer avec le clergé et la magistrature de langue française. En 1774, un premier aménagement législatif (Acte de Québec) maintient officiellement la liberté religieuse et rétablit l'usage du droit civil français. Les changements institutionnels les plus importants se produisent avec l'Acte constitutionnel de 1791. Désormais, les populations française et anglaise se partagent le territoire (respectivement le Bas-Canada et le Haut-Canada) et sont représentées chacune par une Chambre d'assemblée. Cette démocratisation, loin d'être complète puisque la Chambre d'assemblée reste tributaire d'un Conseil législatif non élu et contrôlé par Londres, permet toutefois à la bourgeoisie libérale francophone d'augmenter son influence. Grâce à un taux de natalité exceptionnel et à la création de collèges classiques, le poids démographique et politique de cette classe croît rapidement. À la Conquête, il n'y avait qu'un seul collège secondaire, le Séminaire de Québec. En 1767, Montréal obtient son premier collège, suivi par plusieurs autres villes. Une nouvelle classe d'hommes de lettres se forme ainsi au tournant du siècle : c'est la génération d'écrivains et d'hommes politiques qui commencent à écrire dans les années 1830. Ils sont précédés par une génération moins instruite, certes, mais convaincue de la nécessité de prendre la parole publiquement et de participer aux débats politiques, sociaux et culturels.

Entre 1763 et 1837, les rares individus à qui l'on doit des textes à caractère littéraire sont surtout des notables dilettantes comme le marchand Joseph Quesnel (1746-1809), qui décide de s'installer au pays après que son navire a été intercepté par une frégate anglaise en 1779. Pour se distraire, il écrit des poèmes, qu'il publie dans les journaux, et surtout quelques comédies, dont *Colas et Colinette* (1788), inspiré de Jean-Jacques Rousseau, joué à Québec par une troupe dirigée par Quesnel, le Théâtre de Société. En 1802, Quesnel crée aussi *L'Anglomanie ou le Dîner à l'anglaise*, court divertissement en vers sur les militaires et les seigneurs canadiens qui s'efforcent de plaire aux nouveaux dirigeants anglais. Le poète satirique Michel Bibaud (1782-1857), né à Montréal, auteur du premier recueil de poèmes, intitulé *Épîtres, Satires, Chansons, Épigrammes et Autres Pièces de vers* (1830), fera l'éloge du « génie poétique » de Quesnel, regrettant au passage que ce dernier ait commis quelques fautes de versification. Lui-même, formé au collège classique, n'en commet guère, mais il n'a rien d'original. Ses satires parfaitement rimées se moquent de l'ignorant, citent à profusion la mythologie grecque, les classiques français et les héros de la Nouvelle-France. Ils célèbrent aussi, sur un ton ampoulé, l'érudit, le savant, le lettré.

Du côté de la prose d'idées, l'essentiel se trouve dans les journaux, à l'exception d'un ouvrage étonnant, paru dans les premières années du Régime anglais. Il s'agit de l'*Appel à la justice de l'État* (1784) de Pierre du Calvet (1735-1786), protestant français qui venait de passer trois ans en prison pour avoir entretenu des sympathies à l'égard des Américains. Dès sa libération, ce commerçant se rend à Londres pour plaider son innocence et demander réparation. C'est là qu'il publie son livre, immédiatement expédié au Canada afin de convaincre l'opinion publique que les Canadiens ont droit, en tant que sujets britanniques, à tous les privilèges constitutionnels garantis au peuple anglais, notamment la liberté de la presse, le choix du culte, l'éducation laïque et l'instauration d'une Chambre d'assemblée. L'ouvrage connaît un réel succès et certaines de ses revendications, notamment celles qui touchent aux institutions représentatives et à la liberté de la presse, seront reprises par la suite.

Dans l'ensemble, le discours public reste contrôlé durant toute cette période par l'État et l'Église. Presque tous les livres qui sortent des presses émanent soit du pouvoir politique, soit du clergé. Composés de lettres, de mandements ou de

Vue arrière de l'église de Saint-Eustache et dispersion des insurgés, 1840, M4777.6, Musée McCord, Montréal.

textes juridiques, ces écrits s'adressent davantage à l'élite administrative qu'au peuple, très majoritairement analphabète. Plus encore, l'Église agit en tant que médiateur entre le pouvoir anglais et la population canadienne-française. Par le biais du sermon, elle dispose d'une tribune efficace à la grandeur du Bas-Canada et peut donner à ses discours une dimension politique. En 1794, par exemple, le futur évêque de Québec, Mgr Joseph-Octave Plessis (1763-1825), dans son oraison funèbre de Mgr Jean-Olivier Briand, l'un des modèles du genre, célèbre la valeur providentielle de la Conquête anglaise, qui a mis selon lui le Canada à l'abri de la Révolution française. Ce loyalisme s'avère du reste moins radical que l'anglicisation pure et simple proposée par Pierre du Calvet, qui se réclame des Lumières.

Les choses vont changer au début du siècle alors que s'élabore une conscience politique canadienne-française. Celle-ci repose à la fois sur la structure politique mise en place depuis 1791, sur l'ascension d'une nouvelle bourgeoisie canadienne et sur la diffusion d'idées nouvelles, liées à l'identité collective. Le tribun le plus charismatique et le plus célèbre défenseur des patriotes est sans contredit Louis-Joseph Papineau (1786-1871). Fils d'un député qui a été président de la Chambre d'assemblée, Papineau est un homme politique et un orateur enflammé, porté par une verve exceptionnelle, souvent emphatique. L'évolution de son propos illustre bien la montée en force du discours patriotique. En 1820, dans un discours-fleuve prononcé à l'occasion de la mort du roi d'Angleterre George III, il célèbre les bienfaits du Régime anglais devant le Parlement :

Qu'il suffise de nous rappeler que sous le gouvernement français (arbitraire et oppressif au dedans et au dehors), les intérêts de cette colonie étoient plus fréquemment négligés et mal-administrés que ceux d'aucune partie de ses dépendances. [...]

Telle étoit la position de nos pères ; voyez quel changement. George III monarque révéré pour son caractère moral, sa fidélité à ses devoirs comme Roi, et son amour pour ses sujets, succède à Louis XV, prince alors, justement méprisé pour ses débauches, son inattention aux besoins de son peuple, et sa profusion des deniers publics qu'il prodiguait sans mesure à ses favoris et à ses maîtresses. Dès ce jour, le règne des lois succède à celui de la violence [...].

Le 15 mai 1837, devant l'Assemblée du comté de Montréal, Papineau, désormais chef des patriotes, tient un tout autre discours. Il commence ainsi une longue harangue, qui se terminera par un appel au boycottage de tous les produits importés d'Angleterre ou de ses colonies :

Concitoyens,

Nous sommes réunis dans des circonstances pénibles, mais qui offrent l'avantage de vous faire distinguer vos vrais d'avec vos faux amis, ceux qui le sont pour un temps, de ceux qui le sont pour toujours. Nous sommes en lutte avec les anciens ennemis du pays. Le gouverneur, les deux conseils, les juges, la majorité des autres fonctionnaires publics, leurs créatures et leurs suppôts que vos représentants ont dénoncés depuis longtemps comme formant une faction corrompue, hostile aux droits du peuple et mue par l'intérêt seul à soutenir un système de gouvernement vicieux. Cela n'est pas inquiétant. Cette faction quand elle agira seule est aux abois. Elle a la même volonté qu'elle a toujours eue de nuire, mais elle n'a plus le même pouvoir de le faire. C'est toujours une bête malfaisante, qui aime à mordre et à déchirer, mais qui ne peut que rugir, parce que vous lui avez rogné les griffes et limé les dents.

En 1838, Papineau et sa famille s'enfuiront aux États-Unis puis en France, où le patriote collaborera à divers journaux socialistes. À son retour d'exil, en 1845, Papineau ne retrouvera plus son ascendant. Accusé par les uns d'avoir fui les combats en 1837 et par les autres de prôner l'annexion aux États-Unis, il sera écarté au profit de politiciens plus mesurés, comme Louis-Hippolyte La Fontaine, appuyé par le journal *La Minerve*. D'un extrême à l'autre, du loyalisme de 1820 au patriotisme de 1837 et jusqu'au radicalisme républicain, Papineau conservera toutefois un groupe de fidèles parmi la jeunesse radicale du milieu du siècle.

Tribun dans l'âme, attaché à l'Église et au régime seigneurial (il est l'un des seuls seigneurs à avoir été patriote), il incarnera à leurs yeux une sorte de héros malheureux, de chef mal-aimé.

Plus encore que par l'éloquence de tribuns comme Papineau, c'est par la création de journaux que s'élabore et se diffuse une nouvelle conscience politique. Fernand Dumont écrit à ce propos : « Entre la Constitution et le peuple, un premier intermédiaire est nécessaire : la presse. On lui donne la prépondérance, même sur les députés élus. Le peuple est incapable d'être attentif à toutes les incidences de l'administration ; grâce à la presse, une nation tient conseil et délibère ». Or, ces journaux ont aussi un lien direct avec la constitution d'une littérature nationale, comme on le constate aisément en suivant l'évolution de ce média depuis l'introduction de la première imprimerie au début du Régime anglais.

La plupart des journaux créés entre 1764 et 1806 sont bilingues, à l'exemple du tout premier d'entre eux, *The Quebec Gazette / La Gazette de Québec*. Le premier journal de langue française, créé à Montréal en 1778 par l'imprimeur Fleury Mesplet et intitulé *La Gazette littéraire*, deviendra lui aussi bilingue en 1785 avant de devenir entièrement anglais à partir de 1822. L'aventure de *La Gazette littéraire* ne dure même pas un an, puisque le gouverneur Haldimand ordonne sa fermeture et fait emprisonner son imprimeur et son principal rédacteur, le critique français Valentin Jautard. Ils vont rejoindre dans la prison de Québec Pierre de Sales Laterrière, un franc-maçon installé au pays depuis plus longtemps qu'eux et qui, en 1811, racontera la scène dans ses *Mémoires* : « je vis arriver dans ma chambre, comme prisonniers d'État aussi, un avocat appelé Jotard [*sic*] et un imprimeur appelé Fleury Mesplet, inculpés le premier d'être rédacteur et le second imprimeur d'un papier connu sous le nom de *Tant pis, tant mieux*, du genre libellique, qui se permettoit d'attaquer la sage politique du gouvernement anglois et surtout de combattre le despotisme du Suisse Haldimand ». D'esprit voltairien, Mesplet, Jautard et Laterrière sont soupçonnés de trahison après que les Américains ont proclamé leur indépendance (1776) et menacé d'entraîner le Canada dans leur révolution, comme l'avait fait craindre la tentative d'invasion de 1775. Mal vus à la fois par les autorités britanniques et par les autorités cléricales, à l'instar de Pierre du Calvet qui a collaboré, lui aussi, au journal de Mesplet, ces francs-tireurs tentent alors de gagner la faveur de l'opinion publique pour soutenir leur cause. Leur projet, le premier du genre au Canada, est risqué : la censure est, en effet, presque immédiate, ce qui montre bien que le journal agit déjà comme un contre-pouvoir menaçant. L'échec de Mesplet n'en est pas moins le signe d'une reconfiguration importante du domaine des lettres : pour la première fois, l'homme de lettres cherche à parler directement aux « honnêtes citoyens », entrouvrant ainsi, en marge du pouvoir politique et religieux, un espace de discussion qui, s'il se referme presque aussitôt, n'en annonce pas moins l'avènement du discours public.

Avec la création du journal *Le Canadien* (1806-1893), organe du parti du même nom, le plaidoyer pour la liberté de la presse, déjà lancé par *La Gazette littéraire* en 1778, prend une dimension nationale, car il est lié expressément aux intérêts spécifiques des Canadiens de langue française. *Le Canadien* illustre le rôle central du journaliste dans l'histoire littéraire au XIXe siècle. Plus que les autres journaux, comme *La Minerve* qui est son pendant conservateur, *Le Canadien* constitue un moment fort dans l'essor de la littérature nationale, en particulier à partir de 1831. François-Xavier Garneau écrira à son sujet : « Ce journal marque l'ère de la liberté de la presse en Canada. Avant lui, aucune feuille n'avait encore osé discuter les questions politiques, comme en Angleterre. La polémique que souleva *Le Canadien* se fit d'abord presque entièrement sous forme de correspondances anonymes ; il donna néanmoins une grande impulsion aux idées constitutionnelles, et à ce titre son nom mérite d'être placé à la tête de l'histoire de la presse du pays. » Le journal est libéral, quoique prudent et souvent moralisateur, notamment dans ses goûts littéraires. Il fait écho à ce qui se publie dans la presse conservatrice parisienne, il s'intéresse au romantisme (à Chateaubriand surtout) et il propose un modèle social assez conforme à ce que véhicule, chez un Lamennais par exemple, le courant chrétien libéral et utopiste. *Le Canadien* se distingue aussi des journaux antérieurs par le fait qu'il s'oppose d'abord à un autre journal, *The Mercury,* associé au Parti anglais, quand il ne répond pas au *Montreal Herald* ou au *Canadian Colonist.* On voit ainsi se dessiner non pas seulement une aventure isolée, mais un véritable milieu intellectuel, structuré par les luttes idéologiques que se livrent les journaux. Entre ceux-ci, les attaques sont fréquentes, les allusions constantes. Se construit de cette manière un espace de discussion fait de polémiques et, partant, fondé sur des enjeux bien réels de pouvoir. Les conséquences ne se font d'ailleurs pas attendre : *Le Canadien* sera supprimé en 1810 pour son manque de loyauté à l'égard du Régime anglais, ses rédacteurs seront arrêtés avec l'accord du clergé et de nombreux laïcs. Il renaîtra à quelques reprises avant de trouver sa forme la plus durable en 1831 sous la direction d'Étienne Parent.

Le journal de l'époque ressemble très peu aux journaux actuels : dans *Le Canadien,* on ne trouve aucun reportage signé, l'information originale fait défaut et la facture matérielle est austère. Présenté sous forme de colonnes étroites et serrées, sans illustration, le journal paraît trois fois par semaine à partir de 1831. L'essentiel d'un numéro se compose d'encarts publicitaires, de lettres de lecteurs, d'extraits empruntés à des journaux étrangers et de poèmes ou de récits en tous genres. Tout cela est placé pêle-mêle, parfois accompagné d'une critique d'œuvres contemporaines, en particulier de romans français modernes, toujours jugés de haut. Un lecteur du *Canadien* rencontre forcément la littérature sur son chemin : elle est partout présente, mêlée aux affaires quotidiennes. À l'inverse de ce qu'on pourrait penser, la littérature est donc beaucoup moins marginale qu'aujourd'hui dans les journaux. À travers elle comme à travers certains textes d'opinion (qui ressemblent aux éditoriaux actuels), le journal suggère divers moyens pour atteindre ce qu'on appelle alors le bonheur social et politique.

Le principal rédacteur en chef du *Canadien*, Étienne Parent (1802-1874), considéré par plusieurs historiens comme l'un des prosateurs canadiens-français les plus influents de la première moitié du xixe siècle, se sert de cette tribune pour parler de la question nationale. La devise qu'il propose en 1831 – « Nos institutions, notre langue, nos lois » – devient presque un slogan politique et résume à elle seule les principaux traits du nationalisme à venir. En l'espace de quelques années, il s'affirme par la sûreté de son jugement : mieux que ses contemporains, il dégage de l'observation des lois et des pratiques quotidiennes les fondements de la société qu'il s'emploie à édifier. Ses opinions varient, sa pensée s'adapte non sans certaines contorsions aux événements politiques, mais une vision générale assure une très forte cohérence à l'ensemble de ses textes et de ses discours. Le nationalisme n'est pas encore chez lui une doctrine, le libéralisme ne constitue pas davantage un dogme ; la lecture de ses articles ou de ses conférences permet au contraire d'apprécier le mélange d'autorité et de souplesse d'une prose qui s'appuie avant tout sur l'expérience du monde – la sienne et celle des collectivités qui, telles la Pologne ou l'Irlande, cherchent alors à se définir comme des nations.

Parent, qui a une réputation de modéré, appuie les 92 Résolutions du Parti patriote en 1834, dont le rejet par Londres entraînera une radicalisation de l'opinion publique et aboutira aux Rébellions de 1837-1838. À l'inverse de Papineau toutefois, il écarte toute union avec les États-Unis dont la domination menacerait, selon lui, l'intégrité des institutions canadiennes. L'annexion aux États-Unis ferait immanquablement du Bas-Canada une nouvelle Louisiane. Sa loyauté envers l'Angleterre et son éloignement des foyers des rébellions (il vit à Québec) ne le mettent pas à l'abri de la répression politique. Le 26 décembre 1838, il est incarcéré à l'instar des Patriotes qui lui reprochaient pourtant sa tiédeur, voire sa trahison. Malgré son emprisonnement, au cours duquel il tombe malade et devient irréversiblement sourd, il continue à diriger *Le Canadien*. Il traduit alors le rapport Durham, dont il publie de larges extraits dans son journal. À sa sortie de prison, décontenancé, désillusionné et convaincu que l'Union du Bas-Canada et du Haut-Canada est inévitable, il s'y résigne et tente à contrecœur d'en tirer le meilleur parti. Le 21 octobre 1842, à l'âge de quarante ans, il publie son dernier article, un « adieu à ses lecteurs », et devient par la suite l'un des hauts fonctionnaires les plus puissants du pays.

Fort de son autorité intellectuelle, Parent est invité à faire des conférences sur les sujets les plus vastes, véritables essais qui seront plus tard publiés dans les journaux. Le journaliste Hector Fabre dira, à son propos, que « nul n'osait se croire écrivain, s'il n'en tenait de sa main le brevet ». Au fil des neuf conférences qu'il donne entre 1846 et 1852 à Montréal puis à Québec, Parent élabore sa philosophie sociale. Il critique « l'amour des parchemins », qui va de pair selon lui avec le mépris de l'industrie, du travail manuel. Le fonctionnaire qu'il est devenu oppose ainsi l'homme de profession aux industriels et se plaint que le premier soit encouragé au détriment des seconds. Il souhaite inverser ou équilibrer l'équation : d'un côté, la vie oisive, inutile ; de l'autre, l'honnête et utile industrie. L'édification de la nation repose, selon lui, sur celle-ci bien plus que sur celle-là. Les « hommes de parchemin », les « oisifs » sont donc priés de descendre sur le terrain de l'action. L'industriel, lui, est « le noble de l'Amérique » :

Une nationalité, pour se maintenir, doit avoir pour point d'appui des hommes réunis en société, et ces hommes doivent posséder une importance sociale égale, pour le moins, à toute force dénationalisatrice qui agit soit au dedans, soit du dehors. Or, qui fait la puissance sociale surtout en Amérique ? Il n'y a pas à s'y méprendre, c'est l'industrie. Il ne pouvait en être autrement dans ce monde que l'on appelle nouveau, où le plus grand obstacle à surmonter pour les Européens qui y abordèrent, était une nature vierge et sauvage qu'il s'agissait de réduire en servage. Qu'avions-nous besoin, quel besoin avaient nos pères de ces preux de la féodalité qui autrefois s'asservirent l'Europe ? Ce n'était pas des guerriers qu'il leur fallait, mais de paisibles et vigoureux artisans ; la hache et non l'épée, voilà l'arme qui a fait la vraie conquête de l'Amérique. C'est donc l'industrie qui est la fondatrice des sociétés civilisées d'Amérique, et si les fondateurs des sociétés européennes furent, et si leurs descendants sont encore les nobles d'Europe, les industriels, les hommes du travail manuel dirigé par l'intelligence, voilà les nobles d'Amérique.

Jamais avant Parent n'avait-on exprimé de façon aussi nette le caractère singulier du travail intellectuel en Amérique. Son point de vue se précise dans les conférences suivantes, qui appellent à une vaste réforme de l'éducation orientée vers la connaissance pratique des métiers industriels. Mais la société dont rêve Parent semble hésiter entre deux utopies, l'une européenne, l'autre américaine. D'une part, Parent plaide en faveur de l'instruction gratuite pour tous les enfants, y compris aux degrés supérieurs, avec un système de bourses destinées aux familles les moins nanties. Une fois ce programme mis en place, alors il s'agira de transformer une élite intellectuelle en un gouvernement. Dans sa conférence la plus longue et la plus ambitieuse intitulée « De l'intelligence dans ses rapports avec la société », il affirme : « Je ne vous ai pas caché que c'était une aristocratie que je voulais former, l'Aristocratie de l'Intelligence. Ma Classe de Lettrés, une fois organisée, aura donc exclusivement le gouvernement de la société. » D'autre part, la société idéale imaginée par Parent est inspirée par un libéralisme économique qui s'exprime sous la forme d'une utopie commerciale. L'Amérique n'existerait pas sans l'esprit de commerce qui est, selon lui, un art né de la nécessité. Le commerce, soutient-il, a fait faire de grandes choses dans le monde : la Phénicie, Athènes, Carthage, Venise, Gênes lui doivent leur renommée. À travers le commerce passent des valeurs humanitaires, civilisatrices, progressistes. Sans le commerce, « l'Amérique serait encore entre les mains des tribus sauvages qui semblaient n'avoir d'autre ambition que de s'exterminer les unes les autres ». Parent exhorte ses compatriotes à s'administrer eux-mêmes et à exploiter les richesses de leur pays. Il rêve d'une élite non seulement intellectuelle, mais ayant aussi acquis le génie du commerce et de l'industrie.

À la faveur des troubles de 1837, de nombreux journaux francophones voient le jour (*La Quotidienne, Le Libéral, Le Populaire*) et s'ajoutent aux périodiques déjà bien établis (*Le Canadien, La Minerve, La Gazette de Québec, L'Ami du peuple, de l'ordre et des lois*). Mais la plupart de ces journaux sont étroitement liés à un parti politique et subordonnent par conséquent la littérature à des fins partisanes. La culture ne constitue pas un enjeu en soi et les textes littéraires qui paraissent dans ces journaux ont presque toujours une teneur patriotique ou une simple fonction de divertissement. Il n'existe pas encore un public francophone suffisamment large pour soutenir une vie littéraire en marge des débats idéologiques qui opposent tantôt les patriotes aux défenseurs de l'Acte constitutionnel, tantôt les francophones aux anglophones, tantôt le clergé catholique (canadien-français ou irlandais) aux libéraux ou aux protestants. Rappelons qu'à l'époque seulement 27 % des francophones du Bas-Canada savent lire et écrire sur une population d'environ 450 000 habitants. Même si la lecture à haute voix du journal est une pratique courante, la portée des écrits demeure faible et aucun journal ne peut concurrencer de façon durable les deux principaux journaux, *Le Canadien* et *La Minerve*. Par comparaison, il est intéressant de noter qu'au même moment dans le Haut-Canada et en Nouvelle-Angleterre, pour des raisons variées qui tiennent à la fois à l'immigration et à la tradition protestante, la proportion de gens lettrés est beaucoup plus élevée. Les anglophones de Québec et de Montréal peuvent compter non seulement sur des journaux, mais aussi sur des revues littéraires dès les années 1820 (*Literary Miscellany*, 1822-1823 ; *The Canadian Magazine*, 1823-1824 ; *Canadian Review*, 1826 ; *Scribbler*, 1821-1827). Un peu plus tard, la bonne société victorienne de Montréal, animée principalement par des femmes, crée une revue d'allure anglo-bostonienne qui jouera un rôle important dans la vie littéraire montréalaise, *Literary Garland* (1838-1851). Cette revue, plus littéraire que la plupart des autres périodiques, représente l'expression d'une élite lettrée anglo-protestante. Du côté canadien-français, de telles revues n'existent pas encore. C'est donc principalement par les journaux que « l'aristocratie de l'intelligence », souhaitée par Parent, trouve son public.

L'une des rares figures protestantes francophones qui aient joué un rôle important sur la scène publique du Bas-Canada est le calviniste Napoléon Aubin (1812-1890). D'origine suisse, ce journaliste non conformiste, auteur de poèmes et de contes, est d'abord et avant tout un écrivain et un inventeur (on lui doit l'éclairage au gaz dans plusieurs villes des États-Unis). Il jette sur l'actualité canadienne un regard original et drôle, sans équivalent dans la prose de l'époque. En 1837, après avoir dirigé *Le Populaire* où il a publié le roman de son ami Philippe Aubert de Gaspé fils (*L'Influence d'un livre*), il fonde un journal satirique, *Le Fantasque* (1837-1845), dont il est l'unique rédacteur. Ce journal se lit comme une œuvre composite et demeure sa contribution principale aux lettres canadiennes. « Rédigé par un flâneur, imprimé en amateur pour ceux qui voudront l'acheter » (sous-titre), *Le Fantasque* a pour devise : « Je n'obéis ni ne commande à personne, je vais où je veux, je fais ce qu'il me plaît, je vis comme je peux et je meurs comme il faut. » On y trouve de tout : des poèmes légers, des pointes polémiques, des anecdotes, des annonces et des utopies à clefs comme « Mon voyage à la Lune », conte inspiré de Cyrano de Bergerac, Swift et Voltaire. Lucide, Aubin se plaint du fait que l'écrivain d'ici ne puisse rien publier sous une forme plus durable que celle du journal. Il brosse le portrait du journaliste canadien, qui est une sorte d'artiste incompris à sa manière :

Ici comme ailleurs la physionomie du journaliste porte, comme celle du peintre, du musicien, du poète, le coin de l'originalité. Oracle des événements, arbitre de l'opinion publique, organe des besoins du pays, redresseur des torts administratifs, distributeur des réputations en tout genre, il exerce comme on le voit une juridiction très-considérable ; aussi n'est-ce point sans raison que l'on se récrie si souvent sur l'influence de la presse périodique. Cependant si le fauteuil éditorial semble placer entre les mains de celui qui l'occupe une sorte de sceptre moral, nul trône ne cèle peut-être autant de ronces et d'épines sous les roses dont il semble orné. En lutte avec tous les amours propres, tous les caprices, toutes les exigences, toutes les susceptibilités, toutes les teintes de passions, d'intérêt ou d'opinion, le journaliste n'ose pas même se flatter d'attirer en sa retraite un petit cercle de vrais amis.

En 1838, Aubin annonce son intention de rassembler les dix-huit premiers numéros du *Fantasque* sous forme de volume, mais le projet avorte, faute de souscripteurs. Objet de luxe, le livre demeure hors de portée pour un individu comme lui, ce qui ne l'empêche pas de publier, à titre d'imprimeur, la première édition du premier volume de l'*Histoire du Canada* de François-Xavier Garneau en 1845. Il passe le reste de sa vie à tenter sans succès de lancer de nouveaux journaux et il participe de près à la vie intellectuelle sans pour autant ajouter beaucoup à cette œuvre-journal qu'a été *Le Fantasque*.

Une telle légèreté se retrouvera, comme on le verra plus loin, dans les chroniques d'Arthur Buies ou dans les lettres aux journaux de Louis Fréchette. Elle se prolongera également dans les flâneries intellectuelles d'Hector Fabre (1834-1910), personnage bien connu de la fin du siècle. Journaliste à la plume élégante et diplomate modéré, Fabre est une sorte d'ambassadeur de la culture canadienne à Paris où il lance en 1884 un bulletin mensuel, *Paris-Canada*. Le style vif et moqueur de Fabre rappelle celui de Napoléon Aubin et de son journal humoristique. Ses chroniques, réunies dans un recueil en 1877, portent sur l'hiver, sur les déménagements, sur le nouveau chemin de fer ou, comme dans l'extrait ci-dessous, sur les flâneurs de la vieille rue Notre-Dame :

Voici quelques-uns des articles du code du flâneur de la rue Notre-Dame :
- Tous les hommes sont nés pour être des passants, mais il n'y a que quelques passants qui soient nés pour être des flâneurs.
- On devient passant, mais on naît flâneur.
- Le chemin de fer urbain est un passant, mais il ne sera jamais un flâneur.
- Le père d'un passant peut être un ex-flâneur, et plus souvent encore le fils d'un passant est un flâneur.
- On cesse d'être un flâneur en devenant père de famille, propriétaire ou conseiller municipal.
- Le veuvage, la perte de sa propriété ou de son élection municipale fait rentrer le flâneur dans ses droits et son titre.
- Un flâneur trouvé coupable d'avoir porté un parapluie par simple précaution, ou d'être entré dans un magasin à cinq heures de l'après-midi pour faire un achat sérieux, est déchu de son grade et renvoyé dans la rue Saint-Paul.
- La plupart des passants voudraient être des flâneurs. Dans tout passant, il y a un flâneur mort jeune.

Ce type de prose amusante et sans prétention sera courant dans la presse canadienne-française tout au long du XIXᵉ siècle. Les quotidiens et plus encore certains hebdomadaires comme *L'Opinion publique* (1870-1883), le plus richement illustré des journaux canadiens-français de cette période, ont une composante littéraire importante, qui varie d'un journal à l'autre. Elle tient tantôt à l'insertion de poèmes, de contes ou de récits à caractère fictif, tantôt à la présence de chroniqueurs qui commentent l'actualité et prennent une part active aux nombreuses querelles entre conservateurs et libéraux. Mais, à partir des années 1880, les journaux d'opinion comme *La Minerve* et *Le Canadien* cèdent la place à des journaux à grand tirage comme *La Patrie* (1879-1957) et surtout *La Presse* (fondé en 1884) axés sur l'information. Les journalistes, qu'on a appelés les « publicistes » au XIXᵉ siècle, et qui sont considérés comme des écrivains, seront alors remplacés par des reporters professionnels qui verront dans le journalisme une pratique distincte de la littérature. Il n'y a pas moins une tradition du journalisme littéraire qui s'établit au XIXᵉ siècle et qui s'étendra à une partie importante de la littérature québécoise du XXᵉ siècle, avec des journalistes-écrivains comme Olivar Asselin, Jules Fournier, Victor Barbeau, Claude-Henri Grignon, André Laurendeau, Lise Bissonnette et quelques autres.

2
François-Xavier Garneau, écrivain

François-Xavier Garneau (1809-1866), le premier écrivain véritable du Québec, n'est ni un orateur politique comme Papineau, ni un journaliste influent comme Étienne Parent, ni un religieux comme l'abbé Ferland ou l'abbé Casgrain. Au départ, Garneau occupe des fonctions relativement modestes : issu de parents analphabètes, il devient notaire en 1830 après avoir été formé par l'avocat Archibald Campbell. Il lit beaucoup (la bibliothèque d'Archibald Campbell lui est ouverte), voyage dès 1828 à New York, à Toronto, à Kingston. Vers la même époque, il commence à publier des poèmes et séjourne deux ans à Londres, où il sera le secrétaire particulier de Denis-Benjamin Viger, alors délégué de l'Assemblée du Bas-Canada. À son retour au pays en 1833, il reprend son œuvre poétique, fonde un journal (*L'Abeille canadienne*), devient secrétaire du Comité constitutionnel de Québec, puis caissier de banque, traducteur à l'Assemblée législative de Québec, enfin greffier de la Ville de Québec à partir de 1844. Pendant ce temps, il entreprend la publication de son maître ouvrage, l'*Histoire du Canada depuis sa découverte jusqu'à nos jours,* dont les trois premiers volumes paraissent respectivement en 1845, 1846 et 1848. Dans la foulée de la réédition de 1852, il ajoute un quatrième tome qui va de l'Acte constitutionnel (1791) à l'Acte d'Union (1840). En 1855, il publie en volume ses souvenirs de voyage, sous le titre *Voyage en Angleterre et en France, dans les années 1831, 1832 et 1833*. De santé fragile (il souffre d'épilepsie à partir de 1843), il doit quitter le poste de greffier à l'âge de cinquante-cinq ans et meurt deux ans plus tard.

Les poèmes de Garneau sont peu connus, même si le *Répertoire national* de James Huston, en 1848, en inclura dix-neuf parmi les principales réussites de la littérature canadienne en élaboration. Si Garneau semble avoir renoncé à la poésie à partir du moment où il s'est attaqué à son histoire, la trentaine de poèmes qu'il a publiés fait voir une grande diversité, à la fois formelle et thématique. La plupart de ces poèmes ont paru dans *Le Canadien* entre 1831 et 1841. Le jeune Garneau s'essaie à l'ode, à la ballade, à l'élégie, à la chanson. Il expérimente volontiers, variant et agençant de façon audacieuse mètres et coupes, attentif à ce qui s'écrit en son temps, aussi bien en France qu'en Angleterre. Les thèmes de ses poèmes sont souvent politiques, et Garneau cherche à dépasser les circonstances pour atteindre une hauteur de vues qui caractérise l'ensemble de son œuvre. L'un de ses poèmes les plus souvent cités est « Le dernier Huron », paru dans *Le Canadien* en 1840 :

[...]
Tous ces preux descendus dans la tombe éternelle
            Dorment partout sous ces guérets ;
[...]
Mais personne ne vient sur cette grande tombe
            Payer son tribut de regret.
Un peuple de guerriers sous le destin succombe ;
            Pourquoi ? qu'avait-il donc fait ?
        Chacun l'oublie ; on dirait que coupable
        Il mérite de rentrer au néant.

Les « tristes pensées » du « Dernier Huron » que Garneau met en scène dans ce long poème sont proches de la méditation sur le sort du peuple canadien qu'il publiait en 1837, annonçant le grand projet auquel il s'apprêtait à consacrer toutes ses énergies :

[...]
Non, pour nous plus d'espoir, notre étoile s'efface,
Et nous disparaissons du monde inaperçus.
Je vois le temps venir, et de sa voix de glace
            Dire, il était ; mais il n'est plus.
Ma muse abandonnée à ces tristes pensées
Croyait, déjà, rempli pour nous l'arrêt du sort
Et ses yeux parcourant ces fertiles vallées
Semblaient à chaque pas trouver un champ de mort.
Peuple, pas un seul nom n'a surgi, de ta cendre ;
Pas un, pour conserver tes souvenirs, tes chants
            Ni même pour nous apprendre
        S'il existait depuis des siècles ou des ans.
Non ! tout dort avec lui, langue, exploits, nom, histoire,
Ses sages, ses héros, ses bardes, sa mémoire,
Tout est enseveli dans ces riches vallons
Où l'on voit se courber, se dresser les moissons.
Rien n'atteste au passant même son existence ;
S'il fut, l'oubli le sait et garde le silence.

C'est dans les années 1830 que Garneau aurait conçu son projet d'écrire une histoire du Canada. Le contexte politique de 1837-1838 et surtout l'Acte d'Union de 1840 lui donnent toutefois une urgence nouvelle. Selon un récit rapporté par plusieurs commentateurs, dont l'abbé Casgrain, le jeune poète aurait entrepris d'écrire l'histoire de son pays en réponse au rapport Durham, « plaidoyer spé-

François-Xavier Garneau, vers 1860. Centre d'archives de Québec, Fonds J. E. Livernois ltée, P560, S2, D1, P393. Bibliothèque et Archives nationales du Québec.

cieux en faveur de l'anglicisation » dont Garneau cite de larges extraits dans le dernier chapitre du quatrième tome. Voici comment l'abbé Casgrain reconstitue la scène :

M. Garneau avait tous les jours des discussions avec les jeunes clercs anglais du bureau de M. Campbell ; parfois ces discussions devenaient très vives. Ces questions-là avaient le privilège de faire sortir le futur historien de sa taciturnité.

Un jour, que les débats avaient été plus violents que d'ordinaire :

Eh bien ! s'écria M. Garneau fortement ému, j'écrirai peut-être un jour l'histoire du Canada ! mais la véridique, la véritable histoire ! Vous y verrez comment nos ancêtres sont tombés! et si une chute pareille n'est pas plus glorieuse que la victoire!... Et puis, ajouta-t-il, *what though the field be lost? all is not lost*. Qu'importe la perte d'un champ de bataille ? tout n'est pas perdu!... Celui qui a vaincu par la force, n'a vaincu qu'à moitié son ennemi. De ce moment, il entretint dans son âme cette résolution, et il ne manqua plus de prendre note de tous les renseignements historiques qui venaient à ses oreilles ou qui tombaient sous ses yeux.

Que cette scène se soit réellement déroulée de la sorte ou qu'elle ait été embellie par la littérature n'a guère d'importance. Garneau écrit son *Histoire* au moment où les voix les plus radicales cherchent à minimiser le pouvoir canadien-français. En ce sens, son entreprise revêt une indéniable fonction réparatrice : en voulant corriger les erreurs historiques colportées par ses contemporains anglais (mais il corrige également plusieurs erreurs aussi bien du côté français que du côté canadien), il fait une œuvre nationale.

La conscience d'écrire la première histoire véritable du Canada traverse et soutient l'ensemble de l'entreprise. Il ne faut à Garneau que quelques pages, dès l'avant-propos du premier tome, pour acquitter ses dettes avec ses prédécesseurs. Le plus important d'entre eux, le « célèbre Jésuite Charlevoix », malgré ses mérites, n'est que « pieuse crédulité ». Quelle que soit l'érudition de ce dernier, juge Garneau, on ne peut plus écrire l'histoire de cette façon, c'est-à-dire d'un point de vue religieux : les travaux des missionnaires, constate-t-il, n'ont plus d'intérêt pour le lecteur du XIXe siècle. Écrite d'un point de vue résolument laïque, l'*Histoire* de Garneau n'entre pourtant pas en contradiction avec celle de Charlevoix, dans laquelle il puise abondamment, tout comme il se nourrit des indispensables *Relations des jésuites* et des autres documents de missionnaires. Garneau n'a pas besoin d'affirmer son originalité : il va de soi que son œuvre relève d'un tout autre genre, qu'elle est sans commune mesure avec ces documents historiques qui ne sont pour lui que « des mémoires ou des narrations de voyageurs ». Non seulement il prend ses distances par rapport à l'historiographie religieuse, mais il se réclame en outre du libéralisme à l'instar de l'historien américain Francis Parkman ou de l'historien romantique Jules Michelet. Son fameux « Discours préliminaire » fait de la « vie prosaïque » du peuple l'objet même de la science de l'histoire :

L'histoire est devenue, depuis un demi siècle, une science analytique rigoureuse ; non seulement les faits, mais leurs causes, veulent être indiqués avec discernement et précision, afin qu'on puisse juger des uns par les autres. La critique sévère rejette tout ce qui ne porte pas en soi le cachet de la vérité. Ce qui se présente sans avoir été accepté par elle, discuté et approuvé au tribunal de la saine raison, est traité de fable et relégué dans le monde des créations imaginaires. À ce double flambeau s'évanouissent le merveilleux, les prodiges, et toute cette fantasmagorie devant laquelle les nations à leur enfance demeurent frappées d'une secrète crainte, ou saisies d'une puérile admiration ; fantasmagorie qui animait jadis les sombres forêts dans l'imagination vive de ses premiers habitants, ces indigènes belliqueux et sauvages dont il reste à peine aujourd'hui quelques traces.

Cette révolution, car c'en est une, dans la manière d'apprécier les événements, est le fruit incontestable des progrès de l'esprit humain et de la liberté politique. C'est la plus grande preuve que l'on puisse fournir du perfectionnement graduel des institutions sociales. Les nuages mystérieux qui enveloppent le berceau de la Grèce et de Rome, perdent de leur terreur ; l'œil peut oser maintenant en scruter les terribles secrets ; et s'il pénètre jusqu'à l'origine du peuple lui-même, il voit le merveilleux disparaître comme ces légers brouillards du matin aux rayons du soleil. Car bien qu'on ait donné aux premiers rois une nature céleste, que l'adulation des zélateurs de la monarchie les ait enveloppés de prodiges, pour le peuple, aucun acte surnaturel ne marque son existence ; sa vie prosaïque ne change même pas dans les temps fabuleux.

À la différence des auteurs de la Nouvelle-France, Garneau n'écrit pas en témoin, du moins pas dans les trois premiers tomes. Il écrit en effet après les événements, longtemps après. Un monde nouveau est apparu entre le Régime français auquel appartenait Charlevoix et le Canada de 1845. La crédulité religieuse n'est pas seule en cause : ce sont les lecteurs qui ont changé. Charlevoix, « s'adressant à la France, a dû entrer dans une foule de détails nécessaires en Europe, mais inutiles en Canada ». Ce qui a changé avec Garneau, ce n'est pas tant la réalité politique en elle-même, c'est la manière dont l'écriture présente les choses. Désormais, l'historien écrit pour un lecteur d'ici.

Ici, c'est d'abord l'Amérique, qui est tout à la fois un espace géographique, parcouru en long et en large malgré le titre restrictif d'*Histoire du Canada*, et un espace d'idées, de valeurs en faveur desquelles Garneau n'hésite pas à se prononcer à plusieurs reprises. Écrite pour « la généralité des lecteurs » de son époque, l'*Histoire du Canada* est une histoire globale. L'épithète « nationale » qu'on lui accolera par la suite ne lui rend d'ailleurs pas justice, car l'*Histoire du Canada* dépasse le cadre strictement canadien-français. Garneau couvre la totalité du territoire que suggère l'idée du Canada, avec tous les prolongements que suppose une telle ambition, tant du côté de l'Europe que du côté des États-Unis. Ce n'est pas l'histoire des jésuites ou celle des libéraux, c'est une histoire qui fait fond sur toutes les institutions existantes. Suivant un plan solidement ramifié, Garneau ne perd jamais l'ensemble de vue, ponctuant de bilans ses récits circonstanciés et proposant, à l'occasion, des jugements qui rappellent au lecteur que la masse d'événements rapportés ne cesse d'aller dans le même sens, celui non pas de la gloire, mais du progrès difficile des idées, de la justice au premier chef. D'où l'ampleur du propos : pour raconter la découverte du Canada par Cartier, Garneau passe par le mythe de l'Atlantide chez Platon. Pour situer les relations entre le

Canada et Londres, il évoque celles qu'entretiennent la Nouvelle-Angleterre et la mère patrie, vantant au passage la richesse matérielle et intellectuelle du Massachusetts où l'on avait introduit la première imprimerie dès 1638 et où l'instruction obligatoire datait de la même époque. « C'est aussi, remarque Garneau, le premier pays américain qui ait produit des hommes célèbres dans les lettres et dans les sciences, comme Franklin. » Le Canada est une nation mixte, dont la logique historique n'a de sens qu'une fois articulée à l'histoire de l'Europe et à celle de l'Amérique tout entière. L'histoire du Canada appelle, par la fragilité même de ses frontières internes et externes, de fréquentes excursions du côté des métropoles, que ce soit Londres, Paris ou Boston.

Les quatre tomes de l'*Histoire du Canada* se divisent en seize livres, eux-mêmes subdivisés en chapitres totalisant plus de mille pages. Le premier tome va de la découverte de l'Amérique jusqu'en 1701, début de la paix avec les Amérindiens. Le deuxième tome s'étend jusqu'à l'invasion américaine de 1775. Le troisième se clôt avec l'Acte constitutionnel de 1791 et le quatrième, avec l'Acte d'Union de 1840. En dépit de la longueur du texte, on ne peut qu'être frappé, même aujourd'hui, par la vitesse du récit de Garneau. Jamais il ne s'attarde à un événement, fût-ce la bataille des plaines d'Abraham. Les forces en place, les stratégies de chacun, les mouvements de troupes, les assauts, les blessés, les morts, les prisonniers, etc., tout y est, mais très vite le résultat de la bataille permet de renouer le fil de l'histoire et de passer aux prochains combats. Une bataille n'attend pas l'autre et le récit se poursuit à la même allure, entraîné par la multitude des événements, dont le caractère tragique se trouve renforcé par la retenue du narrateur. Devant l'horreur renouvelée des combats, la phrase reste simple, monotone presque, non par indifférence aux souffrances des personnes impliquées, mais par nécessité d'aller droit aux faits. Il n'y a pas une seule guerre qui l'emporte en importance sur les autres, il n'y a pas un événement qui puisse à lui seul résumer trois siècles d'histoire, il n'y a pas un héros qui puisse incarner entièrement quelque chose comme l'âme nationale : il y a des guerres, des événements, des héros. Ce sont des guerres d'une extrême violence, ce sont des événements déterminants, ce sont de véritables héros, mais on ne peut en parler qu'au pluriel. Cela n'empêche pas toute forme d'exaltation, mais l'écriture demeure sobre et mesurée, attentive certes aux moments forts de l'histoire, mais davantage hantée par le sens de la continuité. La lente découverte du continent, les efforts de colonisation, les guerres amérindiennes, les luttes franco-anglaises, tout cela n'a de sens pour Garneau que dans la répétition, dans la durée.

Rien n'est plus tragique, en ce sens, que le destin des Amérindiens. Garneau leur consacre le deuxième livre du premier tome, à caractère ethnologique, et il décrit ensuite les nombreuses guerres iroquoises, puis la dispersion des Hurons et le déclin général des tribus autochtones sur le continent nord-américain. Au moment où s'achève l'ère des découvertes, il n'en parle presque plus. Il se contente d'écrire, en tête d'un chapitre intitulé « Commerce (1608-1744) », une brève réflexion sur « l'Amérique et ses destinées », qui est en même temps une sorte de tombeau amérindien, l'équivalent prosaïque de son célèbre poème « Le dernier Huron » :

Si la découverte du Nouveau Monde a exercé une salutaire influence sur la destinée de l'Europe, elle a été funeste aux nations qui peuplaient les forêts de l'Amérique. Leur amour de la liberté, leurs mœurs belliqueuses, leur intrépidité, retardent encore à peine d'un jour leur ruine. Au contact de la civilisation, elles tombent plus rapidement que les bois mystérieux qui leur servaient de retraite, et bientôt, selon les paroles poétiques de Lamennais, elles auront disparu sans laisser plus de trace que les brises qui passent sur les savanes. Nous plaignons leur destinée. En moins de trois siècles, elles se sont effacées d'une grande partie du continent. Ce n'est pas ici le lieu de rechercher les causes de l'anéan-tissement de tant de peuples dans un espace de temps si court que l'imagination en est étonnée. Cela mènerait loin, et ne nous offrirait que des images tristes pour l'orgueil de l'homme. Nous abandonnerons à l'oubli qui les couvre ces hécatombes muettes sur les-quelles ne s'élève aucun monument, aucun souvenir ; et nous tournerons nos regards vers des peuples dont les grandes actions ne passeront pas, et dont la hardiesse et le génie, portés d'Europe en Amérique, ont donné une impulsion nouvelle à la civilisation.

On connaît peu le côté discrètement polémique de Garneau. Son *Histoire du Canada* est pourtant pleine de pointes lancées contre des cibles parfois isolées, mais le plus souvent contre des représentants d'institutions, des membres radi-caux du clergé, des gouverneurs maladroits, des êtres fanatiques, aveuglés par leurs préjugés. La plus importante critique vise les autorités religieuses et poli-tiques de France, qui avaient interdit aux protestants de participer à la colonisa-tion de la Nouvelle-France (ils étaient toutefois admis en Acadie). Il n'a pas de mots assez durs pour dénoncer cette « funeste politique » qui privait la Nouvelle-France d'un apport démographique substantiel. « Sans cette politique, nous ne serions pas, nous, Canadiens français, réduits à défendre pied à pied, contre une race étrangère, nos lois, notre langue, notre nationalité. Comment pardonner jamais au fanatisme d'avoir rendu si pénible et parfois si poignant le sort de tout un peuple et compromis, gravement peut-être, son avenir ? »

Par ailleurs, Garneau n'est pas tendre à l'égard du clergé local, notamment Mgr Laval, accusé d'autoritarisme. Il se montre plus cynique à l'égard de la mys-tique Marie de l'Incarnation. À propos du tremblement de terre de 1663, il écrit non sans humour :

Le tremblement de terre de 1663 fut le plus beau temps du mysticisme en Canada. Ce phénomène mit en mouvement l'imagination ardente et mobile de ses adeptes ; les appa-ritions furent nombreuses, singulières, effrayantes ; les prophéties se multiplièrent. La supérieure de l'Hôtel-Dieu et la célèbre Marie de l'Incarnation, supérieure des Ursulines, partagèrent ce délire de la dévotion. Ce furent elles qui donnèrent le plus d'éclat en Canada au culte de la spiritualité, pieuse chimère qui affecta pendant longtemps plusieurs intelligences tendres et romanesques.

Pour ridiculiser le jansénisme et la tentation mystique, Garneau s'amuse également à raconter la venue d'un jeune hérétique, lecteur de Pascal, tenté par la retraite dans la région de Trois-Pistoles.

Cachant soigneusement ses principes et son nom, il y vivait en ermite, et s'il lui arrivait de rencontrer quelqu'un, il se prosternait devant lui et lui baisait les pieds en prononçant des paroles édifiantes. Mais un hiver de six mois et quatre pieds de neige sur le sol mettront toujours, en ce pays, de grands obstacles à la vie d'anachorète. Sous prétexte que sa cabane avait été détruite par le feu, l'inconnu abandonna sa retraite et revint à Québec.

Les critiques formulées à l'endroit de Louis XIV et de son ministre Colbert sont aussi dures. Garneau cite une lettre dans laquelle Colbert invite Frontenac à supprimer toute forme de représentation populaire, « étant bon que chacun parle pour soi, et que personne ne parle pour tous ». Un tel despotisme heurtait directement les convictions libérales de Garneau. S'ajoute à cela un dégoût pour tout ce qui est hautain, qui l'amène d'ailleurs à rejeter tout autant l'aristocratisme français que l'aristocratisme britannique. Il s'en prend à Voltaire qui a organisé un banquet pour célébrer le triomphe des Anglais à Québec, en 1759, et y a fait jouer une pièce, *Le Patriote insulaire*, qui exaltait la liberté sur fond de décor représentant les chutes du Niagara. « Ce spectacle étrange donné par un Français a quelque chose de sinistre, écrit Garneau. C'est le rire effréné d'une haine plus forte que le malheur. » Par ailleurs, de tous les défauts imputés à Lord Durham, Garneau insiste surtout sur le style de l'homme, qui « aimait beaucoup le luxe et la pompe ». Rien n'est plus éloigné des affinités de l'historien, fils d'analphabètes, qui entretient une méfiance constante à l'égard des politiques de grandeur, du faste personnel et du style grandiloquent. Plus loin, il ajoute : « Il adressa une proclamation au peuple, où il tint un langage singulier qui ne convient pas en Amérique. » Ce langage singulier est celui de « l'orgueil de la puissance », associé à un protocole qui s'était imposé dans les colonies orientales, mais qui n'avait plus aucun sens en Amérique. On ne parle pas le même langage ici, semble dire Garneau : son histoire ne cherche pas seulement à faire mentir les conclusions du lord anglais, mais à y substituer un autre langage, libéré du faste de l'Europe impériale, dégagé du style ampoulé de l'autorité hiérarchique. La prose franche et solide de Garneau se veut une voix de l'Amérique.

Dès la parution du premier tome en 1845, des voix s'élèvent pour dénoncer les positions libérales de Garneau, tout en reconnaissant les qualités littéraires de l'ouvrage. Dans les rééditions de l'*Histoire du Canada*, Garneau acceptera d'apporter certaines modifications à son texte. Mais ces amendements paraîtront insuffisants aux yeux de plusieurs. Peu avant la mort de Garneau, l'abbé Jean-Baptiste Ferland (1805-1865), chargé du cours d'histoire du Canada à l'Université Laval, publiera les deux volumes de son *Cours d'histoire du Canada* (1861 et 1865), qui se veulent une réplique à l'*Histoire du Canada* de Garneau. Il adoptera par exemple une position opposée à celle de Garneau en ce qui concerne l'interdiction de l'immigration des huguenots en Nouvelle-France. Grâce à cette décision, soutiendra-t-il, la population de la Nouvelle-France s'est développée avec cohésion, sans divisions internes. Nettement plus favorable aux religieux, l'histoire de Ferland se distinguera aussi de celle de Garneau par le fait qu'elle s'arrête avec le Régime français, l'historien demeurant ainsi à distance de son objet. Érudit davantage qu'écrivain, Ferland cherchera moins à expliquer ou à juger explicitement les événements qu'à compiler les faits qui permettent de mettre en relief le rôle historique du clergé. La comparaison de ces deux histoires du Canada fait d'ailleurs bien ressortir la valeur proprement littéraire de celle de Garneau, qui ne résiste pas toujours, surtout dans la première édition, à la tentation de faire entendre une voix personnelle malgré le caractère savant de l'entreprise. Les qualités d'écrivain de Garneau se dégagent tout autant si on le compare aux autres historiens du XIXe siècle, de l'abbé Casgrain à Thomas Chapais en passant par Benjamin Sulte et Louis-Philippe Turcotte. Le critique et historien littéraire Berthelot Brunet écrira à ce sujet : « Garneau mis à part, tous ces ouvrages des historiens de l'époque [...] pourraient, aux yeux du distrait, paraître écrits de la même encre, sur un même ton. »

Après avoir fait des corrections lors de la deuxième (1852) et surtout de la troisième édition (1859), François-Xavier Garneau préparait une quatrième édition de son *Histoire du Canada* lorsqu'il est mort en 1866. Alfred Garneau, son fils aîné, fait paraître une nouvelle édition, quasi-réimpression de celle de 1859. Hector Garneau, fils d'Alfred, complète une cinquième édition où il prend la liberté de faire de nombreux ajouts, indiqués entre crochets, pour tenir compte des nouvelles connaissances. Cette version, publiée à Paris chez Alcan à partir de 1913, est réimprimée deux fois (1920 et 1928). Entre 1944 et 1946, à l'occasion du centenaire de la publication de l'*Histoire du Canada*, une huitième édition en neuf volumes paraît à Montréal aux Éditions de l'Arbre, de nouveau revue et augmentée par Hector Garneau. Depuis lors, aucune réédition n'a été réalisée, à l'exception de celle qu'ont préparée « Les Amis de l'histoire » en 1969, qui reprend le texte de la quatrième édition, et de l'édition partielle dans la « Bibliothèque québécoise » en 1996, conforme à la toute première édition.

Du point de vue de la science historique, il va de soi que l'ouvrage de Garneau est dépassé. Mais d'un point de vue littéraire, il constitue certainement une réussite, reconnue d'ailleurs comme telle par ses contemporains, pour qui l'histoire se situait au sommet de la hiérarchie des genres littéraires. Étonnamment, l'œuvre littéraire québécoise du XIXᵉ siècle la plus célébrée est peu à peu devenue l'une des plus difficilement accessibles. Les relectures se font rares et se limitent à quelques travaux de spécialistes. Or, l'ambition tranquille du texte de Garneau, pour être moins spectaculaire que celle de nombreuses œuvres du XXᵉ siècle, demeure actuelle. Il s'agit de la première œuvre qui se donne pour but d'écrire, en français, l'expérience de l'Amérique dans sa globalité.

Après la parution du dernier tome de son *Histoire du Canada*, Garneau semble avoir voulu retourner à la tonalité plus libre de ses poèmes de jeunesse en faisant paraître des notes de voyage, d'abord publiées sous forme de feuilleton dans *Le Journal de Québec* en 1854 et reprises en volume l'année suivante. Le caractère un peu décousu de l'ensemble et la facture décevante de l'édition contrastent avec l'unité qu'il avait su donner à son ouvrage historique. Garneau lui-même, insatisfait de l'aspect négligé de l'édition du volume, le retire bientôt de la circulation. Si le passage du journal au livre s'est mal réalisé, il n'empêche que ce retour enthousiaste sur un voyage de jeunesse apparaît comme un renversement intéressant des relations de voyage de l'époque de la Nouvelle-France. En effet, Garneau présente l'Angleterre et la France à un public qui leur est devenu relativement étranger. L'historien se passionne pour les usages européens et manifeste un intérêt constant pour la comparaison entre l'Europe et l'Amérique. Bien qu'il utilise des notes qui le font remonter à l'époque où il commençait l'écriture de son *Histoire du Canada*, il reste habité par les problèmes du temps présent. Ainsi, à un moment où il évoque les hypothèses comparatistes de sa jeunesse, il passe brusquement à l'époque contemporaine, mettant durement en question le comportement de ses contemporains :

Et que voit-on en Canada sous le voile mensonger de l'union ? Les rebelles de 1837, qui voulaient faire prendre les armes au peuple au nom de la nationalité, lèvent aujourd'hui de toutes parts leurs mains vénales pour accepter l'or du vainqueur qui a condamné cette nationalité à périr, et lorsqu'ils le possèdent, tiennent leur bouche muette comme la tombe sur cette même nationalité si sacrée à leurs yeux tant que l'Angleterre leur refusa une pâture.

La conclusion replace au premier plan le découragement de Garneau face à son époque. Ses contemporains, reconnaissants à l'égard de l'historien, n'ont pas osé répondre aux jugements qui concernaient leur attitude. Admiré ou critiqué comme historien, Garneau est alors ignoré comme intellectuel.

3
Le *Répertoire national*

Moins décisive que la parution de l'*Histoire du Canada* de Garneau, la publication du *Répertoire national ou Recueil de littérature canadienne* par James Huston en 1848 (trois premiers tomes) et 1850 (quatrième et dernier tome) n'en constitue pas moins un événement important, dans la mesure où, pour la première fois, l'idée de littérature nationale se traduit concrètement par un ensemble de textes. James Huston (1820-1854), typographe et membre de l'Institut canadien, annonce son projet par un appel de souscription en 1847 :

Nous soumettons aujourd'hui, au public Canadien, le projet d'une compilation, qui, suivant l'avis d'un grand nombre d'hommes instruits, devra être très utile aux jeunes gens studieux, aux écrivains du Canada, et très intéressante pour les personnes qui aiment la littérature nationale et qui voudront étudier son enfance, ses progrès et son avenir.

Le projet n'est pas nouveau : Jacques Viger (1787-1858) avait déjà commencé à constituer deux « saberdaches » (par analogie avec les sacs à plusieurs compartiments dont se servaient les militaires pour mettre les dépêches de toutes sortes) dans lesquelles il amassait un patrimoine où Huston puisera avec reconnaissance. Celui-ci insiste, dans sa brève introduction, sur les défauts du support journalistique : pour lui, « ce qui jette le dégoût dans l'âme des écrivains canadiens, c'est de voir le fruit de leurs études et de leurs travaux passer, avec les journaux périodiques, dans un oubli éternel ». Sortant de l'oubli les textes du passé qui lui semblent les plus intéressants, Huston tient cependant à relativiser leur valeur. Il inscrit en exergue de son recueil cette phrase tirée du *Canadien* : « Les chefs-d'œuvre sont rares, et les écrits sans défaut sont encore à naître. » Il répète dans son introduction que « [l]a littérature canadienne s'affranchit lentement, il faut bien le dire, de tous ses langes de l'enfance ». Nulle complaisance pour le passé, donc, dans cette compilation ; mais Huston s'enthousiasme pour le présent :

Le lecteur se réjouira, comme nous, en arrivant à l'époque actuelle, de voir combien la littérature canadienne s'émancipe du joug étranger ; de voir combien les écrivains, mûris par l'âge et par l'étude, diffèrent en force, en vigueur, en originalité, des premiers écrivains canadiens ; de les voir s'élever au-dessus des frivolités et des passions politiques, pour aller à la recherche de tout ce qui peut être vraiment utile au peuple, de tout ce qui peut consolider et faire briller notre nationalité.

Huston ne tente pas d'orienter l'ensemble par des balises ou par un programme, comme le fera bientôt l'abbé Casgrain. Mais il manifeste à plusieurs reprises sa réticence à l'égard des textes politiques, « discussions souvent oiseuses et rarement instructives » ; pour lui, la politique « a malheureusement enlacé notre jeune littérature dans ses fils ». Il choisit donc de laisser de côté ce type d'écrits, d'autant que « pour être impartial, il aurait fallu reproduire les répliques ou les réfutations, et cela nous aurait entraîné loin, bien loin de la route que nous nous sommes tracée ». Ce qui l'intéresse, ce sont les signes du « talent [qui] étincelle et brille comme l'électricité à travers de légers nuages ». L'ordre chronologique est le seul critère de disposition des textes, qui appartiennent à plusieurs genres (poèmes, chansons, conférences, extraits de romans, etc.), livrés pour ainsi dire en vrac, le compilateur n'intervenant que pour donner quelques informations concises, le plus souvent biographiques, sous forme de notes infrapaginales.

En ouverture du premier tome se trouve la « Chanson des voyageurs », adaptation d'un chant traditionnel français transformé en « mélodie canadienne » par un auteur inconnu que Huston décrit comme « un poète de cœur et de pensée, quoique ne connaissant ni les lois de la rime ni celles de la versification » :

> À la claire fontaine
> M'en allant promener,
> Je trouvai l'eau si belle
> Que je m'y suis baigné.
> Il y a longtemps que je t'aime,
> Jamais je ne t'oublierai.

Malgré cette ouverture, la tradition orale et la culture populaire sont ensuite négligées au profit des textes signés : il devient vite assez clair que l'auteur veut constituer non seulement une anthologie, mais aussi une sorte d'aréopage. Les écrivains qui se démarquent par le nombre de textes retenus sont d'abord, dans le premier tome (1778-1837), Joseph Quesnel, Joseph Mermet, François-Xavier Garneau et Napoléon Aubin. Dans le deuxième tome, qui couvre la période 1837-1844, les poèmes de François-Xavier Garneau sont encore au premier plan, aux côtés des textes de Pierre Petitclair (1813-1860), poète et surtout dramaturge (*Griphon ou la Vengeance d'un valet*, 1837, *Une partie de campagne*, 1865) dont Huston reproduit notamment une comédie légère en deux actes, *La Donation* (1842), où le parler populaire et la langue bourgeoise cohabitent. Suzette, la servante, s'irrite d'être appelée « la petite » par un « intrigant » de la haute qui courtise sa maîtresse :

La p'tite ! le grossier ! la p'tite ! c'est dommage qu'y n'soit pas demeuré encore eune minute ! J'l'y aurai démontré, moi, qu'y vaut mieux être petit par le physique que par le moral. Je n'sais bifre pas ; mais je n'puis m'empêcher de l'haïr de tout mon cœur, c'gibier-là. La p'tite, dit-y… Il a toujours quequ'épitaphe pareille à m'jeter par le nez.

L'auteur le plus cité du deuxième tome est le Trifluvien Joseph-Guillaume Barthe (1816-1893), avocat et journaliste libéral, auteur de bluettes moralisatrices et de laborieux poèmes patriotiques (mais aussi, peu après la parution du *Répertoire national*, d'un plaidoyer visant à stimuler l'intérêt des Français pour le Canada, sous le titre « Le Canada reconquis par la France »). Huston a par ailleurs reproduit des lettres de Chevalier de Lorimier (1803-1839), patriote pendu à cause de sa participation aux Rébellions de 1837-1838. Lorimier fait ses adieux à sa femme, à sa famille, à ses amis et à ses compatriotes dans des textes émouvants empreints d'une sobre dignité. Il écrit à ses jeunes enfants :

Pauvres orphelins, c'est vous que je plains, c'est vous que la main sanglante et arbitraire de la loi martiale frappe par la mort. Vous n'aurez pas connu les douceurs et les avantages d'embrasser votre père aux jours d'allégresse, aux jours de fête. Quand votre raison vous permettra de réfléchir, vous verrez votre père qui a expiré sur le gibet pour des actions qui ont immortalisé celles d'autres hommes plus heureux. Le crime de votre père est dans l'irréussite : si le succès eût accompagné ses tentatives, on aurait honoré ses actions d'une mention respectable. Le crime fait la honte et non l'échafaud.

Ces lettres, qui avaient jusqu'alors un statut politique comme témoignages de l'honneur dans la défaite, acquièrent, dans le contexte du *Répertoire national*, pour la première fois, un statut littéraire.

Le troisième tome, consacré aux années 1844-1846, n'établit pas de hiérarchie aussi nette que les tomes précédents. Il met cependant à l'honneur la tragédie *Le Jeune Latour* d'Antoine Gérin-Lajoie, reproduite intégralement dans la première partie du livre. Dans cette pièce, qui a connu un succès passager, le futur auteur de *Jean Rivard*, encore collégien, s'exerce au modèle cornélien en utilisant un épisode historique où un fils résiste aux Anglais que son père lui enjoint de servir. Huston fait de nouveau une bonne place aux poèmes dans ce troisième tome, mais il retient aussi les essais romanesques d'Eugène L'Écuyer (extraits de *La Fille du brigand*) et de Patrice Lacombe (extraits de *La Terre paternelle*).

Dans le quatrième et dernier tome (1846-1848), Huston accorde beaucoup d'espace aux conférences d'Étienne Parent. Il inclut aussi plusieurs poèmes de Charles Lévesque (1817-1859), qui s'essaie timidement au verset :

Au temple n'habitent plus la joie et l'espérance, les lustres ont la pâleur, et l'orchestre divin qui préludait aux chants de fête, prélude aux chants des morts.

Toutefois, avec les conférences de Parent, ce sont surtout les poèmes de Joseph Lenoir (1822-1861) qui, parmi les textes retenus par Huston, suscitent encore de l'intérêt aujourd'hui. Son œuvre témoigne d'influences romantiques diverses, qui le conduisent du sentimentalisme au macabre. Son registre patriotique est plus dépouillé mais plus ferme que celui de la plupart de ses confrères, notamment dans sa « Fête du peuple » :

> Femmes de mon pays,
> Blondes et brunes filles
> Aux flottantes mantilles ;
> Hommes aux fronts amis,
> Venez ! la fête est belle,
> Splendide, solennelle,
> C'est la fête du peuple ! et nous sommes ses fils !

Le *Répertoire national*, résultat d'un travail intelligent et soigné, n'en présente pas moins un curieux tableau d'ensemble. D'abord, en écartant les textes de la Nouvelle-France, il efface des origines bien plus riches que les textes de Quesnel ou de Mermet. Ensuite, délaissant les traditions populaires, il dessine une littérature d'avocats et de notaires qui arrivent mal à dissimuler leurs ambitions, même si les débats politiques sont tenus à distance. D'ailleurs, cet effacement de la dimension politique gauchit le portrait de la littérature canadienne qui, on l'a vu, est inséparable des combats de l'époque. Enfin, en ce qui concerne plus particulièrement la poésie, Huston privilégie une conception selon laquelle l'évolution la plus précieuse est celle de l'apprentissage de la technique classique, alors qu'aucun des poètes retenus n'est convaincant essentiellement pour cette raison. Mais il reste qu'un esprit d'ouverture, un enthousiasme des commencements, en dépit même des déboires politiques, traverse le recueil. Un même esprit se retrouve à l'Institut canadien.

4
L'Institut canadien

François-Xavier Garneau, à Québec, et James Huston, à Montréal, font partie d'une nouvelle génération d'esprit libéral qui va chercher à prendre le relais de journalistes et d'orateurs comme Parent et Papineau en imaginant un nouvel espace de discussion au croisement du journal, de l'école et de la tribune populaire. Le 17 décembre 1844, des étudiants en droit et de jeunes commis-marchands de Montréal créent l'Institut canadien. Les Anglais et les Irlandais de Québec et de Montréal possédaient des associations de ce type depuis déjà plusieurs années (Garneau, par exemple, faisait partie de la Literary and Historical Society of Quebec, fondée en 1824), à l'instar des cercles intellectuels qui étaient apparus aux États-Unis, en Angleterre et en France depuis le début du siècle. Entre 1840 et 1880, si on tient compte de ces associations anglophones, il y a plus de cent trente associations à vocation intellectuelle dans la région de Montréal, dont la plus active est sans conteste l'Institut canadien. Ni académie, ni salon, ni club, cette association de jeunes gens ressemble à une petite université. L'Institut est divisé à la fin de 1848 en quatre « facultés » (arts et métiers, sciences physiques, sciences naturelles et lettres) et se distingue avant tout par sa bibliothèque unique en son genre, qui regroupe non seulement une importante quantité de livres, dont plusieurs sont condamnés par Rome, mais aussi une remarquable collection de journaux. En 1858, la bibliothèque compte plus de quatre mille volumes et reçoit une centaine de journaux et de périodiques locaux et étrangers. C'est d'ailleurs la bibliothèque de l'Institut qui est la cible principale du clergé. Rien de tel n'existait auparavant au Bas-Canada du côté français (la bibliothèque publique de Montréal étant réservée à ses souscripteurs), alors que les Montréalais de langue anglaise pouvaient compter, eux, sur une bibliothèque publique depuis les années 1820. L'Institut veut toutefois être davantage qu'un cabinet de lecture : il se présente comme un forum de discussion, un lieu de débats qui se détourne de l'héritage classique pour accorder toute son attention aux enjeux pratiques de la vie moderne. Comme partout ailleurs, on y est naturellement patriote. À ses débuts, sa constitution exclut même tous ceux qui ne sont pas canadiens-français. Un esprit modéré comme Antoine Gérin-Lajoie peut en être le président en 1845. Mais, à partir de 1851, l'aile républicaine de l'Institut parvient à modifier la constitution afin d'inclure les anglo-protestants, se mettant aussitôt le clergé à dos. Tout en plaidant la cause nationale, on revendique la création d'institutions plus démocratiques au nom de l'égalité et de la liberté. En 1847, l'Institut crée un journal, *L'Avenir*, qui devient le principal organe de ceux qu'on appelle les « Rouges », suivi en 1852 par *Le Pays*, un peu moins radical. Au plus fort de ses activités, c'est-à-dire au milieu des années 1850, l'Institut comprend sept cents membres et multiplie les débats, les lectures publiques et les causeries. En 1852, par exemple, on invite l'essayiste et philosophe américain Ralph Waldo Emerson à prononcer six conférences à la salle Bonsecours, conférences qui, selon les journaux anglais surtout, ont constitué un événement. Père de ce qu'on a appelé le transcendantalisme, Emerson était surtout connu à l'époque grâce aux conférences qu'il avait données aux États-Unis, dont la plus célèbre, intitulée « The American scholar », est demeurée une sorte de déclaration d'indépendance intellectuelle des États-Unis face à l'Angleterre et à l'Europe. Outre la renommée internationale du conférencier, ce sont les sujets de ce cycle de conférences intitulé « Conduct of life », respectivement « Power », « Wealth », « Economy », « Culture », « England » et « New England », qui répondent aux préoccupations de l'Institut canadien. L'écrivain de Concord offre au public intellectuel montréalais ce que ne lui procure pas sa formation classique : une véritable leçon de vie à l'américaine. L'influence d'Emerson, porteur d'un discours typiquement américain, est considérable sur l'Institut canadien dont les membres se reconnaissent volontiers dans les valeurs libérales qu'il incarne et dans le modèle de l'*American scholar*. On en retrouve quelque chose dans le roman *Jean Rivard, le défricheur canadien* d'Antoine Gérin-Lajoie, qui avait déjà entendu Emerson lors d'un séjour à Boston en 1851. Signalons enfin que des instituts canadiens nettement plus modérés voient le jour ailleurs dans la province, le plus important étant celui de la ville de Québec, créé en 1847, dont François-Xavier Garneau sera le président en 1852.

L'un des conférenciers les plus véhéments de l'Institut canadien de Montréal et l'un des collaborateurs les plus assidus de *L'Avenir* est le neveu de Louis-Joseph Papineau, Louis-Antoine Dessaulles (1819-1895). Il allie le libéralisme annexionniste de son oncle à un anticléricalisme passionné. Le journaliste ne se contente plus de véhiculer des opinions : il écrit de véritables charges. Il s'en prend tout particulièrement à l'Union et à ses conséquences désastreuses pour l'avenir du Bas-Canada. Président de l'Institut en 1862, Dessaulles monte au front à plusieurs reprises. En 1868, par exemple, il fait l'une de ses conférences les plus célèbres, sur le thème de la tolérance, dans laquelle il appelle à un dialogue entre catholiques et protestants :

Nous formons une société d'étude ; et de plus, cette société est purement laïque. L'association entre laïcs, en dehors du contrôle religieux direct, est-elle permise catholiquement parlant ? Où est l'ignare réactionnaire qui osera dire NON ?

L'association entre laïcs appartenant à diverses dénominations religieuses est-elle catholiquement permise ? Où est encore l'ignare réactionnaire qui osera dire NON ?

L'*Annuaire de l'Institut canadien pour 1868,* dans lequel la conférence de Dessaulles est reprise, fait date dans l'histoire littéraire : il s'agit du premier ouvrage canadien-français que Rome mettra à l'Index (catalogue des livres dont le Vatican interdisait la lecture), accédant ainsi à la requête de l'évêque de Montréal, Mgr Ignace Bourget.

La radicalisation politique de l'Institut, à travers notamment des querelles entre *La Minerve* et *L'Avenir*, marginalise la mission littéraire et scientifique qui avait d'abord été la sienne. De plus en plus, les débats semblent se polariser autour de ce conflit entre les Rouges et la vaste coalition des conservateurs et des libéraux modérés. Entre l'Union de 1840 et la Confédération de 1867, le nationalisme est ainsi divisé de façon nette, même si chaque clan se prétend patriote. Le clergé en vient à menacer d'excommunier tous ceux qui s'obstinent à rester membres de cette « société littéraire laïque » (Mgr Bourget). On ferme même les cimetières catholiques aux morts qui sont l'objet d'une telle excommunication. L'affaire Guibord illustre de façon spectaculaire le conflit entre les Rouges et Mgr Bourget. Joseph Guibord, membre de l'Institut, meurt le 18 novembre 1869. Conformément au mandement épiscopal, en raison de son appartenance à l'Institut, il ne peut être inhumé dans la partie bénite du cimetière. L'Institut intente toutefois un procès à la fabrique de la paroisse. En 1874, à la suite de quatre procès différents, le corps sera enfin transféré, *manu militari,* dans un cimetière catholique. Mais cette victoire tardive du parti rouge n'en est pas vraiment une : elle confirme au contraire l'autorité croissante de l'Église et décourage ceux qui voudraient s'y opposer. Depuis longtemps déjà, l'Institut perd du terrain. Dès 1858, les pressions sont si fortes qu'un quart des membres choisissent de démissionner. Ne restent plus bientôt que les irréductibles comme l'infatigable Napoléon Aubin ou le jeune Arthur Buies.

Le statut de la littérature tout au long de ce conflit idéologique apparaît incertain. De Parent à Dessaulles, les références littéraires abondent, mais la littérature elle-même ne fait l'objet d'aucun débat. Les positions de l'Institut en matière esthétique ne sont, du reste, pas fondamentalement différentes de celles que défend au même moment le clergé. D'un côté comme de l'autre, on se méfie du roman, on s'en tient au vieux romantisme de Lamartine et surtout on rêve de fonder une littérature nationale. Les mises en garde de Parent contre la littérature frivole, éphémère ou futile se retrouvent un peu partout dans les propos de l'Institut. La lecture ne doit pas être une activité « de pur agrément » : le journaliste et le tribun, qu'ils soient clercs ou laïcs, ne cessent de rappeler la jeunesse à son devoir collectif. À travers les grands discours de Parent, c'est l'homme d'action qui parle, c'est lui seul qui a l'autorité pour fixer les limites de la littérature sérieuse ou utile. Plus efficace que la censure cléricale, l'odieux jeté sur la littérature de divertissement explique peut-être en partie le malaise des romanciers et des poètes de ce siècle. Mais il témoigne aussi d'un souci pratique qui est celui du journaliste, dont l'écriture souvent vive et colorée porte la marque des préoccupations quotidiennes de l'époque.

L'Institut canadien constitue un milieu propice à des débats d'idées souvent audacieuses. Il montre également qu'une vie intellectuelle prend forme au Bas-Canada vers le milieu du siècle. Cette effervescence est surtout le fait de libéraux qui se tiennent au courant de ce qui se passe au même moment ailleurs en Occident, tant aux États-Unis qu'en Europe. C'est aussi parmi les libéraux que l'on retrouvera, pendant la seconde moitié du siècle, la plupart des écrivains ouverts aux courants littéraires contemporains. Malgré la défaite des Rouges, qui ne feront pas le poids face à une Église de plus en plus conservatrice, un certain esprit libéral continue d'animer nombre d'écrivains et de penseurs. S'ils ne tendent pas à se regrouper comme les écrivains traditionnels, ces francs-tireurs n'en jouent pas moins un rôle majeur dans le relais des idées et des formes modernes venues d'ailleurs. Parmi ceux-là se trouve le chroniqueur Arthur Buies.

5
Arthur Buies, chroniqueur éternel

De tous les chroniqueurs de la deuxième moitié du xıxᵉ siècle, Arthur Buies (1840-1901) s'impose comme le plus déterminé sur le plan littéraire. Il est aussi un des premiers écrivains canadiens-français à vivre de sa plume. Pendant long-temps, Buies est apparu au Québec comme une tête brûlée, un de ces jeunes écervelés sortis tout droit de la bohème parisienne et si violemment anticlérical qu'il valait mieux le faire taire que de tenter de discuter avec lui. En 1868, il s'en-rage : « Pourquoi ce pays est-il mort ? Pourquoi n'ose-t-il pas respirer ? » Cela commence au collège, où règne selon lui une sorte d'obscurantisme médiéval. « Nous habitons l'Amérique et nous n'avons pas la moindre idée de l'Amérique ! » Sous le « gouvernement clérical », les jeunes sont détournés de la science et des idées modernes : pendant que toute l'Amérique s'ouvre à la physique, à l'astrono-mie, à l'histoire et à la géographie, le Bas-Canada ne sait pas écrire, encore moins penser. Buies a une plus grande ambition littéraire que tous ses contemporains : à vingt-sept ans, il écrit à sa sœur, au moment de partir une seconde fois pour Paris, qu'il entend bien devenir « le plus grand écrivain de son siècle avant trois ans ». À la manière d'un héros balzacien, il est résolu à « monter à Paris », où il tente en vain de se faire un nom, à titre de journaliste. L'expérience tourne au désastre, mais elle renforce sa volonté d'être un écrivain. L'écriture, loin de se réduire à une passion de jeunesse, reste pour lui, tout au long de sa vie, une nécessité matérielle autant qu'intellectuelle. À la différence de la plupart des écri-vains du xıxᵉ siècle, il n'est ni avocat, malgré un bref stage dans une étude, ni politicien, ni bibliothécaire, ni traducteur : il travaille à la pige, acceptant des conditions de vie forcément précaires. Personnage connu, il n'a pourtant aucun titre de gloire, aucune œuvre majeure à faire valoir : il aura été, selon sa modeste expression, un « chroniqueur éternel ». Mais la chronique, chez Buies, appartient bel et bien à la littérature. Dès les années 1870, il rassemble ses meilleurs textes dans trois recueils qui forment, avec ses deux premières *Lettres sur le Canada* publiées en fascicule en 1864, l'essentiel de son œuvre : *Chroniques, Humeurs et Caprices* (1873), *Chroniques, Voyages, etc., etc.* (1875) et *Petites Chroniques pour 1877.*

Dans un texte intitulé « Littérature canadienne-française : naissance et stagna-tion », publié en 1877, Buies cite François-Xavier Garneau et Étienne Parent comme les deux figures majeures de cette littérature, mais il ne leur trouve aucun successeur véritable. Les écrivains d'ici ont eu le tort, selon lui, de vouloir faire carrière dans un monde où il n'existe aucun public pour soutenir pareille préten-tion. Et lui-même, où se situe-t-il ? Il ne le dit nulle part. Son statut d'écrivain demeure assez ambigu malgré l'ampleur de ses écrits, qui comprennent des chroniques, des pamphlets, des portraits satiriques, des études sociales ou géographiques, des lettres ouvertes, etc. Il n'a écrit ni roman, ni conte, ni légende, ni histoire, ni poème (à une exception près). Son œuvre est résolument éparse, à la fois brillante et désordonnée; c'est celle d'un écrivain polygraphe qui connaît trop bien la réalité du monde intellectuel au Québec pour s'illusionner sur ses propres chances de succès.

À défaut de s'intéresser à l'œuvre de Buies, l'histoire littéraire québécoise d'avant la Révolution tranquille s'est maintes fois penchée sur l'homme, dont la vie aventureuse vaut n'importe quel roman de l'époque. À seize ans, il est envoyé chez son père, en Guyane anglaise, après avoir été expulsé de trois collèges. La rencontre a été décevante et brève. Le père d'Arthur, qui s'est remarié et ne connaît son premier fils que par les rapports alarmants que lui envoient les deux tantes chargées de l'élever, veut qu'Arthur retourne aux études, à Dublin. Avec l'argent de son père, Arthur accepte d'aller étudier, mais il se rend au Lycée impérial Saint-Louis de Paris plutôt qu'au Trinity College de Dublin. Il vit en Europe de 1857 à 1862, d'abord comme étudiant, puis comme volontaire au service de l'armée de Garibaldi qui, hostile au pape, luttait contre les zouaves pontificaux. À son retour au Canada, il participe activement à l'Institut canadien et devient l'un des collaborateurs les plus radicaux du *Pays*. Fier de son aventure sicilienne dont il conserve la chemise rouge, il se lance dans la bataille anticléricale.

En 1867, il retourne à Paris, où il rencontre George Sand, quelques journalistes et hommes de lettres, mais ce sont des mois de misère et de solitude. Il revient dès le début de l'année suivante et fonde une feuille pamphlétaire inspirée de *La Lanterne* du polémiste antibonapartiste Henri Rochefort. Sa *Lanterne canadienne* fait beaucoup de bruit : on y découvre moins une pensée qu'un style, un humour, un caractère. Il s'en prend ouvertement à Mgr Bourget, à *La Minerve*, aux jésuites, aux dévots. Il se déclare annexionniste, comme Papineau et Dessaulles, réclame le droit de vote pour les femmes et s'oppose à la peine de mort. Aux nombreux exilés canadiens-français partis gagner leur vie aux États-Unis, Buies enjoint de ne pas revenir, car ils perdraient alors ce qu'ils viennent de découvrir, la liberté de parole et de pensée :

Ah! Restez, restez dans l'exil. L'exil! non. L'Amérique n'est pas une terre étrangère pour les vaillants et les libres. Là, pour une idée, pour un mot vrai, pour une parole indignée, vous ne voyez pas s'ameuter autour de vous la noire cohorte des vautours cléricaux qui nous pose le pied sur la conscience, et la déchire quand elle ne peut l'étouffer.

Là, vous êtes des hommes, voudriez-vous venir ici pour être des esclaves?

[...]

Voulez-vous revenir en Canada pour n'avoir même pas le droit de lire les journaux que vous préférez, pour voir le prêtre pénétrant, comme dans son domaine, au sein de votre

Arthur Buies, vers 1880. Centre d'archives de Québec, Fonds J. E. Livernois ltée, P560, S2, D1, P1584. Bibliothèque et Archives nationales du Québec.

famille, pour y semer la discorde et la répulsion, si vous ne lui obéissez jusque dans ses caprices?

[...]

Vous avez exercé les droits des hommes libres; vous avez été des citoyens de la grande république, venez ici, si vous l'osez, offrir vos votes aux hommes du progrès, venez apporter votre indépendance, vos aspirations, pour entendre aussitôt les prêtres de la bourse, qui sont les seuls oracles et les seuls guides de vos compatriotes, fulminer contre vous leurs anathèmes, et vous réduire par la persécution à sacrifier vos droits, ou du moins à craindre de les exercer.

Mais vous n'avez pas oublié tout cela, et vous ne désirez pas revenir dans une patrie asservie. C'est ici que vous seriez dans l'exil.

Restez où vos avez trouvé le pain, le travail qui fait les hommes libres, et l'espérance qui les fait grands.

Buies lui-même partira pour les États-Unis quelques années plus tard, par dépit amoureux toutefois plus que par conviction politique. L'un de ses biographes, Marcel-A. Gagnon, lui prête « trente-trois peines d'amour bien comptées », dont une, en 1874, qui le pousse à se rendre en Californie. Au bout de six semaines à peine, après une crise violente de désespoir, il rentre au pays, où il lance un journal républicain bilingue (*L'Indépendant*), qui comptera une cinquantaine de numéros, puis *Le Réveil*, plus éphémère encore. Il publie également ses chroniques et ses notes de voyage, qui forment la part la plus riche de son œuvre. En 1879, sa vie bascule à la faveur d'une illumination : « Hier j'ai communié, écrit-il au poète Alfred Garneau, et je suis le plus soulagé, le plus heureux, le plus transformé des hommes. Ç'a été un coup de foudre. » La même année, il se prend d'amitié pour le curé Labelle et se met au service de sa vaste entreprise de colonisation du Nord, à titre de propagandiste. Il se marie à quarante-sept ans, puis publie diverses monographies régionales et vit ensuite une période relativement calme, malgré une gêne permanente et la mort de trois enfants.

Faut-il chercher à concilier ces deux Buies, l'indomptable « retour d'Europe » de 1862 et le méconnaissable « retour d'Amérique » de 1875 ? Le premier écrit comme un enragé, avec une liberté de ton et une force de conviction qui ont longtemps fait scandale, mais qui exercent aujourd'hui le plus de charme à nos yeux de lecteurs modernes ; le second ne renie pas le premier (il réimprime *La Lanterne* et continue de s'indigner à l'occasion contre la censure cléricale), mais l'homme de quarante ans se détache irrémédiablement de l'écrivain qu'il a été. L'Amérique l'a pour ainsi dire sorti de la littérature : « je vais retomber, positif et réel, sur cette terre où je n'ai jamais pu prendre racine, et que je peuplais sans cesse des fantômes de mon imagination », écrit-il dans ses *Chroniques*. Le pamphlétaire de 1862 se voulait philosophe, penseur social, idéologue : il se battait au nom de principes et d'idées à la manière de Papineau, sans trop se préoccuper de leur application. À son retour de Californie, il s'éloigne du monde des idées républicaines et de la polémique, et devient une sorte d'écrivain-géographe.

Comment lire Buies aujourd'hui ? Après sa mort, on a voulu l'oublier ou le réduire à ses seules qualités de fantaisiste ou d'aimable paysagiste. Avec la Révolution tranquille, son anticléricalisme est apparu comme la marque d'un esprit fort, précurseur d'un nationalisme non plus conservateur et messianique, mais libéral et résolument moderne. Par la suite, on a vu en lui un écrivain véritable, perdu dans un siècle qui en compte trop peu. Dans un numéro de la revue *Études françaises* qui lui est consacré en 1971, Georges-André Vachon intitule simplement son introduction : « Arthur Buies, écrivain ». L'historien littéraire Laurent Mailhot abonde dans le même sens dans son anthologie de 1978 : « Sans foyer, sans profession, sans spécialité, mais plus cultivé et plus libre que ses contemporains, Arthur Buies est le type même du chroniqueur. Ni philosophe, ni historien, ni sociologue, ni savant, mais frotté de tout et frotté à tous, écrivant "pour écrire", ouvert, répandu, secret. » À ces figures du paysagiste, du libéral anticlérical et du chroniqueur engagé à la fois dans le combat social et dans l'écriture, il faut ajouter celles de l'orphelin, de l'exilé ou du célibataire qui perd peu à peu sa gouaille et retourne son cynisme contre lui-même. Une chronique intitulée « Le vieux garçon » se lit comme un autoportrait :

Il est seul. Oh! Être seul, c'est être avec la mort. À vingt ans, à vingt-cinq ans, à trente ans même, on vit encore avec l'imagination qui aide à peupler l'avenir d'une foule de rêves enchanteurs, et qui montre des rivages dorés par le soleil là où il n'y a que sécheresse et désolation. Il est dans l'existence des âges bénis où l'on se console de tout parce qu'on a l'avenir devant soi, parce qu'on croit qu'il renferme tous les trésors dont le cœur et l'ambition sont avides.

Et maintenant est venu l'âge froid où chaque espoir se tourne en dérision, où chaque illusion prend la figure d'un démon railleur. Le temps est implacable, il détruit tout. Mais ce qui est plus horrible encore, c'est de survivre à ce néant de soi-même, c'est d'assister à tous les plaisirs sans en goûter aucun, c'est de regarder l'amour radieux, épanoui, transporté, et savoir qu'il n'est qu'un mensonge, qu'il se brise contre le moindre écueil, comme le flot souriant, longtemps bercé sur le dos de la mer, vient éclater sur le premier obstacle du rivage et disparaît.

Derrière l'arrogance des pamphlets ou l'enthousiasme des descriptions, il est rare qu'on ne perçoive pas aussi le ton de l'essayiste, d'un écrivain attachant qui parle au « je », avec une intégrité saisissante et souvent impitoyable. La mort, la solitude ne sont jamais loin, malgré l'humour et le ton apparemment détaché des chroniques et des tableaux de voyage. « Je continue d'habiter un pays inhabitable », se plaint-il alors qu'il se trouve aux Éboulements, privé de tout moyen de communication rapide avec le monde. S'il s'intéresse tant au Nord, c'est qu'il le croit justement habitable. À l'inverse, le désert du Middle West lui paraît trop vaste, insupportable : « au milieu de ce silence immense, de ce désert vide d'où les trois règnes de la nature semblent s'être enfuis, la pensée, qui ne sait pas où se prendre, retombe sur elle-même comme accablée de son propre poids ». Pour écrire, pour penser, Buies n'a que faire d'une nature déserte ou poétique. Il lui faut des gens, des hôtels, des routes, des chemins de fer, des journaux, bref, des moyens de communication modernes. Il ne trouvera ses véritables contemporains qu'un siècle plus tard.

Le mouvement littéraire de 1860

L'exaspération d'Arthur Buies et de bon nombre de libéraux du xixe siècle est surtout dirigée contre le pouvoir clérical s'immisçant dans les affaires politiques, tel qu'incarné au premier chef par Mgr Ignace Bourget, champion de l'ultra-montanisme et auteur de mandements retentissants contre l'Institut canadien. Mgr Bourget mène une « guerre sainte » au nom de la doctrine ultramontaine, dont le nom signifie littéralement « au-delà des monts ». Le catholicisme conservateur de Mgr Bourget s'aligne en effet directement sur l'autorité du pape à Rome au-delà des Alpes, au-delà de la France et du gallicanisme qui prévaut dans certains secteurs de l'Église française et qui reconnaît un certain droit de regard du monde civil sur le monde religieux. L'ultramontanisme refuse de séparer l'État et l'Église, et exige que celle-ci ait prédominance sur le pouvoir temporel dans les domaines mixtes comme l'éducation. En 1858, par exemple, Mgr Bourget s'attaque aux « mauvais journaux » et souligne à cette occasion l'étendue de son autorité : « il n'est permis à personne d'être *libre dans ses opinions religieuses et politiques* ; [...] c'est à l'Église à enseigner à ses enfants à être de bons citoyens, comme de bons chrétiens, en leur apprenant les vrais principes de la foi et de la morale, dont elle est seule la dépositaire. » À partir des années 1860, le clergé, sans être unanimement ultramontain, investit l'institution littéraire, inaugurant une tradition qui durera jusqu'au xxe siècle avec l'abbé Camille Roy. Dans la longue lutte qui oppose l'Église catholique aux Rouges, la littérature constitue un enjeu primordial.

Pendant que Mgr Bourget mène à Montréal un combat acharné contre l'Institut canadien, la littérature connaît un regain d'activité à Québec. En 1860, un groupe d'écrivains et de journalistes se rencontrent, pendant cinq ans, dans l'arrière-boutique de la librairie du poète Octave Crémazie. Parmi eux se trouvent Pierre-Joseph-Olivier Chauveau, Joseph-Charles Taché, Antoine Gérin-Lajoie, Louis Fréchette, Pamphile Le May, Alfred Garneau, autour de l'abbé Henri-Raymond Casgrain (1831-1904), qui dressera dès 1866 un bilan de ce renouveau littéraire qu'il baptisera le « mouvement littéraire en Canada » (Camille Roy l'appellera plutôt l'École patriotique de Québec, en y associant les figures plus anciennes de François-Xavier Garneau, Étienne Parent et l'abbé Ferland). Ce qui frappe d'abord, dans le mouvement de 1860 incarné par Casgrain, c'est son hétérogénéité : les écrivains qui gravitent autour de ce foyer appartiennent à plusieurs générations et n'ont pas de programme esthétique commun. Tous partagent cependant le désir de participer à la vie littéraire de Québec et de contribuer ainsi à l'avènement d'une littérature nationale. C'est dans ce sens que l'abbé Casgrain, Antoine Gérin-Lajoie, Hubert Larue et Joseph-Charles Taché fondent en 1861 *Les Soirées canadiennes. Recueil de littérature nationale* qui se veut une sorte de

Répertoire national publié de façon périodique pour faire connaître des œuvres inédites du Canada français. Casgrain y publie ses trois *Légendes canadiennes* qui évoquent respectivement le village natal de l'auteur (« Le tableau de la Rivière-Ouelle »), la vie des « Pionniers canadiens » et les premiers temps de la colonie (« La jongleuse »). Le personnage central de ces légendes est toujours abstrait, dépourvu d'intériorité, soumis à une perspective morale ou idéologique qui lui est extérieure.

En 1863, à la suite d'un différend avec les imprimeurs, une partie de l'équipe de rédaction des *Soirées canadiennes* décide de fonder un deuxième périodique, intitulé *Le Foyer canadien*. On y reprend, sous forme de volumes, des textes faisant partie de « notre collection de littérature nationale », auxquels s'ajoutent plusieurs inédits. C'est dans *Le Foyer canadien* que paraît le texte programmatique de l'abbé Casgrain intitulé « Le mouvement littéraire en Canada ». Cet article prend acte, tout d'abord, de l'effervescence toute récente de la littérature canadienne-française, mais il annonce surtout, sur un ton prophétique, l'orientation future de cette littérature. Cette vision s'appuie étroitement sur une conception du rôle messianique que le Canada français joue en Amérique. Selon cette conception, la survivance de la nation canadienne-française depuis la défaite de 1760 a constitué une sorte de miracle et s'explique par la vocation providentielle du peuple. L'abbé Casgrain prédit l'effondrement de l'Amérique « cupide » et définit le peuple canadien-français comme le dépositaire des valeurs spirituelles, dans lesquelles il voit le « rempart » de la nationalité canadienne :

À moins d'une de ces réactions souveraines, dont on n'aperçoit aucun indice, ce vaste *marché d'hommes* qui s'appelle le peuple américain, aggloméré sans autres principes de cohésion que les intérêts cupides, s'écrasera sous son propre poids. Qui nous dit qu'alors le seul peuple de l'Amérique du Nord (tout naissant qu'il est aujourd'hui), qui possède la sève qui fait vivre, les principes immuables d'ordre et de moralité, ne s'élèvera pas comme une colonne radieuse au milieu des ruines accumulées autour de lui ?

Il ajoute, à l'intention des apprentis écrivains :

Vous avez devant vous une des plus magnifiques carrières qu'il soit donné à des hommes d'ambitionner. [...] [V]ous élèverez un édifice qui sera, avec la religion, le plus ferme rempart de la nationalité canadienne.

La littérature apparaît dès lors comme une entreprise de conservation qu'il s'agit d'assumer au nom de la nation elle-même. Dans le passage qui suit, l'article-manifeste de Casgrain décline les traits essentiels de la littérature nationale :

Nous pouvons donc l'affirmer avec une légitime assurance, le mouvement qui se manifeste actuellement ne s'arrêtera pas, il progressera rapidement et aura pour résultat de glorieuses conquêtes dans la sphère des intelligences. Oui, nous aurons une littérature indigène, ayant son cachet propre, original, portant vivement l'empreinte de notre peuple, en un mot, une littérature nationale.

On peut même prévoir d'avance quel sera le caractère de cette littérature.

Si, comme cela est incontestable, la littérature est le reflet des mœurs, du caractère, des aptitudes, du génie d'une nation, si elle garde aussi l'empreinte des lieux, des divers aspects de la nature, des sites, des perspectives, des horizons, la nôtre sera grave, méditative, spiritualiste, religieuse, évangélisatrice comme nos missionnaires, généreuse comme nos martyrs, énergique et persévérante comme nos pionniers d'autrefois ; [...]

Mais surtout elle sera essentiellement croyante et religieuse. Telle sera sa forme caractéristique, son expression ; sinon elle ne vivra pas, et se tuera elle-même.

Casgrain voudra contribuer lui aussi, par ses écrits, à la construction d'une mémoire nationale. Plus que par les trois légendes canadiennes publiées dans *Les Soirées canadiennes*, c'est surtout par son activité d'historien qu'il s'impose à l'époque. Comme l'abbé Ferland, il mène une entreprise d'idéalisation des acteurs du passé, qu'il suffirait aux contemporains d'imiter. Par exemple, les premiers colons, dans la synthèse historique qui ouvre sa biographie de Marie de l'Incarnation, sont décrits comme de véritables saints :

À l'exemple de leur chef, tous menaient la conduite la plus édifiante, et s'approchaient régulièrement des sacrements de l'église. [...] L'intérieur du fort ressemblait plus à une communauté religieuse qu'à une garnison. La lecture se faisait régulièrement à chaque repas ; au dîner, on lisait quelque livre d'histoire ; au souper, c'était la vie des saints. Une douce et franche gaîté assaisonnait les moments de loisir ; et, chaque soir, le vénérable patriarche de la colonie rassemblait tous ses enfants dans ses appartements pour réciter la prière en commun et faire l'examen de conscience.

Critique, conteur, historien, animateur efficace, Casgrain demeure présent sur la scène littéraire jusqu'à sa mort en 1904. A-t-il été le « père de la littérature canadienne », comme lui-même l'espérait ? Pour ses amis, comme le romancier Philippe Aubert de Gaspé père, il est le « protecteur de la bonne littérature canadienne », selon la dédicace manuscrite des *Anciens Canadiens* que l'abbé Casgrain a directement contribué à lancer en 1863. Pour ses adversaires, comme le journaliste ultramontain Adolphe-Basile Routhier, il « rêve d'exercer une espèce de magistrature sur tous les écrivains canadiens ». Quoi qu'il en soit, Casgrain n'en joue pas moins un rôle d'interlocuteur important pour plusieurs écrivains de cette période, comme en témoigne son abondante correspondance. C'est le cas d'Octave Crémazie, dont les lettres à l'abbé Casgrain constituent un des textes les plus riches de tout le XIXᵉ siècle.

7
Octave Crémazie : le choc de la réalité

Octave Crémazie (1827-1879) est l'un des personnages importants de la littérature québécoise, en raison du prestige dont ses écrits poétiques ont joui au XIXᵉ siècle, mais aussi à cause de l'intérêt que suscitent encore aujourd'hui les problèmes qu'il a soulevés dans sa correspondance, où ses diagnostics annoncent les principaux débats sur la littérature canadienne-française et sur la littérature québécoise qui marqueront le XXᵉ siècle. La dimension « empêchée » de son œuvre la lie par ailleurs à trois œuvres poétiques ultérieures parmi les plus marquantes, soit celles d'Émile Nelligan, d'Hector de Saint-Denys Garneau et de Gaston Miron.

Avant de devenir « barde national », Octave Crémazie a été libraire, comme on vient de le voir. Avec son frère Joseph, il fonde, en 1844, à Québec, la « Librairie ecclésiastique de J. et O. Crémazie », qui, pendant quelques années, devient le foyer principal du mouvement littéraire de Québec. Ce commerce prospère est bientôt mis en péril par l'écart entre les achats du poète – un peu « mégalomane », dira Ernest Gagnon – et la demande du public, dans un contexte économique et culturel défavorable. Crémazie s'exile à Paris pour fuir les poursuites judiciaires. Il y passera le reste de sa vie, pauvre, amer et pourtant toujours vivement intéressé par le sort de sa patrie et tout spécialement par le développement de la littérature canadienne.

Crémazie est le premier poète canadien-français à obtenir une véritable reconnaissance du public et de ses pairs. François-Xavier Garneau, de son côté, était d'abord un historien, et les poètes réunis dans le *Répertoire national* étaient présentés comme des amateurs, qui laissaient attendre des réussites futures. Au temps de Crémazie, la littérature nationale reste encore à venir, mais avec lui apparaît la figure du poète national, écrivain accompli qui sait exprimer les valeurs de son milieu : l'attachement à l'histoire, à la langue française et à la foi catholique léguées par les ancêtres. Crémazie connaît beaucoup de succès avec divers poèmes célébrant le passé. C'est notamment le cas en 1858, lors de la parution du poème « Le drapeau de Carillon » dans *Le Journal de Québec*. Il s'agit d'une « étrenne » du Nouvel An, comme les journaux d'alors avaient coutume d'en offrir à leurs abonnés sous forme de plaquette. La première strophe interpelle la mémoire collective des Canadiens français :

> Pensez-vous quelquefois à ces temps glorieux
> Où seuls, abandonnés par la France, leur mère,
> Nos aïeux défendaient son nom victorieux

Et voyaient devant eux fuir l'armée étrangère ?
Regrettez-vous encor ces jours de Carillon,
Où, sur le drapeau blanc attachant la victoire,
Nos pères se couvraient d'un immortel renom,
Et traçaient de leur glaive une héroïque histoire ?

Étrangement, il s'agit de célébrer la gloire des vaincus, en rappelant une victoire qui a précédé la défaite décisive. Ce paradoxe est résolu par le poème : la défaite est venue de l'abandon de la France et ne saurait donc être imputée aux ancêtres, dont l'honneur est à jamais intact :

Dans un effort suprême en vain nos vieux soldats
Cueillaient sous nos remparts des lauriers inutiles ;
Car un roi sans honneur avait livré leurs bras,
Sans donner un regret à leurs plaintes stériles.

La France de l'origine et la France qui a renoncé à défendre les Canadiens de 1760 sont nettement distinctes. Par ses poèmes d'inspiration patriotique, Crémazie rejoint les attentes des Canadiens français, qui cherchent à réconcilier l'identification à la France et la rancœur à son égard. De même, il s'inscrit dans la veine du romantisme français, principalement celui de Lamartine et de Musset, tout en l'adaptant à une thématique proprement canadienne. Rien ne pouvait satisfaire davantage le lecteur d'ici que ce mélange de forme française et de contenu national.

Dans les poèmes plus tardifs de Crémazie, l'influence romantique est encore perceptible, mais c'est plutôt celle de Théophile Gautier et de Gérard de Nerval. L'horizon patriotique disparaît au profit d'un décor macabre. C'est désormais la mort qui est omniprésente ; c'est même la question de savoir ce qui perdure concrètement dans la mort que le poète pose crûment lorsqu'il écarte la célébration pour se tourner vers l'interrogation dans la « Promenade de trois morts ». Cette « fantaisie », selon le sous-titre, est une œuvre d'envergure qui devait compter trois parties. Crémazie n'a réalisé que la première (638 vers), mais il décrit précisément l'ensemble de sa composition dans une lettre à l'abbé Casgrain. Ce poème avait tout pour déconcerter les amateurs du « Drapeau de Carillon ». Il s'agit en effet d'une méditation sur ce que les cadavres ressentent au moment de la putréfaction, que Crémazie présente comme une transition au cours de laquelle le mort est sensible à la morsure des vers. Crémazie enchaîne plusieurs séquences : il fait dialoguer les morts entre eux, puis un mort et un ver, et intègre le monologue attendri d'un cadavre qui croit sentir les larmes de sa mère qui pleure sur sa tombe. Ce monologue est suivi d'un démenti ironique de l'un des vers qui le rongent :

Octave Crémazie, vers 1880. Centre d'archives de Québec, Fonds J. E. Livernois ltée, P560, S2, D1, P210. Bibliothèque et Archives nationales du Québec.

Pour qu'une goutte d'eau, courant en étourdie,
Qui tombe et vient d'on ne sait où,
T'inspire un pathos long comme une tragédie,
Tu dus être ou poète ou fou.

Ces beaux rêves du cœur qui, là-haut sur la terre,
Ont tant d'attrait et de beauté,
Quand on est près de moi, se brisent comme un verre
Au choc de la réalité.

Ces deux strophes manifestent une inversion du lyrisme romantique qui se brise, comme le verre, « au choc de la réalité ». La poésie de Crémazie intègre ainsi une part d'autocritique et se réclame du réalisme. Mais dans l'ensemble, la versification est lourde et son caractère conventionnel contraste avec l'audace de certaines parties de la trame narrative. Les critiques se détourneront d'ailleurs peu à peu de la poésie de Crémazie pour s'intéresser plutôt à sa prose.

Dans sa correspondance, Crémazie s'éloigne radicalement de la rêverie et pratique une prose descriptive et analytique souvent pénétrante. L'exil n'est plus une métaphore nationale comme dans « Le drapeau de Carillon » (où le Canadien abandonné par la France était décrit comme « un exilé dans sa propre patrie »), mais une réalité bien concrète : Crémazie cherche à régler ses problèmes financiers à distance en vue de retourner à Québec, sans trop y croire. Comme François-Xavier Garneau l'avait fait avant lui dans ses notes de voyage, il dépeint la société française, mais en privilégiant les « petits faits », notamment dans sa description du siège de Paris en 1870. Toute communication ayant été interrompue entre la France et l'extérieur au moment où la Prusse tente de conquérir Paris, Crémazie transforme sa correspondance en un journal qu'il destine à ses frères. C'est l'abbé Casgrain qui donnera le titre de *Journal du siège de Paris* à cet ensemble lors de la publication posthume des *Œuvres complètes* de Crémazie en 1882. Dans ces textes, Crémazie se montre hostile aux communards français autant qu'aux Anglais qu'il considère comme des alliés des Prussiens, et ne manque pas de se déclarer fidèle aux valeurs ultramontaines.

Les observations de Crémazie dans sa correspondance restent en général fragmentaires : il présente d'ailleurs ses lettres écrites pendant la guerre franco-prussienne et la Commune comme des compléments à ce que sa famille et ses amis ont pu lire dans les journaux. Il en va autrement dans les lettres qu'il adresse à Henri-Raymond Casgrain, où il développe sa pensée sur le projet d'une littérature nationale canadienne. Dans une première lettre, en 1866, il contredit vigoureusement l'enthousiasme de son correspondant :

Comme toutes les natures d'élite, vous avez une foi ardente dans l'avenir des lettres canadiennes. Dans les œuvres que vous appréciez, vous saluez l'aurore d'une littérature nationale. Puisse votre espoir se réaliser bientôt ! Dans le milieu presque toujours indifférent, quelquefois même hostile, où se trouvent placés en Canada ceux qui ont le courage de se livrer aux travaux de l'intelligence, je crains bien que cette époque glorieuse que vous appelez de tous vos vœux ne soit encore bien éloignée.

MM. Garneau et Ferland ont déjà, il est vrai, posé une base de granit à notre édifice littéraire ; mais, si un oiseau ne fait pas le printemps, deux livres ne constituent pas une littérature.

Crémazie annonce clairement ses couleurs : comme dans sa « Promenade », il oppose la réalité aux chimères. Il plaide pour une vision réaliste du milieu, n'abordant jamais la question de la « mission » de la littérature nationale qui intéresse son destinataire. Il déplore d'abord les conditions de vie qui sont faites à l'écrivain : « Ne croyez-vous pas, demande-t-il à Casgrain, que si l'on s'occupait un peu plus de ceux qui *produisent* et un peu moins de ceux qui consomment, la littérature canadienne ne s'en porterait que mieux ? [...] Puisque tout travail mérite salaire, il faut donc que l'écrivain trouve dans le produit de ses veilles, sinon la fortune, du moins le morceau de pain nécessaire à sa subsistance. Autrement vous n'aurez que des écrivains amateurs. » Dans son procès du milieu littéraire canadien, il insiste aussi sur l'absence de véritable critique. Reconnaissant la valeur du travail accompli par Casgrain, il lui recommande cependant de « continuer ce travail plus en détail, en louant ce qui est beau, en flagellant ce qui est mauvais. C'est le seul moyen d'épurer le goût des auteurs et des lecteurs ». Pour lui, la critique canadienne n'est en général qu'une pure « réclame », ou alors elle manifeste une incompréhension de la littérature contemporaine. Il reviendra plus tard sur ce dernier point, en prenant son propre cas comme exemple. Un critique, Norbert Thibault, ayant fait paraître dans le *Courrier du Canada* une étude sur son œuvre, Crémazie regrette d'abord la complaisance manifestée par le critique envers son « Drapeau de Carillon », qu'il considère comme une « pauvre affaire » :

Ce qui a fait la fortune de ce petit poème, c'est l'idée seule, car, pour la forme, il ne vaut pas cher. Il faut bien le dire, dans notre pays on n'a pas le goût très délicat en fait de poésie. Faites rimer un certain nombre de fois *gloire* avec *victoire*, *aïeux* avec *glorieux*, *France* avec *espérance* ; entremêlez ces rimes de quelques mots sonores comme notre *religion*, notre *patrie*, notre *langue*, nos *lois*, le *sang de nos pères*, faites chauffer le tout à la flamme du patriotisme, et servez chaud. Tout le monde dira que c'est magnifique.

Crémazie attaque aussi le refus du réalisme et du romantisme dont témoigne la critique de Thibault. Celui-ci ayant regretté le peu de « vigueur d'âme » des héroïnes du poème « La fiancée du matin », Crémazie rétorque : « M. Thibault doit bien savoir que lorsque la folie s'empare d'un cerveau malade, cette pauvre morale n'a plus qu'à faire son paquet. » Irrité par les attaques de Thibault contre sa « Promenade de trois morts », il ajoute :

Toute cette guerre que l'on fait au réalisme est absurde. Qu'est-ce donc que ce monstre qui fait bondir tant de braves gens ? C'est le 89 de la littérature qui devait nécessairement suivre le 89 de la politique ; ce sont toutes les idées, toutes les choses foulées aux pieds, sans raison, par les privilégiés de l'école classique, qui viennent revendiquer leur place au soleil littéraire ; et soyez sûr qu'ils sauront se la faire tout aussi bien que les serfs et les prolétaires ont su faire la leur dans la société politique.

C'est également en liant le littéraire au social que Crémazie explique l'anémie de la littérature nationale :

Si j'ai bonne mémoire, le *Foyer canadien* avait deux mille abonnés à son début, et vous me dites que vous ne comptez plus que quelques centaines de souscripteurs. À quoi cela tient-il ?

À ce que nous n'avons malheureusement qu'une société d'*épiciers*. J'appelle *épicier* tout homme qui n'a d'autre savoir que celui qui lui est nécessaire pour gagner sa vie, car pour lui la science est un outil, rien de plus.

[...] Comme le vendeur de mélasse et de cannelle, ils ne savent, ils ne veulent savoir que ce qui peut rendre leur métier profitable. Dans ces natures pétrifiées par la routine, la pensée n'a pas d'horizon.

Inutile, donc, d'attendre d'un tel milieu la moindre attention sincère pour les débuts des lettres canadiennes : « Si ces gens-là ne prennent pas la peine de lire les chefs-d'œuvre de l'esprit humain, comment pourrions-nous espérer qu'ils s'intéresseront aux premiers écrits de notre littérature au berceau ? » Crémazie complète son inventaire des obstacles au développement d'une littérature canadienne en abordant le point de vue du lectorat étranger : « Ce qui manque au Canada, c'est d'avoir une langue à lui. Si nous parlions iroquois ou huron, notre littérature vivrait. Malheureusement nous parlons et écrivons d'une assez piteuse façon, il est vrai, la langue de Bossuet et de Racine. Nous avons beau dire et beau faire, nous ne serons toujours, au point de vue littéraire, qu'une simple colonie. » Ne pouvant compter ni sur l'ouverture d'esprit de ses compatriotes, ni sur la recherche d'exotisme des Français, l'écrivain canadien doit donc, déplore Crémazie, se replier sur un horizon humblement familial :

Quand le père de famille, après les fatigues de la journée, raconte à ses nombreux enfants les aventures et les accidents de sa longue vie, pourvu que ceux qui l'entourent s'amusent et s'instruisent en écoutant ses récits, il ne s'inquiète pas si le riche propriétaire du manoir voisin connaîtra ou ne connaîtra pas les douces et naïves histoires qui font le charme de son foyer. Ses enfants sont heureux de l'entendre, c'est tout ce qu'il demande.

Dans ses poèmes et dans sa correspondance, Crémazie se débat avec de nombreuses contradictions, tiraillé entre rêve et réalisme, revendication et abdication. Exilé, il reste très présent à son milieu, qu'il juge avec une lucidité à laquelle la suite de l'histoire donnera raison. En effet, les divers diagnostics qu'il a formulés peuvent être rattachés à plusieurs interventions marquantes dans la suite de l'histoire littéraire québécoise : la condamnation de la mentalité d'« épiciers » et de la complaisance critique sera reprise presque telle quelle au début du XXe siècle par Jules Fournier ; la dimension matérielle de l'institution sera le point de départ de l'action des poètes de l'Hexagone au début des années 1950 ; quant à l'exotisme de la langue dans ses rapports avec la littérature « familiale », ces observations annoncent le débat autour du « joual littéraire » dans les années 1960 et 1970. Mais les lettres de Crémazie ne sont pas uniquement intéressantes pour l'acuité de l'analyse ; elles sont aussi marquées par une opposition prosaïque à la rêverie lyrique qui les fait entrer en résonance avec l'œuvre poétique. Le lien est même à certains moments surprenant : Crémazie, par exemple, se déclare « mort à l'existence littéraire », tout en spécifiant que « deux mille vers au moins [...] traînent dans les coins et les recoins de [s]on cerveau », ce qui rappelle très explicitement sa « Promenade ». Ce mort en sursis, malgré le caractère lacunaire de son œuvre, reste l'un des écrivains les plus fascinants du XIXe siècle québécois.

8

La poésie patriotique et ses marges

Le Crémazie de la « Promenade de trois morts » et de la correspondance reste bien éloigné de la poésie canadienne-française telle qu'elle se développe dans la seconde moitié du XIXe siècle. En effet, les recettes dont Crémazie se gausse dans sa correspondance continuent d'être appliquées par plusieurs poètes. Certains d'entre eux tenteront de donner de l'envergure à la poésie patriotique. C'est notamment le cas de Louis Fréchette, que Crémazie et Casgrain s'accordaient à reconnaître comme l'un des plus sûrs espoirs de la littérature canadienne.

Louis-Honoré Fréchette (1839-1908) se définissait d'abord comme un poète, mais il a été aussi conteur, dramaturge et mémorialiste. Il était par ailleurs un polémiste incisif, très engagé dans la promotion des valeurs libérales. Sa vie a été très agitée. D'abord journaliste, il devient traducteur, puis avocat. Après la faillite rapide de deux journaux qu'il avait fondés à Lévis, il part pour Chicago où il travaille comme secrétaire pour une compagnie de chemin de fer. De retour au Canada, il se fait élire comme député de Lévis à Ottawa ; défait aux élections suivantes, il retourne au journalisme, puis, fort de ses succès littéraires, est nommé greffier du Conseil législatif de Québec. Pendant toute sa vie, il mène des combats retentissants, entre autres contre la Confédération, le clergé, la monarchie, et il se bat particulièrement en faveur d'un enseignement libéré de l'obscurantisme des clercs. Il se fait de solides ennemis, comme William Chapman, qui l'accuse de plagier Hugo et Lamartine, sans compter Chapman lui-même !

Le premier livre de Fréchette est un recueil de poèmes intitulé *Mes loisirs*, paru en 1863. Il s'agit d'une poésie d'inspiration lamartinienne, mais qui ne se résume pas pour autant à une pure imitation. Fréchette y accorde une grande place au sentiment amoureux et il met à l'essai diverses formes métriques. Un poème comme « Minuit », par exemple, ne renvoie pas au programme de l'abbé Casgrain, mais à la poésie elle-même :

> La pâle nuit d'Automne
> De ténèbres couronne
> Le front gris du manoir ;
> Morne et silencieuse,
> L'ombre s'assied, rêveuse,
> Sous le vieux sapin noir.

Le recueil a été mal reçu, sauf par certains poètes de l'époque qui, comme Crémazie, ont reconnu la valeur du travail formel. *Mes loisirs* annonce la tonalité intimiste d'Eudore Évanturel et d'Alfred Garneau, mais fait contraste avec la plupart des œuvres que Fréchette écrira par la suite.

En effet, l'idéologie et l'emphase caractérisent une bonne partie de ses poèmes ultérieurs. L'écriture de Fréchette, malgré la variété des genres, met souvent à l'avant-plan la dimension oratoire. Dans ses textes polémiques, par exemple, il table sur son habileté rhétorique davantage que sur l'établissement des faits. Peu lui chaut, ainsi, que Thomas Chapais conteste la véracité de sa *Petite Histoire des rois de France* (1881), rédigée pour distinguer le catholicisme des valeurs monarchiques, où il narre quelques épisodes illustrant la bassesse des rois. Lorsqu'il polémique avec Basile Routhier (futur auteur des paroles de l'hymne national canadien) dans ses *Lettres à Basile* (1872), avec l'abbé Frédéric-Alexandre Baillargé dans *À propos d'éducation* (1893) ou avec Joseph-Israël Tarte dans sa série de « Tartines » (1903), ce sont toujours les effets qui l'intéressent : ridiculiser l'adversaire, le confondre par l'éclat du discours. L'insulte, le persiflage, l'insinuation, toute arme verbale est bonne pour Fréchette comme pour ses adversaires, qui cherchent bien davantage à se disqualifier mutuellement qu'à débattre. Ainsi, lorsqu'il s'attaque à Israël Tarte – ami d'enfance qui a été organisateur successivement pour le Parti conservateur et pour le Parti libéral –, Fréchette insiste sur les défauts physiques de son adversaire et le décrit comme un traître sournois, tout en faisant mine d'aider son opposant pour mieux le terrasser : « Tu sais bien que mon dévouement est tout ce qu'il y a de plus désintéressé », prétend-il, avant d'ajouter : « C'est même la distinction caractéristique qu'on remarquait entre nous deux, dès notre bas âge. » Dans ses *Mémoires intimes* (1900), Fréchette, après avoir décrit les méthodes brutales d'éducation qu'il a subies, conclut son chapitre par une anecdote, la rencontre d'un ancien professeur, qu'il fait semblant de ne pas reconnaître :

— Quel Gamache ? J'ai entendu parler de Gamache, de l'île d'Anticosti, un mécréant qui vivait en relations intimes avec le diable ; seriez-vous son fils ?
— Non, non ! Gamache le maître d'école ; vous ne vous rappelez pas... à Saint-Joseph ?
— En effet, dis-je, attendez donc. Je me souviens avoir connu une espèce de pédagogue de ce nom-là, dans le temps : une méchante bête à fond noir, une vraie peste, un barbare, un sauvage, une brute...
— Permettez !
— Mais ce ne peut pas être vous, car je ne croirai jamais que vous auriez le toupet de vous en vanter.

Et je tournai les talons, laissant mon individu tout ébaubi, et pliant le dos sous les rires et les quolibets de la foule que cette petite scène avait attirée.

Célèbre pour ses brûlots anticléricaux, Fréchette rassemblera vers la fin de sa vie plus d'une centaine de chroniques et de lettres ouvertes sous le titre *Satires et*

Polémiques, sans trouver d'éditeur toutefois. Ces textes pamphlétaires révèlent le caractère provocateur de Fréchette, qui ne manquait jamais une occasion de se moquer de « l'école cléricale au Canada » et de défendre les valeurs libérales. Dans son théâtre, la dimension oratoire se traduit par l'emphase, que ce soit dans *Félix Poutré* (1862), qui met en scène la Rébellion des patriotes, ou dans *Veronica* (1908), mélodrame qui se déroule en Italie au XVIIᵉ siècle. Du côté de la poésie, il arrive à Fréchette de produire des sonnets parnassiens qui rappellent son premier recueil (par exemple ceux qu'il regroupe dans *Les Oiseaux de neige* en 1879), mais c'est avant tout le sentiment patriotique qu'il aime à exalter. Dans son deuxième recueil, *La Voix d'un exilé* (1866), pamphlet rimé contre le projet de Confédération, il se fait menaçant :

> Hâtez-vous! conjurez l'orage populaire!...
> Un sort terrible attend les courtisans des rois,
> Quand le peuple n'a plus, dans sa juste colère,
>   Qu'un poignard pour venger ses droits.

La veine patriotique est aussi illustrée par *La Légende d'un peuple* (1887), plusieurs fois réédité. Dans la deuxième édition (1890), Fréchette intègre un long poème déjà paru dans plusieurs autres recueils (dont *Pêle-mêle,* en 1877, et *Les Fleurs boréales,* en 1879), « La découverte du Mississipi », l'un de ses poèmes les plus connus, dont voici l'ouverture solennelle :

> Le grand fleuve dormait couché dans la savane.
> Dans les lointains brumeux passaient en caravane
> De farouches troupeaux d'élans et de bisons.
> Drapé dans les rayons de l'aube matinale,
> Le désert déployait sa splendeur virginale
>   Sur d'insondables horizons.
>
> Juin brillait. Sur les eaux, dans l'herbe des pelouses,
> Sur les sommets, au fond des profondeurs jalouses,
> L'Été fécond chantait ses sauvages amours.
> Du sud à l'aquilon, du couchant à l'aurore,
> Toute l'immensité semblait garder encore
>   La majesté des premiers jours.
>
> Travail mystérieux! les rochers aux fronts chauves,
> Les pampas, les bayous, les bois, les antres fauves,
> Tout semblait tressaillir sous un souffle effréné ;
> On sentait palpiter les solitudes mornes,
> Comme au jour où vibra, dans l'espace sans bornes,
>   L'hymne du monde nouveau-né.

Quelques strophes plus loin, force points d'exclamation à l'appui, la célébration du Nouveau Monde et la fierté patriotique se conjuguent à travers la figure de l'explorateur Louis Jolliet :

> Jolliet ! Jolliet ! quel spectacle féerique
> Dut frapper ton regard, quand ta nef historique
> Bondit sur les flots d'or du grand fleuve inconnu !
> Quel sourire d'orgueil dut effleurer ta lèvre !
> Quel éclair triomphant, à cet instant de fièvre,
> Dut resplendir sur ton front nu !

Cette célébration hugolienne de l'Amérique et de la patrie est souvent citée comme l'une des principales réussites poétiques de Fréchette. Quelques pièces plus sobres, comme celles de ses débuts, font figure d'exceptions dans un univers dominé par de voyants procédés. De même, dans ses textes polémiques flamboyants, il a souvent vaincu ses adversaires dans l'immédiat, mais ses idées, la plupart du temps liées à l'actualité, n'ont pas la portée de celles de polémistes ultérieurs, tels Olivar Asselin ou Jules Fournier. Il a consacré beaucoup d'énergie en vue de se faire une réputation, écrivant d'ailleurs quantité de lettres pour obtenir des appuis en France. L'Académie française lui octroiera le prix Montyon en 1880 ; les membres de l'École littéraire de Montréal, à la fin du XIXe siècle, l'éliront président d'honneur ; le poète moderniste Marcel Dugas louera sa défense de l'« esprit français ». Toutefois ce prestige qu'il devait à la maîtrise des goûts et des usages de son temps s'atténuera rapidement au XXe siècle. Comme on le verra plus loin, c'est surtout en tant que conteur, dans un registre où il a pu laisser de côté la grandiloquence, que Fréchette continuera d'être lu.

Au XIXe siècle, le sentiment patriotique est le terrain sur lequel les adversaires se réconcilient. En effet, conservateurs et libéraux, opposés en ce qui a trait au statut de l'Église, de la France ou des États-Unis, sont difficiles à distinguer lorsque l'histoire de la patrie est en cause. Ainsi, William Chapman (1850-1917), pourtant adversaire politique de Fréchette, se veut comme lui le continuateur du culte des ancêtres. Il adresse un poème à son maître Crémazie :

> Ô puissance de l'art et du patriotisme !
> En t'écoutant, poète, exalter l'héroïsme
> De ceux que le destin pouvait seul conquérir,
> En t'écoutant louer, sans choix ni préférence,
> Les hommes qui jadis combattaient pour la France,
> Nous avons tous senti notre cœur s'attendrir.
> Tes refrains inspirés électrisaient les âmes ;
> Des saints espoirs mourants ils ravivaient les flammes,
> Ils étouffaient en nous toute animosité.

Chapman ne retient bien entendu de la poésie de Crémazie que le patriotisme sonore. Contrairement à l'auteur de la « Promenade de trois morts », il n'a que faire des nouveautés parisiennes et présente la poésie canadienne comme la championne de la tradition :

> Nous sommes arriérés, vieillots et sans fraîcheur,
> À la tradition dévotement fidèles,
> Préférant aux récents couplets nos ritournelles,
> Nous imitons un peu le printemps rabâcheur
> Qui fait toujours ses fleurs sur les mêmes modèles.

Ce culte de la tradition délaissera bientôt l'histoire au profit du régionalisme. Dans ce registre, Pamphile Le May (1837-1918) est l'un des poètes canadiens-français les plus convaincants, avec Nérée Beauchemin (1850-1931). Tous les deux feront paraître leurs meilleurs poèmes au début du xxe siècle, mais ils appartiennent bien davantage au siècle précédent. Le May, ami de Fréchette, a lui aussi beaucoup publié : des romans et des contes, dont il sera question plus loin, du théâtre, une traduction du roman *The Golden Dog* de William Kirby, une autre de l'*Evangeline* de Longfellow, et de nombreux poèmes. Contrairement à son ami, il n'aime pas élever la voix et s'attache de préférence aux petites choses, distillant une résignation sereine. À la fin de sa vie, il propose ce bilan :

> Mon rêve a ployé l'aile. En l'ombre qui s'étend,
> Il est comme un oiseau que le lacet captive.
> Malgré des jours nombreux ma fin semble hâtive ;
> Je dis l'adieu suprême à tout ce qui m'entend.
>
> Je suis content de vivre et je mourrai content.
> La mort n'est-elle pas une peine fictive ?
> J'ai mieux aimé chanter que jeter l'invective.
> J'ai souffert, je pardonne, et le pardon m'attend.

Nérée Beauchemin, proche de Le May par le soin artisanal qu'il apporte à l'écriture, par son attachement au quotidien rural et par sa nostalgie réservée, est plus mélodiste que son aîné, par exemple dans « La branche d'alisier chantant » :

> Je l'ai tout à fait désapprise
> La berceuse au rythme flottant,
> Qu'effeuille, par les soirs de brise,
> La branche d'alisier chantant.

> [...]

La musique de l'air, sans rime,
Glisse en mon rêve, et, bien souvent,
Je cherche à noter ce qu'exprime
Le chant de la feuille ou du vent.

J'attends que la brise reprenne
La note où tremble un doux passé,
Pour que mon cœur, malgré sa peine,
Un jour, une heure en soit bercé.

Alfred Garneau (1836-1904), fils de l'historien et ami d'Arthur Buies comme de Louis Fréchette, va plus loin dans le registre intimiste. Il n'a publié aucun recueil de son vivant et sa présence dans le milieu littéraire demeure discrète. Très estimé de ses contemporains (Fréchette, par exemple, lui demande conseil), il écrit peu, mais ses sonnets comptent parmi les principales réussites poétiques du XIXe siècle canadien-français. Ses « visions » restent subtiles et retenues. C'est le cas dans « Mon insomnie » :

Mon insomnie a vu naître les clartés grises.
Le vent contre ma vitre, où cette aurore luit,
Souffle les flèches d'eau d'un orage qui fuit.
Un glas encor sanglote aux lointaines églises.

La nue est envolée, et le vent, et le bruit.
L'astre commence à poindre, et ce sont des surprises
De rayons ; les moineaux alignés sur les frises,
Descendent dans la rue où flotte un peu de nuit...

Ils se sont tus, les glas qui jetaient tout à l'heure
Le grand pleur de l'airain jusque sur ma demeure.
Ô soleil, maintenant tu ris au trépassé !

Soudain, ma pensée entre aux dormants cimetières.
Et j'ai la vision, douce à mon cœur lassé,
De leurs gîtes fleuris aux croix hospitalières...

Très proche lui aussi de ses modèles (d'Alfred de Musset, comme Alfred Garneau, mais aussi de Théophile Gautier), Eudore Évanturel (1852-1919) apparaît aujourd'hui comme l'un des poètes canadiens-français les plus intéressants avant Nelligan. *Premières Poésies*, paru en 1878, est son unique recueil, dont il fera paraître une édition un peu affadie dix ans plus tard. Les modifications qu'il apporte tiennent compte de la critique très dure qui a accueilli la première version. Celle-ci était préfacée par le romancier Joseph Marmette, sans doute ciblé plus directement que le poète lui-même par les attaques des conservateurs, notamment de l'ultramontain Jules-Paul Tardivel. Celui-ci condamnait les audaces du jeune poète, coupable de s'être voulu original dans ses formulations et, surtout, d'avoir parlé d'amour. Disant éprouver, à la lecture des *Premières Poésies*, « un mélange d'indignation, d'étonnement, de stupéfaction, de tristesse et d'hilarité », Tardivel rejette en bloc le recueil, tant « le bon sens [y est] outragé dans chaque ligne ». Évanturel est au surplus coupable de négliger ses devoirs de patriote, ce dont son préfacier lui-même lui fait reproche, lui proposant le modèle de Crémazie.

Pourtant, si Évanturel privilégie les thèmes romantiques de la mort et de la solitude, c'est sans outrance. Il tranche d'ailleurs en cela sur le romantisme canadien-français de son époque. Il suggère plus qu'il n'appuie, y compris dans l'expression obligée du spleen :

> Je sors et je m'en vais, l'âme triste et morose,
> Avec le pas distrait et lent que vous savez.

Il intègre la narration avec beaucoup d'habileté, par exemple dans « Les orphelins » :

> Il est midi. La cloche a fini de tinter.
> Leur longue file est droite et leur tenue est bonne.
>
> Il passe !
>
> > Il est passé, sans vouloir s'arrêter,
> Le petit régiment commandé par la nonne !

L'expression de l'amour est un peu mièvre, mais quelques personnages – un collégien tuberculeux, notamment – ont beaucoup de présence. Certaines pièces descriptives sont aussi dépouillées que suggestives, tel ce poème de la série « Plumes et crayons » :

> Un beau salon chez des gens riches,
> Des fauteuils à la Pompadour,
> Et, çà et là, sur les corniches,
> Des bronzes dans un demi-jour.
>
> Des œillets blancs dans la corbeille
> Tombée au pied d'un guéridon.
> Un Érard ouvert de la veille,
> Une guitare, un violon.

Une fenêtre. Un rideau rouge.
Et sur un canapé de crin,
Un enfant qui dort. Rien ne bouge.

Il est dix heures du matin.

Contrairement à d'autres poètes du XIXᵉ siècle qui, comme Crémazie et Fréchette, se révèlent plus à l'aise dans la prose d'idées ou le conte, Évanturel ne publie que de la poésie. Il affiche déjà, discrètement mais avec audace, la conception artiste de l'écriture que réclamera son cadet Émile Nelligan.

9

Contes et légendes

Le XIXe siècle comprend de très nombreux contes, légendes et chansons, dont plusieurs seront repris au XXe siècle. De Philippe Aubert de Gaspé fils à Honoré Beaugrand, les écrivains puisent abondamment à la tradition orale et populaire. « Ces auteurs, écrit François Ricard, qu'ils fussent clercs ou laïcs, conservateurs ou libéraux, voyaient dans la transformation de ce matériau en littérature un moyen, tout à la fois, de servir leur patrie en sauvant de l'oubli une culture dont la beauté et l'originalité ne faisaient aucun doute à leurs yeux. » Qu'il recueille les histoires du cru ou réactive des légendes venues de France, l'auteur canadien-français fait œuvre utile et semble renouer avec ses propres origines paysannes. Les contes et les légendes forment un corpus traditionnel qui illustre bien le programme de littérature nationale proposé par l'abbé Casgrain en 1866. Mais ce corpus ne se réduit pas à un tel programme. D'allure souvent très libre, ces contes et ces légendes échappent aux conventions qui pèsent sur la poésie patriotique. On les trouve un peu partout, dans les journaux et les revues, mais aussi à l'intérieur de romans qui intègrent ainsi une part de la tradition orale.

C'est notamment le cas du premier roman canadien-français, *L'Influence d'un livre* (1837), qui comprend un chapitre intitulé « L'étranger » dans lequel Philippe Aubert de Gaspé fils (mais le chapitre, dit-on, aurait été écrit par Philippe Aubert de Gaspé père, l'auteur des *Anciens Canadiens*) reprend la légende de Rose Latulipe. Jeune fille aussi coquette que frivole, Rose Latulipe pousse son père à organiser un bal du Mardi gras. Arrive un riche et séduisant étranger, tout de noir vêtu, qui demande à se joindre à la soirée. L'homme suscite rapidement un malaise : il refuse de se départir de son chapeau et de ses gants ; la neige fond sous les sabots de son cheval ; il ne peut retenir une horrible grimace après avoir bu un verre d'alcool versé d'une bouteille ayant auparavant contenu de l'eau bénite ; il se méfie d'une petite vieille qui récite son chapelet. Ces menus détails ne troublent cependant pas Rose Latulipe, qui danse toute la soirée avec le mystérieux inconnu, négligeant par le fait même son fiancé. À minuit, alors que le maître de maison tente d'interrompre la fête pour respecter la pénitence du mercredi des Cendres, l'étranger insiste auprès de sa cavalière pour qu'elle lui accorde une danse supplémentaire. Mieux encore, il propose à la jeune fille de se donner à lui pour toujours. Lorsqu'elle tend la main pour marquer son accord, une piqûre fait couler son sang. Méfiante tout à coup, elle refuse d'échanger la croix qu'elle porte autour du cou contre un somptueux collier que fait miroiter son ténébreux soupirant. Au même moment surgit le curé du village, qui réussit à chasser l'intrus. Consciente d'avoir échappé de justesse à la damnation éternelle, Rose

Latulipe se réfugie dans un couvent, où elle meurt quelques années plus tard, au désespoir de son fiancé délaissé. Certaines versions présentent une Rose Latulipe qui aurait désobéi à ses parents en se rendant au bal. L'issue de l'histoire varie également : une force surnaturelle entraîne Rose à danser contre son gré, elle se fait enlever par son cavalier, un stigmate reste imprimé sur sa peau (brûlure, marque de griffes), la maison s'enflamme, etc.

Autre légende célèbre, « La chasse-galerie » connaît plusieurs versions avant d'être reprise en 1900 par Honoré Beaugrand, qui lui donne sa forme la plus achevée. Racontée par le personnage de Joe le cook, « La chasse-galerie » se passe la veille du Nouvel An, dans un camp de bûcherons isolé au milieu des bois. Le conteur se fait proposer par son ami Baptiste de se joindre à une expédition pour aller en ville, à Lavaltrie. Vu la distance à parcourir, il comprend que son camarade le convie, en fait, à prendre part à une chasse-galerie. Cette pratique consiste à prêter serment au diable afin d'acquérir, le temps d'une nuit, le pouvoir de faire voler un canot d'écorce au travers des cieux. Les règles en sont simples : éviter, au cours du vol, de prononcer le nom de Dieu, de heurter une croix ou un clocher d'église, sous peine de perdre son âme. Comme le héros est enchanté d'avoir l'occasion de revoir sa « blonde », il se laisse convaincre de participer à l'aventure. Le voyage se déroule sans incident et le réveillon à Lavaltrie ravit les participants, mais les choses se gâtent au retour. Les voyageurs se rendent compte que Baptiste, qui, par malheur, tient le gouvernail, a pris un verre de trop. Après avoir frôlé plusieurs fois la catastrophe, l'ivrogne, en un ultime geste de forfanterie, profère un retentissant juron. Le canot entre alors en collision avec un arbre qui, par miracle, les sauve du drame. Tous piquent du nez dans un banc de neige, où on les retrouve, sains et saufs, le lendemain. Dans certaines variantes de cette histoire, la chasse-galerie symbolise la dérive céleste des âmes en peine, ou représente un présage de mort imminente pour qui a le malheur de l'apercevoir.

D'autres légendes, à la différence de « Rose Latulipe » et de « La chasse-galerie », relèvent partiellement de l'histoire vécue. Dans la légende de la Corriveau, par exemple, c'est la chronique judiciaire qui alimente le récit populaire. En 1763, Marie-Josephte Corriveau, de la région de Québec, a été pendue pour le meurtre de son second mari. Son cadavre devait ensuite être exposé publiquement dans une cage de fer. Les faits entourant son crime étaient particulièrement sordides. Après avoir tué son époux d'un coup de pioche sur la tête, elle avait cherché à faire croire à un accident, en traînant le corps sous les sabots des chevaux de l'écurie. Son forfait dévoilé, elle a poussé son père à s'accuser à sa place, le condamnant ainsi au parjure. De surcroît, des rumeurs circulaient selon lesquelles elle aurait également assassiné son premier mari, en lui versant du plomb fondu dans l'oreille. Quand la vérité a été établie, celle qu'on appelait désormais « la Corriveau » a reçu un châtiment exemplaire. La cage contenant sa dépouille a été exposée à la croisée des chemins, à la Pointe-Lévis, où elle suscitait la terreur des passants jusqu'à ce que quelques résidants, excédés, aillent l'enterrer clandestinement dans le cimetière de l'église avoisinante. La vision macabre que pouvait représenter un cadavre en pleine décomposition ainsi que les circonstances mystérieuses entourant sa disparition ont donné forme à une légende. On a ainsi pu raconter que la meurtrière avait été mise aux fers dans sa prison suspendue, et qu'elle y était morte de faim ou dévorée par les corbeaux. De même, on lui a attribué jusqu'à sept maris, qu'elle aurait achevés, tour à tour, au moyen de supplices raffinés. De façon plus imagée, comme elle s'était éclipsée, on a dit qu'elle était partie prendre part au sabbat des sorciers de l'île d'Orléans ou, plus inquiétant pour le commun des mortels, qu'elle hantait les chemins de Lévis, la nuit, pour y surprendre le voyageur attardé. On a exhumé, par hasard, la fameuse cage de la Corriveau en 1850 : elle a été brièvement un objet de curiosité locale, puis vendue au célèbre forain P. T. Barnum, qui l'a exposée à Boston. L'histoire de la Corriveau fera son entrée en littérature par le biais du roman *Les Anciens Canadiens* (1863) de Philippe Aubert de Gaspé père, reprise dans le conte « La cage de la Corriveau » (1885) de Louis Fréchette. Dans les deux cas, les auteurs s'appliqueront à distinguer le mythe de la réalité.

On le voit par ces exemples, les contes et les légendes appartiennent à une sorte de mémoire populaire dont se réclament plusieurs romanciers du XIXe siècle. On pourrait dire la même chose de la chanson traditionnelle, qui envahit littéralement les romans de cette période. On en trouve dans *L'Influence d'un livre* (1837) de Philippe Aubert de Gaspé fils, dans *La Terre paternelle* (1846) de Patrice Lacombe, dans *Charles Guérin* (1846) de Pierre-Joseph-Olivier Chauveau, dans *Jean Rivard, le défricheur canadien* (1862) d'Antoine Gérin-Lajoie et dans *Les Anciens Canadiens* (1863) de Philippe Aubert de Gaspé père. En 1865, Ernest Gagnon s'emploie à constituer un premier recueil intitulé *Chansons populaires du Canada*.

Aux figures légendaires décrites ci-dessus s'ajoutent diverses incarnations du diable, des animaux maléfiques (des loups-garous, des chiens énormes, etc.), des lutins, des farfadets, des feux follets, des sorcières ou des revenants, qui traversent la littérature sans pour autant qu'on les associe à l'imaginaire d'un écrivain en particulier. Le XIXe siècle laisse ainsi un héritage littéraire diffus, où se mêlent la culture populaire, la chronique historique et la tradition fantastique. Cet imaginaire plonge ses racines dans un temps lointain et constitue un répertoire qui dépasse le simple folklore national : on y trouve tout à la fois des fables venues du Moyen Âge, des chansons françaises traditionnelles de même que l'atmosphère de certains romans gothiques et plusieurs légendes amérindiennes. Autant le XIXe siècle canadien-français se méfie du réalisme, autant il s'inspire librement de cette tradition fantastique qui s'accorde sans difficulté avec l'allure pittoresque que se donne le conteur populaire. La littérature conserve de cette manière l'image d'une activité ancienne, que l'on pratique en groupe durant les longues « soirées canadiennes ». Tout en faisant une œuvre personnelle, les auteurs ont conscience de participer à une entreprise collective, chaque conte, chaque légende venant s'ajouter à la littérature nationale. Comme la chanson, le conte et la légende assurent ainsi le lien social et rappellent ce que la littérature doit à la tradition orale et à l'art de la performance.

Mais ces scènes au caractère folklorique permettent également aux écrivains de jouer sur deux registres à la fois : celui de la mémoire nationale et celui d'une conscience littéraire. Si le conteur appartient certes à une forme de littérature traditionnelle, il marque aussi le passage de l'oral à l'écrit, d'une culture fondée sur la superstition et la magie à une culture nourrie de rationalité et de science. Car, malgré leur aspect naïf, ces contes et ces légendes n'appartiennent déjà plus à la culture orale et ne sont jamais présentés comme un simple patrimoine ancien : ils sont intégrés à des romans ou racontés par des personnages souvent colorés auxquels ne s'identifient pas forcément les auteurs eux-mêmes. Ces personnages, comme les « soirées canadiennes » et la tradition orale qui leur est associée, existent surtout comme des symboles d'un passé national et de coutumes presque oubliées. Ils permettent aux auteurs d'établir un relais entre l'ancien monde (celui de la tradition orale et de la magie) et le monde moderne (celui de la tradition écrite et de la raison).

À partir du mouvement patriotique de Québec en 1860, on voit se multiplier les recueils de contes. Ceux-ci paraissent encore dans les journaux, mais ils sont rapidement publiés sous forme de livres. Les raisons de cet essor sont assez évidentes : comme le roman historique qui va se développer au même moment, le conte et la légende participent à la construction d'une mémoire nationale. Il s'agit de recueillir les « légendes canadiennes », selon le titre que l'abbé Casgrain donne à son livre, qui devient rapidement l'exemple à suivre. Le conteur est celui qui non seulement sauve de l'oubli « les délicieuses histoires du peuple », selon l'expression de l'auteur français Charles Nodier, mais aussi décrit les éléments propres à la culture canadienne-française.

Joseph-Charles Taché (1820-1894) est l'un de ceux qui chercheront à mettre en pratique le programme de Casgrain. Médecin, journaliste et fonctionnaire, Taché est l'intellectuel type de la seconde moitié du XIXe siècle. Conservateur, il milite activement contre les Rouges, notamment à travers le journal ultramontain *Le Courrier du Canada* dont il est le rédacteur en chef de 1857 à 1859. On lui doit même une satire des discours des libéraux radicaux de l'époque, parue en 1854 sous le titre évocateur *La Pléiade rouge* et rédigée avec Pierre-Joseph-Olivier Chauveau, l'auteur du roman *Charles Guérin*. Il participe au mouvement littéraire de Québec et fonde, avec Casgrain et quelques autres, *Les Soirées canadiennes*, où il publiera la totalité de son œuvre de fiction, soit *Trois Légendes de mon pays* (1861) et surtout son récit intitulé *Forestiers et Voyageurs* (1863). Par la suite, de 1864 jusqu'à sa retraite en 1888, Taché occupe à Ottawa le poste de sous-ministre de l'Agriculture et, à l'instar de plusieurs de ses contemporains comme Chauveau et Gérin-Lajoie, il ne fait plus de littérature.

Le nom de Joseph-Charles Taché tombe dans l'oubli après sa mort en 1894. Ses *Forestiers et Voyageurs* ont beau avoir été réédités plusieurs fois, notamment dans la collection du « Nénuphar » avec une préface de Luc Lacourcière, ils ne sont guère lus au xxe siècle que par une poignée de folkloristes et d'érudits. Les historiens littéraires jugent Taché sévèrement, l'accusant de vouloir « faire du style » (Gérard Tougas) aux dépens de la vérité des personnages. Ses *Forestiers et Voyageurs* proposent pourtant des portraits vivants et réalistes de ceux qu'Alfred DesRochers associera à des surhommes en 1929, et qui sont ici tout à la fois des découvreurs, des interprètes, des bûcherons, des colons, des chasseurs, des pêcheurs, des marins et des guerriers. Le livre est divisé en deux parties : « Les chantiers, la forêt » et « Histoire du père Michel ». La première, à la façon d'un document ethnographique, décrit la vie dans un chantier. La seconde, de loin la plus longue, raconte les péripéties d'un personnage qui agit comme conteur, le père Michel. Ce voyageur a dû s'engager dans la Compagnie du Nord-Ouest après avoir tué involontairement un garde alors qu'il chassait illégalement. Il raconte son crime, puis son expiation, tout en entrecoupant son récit de digressions et en intercalant des chansons, des explications sur la vie en forêt, des histoires du pays, des légendes amérindiennes et des contes. Le conteur mêle ici tous les genres comme s'ils répondaient tous à une seule et même visée, soit celle d'éduquer le lecteur en lui apprenant les mœurs traditionnelles du Canada français. Taché ajoute le sous-titre *Mœurs et légendes canadiennes* lors de la réédition de son livre en 1884, comme pour rapprocher son texte du programme littéraire de Casgrain. Malgré cela, le recueil de Taché laisse une tout autre image que celle d'un livre folklorique. Les figures nomades et indociles qu'il met en scène se prêtent mal à une idéalisation du passé. Derrière l'idéologue conservateur, on découvre une sorte de journaliste-reporter lancé sur la piste de gens qui le fascinent visiblement et dont il décrit la vie aventureuse comme s'ils étaient à la fois des compatriotes et des étrangers.

Faucher de Saint-Maurice (1844-1897) est lui-même un aventurier. Grand voyageur, il s'engage à vingt ans dans une expédition française au Mexique dont il rapportera des souvenirs (*De Québec à Mexico. Souvenirs de voyage, de garnison, de combat et de bivouac*, 1874), puis il se rend en Europe et en Afrique. Il écrit mieux et davantage que la plupart de ses contemporains et il se réclame de la tradition romantique ou fantastique autant sinon plus que du folklore national. Toujours volontaire pour servir la France, il a la nostalgie de la noblesse (il tient à la particule de son nom) et veut à tout prix maintenir le lien avec la mère patrie, y compris par la littérature. « Resterons-nous Français ? » demande-t-il avec amertume. Son recueil de contes et de récits *À la brunante* (1874) s'intéresse à des légendes locales, mais il cite Chateaubriand, Senancour, Hoffmann, Gautier,

Poe, Horace et Ponson du Terrail. À l'inverse de Taché et d'autres conteurs, il se tient toutefois à distance de ses personnages et semble quelque peu extérieur au monde qu'il décrit. L'élégance toute française de sa prose parvient mal à dissimuler l'intention mondaine et la vision passéiste de cet écrivain qui rêvait que la littérature canadienne soit à la littérature française ce que, disait-il, la loyale Bretagne est au reste de la France.

Pamphile Le May réussira mieux que ses prédécesseurs à donner un statut littéraire aux légendes et aux contes. On a vu qu'il s'était d'abord imposé comme poète. En prose, il obtient son plus grand succès avec la publication en 1899 de ses *Contes vrais*, qui seront ensuite augmentés et réédités en 1907 avec de remarquables illustrations signées par douze dessinateurs, dont Ozias Leduc. Le conteur n'est pas différent du poète en ce sens qu'il obéit à la mission patriotique que s'est donnée ce dernier. Reprenant des légendes célèbres du XIXe siècle, Le May les remodèle selon le goût du jour, dans une prose serrée, retenue, lisse, où l'intention littéraire ne passe jamais tout à fait inaperçue. Rien par ailleurs qui puisse offenser la morale de l'époque dans ces contes villageois.

Louis Fréchette a lui aussi publié de nombreux contes éparpillés dans les journaux. Les meilleurs appartiennent au cycle des contes de Jos Violon, dont la langue truculente tranche nettement par rapport à celle de conteurs plus réputés, comme Pamphile Le May. Victor-Lévy Beaulieu rendra hommage à ce Fréchette conteur qui invente selon lui une manière pittoresque d'écrire au Canada. Tout est dans la langue, en effet, bien plus que dans les thèmes et les personnages, qui ressemblent, eux, à ce qu'on lit ailleurs. Même la fable se ressemble d'un conte à l'autre : un homme, qu'il se nomme Titange ou Tom Caribou, risque son salut pour avoir enfreint la morale catholique. L'imagination de Fréchette se préoccupe peu de renouveler les intrigues conventionnelles : elle se donne tout entière à la syntaxe, au vocabulaire, au rythme, qui varient sans cesse. La liberté d'expression du conteur se nourrit d'expressions empruntées à la langue orale, comme on le voit dans cet exemple :

J'étions quinze dans not'chantier : le boss, le commis, le couque, un ligneux, le charrequier, deux coupeux de chemin, deux piqueurs, six grand'haches, épi un choreboy, autrement dit marmiton.

Tous des hommes corrects, bons travailleurs, pas chicaniers, pas bâdreux, pas sacreurs – on parle pas, comme de raison, d'un petit torrieux de temps en temps pour émoustiller la conversation – et pas ivrognes.

Excepté un, dame ! faut ben le dire, un toffe !

Ah ! Pour celui-là, par exemple, les enfants, on appelle pus ça ivrogne ; quand il se rencontrait face à face avec une cruche, ou qu'il se trouvait le museau devant un flacon, c'était pas un homme, c'était un entonnoir.

Ozias Leduc, *Le Réveillon*. Illustration pour un des *Contes vrais* de Pamphile Le May, 1906. Musée national des beaux-arts du Québec, 54.101. Photo Patrick Altman.

Aux poèmes et aux contes de Fréchette s'ajoutent, on l'a vu, des textes d'humeur qui constituent une part importante de son œuvre. Il existe également un autre type de textes tardifs dans lesquels Fréchette s'illustre, à mi-chemin entre le conte et la caricature : ce sont les douze portraits de « Québecquois typiques » réunis dans *Originaux et Détraqués* en 1892. Jugés indignes de la plume du poète national à l'époque, ces textes légers, à l'instar des contes auxquels d'ailleurs ils s'apparentent par la forme comme par les thèmes, représentent paradoxalement aujourd'hui la part la plus originale et la plus vivante de l'œuvre de Fréchette. L'auteur y croque avec humour des personnages excentriques de la « bonne vieille ville de Québec » comme ce Grosperrin, un poète-cordonnier né on ne sait où en Europe, et qui distribuait ses vers (« prononcez vars ») aux passants de la ville :

Grosperrin était ce qu'on pouvait appeler un être chiffonné.
Vêtements chiffonnés, tête chiffonnée, nez chiffonné, tournure chiffonnée ; tout cela ne contribuait pas à en faire un personnage imposant.
Il n'était guère intéressant non plus, avec sa barbe et ses grands cheveux châtain sale, sa bouche carrée, et ses yeux bleu faïence trop rapprochés sous des sourcils en broussailles, où s'arquait parfois je ne sais quelle bizarre circonflexe...

Le même Fréchette préfacera en français le recueil de poèmes narratifs *The Habitant* (1897) que le poète et médecin anglophone William Henry Drummond compose avec un certain succès public, autour de figures du monde rural canadien-français. Le livre est illustré par Frederick Simpson Coburn, tout comme *La Noël au Canada* (1900) de Fréchette. Ce dernier apprécie en particulier le curieux bilinguisme du recueil de Drummond, mélange de français vernaculaire et de mauvais anglais, comme on le voit dès les premiers vers du poème « De Habitant » :

De place I get born, me, is up on the reever
Near foot of de rapid dat's call Cheval blanc
Beeg mountain behin'it, so high you can't climb it
An' whole place she's mebbe two honder arpent.

Ami de Fréchette dont il publie plusieurs textes dans son journal *La Patrie*, Honoré Beaugrand (1848-1906) est aussi un libéral notoire, membre d'une loge maçonnique. Propriétaire de *La Patrie* jusqu'en 1897, collectionneur de livres et d'œuvres d'art, élu deux fois maire de Montréal, Beaugrand partage les idées anticléricales de Fréchette. Ayant amassé une fortune considérable, il n'écrit pas pour des raisons alimentaires et il établit une nette distinction entre son abondante œuvre journalistique et ses rares œuvres proprement littéraires. À l'inverse de nombre de ses contemporains, la littérature ne lui sert pas de tremplin social. Il écrit au hasard des loisirs que la vie politique et mondaine lui laisse. Comme la plupart des écrivains de l'époque, les conservateurs comme les libéraux, il s'inspire directement des légendes de son pays. Mais, plus encore que Le May, il s'efforce de donner une forme littéraire aux contes et aux légendes qu'il emprunte tantôt à la tradition folklorique, tantôt aux souvenirs de jeunesse associés à la région de Lanoraie. C'est seulement à la fin de sa vie, après que la maladie l'a forcé à se retirer et à vendre *La Patrie*, qu'il s'occupe de publier son œuvre jusque-là éparse. Celle-ci comprend deux volets : un roman intitulé *Jeanne la fileuse* (1878), dont il sera question plus loin, et un recueil de légendes canadiennes déjà évoqué, *La Chasse-galerie* (1900), qui, à l'instar des recueils de Le May, Fréchette ou Drummond, est édité de façon particulièrement soignée, signe que le conte fait partie de la littérature au même titre que la poésie. Le livre de Beaugrand est tiré à seulement deux cents exemplaires sur un papier fin et avec des illustrations d'artistes renommés (Henri Julien, Henry Sandham, Raoul Barré). Outre « La chasse-galerie » qui donne son titre au recueil et qui demeure le texte le plus célèbre de Beaugrand, le recueil comprend six contes, désignés ici comme des « récits ». S'y ajoutera dans les éditions ultérieures un autre conte, « Le fantôme de l'avare », écrit dès 1875 et intégré d'abord au roman *Jeanne la fileuse*. Ce fantôme est celui d'un riche villageois de Lavaltrie, Jean-Pierre Beaudry, qui avait jadis refusé d'ouvrir sa porte à un voyageur, lequel était mort de froid. Promis au purgatoire, il est condamné à attendre, tous les ans au 31 décembre, qu'un autre voyageur frappe à sa porte afin qu'il puisse l'accueillir et ainsi réparer sa faute, ce qui se produit enfin cinquante ans après le crime grâce au narrateur qui s'était égaré de ce côté un soir de tempête. Le récit de Beaugrand insiste tout autant sur cette légende que sur la façon dont elle est reçue, d'abord par le père du narrateur qui l'interprète avec piété et reconnaissance, puis par les enfants du narrateur qui y voient simplement un bon moyen de rester éveillés jusqu'à minuit la veille de Noël. Ce qui frappe, dans l'ensemble des récits du recueil, c'est l'écart qui sépare le monde actuel, incarné ici par les enfants, là par des avocats de Montréal qui veulent entendre parler de loups-garous (« Le loup-garou »), et le monde magique et fascinant qui fournit à l'écrivain la matière première de ses légendes. Plus encore, les figures légendaires sorties tout droit de l'univers fantastique sont placées sur le même pied que les personnages pittoresques des villages (« Macloune » ou « Le père Louison ») : elles font revivre au lecteur un passé lointain qui ne correspond plus à sa réalité. Alors que, chez Casgrain et même encore chez Pamphile Le May, le conteur cherche à faire comme si l'univers du conte correspondait à une réalité encore bien vivante, rien de tel chez Fréchette et encore moins chez Beaugrand. Pour ces derniers, la visée littéraire devient évidente, renforcée par une mise en scène souvent ironique du conte lui-même. Ce n'est pas dire que ces conteurs ne croient plus à la saveur populaire de ces légendes : c'est dire que celles-ci ne sont plus fondées sur l'adhésion immédiate du lecteur et s'intègrent dans l'ordre de la littérature, plutôt que dans celui de la morale et de la croyance religieuse.

10

Le succès des *Anciens Canadiens*

Le plus grand succès de vente au XIXe siècle est un roman aux allures de recueil de contes, intitulé *Les Anciens Canadiens* (1863) et partiellement publié dans *Les Soirées canadiennes*. Il est écrit par un seigneur déchu âgé de soixante-seize ans, Philippe Aubert de Gaspé (1786-1871), le père de l'autre Philippe Aubert de Gaspé, auteur de *L'Influence d'un livre*. Après un premier tirage de deux mille exemplaires écoulés en quelques mois, *Les Anciens Canadiens* est aussitôt réédité, tiré cette fois à cinq mille exemplaires. Une traduction anglaise paraît dès 1864 (par Georgiana M. Pennée) sous le titre *Canadians of Old*, suivie d'une deuxième en 1890, par Charles G. D. Roberts, qui modifiera le titre en 1905 (*Cameron of Lochiel*). Une adaptation théâtrale du roman, réalisée dès 1864 et due aux abbés Camille Caisse et Pierre-Arcade Laporte, mettait déjà l'accent sur le même personnage (*Archibald Cameron of Locheill*).

Né à Québec, admis au barreau en 1811, Philippe Aubert de Gaspé mène un grand train de vie. Il devient capitaine en 1812, shérif de Québec en 1816, fonde le Jockey Club et se lance dans l'achat de terrains et de maisons. Coupable de diverses fraudes (il endosse notamment des billets sans caution), il se réfugie d'abord à Saint-Jean-Port-Joli avant d'être emprisonné de 1838 à 1841. Ruiné, il tente ensuite tant bien que mal de se refaire un nom, lui qui venait d'une des familles les plus prestigieuses du pays. L'hiver, il revient à Québec et y participe à la vie littéraire, en compagnie notamment de François-Xavier Garneau. Ce n'est que beaucoup plus tard qu'il se met à écrire, encouragé notamment par l'abbé Casgrain. Fort du succès des *Anciens Canadiens*, il rédige ensuite ses *Mémoires* (1866), dont l'inspiration est plus anecdotique que celle du roman.

Les Anciens Canadiens bénéficie immédiatement de la vogue des romans historiques et des rééditions de textes de la Nouvelle-France. S'il s'agit du roman canadien-français qui, plus qu'aucun autre à l'époque, trouve d'emblée son public, Aubert de Gaspé se soucie aussi peu que possible de le définir comme roman :

> J'entends bien avoir, aussi, mes coudées franches, et ne m'assujettir à aucunes règles prescrites – que je connais d'ailleurs –, dans un ouvrage comme celui que je publie. Que les puristes, les littérateurs émérites, choqués de ses défauts, l'appellent roman, mémoire, chronique, salmigondis, pot-pourri : peu m'importe !...

L'auteur septuagénaire ajoute, comme pour couper court à une discussion oiseuse sur la question du genre littéraire, qu'il écrit « pour [s]'amuser ». Le mot n'est pas

Philippe Aubert de Gaspé père, vers 1863. Bibliothèque et Archives Canada, PA-74099.
Photo Ellisson & Co.

fréquent au XIXᵉ siècle et il tranche avec le sérieux des romans historiques qui vont suivre. L'« ouvrage » que décrit ainsi l'auteur semble composé de façon désinvolte. On y trouve dix-sept chapitres, dont plusieurs, comme ceux consacrés à la légende de la Corriveau ou à un souper chez un seigneur canadien, constituent de longues digressions par rapport à l'intrigue principale. Le roman est ainsi entrecoupé de légendes populaires ou de descriptions de mœurs anciennes, souvent aussi de notes en bas de page à caractère ethnologique, tout cela dans une langue qui emprunte tantôt au style classique (les références mythologiques et littéraires abondent), tantôt au folklore populaire et à la langue vernaculaire. L'entreprise peut également se lire comme une forme de réhabilitation personnelle, notamment le chapitre fortement autobiographique consacré à un personnage qui est le double de l'auteur, Monsieur d'Egmont, présenté sous les traits d'un « bon gentilhomme » dont les malheurs (il est ruiné et emprisonné comme Philippe Aubert de Gaspé) s'expliquent par un excès de générosité. On a parfois le sentiment que l'auteur s'adresse à ses anciens amis ou qu'il compense la distance de l'écriture en cherchant à se rapprocher de son lecteur, interpellé directement au début et à la fin du roman. Pareil détachement à l'égard des « règles prescrites » évoquées ci-dessus indique aussi ce qui sépare *Les Anciens Canadiens* de la littérature grave et spiritualiste appelée de ses vœux par l'abbé Casgrain, malgré l'amitié qui liait ce dernier à Philippe Aubert de Gaspé. Une telle liberté d'écriture explique peut-être en partie le plaisir que le lecteur éprouve, encore aujourd'hui, à lire *Les Anciens Canadiens*.

Qui sont les « anciens Canadiens » ? Ce sont ceux qui ont vécu un siècle plus tôt, à l'époque de la Conquête de 1759. Le roman met en scène deux protagonistes, l'un écossais, Archibald Cameron de Locheill, l'autre canadien, Jules d'Haberville, fils d'un seigneur vivant à Saint-Jean-Port-Joli. Ces deux amis ont pratiquement grandi ensemble, l'Écossais étant un camarade de classe de Jules, au Petit Séminaire de Québec, et ayant été plus ou moins adopté par la famille de Jules chez qui il passe ses vacances estivales. Au début du roman, en 1757, les deux amis sortent du collège, habillés d'un costume identique. Ils se préparent à se rendre au manoir de Saint-Jean-Port-Joli, accompagnés par le cocher José, autre « ancien Canadien », mais incarnant cette fois le peuple. Entre le spirituel Jules et l'analphabète José, la communion est totale, même si les deux hommes se situent aux deux extrémités de l'échelle sociale. Ce sont incontestablement deux anciens Canadiens en qui se croisent de façon harmonieuse deux traditions, l'une fondée sur la culture savante et la littérature classique, l'autre sur des croyances populaires.

Entre Jules et Arché, les choses sont plus compliquées. Au départ, tout semble prédisposer Arché à devenir un Canadien au même titre que Jules. Malgré son origine écossaise, Arché parle français et il a été élevé dans la religion catholique. C'est aussi une sorte de surhomme capable de se mesurer à la nature d'Amérique. Dans une scène presque épique intitulée « La débâcle », Arché va se jeter dans une rivière glacée pour sauver un inconnu de la noyade sous les yeux de Jules et de tout le village impuissant. Cet acte héroïque lui vaut la reconnaissance immédiate de la communauté, qui le reçoit alors comme un des siens. Puis survient la Conquête, qui transforme les deux amis en frères ennemis. Engagé dans l'armée anglaise, Arché redevient Archibald, c'est-à-dire l'étranger. Il trahit malgré lui la famille d'Haberville lorsqu'il reçoit l'ordre de mettre le feu à leur somptueuse demeure seigneuriale de Saint-Jean-Port-Joli. Les déchirements d'Archibald occupent une grande partie du roman, qui se centre alors sur ce personnage et relègue la figure de Jules, moins intéressante au point de vue romanesque, au second plan. Archibald tente de racheter sa faute, d'abord en se faisant le protecteur de Jules, blessé sur les plaines d'Abraham. Puis il entreprend de réparer les torts causés à la famille d'Haberville dont il espère le pardon, ce qu'il obtient après un certain temps. Même le seigneur d'Haberville, pourtant réputé pour sa rancune, consent à accueillir de nouveau Arché. Seule Blanche, la sœur de Jules, refuse d'aller jusqu'au bout de cette réconciliation et d'épouser Arché. La réconciliation se heurte ici à un code d'honneur qui l'emporte sur les sentiments. La réplique de Blanche, qui porte sur ses épaules – comme plus tard Maria Chapdelaine – le poids de la mémoire nationale, est l'expression parfaite d'un dilemme cornélien :

Vous m'offensez, capitaine Archibald Cameron de Locheill ! Vous n'avez donc pas réfléchi à ce qu'il y a de blessant, de cruel dans l'offre que vous me faites ! Est-ce lorsque la torche incendiaire que vous et les vôtres avez promenée sur ma malheureuse patrie, est à peine éteinte, que vous me faites une telle proposition ? Ce serait une ironie bien cruelle que d'allumer le flambeau de l'hyménée aux cendres fumantes de ma malheureuse patrie ! On dirait, capitaine de Locheill, que, maintenant riche, vous avez acheté avec votre or la main de la pauvre fille canadienne ; et jamais une d'Haberville ne consentira à une telle humiliation.

Archibald et Blanche joueront aux échecs et vieilliront côte à côte, mais sans se rapprocher au-delà de cette coexistence fraternelle et platonique. Toute la famille d'Haberville retrouvera peu à peu la paix et le bonheur d'avant 1759. La Conquête n'est donc pas vécue comme une rupture, bien au contraire. Philippe Aubert de Gaspé reprend même la thèse de la Conquête providentielle et la présente comme un « bienfait pour nous ; la révolution de 93, avec toutes ses horreurs, n'a pas pesé sur cette heureuse colonie, protégée alors par le drapeau britannique ».

Les Anciens Canadiens a souvent été lu comme un roman de la réconciliation entre les Canadiens français et les Canadiens anglais, d'autant plus qu'il est écrit quelques années seulement avant le Pacte de la Confédération (1867). Mais cette réconciliation est incomplète puisque Blanche refuse d'oublier le passé. Arché a beau tout faire pour devenir un vrai Canadien, il n'y parvient pas totalement et demeure jusqu'à la fin une sorte d'invité de la famille. En ce sens, il porte en lui la fatalité d'un échec, d'une distance infranchissable entre les deux communautés. Le roman ne cherche nullement à résoudre la contradiction entre le poids de la faute et le désir sincère d'être pleinement accepté par les « anciens Canadiens » : il se situe du côté de l'inachèvement.

Par-delà l'idée d'une réconciliation incomplète, c'est la question de la mémoire qui sous-tend l'entreprise de Philippe Aubert de Gaspé. Car s'il y a une faute grave, c'est surtout celle d'avoir oublié le passé. Intervenant directement au milieu de son récit, l'auteur dénonce l'amnésie des siens : « Honte à nous, qui, au lieu de fouiller les anciennes chroniques si glorieuses pour notre race, nous contentons de baisser la tête sous le reproche humiliant de peuple conquis qu'on nous jetait à la face à tout propos ! » Il invoque l'exemple de François-Xavier Garneau et appelle ses compatriotes à faire œuvre de réhabilitation, à se souvenir de leur passé. On lit dans *Les Anciens Canadiens* le naufrage d'un monde cher à l'auteur, mais qui semble menacé de tomber dans l'oubli. D'où ses efforts pour expliquer les mœurs d'hier à ses lecteurs contemporains. Comme dans le cas d'Arché condamné à demeurer un peu à l'extérieur du monde qu'il habite, l'auteur prend la mesure, non sans une certaine colère, de l'écart qui le sépare des siens. Deux cultures, deux époques s'affrontent à travers lui : celles des anciens et des nouveaux Canadiens. Entre elles, la distance s'est creusée au point qu'elles ne semblent plus tout à fait conciliables. Écrire un roman, en ce sens, ce n'est pas seulement écrire « pour s'amuser » : c'est aussi assumer une fonction réparatrice.

11

Le roman contre lui-même

L'exemple des *Anciens Canadiens* montre bien les détours qu'un auteur peut prendre au XIXe siècle pour éviter de se présenter comme un romancier. De façon générale, le genre romanesque suscite d'importantes réserves. Le nombre total de romans publiés au Québec au XIXe siècle excède à peine la soixantaine, avec une augmentation marquée entre 1870 et 1895. Cette rareté constitue un premier signe de la difficulté du genre à se développer. Les textes d'imagination, l'invention de personnages et de mondes fictifs restent entachés d'une inacceptable futilité autant pour les lecteurs que pour les auteurs. C'est ce que rappellent inlassablement les multiples préfaces, avertissements, postfaces ou notes infrapaginales dont s'entoure prudemment le roman pour exposer au lecteur les visées morales, religieuses, politiques, parfois presque anthropologiques, du livre qu'il s'apprête à lire. Quoique placés en marge de romans fort différents, ces textes d'escorte ont de nombreux points communs. Non seulement la préface retarde l'entrée dans l'univers romanesque, mais en l'expliquant, en justifiant sa création par une intention donnée comme supérieure, elle entrave sa mise en place et limite sa portée.

En 1837, dans la préface à *L'Influence d'un livre*, Philippe Aubert de Gaspé fils se réclame d'une certaine modernité en congédiant « [c]eux qui liront cet ouvrage, le cours de littérature de Laharpe d'une main, et qui y chercheront toutes les règles d'unité requises par la critique du dix-huitième siècle ». Mais il affirme aussi une préséance sur la fiction d'une vérité historique exigée par les circonstances : « J'ai décrit les événements tels qu'ils sont arrivés, m'en tenant presque toujours à la réalité, persuadé qu'elle doit toujours remporter l'avantage sur la fiction la mieux ourdie. Le Canada, pays vierge, encore dans son enfance, n'offre aucun de ces caractères qui ont fourni un champ si vaste au génie des romanciers de la vieille Europe. » Par la suite, la position des auteurs se radicalise, comme le montre la « Conclusion » de *La Terre paternelle* (1846) de Patrice Lacombe :

Quelques-uns de nos lecteurs auraient peut-être désiré que nous eussions donné un dénouement tragique à notre histoire ; ils auraient aimé voir nos acteurs disparaître violemment de la scène, les uns après les autres, et notre récit se terminer dans le genre terrible, comme un grand nombre de romans du jour. Mais nous les prions de remarquer que nous écrivons dans un pays où les mœurs sont en général pures et simples, et que l'esquisse que nous avons essayé d'en faire eût été invraisemblable et même souverainement ridicule, si elle se fût terminée par des meurtres, des empoisonnements et des suicides. Laissons aux vieux pays, que la civilisation a gâtés, leurs romans ensanglantés, peignons l'enfant du sol, tel qu'il est, religieux, honnête, paisible de mœurs et de caractère...

Exprimée dans des termes presque identiques, la défiance à l'égard du romanesque résonne d'un texte à l'autre. Ainsi, en 1853, l'éditeur de *Charles Guérin* avertit :

Ceux qui chercheront dans *Charles Guérin* un de ces drames terribles et pantelants, comme Eugène Sue et Frédéric Soulié en ont écrit, seront bien complètement désappointés. C'est simplement l'histoire d'une famille canadienne contemporaine que l'auteur s'est efforcé de décrire, prenant pour point de départ un principe tout opposé à celui que l'on s'était mis en tête de faire prévaloir il y a quelques années : *le beau, c'est le laid.* C'est à peine s'il y a une intrigue d'amour dans l'ouvrage : pour bien dire, le fonds du roman semblera, à bien des gens, un prétexte pour quelques peintures de mœurs et quelques dissertations politiques et philosophiques.

Plus habile, Antoine Gérin-Lajoie réitère, au seuil de *Jean Rivard, le défricheur canadien* (1862), les mêmes précautions :

Jeunes et belles citadines qui ne rêvez que modes, bals et conquêtes amoureuses ; jeunes élégants qui parcourez, joyeux et sans soucis, le cercle des plaisirs mondains, il va sans dire que cette histoire n'est pas pour vous.
    Le titre même j'en suis sûr vous fera bâiller d'ennui [...]
    Mais que voulez-vous ? Ce n'est pas un roman que j'écris, et si quelqu'un est à la recherche d'aventures merveilleuses, duels, meurtres, suicides, ou d'intrigues d'amour tant soit peu compliquées, je lui conseille amicalement de s'adresser ailleurs. On ne trouvera dans ce récit que l'histoire simple et vraie d'un jeune homme sans fortune, né dans une condition modeste, qui sut s'élever par son mérite à l'indépendance de fortune et aux premiers honneurs de son pays.

Si Gérin-Lajoie souligne ici la connotation féminine qui s'attache au roman, genre destiné aux femmes et aux élégants, on voit bien comment chaque auteur puise au même fonds. Plusieurs arguments antiromanesques toujours présents dans ces avertissements méritent d'être soulignés. Le plus important consiste dans l'association du roman au récit d'aventures et, par extension, du mode romanesque à l'invention d'un univers ; il oppose moins la vie réelle à la vie fictive que l'ici à l'ailleurs, « les vieux pays que la civilisation a gâtés », la France surtout d'où viennent les feuilletons d'Eugène Sue et de Frédéric Soulié. L'hostilité au roman est manifeste du côté de la critique religieuse, qui rejette en particulier le réalisme moderne que l'abbé Casgrain rapproche de la « pensée impie, matérialiste ». Ce soupçon d'immoralité n'est pas propre au Canada français : de Balzac à Zola, les romans français s'accompagnent d'avant-propos et de préfaces qui visent à établir la grandeur du genre et trahissent du même coup une absence de légitimité. Crémazie lui-même, lorsqu'il se trouve en France, dénonce le roman, lui qui se dit pourtant favorable au réalisme moderne. C'est que le roman lui apparaît comme un « genre secondaire » : « on s'en sert comme du sucre pour couvrir les pilules lorsqu'on veut faire accepter certaines idées bonnes ou mauvaises », écrit-il à l'abbé Casgrain. Il reconnaît toutefois que le roman « sera nécessairement imposé par la littérature indigène », comme s'il s'agissait d'un mal nécessaire, les écrivains canadiens n'ayant guère de moyen aussi efficace, selon lui, pour diffuser leurs idées. On voit bien par là que le roman canadien-français, même chez un moderne comme lui, n'a pas de légitimité propre. Les romanciers justifient leur entreprise par une série de précautions qui tendent à minimiser la part d'imagination et à maximiser la fonction éducative de leurs romans – qu'ils n'appellent souvent ainsi que par défaut. Ce qui compte, c'est bien davantage l'authenticité des personnages et la représentation fidèle de la réalité locale. Par le refus répété des péripéties dramatiques, ce type de récit se veut moins roman que chronique de mœurs et de bonnes mœurs, comme le lui dictent les puissants impératifs moraux et pédagogiques par lesquels il légitime son projet. L'altérité de la fiction et son extravagance dûment soulignée se mesurent donc moins par rapport à la réalité en général que par rapport à la réalité « d'ici » au regard de laquelle elle apparaît inadéquate, « invraisemblable et ridicule », selon Patrice Lacombe. Conséquemment, les romans, et plus généralement les œuvres d'imagination, sont marqués par la futilité et l'artifice, l'excès et la coquetterie. Malgré tout, le roman canadien-français se développe rapidement, comme l'avait prédit Crémazie. On y voit défiler les idées du siècle, enrobées dans des intrigues qui se situent tantôt dans le passé héroïque de la Nouvelle-France, tantôt dans l'univers contemporain, voire dans un XXe siècle anticipé. Ces chroniques de mœurs, ces feuilletons, ces romans d'aventures et ces romans historiques trouvent rapidement leur public et obtiennent un succès considérable à l'époque. Comme quoi, malgré la défiance qu'inspire le genre romanesque, il existe un réel engouement pour ce type de fiction.

12

Les romans à thèse : *La Terre paternelle, Charles Guérin, Jean Rivard*

Le notaire Patrice Lacombe (1807-1863) est l'auteur d'un seul roman, *La Terre paternelle*, paru d'abord en 1846 dans deux journaux, *La Minerve* et *L'Album littéraire et musical de la Revue canadienne*, puis repris en volume en 1871. Le malheur s'insinue chez les cultivateurs Chauvin avec le départ du cadet Charles qui, séduit par les propos de voyageurs entendus dans une auberge, décide de s'engager dans les chantiers. Pour retenir son autre fils, Joseph, le père Chauvin lui cède la terre familiale, près de Rivière-des-Prairies, moyennant des rentes. Toutefois, mal administrée, la ferme est saisie et vendue à un étranger, tandis qu'une tentative maladroite du père dans le commerce achève de ruiner la famille. Les Chauvin se retrouvent en ville, dans une si grande pauvreté qu'ils n'ont pas les moyens de payer l'enterrement de Joseph. Un miraculeux redressement de la situation s'opère à la fin du texte avec le retour de Charles, enrichi par quinze ans de travail dans les chantiers, capable de racheter la terre, d'y réinstaller ses parents, de trouver à s'y marier avec « la fille d'un cultivateur des environs », alors que sa sœur Marguerite rencontre aussi « un parti avantageux » et « va demeurer sur une terre voisine ». Comme on l'a vu, Lacombe revendique, contre le roman d'aventures venu de France, le fait « de peindre l'enfant du sol tel qu'il est », mais son ouvrage consacre le triomphe de la thèse, fréquemment réitérée, sur les éléments de la fiction, réduits au strict minimum. On est frappé, par exemple, par le caractère totalement désincarné, presque théorique des évocations de la campagne, pourtant destinées à idéaliser ce mode de vie. Curieusement, c'est lorsqu'elle doit décrire l'horreur de la ville que la plume de Lacombe est la plus emportée ; ainsi, quelque chose du roman gothique passe fugitivement dans la page consacrée au charnier du cimetière Saint-Antoine, lieu maudit, déshonoré par la rumeur d'un trafic de cadavres, où le père est contraint d'abandonner la dépouille de son fils :

– Oh ! je vous en prie, ne me refusez pas cette grâce, je gratterai plutôt la terre avec mes mains – mais pour l'amour de Dieu, ne mettez pas mon fils dans la *charnière*.

Cette horreur des pauvres pour le charnier n'est point exagérée. Il y eut un temps où des gardiens infidèles du cimetière se laissaient corrompre par l'appât de l'or, et faisaient du charnier un réservoir où les clercs-docteurs venaient, à prix fixe, y choisir les sujets de dissection qui leur convenaient. Il s'y faisait un trafic régulier de chair humaine : et Dieu seul connaît le nombre de ceux qui sont passés de ce lieu de repos sous le scalpel du médecin.

La première partie de *Charles Guérin. Roman de mœurs canadiennes* de Pierre-Joseph-Olivier Chauveau (1820-1890), surintendant de l'Éducation du Canada-Est en 1855, puis premier premier ministre du Québec de 1867 à 1873, paraît en 1846 dans *L'Album littéraire et musical de la Revue canadienne*, soit la même année et dans le même périodique que *La Terre paternelle*. Les analogies entre les deux romans sont nombreuses : le chapitre v de la IVᵉ partie de *Charles Guérin* s'intitule même « La terre paternelle ». Composé au fil des livraisons de *L'Album*, le roman de Chauveau, dont l'action se situe dans les années 1830-1832, suit plus ou moins fidèlement la chronologie des événements. Tandis que son frère aîné Pierre s'embarque pour l'Europe, Charles Guérin, parti pour Québec en laissant dans le domaine familial sa mère et sa sœur Louise, étudie le droit chez son patron, l'avocat Dumont. Lors d'une promenade à la campagne, il rencontre la nièce de M. Dumont, fille du cultivateur Lebrun, Marie, surnommée Marichette, et les deux jeunes gens tombent amoureux. Mais, comme Marichette le craignait, Charles l'oublie bientôt et lui préfère Clorinde, fille du riche propriétaire Wagnaër, voisin de sa mère. En ville, sous l'influence de ses nouvelles relations, notamment d'un avocat sans scrupules, Charles développe des goûts futiles de citadin aisé. Wagnaër parvient, en dupant Charles, à acquérir la ferme des Guérin, qu'il chasse de leur terre natale. Installés à Québec au plus fort de l'épidémie de choléra qui emportera leur mère, Charles et Louise recourent à des expédients et connaissent la misère de la ville comme la famille des Chauvin dans *La Terre paternelle*. Le même souci matériel marque les deux romans, qui comprennent de façon similaire un dénouement heureux. Dans *Charles Guérin*, le frère aîné réapparaît sous les traits d'un prêtre qui découvre, sur la liste des noms des personnes décédées au cours de l'épidémie, celui de sa mère. Clorinde entre en religion sous le nom de sœur Saint-Charles, ce qui confirme la sincérité de son amour. Les ennuis financiers de la famille se dissipent brusquement grâce au patron de Charles qui, également victime du choléra, lui laisse un héritage inattendu. Le jeune homme renoue avec Marichette, héritière elle aussi, l'épouse et va s'installer avec elle dans sa paroisse afin de participer au défrichage de la région.

Roman pédagogique, *Charles Guérin* enseigne les voies du bonheur et du patriotisme qui, selon Chauveau, sont les mêmes, et reprend les stéréotypes attendus de l'époque : Wagnaër l'étranger incarne le mal ; le roman oppose l'homme pratique à l'intellectuel ; l'auteur, qui ne cesse de rappeler le lecteur à la réalité et de dénoncer les artifices romanesques, a pourtant fréquemment recours à la citation littéraire, qu'elle émane du narrateur ou des personnages qui tous lisent beaucoup. Les noms fictifs soulignent encore la prévisibilité de l'intrigue : Charles ne peut être heureux avec la trop livresque Clorinde qui « lui apparut comme une de ces beautés andalouses dont il avait lu, dans les romans à la mode, de si poétiques portraits », et reviendra vers la sage et simple

Marichette. L'importance de l'enjeu économique et la question centrale du choix d'une profession font écho aux préoccupations d'une génération, contemporaine du roman, instruite et inquiète de son avenir : « il faut être prêtre, médecin, avocat ou notaire. En dehors de ces quatre professions, pour le jeune Canadien instruit, il semble *qu'il n'y ait point de salut* ».

On trouve la même idée, développée toutefois avec davantage de souplesse que chez Chauveau, chez Antoine Gérin-Lajoie (1824-1882) dans *Jean Rivard, le défricheur canadien* (1862), suivi de *Jean Rivard, économiste* (1864), parus respectivement dans *Les Soirées canadiennes* et *Le Foyer canadien* avant d'être repris en volume en 1874 et 1876. *Jean Rivard, le défricheur canadien* est le premier texte canadien à paraître en feuilleton dans un journal français (*Le Monde* de Paris en 1877) et il demeure, avec *Les Anciens Canadiens*, l'un des ouvrages du XIXe siècle canadien-français les plus lus. Fils de cultivateurs de Yamachiche, Gérin-Lajoie se fait rapidement connaître par ses écrits : à dix-huit ans, il compose « Un Canadien errant », complainte célèbre du répertoire québécois, puis une tragédie en vers, *Le Jeune Latour*, publiée dans plusieurs journaux et, on l'a vu, reprise dans le *Répertoire national*. Fort de ces premiers succès, Gérin-Lajoie jouera un rôle de premier plan dans les milieux intellectuels de son temps. Membre fondateur de l'Institut canadien de Montréal en 1844 (il n'a que vingt ans), il en devient ensuite le secrétaire-archiviste, avant d'en être le président en 1845. Reçu au barreau en 1848, il quitte bientôt la profession d'avocat pour exercer la fonction de bibliothécaire adjoint du Parlement de Québec. Passionné de littérature et de culture américaines (il admire en particulier Benjamin Franklin et Ralph Waldo Emerson), il est, dans le cadre de ses fonctions, responsable de l'établissement du second tome du *Catalogue de la Bibliothèque du Parlement*, consacré aux « ouvrages relatifs à l'Amérique », et visite à deux reprises les États-Unis. Il y fait en 1851 un séjour d'études de six mois durant lequel il tient un journal et compose une étude des institutions américaines.

Jeune étudiant prometteur, Jean Rivard, représentatif de ce qu'Emerson appelait la *self-reliance*, l'indépendance, quitte sa ville, sa famille, renonce à un avenir tout tracé pour ne compter que sur ses forces individuelles et l'héritage modeste que lui lègue son père. Son choix, opposé à celui de son ami Charmenil, est aussi une réponse à la crise qui touche à l'époque les professions libérales, en particulier les avocats devenus trop nombreux en plusieurs endroits au pays. Avec cinquante louis, il achète une terre, puis fait construire une maison où il s'installe avec sa femme et ses enfants, et fonde une ville où chacun trouve le bonheur dans le travail, Rivardville. *Jean Rivard* est « un très bon roman à thèse » et « une œuvre sérieuse, pédagogique, raisonnante, animée par sa visée morale », écrit Robert Major. Selon lui, l'ouvrage de Gérin-Lajoie, longtemps lu comme un roman de la terre faisant l'apologie de l'enracinement, raconte surtout la réussite d'un jeune homme du XIXe siècle pour qui la terre constitue moins un mode

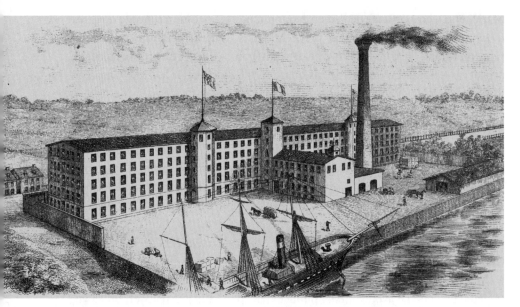

La Fabrique de coton d'Hochelaga, 1874, M979.87.360, Musée McCord, Montréal.

de vie qu'un moyen de s'enrichir, conformément aux idées d'un Étienne Parent, lui-même fortement influencé par ses contemporains américains. *Jean Rivard* concilie le discours conservateur de l'Église et le discours libéral dans une utopie capitaliste, inspirée à son auteur par une longue tradition de récits utopiques. Malgré une certaine ironie à l'égard de la littérature – « dans notre pays, dit Charmenil à Mlle Du Moulin, celui qui voudrait s'obstiner à être poète serait à peu près sûr d'aller mourir à l'hôpital » –, certains livres jouent un rôle important. Au fond de la forêt qu'il défriche avec son fidèle compagnon Pierre Gagnon, Jean Rivard emporte notamment le *Robinson Crusoé* de Daniel Defoe, son livre préféré.

L'histoire de Robinson Crusoé, jeté dans son île déserte, obligé de tirer de la nature seule, et indépendamment de tout secours humain, ses moyens de subsistance, avait avec celle de nos défricheurs une analogie que Pierre Gagnon saisissait facilement [...] Il trouvait l'occasion de faire à chaque instant l'application des événements romanesques ou historiques racontés dans ces livres simples [c'est-à-dire *Robinson Crusoé*, *Don Quichotte*, *Histoire populaire de Napoléon*] et à la portée de tous les esprits, aux petits incidents de leur humble existence, en mélangeant toutefois sans scrupule l'histoire et le roman.

Comme Robinson, Jean Rivard célèbre les vertus de l'intelligence pratique et privilégie des relations contractuelles plutôt qu'affectives entre les individus, faisant de sa femme, de sa famille et de ses proches des associés. *Jean Rivard* est une utopie américaine dans laquelle libéraux et conservateurs ont pu se reconnaître ; sa figure emblématique est celle du colon qui ouvre le territoire et assure un avenir à l'individu comme à la patrie ; en ce sens, il donne une forme aux rêves de reconquête du pays – le héros éponyme a d'ailleurs sa statue à Plessisville, petite ville du centre du Québec – tout en offrant une réponse concrète aux exigences du développement moderne.

Sensible lui aussi aux problèmes sociaux de son temps, Honoré Beaugrand publie *Jeanne la fileuse. Épisode de l'émigration franco-canadienne aux États-Unis*, d'abord en feuilleton en 1875, dans l'hebdomadaire *La République* qu'il a fondé, puis en volume à Fall River en 1878. L'ouvrage exploite le thème alors très en vogue de l'émigration aux États-Unis, massive et inquiétante pour la démographie francophone, depuis les années 1840. Mais, contrairement à la plupart des romanciers de son temps qui font des émigrés de véritables traîtres à leur nation, à leur foi et à leur langue, Beaugrand prend la défense des Canadiens français contraints de s'exiler en Nouvelle-Angleterre, en particulier dans la deuxième partie intitulée « Les filatures de l'étranger », où il montre comment la pénible vie en usine n'empêche pas Jeanne, l'héroïne, de pratiquer sa foi et de se conformer à une morale exigeante. Mêlant l'essai à une intrigue extrêmement rudimentaire, au service de la cause défendue, le roman de Beaugrand illustre bien, dans cette seconde partie, l'instrumentalisation de la fiction à laquelle se livrent conservateurs aussi bien que libéraux.

13

Romans historiques et romans d'aventures

L'histoire nationale constitue un fonds fréquemment sollicité par les romanciers du XIXᵉ siècle. *L'Influence d'un livre* de Philippe Aubert de Gaspé fils (1814-1841), porte le sous-titre : *Roman historique.* L'hétérogénéité de ce court roman a toutefois été soulignée par la critique. Inspiré par Walter Scott et par le roman gothique, ce premier roman canadien-français mêle les genres et les traditions. L'influence du titre est celle d'un traité d'alchimie de saint Albert le Grand sur le héros, Charles Amand, mais le roman exploite, on l'a vu dans le chapitre sur les contes, la tradition des légendes canadiennes (« Rose Latulipe » et « L'Homme du Labrador »). Par ailleurs, les nombreuses épigraphes placées en tête de chapitre juxtaposent les traditions anglaises et françaises et renvoient tantôt au classicisme, tantôt au romantisme. Elles donnent en outre au roman un aspect littéraire qui contraste avec l'inspiration populaire de plusieurs chapitres. En 1864, l'abbé Casgrain rééditera le texte sous le titre *Le Chercheur de trésors,* et l'inscrira sur la liste des livres de récompense distribués dans les collèges, non sans l'avoir expurgé des jurons, des références à Eugène Sue et à Lamennais, des allusions à la danse et au théâtre, et bien sûr à l'amour et au corps féminin.

Le roman historique se développe surtout dans le dernier tiers du siècle. L'histoire de la Nouvelle-France, et plus particulièrement les guerres indiennes et l'invasion des loyalistes américains, inspire Joseph Marmette (1844-1895), qui, à partir d'une documentation dont l'essentiel provient de l'œuvre de François-Xavier Garneau, son beau-père, et de ses sources (les *Relations des jésuites* et les travaux de l'historien américain Francis Parkman surtout), poursuit une voie romanesque ouverte par Joseph Doutre dans *Les Fiancés de 1812.* Distingué par un doctorat *honoris causa* de l'Université Laval en 1891, Marmette bénéficie d'une certaine notoriété qui confirme la légitimité du roman historique dont il est le représentant le plus prolifique. Après *Charles et Éva. Roman historique canadien* (1866-1867), histoire des amours de Charles Couillard-Dupuis et de la jeune orpheline Éva rencontrée lors de l'expédition de représailles des Français contre la Nouvelle York à Schenectady, qu'il publie alors qu'il n'a que vingt ans, Marmette peaufine sa formule et signe successivement *François de Bienville. Scènes de la vie quotidienne au XVIIᵉ siècle* (1870), *L'Intendant Bigot. Roman canadien* (1872), *Le Chevalier de Mornac. Chronique de la Nouvelle-France 1664* (1873), *La Fiancée du rebelle. Épisode de la guerre des Bostonnais* (1875), *Le Tomahawk et l'Épée* (1877), *Les Machabées de la Nouvelle-France. Histoire d'une famille canadienne de 1641 à 1768* (1878) et *Héroïsme et Trahison. Récits canadiens* (1880).

Dans les romans de Marmette, le recours à l'histoire permet en même temps la mythification du passé national, gage de légitimité, et la séduction des lecteurs par la description de péripéties, puisées à même « cette vie d'alarmes, d'embûches et de luttes terribles dont est toute remplie l'héroïque époque » qu'il dit vouloir peindre dans son introduction au *Chevalier de Mornac*. Mornac, Gascon fortement inspiré du seigneur d'Artagnan, arrive à Québec en 1664 pour « se refaire » et protéger sa parente, Jeanne de Richecourt, des assiduités du baron de Vilarme. Le rapt du groupe de Français par les Agniers et leur cruel chef Griffe-d'Ours, dit Main-Sanglante, ainsi que les évasions périlleuses des héros fournissent au récit un fonds d'aventures et de suspense qui n'est pas sans rappeler les feuilletons français. Cependant, Marmette y ajoute l'exotisme amérindien et oppose la générosité et le courage de Mornac et de Jeanne à la cruauté brutale de Griffe-d'Ours. Ces scènes hautes en couleur reçoivent toujours la caution explicite de l'histoire, et des notes infrapaginales renvoient aux *Relations des jésuites* d'où sont tirées les descriptions de supplices, de massacres et plus généralement des mœurs amérindiennes :

Que le lecteur me pardonne cette scène d'un réalisme effréné. Mais le festin était chez les Sauvages une des plus grandes solennités et je ne saurais la passer sous silence alors que nous ne sommes entrés dans la bourgade d'Agnier que pour étudier de près les mœurs de ses habitants.

Et qu'on n'aille pas croire que je charge ce tableau de couleurs impossibles. Si l'on veut voir jusqu'où allait la gloutonnerie bestiale des Sauvages, on n'a qu'à consulter la Relation des Jésuites (1634) où j'ai puisé les idées d'une partie du présent chapitre.

Le roman historique est aussi pratiqué en anglais, comme l'atteste *The Golden Dog : A Legend of Quebec* (New York et Montréal, 1877) du journaliste et poète canadien-anglais William Kirby (1817-1906), traduit par Pamphile Le May. Kirby puise au même fonds historique que Marmette, mais introduit les légendes pour dramatiser les mésaventures de l'intendant Bigot et de sa maîtresse Mme de Péan qui essaie de se débarrasser, grâce à la Corriveau, de son ancienne rivale Caroline de Saint-Castin.

   D'autres romanciers exploitent la même veine, notamment Napoléon Bourassa (1827-1916) dont le roman *Jacques et Marie* (1865-1866), inspiré du poème de Longfellow, raconte les malheurs de Marie Landry, jeune Acadienne séparée de son fiancé Jacques qui a été déporté, et livrée au chantage de l'officier anglais George Gordon. Amoureux, ce dernier propose en effet d'exempter la famille de la déportation à la condition qu'il puisse épouser Marie. Mais les harangues morales de la fille et de son père, et plus encore leur exemple, impressionnent tellement le jeune militaire qu'ils parviennent à lui inculquer compassion et générosité ; tombé sur les plaines d'Abraham, il demandera même à être enterré près du frère de la jeune fille. Le roman se termine sur ce signe d'apaisement entre les anciens ennemis et sur le retour imprévu de Jacques qui peut épouser Marie. On notera que plusieurs autres romans de l'époque – *Les Fiancés de 1812, Les Anciens*

Canadiens – placent des personnages anglais dans les triangles amoureux ou les paires d'amis qu'ils mettent en scène et exploitent ainsi le thème, particulièrement significatif autour de 1867, de la réconciliation relative des deux peuples.

Pamphile Le May pratique également le roman historique, notamment dans *Picounoc le maudit* (1878). Mais il privilégie la chronique judiciaire locale, comme l'avait fait avant lui François-Réal Angers (1812-1860) dans *Les Révélations du crime ou Cambray et ses complices. Chroniques canadiennes de 1834* (1837). Le May adapte des récits présentés comme des études de mœurs, sanctionnés par une morale irréprochable, mais non dénués des procédés et des stéréotypes hérités du feuilleton. *L'Affaire Sougraine* (1884) est à cet égard exemplaire. Ce roman s'empare plus qu'il ne s'inspire d'un fait divers contemporain, la fugue d'une jeune fille blanche, Elmire Audet, du comté de Portneuf, avec un Abénakis d'une cinquantaine d'années, Sougraine, soupçonné du meurtre de sa femme. Alors que le second procès de Sougraine n'est pas encore terminé, Le May fait paraître sa version de l'histoire et anticipe l'acquittement du prévenu. Dans la trame du fait divers, le romancier entrelace plusieurs microrécits, les transpositions d'articles de presse et de comptes rendus de procès voisinant avec les péripéties les plus rocambolesques, et projette l'action vingt-trois ans plus tard, alors qu'Elmire Audet, devenue la riche Mme D'Aucheron, mène un grand train de vie et cherche à marier sa fille adoptive à un jeune ministre prometteur. Ses plans seront contrecarrés par le retour de Sougraine alias Langue Muette, et le témoignage du demi-Sioux Pierre Leroyer dit Longue Chevelure. L'arrestation, le procès et l'acquittement de Sougraine font éclater les multiples quiproquos. La figure de l'Amérindien se construit ici sur un double cliché opposant à Sougraine, pauvre créature dominée par ses instincts, Leroyer, bon Sauvage enrichi et généreux.

Il y a une parenté naturelle entre le roman historique, qui jouit d'une grande légitimité, et le roman d'aventures, qui suscite pourtant davantage de méfiance. Plusieurs romanciers canadiens-français cherchent à équilibrer l'un par l'autre, c'est-à-dire à insérer des épisodes proprement romanesques dans une entreprise dont les visées éducatives ou morales ne sont jamais absentes. Il existe toutefois un certain nombre de romans où la part de l'aventure est plus évidente. Ce corpus est étroitement lié à la tradition des romans-feuilletons qui connaît, au Québec comme en Europe, un grand succès au cours de cette période. Les feuilletons jouent un rôle important dans l'essor des journaux qui les publient, car si les écrivains trouvent ainsi un premier public, les propriétaires de presse se servent du feuilleton pour augmenter le nombre de lecteurs et accroître leur fidélité. En 1867, *La Minerve*, qui a supprimé le feuilleton quotidien, doit s'excuser auprès de ses lecteurs et annoncer rapidement la parution d'un nouveau roman du Français Paul Féval. Les romans-feuilletons constituent sans doute la production romanesque la plus lue du XIXe siècle. Aucune règle de copyright ne forçant les journaux à verser des droits d'auteur pour la publication de textes d'écrivains

VOL. I.–No. 2.　　　　　　MONTRÉAL, SAMEDI 19 NOVEMBRE 1881.　　　　　　1 CENT LE NUMÉRO.

(Ci-devant " LE VRAI CANARD")

Bandeau du journal satirique *Le Grognard* réalisé par Hector Berthelot en 1881.

étrangers, ce corpus est composé en bonne partie des œuvres des plus célèbres feuilletonistes français de l'époque (Paul Féval, Eugène Sue, Ponson du Terrail et Alexandre Dumas). En ce qui concerne les textes inédits, le feuilletoniste le plus prolifique est le socialiste français Henri-Émile Chevalier, qui séjourne au Québec de 1853 à 1860 pour fuir le Second Empire. Il publie dans *Le Moniteur canadien* les premiers *Mystères de Montréal* (1855) dont le titre renvoie aux *Mystères de Paris* d'Eugène Sue.

Les *Mystères de Montréal* de Chevalier seront suivis par ceux d'Hector Berthelot (1842-1895) qui paraissent dans *Le Vrai Canard* de 1879 à 1881, avant d'être publiés en volume en 1901 à l'imprimerie Pigeon de Montréal. Fondateur du *Vrai Canard*, premier caricaturiste au Canada français, humoriste goguenard, moins imaginatif toutefois que Napoléon Aubin, Berthelot se contente la plupart du temps de recueillir anecdotes et blagues à la petite semaine. Plus que les péripéties manifestement ajoutées au fil des épisodes, c'est l'ironie du romancier et sa langue savoureuse qui caractérisent le texte. La jeune première « [a] des vents dans l'estomac et le cœur qui [lui] toque comme une pataque dans un sabot »; elle reçoit de son amoureux une lettre qui lui demande: « Lesse moi assavoir ton adresse pour que j'aie te voir à Singe Erôme », tandis que l'un des deux malfrats cherche dans la littérature un moyen de mettre fin à ses jours : « Il se remémora plusieurs scènes de suicides qu'il avait vues dans les romans de Trançon du Poitrail [*sic*], d'Eugène Sue et d'Alexandre Dumas. » Le roman évoque aussi les quartiers de Montréal, notamment les rues louches et les tavernes, les petits métiers, les mœurs de la police et de la justice et même l'actualité politique municipale : « Le thermomètre accusait ce soir-là 120° au dessus de la valeur de l'échevin Lavigne dans le Conseil de ville de Montréal. »

D'autres *Mystères de Montréal*, dus à Auguste Fortier, sont publiés en un volume de quatre cents pages en 1893. La vogue de ces *Mystères*, auxquels il convient d'ajouter les *Mysteries of Montreal* publiés en 1881 par Charlotte Führer, une ancienne sage-femme allemande, indique assez la place que le feuilleton accorde à la ville, avec ses zones obscures, ses bas-fonds, ses rues parcourues par des personnages au passé incertain, souvent des étrangers. Même des écrivains réputés comme Pamphile Le May sacrifient à l'occasion au genre et adoptent ses principales thématiques, ce dont fait foi *Bataille d'âmes* publié dans *La Patrie* de novembre 1899 à janvier 1900.

Si la plupart de ces textes, surtout ceux qui n'ont pas paru en volume, sont aujourd'hui pratiquement oubliés, l'influence du genre est patente et les caractéristiques thématiques et formelles du roman d'aventures sont perceptibles dans plusieurs romans. On retrouve par exemple les personnages et les épisodes mélodramatiques constitutifs du roman d'aventures – jeune orpheline pauvre, noble jeune homme, vieux barbon riche, bande de brigands, couple d'honnêtes bourgeois, usurpation d'héritage, tentative de subornation, substitution d'identités, reconnaissance et retrouvailles ultérieures – dans *La Fille du brigand* d'Eugène L'Écuyer (1822-1898), publié dans la revue *Le Ménestrel* en 1844. L'Écuyer est notaire et journaliste, membre de l'Institut canadien. *La Fille du brigand* est un court récit d'aventures qui doit beaucoup aux *Mystères de Paris* et aux romans gothiques anglais. Le jeune Stéphane D. tombe amoureux de la belle Helmina, vue par hasard à l'auberge de Madame La Troupe où un orage les a contraints de se réfugier. Malheureusement, Helmina, pourtant parée de toutes les vertus, semble être la fille de Maître Jacques, chef des Brigands du Cap-Rouge. En fait, elle n'est que sa pupille, comme on l'apprendra à la faveur des péripéties assez conventionnelles qui préparent le dénouement : Maître Jacques, qui en a la garde mais veut l'épouser, fait enlever la jeune fille et sa compagne, et les séquestre dans la caverne du Cap-Rouge. Grâce à la trahison de son compagnon Maurice, resté bon même dans cette complicité criminelle, le bandit sera démasqué. Helmina retrouve son père, par hasard un ami de celui de Stéphane, les jeunes gens peuvent donc s'épouser et, malgré leurs griefs, tous laissent Maître Jacques s'enfuir sans le poursuivre, parce qu'on fait confiance à la Providence pour qu'il ait sa juste punition, mais aussi parce que l'auteur garde ce personnage en réserve pour d'autres aventures.

Paru également en 1844, *Les Fiancés de 1812* de Joseph Doutre (1825-1886), sous-titré *Essai de littérature canadienne*, exploite plus longuement la même veine romanesque à partir d'une trame rendue plus complexe par le croisement de deux histoires : d'une part, les aventures de Gonzalve de R. et Louise Saint-Felmar pendant la bataille de Châteauguay contre les troupes américaines ;

d'autre part, celles, situées un peu partout en Europe, de Gustave Duval, chef d'un réseau international de brigands, que le dévoilement final permettra de reconnaître comme le frère de Louise. Mais Doutre, lui aussi de l'Institut canadien dont il sera président en 1852, connu pour son rôle dans l'affaire Guibord, revendique plus explicitement le modèle des *Mystères de Paris*.

Salué par Casgrain, qui cependant ne va pas jusqu'à en faire un livre de récompense pour les élèves, *Une de perdue, deux de trouvées* (1849) de Pierre Boucher de Boucherville (1814-1894) est le plus enlevant et le plus long de ces romans d'aventures. Touffu, complexe, il mêle les figures historiques (Chénier, Gosford) et les personnages fictifs, les considérations politiques (sur l'abolitionnisme, les rébellions) et les récits de piraterie. La première partie a lieu en 1836 en Louisiane où Pierre de Saint-Luc, intrépide commandant du *Zéphyr*, vainqueur du terrible pirate Cabrera, hérite de l'immense fortune d'Alphonse Meunier, le négociant d'origine canadienne qui l'a élevé. Mais, avec la complicité de Pluchon, huissier véreux, et de la pègre orléanaise incarnée par la famille Coco-Letard, le Docteur Rivard, véritable Tartuffe, intrigue pour spolier Saint-Luc de son héritage. Grâce à son fidèle esclave Trim, Saint-Luc triomphe des falsifications de documents et de cadavres tout en échappant aux enlèvements et aux tentatives d'assassinat. Le testament qu'il récupère dévoile aussi ses origines : il est en réalité le fils de Meunier et d'Éléonore de Montour qui, mariée contre la volonté de son père, et ayant cru son époux mort en mer, a refait sa vie. Un tel dénouement relance la seconde partie et justifie qu'elle se déroule au Canada où Saint-Luc part à la recherche de sa mère. Ces nouvelles péripéties se greffent sur une intrigue amoureuse car Saint-Luc retrouve Miss Clarisse Gosford, nièce du gouverneur, dont il avait héroïquement protégé la vie durant un combat naval ; elles s'arriment aussi aux événements politiques (nous sommes en 1837) auxquels Saint-Luc participe prudemment en aidant la fuite de chefs patriotes traqués par l'armée. Le jeune homme retrouve sa mère alors même qu'elle meurt, dans la personne de Mme de Saint-Dizier, mère d'Asile et d'Hermine, avec qui il s'est lié d'amitié ; selon le titre du roman, perdant ainsi une mère, il trouve deux sœurs. L'épilogue a lieu au Tyrol où tous les personnages sont réunis et où tous les conflits semblent résolus : Clarisse et Saint-Luc, mariés, ont un enfant ; on apprend qu'en Louisiane le Docteur Rivard, ruiné et défiguré, expie durement ses fautes ; et même le pirate Cabrera s'est amendé, puisqu'il a récupéré en Espagne son nom et sa fortune, et peut épouser sa fiancée. En janvier 1851, Boucher de Boucherville publie dans *L'Album de la Minerve* « L'histoire de Trim », récit à la première personne des révoltes d'esclaves de Louisiane, qui reprend et développe un épisode du chapitre XXIX d'*Une de perdue, deux de trouvées*. Malgré les positions ambiguës des personnages et quoique l'empathie du narrateur n'aille pas sans préjugés, cet « appendice » confirme le soutien que Boucher de Boucherville apporte à la cause abolitionniste.

Pour contrer le succès des romans d'aventures français, ou imités des titres les plus connus auxquels les journaux donnent une large diffusion, on voit se développer un type de roman, encouragé par la critique cléricale, qui entend prendre le contre-pied de ce modèle. *Pour la patrie. Roman du XXᵉ siècle* (1895) de Jules-Paul Tardivel (1851-1905) en est sans doute le meilleur exemple. L'auteur, né américain d'un père français et d'une mère anglaise, élevé dans une famille de convertis, gardera toute sa vie le zèle des néophytes. Sa biographie, typiquement américaine, veut qu'il soit arrivé au Canada à dix-sept ans, en 1868, pour poursuivre ses études dans une institution catholique, avec en poche les quatre cents dollars de l'héritage paternel et sans parler un seul mot de français. Onze ans plus tard, en 1879, il publie *L'Anglicisme, voilà l'ennemi*. Son attachement à sa nouvelle langue sera aussi indéfectible et entier que celui qu'il voue à la religion catholique. Journaliste et chroniqueur, il fait ses débuts au *Courrier de Saint-Hyacinthe* puis à *La Minerve*, avant d'entrer, en 1874, au *Canadien*, qu'il quitte en 1881 pour fonder son propre journal, *La Vérité*ᐟ ; celui-ci paraîtra, malgré une interruption entre 1903 et 1905, jusqu'en 1923. Auteur d'une biographie du pape Pie IX, de plusieurs études sur la langue et la religion, de souvenirs de voyage et de divers *Mélanges*, Tardivel incarne jusqu'à la caricature la position ultramontaine. Celui à qui Rémi Tremblay adresse un poème satirique malicieusement intitulé « Torquemada-Tardivel », du nom du célèbre inquisiteur espagnol, est au cœur de plusieurs polémiques de son époque. Pourfendant les ennemis de la foi, il fustige aussi bien les francs-maçons, sa principale hantise, que les idées libérales, « l'école neutre », et le roman : « Le roman, surtout le roman moderne, et plus particulièrement le roman français me paraît être une arme forgée par Satan lui-même pour la destruction du genre humain », écrit-il dans la préface de *Pour la patrie*, où il justifie son propre recours à cette arme de l'ennemi pour produire « un roman chrétien de combat ».

Texte difficilement classable, roman d'anticipation, politique-fiction avant l'heure, chronique des mœurs politiques et journalistiques, *Pour la patrie* se déroule en 1945. Joseph Lamirande, fervent croyant, médecin et député nationaliste, parvient à faire obstacle aux manœuvres du parti du premier ministre, Sir Henry Marwood. Ce maçon à la solde de la secte du Suprême Conseil de la Ligue du Progrès tente, à l'instigation du sinistre Aristide Montarval, un émigré français habitué des pratiques sataniques, de faire accepter par la Chambre l'annexion du Canada aux États-Unis afin d'éradiquer l'Église et la foi catholiques au Québec. Lamirande, fondateur et chef du Parti Nouvelle-France, travaille à séparer le Québec de la Confédération pour en faire une république catholique et indépendante. Il arrive que les apôtres du Mal se repentent et passent au service du Bien, tel Ducoudray, membre de la secte, au courant de la machination diabolique qu'elle prépare, qui réussit à en avertir l'archevêque de Montréal avant d'être assassiné. L'affrontement est fondé principalement sur l'échange de discours enflammés au Parlement et d'articles vitrioliques qui, cités in extenso, ralentissent la narration et affaiblissent l'impact d'épisodes plus dramatiques : poursuites, filatures, empoisonnements et cérémonies sataniques tenues dans des lieux improbables que Tardivel emprunte au roman d'aventures pour leur faire servir sa cause. Le fantastique n'est pas absent non plus puisque deux miracles viennent raffermir la détermination de Lamirande. L'épilogue permet de deviner Lamirande en frère Jean, retiré dans un couvent des Alpes françaises où, en 1977, de jeunes voyageurs canadiens-français de passage l'informent des événements de son pays, la République de Nouvelle-France, désormais « florissante ». Tardivel connaissait certains textes utopiens, en particulier ceux de l'écrivain écossais Robert Louis Stevenson dont il avait traduit *The Strange Case of Dr. Jekyll and Mr. Hyde* ; néanmoins, dans *Pour la patrie*, ces influences littéraires agissent moins que les convictions ultramontaines de Tardivel et sa haine viscérale des francs-maçons. *Pour la patrie*, cas extrême, vaut comme document, presque comme symptôme d'une lutte morale et idéologique menée sur le terrain du roman, forme a priori rejetée.

14

Angéline de Montbrun : la voix d'une romancière

Il faut attendre la fin du XIXe siècle pour assister à l'émergence de femmes dans le milieu intellectuel francophone au Québec. L'une des plus singulières est Henriette Dessaulles (1860-1946) qui deviendra, sous le pseudonyme de Fadette, une des premières journalistes au Québec au début du siècle suivant. Nièce de Louis-Antoine Dessaulles, Henriette tient un journal intime entre les âges de quatorze et de vingt et un ans, un des rares documents du genre au XIXe siècle. Publié seulement en 1971, ce journal évoque avec simplicité et humour l'esprit du temps. Henriette Dessaulles y mêle les mots de tous les jours, souvent empruntés à l'anglais ou à la langue populaire, qu'elle présente comme ni « *all right* » ni « *all wrong* ». Elle porte sur la religion un regard drôle et sans complaisance : « Ce qui me choque au couvent c'est le petit esprit, l'espèce de religion qu'on nous y enseigne à côté de la grande, les sermons, la routine de ces nombreux exercices de dévotion et la niaiserie de nos *obligations*! En dehors de cela, c'est parfait. »

La première romancière à s'imposer dans la littérature du Québec est Laure Conan – pseudonyme de Félicité Angers (1845-1924) –, auteure de plusieurs romans historiques mais surtout d'*Angéline de Montbrun* (1881), considéré comme le premier roman psychologique au Québec. Laure Conan n'est pas la seule femme à prendre la plume à l'époque, mais sa place n'en est pas moins exceptionnelle dans le paysage littéraire de 1880. Contrairement à la plupart de ses contemporains masculins, elle n'exerce pas d'autre métier ; aussi, plus qu'eux, attend-elle de ses livres une rémunération matérielle et une reconnaissance symbolique qu'elle aura d'ailleurs bien du mal à obtenir. Troisième enfant d'un forgeron de La Malbaie, Félicité Angers est pensionnaire au monastère des Ursulines de Québec, mais ne termine pas le cours qu'elle y avait entrepris. Elle acquiert donc en autodidacte une culture littéraire centrée sur les moralistes français du XVIIe siècle et les œuvres du début du XIXe siècle, comme celle de Chateaubriand, mais ouverte aussi à des pensées plus proches d'elle, telles celles de Benjamin Franklin, d'Emerson qu'elle cite, et surtout de François-Xavier Garneau pour qui elle éprouve une admiration d'ailleurs transposée dans *Angéline de Montbrun*. En 1878, Félicité Angers publie dans *La Revue de Montréal*, sous le pseudonyme de Laure Conan qu'elle adopte dès ce moment-là, son premier texte, la nouvelle « Un amour vrai », dont la forme épistolaire préfigure *Angéline de Montbrun*. Le texte sera réédité l'année suivante, sans l'autorisation de l'auteure, sous un nouveau titre, « Larmes d'amour », aux accents mélodramatiques plus accrocheurs. En 1882, *Angéline de Montbrun* paraît dans *La Revue canadienne* avant d'être

Laure Conan, 1882. Centre d'archives de Québec, P1000, S4, D83, PC103. Bibliothèque et Archives nationales du Québec.

publié en volume en 1884. C'est pour cette édition, revue et corrigée, que Laure Conan sollicite une préface du puissant abbé Casgrain, qui saisit l'occasion, tout en louant l'ouvrage, de faire la leçon – de morale et de nationalisme – à la romancière, déplorant subrepticement que « sa pensée habite plus les bords de la Seine que ceux du Saint-Laurent ». À partir des années 1960, des relectures d'*Angéline de Montbrun* ont relativisé l'impact de Casgrain sur la carrière ultérieure de Laure Conan. Il est clair en effet que, dès sa jeunesse, elle partage avec beaucoup de ses contemporains un certain engouement pour l'histoire de la Nouvelle-France, en grande partie suscité par l'ouvrage de Garneau. Par ailleurs, elle n'a nullement besoin des conseils de Casgrain pour saisir la légitimité du roman historique qu'elle pratiquera sans renoncer pour autant à sa thématique de prédilection, l'amour contrarié. En 1886, Laure Conan publie une pièce de théâtre, *Si les Canadiennes le voulaient,* puis *À l'œuvre et à l'épreuve* (1891), *L'Oublié* (1900), adapté pour la scène en 1920 sous le titre *Aux jours de Maisonneuve,* et, en 1919, *L'Obscure Souffrance* et *La Vaine Foi.* Son dernier roman, *La Sève immortelle,* paraît en 1925, un an après sa mort. De 1893 à 1898, Laure Conan est rédactrice de *La Voix du Précieux-Sang,* le journal de la congrégation du même nom, installée à Maska où elle réside pendant quelques années. Elle collabore à diverses revues religieuses et féminines (*Le Coin du feu, Le Rosaire, Le Journal de Françoise,* mais aussi *Le Monde illustré*), publiant surtout des études sur l'histoire de La Malbaie et sur la vie religieuse.

Angéline de Montbrun se remarque d'abord par sa forme inusitée : le roman comporte deux grandes parties d'égale longueur, mais très différentes l'une de l'autre. La première partie est composée de lettres, sauf pour les toutes dernières pages qui sont racontées à la troisième personne. La seconde partie du roman, intitulée « Feuilles détachées », est constituée du journal d'Angéline, qui doit beaucoup au modèle très en vogue à l'époque du *Journal* de la Française Eugénie de Guérin. Au départ, ce roman évoque l'histoire de la jeune Angéline, qui vit heureuse près de son père dans un village paisible, face à la mer. Angéline est fiancée à Maurice Darville, le frère de son amie, Mina. La correspondance des deux jeunes filles joue de la différence entre Mina, citadine, mondaine, un peu coquette, et Angéline, campagnarde aux goûts simples, joyeuse et pure. Leur échange de lettres dévoile l'attachement – dont la critique a souvent noté le caractère incestueux – d'Angéline pour son père. La force physique et la droiture morale de M. de Montbrun séduisent aussi Mina, qui écrit à son frère :

Tu dis qu'elle t'aimera. Je l'espère, mon cher, et peut-être t'aimerait-elle déjà si elle aimait moins son père. Cette ardente tendresse l'absorbe [...] Cet homme-là a un tact, une délicatesse adorable. Il a du paysan, de l'artiste, surtout du militaire dans sa nature, mais il a aussi quelque chose de la finesse du diplomate et de la tendresse de la femme.

Les lettres entre Maurice et Angéline, plus banales, ne font que confirmer l'accord parfait des jeunes gens. Mais leur mariage est brutalement empêché par l'accident de chasse qui coûte la vie à M. de Montbrun, et par l'accident, plus obscur – une première version mentionne une tumeur au visage, la seconde les séquelles d'une chute – qui défigure Angéline et lui fait perdre sa beauté. Ces événements tragiques sont laconiquement rapportés par un narrateur qui disparaît aussitôt. Convaincue que Maurice ne l'aime plus, la jeune fille rompt avec lui et, tandis que le jeune homme s'efface peu à peu et que sa sœur Mina prend le voile chez les ursulines de Québec, Angéline s'isole dans la maison paternelle où elle mène une vie recluse dans un paysage désormais transformé par sa tristesse.

La morale est sauve, puisque Angéline, d'abord folle de chagrin, se ressaisit, trouve à faire le bien autour d'elle et découvre le patriotisme, notamment dans le chapitre qui fait l'éloge de Garneau. Cependant, la place accordée aux sentiments distingue nettement *Angéline de Montbrun* des autres romans de l'époque. Le roman décrit aussi bien le trouble qu'inspire M. de Montbrun à Mina, l'intensité de la relation du père et de la fille, que le désespoir d'Angéline après la mort de M. de Montbrun et le départ de Maurice, alors qu'elle s'enferme, tous volets clos, dans un long face-à-face avec le portrait de son père. Le lecteur des romans du xixe siècle, habitué à l'exposition de situations prévisibles et décodables, se trouve ici devant des émotions plus contradictoires dont la violence contenue revient dans les nombreuses images de la mer, celle-ci fonctionnant, conformément à une esthétique romantique que Laure Conan emprunte notamment à Chateaubriand, comme métaphore de la psyché humaine. Car ce n'est plus la campagne un peu bucolique qui est évoquée dans la seconde partie, mais la mer, déjà présente dans « Un amour vrai », imprévisible et fascinante. Alors qu'Angéline s'exhorte à la résignation et prétend accueillir l'apaisement qu'apporte la religion, les images marines donnent à voir un univers infiniment trouble et tourmenté :

Longtemps, je me suis arrêtée à regarder la mer toute fine, haute et parfaitement calme. C'est beau comme le repos d'un cœur passionné. Pour bouleverser la mer, il faut la tempête, mais pour troubler le cœur, jusqu'au fond, que faut-il !... Hélas, un rien, une ombre. Parfois, tout agit sur nous, jusqu'à la fumée qui tremble dans l'air, jusqu'à la feuille que le vent emporte. D'où vient cela ? N'en est-il pas du sentiment comme de ces fluides puissants et dangereux qui circulent partout, et dont la nature reste un si profond mystère.

Comme le manifeste ce passage, c'est également par son lyrisme que le roman de Laure Conan diffère des autres textes de la même période, caractérisés par une sobriété appliquée. Chez Laure Conan, en cela plus romancière qu'aucun de ses contemporains, la plume est plus libre, comme le sentiment ; c'est pourquoi l'amour, qui demeure ici le thème principal, est non seulement un sentiment contrarié, mais aussi un sentiment contrariant : on peut refuser de vivre selon ses conséquences, on ne peut en revanche ni se dispenser de l'éprouver, ni l'assujettir aux exigences sociales.

TROISIÈME PARTIE

Le conflit entre l'ici et l'ailleurs

1895–1945

Clarence Gagnon, *Jardin public, Venise*, 1905. Musée national des beaux-arts du Québec, 34.166. Photo Patrick Altman.

Lᴀ ᴘᴇ́ʀɪᴏᴅᴇ ǫᴜɪ ᴠᴀ ᴅᴇ 1895 à 1945 ᴇsᴛ ᴍᴀʀǫᴜᴇ́ᴇ ᴘᴀʀ ᴜɴ double mouvement : d'une part, la modernisation de la société et de la culture et, d'autre part, la réaction des élites traditionnelles. Dès 1895, on voit apparaître un premier groupe d'écrivains qui se réclament ouvertement de la modernité parisienne, l'École littéraire de Montréal. C'est là un fait nouveau, qui témoigne d'un changement important dans le champ littéraire local. Pour la première fois, des écrivains canadiens-français forment une sorte de petite bohème vouée au culte de la poésie.

C'est à Montréal et non plus à Québec comme en 1860 que le renouveau littéraire se manifeste. Une génération d'écrivains émerge au moment où la société québécoise s'urbanise et s'industrialise. Montréal attire les gens des campagnes comme les immigrants venus d'Europe. On y compte 250 000 habitants en 1895, un demi-million en 1914, un million en 1930. La vie culturelle se transforme rapidement à la faveur de la modernisation des transports et des divertissements. Le théâtre s'y développe dès les années 1890, autour de nouvelles salles comme celle du Monument-National, ou de nouvelles troupes comme celle du Théâtre National (1900). Ernest Ouimet ouvre la première salle de cinéma en 1906, suscitant aussitôt la colère de l'épiscopat, impuissant devant le succès rapide de films qui viennent surtout des États-Unis. Une culture populaire s'implante ainsi à Montréal au tournant du siècle, grâce au cinéma, aux journaux de masse, aux spectacles de music-hall et de burlesque. Cette culture du divertissement à l'américaine fait désormais partie de l'horizon quotidien des Montréalais.

L'élite cultivée, elle, se tourne vers l'Europe, et plus particulièrement vers Paris qui fournit un tout autre modèle. En 1896, Edmond de Nevers rêve de « voir s'élever à côté de notre Montréal commercial et industriel, un Montréal littéraire, artistique, savant ». C'est ce qu'essaie de faire l'École littéraire de Montréal quand elle organise des séances publiques au Monument-National et au Château Ramezay en 1898 et 1899. Après le triomphe de Nelligan lors de sa dernière séance publique, l'École littéraire se disperse, mais l'esprit moderniste se maintient et même se répand. Quelques salons littéraires, comme celui de Robertine Barry ou plus tard celui d'Anne-Marie Huguenin (née Gleason), créent un espace d'échange pour des écrivains de cette tendance. Autour du journaliste Olivar Asselin et de jeunes écrivains nationalistes et francophiles règne une réelle effervescence sur les plans à la fois littéraire et politique. Dès lors, un premier clivage apparaît : d'un côté, les émules de Nelligan, qui regardent du côté de Paris et de la littérature contemporaine, de l'autre, les adeptes du régionalisme et de « l'âme canadienne ».

Cette opposition se traduira bientôt par un conflit esthétique et idéologique qui résume cette époque et qui met les régionalistes face à ceux qu'on appellera les exotiques ou, de façon péjorative, les exotistes, voire les parisianistes. Rares sont les écrivains qui n'ont pas alors à se définir, d'une manière ou d'une autre, par rapport au conflit qui se cristallise, vers 1918, autour de la revue *Le Nigog*, et qui se prolonge durant l'entre-deux-guerres sous diverses formes.

La langue littéraire constitue un enjeu majeur de ce conflit et définit dans une large mesure les positions de chacun. D'une part, ceux qui s'inspirent de Paris adoptent un français raffiné et font de la maîtrise de la langue un critère déterminant pour évaluer la qualité esthétique d'un texte ; d'autre part, ceux qui se réclament d'une littérature canadienne-française exigent que l'écrivain d'ici intègre des thématiques propres, des personnages du terroir et parfois même une langue spécifique, une « langue à nous ». Le conflit, on le voit, n'est pas seulement de nature esthétique : il touche à des choix d'écriture, mais il comporte aussi une dimension morale et surtout politique. L'idée de littérature nationale, moins consensuelle qu'au temps de l'abbé Casgrain, est désormais un combat et prend une allure nettement défensive, comme s'il s'agissait de résister à un mouvement moderne jugé menaçant. En cela, ce courant s'apparente à la fois au sursaut moraliste de l'Église catholique, partout inquiète de voir son pouvoir décliner devant la libéralisation des mœurs, et à la montée d'un nationalisme qu'incarneront, chacun à sa façon, Camille Roy et Lionel Groulx.

La question identitaire conduit tout naturellement à la question de la littérature nationale. Y a-t-il une littérature canadienne-française distincte de la littérature française ? Jules Fournier soutient que non, dans une querelle célèbre avec le critique français Charles ab der Halden (1906). Mais le débat est loin d'être clos pour autant. Au-delà des positions de chacun, l'époque tout entière est traversée par la double obsession de la langue et de la nation. Quelle que soit sa position, l'écrivain doit faire face aux mêmes interrogations, qui prennent souvent la forme d'un dilemme. Comment peut-il créer une littérature nationale en se servant d'une langue et de modèles esthétiques empruntés à la France ? Entre Nelligan, jugé trop peu « national » par Camille Roy, et Claude-Henri Grignon, qui abuse des canadianismes selon Louis Dantin, comment l'écrivain peut-il choisir sa propre langue d'écriture ? Peut-il vraiment faire une œuvre *littéraire* s'il est tenu de faire une œuvre d'abord *nationale ?*

Un tel débat structure tout le champ littéraire de cette période au fur et à mesure qu'il se développe et qu'il acquiert une certaine autonomie. Avec la Crise de 1929 et la montée du fascisme durant les années 1930, le conflit n'a toutefois plus le même sens. L'ailleurs se rapproche et l'idéal du retour à la terre, proposé par l'Église comme solution au chômage et à la pauvreté, se heurte à la réalité du monde moderne. Les plus célèbres romans de la terre apparaissent alors, mais c'est pour évoquer un univers en voie de disparition. À ce moment surgissent les

Rue Saint-Jacques, Montréal, 1896, 1930-1950, VIEW-2829.0, Musée McCord, Montréal.

premières œuvres phares de la modernité au Québec, celles d'Alain Grandbois et de Saint-Denys Garneau. Tournées vers l'universel et vers l'intime, elles dépassent le conflit entre le régionalisme et l'exotisme et, tout en étant profondément inscrites dans le contexte de l'entre-deux-guerres, trouveront surtout leurs lecteurs parmi les générations suivantes.

On voit ainsi se développer au cours de la période 1895-1945 la tension entre l'ici et l'ailleurs, entre la doctrine nationale et la liberté de l'écrivain, entre la culture de masse et la culture d'élite. Plusieurs écrivains parviennent toutefois à surmonter ces oppositions et échappent ainsi aux catégories toutes faites. On ne saurait donc réduire cette période à un schéma rigide, ni simplement classer les écrivains selon leur appartenance au camp moderne ou au camp traditionnel. Pour permettre de comprendre la logique évolutive du conflit qui émerge autour des régionalistes et des exotiques, et qui se complexifie par la suite, cette partie sera divisée en deux sous-périodes. La première, de 1895 à 1930, est marquée par l'attrait de Paris et par une sorte de légèreté associée d'abord à la Belle Époque, puis aux années 1920. La deuxième, de 1930 à 1945, débute avec la Crise et se caractérise par un ton plus grave, par l'ascendant de Lionel Groulx et par l'émergence de voix singulières qui annoncent la période suivante.

Le xxᵉ siècle littéraire au Québec commence en 1895 avec la création de l'École littéraire de Montréal. Après plusieurs décennies au cours desquelles des écrivains et des critiques ont cherché à créer une littérature nationale, le regard se tourne vers la littérature française moderne. Dès 1891, *L'Écho des jeunes*, dirigé par l'imprimeur dandy Victor Grenier, fait une large place aux poètes symbolistes et décadents. L'année suivante, Édouard-Zotique Massicotte cite Verlaine en exergue dans une autre revue, *Le Glaneur*, avant de lui consacrer plusieurs articles. À la même époque, six étudiants du Collège Sainte-Marie (Henry Desjardins, Louvigny de Montigny, Jean Charbonneau, Paul de Martigny, Germain Beaulieu et Alban Germain) se donnent le nom provocateur de « groupe des Six Éponges » et forment une bohème montréalaise. Ils participent, avec d'autres, à la fondation de l'École littéraire de Montréal. Celle-ci n'entend pas rester un groupe marginal. En 1898, elle élit Louis Fréchette comme président d'honneur et organise des séances publiques auxquelles sont conviés les membres de l'élite culturelle et politique montréalaise. À la différence du mouvement de 1860, l'École littéraire de Montréal ne se range pas sous l'enseigne du patriotisme. Elle défend plutôt l'art moderne et, sur le plan politique, des idées libérales. Elle invite aussi les autorités consulaires françaises et ne craint pas d'afficher sa francophilie. Jean Charbonneau écrira plus tard : « Tout ce qui nous venait de France avait le pouvoir magique de l'enchantement. »

Il n'en faut pas davantage pour susciter la réaction du clergé, qui dénonce, quoique sur un ton mesuré, l'ouverture sur le cosmopolitisme littéraire : « un système de libre échange qui serait trop largement pratiqué pourrait en cette matière compromettre l'indépendance des lettres canadiennes », affirme Camille Roy en 1904. Mais l'appel du large, loin de s'atténuer, ne fait que croître. De nombreux jeunes intellectuels partent étudier en Europe. Il ne s'agit pas seulement d'aller chercher ailleurs une formation intellectuelle inexistante au pays, comme l'avaient fait avant eux Edmond de Nevers, Léon Gérin, Camille Roy, Marius Barbeau, Édouard Montpetit ou Lionel Groulx. Si plusieurs écrivains « exotiques » en rapportent un diplôme, là n'est pas l'essentiel. Pour eux comme pour nombre d'écrivains étrangers, la Ville lumière représente la capitale de la modernité littéraire. Les Paul Morin, Guy Delahaye, Marcel Dugas, Robert de Roquebrune et Alain Grandbois y vivront tour à tour, certains durant une longue période.

À bien des égards, l'essor du régionalisme au cours de cette période peut se lire comme une réaction à cette littérature moderniste, symptôme d'un mal plus général qui minerait les fondements mêmes de la société traditionnelle. C'est l'Église qui exprime de la façon la plus évidente une telle réaction à l'endroit de l'exotisme et des premiers signes de modernité. Elle resserre son contrôle sur la production littéraire, en particulier sur les romans, dont l'influence paraît inquiétante. En 1904, à la suite de la publication de *Marie Calumet* du journaliste Rodolphe Girard, l'archevêque de Montréal, Mgr Bruchési, fait paraître dans *La Presse* une circulaire dans laquelle il explique que « les lois générales de l'Index en interdisent la lecture ». Quelques années plus tard, Albert Laberge subit le même sort lorsqu'il fait paraître dans une revue des épisodes de son roman *La Scouine* (« C'est de l'ignoble pornographie », selon Mgr Bruchési). Le roman paraîtra finalement en 1918, mais hors commerce. À la même époque, un lourd silence pèse sur *Le Débutant* (1914) d'Arsène Bessette, franc-maçon notoire et ami des poètes exotiques, comme s'il était tacitement convenu de ne pas parler du roman d'un individu aussi suspect. Selon Pierre Hébert, il s'agit d'une preuve de l'efficacité nouvelle de la censure cléricale, qui ne s'exprime plus seulement par la condamnation de textes publiés, mais par une sorte de censure pré-éditoriale, qui vise particulièrement les intellectuels ayant déjà commis des textes anticléricaux. Plus personne n'ose publier de tels textes au cours des années 1920. Il faudra attendre la décennie suivante pour voir surgir de nouveau des écrits susceptibles de tomber sous le coup d'un interdit clérical. Ce sera le cas, en 1931, du roman psychologique de Jovette-Alice Bernier, *La Chair décevante*, puis, en 1934, du roman de Jean-Charles Harvey, *Les Demi-civilisés* ; l'archevêque de Québec, le cardinal Villeneuve, menace alors d'excommunication tous ceux qui achèteraient, liraient ou vendraient ce roman.

Bon nombre de ces écrivains victimes de la censure cléricale ou de pressions politiques sont également des journalistes. Le vrai combat entre l'Église et les milieux intellectuels se situe dans les journaux, comme au xixe siècle. Des périodiques comme *Les Débats*, *Le Pays*, *Le Nationaliste*, mais aussi des quotidiens influents comme *La Presse*, *La Patrie* et même *Le Devoir*, sont régulièrement pris à partie à travers les mandements ou des lettres pastorales. L'État surveille de près ce qui s'écrit dans les journaux. L'emprisonnement des journalistes n'est pas rare à l'époque : Olivar Asselin et Jules Fournier iront tous deux en prison. L'Église et l'État font souvent front commun, le libéralisme de celui-ci s'accommodant du conservatisme de celle-là, considéré comme un gage de stabilité sociale.

Si la petite presse d'opinion reste l'apanage des hommes, plusieurs femmes profitent de l'expansion de la presse pour se faire un nom ou un prénom, comme Françoise (pseudonyme de Robertine Barry, 1863-1910), la « sœur d'amitié » de Nelligan, ou Madeleine (pseudonyme d'Anne-Marie Huguenin), ou Fadette (pseudonyme de Henriette Dessaulles) qui signe de très nombreuses chroniques féminines dans plusieurs quotidiens, dont la « Lettre de Fadette » publiée hebdomadairement dans *Le Devoir* de 1911 jusqu'à la mort de son auteur en 1946. Le succès des chroniques féminines est tel au début du siècle que l'on crée bientôt des magazines mensuels comme *La Revue populaire*, fondée en 1907, *La Bonne Parole* (1913-1958), et surtout *La Revue moderne*, fondée en 1919 par Madeleine, qui deviendra *Châtelaine* en 1960. La littérature y est présente, entre autres, sous la forme de romans sentimentaux d'origine française, dans le style des œuvres de Delly et de Magali.

De façon générale, la culture populaire envahit rapidement l'espace public, grâce notamment au cinéma et à l'imprimé de masse, qui tendent à transformer la culture en loisir. On y fait une consommation régulière de romans à l'eau de rose, de science-fiction, de bandes dessinées. On y fait aussi la promotion de mélodrames, de spectacles de variétés et de films. Si la plupart de ces productions viennent de France et des États-Unis, un éditeur local, Édouard Garand, innovera dans les années 1920 en instituant une collection de « romans canadiens » vendus à bas prix dans les kiosques à journaux. Il y lancera notamment des romanciers prolifiques aujourd'hui oubliés comme Ubald Paquin et Jean Féron.

Les huit chapitres qui suivent examinent tour à tour les aspects les plus significatifs de la nouvelle tension créée par l'attrait de Paris et du modernisme. Cette période se caractérise d'abord par l'avènement de groupes, comme l'École littéraire de Montréal et les poètes du *Nigog*, ou encore la Société du parler français au Canada et l'*Action française* de Montréal où Lionel Groulx expose sa doctrine nationale. Mais ces phénomènes collectifs ne doivent pas faire oublier l'émergence de figures singulières, comme celles d'Émile Nelligan, d'Olivar Asselin, de Jules Fournier, d'Albert Laberge ou de Jean-Aubert Loranger. Ce sont surtout ces auteurs qui feront ici l'objet d'une relecture. Cette période est également celle qui voit naître un des romans les plus célèbres de l'histoire littéraire du Québec, *Maria Chapdelaine*, qui est à la fois le plus régionaliste et le plus moderne des romans de l'époque. On verra aussi, en fin de parcours, la lente élaboration d'une vie théâtrale illustrée par l'immense succès de la pièce *Aurore, l'enfant martyre*.

1

La nouveauté de Nelligan

Il y a eu un esprit « fin de siècle » au Québec comme il y en a eu un en Europe. Même s'il s'est limité à des revues marginales et n'a pas produit d'œuvres importantes en dehors de celle de Nelligan, il n'en a pas moins existé et permet justement d'expliquer l'arrivée soudaine de l'auteur du « Vaisseau d'Or », qui autrement semblerait surgir de nulle part. Le mouvement décadent et symboliste a eu ses adeptes à Montréal, notamment autour d'une nouvelle génération qui avait vingt ans vers 1890, comme Édouard-Zotique Massicotte, Charles Gill et Henry Desjardins. Plusieurs revues éphémères expriment l'esprit fin de siècle. La plus importante est *L'Écho des jeunes* (1891-1895), inspirée des Jeunes-France et des Jeunes-Belgique. De l'aveu de Massicotte qui en est le cofondateur avec Victor Grenier, la revue n'a jamais compté plus de vingt-cinq à cinquante lecteurs, mais elle témoigne de l'ambiance qui règne alors à Montréal parmi les cercles d'étudiants. Cette jeunesse occupe plusieurs tribunes et réclame partout une véritable vie culturelle et artistique. Elle applaudit, entre autres, aux visites de Sarah Bernhardt ou de la cantatrice Albani, elle fait du théâtre amateur, assiste à des conférences et lit Baudelaire et Verlaine. Elle trouve aussi des appuis parmi les écrivains établis, comme Honoré Beaugrand ou Louis Fréchette. La culture fin de siècle s'apparente à une forme de loisir luxueux et constitue un signe, parmi d'autres, de l'essor d'une bourgeoisie francophone en mal de divertissement. Le théâtre, l'opéra, le vaudeville ou le burlesque rythment la vie urbaine au même titre que les concerts offerts au parc Sohmer ou les nouvelles activités sportives qui passionnent cette bourgeoisie. C'est aussi au moment où émerge cette classe bourgeoise que se développe une poésie nouvelle, tournée vers la célébration de l'art. Cette fonction proprement esthétique accordée à la poésie, et plus généralement à la littérature dans son ensemble, semble répondre au besoin, exprimé vers la même époque par Edmond de Nevers, de créer une « élite intellectuelle » canadienne-française.

L'École littéraire de Montréal appartient clairement à cette mouvance, même si elle n'a pas le ton radical et crâneur prisé par Massicotte et Grenier. Fondée en 1895, elle succède au petit groupe des Six Éponges, formé d'anciens étudiants du Collège Sainte-Marie. Elle ne vise pas à provoquer la bourgeoisie bien-pensante, mais simplement à créer un cénacle de poètes à Montréal. Ils se réunissent dans la maison de l'un ou de l'autre, dressent des procès-verbaux de leurs réunions, veulent se faire connaître et publient leurs poèmes dans des journaux comme *Le Monde illustré*. Leur ambition n'est pas que littéraire : comme d'autres écrivains avant eux, ils espèrent aussi contribuer à améliorer la langue écrite et parlée à

Montréal, largement contaminée par l'anglais selon eux. L'École littéraire cherche par là à s'intégrer dans l'élite cultivée de Montréal. Ce faisant, elle ne se présente pas comme une avant-garde et ne sacrifie pas longtemps au rituel contestataire de la bohème. Ce serait d'ailleurs une erreur de croire que ses principaux membres sont des marginaux ou des révoltés. Pour un Arthur de Bussières qui correspond bien à l'image d'Épinal du poète romantique – comme Nelligan, qui a été son ami –, il y a surtout des bourgeois respectables comme l'avocat Gonzalve Desaulniers ou l'abbé Joseph-Marie Melançon, plus connu sous le pseudonyme de Lucien Rainier. L'un d'entre eux, Charles Gill, lui-même professeur de dessin, résumera ainsi le profil sociologique du groupe : « quatre avocats, un graveur, deux journalistes, un médecin, un libraire, cinq étudiants, un notaire et un peintre réunis autour d'un tapis vert, jonché de manuscrits ». Aucun de ces poètes en herbe ne publie le moindre recueil avant la dissolution provisoire de l'École littéraire en 1899, mais ils constituent un milieu grâce auquel un jeune poète comme Nelligan a pu se faire connaître.

Avec Nelligan, la poésie change de registre pour devenir « de la musique avant toute chose », comme chez Verlaine. Le changement est radical, comme le suggé-rera la réaction négative de plusieurs contemporains pour qui la poésie est d'abord affaire de contenu, non de forme. Voué au seul exercice de la poésie, Nelligan fait de celle-ci un sacerdoce à la façon des écrivains romantiques et de leurs successeurs parnassiens, symbolistes et décadents. La critique le présente souvent, pour aller vite et pour le situer dans l'histoire littéraire générale, comme le Rimbaud québécois. Les coïncidences d'ordre biographique sont frappantes, Nelligan ayant écrit tous ses poèmes (environ 170), comme Rimbaud, durant son adolescence. À l'âge de vingt ans, le 9 août 1899, quelques semaines seulement après avoir écrit son célèbre sonnet « Le Vaisseau d'Or », Nelligan est interné à l'asile Saint-Benoît-Joseph-Labre, à Longue-Pointe. Diagnostic médical : « dégé-nérescence mentale. Folie polymorphe ». En termes modernes, il s'agit de schizo-phrénie. Après Saint-Benoît, il ira à l'hôpital Saint-Jean-de-Dieu où il restera jusqu'à sa mort en 1941. À la différence de Rimbaud, Nelligan ne tourne toutefois pas entièrement le dos à son œuvre : même interné, il ne cesse jamais d'écrire des poèmes ou, plus exactement, de réécrire ses poèmes. Mais cette partie longtemps cachée de son œuvre ne change rien à la fulgurance toute rimbaldienne de Nelligan et elle ne contient aucun texte majeur.

Né le 24 décembre 1879 à Montréal, Émile Nelligan est le fils d'un Irlandais, David Nelligan, et d'une Canadienne française, Émilie Hudon. Celle-ci, il est difficile de ne pas le noter tant la figure maternelle est présente dans les poèmes, exerce une fascination particulièrement forte sur le jeune Émile, qui ne cesse de célébrer sa sensibilité artistique et sa pureté d'ange. L'identification paraît d'autant plus significative qu'elle va de pair avec le refus de l'utilitarisme bourgeois que représente le père. Le conflit œdipien dépasse ici le cadre familial et prend une dimension symbolique qui n'est pas étrangère à la mythification du poète. En choisissant d'écrire en français et en se parant des oripeaux de la bohème parisienne, Émile prend implicitement parti contre toute une culture anglo-saxonne associée à l'autorité paternelle. C'est d'ailleurs le père d'Émile, soulignent ses biographes, qui décide de faire interner son fils, lui qui s'était toujours opposé à ses activités littéraires et qui cherchait par tous les moyens à le contraindre de retourner sur les bancs d'école. À dix-sept ans, après avoir changé trois fois de collège et sans passer la deuxième année du cours classique (la classe de syntaxe), Émile abandonne ses études et se voue entièrement à la poésie. Il s'initie donc à celle-ci en autodidacte, hors de toute institution scolaire.

Il entre en 1897 à l'École littéraire de Montréal, dont il est le membre le plus jeune. L'année suivante, il rencontre Louis Dantin et Françoise (Robertine Barry), la « sœur d'amitié » qui fera paraître plusieurs de ses poèmes dans *La Patrie*. Le nom de Nelligan commence dès lors à circuler dans le milieu littéraire et sa participation aux séances publiques de l'École littéraire est importante. Au cours de la séance du 26 mai 1899, après avoir récité son fameux poème « La romance du vin », Nelligan, selon Dantin, est acclamé par ses amis de l'École littéraire et porté en triomphe jusque chez lui. « J'ai vu un soir Nelligan en pleine gloire », écrira-t-il dans la préface de la première édition des poèmes (1904). Nelligan devient à ce moment une figure mythique de la littérature québécoise : il incarne le poète romantique incompris des siens qui sombre dans la folie. « Émile Nelligan est mort », déclare Dantin au début de sa préface, séparant ainsi le poète éternellement jeune de l'homme qui, lui, vivra jusqu'à l'âge de soixante-deux ans.

La nouveauté de Nelligan tient à trois éléments principaux. Tout d'abord, pour la première fois au Canada français, voici quelqu'un qui se présente exclusivement comme un poète et qui consacre toute sa vie à la poésie. Ce choix constitue un geste particulièrement radical alors que la plupart des autres membres de l'École littéraire de Montréal s'adonnent à la poésie en amateurs, comme à une sorte de passe-temps. Nelligan, lui, y voit beaucoup plus qu'une activité mondaine ou même un métier : la poésie représente à ses yeux une vocation quasi religieuse, une façon d'être. Sa vie paraît se résumer tout entière à ce « rêve d'artiste ». Toute son œuvre est poétique au sens le plus strict, comme s'il avait résolu de ne jamais écrire autre chose que de la poésie. Pas un seul texte de prose ne nous est parvenu. C'est là un cas assez exceptionnel dans l'histoire littéraire. Même chez les poètes qui pratiquent le culte de la poésie pure, on rencontre généralement à tout le moins des textes réflexifs sur la nature de la poésie. Nelligan, lui, n'a eu ni le goût ni le temps de dialoguer avec d'autres œuvres (ou avec la sienne) autrement que sous la forme de poèmes. De là le caractère absolu de sa poésie, qui semble se passer de justifications, comme si elle allait de soi et affirmait par là sa souveraineté.

Émile Nelligan, 1899. Studio Laprès et Lavergne. Université d'Ottawa, CRCCF,
Fonds Paul-Wyczynski (P19), Ph29-23/2.

Deuxième nouveauté importante, la primauté de la forme sur le contenu ou, plus exactement, le refus d'accorder au contenu la supériorité que la poésie canadienne-française lui reconnaissait généralement jusque-là. C'est là une proposition qui deviendra banale par la suite, mais qui n'en est pas moins relativement audacieuse vers 1900. Il ne s'agit pas nécessairement d'écarter toute visée patriotique ou de lui opposer un vocabulaire et des thèmes exotiques comme le feront les poètes du *Nigog*. La poésie chez Nelligan est naturellement exotique : elle vient d'ailleurs et représente en soi un arrachement à l'immédiat. Elle se présente comme un autre langage et ce n'est pas un hasard si elle se reconnaît dans la musique et la peinture. Nelligan est le premier écrivain canadien-français à prendre appui aussi fortement sur des formes artistiques non verbales, à considérer le poème comme une matière plastique et sonore. Le plus bel exemple à cet égard reste le fameux « Soir d'hiver », qui commence ainsi :

> Ah ! comme la neige a neigé !
> Ma vitre est un jardin de givre.
> Ah ! comme la neige a neigé !
> Qu'est-ce que le spasme de vivre
> À la douleur que j'ai, que j'ai !

Tout le poème est construit autour du motif de l'hiver et de variations sur les sonorités initiales. Les répétitions, loin de constituer un simple ornement rhétorique, donnent à l'enfermement mélancolique une vérité accrue. Le poème ne cesse ainsi de faire retour sur lui-même, de revenir sur l'image de départ. La réussite formelle de ce poème est d'autant plus remarquable qu'il ne s'agit pas d'un exercice de virtuosité, comme dans certains autres poèmes au lexique rare et aux images baroques. « Soir d'hiver », au contraire, se distingue par sa retenue et sa simplicité.

Le troisième élément nouveau de cette poésie permet de nuancer ce qui vient d'être dit au sujet de la primauté formelle : lire Nelligan, c'est aussi entrer dans une poésie tournée vers l'intériorité pathétique du poète. On le voit clairement dans le dernier exemple, qui associe d'emblée l'hiver à la vision du poète collé à sa vitre. C'est là un trait général de sa poésie : à l'inverse de la poésie patriotique qui évoque les paysages extérieurs et des figures typiques célébrées par l'idéologie officielle, les poèmes de Nelligan parlent d'espaces clos, de maisons muettes, de chambres, de jardins, de salons, de chapelles, de cloîtres, etc. C'est donc aussi par leur contenu que ces poèmes se distinguent de la poésie patriotique du XIXᵉ siècle. Certes, quelques poètes, comme Eudore Évanturel ou Alfred Garneau, avaient déjà produit des textes à caractère intimiste. Mais chez Nelligan l'intime occupe tout le territoire et devient aussi poétique que les châteaux en Espagne. « Les pieds sur les chenets », le poète s'abandonne à son « amour d'Art » et à ses visions poétiques. L'intime, chez Nelligan, peut toutefois être aisément associé à la figure sacralisée du poète tel qu'on le définit depuis le romantisme. Nelligan se reconnaît pleinement dans l'image du poète génial, de Musset à Verlaine. Sa poésie est romantique avec autant de ferveur que celle de Fréchette a été patriotique. Cependant, le sentimentalisme appuyé du poète ne rend pas moins authentique l'expression de sa mélancolie. L'expérience grandiose de la solitude représente un idéal poétique en même temps qu'une tragédie personnelle.

De même, le sentiment de piété filiale qu'on retrouve dans de nombreux poèmes comme « Devant deux portraits de ma mère » prend certes sa source dans l'atmosphère religieuse de l'époque, mais il s'intègre dans une vision d'abord poétique. Il ne s'agit pas d'un thème de commande, exploité par souci de renforcer un programme idéologique. S'il y a des chapelles et des saints à profusion chez Nelligan, c'est qu'ils participent pleinement à l'idée de vocation poétique. La référence religieuse est détournée au profit de la seule ferveur artistique, ce qui lui confère un sens très différent de ce qu'elle suppose chez ses contemporains. Elle a plus à voir avec le mysticisme et avec le désir romantique de réclusion qu'avec la tradition catholique. Comme chez le poète symboliste belge Georges Rodenbach, dont Nelligan s'est ouvertement inspiré, la religion est extrêmement visible, mais esthétisée, soumise au règne de l'art. C'est le cas, par exemple, dans le poème « Rêve d'une nuit d'hôpital » :

> Cécile était en blanc, comme aux tableaux illustres
> Où la Sainte se voit, un nimbe autour du chef.
> Ils étaient au fauteuil Dieu, Marie et Joseph ;
> Et j'entendis cela debout près des balustres.
>
> Soudain au flamboiement mystique des grands lustres,
> Éclata l'harmonie étrange au rythme bref,
> Que la harpe brodait de sons en relief...
> Musiques de la terre, ah ! taisez vos voix rustres !...
>
> Je ne veux plus pécher, je ne veux plus jouir,
> Car la sainte m'a dit que pour encor l'ouïr,
> Il me fallait vaquer à mon salut sur terre.
>
> Et je veux retourner au prochain récital
> Qu'elle me doit donner au pays planétaire,
> Quand les anges m'auront sorti de l'hôpital.

Fier de sa solitude obligée, le poète préfère la compagnie de voix anciennes, loin des bruits extérieurs, dans une sorte de retraite splendide. La musique, on l'a vu, joue à cet égard un rôle majeur. Elle captive le poète aux deux sens du verbe :

elle l'envoûte et l'emprisonne, créant un univers en miniature où les perceptions sensorielles semblent démultipliées. De même, les poèmes se construisent volontiers sous forme de tableaux clairement découpés, explicitement ou implicitement rattachés à la vision du poète. Le meilleur exemple de cette surenchère de sensations reste « La romance du vin » dont voici la première et la dernière strophe :

> Tout se mêle en un vif éclat de gaîté verte.
> Ô le beau soir de mai! Tous les oiseaux en chœur,
> Ainsi que les espoirs naguères à mon cœur,
> Modulent leur prélude à ma croisée ouverte.
>
> [...]
>
> Les cloches ont chanté ; le vent du soir odore...
> Et pendant que le vin ruisselle à joyeux flots,
> Je suis si gai, si gai, dans mon rire sonore,
> Oh ! si gai, que j'ai peur d'éclater en sanglots !

Après son internement, dix-sept textes de Nelligan sont publiés dans le recueil de l'École littéraire, *Les Soirées du Château de Ramezay*. Le sort de son œuvre est étroitement lié à Louis Dantin, qui publie en 1902 une série d'articles dans la revue *Les Débats* permettant de mesurer pour la première fois l'envergure de Nelligan. Louis Dantin – dont l'œuvre sera présentée dans le chapitre consacré à la critique de l'entre-deux-guerres – est le plus utilisé des nombreux pseudonymes dont s'est servi Eugène Seers (1865-1945). À dix-huit ans, il va poursuivre ses études en Europe, voyage et, au cours d'une retraite chez les pères du Très-Saint-Sacrement de Bruxelles, entre en religion. À vingt-deux ans, il obtient un doctorat en philosophie de l'Université Grégorienne de Rome et il est ordonné prêtre. Une histoire d'amour oblige Eugène Seers à s'éloigner de la congrégation en 1894 et, de retour au Québec, à affronter le scandale et la colère de son père. Il passe ensuite une dizaine d'années à Montréal, menant une sorte de double vie et fréquentant la bohème ; c'est au cours de cette période qu'il fait, en 1896, la rencontre d'Émile Nelligan. En 1903, avant même de mener à terme l'édition des poèmes de ce dernier, il quitte brusquement le pays pour éviter un nouveau scandale familial. Il s'installe à Cambridge, au Massachusetts, où il exerce le métier de typographe, qu'il pratiquera plus tard à l'imprimerie de l'Université Harvard. Le travail commencé par Dantin sera achevé en 1904 par Charles Gill à la Librairie Beauchemin et publié sous le titre *Émile Nelligan et son œuvre*.

Les articles de Dantin y sont repris sous la forme d'une préface qui se révèle encore à ce jour l'une des meilleures introductions à la poésie de Nelligan en même temps qu'un témoignage d'un des rares amis du poète. L'hypothèse de départ de Dantin est celle-ci : la musique libère le poème du poids des idées. Nelligan n'a aucune doctrine à proposer, à l'inverse de la poésie patriotique de ses prédécesseurs : « Et tout notre poète est là. Cette lacune énorme, l'absence d'idées, devient chez lui presque du génie. » Dantin fait ensuite un choix raisonné parmi les poèmes de Nelligan, écartant ceux qui lui paraissent les plus faibles. Comme Camille Roy au même moment, il reproche à son ami d'avoir négligé les réalités locales au profit de « bibelots de Saxe », de « vases étrusques » et de « dentelles de Malines ». Mais à force d'imiter la poésie française, Nelligan parvient aussi, selon Dantin, à s'inventer un style personnel et composite, mi-parnassien, mi-symboliste. Le critique admire en particulier les poèmes intimistes de Nelligan, dont la tristesse (« sans objet, sans cause ») a des accents verlainiens, comme dans les distiques suivants :

> Comme les larmes d'or qui de mon cœur s'égouttent,
> Feuilles de mes bonheurs, vous tombez toutes, toutes.
>
> Vous tombez au jardin de rêve où je m'en vais,
> Où je vais, les cheveux au vent des jours mauvais.
>
> Vous tombez de l'intime arbre blanc, abattues
> Çà et là, n'importe où, dans l'allée aux statues.

L'édition de 1904 joue un rôle déterminant dans la consécration de Nelligan. À partir de là, d'autres poètes, comme Albert Lozeau, puis les exotiques, se réclament de l'héritage nelliganien. Quant à l'École littéraire de Montréal, elle se disperse après la publication des *Soirées du Château de Ramezay*. Mais on trouve chez certains de ses membres un culte de l'art et un sens rythmique qui rappellent la poésie de Nelligan. Le plus coloré de ces poètes est certainement Arthur de Bussières (1877-1913), auteur d'un recueil de sonnets intitulé *Les Bengalis*, publié de façon posthume en 1931. Poète à la fois autodidacte et précieux, il incarne la tendance « exotiste » jusqu'à la caricature. Il ne fait pas partie de ceux qui relancent l'École littéraire de Montréal en 1909 autour d'une revue dont le titre, *Le Terroir*, montre bien que le groupe s'est entre-temps identifié au courant régionaliste. L'évolution de l'École littéraire est trompeuse toutefois, dans la mesure où elle connaît plusieurs phases. Dans les années 1910 et surtout 1920, elle devient plus active et rassemble des noms qui appartiennent à des courants différents : Alphonse Beauregard (1881-1924), qui célèbre dans des poèmes abstraits « la matière en marche, éternelle, infinie », Jean-Aubert Loranger (1896-1942), ami des exotiques du *Nigog*, le critique Victor Barbeau (1896-1994), contempteur du régionalisme, mais aussi Claude-Henri Grignon (1894-1976), qui incarnera au contraire le régionalisme paysan et bien d'autres anciens clairement identifiés au terroir, comme Albert Ferland (1872-1943).

Albert Lozeau. Centre d'archives de Montréal, Fonds Albert Lozeau, MSS-384. Bibliothèque et Archives nationales du Québec.

Un tel éclectisme n'a rien de surprenant dans le contexte de l'époque. Loin de s'opposer nettement, le modernisme et le régionalisme se côtoient bien souvent dans le milieu de la poésie canadienne-française, y compris au sein de l'École littéraire de Montréal. Dès sa première phase, celle-ci comptait son lot d'écrivains traditionnels, ce qui explique peut-être que Nelligan ne se soit jamais senti tout à fait chez lui parmi ce cénacle. C'était le cas de Charles Gill (1871-1918), qui a été l'un des poètes les plus ambitieux de l'École littéraire. « L'âme de Nelligan m'a prêté son génie », écrira-t-il. Ses poèmes, rédigés entre 1901 et 1913, sont dédiés à Lamartine, à Hugo, à Crémazie ou à Lozeau. Il projette d'écrire une épopée semblable à *La Légende d'un peuple* de Fréchette, mais sur le thème du fleuve. Il n'aura le temps que d'en rédiger une partie, intitulée *Le Cap Éternité*.

Parmi les nombreux versificateurs traditionnels, le plus habile est sans doute Lucien Rainier (1877-1956). Il quitte l'École littéraire dès 1897 pour devenir prêtre et ne publiera qu'un recueil, *Avec ma vie* (1931), mais il jouit d'une influence considérable parmi le premier groupe. On lui demande souvent conseil pour apprendre à bien versifier. Il porte toutefois un jugement sévère sur ses amis poètes, trop pompeux et naïfs à son goût. Il ne se reconnaît qu'à moitié dans leur enthousiasme juvénile. Même Nelligan ne trouve pas vraiment grâce à ses yeux, comme il l'écrit dans son journal :

Émile Nelligan, un tout jeune en poésie, lit des vers de sa composition, d'une belle voix grave, un peu emphatique, qui sonne les rimes. Il lit debout, lentement, avec âme. La tristesse de ses poèmes assombrit son regard. Il y a de la beauté dans son attitude, c'est sûr. Mais ses vers ? – De la musique, de la musique et rien d'autre.

Il faut sortir de l'École littéraire de Montréal pour trouver les véritables héritiers de Nelligan. Albert Lozeau (1878-1924) est sans doute, après lui, le poète le plus accompli de cette période. Son registre de prédilection est l'intimisme, et il apparaît aussi de ce point de vue comme un successeur d'Eudore Évanturel et d'Alfred Garneau. Atteint dans sa jeunesse d'une maladie de la colonne vertébrale, il est paralysé le reste de sa vie. Lozeau combat son destin de marginal en s'investissant dans la vie littéraire, même s'il n'est pas en mesure d'assister aux réunions de l'École littéraire de Montréal. Loin de mythifier son existence de reclus, il insiste plutôt sur les faiblesses que sa maladie expliquerait :

Je suis resté neuf ans les pieds à la même hauteur que la tête : ça m'a enseigné l'humilité. J'ai rimé pour tuer le temps, qui me tuait par revanche... Je suis particulièrement abondant en faiblesses. C'est que je n'ai pas fait mon cours classique, que je ne sais pas le latin dont la connaissance est indispensable pour bien écrire le français.

Quoi qu'il en dise, Lozeau est un remarquable artisan. Il écrit beaucoup, et arrive souvent à tenir à distance les polarisations de son époque. Un poème comme « Le matin » montre la maîtrise du rythme de l'alexandrin et illustre la thématique de l'observation contemplative que Lozeau privilégie souvent :

> Matin de lent brouillard monotonement gris.
> Les arbres bourgeonnants se dressent amaigris
> Et vagues, comme s'ils étaient l'ombre d'eux-mêmes.
> Le cercle rétréci des froids horizons blêmes
> Étreint, comme un collier prodigieux de bras,

Les toits mouillés et nus qui se tassent en bas.
Le vent brusque renverse aux maisons embrumées
Le panache mouvant des légères fumées.
Et du gris sur du gris comme une cendre pleut...
Et pris d'un vain regret de soleil et de bleu,
Je rêve, le front triste et lourd de somnolence,
Que l'azur en l'espace élargi recommence...

L'œuvre de Lozeau recèle plusieurs réussites de ce genre, un peu pâles, aussi étrangères à l'emphase idéologique qu'au morceau de bravoure formaliste. Mais à l'occasion de la guerre de 1914-1918, il met la poésie au service du patriotisme et, à la fin de sa vie, il endosse avec un enthousiasme étonnant la doctrine régionaliste, sans arriver, cependant, à illustrer ces principes par des réalisations convaincantes.

La fortune de Nelligan dans la littérature québécoise se mesure aussi aux nombreux hommages que les écrivains lui ont rendus. Guy Delahaye, l'un des premiers à rendre visite à Nelligan à l'asile en 1909, lui dédie un triptyque de son premier recueil, *Les Phases* (1910). Marcel Dugas reconnaît en Nelligan « le seul vrai grand » poète canadien-français. Robert de Roquebrune publie un « Hommage à Nelligan » en 1918 dans les pages du *Nigog* et le présente comme une figure héroïque. Après cette génération, la renommée de Nelligan s'élargit au-delà des seuls poètes. Dans son roman *Le Beau Risque* (1939), François Hertel met en scène un personnage qui va rencontrer Nelligan à l'hôpital Saint-Jean-de-Dieu (Hertel, comme plusieurs autres, était lui-même allé rendre visite au poète). Trois décennies après la mort de Nelligan, Réjean Ducharme lui donne sa représentation romanesque la plus célèbre dans *Le nez qui voque*, alors que Mille Milles et Chateaugué collent la fameuse photographie du poète sur le mur de leur chambre. Cette photo, qui traduit parfaitement la jeunesse éternelle du poète, devient le symbole d'une posture esthétique chère à Ducharme. En 1991, Michel Tremblay signe le livret de l'opéra *Nelligan*, relançant un mythe qui aura pris toutes les formes au cours du siècle : la peinture (Jean Paul Lemieux), la chanson (Monique Leyrac, Claude Dubois), le cinéma (Robert Favreau), le théâtre (Normand Chaurette intitule une de ses pièces d'après le poème déjà cité « Rêve d'une nuit d'hôpital »). Aucun écrivain québécois ne fait l'objet d'une telle fascination : « Le mythe de Nelligan, écrit Jean Larose, est un vrai mythe, pérenne, vivant, fixé et populaire. »

Après l'édition de 1904, deux éditions critiques verront le jour : celle de Luc Lacourcière en 1952, qui s'avère la première édition critique de l'histoire du Québec, et celle de Réjean Robidoux, Paul Wyczynski et Jacques Michon en 1991. D'une édition à l'autre, le nombre de poèmes augmente : on passe de 107 chez Dantin à 162 chez Lacourcière puis à 171 chez Robidoux, Wyczynski et Michon.

Cette dernière édition, en deux volumes, donne à l'expression « poésies complètes » une extension maximale : le premier volume s'intitule *Poésies complètes 1896-1941*, incluant ainsi dans l'œuvre toutes les réécritures des poèmes effectuées durant la période asilaire ; le second volume, qui s'adresse surtout aux chercheurs, reproduit in extenso les manuscrits asilaires dans lesquels Nelligan recopiait, plus ou moins fidèlement, divers poèmes de langue française et de langue anglaise (en plus des siens). En 1996, Réjean Beaudoin proposera de revenir à l'édition originale préparée par Dantin, la seule qui s'appuie directement sur les manuscrits de Nelligan.

Une telle activité éditoriale est en soi significative : c'est que le mythe de Nelligan ne vient jamais à bout du poète, dont le rôle au tournant du siècle est capital. Il s'approprie les formes anciennes du romantisme comme les formes plus contemporaines du mouvement décadent et il les transpose dans un univers où elles paraissent radicalement nouvelles. Ce faisant, il inspire toute une génération de poètes qui découvre à travers lui une liberté de création inédite.

2

La littérature canadienne-française existe-t-elle?

L'arrivée de Nelligan et de l'École littéraire de Montréal introduit un élément qui n'était guère présent au moment du débat entre l'abbé Henri-Raymond Casgrain et Octave Crémazie sur la littérature canadienne-française : la possibilité que se constitue un milieu littéraire national, mais aligné sur les modèles esthétiques parisiens. Pour Crémazie, la question ne se posait pas en ces termes. La littérature canadienne-française n'avait aucun avenir, ni sur place ni à l'étranger. Mais le cas de Nelligan change la perspective : voici qu'un écrivain nettement inspiré par la littérature française moderne est acclamé ici et représente même un modèle parmi la nouvelle génération de poètes canadiens-français. Pour Casgrain, la littérature qui était en train de se former au Canada français était forcément une littérature nationale : tout écrivain, y compris Crémazie lui-même en dépit de ses affinités avec le réalisme moderne, en faisait partie. Avec Nelligan, dont la poésie est tout sauf nationale, la question se complique. Comment construire une littérature nationale si les écrivains se comportent comme s'ils étaient français? Une telle question débouche sur ce qu'André Belleau appellera « le conflit des codes dans l'institution littéraire québécoise ». Car cette institution, qui en est encore à ses débuts, s'élabore avec difficulté au croisement des codes socioculturels québécois (les thèmes majeurs sont empruntés au terroir local) et des codes littéraires français (la norme linguistique et la hiérarchie des formes sont, à l'inverse, importées de Paris).

Le premier à poser une telle question est l'abbé Camille Roy (1870-1943), dans une conférence célèbre de 1904 intitulée « La nationalisation de la littérature canadienne ». Futur titulaire de la chaire de littérature française à l'Université Laval, Camille Roy poursuit le travail entrepris par l'abbé Casgrain, mais en appliquant la méthode, dite scientifique, de l'histoire littéraire. Licencié ès lettres de la Sorbonne, il a suivi les leçons de Ferdinand Brunetière, Émile Faguet, Gustave Lanson et Gaston Paris, et tente de les transposer dans la littérature canadienne. Dès son retour au pays en 1901, il participe à la fondation de la Société du parler français, puis entreprend l'inventaire de la littérature nationale. Ses textes paraissent dans le *Bulletin* de la Société, avant d'être rassemblés en 1909 dans un livre intitulé *Nos origines littéraires*. Il est le premier, en 1906, à enseigner la littérature canadienne-française à l'université. L'année suivante, il publie un manuel de littérature canadienne destiné aux élèves des collèges classiques, *Tableau de l'histoire de la littérature canadienne-française*, qui deviendra le *Manuel d'histoire de la littérature canadienne de langue française*. Réédité huit fois du vivant de l'auteur, ce livre fera autorité jusqu'au milieu du XXe siècle. Même si Edmond Lareau a fait paraître une *Histoire de la littérature canadienne* dès 1874, c'est Camille Roy qui s'impose comme le véritable fondateur de l'histoire littéraire nationale.

Placée sous l'égide de la Société du parler français, la conférence de 1904 est tout à fait typique du discours clérico-nationaliste. Roy commence par écarter la thèse de Crémazie selon laquelle il ne peut y avoir une littérature nationale au Canada français. Selon lui, il n'est plus permis de douter de son existence (on verra que Jules Fournier et plusieurs autres en doutent encore). Il associe ensuite la littérature avec la langue pour mieux définir les limites souhaitables des influences étrangères :

Si donc c'est une question aujourd'hui que de savoir comment il convient de protéger notre langue contre les influences qui la pourraient corrompre, c'en est une autre qui s'y rattache par plus d'un lien, que de découvrir comment il ne faut pas égarer sur des sujets étrangers, ou gâter par des procédés exotiques notre littérature canadienne. [...]
  Traiter des sujets canadiens et les traiter d'une façon canadienne : tel est le mot d'ordre, ou le refrain que s'en vont répétant nos publicistes et nos critiques.

Camille Roy reconnaît qu'il serait absurde de vouloir interdire aux romanciers canadiens de situer leurs personnages ailleurs que dans le seul terroir. Mais il se méfie beaucoup de l'influence de la France contemporaine, qui vote au même moment la loi Combes sur la séparation de l'Église et de l'État. Fidèle à Rome, il rejette a priori toute forme de modernisme et en particulier les écoles littéraires qui se sont succédé depuis la fin du XIXᵉ siècle, comme le naturalisme, le symbolisme et le décadentisme. Au cœur de la conférence se trouve le rejet de la littérature française moderne :

Notre plus grande ennemie c'est la littérature française contemporaine ; c'est elle qui menace d'effacer sous le flot sans cesse renouvelé de ses débordements le cachet original qui doit marquer la nôtre. Nous ne risquons pas de perdre notre originalité quand nous donnons à notre esprit, pour l'en nourrir et l'en engraisser, la « substantifique moelle » des auteurs classiques des dix-septième et dix-huitième siècles, mais il est à craindre que nous ne devenions de pâles imitateurs quand nous fréquentons chaque jour les romans, les poésies, les drames, les études de toutes sortes que chaque jour l'on publie en pays de France.

Tel est, selon lui, le défaut d'écrivains comme « ce pauvre et si sympathique Nelligan », qui s'est laissé attirer « par l'argot des écrivains malades de France ». Camille Roy ajoute : « voilà ce qui n'est pas canadien, et voilà donc ce qu'il faut condamner ». À la France contemporaine Roy oppose la France de l'Ancien Régime, c'est-à-dire « la France très chrétienne, [...] celle qui a précédé ou qui n'a pas fait la Révolution ». C'est là une idée courante chez les historiens de l'époque et qui se retrouvera chez Lionel Groulx. Elle permet tout à la fois d'affirmer le lien avec la France de l'Ancien Régime et l'indépendance à l'égard de la France contemporaine. En outre, la langue, la littérature, la nation et la religion sont toutes étroitement liées au culte de la tradition et servent de remparts contre les valeurs modernes.

Le programme de Camille Roy postule que la littérature canadienne-française est « à nous et pour nous ». Il ajoute : « N'écrivons pas pour satisfaire d'abord le goût des lecteurs étrangers, ni pour chercher par-dessus tout leurs applaudissements, mais écrivons plutôt pour être utiles ou agréables à nos compatriotes, pour éveiller ici les esprits, orienter leur activité, et pour accroître le trésor de notre propre littérature. » C'est pourquoi Roy propose d'enseigner la littérature canadienne à tous les niveaux et de ne plus aligner les programmes d'enseignement sur les programmes français. « Il ne faut pas que nos écoliers apprennent l'histoire et la géographie comme s'ils étaient de petits Européens, et, dans l'Europe, de petits Français ; ils les doivent plutôt étudier comme s'ils étaient de petits Américains, et, dans l'Amérique, de petits Canadiens ! » Une telle idée ne provoque guère de débats au début du xxe siècle. Ce qui suscite surtout les réserves, voire les sarcasmes, de ses contemporains modernistes, ce n'est d'ailleurs pas la thèse nationaliste sur laquelle elle s'appuie : c'est la complaisance face à la médiocrité des œuvres dites régionalistes.

La conférence de Camille Roy marque le début de ce qui deviendra, quelques années plus tard, la querelle entre les régionalistes et les exotiques. Avant que celle-ci ne prenne forme, la question de l'existence même de la littérature canadienne-française, écartée par Camille Roy, refait surface chez deux journalistes qui jouent un rôle central dans la vie littéraire des deux premières décennies du siècle : Olivar Asselin (1874-1937) et son jeune ami Jules Fournier (1884-1918). Inspirés tous deux par l'exemple d'Arthur Buies, ils se reconnaissent toutefois moins dans l'art de la chronique que dans celui du pamphlet. Écrire, pour l'un et l'autre, relève presque toujours du combat, que ce soit à propos de politique ou de littérature. Leurs articles comptent parmi les textes de prose les plus lucides et les plus vivants de cette époque.

Asselin se considère comme étant journaliste avant d'être écrivain. Homme d'action, celui qu'on surnommait « le petit caporal » à cause de sa carrière militaire, de sa petite taille et de son allure virile s'est surtout fait connaître par son infatigable militantisme et par son style véhément. Mais, à l'inverse de son maître à penser Henri Bourassa, il aime fréquenter et lire les écrivains de la nouvelle génération. Le journal hebdomadaire qu'il fonde en 1904, *Le Nationaliste*, devient rapidement l'un des principaux foyers du renouveau littéraire avant de regrouper plutôt des régionalistes, selon une évolution déjà rencontrée à propos de l'École littéraire de Montréal. Plus que *Les Débats*, que le clergé avait réussi à faire disparaître, *Le Nationaliste* s'impose comme un journal à la fois politique et intellectuel. C'est dans ce journal indépendant, très marqué par le nationalisme pancanadien d'Henri Bourassa, qu'Asselin pratique avec le plus de succès son art du pamphlet. Claude-Henri Grignon, plus tard champion du genre, écrira au sujet du trio formé par Asselin, Fournier et Bourassa : « Trois mousquetaires. Des vrais. Ils ne portaient ni jabots de dentelle, ni habits de velours, mais ils n'en savaient pas moins jouer de l'épée. Tout le monde à Montréal parle du *Nationaliste*. » Les nombreux procès intentés à Asselin contribuent à sa notoriété et semblent si courants qu'ils font partie de l'ordinaire du journaliste. Il lui arrive même, on l'a dit, de faire un bref séjour en prison, notamment en 1907 alors qu'il est accusé d'avoir « nargué la justice ». Son camarade Jules Fournier est du même bois : en 1909, il passe dix-sept jours en prison pour avoir écrit dans *Le Nationaliste* un article intitulé « La prostitution de la Justice ». En 1910, Fournier évoquera non sans fierté ses *Souvenirs de prison*. Henri Bourassa est plus sage, d'un catholicisme inattaquable, et il se méfie du caractère frondeur de ses protégés. Lorsqu'il fonde *Le Devoir*, en 1910, il les invite tous deux à collaborer à son quotidien, mais il ne leur laisse pas la bride sur le cou. Les deux pamphlétaires s'en aperçoivent et ne mettent que quelques mois avant d'aller continuer ailleurs leurs multiples combats.

Notamment le combat littéraire, qu'Asselin et Fournier ne perdent jamais de vue. Grâce à Françoise qui lance son propre journal en 1902 (*Le Journal de Françoise*), Asselin connaît Charles Gill, Arthur de Bussières, Jean Charbonneau, Lucien Rainier, Louis Dantin, Gonzalve Desaulniers, Germain Beaulieu, Albert Lozeau, Louvigny de Montigny et plusieurs autres poètes issus de l'École littéraire de Montréal. Dans ce cercle de poètes-journalistes, on parle souvent de Nelligan, dont Louis Dantin vient juste de faire paraître les poèmes et qui demeure une figure idéalisée, bientôt mythique. Mais surtout on se passionne pour la question de la langue, plus que jamais au centre de la définition de la culture nationale.

Savoir écrire : tous ceux qui collaborent à l'hebdomadaire *Le Nationaliste* doivent d'abord prouver qu'ils en sont capables. Asselin vante la maîtrise du subjonctif de l'ultramontain Jules-Paul Tardivel, se moque en revanche de Jules Fournier à ses débuts, lui reprochant d'écrire plus mal que la moyenne des journalistes. L'un des poètes de l'École littéraire de Montréal, Arthur de Bussières, sera congédié par Asselin parce qu'il ne maîtrisait pas suffisamment la prose. Un journaliste, selon Asselin, a donc, vis-à-vis de la langue, une responsabilité aussi importante qu'un écrivain.

Au départ, *Le Nationaliste* est cependant orienté vers l'action tout autant que vers la discussion d'ordre littéraire. Chaque numéro du journal est un petit événement. Les étudiants se regroupent pour acheter un exemplaire à 2 cents. L'humour, le ton polémique et joyeux en même temps séduisent les contemporains. On sent qu'il se passe là quelque chose : la vie littéraire et intellectuelle, durant la période où Asselin est directeur, c'est-à-dire entre 1904 et 1908, c'est là qu'elle se fait. Quatre pages simplement, mais c'est dans ce « journal du dimanche » que s'expriment les plumes les plus libres. On y cultive le plaisir de l'esprit de même qu'un mépris généralisé pour la classe politique et pour la bourgeoisie dite cultivée, souvent accusée de mal écrire. Autodidacte, Asselin ne cesse de revenir aux grandes œuvres littéraires françaises et anglaises qui lui ont servi de terreau intellectuel. Il croit profondément à la nécessité de former une élite canadienne-française sur le modèle français et, ce faisant, il symbolise une tradition francophile qui prend son essor au tournant du siècle.

Asselin pousse le zèle jusqu'à s'engager volontairement dans la guerre de 1914 pour prêter secours à la France, lui qui rejette pourtant l'idée de conscription au nom de l'indépendance nationale. À travers son exemple, on voit se pratiquer un culte de la France chez les écrivains canadiens-français. C'est par sa francophilie qu'Asselin se rattache au groupe des exotiques, même s'il se présente comme un nationaliste. Il est passionné par la France contemporaine, à l'inverse de Camille Roy et de la Société du parler français. Il sera, en 1919, l'un des rares critiques à parler du roman naturaliste d'Albert Laberge, *La Scouine*, condamné par l'Église. En 1920, il prend part à la querelle en dénonçant « l'école des indigénistes » qui trouve refuge à *L'Action française*. Il s'en prend également à la subordination de la littérature à des intérêts politiques et idéologiques. La « véritable culture intellectuelle » exige, selon lui, un rapprochement avec la France.

Asselin et les futurs exotiques ne sont pas les seuls à souhaiter un tel rapprochement. Leur aîné Edmond de Nevers (1862-1906), essayiste important au tournant du siècle, contribue à propager l'idéal d'une élite intellectuelle canadienne-française. Né Edmond Boisvert, il suit un parcours atypique. Avocat de formation, il délaisse la pratique du droit pour fuir le Québec et se rendre en Europe, où il vit presque douze ans, de 1888 à 1900. Il apprend l'allemand, le russe, le norvégien (il traduit Ibsen), l'italien, l'espagnol et le portugais. Il étudie à Berlin, voyage à Vienne, Rome, Madrid, Lisbonne, puis, à partir de 1892, devient traducteur et rédacteur à l'agence de presse Havas, à Paris. Il meurt peu de temps après son retour au pays, âgé seulement de quarante-quatre ans.

Tout en vivant en Europe, Edmond de Nevers collabore à plusieurs journaux canadiens-français et publie surtout deux essais qui lui donnent une notoriété immédiate au Québec : *L'Avenir du peuple canadien-français* (1896) et *L'Âme américaine* (1900). Comme l'avait fait avant lui Étienne Parent et comme le fera ensuite Édouard Montpetit, Edmond de Nevers associe l'avenir national à la question de l'éducation. On retient généralement de ses deux ouvrages le plaidoyer libéral en faveur d'une instruction mieux adaptée aux progrès de la science, sur le modèle allemand et américain. Mais Nevers insiste tout autant sur la nécessité de créer une élite lettrée canadienne-française, et, malgré une prose un peu monotone, il exprime un rêve de grandeur qui sera celui de la génération suivante. Avant Groulx, qui le citera comme un de ses maîtres à penser, il croit à une sorte de messianisme historique canadien-français. « Quand je songe au passé de notre peuple », écrit-il dans *L'Avenir du peuple canadien-français*, « il me semble que j'entends frémir au fond de l'âme canadienne toute une germination mystérieuse, et je me dis qu'un monde latent de poésie, d'art, de grandeur intellectuelle, de noblesse morale, est là qui demande à prendre un libre essor, qui aspire au soleil et à la vie. » Se dessine ici un nouvel esprit, marqué par la culture française dans laquelle il baigne, et qui n'est pas fondamentalement différent de celui qui anime Nelligan au même moment. Ce nouvel esprit est directement associé à l'idéal littéraire et se traduit par une adhésion sans réserve aux bienfaits de la culture, comme en fait foi l'un des passages les plus souvent cités de *L'Avenir du peuple canadien-français* :

Oui, je voudrais voir s'élever à côté de notre Montréal commercial et industriel, un Montréal littéraire, artistique, savant, qui serait comme la serre-chaude où tout ce qu'il y a de grand, de beau, d'élevé dans l'âme de notre peuple, germerait, pour ensuite aller féconder les autres centres canadiens-français d'Amérique. Je voudrais que Montréal eût son université, son conservatoire, rivalisant avec les hautes écoles d'Europe ; une bibliothèque publique, une école des beaux-arts, une école polytechnique. Et le jour viendra, je l'espère, où nous posséderons tout cela.

Une telle utopie repose sur deux doctrines à la fois opposées et complémentaires. La première, celle du Montréal commercial, est américaine et libérale ; ce sera celle que chercheront à promouvoir des esprits libéraux comme Errol Bouchette (*Emparons-nous de l'industrie*, 1901) et, plus tard, l'économiste Édouard Montpetit. La seconde, celle du Montréal littéraire, artistique et savant, s'inspire d'une Europe idéalisée, entièrement vouée au culte du savoir et de l'art. L'avenir du Canada français, selon cette vision prophétique, serait de réaliser la synthèse de ces deux villes et d'imposer son modèle au reste de l'Amérique. Cette vaste utopie prendra une autre forme dans le deuxième essai d'Edmond de Nevers, *L'Âme américaine*, où l'avenir du Canada français est examiné non plus à partir de sa seule histoire, mais à partir de celle des États-Unis. Pour Edmond de Nevers, comme pour plusieurs penseurs de l'époque, l'annexion aux États-Unis est une sorte de fatalité. Mais l'absorption dans le grand tout de l'Amérique ne conduit pas pour autant à la dissolution de l'identité canadienne-française. Nevers, farouchement opposé à l'assimilation et au *melting-pot*, est convaincu que les diverses ethnies qui ont fait le pays, depuis les planteurs de la Virginie jusqu'aux Allemands, aux Celtes, aux Italiens et aux Canadiens français, sont appelées à former un jour des entités politiques autonomes, pour le bénéfice même des États-Unis qui seraient ainsi sauvés de la médiocrité culturelle où les enferme le culte du matérialisme. On est frappé, à la lecture de cette politique-fiction, par le contraste entre le sérieux de l'analyse critique de la vie culturelle et politique aux États-Unis et l'optimisme presque délirant de la conclusion. De même, quand on relit le premier essai d'Edmond de Nevers, qui est le plus souvent commenté, on ne peut qu'être saisi par l'idéalisme effréné de cet observateur au verbe si mesuré. L'Europe vers laquelle se tourne Nevers n'est pas l'Europe réelle, qu'il connaît pourtant puisqu'il y travaille plusieurs années. L'Europe symbolise avant tout ce que François Ricard appelle « le désir de culture », lequel passe d'abord par une forme d'exil, de distance par rapport aux lourdeurs de la vie pratique. C'est aussi un tel désir de culture qui s'exprime chez Nelligan et chez les poètes exotiques qui s'exileront à Paris.

Chez Asselin, Fournier et Nevers, la francophilie s'accompagne de jugements très sévères sur la culture canadienne-française. En 1920, Asselin signe la préface de l'*Anthologie des poètes canadiens* de Fournier, publiée deux ans après la mort prématurée de son ami. Il y ajoute un avertissement qui donne une bonne idée de l'esprit particulièrement critique des deux hommes dès qu'il s'agit de littérature canadienne-française :

Les plus mauvais poètes du Canada français venant les premiers dans l'ordre chronologique, l'Anthologie commence forcément par les plus mauvais vers ; et quand nous parlons de mauvais vers, la loyauté nous commande d'avertir qu'il s'agit ici de vers comme probablement jamais autre anthologiste ne fut ni ne sera dans la triste obligation d'en publier.

Ce jugement n'a rien d'étonnant quand on se souvient de ce que Fournier lui-même écrit sur la littérature canadienne-française lors de la polémique qu'il engage en 1906, dans *La Revue canadienne*, contre le critique alsacien Charles ab der Halden (1873-1962). Celui-ci est l'auteur d'*Études de littérature canadienne-française*, premier ouvrage français entièrement consacré aux livres du Québec, paru en 1904 et suivi en 1907 de *Nouvelles Études de littérature canadienne française*. À l'instar de Crémazie dans sa lettre à l'abbé Casgrain, Fournier affirme que « la littérature canadienne-française n'existe pas et n'existera probablement pas de sitôt ». Certes, concède-t-il, on y trouve de véritables écrivains comme Crémazie, Garneau ou Buies. Mais « une douzaine de bons ouvrages de troisième ordre ne font pas plus une littérature qu'une hirondelle ne fait le printemps ». Il n'y a donc pas de contradiction, selon lui, dans le fait d'écrire une anthologie des « poètes canadiens » tout en affirmant qu'il n'existe pas de « littérature canadienne ».

Deux causes principales expliquent, à son avis, l'absence de littérature canadienne. La première concerne la pauvreté des ressources matérielles disponibles pour l'écrivain canadien-français, lequel finit toujours par devenir avocat, médecin, épicier ou... journaliste. La deuxième touche à la fadeur de la critique littéraire au pays qui, à force de complaisance, tue immanquablement l'objet qu'elle prétend servir :

Voilà le grand mal, Monsieur, et d'où découlent tous les autres. Voilà le grand obstacle à la création d'une littérature canadienne-française. Savez-vous dans quel milieu nous vivons, dans quelle atmosphère ? Je me suis permis déjà de vous dire que vous ne me paraissez pas vous en douter. Nos gens – et je parle des plus passables, de ceux qui ont fait des études secondaires – ne savent pas lire. Ils ignorent tout des auteurs français contemporains. Les sept-huitièmes d'entre eux n'ont jamais lu deux pages de Victor Hugo et ignorent jusqu'au nom de Taine.

On voit par là comment Fournier appelle implicitement à la création d'une critique digne de ce nom. Plus loin, il évoque le contexte nord-américain pour expliquer la difficulté qu'éprouve l'écrivain canadien-français dès lors qu'il s'intéresse aux choses de l'esprit au lieu de valoriser le sens pratique. « Le Canada est le paradis de l'homme d'affaires, c'est l'enfer de l'homme de lettres. » Au XIXᵉ siècle, Étienne Parent opposait les hommes de parchemin à l'industriel, marquant sa préférence pour ce dernier, véritable « noble de l'Amérique ». Chez Fournier, l'opposition demeure, mais cette fois c'est l'homme de lettres – et, à travers lui, la France plutôt que l'Amérique – qui est valorisé. La formule de Fournier reprend des propos qu'on trouve chez Edmond de Nevers sur la difficulté à s'élever à la hauteur de la culture en Amérique. Elle est à rapprocher d'une remarque faite au même moment par le sociologue Léon Gérin, qui prévient les amis de Nelligan : « il n'y a pas de carrière pour le poète au Canada, et il serait cruel de nourrir vos illusions à ce sujet ».

Ab der Halden réfutera ces arguments dans une lettre publiée dans *La Revue canadienne* en octobre 1906 ; mais la réponse percutante de Fournier radicalise l'autodépréciation :

Il est certaines choses, Monsieur, dont on ne sent parfaitement la valeur que lorsqu'on en est privé [...] Essayez. Oubliez votre parapluie en partant pour votre cours, recevez un orage sur le dos, et vous connaîtrez que votre parapluie est encore plus utile quand il pleut qu'il n'est encombrant quand il fait beau. Eh bien ! nous autres, Monsieur, au Canada, nous sommes continuellement à la pluie, – sous une averse de toute sorte de productions étranges et monstrueuses, monuments de platitude, d'ignorance et d'enflure, ouvrages piquants à force de fadeur, où le cocasse atteint au sublime, chefs d'œuvre d'humour inconscient et de sereine absurdité – livres à faire pleurer, journaux à donner le délire. Je voudrais vous voir, sous ce déluge, pour vous demander votre avis sur l'utilité des parapluies et la valeur de la critique.

Ab der Halden, qui cesse alors complètement de s'intéresser au Québec et à sa littérature, clôt l'échange par une brève lettre ironique, reproduite en mars 1907, dans laquelle il promet à Fournier de « consacrer désormais [ses] loisirs à l'étude du patagon, pour explorer, selon [son] bon conseil, les poésies de la Terre de Feu ».

Les textes journalistiques de Fournier rassemblés de façon posthume dans *Mon encrier* en 1922 comptent parmi les plus cinglants de l'époque. Il s'en prend avec ironie à la complaisance de Camille Roy, se moque d'un professeur français venu occuper la chaire de littérature française à l'Université Laval, fustige des politiciens ou d'autres journalistes. Dans un article intitulé « Québecquois », il caricature la vieille capitale : « Pour le Québecquois, tout ce qui vient de Montréal est maudit. Le Québecquois en veut à Montréal, d'abord, de n'être pas Québec. Il lui en veut ensuite d'être Montréal, c'est-à-dire une ville de six cent mille âmes, avec des industries, du commerce, de la richesse et de l'activité. » Ici et là, Fournier formule un éloge, comme celui qu'il adresse à Paul Morin, qui vient de publier *Le Paon d'émail*, mais le style provocateur du pamphlétaire refait surface à la toute fin de l'article :

Enfin, – blasphème que rien n'égale ! – blasphème qui n'a de nom dans aucune langue humaine, enfin alors serions-nous peut-être délivrés chez nous, – serions-nous délivrés *pour de bon* – comme on dit en vers, – des Crémazie, des Fréchette et des Chapman.

Les pages que Fournier consacre à la question de la langue relancent de façon originale le débat engagé au XIXe siècle. Il y ridiculise la mode des traités d'« épuration » qui visent à proposer des remèdes simples aux anglicismes, aux barbarismes et autres solécismes dont tout le monde se plaint au pays, depuis Tardivel jusqu'à la Société du parler français. On ne s'attaque, selon lui, qu'aux symptômes d'une difficulté plus générale. « Le mal est ailleurs », écrit Fournier en réponse au livre de Louvigny de Montigny publié en 1916 sous le titre *La Langue française au Canada* ; « le grand mal canadien, c'est le mal de l'*à peu près* ». L'obsession linguistique n'y pourra rien, car le problème touche à l'ensemble de l'être :

L'isolement, le climat, l'éducation, mille causes obscures, ont fini par faire de nous un peuple d'engourdis, de lymphatiques, – des êtres lents, mous et flasques ; sans contour, en quelque sorte, et sans expression ; tout en muscle, nuls par le nerf ; dans toute leur personne enfin, vivantes images de l'insouciance, du laisser-aller, de l'*à peu près*.

Telle est aussi la position de Victor Barbeau (1896-1994), admirateur d'Asselin, et dont le style pamphlétaire s'apparente à celui de Fournier. Fondateur en 1915 de *L'Escholier*, qui deviendra plus tard *Le Quartier latin*, Barbeau participe à la bohème montréalaise dans l'Arche, un atelier de peinture où se réunissent à partir de 1913 une quinzaine d'étudiants en art, en musique ou en lettres (parmi lesquels se trouvent Ubald Paquin, Marcel Dugas, Léo-Pol Morin et Philippe Panneton). Il est membre en 1915 de la Tribu des Casoars, sorte de cénacle très informel qui lui fournit ce qu'il ne trouvait pas au collège classique, à savoir des discussions sur les auteurs modernes qui l'intéressent vraiment. Il est aussi journaliste au *Devoir* en 1914, puis au *Nationaliste* de 1914 à 1916 où il écrit des critiques dévastatrices sur le théâtre à Montréal. Barbeau s'enrôle en 1916 et se rend en Angleterre pour recevoir sa formation de pilote, mais il se blesse et revient au pays. Il devient ensuite chroniqueur à *La Presse* sous le pseudonyme « Turc », déjà utilisé par Marcel Dugas, et s'en prend en particulier aux régionalistes, dont il ne cessera par la suite de ridiculiser « la danse autour de l'érable », selon le titre d'une conférence prononcée en 1920. Il confirme sa réputation de pamphlétaire et de styliste en rédigeant et en éditant, en 1921-1922 puis en 1926-1927, les *Cahiers de Turc*, et en polémiquant avec Claude-Henri Grignon au sujet de la langue. Défenseur acharné de la langue française, Barbeau fondera en 1944 l'Académie canadienne-française et mènera une carrière de professeur de littérature française à l'École des Hautes Études commerciales. En 1958, il reprendra le thème et le titre de « La danse autour de l'érable » dans une longue et pénétrante analyse de la littérature canadienne-française, qui dépasse la seule question du régionalisme. Barbeau y conclura à la nécessité d'un enracinement dans la « patrie charnelle » :

Si tant de nos œuvres moisissent à l'ombre de leur clocher, c'est qu'elles ne sont qu'un simili, un ersatz. Ou, encore, qu'elles ne sont qu'un instrument, qu'un auxiliaire maladroit, prêcheur, au service d'un idéal patriotique. On ne lèvera l'hypothèque qui pèse sur notre littérature qu'à la condition expresse de la canadianiser jusqu'à l'âme. La prétendue antinomie de notre dualité ethnique n'a d'autre cause que notre déracinement, notre rupture d'avec nos forces de vie.

3

La querelle entre régionalistes et exotiques

Quand commence et quand finit vraiment la querelle entre les régionalistes et les exotiques ? L'étude la plus complète sur ce sujet, celle d'Annette Hayward, en suit l'évolution de 1900 jusqu'à 1920. Mais cette querelle s'élabore lentement au début, de sorte qu'il est difficile de marquer précisément le moment où elle commence. De même, Annette Hayward observe ses prolongements tout au long des années 1920. À vrai dire, sous différentes formulations, cette querelle ne finit jamais réellement et semble indissociable de la définition même d'une littérature d'origine coloniale comme la littérature québécoise. C'est pourquoi il est important de revenir sur les textes et les écrivains qui ont été au cœur de ces débats souvent vifs et passionnés.

La querelle, au départ, n'en est pas une à proprement parler. La revue libérale *Les Débats* (1899-1903), dirigée par Louvigny de Montigny, adopte les valeurs de l'École littéraire de Montréal et célèbre en particulier Nelligan, mais sans pour autant s'attaquer au régionalisme, qui n'est pas alors un mouvement constitué au Canada français. Il existe depuis 1902 une Société du parler français qui évoque parfois la littérature dans son *Bulletin du parler français au Canada,* mais c'est d'abord la langue qui intéresse ce groupe de penseurs attachés aux valeurs traditionnelles. Vers 1904, un courant se dessine autour du slogan « Soyons de chez nous », bientôt repris par Adjutor Rivard, qui se voudra le père du régionalisme littéraire au Canada français. Avec la conférence de Camille Roy la même année, le milieu intellectuel commence alors à se polariser de façon perceptible. Néanmoins, il faudra encore plusieurs années avant que la querelle n'éclate véritablement.

La parution des *Phases* de Guy Delahaye en 1910, puis du *Paon d'émail* de Paul Morin en 1911, suscite des réactions beaucoup plus violentes que ne l'avaient fait les poèmes de Nelligan une décennie plus tôt. Marcel Dugas se porte à la défense du premier recueil dans *Le Nationaliste,* aussitôt contredit par Albert Lozeau dans *Le Devoir.* Au même moment, le journal de Jules Fournier, *L'Action,* prend ouvertement parti pour les poètes exotiques et se range du côté de Dugas devenu la bête noire de la critique cléricale. *L'Action* adoucit toutefois ses positions à partir de 1913 et semble vouloir éviter d'attiser les conflits.

C'est avec l'apparition du *Nigog* que la querelle atteint son point culminant. Cette revue ne compte que douze numéros, publiés de janvier à décembre 1918, mais elle donne au conflit tout son sens. Exclusivement consacrée à l'Art (avec une majuscule), la revue rassemble des écrivains (Robert Laroque de Roquebrune, Paul Morin, Marcel Dugas, René Chopin, Jean-Aubert Loranger, Victor Barbeau), des peintres (Adrien Hébert, Ozias Leduc), un sculpteur (Alfred Laliberté), un

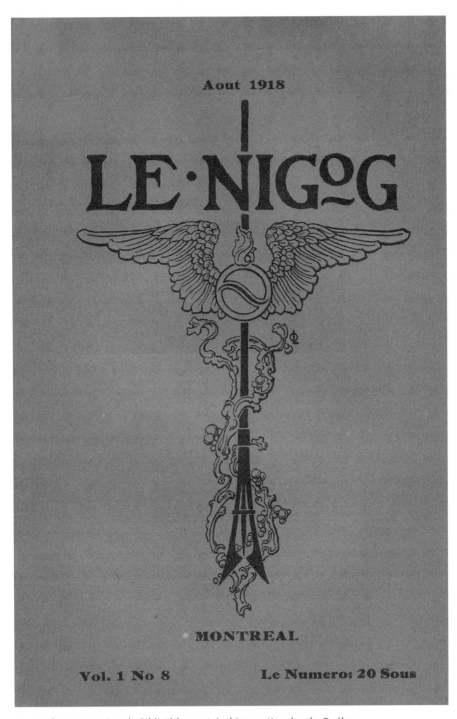

Aout 1918

LE·NIG͜OG

MONTREAL

Vol. 1 No 8   Le Numero: 20 Sous

Centre de conservation de Bibliothèque et Archives nationales du Québec.

musicien (Léo-Pol Morin), un architecte (Fernand Préfontaine) et quelques autres « parisianistes ». Le « nigog » est un terme d'origine amérindienne qui désigne « un instrument à darder le poisson ». Les rédacteurs cultivent en effet la pointe et n'entendent plus, comme cela a été le cas jusque-là, nuancer leur position. « L'Art est le seul but de notre effort comme il sera le seul critère de notre critique », affirment-ils dès le premier numéro. L'autonomie de l'art, incarnée selon eux par Nelligan, devient la valeur par excellence de la revue. À la différence de ce qu'on pouvait lire dans *Le Nationaliste* d'Olivar Asselin ou dans *L'Action* de Jules Fournier, les rédacteurs du *Nigog* se soucient peu du contexte social ou politique : la guerre, le nationalisme ou la grippe espagnole ne les intéressent pas. C'est l'Art, en tant qu'activité spécifique et supérieure, qui les préoccupe. La mission de la revue, définie avec hauteur, n'est donc pas d'abord nationale, mais relève d'un savoir-faire : « L'Art est plus complexe qu'on imagine. La seule technique, en dehors des significations supérieures, demande des connaissances particulières. C'est l'erreur d'un certain nombre de naïfs de croire que l'on puisse juger d'une œuvre d'art sans préparations précises et sans compétence particulière. » Quelques textes poétiques modernistes paraissent dans la revue, par exemple un poème en prose de Robert Laroque de Roquebrune, dont voici un extrait :

Il est du vent sur l'horizon, du vent qui tournoie le long des routes, près des maisons. Il est du vent qui ploie les calmes arbres tantôt des routes, qui gire en courant, du vent qui vient, girant des arbres tranquilles avant.

Mais l'essentiel de la revue est constitué de textes critiques sur la littérature, l'architecture, la peinture et la musique contemporaines. Car il s'agit d'abord et avant tout de se mettre au diapason des productions culturelles françaises contemporaines pour ainsi faire contrepoids à l'ignorance et, en ce qui concerne la littérature canadienne, à une complaisance qui exaspère ces adeptes du « culte de la supériorité littéraire » :

Les œuvres qui forment ce que des gens complaisants appellent la littérature canadienne, constituent une bibliothèque déjà considérable. Tous les genres sont représentés dans ce fatras et particulièrement le genre ennuyeux. Mais à cause d'un certain nombre de livres supérieurs à une moyenne nullité littéraire, à cause surtout du grand et si ignoré Nelligan, à cause aussi des efforts intéressants de quelques écrivains et de quelques poètes contemporains, il convient de doter enfin d'une critique qui soit sérieuse, un art où le public semble s'intéresser de plus en plus. Mais, parce que le public tend une oreille complaisante aux cadences de cet art [...], il importe, dès maintenant, que la critique en soit partiale et injuste. Partiale et injuste oui, car depuis trop longtemps, d'ignorants écrivailleurs et d'abrutis journaleux ont acclamé les pires limonades littéraires. Des célébrités se sont formées ainsi qui ont surélevé des noms infâmes et assis pour longtemps dans une certaine lumière les pires médiocrités.

La cible par excellence est évidemment le « bénissage » de Camille Roy et, parmi les œuvres valorisées par celui-ci, la poésie de la Gaspésienne Blanche Lamontagne-Beauregard (1889-1958) qui, pour les collaborateurs du *Nigog*, va en sens inverse de la voie tracée par Nelligan : « Nelligan n'a jamais chanté la nature à la manière puérile de mademoiselle Blanche Lamontagne, ce qui consiste surtout à idéaliser les jupons mal odorants d'une paysanne et à trouver respectables et sacrées les faces sournoises des plus indécrottables villageois. » Blanche Lamontagne-Beauregard célèbre la paix rurale et la famille avec une simplicité que Camille Roy qualifie de « saine » :

> Ô vrai bonheur ! Venir, comme autrefois, s'asseoir,
> À la place d'antan, chaude et familière !
> Se retrouver autour de la lampe, le soir,
> Tous ensemble, ô mes sœurs, ô mon père, ô ma mère !

Même si le modèle privilégié est l'ennemi désigné par Camille Roy, soit la littérature française contemporaine, *Le Nigog* justifie son parisianisme par la fidélité à la « race » et se trouve ainsi à revendiquer, à sa façon, le nationalisme. « Connaître les divers mouvements de cette littérature est d'importance extrême pour les Français du Canada, écrit Roquebrune. Il sied que la race française d'Amérique se familiarise de plus en plus avec la littérature contemporaine, qu'elle en connaisse la langue, les antécédents et les tendances. » On voit que, malgré l'hostilité à l'égard du régionalisme, les collaborateurs du *Nigog* ne sont pas indifférents à « l'avenir de la race ». Dès le texte liminaire du premier numéro, ils soutiennent qu'il « n'est pas inutile au maintien si précaire de nos droits que notre race se fasse enfin respecter par la valeur de sa culture générale et par le succès des artistes véritables qu'elle a générés ». Il ne s'agit donc pas de s'opposer au nationalisme, mais bien à la conception réductrice et anachronique de l'art qui prévaut dans le milieu, aux « éternels rabâchages », aux « inepties » et autres « niaiseries » cautionnées et encouragées par la doctrine régionaliste.

La réaction ne se fait pas attendre. *L'Action française*, fondée en 1917, se porte à la défense du régionalisme. On y trouve les signatures prestigieuses d'Édouard Montpetit et surtout de Lionel Groulx, qui prendra la direction de la revue en 1920. Il dénonce l'exotisme en littérature, suivi par d'autres, comme le romancier Léo-Paul Desrosiers qui donne la réplique à Olivar Asselin. Le débat se poursuit après la disparition du *Nigog* quand Victor Barbeau publie dans *La Presse* des articles incendiaires. Il ridiculise les « pontifes de l'ère des vaches » et prononce, le 26 janvier 1920, sa fameuse conférence à l'Alliance française, « La danse autour de l'érable », dans laquelle il brocarde les concours littéraires organisés par la Société Saint-Jean-Baptiste pour encourager les œuvres régionalistes. Léo-Paul Desrosiers, à la suite de Lionel Groulx, lui répond dans *L'Action française*, *Le Nationaliste* ou *La Revue nationale* en reprochant surtout aux œuvres exotiques d'être « hermétiques, élitistes et inaccessibles ».

Ces œuvres sont toutefois rares. Les recueils de Guy Delahaye et de Paul Morin n'ont guère été imités et, au lendemain de la guerre, plusieurs collaborateurs du *Nigog* partent pour Paris ou disparaissent de la scène publique. Les groupes se défont peu à peu de sorte que la querelle, entretenue davantage par des individus que par des clans, se dilue sans qu'il y ait de véritable conclusion. À l'École littéraire de Montréal comme à *La Revue moderne*, l'heure est plutôt à la réconciliation. D'un côté, Desrosiers invite les exotiques à participer à la fondation d'une littérature canadienne-française en pratiquant un « régionalisme renouvelé ». De l'autre, le critique Berthelot Brunet prend le parti de Barbeau, mais ménage les régionalistes. Même œcuménisme à *La Revue moderne*, qui vise un large public (le premier numéro est tiré à quinze mille exemplaires) et cherche à « dépasser les querelles de chapelles ». Madeleine se range du côté des exotiques, mais accueille, à titre de collaborateurs, presque autant de régionalistes. Se retrouvent ainsi côte à côte, d'une part, les Nérée Beauchemin, Léo-Paul Desrosiers, Albert Ferland ou Damase Potvin et, d'autre part, les Olivar Asselin, Berthelot Brunet, Marcel Dugas, Philippe Panneton, Paul Morin, Robert Laroque de Roquebrune ou René Chopin. Dans un article consacré en 1920 à Alphonse Beauregard, Louis Dantin, qui s'imposera rapidement comme le principal critique de ce magazine, se tient à distance des deux mouvements : il s'oppose au « provincialisme à outrance » des régionalistes, mais s'en prend aussi au formalisme excessif des exotiques.

En 1924, deux jeunes intellectuels, le journaliste Louis Francœur et le médecin Philippe Panneton, qui sera connu plus tard sous le pseudonyme de Ringuet, publient un recueil de pastiches de textes canadiens-français, *Littératures... À la manière de... Nos auteurs canadiens*, le premier du genre à paraître au Québec. On y trouve de savoureuses réécritures de textes appartenant aux deux courants, comme si c'était la querelle elle-même qui était pastichée. D'un côté, on se moque de Groulx, dont les *Rapaillages* (1916), un des grands succès de l'époque, deviennent des « Rabâchages » :

Il ôta d'abord *sa tuque de laine caille,* puis son *capot* d'étoffe du pays et sa robe de baptême, car, né d'une race fière, béni dès son berceau, chez lui comme chez l'érable, la valeur n'attendait pas le nombre des années. Pendant ce temps-là, *Memére* avait *rajué d'aveindre* du fond d'un *cabaneau* le baquet à lessive. Quand l'eau pure eut, lente, rempli le vaisseau où avaient été lavés les *garibaldis,* les *tourmalines,* les *nuages* et les *câlines* de tant de générations nourries de *beans,* de *soupane,* et d'*oreilles-de-crisse,* l'Aïeul s'assit.

De l'autre côté, on imite le style exotisant d'un Paul Morin :

> Mon cœur las de chercher les déesses multiples
> Concupisce en secret l'inédit des périples
> Via Saint-Jean-de-Dieu, Lagor, Madapolam ;
>
> Aux rives du Hou-Pé, polir mon pied humide
> Et pêcher dans ses flots, bercé par le tam-tam,
> De mon moi transparent l'âme celluloïde.

On voit bien, par ces exemples, que, dès 1924, la querelle n'est plus prise au sérieux et qu'il appartient à chaque écrivain de trouver un équilibre entre les deux attitudes sous peine de prêter le flanc, comme ici, à la caricature.

4
Les poètes modernistes

Les écrivains qui collaborent au *Nigog*, marqués par l'esprit moderniste de la Belle Époque, trouvent principalement leur inspiration dans la poésie d'ailleurs. C'est le cas, par exemple, de Paul Morin (1889-1963) et de Guy Delahaye (nom de plume de Guillaume Lahaise, 1888-1969). Toutefois, chez des écrivains comme René Chopin (1885-1953), Marcel Dugas (1883-1947) et Jean-Aubert Loranger (1896-1942), le modernisme s'accorde avec certains éléments de la tradition canadienne-française.

Le premier recueil de Paul Morin, *Le Paon d'émail* (1911), constitue le principal événement dans la poésie québécoise après Nelligan et avant DesRochers. Au moment de la publication de ce recueil chez le prestigieux éditeur français Lemerre (qui publie notamment Leconte de Lisle, Théophile Gautier et José Maria de Heredia), Paul Morin n'a que vingt-deux ans, mais plusieurs le reconnaissent d'emblée comme le plus virtuose des versificateurs qui se soient manifestés au Canada français depuis Nelligan. Jules Fournier, entre autres, s'extasie et compare Morin aux meilleurs poètes français de l'heure. La réception n'est toutefois pas unanime : les partisans du régionalisme lui reprochent de ne pas faire de cas de la nation et de ses valeurs, et plusieurs voient dans la virtuosité de l'auteur une sorte d'exercice d'inspiration purement livresque. Les références aux lieux, aux mythes et aux livres les plus exotiques se bousculent dans les poèmes de Morin. La variété des formes fixes et des types de vers montre par ailleurs un goût marqué pour l'expérimentation formelle. Morin pratiquera à l'occasion le vers libre, mais sa préférence ira toujours aux vers réguliers, à la rime et à la multiplication des allitérations et des assonances :

> Vieux moulin de Haarlem qui dans le canal sombre
> Burines le contour immense de ton ombre,
> Moulin lilas de Delft, moulin gris d'Amersfoort,
> Qui ne vas pas trop vite et ne vas pas trop fort ;
> Moulin au meunier roux assis devant la porte,
> Silencieusement, tu calques dans l'eau morte
> Ton aile où traîne encore un peu de brouillard blond...
> Sachant bien que tantôt, folle, grotesque, grêle
> Avec un grincement de potiche qu'on fêle,
> Elle s'emportera dans un bleu tourbillon !

À l'opposé du credo régionaliste, Morin s'inscrit explicitement dans la poésie contemporaine, mais c'est celle déjà un peu désuète d'Anna de Noailles (à qui il emprunte l'image du paon) et de certains symbolistes tardifs comme Émile Verhaeren. Il multiplie les références aux pays lointains et revendique au surplus une inspiration « païenne ». *Le Paon d'émail* se conclut pourtant sur la promesse d'« un jour, marier / Les mots canadiens aux rythmes de la France / Et l'érable au laurier ». Mais ce jour ne viendra jamais. Les deux recueils suivants, *Poèmes de cendre et d'or* (1922) et *Géronte et son miroir* (1960), tous deux publiés au Québec, montreront plutôt la persistance d'une préciosité érudite. Morin reste donc fidèle à sa première manière, mais une ironie blessée marque la suite de son itinéraire. Dès son deuxième recueil, il écrit par exemple :

> Moi, qui sacrifiai la gloire, – si facile
> Puisqu'il suffit d'être régionaliste, – à
> La tâche de chercher, du temple de Vesta
> Aux tilleuls palatins, le triangle imbécile
> Que grave votre griffe au sable des chemins ;
> [...]
> Moi, qui vois enchaîné, pour les siècles futurs,
> Mon nom au nom d'une volaille

L'auto-ironie s'accentue dans le dernier recueil, où Morin, accablé par diverses difficultés personnelles (dont un incendie où disparaît l'unique exemplaire d'un livre qu'il vient de terminer), se moque de la maigreur des résultats de ses « poussiéreuses tâches ».

L'œuvre de son grand ami Guy Delahaye présente une certaine parenté avec la sienne (goût pour les références obscures et pour l'expérimentation formelle), mais elle est beaucoup plus franchement moderniste. La critique ultérieure y verra d'ailleurs souvent une préfiguration du surréalisme québécois. Guillaume Lahaise était psychiatre et il a soigné Nelligan, pour qui il avait une véritable dévotion. L'un des poèmes de son premier recueil, *Les Phases. Triptyques*, lui rend d'ailleurs hommage :

> Voilà l'extase, tout se fait clos ;
> Tout fait silence, voilà l'extase ;
> Le bruit meurt et le rire s'enclot.
>
> Voilà qu'on s'émeut, cris sont éclos ;
> Pensée ou sentiment s'extravase ;
> Voilà qu'on s'émeut de peu ou prou.
>
> L'on rive un lien, l'on pousse un verrou,
> La tête illuminée, on la rase,
> Et l'être incompris est dit un fou.

Ozias Leduc, *Guy Delahaye, poète*, 1911. Musée national des beaux-arts du Québec, 77.24.
Photo Jean-Guy Kérouac.

Le recueil est tout entier configuré autour du chiffre trois. Ainsi, le poème cité ci-dessus, « Quelqu'un avait eu un rêve trop grand... », constitué de trois strophes de vers de trois fois trois syllabes, fait partie d'un triptyque, comme chacun des poèmes du recueil. Albert Lozeau trouve ce livre « bizarre comme un début d'aliénation mentale », mais *Les Phases* semble bien sage à côté du second livre que Delahaye fait paraître en 1912 : « *Mignonne, allons voir si la rose...* » *est sans épines*. Utilisant les exergues à outrance, multipliant les allusions ironiques et les dispositifs les plus déconcertants, le livre se présente comme une « fantaisie ultra-futuro-cubiste ». Olivar Asselin signe une préface amusée et même enthousiaste à l'égard de cet esprit de jeu qui lui semble prometteur pour l'avenir de la poésie au Canada français. Mais Delahaye ne persistera pas et se plongera plutôt dans un mysticisme fervent dont témoignent quelques textes ultérieurs qu'il n'osera jamais publier.

René Chopin compte lui aussi parmi les exotiques marquants. Il a étudié le droit à Montréal et le chant à Paris, et a été journaliste aux côtés de Jules Fournier. Chopin a fait paraître deux recueils : *Le Cœur en exil* en 1913 et *Dominantes* en 1933. Il partage avec ses amis Morin et Delahaye un intérêt pour la forme, mais son opposition au régionalisme est moins visible ; ses poèmes témoignent même d'une véritable fascination pour l'espace nordique. Toutefois, le pays, chez lui, loin d'être le lieu de la communauté, reflète une solitude irrémédiable :

> Cygnes effarouchés du chaste hiver qui fond,
> Votre vol s'éparpille et déserte ma grève ;
> Je sens mon cœur s'ouvrir comme une digue crève
> Et se répandre ainsi que les grands fleuves font.

Parmi tous ces poètes exotiques, c'est Marcel Dugas qui apparaît comme le porte-parole : il publie en effet de nombreux textes critiques, dont plusieurs hommages à ses amis pour qui il tente d'être une sorte de médiateur, comme Dantin en avait donné l'exemple dans sa présentation de Nelligan. Dugas pratique aussi le poème en prose, et certains de ses textes sont difficiles à caractériser, tant la liberté qu'il se donne tranche avec les usages de l'époque. Ainsi, il publie dans *Paroles en liberté* (1944) des hommages à ses amis Morin, Delahaye et Chopin (de même que Lozeau et Roquebrune) qui sont tout à la fois des commentaires critiques et des poèmes en prose. Dugas a publié bien davantage que ses amis : dix-sept livres, dont certains sous pseudonyme. *Psyché au cinéma* (1916) est sans doute le plus original d'entre eux. Dugas y combine la préciosité savante de Morin, l'ironie alambiquée de Delahaye et la gravité désabusée de Chopin dans une série de rêveries réunies par un dispositif de notes qui mettent en scène, de « Douches tièdes » en « Douches gémissantes » en passant par des « Douches anti-militaristes » et « mourantes », un possible cinéma :

Pour un cinéma voluptueux et ironique, fleuri de légers sarcasmes, voltigeant à l'entour de vierges mobiles, caressantes, fluides comme l'eau d'un lac ou des miroirs » ; « Pour un cinéma de 1915 où les hommes de toute race, ramenés à des proportions réelles après avoir été dépouillés des oripeaux de la vanité et du pouvoir, apercevant soudain la démence de leur fatuité, mangeraient, en signe d'humilité hélas ! tardive, une médaille de chocolat – bonne enfant, sincère, inoffensive au foie et à l'estomac, à la tête et au cœur » ; « Pour un cinéma où devant un auditoire choisi qui comprendrait plusieurs Poil de carotte, sur une scène à demi dépouillée, seulement ornée d'une frise vivante d'Ernestine et de Félix, se diraient, en se saluant, à tour de rôle, presque sans voix, mais distincts : "Coco ! Pauvre Coco !" » ; « Pour un cinéma où chaque chose semblerait fanée, pleine de cendres, sous des vols de feuilles mortes.

Théâtre Colonial, rue Sainte-Catherine Ouest, Montréal, vers 1915, MP-0000.2327.403.1, Musée McCord, Montréal.

La diversité des registres de Dugas ne recouvre pas seulement un goût pour l'éclectisme fantaisiste. S'il se porte volontiers à la défense de ses amis « exotistes » et ne dédaigne pas la polémique pour ce faire, Dugas consacre pourtant un livre à nul autre que Louis Fréchette en 1934. Ce projet date de 1912, l'année même où Dugas écrivait dans *L'Action* : « Fréchette est mort et il faut qu'il meure davantage ». Dugas a beau militer pour la modernité, il reste soucieux du sort et des fondements de la littérature nationale. Il reconnaît en Fréchette une « sensibilité moderne » et, tout en estimant que plusieurs de ses publications sont à oublier, il considère que « La découverte du Mississipi » est une « œuvre capitale ». Plus que les autres poètes du *Nigog*, Dugas fait bien voir qu'à l'enjeu de l'autonomie de l'art s'ajoute pour les collaborateurs de cette revue le sort de la nation, pour laquelle un art d'envergure serait un puissant adjuvant.

Un autre poète ayant gravité autour du *Nigog*, plus jeune de quelques années, Jean-Aubert Loranger, ne se laisse pas non plus résumer par ses ambitions modernistes. Poète plus secret et plus subtil que ses aînés, il est aussi proche de la mélancolie de Nelligan que de l'inquiétude de Saint-Denys Garneau. Le dépouillement de ses vers libres et son goût de l'abstraction annoncent même de façon étonnante *Regards et Jeux dans l'espace*. Loranger, cependant, ne connaît pas une réception comparable, ne commençant à être vraiment lu qu'au début des années 1970. Il a d'abord publié deux recueils, *Les Atmosphères. Le passeur, poëmes et autres proses* (1920) et *Poëmes* (1922), puis *À la recherche du régionalisme. Le village. Contes et nouvelles du terroir* (1925). À la fin de sa vie, il préparait un livre de poèmes auquel il avait donné le titre *Terra-Nova* et dont quelques extraits paraîtront dans la dernière édition de l'anthologie de Fournier et Asselin. Son tout premier livre s'ouvre par une longue fable sur la vieillesse, intitulée « Le passeur », dont voici le début :

Une rivière.

Sur la rive gauche qui est basse, il y a un village. Une seule rue le traverse par où entre sa vie, et les petites maisons, qui se font vis-à-vis, y sont comme attablées. Tout au bout, à la place d'honneur, l'église qui préside à la confrérie des petites maisons.

Sur la rive droite qui est escarpée, c'est une grande plaine avec des moissons, une plaine qui remue ; et derrière un grand bois barre l'horizon, d'où vient une route vicinale jusqu'à la grève où est la cabane du passeur.

La route est flanquée de poteaux télégraphiques qui ont l'air de grands râteaux debout sur leur manche.

Enfin, le bac du passeur qui est un morceau de la route qui flotte sur l'eau.

Cette description saccadée illustre le style singulier de Loranger, qu'on trouve également dans ses poèmes et dans quelques-uns de ses contes plus tardifs. Les comparaisons sont souvent aussi simples qu'inattendues et font se rencontrer le monde ancien et le monde nouveau, comme dans l'image des « poteaux télégraphiques qui ont l'air de grands râteaux ». Une fois mis en place ce décor à la fois familier et quelque peu déroutant, Loranger raconte l'histoire d'un passeur qui est tout à coup frappé par « l'imprévu de sa vieillesse » (une citation de Trotski figure en bas de page : « la vieillesse est la chose la plus inattendue du monde »). « Il eut peur, écrit Loranger, non pas précisément de la mort mais de ce qu'il allait être avant la mort. » À quatre-vingts ans, le passeur découvre son corps usé, puis, alors qu'un nouveau passeur a pris sa place, il éprouve l'ennui de ne rien faire et finit par se jeter à l'eau. Le passage du temps devient ainsi l'objet central de ce conte poétique, construit autour d'images concrètes comme celle des bras du passeur comparés aux vieilles rames qui pendent de chaque côté de la chaloupe : « Et le courant amena la chaloupe qui descendait seule, avec ses deux rames pendantes, comme deux bras qui ne travaillent plus, comme deux bras qui ne font plus rien. »

Ouvertement inspirés de Jules Romains et de Guillaume Apollinaire, les poèmes de Loranger ont quelque chose de doucement tragique, reprenant les motifs du terroir et de la vie traditionnelle, mais en les mêlant à des images modernes et en les associant à une angoisse nouvelle. Ils sont aussi très visuels et ressemblent à de petits tableaux, comme le poème ci-dessous qui compare « Les phares » à des moulins broyant l'ombre de leurs ailes lumineuses :

> Ô le beau rêve effondré
> Que broient des meules d'angoisse
> Dans les phares, ces moulins
> Dont tournent les ailes
> Lumineuses dans la nuit...

La force poétique de telles images séduit et déconcerte à la fois les critiques de l'époque, pour qui cette poésie souvent prosaïque n'est ni régionaliste ni exotique. Louis Dantin, malgré de fortes réticences, verra bien que, sous sa « naïveté de surface », Loranger est à la recherche de perspectives nouvelles. Albert Laberge goûtera autant la poésie que les contes. Mais Loranger se heurte à l'incompréhension de la plupart de ses contemporains, même dans ses contes pourtant beaucoup plus conventionnels, et pour des raisons contradictoires. Albert Lozeau déplore l'étrangeté de ces textes, alors que Victor Barbeau est irrité par leur familiarité... Dès lors, il n'est guère surprenant de voir qu'on a tant de mal à situer Loranger dans le débat qui oppose les exotiques aux régionalistes. Sous des airs faussement naïfs, cette poésie s'éloigne, sans le clamer, des catégories esthétiques auxquelles on est habitué à l'époque. Elle ne se donne pas comme une rupture, mais s'élève au-dessus de la grande contradiction de son temps.

5
L'horizon du terroir

Devant l'émergence de la poésie exotique, la critique conservatrice appelle au retour à des thèmes plus canadiens. Mais les deux conceptions de la littérature apparaissent beaucoup moins tranchées que ne le laisse croire le durcissement de la polémique au moment du *Nigog*. L'exotisme est loin d'être hostile au nationalisme et le régionalisme cherche souvent à s'inscrire dans un ensemble de courants plus vaste. Ainsi, *La Revue moderne*, dans laquelle se reconnaît volontiers une élite montréalaise, libérale, férue de culture urbaine, publie des « tableaux de la vie rurale » ; ces textes, ensuite réunis en recueils comme en publieront Lionel Groulx et Adjutor Rivard, présentent une vision pittoresque et folklorique de la vie campagnarde qui, comme les sujets ruraux du peintre Clarence Gagnon ou du peintre et sculpteur Suzor-Côté, correspondent aux goûts de la nouvelle bourgeoisie francophone. Par ailleurs, la situation de la littérature canadienne-française n'est pas unique et des mouvements régionalistes se développent à la même époque en France, aux États-Unis et au Canada anglais.

Harry Bernard, qui écrira en 1949 une étude sur *Le Roman régionaliste aux États-Unis (1913-1940)*, souligne en 1929 que les particularités du « génie national » ne sont pas incompatibles avec l'appartenance à la littérature française. Il s'appuie notamment sur le programme du régionaliste occitan Frédéric Mistral (« On est d'autant plus Français qu'on est plus provincial, au bon sens du mot ») pour l'adapter au contexte canadien-français : « on est d'autant plus Français qu'on est plus Canadien ». Ainsi, les régionalistes canadiens-français s'opposeront spécifiquement à Paris, et non à la France, à laquelle appartient bel et bien, de leur point de vue, la littérature du Canada français. En France, le régionalisme a pris de l'ampleur après la guerre de 1870 dans la plupart des provinces afin de faire contrepoids au centralisme parisien. Il s'est bientôt articulé à un vaste mouvement nationaliste, incarné surtout par Maurice Barrès (*Les Déracinés*, 1897) qui aura une influence importante non seulement chez les régionalistes d'ici, mais aussi chez Marcel Dugas.

Dans la littérature canadienne-anglaise, le mouvement régionaliste est tout aussi important, sinon davantage. Au début du xixe siècle, en effet, on voit apparaître au Canada les classiques du régionalisme, notamment le très célèbre *Anne of Green Gables* (1908) de la romancière Lucy Maud Montgomery, qui peint le paysage de l'Île-du-Prince-Édouard. En Ontario, Mazo De La Roche connaît la gloire jusqu'aux États-Unis grâce à ses romans pastoraux de la série des *Jalna*, tandis que, dans les Prairies, Frederick P. Grove est considéré par plusieurs comme le plus grand écrivain canadien-anglais des années 1920 avec, entre autres, *Settlers of the Marsh* (1925). Mais à cette époque, au Canada anglais, c'est d'abord à la peinture que revient la fonction d'exprimer l'originalité des paysages canadiens. Le Groupe des Sept, formé de peintres torontois (Franklin Carmichael, Lawren Stewart Harris, Alexander Young Jackson, Franz Johnston, Arthur Lismer, James Edward Hervey MacDonald et Frederick Horsman Varley), invoque la nordicité et la primitivité. Ces peintres s'emparent de tout le territoire canadien et contribuent notamment à l'invention du paysage québécois, en particulier de la région de Charlevoix. L'un d'eux, A.Y. Jackson, illustre en 1914 le roman d'Adjutor Rivard, *Chez nous*, typique de la littérature régionaliste.

Au Québec, du côté de la peinture, il n'y a pas eu l'équivalent du Groupe des Sept. Les paysagistes comme Clarence Gagnon, Rodolphe Duguay, Marc-Aurèle Fortin ou Adrien Hébert ne forment pas un groupe. Le paysage est du reste, chez eux, l'objet d'une appropriation artistique d'un autre type. Ils peignent le territoire d'abord et avant tout à partir de ses habitants et de ses référents culturels, non en tant que paysage. Un peintre comme Marc-Aurèle de Foy Suzor-Côté peint ou sculpte des « petites gens » : *Le Père Fleury* (1908), *Le Vieux Pionnier* (1912) ou *Le Père Girouard* (1913), avant d'illustrer l'édition québécoise de *Maria Chapdelaine* en 1916. De même, le sculpteur Alfred Laliberté, très apprécié par Lionel Groulx, accumule les monuments dédiés aux héros historiques, de Louis Hébert à Wilfrid Laurier.

Tout comme les peintres, les poètes et romanciers canadiens-français imaginent le terroir non comme paysage, mais comme espace de vie. La nature en elle-même les intéresse moins pour ses particularités physiques qu'en tant que fait culturel, susceptible d'être intégré au grand récit national. Il faudra un scientifique, le frère Marie-Victorin (Conrad Kirouac, 1885-1944), fondateur du Jardin botanique de Montréal, pour faire découvrir les caractéristiques du paysage local, dont la méconnaissance, selon lui, est patente dans les œuvres littéraires. Influencé par Groulx, Marie-Victorin publie *Récits laurentiens* (1919) et *Croquis laurentiens* (1920), mais sa principale contribution reste *La Flore laurentienne* (1935), considéré par plusieurs comme un monument littéraire malgré sa vocation d'abord scientifique. Pour la première fois, le territoire québécois est nommé, décrit de façon exhaustive et méthodique. *La Flore laurentienne* fera partie de la bibliothèque des écrivains de la Révolution tranquille. L'exemple le plus frappant est celui de Nicole et André, dans *L'Hiver de force* (1973) de Réjean Ducharme, qui se lancent le défi d'apprendre par cœur l'ouvrage de Marie-Victorin.

Le premier sens du mot « régionalisme », le plus largement répandu au début du siècle, est celui de la Société du parler français, pour qui « [r]égionalisme, *décentralisation, nationalisme* [...] sont synonymes ». En ce sens, le roman régionaliste est le roman du salut national et il s'inscrit parfaitement dans le projet de « nationalisation de la littérature canadienne » de Camille Roy. C'est rarement la vie concrète de la terre qui est représentée dans ce type de roman, lequel cherche plutôt à mettre en garde contre les charmes factices de la ville. Le roman régionaliste plaide pour le « retour à la terre », selon un mot d'ordre qui circule également dans le discours politique et dans la prose d'idées de l'époque. Retour aux figures héroïques du passé (cultivateur, défricheur, colonisateur, etc.), au mode de vie traditionnel d'un « nous » ethnique défini d'abord et avant tout par la langue française et la religion catholique. Plusieurs romanciers, comme Laure Conan ou Rodolphe Girard, continuent d'écrire des romans historiques qui recyclent des épisodes du passé canadien-français. Le passé national n'est pas seulement exploité comme matière romanesque : il est aussi l'objet d'une réinterprétation majeure par l'historien Lionel Groulx, chez qui la traditionnelle faiblesse canadienne-française se transmue en héroïsme. Les porteurs d'eau disparaissent, les victimes deviennent des héros, la collectivité non seulement survit, mais porte en elle une mission supérieure, celle de préserver en Amérique les valeurs catholiques et françaises, comme on l'observait déjà chez l'abbé Casgrain.

De Camille Roy à Lionel Groulx (1878-1967), le changement de ton est radical. Le premier a une sorte de prudence universitaire et de raffinement qui le placent au-dessus de la mêlée ; le second mène un véritable combat idéologique à la façon des journalistes Olivar Asselin et Henri Bourassa. Camille Roy écrit dans une langue mesurée, parfois terne ; Groulx pratique le grand style et admire l'éloquence des orateurs comme Papineau. Autre contraste significatif, le premier vit à Québec ; le second habite Montréal, où les signes de la modernité, plus nombreux et plus visibles que dans la vieille capitale, suscitent aussi davantage de résistance. Enfin, Camille Roy s'occupe exclusivement de littérature et d'enseignement ; Groulx, lui, étend son influence à tous les secteurs de la vie culturelle, sociale et politique. C'est véritablement un homme d'action, un militant, en même temps qu'un historien universitaire qui contribue directement à la professionnalisation de l'historiographie. Il dirige la revue *L'Action française* de 1920 à 1928, puis collabore à la plupart des journaux et revues nationalistes des années 1930 (*Le Devoir*, *L'Action nationale*, *Le Quartier latin*, etc.). On se fera une idée assez juste du contraste entre les deux hommes en lisant Jacques Ferron : l'aimable Camille Roy devient un personnage un peu ridicule dans *Le Ciel de Québec* (1969) tandis que le chanoine Groulx, lui, ne cesse d'apparaître comme la bête noire de Ferron – et de nombreux intellectuels de la Révolution tranquille soucieux de rompre avec le Québec clérical. Homme controversé, symbole d'un nationalisme ethnique et défensif, Groulx n'en constitue pas moins l'une des voix les plus marquantes de la première moitié du siècle. Nul n'incarne plus fortement le grand récit national qui se met alors en place.

Fils de paysan, Groulx reste profondément attaché, en tant qu'intellectuel et prêtre, à la vie rurale et aux valeurs familiales. Il obtient en 1907 un doctorat en philosophie à Rome et poursuit des études de lettres à Fribourg, mais, pour des raisons de santé, il doit rentrer au Canada avant de les avoir complétées.

Professeur de belles-lettres et de rhétorique au Collège de Valleyfield, il occupe ensuite la première chaire d'histoire du Canada à l'Université Laval de Montréal. Ses premières analyses portent sur *Nos luttes constitutionnelles* (1915-1916), puis sur *La Confédération canadienne* (1918). En même temps, il publie *Les Rapaillages*, un recueil de contes et de souvenirs d'enfance. Groulx ne cache pas le fait qu'il écrit des textes littéraires à des fins de propagande. Tous les moyens sont bons, juge-t-il, pour donner à la doctrine nationale un plus grand rayonnement. Les deux romans qu'il fait paraître sous le pseudonyme d'Alonié de Lestres, *L'Appel de la race* (1922) et *Au cap Blomidon* (1932), véhiculent donc de façon assez transparente les thèses de l'auteur sur la mission providentielle du Canadien français. L'art romanesque n'intéresse Groulx que dans la mesure où il est au service d'une fonction supérieure, d'ordre à la fois spirituel et historique. Mais, à l'inverse, l'écriture de l'histoire, chez lui, comporte une dimension incontestablement littéraire. Celle-ci est si remarquable que l'un de ses disciples inconditionnels (il en comptera beaucoup), le critique Jean Éthier-Blais, écrira en 1993 dans *Le Siècle de l'abbé Groulx* : « Curieusement, il accéda à la pureté de l'écriture lorsqu'il cessa d'écrire des romans. » Plus encore que François-Xavier Garneau, c'est en effet surtout à titre d'historien que Groulx appartient à la littérature.

Ses conférences, essais et discours, comme ceux qu'il a recueillis en 1924 dans le premier volume de *Notre maître le passé*, font de Lionel Groulx l'intellectuel le plus influent de cette époque. On y voit s'élaborer ce qui deviendra une véritable doctrine. Le titre de cet ouvrage contient à lui seul tout un programme : pour que la jeunesse canadienne-française acquière enfin la fierté qui a manqué aux générations antérieures, Groulx lui enjoint de se tourner vers ce qu'elle est, c'est-à-dire vers ce qu'a été la « race » dont elle est l'héritière. Ce mot, courant à l'époque, oppose d'abord chez Groulx les Canadiens français aux « étrangers » que sont les Canadiens anglais et les Américains. Le mot est toutefois déjà chargé de connotations politiques et idéologiques qui dépassent, de beaucoup, le cadre du Québec. Depuis le XIXe siècle, divers penseurs européens ont voulu donner au racisme une assise scientifique, pratiquant ce qu'on a appelé une sorte de darwinisme social, certaines races, jugées inférieures, étant promises à une disparition plus ou moins rapide. Dans ce contexte, la figure du Juif, perpétuel « déraciné », est devenue le bouc émissaire par excellence. À Montréal, où la communauté juive est la deuxième en importance en Amérique après celle de New York, cette dérive antisémite prendra de l'ampleur durant les années 1930. Le clergé et les milieux nationalistes ne sont pas à l'abri d'une telle dérive, notamment dans le quotidien *Le Devoir* et la revue *L'Action nationale*, dirigée par un des premiers disciples de Groulx, André Laurendeau, qui fera plus tard son mea-culpa.

Dès les premières pages de *Notre maître le passé*, présenté comme un « ouvrage de vulgarisation », le lecteur d'aujourd'hui est frappé tout à la fois par l'esprit vif et polémique de Groulx, plus proche de Buies et de Fréchette que de Garneau, et par le caractère anecdotique quoique péremptoire de son propos, nourri de légendes et de témoignages plus que de faits. Par exemple, Groulx raconte au début de son ouvrage que, pour arrêter la rivière Saint-Pierre qui menace d'emporter le fort de Ville-Marie, Maisonneuve, le fondateur de Montréal, dresse une croix. « La foi fit son œuvre », raconte l'historien, car la rivière s'est aussitôt arrêtée malgré la crue. Pour remercier le ciel, Maisonneuve aurait ensuite gravi la montagne et planté à son sommet la croix qui, « aérienne et mystique, brille comme un "labarum" sous le ciel du vieux Ville-Marie ». L'influence de Groulx tient peut-être à la ferveur d'un style autant qu'à une doctrine. Le ton est presque toujours exalté, chaque événement, si minime soit-il, s'inscrivant dans le projet grandiose d'un récit aux dimensions épiques. À travers l'histoire, il s'agit d'inventer le grand récit de l'Amérique française. Ce dernier passe par la célébration de héros singuliers, comme Dollard, mais aussi par une nouvelle façon de raconter, au quotidien, le destin providentiel de sa communauté. Voici de nouveau Ville-Marie vers 1650 : « De temps à autre, une alerte survient ; dans la forêt prochaine des coups de feu retentissent, de sanglants corps-à-corps s'engagent. Le soir, un, deux, trois noms manquent à l'appel ; le deuil maintient les âmes dans les habitudes tragiques. »

Historien, Groulx est également un intellectuel qui, à l'instar d'Edmond de Nevers, se tourne vers l'avenir national. Sa lecture du passé est tout entière orientée vers l'idée de survivance nationale et vers l'établissement d'un militantisme qui rallie chaque individu par-delà l'esprit partisan. La survivance de la « race » canadienne-française suppose, d'une part, qu'elle est véritablement menacée et, d'autre part, que certains sont mieux placés que d'autres pour fixer les conditions de cette survivance. Reprenant un sentiment très répandu à l'époque sur la précarité et la faiblesse des Canadiens français, Groulx en relève les principales causes : l'individualisme moderne, le matérialisme américain, le désordre urbain, le laïcisme et ses dérivés protestants (entendre l'instruction obligatoire et la loi du divorce), le cinéma, l'immigration, le cosmopolitisme, sans parler du féminisme naissant et du socialisme. Avec la Crise de 1929, la doctrine de Groulx gagnera subitement en popularité, comme si la conjoncture venait confirmer l'échec, annoncé par l'historien, d'une vision libérale du monde. Dès lors, l'idée de retour à la terre se chargera de sens et le régionalisme s'imposera, plus que jamais, comme une condition pour la survie nationale.

Le genre du roman de la terre s'inscrit naturellement dans l'horizon idéologique de ce grand récit national. Mais existe-t-il vraiment, ce roman de la terre dont on a souvent dit qu'il dominait la première moitié du XXe siècle au Québec ? Il ne s'agit pas d'un roman bucolique ou descriptif, mais d'un roman de mœurs, d'un roman social, d'un roman historique ou, comme c'est le cas avec Groulx, d'un roman à thèse. Les romans de la terre, comme ceux de Damase Potvin (*Restons chez nous!*, 1908, *L'Appel de la terre*, 1919), sont l'exception davantage que la règle. Pour le reste, le terroir est le plus souvent célébré à travers des recueils de souvenirs et des récits, tels ceux d'Adjutor Rivard (*Chez nous*, 1914, *Chez nos gens*, 1918) ou, comme on l'a vu, ceux de Lionel Groulx (*Les Rapaillages*, 1916, *Chez nos ancêtres*, 1920) et du frère Marie-Victorin (*Récits laurentiens*, 1919, *Croquis laurentiens*, 1920). Il faudra attendre les années 1930 pour voir surgir un régiona-lisme paysan (Claude-Henri Grignon) et des romans qui, comme *Trente Arpents* de Ringuet, abordent la terre d'un point de vue réaliste. Avant eux, les écrivains du terroir, fidèles en cela à une tradition qui remonte au XIXe siècle, ne veulent pas s'aventurer du côté du roman proprement dit. Cette distance entre le roman de la terre et la terre elle-même (en tant que paysage) permet aussi de mieux comprendre pourquoi ce régionalisme ne s'accroche que rarement à une région particulière – ce que la poésie fait davantage : Blanche Lamontagne-Beauregard chante la Gaspésie et Alfred DesRochers, l'Orford – et évoque plus qu'il ne décrit un espace rural assez stéréotypé, abstrait, figé dans le temps. Dans les deux pre-mières décennies, le seul exemple probant de roman régionaliste est écrit par un romancier qui vient d'ailleurs : c'est *Maria Chapdelaine* de Louis Hémon.

6
Les voix de *Maria Chapdelaine*

À l'origine, *Maria Chapdelaine*, sous-titré *Récit du Canada français*, s'adresse aux lecteurs français et s'apparente à une lignée de romans régionalistes ou rustiques qui correspondent parfaitement au goût de l'époque, comme *Colette Baudoche* (1909) de Maurice Barrès. Très vite toutefois, avant même sa sortie en volume chez l'éditeur parisien Grasset en 1921, le récit de Louis Hémon suscite l'attention de lecteurs québécois et devient l'objet d'un long processus d'appropriation qui en fera bientôt le premier des « classiques » du roman canadien-français. En France, *Maria Chapdelaine* constitue un best-seller ; au Québec, il devient un mythe.

On sait très peu de choses sur Louis Hémon, heurté mortellement par un train en 1913 dans le nord de l'Ontario. Né à Brest en 1880 dans une famille d'universitaires avec laquelle il rompt pour s'installer à Londres en 1903, Hémon écrit des nouvelles et quelques romans, dont un sur la boxe, *Battling Malone, pugiliste*, publié seulement en 1925. Représentant de commerce, employé de bureau, il n'a absolument rien de l'écrivain rural ou catholique qu'on a voulu s'imaginer. Après huit années à Londres, il quitte sa femme et sa fille pour se rendre au Canada. Il séjourne à Montréal, puis à Péribonka dans la région du Lac-Saint-Jean. En 1914, *Maria Chapdelaine* paraît en feuilleton de manière posthume dans le quotidien parisien *Le Temps*.

Dans chacun de ses textes, Hémon pratique une sorte de naturalisme modéré, discret, dépourvu de lyrisme, plus proche de Maupassant que de Zola : phrases courtes, descriptives, ironie légère, absence de surprises ou d'actions flamboyantes. Rien ne permet de séparer ses textes londoniens de *Maria Chapdelaine* : l'écrivain pose sur les personnages urbains le regard à la fois distant et sensible qu'il posera sur les gens de Péribonka. Ses personnages sont frappés d'un même immobilisme et le fameux énoncé qui clôt *Maria Chapdelaine*, « Au pays de Québec rien ne doit mourir et rien ne doit changer… », résonne différemment lorsqu'on le rapproche de tel autre, tiré de la nouvelle « Lizzie Blakeston » : « Les années passèrent ; mais les années ne comptent guère dans Faith Street. Au dehors peut se déchaîner le tumulte des catastrophes ou des guerres, les souverains ou les ministres peuvent lancer des proclamations, les banques crouler, les industriels faire fortune et les actrices épouser des pairs ; toutes ces choses ne pénètrent pas le cœur de Faith Street. » Qu'elle se nomme Lizzie Blakeston ou Maria Chapdelaine, l'héroïne de Louis Hémon habite un monde en marge du mouvement moderne. Mais Lizzie Blakeston se suicide dans l'indifférence la plus complète, y compris des membres de sa famille. Le fatalisme de Maria Chapdelaine n'a évidemment pas le même sens : c'est tout un pays qui partage le sort de l'héroïne.

Repris à Montréal en 1916 à tirage très limité, le texte de *Maria Chapdelaine* subit d'importantes retouches qui en orientent fortement la lecture. Nicole Deschamps a bien décrit les modifications apportées à la version originale ainsi que les étapes qui ont conduit à la magnification de la figure de Maria Chapdelaine. Celui-là même qui découvre le récit de Hémon et décide de le publier au Québec, le critique Louvigny de Montigny, entreprend aussitôt de le présenter de manière telle qu'on puisse le lire comme un « modèle de littérature canadienne ». Les interventions sont de trois ordres : le récit est précédé de deux préfaces, l'une de Louvigny de Montigny, l'autre d'Émile Boutroux, membre de l'Académie française ; il est ensuite émaillé d'illustrations de Suzor-Côté ; et le texte est enfin modifié de façon à le rendre plus acceptable (« ouais » est remplacé par « oui », « toué » devient « toi » dans la bouche du prêtre, etc.). Malgré son enthousiasme, Louvigny de Montigny exprime d'importantes réserves sur la valeur ethnographique du récit. Louis Hémon a le tort, selon lui, de ne s'être « soucié que de littérature » et d'avoir peint un tableau trop sombre et trop austère. Il est assez amusant aujourd'hui de lire les reproches formulés par le critique montréalais, notamment ceux qui touchent aux paysages : pourquoi, se plaignait-il, n'avoir pas décrit quelque « chevreuil bramant au clair de lune des Laurentides, ou une loutre pêchant des truites, voire quelques oiseaux-mouches promenant leur bourdonnement vermeil sur nos champs de blé noir » ?

Est-ce le même récit qu'on lit au Québec et en France ? Dans l'histoire de la littérature française, *Maria Chapdelaine* est un phénomène de vente, considéré comme un « chef-d'œuvre catholique » alors même que l'auteur, rompant avec son milieu familial, a mené la vie d'un aventurier. Appuyé par le clergé et par la droite française, notamment par *L'Action française* de Charles Maurras, le récit est perçu comme un livre à mettre entre toutes les mains : l'éloge de la race pure, l'horreur de l'étranger, le culte de la vigueur, l'idéologie du terroir, le salut par la colonisation, tout cela contribue à faire de ce livre le symbole d'une France ancienne toujours vivante. On mesurera l'ampleur du phénomène à des signes comme celui-ci : le 23 janvier 1949, lors du procès de l'éditeur Bernard Grasset, accusé d'avoir collaboré avec l'ennemi, on lit ceci dans *France-Dimanche* : « Outre la publication des livres de Proust, des quatre M. [Mauriac, Montherlant, Maurois et Malraux], de Giraudoux, le chef de l'État [Vincent Auriol] est surtout sensible au fait que Grasset ait découvert, lancé et vendu à des centaines de milliers d'exemplaires... *Maria Chapdelaine*. » Par la suite, l'œuvre tombe dans un oubli relatif et Louis Hémon n'occupe aujourd'hui qu'une place très modeste dans l'histoire littéraire française.

Au Québec, l'historien littéraire éprouve une sorte d'embarras devant *Maria Chapdelaine*. Que faire d'un roman écrit par un Français pour un public français ? Le roman fourmille de passages didactiques qui expliquent à un lecteur étranger le sens de certains mots (le bleuet est « la luce ou la myrtille de France ») ou de

Marc-Aurèle de Foy Suzor-Coté, *En traîneau, sautant sur la rive.* Illustration pour
Maria Chapdelaine de Louis Hémon, 1916. Musée national des beaux-arts du Québec, 34.80.
Photo Patrick Altman.

certaines coutumes. Dans son *Histoire de la littérature canadienne-française*
(1946), Berthelot Brunet ne mentionne pas du tout Louis Hémon. Les autres historiens en parlent, mais avec réserve, l'œuvre ayant surtout une « fonction documentaire ou ethnographique » (Laurent Mailhot). Le mythe se dégonfle, tourne
au cliché. C'est qu'avec la Révolution tranquille la « plainte sans révolte » qui traverse tout le récit paraît beaucoup trop timide, presque inaudible, semblable au
silence étouffant dont cherche justement à s'affranchir la littérature de l'époque.
À cette génération-là qui vise au contraire à libérer la parole, le récit de Hémon
n'a plus rien à dire. Il s'apparente aux œuvres moins connues d'autres écrivains
d'origine française, comme Georges Bugnet, Maurice Constantin-Weyer ou Marie
Le Franc. Pourtant, aucun des textes de ces derniers n'a joué un rôle comparable
à celui de *Maria Chapdelaine* dans l'évolution du roman québécois. Impossible,
par exemple, d'imaginer *Menaud, maître-draveur* (1937) de Félix-Antoine Savard
sans *Maria Chapdelaine*, dont il est à la fois, comme on le verra plus loin, la réécriture et la transposition épique.

    Maria Chapdelaine est le récit d'un étranger racontant le destin de ceux qui,
comme lui, sont perçus comme étant « presque des étrangers » dans leur propre
monde. Ce ne sont pas simplement des défricheurs, des colons comme les

autres. Le père Chapdelaine n'est pas un Jean Rivard : il ne rêve pas de construire une ville autour des terres nouvellement défrichées. Dès que les gens s'installent autour de lui, il se met à vouloir fuir plus au nord. Se sent-il investi de la mission colonisatrice pour ainsi recommencer sans cesse à zéro ? Sans doute, mais il y a plus : c'est la haine des gens qui le pousse à « mouver » de cinq ans en cinq ans. Dans un passage rarement cité, qui précède immédiatement la scène des voix, le père explique à sa fille le sens de ce qu'il appelle lui-même sa « folie » :

Il venait du monde qui s'établissait autour de nous ; il n'y avait rien qu'à attendre un peu en travaillant tranquillement et nous aurions été au milieu d'une belle paroisse où Laura aurait pu faire un règne heureux... Et puis tout à coup le cœur me manquait ; je me sentais tanné de l'ouvrage, tanné du pays ; je me mettais à haïr les faces des gens qui prenaient des lots dans le voisinage et qui venaient nous voir, pensant que nous serions heureux d'avoir de la visite après être restés seuls si longtemps. J'entendais dire que plus loin vers le haut du lac, dans le bois, il y avait de la bonne terre ; que du monde de Saint-Gédéon parlait de prendre des lots de ce côté-là, et voilà que cette place dont j'entendais parler, que je n'avais jamais vue et où il n'y avait encore personne, je me mettais à avoir faim et soif d'elle comme si c'était la place où j'étais né...

Un tel discours n'entre évidemment pas dans le cadre habituel de ce qu'on appelle l'idéologie du terroir, qui suppose à la fois la sédentarité et le désir de vivre en communauté. Ce désir est incarné ici par Laura, la mère, qui se plaint tout au long du récit de l'éloignement dans lequel la maintient la « folie » de Samuel, qui est aussi celle de François Paradis et de tous ceux qui appartiennent à la race des coureurs des bois ou des pionniers. Comment fonder une société avec des individus qui refusent de se fixer ?

Mais les exigences de la survivance collective sont plus fortes, dans cet univers, que les pulsions personnelles. Après la nouvelle de la mort de François Paradis, Maria ne sait plus où projeter son désir. Ses deux autres prétendants, Lorenzo Surprenant, qui a vendu sa terre pour s'installer aux États-Unis, et Eutrope Gagnon, simple défricheur, incarnent des valeurs opposées, mais également abstraites. Deux idéologies s'affrontent à travers eux, celle de la ville, avec son individualisme et ses attraits matériels, et celle de la terre, qui est la voix du pays. C'est finalement le moins séduisant de ses prétendants qui obtiendra les faveurs de Maria. Mais ce choix n'en est pas vraiment un : c'est le destin et la voix des autres qui décident à sa place. Le destin, car François Paradis, à qui elle rêve sans cesse, disparaît dans les bois après s'être « écarté » dans la tempête. La voix des autres, car c'est en entendant « la voix du pays de Québec, qui était à moitié un chant de femme et à moitié un sermon de prêtre », que Maria renonce aux attraits de la vie moderne, incarnée par Lorenzo, pour assumer silencieusement l'héritage maternel.

« Autour de nous des étrangers sont venus, qu'il nous plaît d'appeler des barbares ; ils ont pris presque tout le pouvoir ; ils ont acquis presque tout l'argent ; mais au pays de Québec rien n'a changé. Rien ne changera, parce que nous sommes un témoignage. De nous-mêmes et de nos destinées, nous n'avons compris clairement que ce devoir-là : persister… nous maintenir… Et nous nous sommes maintenus, peut-être afin que dans plusieurs siècles encore le monde se tourne vers nous et dise : Ces gens sont d'une race qui ne sait pas mourir… Nous sommes un témoignage.

« C'est pourquoi il faut rester dans la province où nos pères sont restés, et vivre comme ils ont vécu, pour obéir au commandement inexprimé qui s'est formé dans leurs cœurs, qui a passé dans les nôtres et que nous devrons transmettre à notre tour à de nombreux enfants : Au pays de Québec rien ne doit mourir et rien ne doit changer… »

Ce texte devenu célèbre a souvent été interprété comme une adhésion à l'idéologie du terroir et un appel à la révolte. « [D]es étrangers sont venus » : en 1937, Menaud ne cessera de se répéter ces mots, jusqu'à en perdre la raison. Mais Louis Hémon, qui ne craint pas au passage d'égratigner la figure du prêtre (qu'il compare à un homme de loi et à un pharmacien), montre surtout la force de persuasion de ce discours. Et Maria, perméable à toutes les voix extérieures, celles de la nature comme celles de la religion, est une figure d'autant plus centrale qu'elle accueille ces voix en silence, en les laissant se répondre les unes aux autres. Dans un monde dominé par la blancheur froide de l'hiver, elle incarne une autre forme de blancheur, celle de la vierge, mais aussi celle de l'absence, du vide, du détachement absolu.

Roman symbole, *Maria Chapdelaine* illustre mieux que tout autre ce que Camille Roy appelle « l'âme canadienne » : foi catholique, nécessité de perpétuer le combat national contre l'étranger, éloge du français, notamment de la toponymie du pays, mœurs sociales fondées sur la simplicité d'une famille paysanne, sur le travail de la terre, sur une absence totale de violence de même que sur l'identification profonde à la nature. Mais, comme l'a montré Réjean Beaudoin, ce texte a aussi un statut exceptionnel dans l'histoire du roman régionaliste. Roman de l'espace et non pas du territoire, il ne débouche sur aucune thèse. Louis Hémon ne prend pas parti, comme on l'a parfois dit, pour l'une des options qui s'offrent à Maria : il les expose comme autant de possibles. Cette distance doit beaucoup au fait que Louis Hémon découvre le Canada français en étranger, s'étonnant à plusieurs endroits de l'aspect désolé du paysage nordique, celui-là même que le discours clérico-nationaliste s'emploie à idéaliser. Comme Gabrielle Roy plus tard, il jouit d'une grande liberté à l'égard des oppositions dans lesquelles se trouve enfermé l'observateur local, presque toujours obligé de choisir entre l'univers de la ville et celui de la campagne, entre le nomadisme et la sédentarité. Le roman atteint un équilibre exemplaire entre la distance romanesque et la justesse de l'observation ethnologique. C'est aussi en cela qu'il constitue le modèle par excellence du genre romanesque au Canada français. De Claude-Henri Grignon à Germaine Guèvremont en passant par Félix-Antoine Savard et Ringuet, le roman canadien-français se mesure à *Maria Chapdelaine*. Au cinéma, Maria Chapdelaine sera incarnée successivement par Madeleine Renaud (Julien Duvivier, 1934), Michèle Morgan (Marc Allégret, 1950) et Carole Laure (Gilles Carle, 1983).

Quelques auteurs français s'inspirent également de l'exemple de Louis Hémon. Il en est ainsi de Maurice Constantin-Weyer (1881-1964), qui obtient le prix Goncourt en 1928 pour *Un homme se penche sur son passé*. Cet auteur prolifique (il a écrit une cinquantaine d'essais, de romans et de traductions) voulait être au Manitoba ce que Louis Hémon avait été au Québec. Établi dans un ranch avec sa mère, il voulait aussi devenir un gentleman-farmer. Il n'a été ni l'un ni l'autre et a dû repartir en France dès le déclenchement de la guerre en 1914. *Un homme se penche sur son passé* a tout du roman colonial, voire du roman « western ». Il décrit un univers exotique, encore peu habité, mais déjà soumis au processus de la civilisation qui signe la fin de l'époque sauvage. Dès le début, le narrateur évoque sa rencontre d'un éleveur canadien-français qui se prépare à tout abandonner, à quitter la « grande Prairie », l'Ouest étant envahi par l'immigration des Yankees, des Bretons, des Mennonites, des « Canayens », des « Anglais en culottes courtes ». « C'est foutu l'beau temps !... On a tout vendu, nous autres. J'ai encore deux caisses de bouteilles à boière... Après cela, j'brûle la vieille maison, et j'mouve à la ville. J'vas me marier et prendre un hôtel. »

Né à Châlons-sur-Saône, Georges Bugnet (1879-1981) arrive en Alberta en 1906 et, à la différence de Constantin-Weyer, il y reste presque toute sa longue vie. Ce cultivateur écrit dans une langue simple, dépourvue de prétention. *La Forêt* (1935) raconte l'arrivée d'un couple français dans l'Ouest canadien, loin de toute ville et de tout village. Roger est un optimiste, un amoureux de la forêt canadienne ; sa femme Louise, beaucoup moins. Les maringouins, les animaux dangereux, l'inconfort des installations, tout l'effraie et la rebute dans la nature sauvage. Au fur et à mesure qu'ils apprennent les rudiments de la vie rurale (défrichage, travaux de la terre, chasse, élevage, etc.), Louise regrette la civilisation et s'en plaint. Après la naissance de leur fils, elle semble ne plus rien attendre de son mari, abruti par les travaux manuels. Leur société se réduit à la compagnie d'un couple canadien-français, les Roy, de vrais habitants, taillés sur mesure pour cette nature que Louise trouve abêtissante. Le temps aggrave le désespoir de Louise : l'argent s'épuise, la terre ne rapporte presque rien et la route qui devait passer par leur terre suivra finalement un autre tracé, loin de leur maison. Le vrai drame survient toutefois lorsque leur fils meurt accidentellement en tombant d'un pont. Le colon français renonce alors à son rêve et le couple retourne vers la civilisation. La forêt a eu raison d'eux.

Comme ses compatriotes français, Marie Le Franc (1879-1964) est fascinée par le Nord et la forêt. Jeune institutrice, à la fois réservée et aventureuse, elle quitte sa Bretagne natale pour le Canada en 1905, à l'invitation de son correspondant, le journaliste Arsène Bessette qui lui a offert de l'épouser. Le mariage n'aura pas lieu, mais Marie Le Franc s'installe alors à Montréal où elle enseigne le français dans des écoles anglaises. Plus tard, elle découvre les Laurentides qu'elle explore au cours de randonnées où elle campe seule dans les bois, « amoureuse de la forêt jusqu'à lui demander cette volupté d'avoir peur », écrit Robert Choquette. Bien qu'elle séjourne longtemps au Québec, Marie Le Franc retourne en France régulièrement et ne choisira jamais entre ses « deux patries »; partagée entre Montréal ou le Nord et son village breton de Sarzeau, elle mène sa carrière littéraire des deux côtés de l'Atlantique. Ses premiers poèmes, *Les Voix du cœur et de l'âme*, publiés à Montréal à compte d'auteur en 1920, attirent l'attention d'Albert Lozeau et surtout de Louis Dantin qui consacre une étude au recueil dans *La Revue moderne* en 1921. Marie Le Franc et lui correspondront quelques années, alors qu'en France, où elle a aussi publié des poèmes dans le *Mercure de France*, elle obtient le prix Femina en 1927 pour son premier roman, *Grand-Louis l'innocent*. Chez elle, romans et nouvelles se répartissent entre des textes « bretons », comme *Le Poste sur la dune* (1928) ou *Dans l'île* (1932), et des textes « canadiens », plus nombreux : *Hélier, fils des bois* (1930), *Au pays canadien-français* (1931), *La Rivière solitaire* (1934), *La Randonnée passionnée* (1936), *Pêcheurs de Gaspésie* (1938); plus tard, *Ô Canada! terre de nos aïeux!* (1947) et *Le Fils de la forêt* (1952). Cependant, la distinction entre les lieux décrits paraît assez artificielle au regard de l'espace fictif, toujours étonnamment semblable, que peint Marie Le Franc : qu'il s'agisse de la lande bretonne battue par les vents ou de la forêt canadienne, la romancière souligne la même immensité exaltante du paysage, la même violence terrifiante mais purificatrice des éléments. Dans un livre de souvenirs, *Enfance marine* (1959), elle approfondit d'ailleurs la comparaison entre la mer et la neige, également fascinantes et dangereuses. Aux confins du roman d'aventures et du roman sentimental, Marie Le Franc exploite, avec une liberté alors assez rare, cet exotisme du Nord mis à la mode en France par le succès de *Maria Chapdelaine*. En effet, comme Constantin-Weyer et Bugnet, Marie Le Franc a été très fortement impressionnée par le roman, paru alors qu'elle vivait à Montréal; elle s'est d'ailleurs rendue à Péribonka, à la recherche des paysages et des personnages qui ont inspiré Louis Hémon; un texte du recueil *Au pays canadien-français*, « À Péribonka, avec les Chapdelaine », en témoigne.

Voyageuse intrépide à une époque qui ne le permettait généralement pas aux femmes, Marie Le Franc observe également les réalités sociales du pays qu'elle parcourt. Ainsi, à l'hiver 1933, elle accompagne des femmes de colons parties de Hull pour rejoindre leurs maris qui défrichent au Témiscamingue; l'expérience de ces citadins devenus défricheurs est transposée dans *La Rivière solitaire* où la romancière jette un regard critique sur la colonisation. C'est encore à la suite d'un voyage que Marie Le Franc écrit *Pêcheurs de Gaspésie*, sans masquer la terrible misère des familles de pêcheurs, qu'elle dénonce aussi au cours d'une conférence organisée en 1935 par l'Alliance française de Montréal ; cette conférence soulève la controverse et Marie Le Franc est accusée de « dénigrer » la Gaspésie. Les nouvelles de *Visages de Montréal* (1934) contiennent aussi des observations sur les différentes communautés, les usages, les questions sociales. On pense ici à Gabrielle Roy, avec qui Marie Le Franc partage un point de vue solidaire de son sujet, mais dont elle s'éloigne cependant en ce que sa vision du Québec demeure pour une large part exotique.

7
Le roman entre liberté et censure

Avec le développement d'un public lettré, concentré surtout à Montréal et à Québec, un certain nombre de romanciers, à l'instar des poètes modernistes, tendent à s'éloigner des thèmes traditionnels liés à la vie rurale et au culte de la mémoire nationale. Ils s'intéressent à l'actualité plus qu'au passé, à la vie réelle plutôt qu'au monde idéalisé de la campagne et ils portent sur leur société un regard tantôt ironique et drôle, tantôt désabusé, à la manière d'écrivains qui les précèdent de peu, comme Honoré Beaugrand. C'est un tel esprit de légèreté que manifeste par exemple le journaliste Rodolphe Girard (1879-1956) lorsqu'il publie en 1904 son deuxième roman, *Marie Calumet*. Le presbytère autour duquel se déroule l'action est le théâtre de scènes comiques, lesquelles seront immédiatement jugées scandaleuses et inadmissibles par le clergé, qui interdit la diffusion et la lecture du roman. Girard cherchera à se racheter par la suite avec un roman historique (*L'Algonquine*, 1910), plus conforme aux valeurs traditionnelles, mais il restera peu connu toute sa vie malgré une abondante production (quatre romans, dix pièces de théâtre et de nombreux contes). Seul Albert Laberge, lui-même isolé dans le milieu intellectuel, considérait à l'époque que *Marie Calumet* était « le meilleur roman jamais imprimé au Canada ». Il y découvre sans doute une liberté de ton proche de la sienne, et tout aussi difficile à défendre contre l'esprit de censure.

Inspiré par une chanson folklorique bien connue (« Sens dessus dessous, sens devant derrière »), Girard s'amuse à faire une sorte de farce scatologique autour de la figure légendaire de Marie Calumet. Celle-ci se rattache moins aux romans à thèse du XIXe siècle qu'aux contes facétieux de Fréchette et au folklore des *Anciens Canadiens*. Le roman s'apparente, de façon plus large, à la farce médiévale et à la culture populaire à la Rabelais. Nous sommes dans un presbytère villageois au milieu du XIXe siècle. Le grand événement est l'arrivée prochaine d'une nouvelle ménagère pleine de verve, une femme ronde de quarante ans qui va remettre de l'ordre dans les affaires du curé. Ce personnage naïf, généreux et théâtral fait rire le curé, qui se réjouit de voir sa paroisse si bien gérée. L'audace de Girard vient de quelques passages jugés indécents. Dans l'un d'eux, Narcisse, l'engagé du bon curé Flavel, reçoit sur la tête le contenu du pot de chambre de l'évêque en visite. Plus tard, revenue de Montréal où elle s'est acheté une immense crinoline, Marie Calumet trébuche et, sous les yeux de tout le monde, y compris du curé, tombe à la renverse alors qu'elle avait oublié de mettre des sous-vêtements. La scène la plus carnavalesque se trouve à la fin du roman, pendant le mariage de Marie Calumet et de Narcisse. Au milieu du repas, les convives se précipitent dehors pour se soulager en pleine nature, après que le bedeau jaloux a versé un laxatif dans le ragoût de pattes. Une telle absence de sérieux donne au roman un air de divertissement burlesque difficilement compatible, on l'imagine bien, avec la mission nationale que l'élite cléricale confie à la littérature.

L'humour n'est pas absent de *La Scouine* d'Albert Laberge (1871-1960), mais c'est un humour noir, presque une parodie misérabiliste du roman de la terre. Laberge montre, en termes crus, la pauvreté de la campagne canadienne-française. Instruit par l'exemple de Girard, son collègue à *La Presse*, et par la controverse suscitée dès la parution d'un des épisodes de *La Scouine* dans *La Semaine* en 1909, Laberge attend quelques années avant de publier finalement son roman en 1918, mais c'est à compte d'auteur et il n'en tire qu'une soixantaine d'exemplaires. L'unique roman de Laberge ne ressemble à rien de ce qui a été publié jusque-là au Canada français. Selon Gérard Bessette, qui fera paraître une anthologie des écrits de Laberge, *La Scouine* serait le premier roman naturaliste du Québec, inspiré partiellement de *La Terre* de Zola. Comme chez ce dernier, la terre est le lieu de drames successifs. Les conditions de vie rudimentaires y sont décrites à travers le personnage d'une jeune fille, simple d'esprit, surnommée la Scouine. Enfant martyre, elle n'excite toutefois aucune pitié, car elle se révèle aussi méchante à l'égard des autres qu'ils le sont à son endroit. Nulle identification possible avec elle. Les bons sentiments n'ont pas leur place dans ce roman qui dresse une sorte de livre noir de la terre. Tous les personnages sont des victimes impuissantes. Victimes des Anglais qui bloquent l'accès au « poll » le jour des élections, victimes de la cupidité des marchands canadiens-français, victimes surtout de la terre ingrate, sèche, cruelle.

Contre les caprices de la terre, on ne peut rien faire. Les deux fils aînés, furieux que la terre paternelle ne leur rapporte rien, saccagent les arbres fruitiers sous le regard désolé de la mère. Charlot, infirme, est condamné à l'ennui. Caroline, la sœur jumelle de la Scouine, meurt prématurément de « consomption galopante », elle qui pourtant avait réussi à fonder une famille promise au bonheur. Le frère du père, revenu de Californie à l'âge de soixante-quinze ans, se pend dans la grange. Les autres villageois ne s'en tirent guère mieux : l'idiot du village, que l'on voit en train d'embrocher des poulets pour le plaisir, meurt d'une insolation après avoir été contraint par son frère à travailler tête nue dans les champs. Dans *La Scouine*, la terre tue plus qu'elle ne nourrit.

Aucun des personnages du roman ne possède les mots pour exprimer la souffrance d'une telle vie. La Scouine a bien fréquenté l'école, mais à douze ans elle parvient, grâce à sa mère et à la complaisance du curé, à faire renvoyer l'institutrice. Délatrice-née, la Scouine crie dans le vide et dénonce vainement les travers des autres. Personne ne l'écoute, elle parle une langue primitive, « interjection vague qui nous ramène aux origines premières du langage ». Les dialogues sont rares dans le roman, comme si chacun était condamné à vivre dans la plus extrême solitude et dans le silence. Les valeurs familiales ne font pas le poids à côté des détraquements engendrés par la réalité de tous les jours. Seuls les intérêts matériels et quelques soubresauts de la chair déterminent l'action de chacun. Le narrateur, en bon disciple de Zola mais aussi de Maupassant, observe le mécanisme des désirs primitifs et les décrit sobrement, imitant par la banalité du style le caractère répétitif et morne de ces vies. Les actions s'équivalent par là, et Laberge est particulièrement habile à noter les gestes des personnages que le roman traditionnel ne montre jamais. C'est Bagon, le coupeur, au moment de châtrer un taureau ou surpris en train de se livrer au plaisir solitaire ; c'est la Scouine arrosée d'urine par ses camarades de classe ou noyant son chien dans le puits ou encore volant un quêteux ; c'est Tofile, le voisin, qui annonce à sa femme la mort de son frère : « En v'la un bon débarras », lui dit-il, coupant court à tout sentimentalisme.

Les contes de Laberge, que l'on appellerait plus volontiers des nouvelles, sont tout aussi audacieux que son roman. Même déclassement social, même dégradation humaine, même prédilection pour les familles livrées à la misère, comme dans « Les deux chouettes » qui met en scène « deux basses prostituées », la mère et sa fille. Dans ce texte et dans plusieurs autres contes, nous sommes en ville, car le naturalisme paysan de Laberge conduit tout naturellement à un naturalisme urbain. On voit ainsi que le roman de la terre n'est pas forcément en contradiction avec le roman de la ville, pas plus qu'il ne l'était chez Zola, Maupassant ou Huysmans.

Un troisième roman, durant cette période, se distingue par sa liberté de ton : il s'agit du *Débutant* (1914) d'Arsène Bessette (1873-1921), sous-titré *Roman de mœurs du journalisme et de la politique dans la province de Québec*. À la façon de certains contes de Laberge, le roman de Bessette se situe à Montréal et s'attache à décrire la vie moderne qu'on y mène. « Ce roman n'a pas été écrit pour les petites filles », lit-on sur la page de couverture. Pour qui a-t-il été écrit ? Presque personne ne l'a lu à l'époque après sa condamnation par l'Église. Bessette est connu pour être un libéral radical, membre de la loge maçonnique de Montréal. *Le Débutant*, son seul roman, a une évidente dimension autobiographique. Il raconte la désillusion de Paul Mirot, venu à Montréal dans l'espoir d'entrer au service d'un grand journal. Dès ses débuts au *Populiste*, il découvre toutefois les dessous du métier. Il voudra se consoler en écrivant un roman, comme Bessette lui-même. Celui-ci s'amuse à décoder les langages de la ville et à caricaturer la classe politique et intellectuelle. Il collectionne les bons mots, imite l'accent des Montréalais avec leur patois (en italique dans le texte). Voici par exemple un député, Prudent Poirier, grand amateur de théâtre populaire à qui on demande ce qu'il pense du Théâtre Moderne : « *Parlez-moé-z'en pas. Yuinque* des *simagrées* dans les salons ; des *pincées* en robes de soie qui trompent leurs maris et font des *magnières* ; des hommes qui font des grands discours, comme à la Chambre. » Le roman se démarque surtout par l'humour et par l'originalité de son sujet qui permet notamment de voir les nouvelles réalités urbaines, dont les théâtres que Bessette appréciait particulièrement. Mais *Le Débutant* mêle assez lourdement la satire politique et les déboires sentimentaux de son personnage. Bessette, qui ne publiera aucune autre œuvre littéraire, reste davantage un journaliste qu'un écrivain.

D'autres romans d'apprentissage se situent en ville au début du siècle : *Robert Lozé* (1903) de l'économiste Errol Bouchette, *Les Vermoulures. Roman d'actualité* (1908) de J.-M.-Alfred Mousseau ou encore *Jules Faubert, le roi du papier* (1923) d'Ubald Paquin. Mais ce sont des romans à thèse, tout comme ceux de Damase Potvin et de Lionel Groulx. Au cours des années 1920 émerge par ailleurs un roman de type populaire, soutenu par un éditeur, Édouard Garand. Fondées en 1923, les Éditions Garand regroupent plusieurs collections (« Roman canadien », « Récit canadien », « Théâtre canadien » et le « Canada qui chante ») destinées à la diffusion de la littérature canadienne. La collection « Roman canadien » obtient un succès considérable : près de quatre-vingts ouvrages inédits, publiés mensuellement sous la forme de fascicules illustrés et vendus 0,25 $, sont distribués au Canada français et connaissent des tirages remarquables (jusqu'à 13 000 exemplaires d'un seul volume). La réussite de l'entreprise est assurée par le grand nombre d'abonnements – la collection en aurait eu 20 000 –, les ventes au département de l'Instruction publique et la libre distribution des exemplaires dans les kiosques à journaux et les bureaux de tabac. Selon Jacques Michon, de 1923 à 1932, les romans publiés dans la collection « Roman canadien » constituent 40 % de la production romanesque québécoise. Malgré des débuts fracassants, les ventes des Éditions Garand diminuent au début des années 1930. Édouard Garand édite néanmoins quelques romans et ouvrages divers jusque vers la fin des années 1940.

Même s'il se porte à la défense de la littérature locale, Édouard Garand a toujours admis que son entreprise était de nature avant tout commerciale. Les livraisons du « Roman canadien » comportent d'ailleurs des feuillets publicitaires et des suppléments intitulés *La Vie canadienne*. Dans ces suppléments, des critiques, parfois membres du comité de lecture des Éditions Garand, vantent les mérites des ouvrages de la maison. En homme d'affaires aguerri, Édouard Garand a bien compris qu'il lui fallait superviser chacune des étapes de la vente de ses livres. L'éditeur choisit les manuscrits qui seront publiés, contribue autant à leur mise en marché qu'à leur distribution. La politique du « roman canadien » respecte cette vision commerciale du monde de l'édition. Les « romans canadiens » relatent des histoires simples et accessibles, comportent certes une dimension morale, mais se doivent d'abord et avant tout de distraire le public. Selon l'éditeur, le métier d'écrivain n'est pas une vocation ou un sacerdoce :

La mission de l'écrivain c'est de distraire son lecteur en l'éduquant. Celui qui l'aura distrait sans lui rien apprendre n'aura pas mieux fait que cet autre qui l'aura ennuyé en essayant de l'instruire. Et je dis « en essayant » parce que les leçons ennuyeuses sont rarement profitables. Or, les « littéraires » accusent couramment les « populaires » d'être de simples amuseurs, tandis que les populaires reprochent aux littéraires d'être des ennuyeux.

Dépourvue de l'esprit de sérieux qui anime les écrivains de l'École littéraire de Montréal par exemple, la littérature romanesque publiée aux Éditions Garand ne renvoie pas à un programme et ne prétend nullement à la réussite esthétique. En témoigne la facture bâclée de la majorité des ouvrages : les coquilles, les erreurs orthographiques, les lourdeurs syntaxiques et stylistiques y abondent. Les romans s'appuient le plus souvent sur des intrigues rocambolesques, multiplient les péripéties et les rebondissements, mettent en scène des héros irréprochables et de vilaines crapules, privilégient la romance et la poursuite. En somme, ils sont construits pour séduire efficacement le lecteur à la recherche d'émotions fortes.

L'auteur le plus prolifique est Jean Féron (1881-1955), dont la carrière littéraire (trente-cinq titres) s'avère singulière. Cultivateur installé en Saskatchewan, Jean Féron (pseudonyme de Joseph-Marc-Octave Lebel) se consacre en dilettante à l'écriture de romans historiques et patriotiques pour la plupart. Dans un style rappelant vaguement celui d'Alexandre Dumas père, il se penche sur les événements marquants de l'histoire canadienne-française. Du règne de Frontenac (*Le Manchot de Frontenac*) aux Rébellions des patriotes (*L'Espion des Habits rouges*, *L'Aveugle de Saint-Eustache*) en passant par la guerre de Sept ans (*La Belle de Carillon*, *La Besace d'amour*, *La Besace de haine*) et le Régime anglais (*Le Capitaine Aramèle*), les récits de Jean Féron font se côtoyer la fiction et la réalité, et entretiennent peu de scrupules à l'égard de la vérité historique. Sur fond de guerres et de bouleversements sociaux, des figures héroïques se distinguent par leurs actes de bravoure et participent ainsi à la grande Histoire collective. Féron se plaît à exalter les vertus héroïques des sauveurs comme des martyrs, qu'il s'agisse du père Jean de Brébeuf, du général Montcalm ou du docteur Chénier. De qualité souvent inégale, les récits de Jean Féron respectent cependant le mandat des Éditions Garand. Par leur liberté de ton, leur ludisme et leur légèreté, ils se veulent avant tout divertissants.

8
Le théâtre comme loisir

Les travaux de Jean-Marc Larrue, André-G. Bourassa et Lucie Robert montrent
que la vie théâtrale dans le Québec d'avant 1930 était loin d'être un désert. La
progression de l'activité théâtrale en français est spectaculaire à Montréal dans
les années 1890. Les premières troupes professionnelles francophones voient le
jour, inspirées par les acteurs français qui font de Montréal une étape importante
dans leurs tournées nord-américaines. Sarah Bernhardt est venue une première
fois à Montréal en 1880, accueillie en grande pompe par Louis Fréchette ; elle
y revient trois fois pendant les années 1890, suscitant chaque fois la curiosité
publique et donnant un lustre mondain à une pratique culturelle qui se développe rapidement. Le théâtre fait partie de la nouvelle société des loisirs, au
même titre que l'opéra, les concerts, le sport professionnel ou les premières
« vues animées » (1896). Au début de la décennie, Montréal ne compte que trois
salles permanentes de théâtre francophone ; dix ans plus tard, il y en aura une
dizaine, dont le Monument-National (1893) et le Théâtre des Variétés (1898). Le
nombre de pièces en langue française qui sont jouées connaît aussi une hausse
rapide, passant de 16 en 1890 à 143 en 1899. Le clergé favorise la création de
troupes composées d'amateurs canadiens-français et espère ainsi contrer l'influence néfaste des théâtres anglais, accusés d'immoralité. Des cercles d'amateurs se forment un peu partout à Montréal, à Québec et ailleurs en province.
Des écrivains canadiens-français comme Pamphile Le May, Édouard-Zotique
Massicotte, Germain Beaulieu ou Rodolphe Girard s'essaient tour à tour à l'écriture dramaturgique.

Mais cet « âge d'or » (Jean-Marc Larrue) qui coïncide avec le tournant du siècle
ne dure pas. Le théâtre entre en concurrence avec des formes plus populaires de
divertissement. Même le théâtre de type édifiant, soutenu par le clergé, peine à
trouver son public. Le meilleur exemple est celui des « Soirées de famille », créées
en 1898 à l'initiative de la Société Saint-Jean-Baptiste et produites au Monument-
National. Chaque semaine, on présente à la bonne bourgeoisie de Montréal une
pièce du répertoire français qui permet à de jeunes acteurs canadiens-français de
se faire valoir. C'est là notamment que Juliette Béliveau, surnommée « la petite
Sarah », fait ses débuts à l'âge de dix ans. C'est aussi là que se produit le poète
Jean Charbonneau sous le nom de scène Delagny. L'expérience des « Soirées de
famille » ne dure toutefois que trois ans.

La dramaturgie canadienne-française ne bénéficie pas vraiment de l'essor du
théâtre dans les années 1890. Les pièces écrites par des auteurs locaux n'ont pas
le succès des comédies et des drames empruntés au répertoire étranger. Selon

Larrue, sur 1 899 titres répertoriés entre 1890 et 1900, on en compte seulement 17 qui sont écrits par des dramaturges locaux, francophones et anglophones confondus ; 65 % des œuvres sont d'origine anglaise ou américaine et 29 % d'origine française. Par ailleurs, alors que le clergé tente de contrôler le théâtre par l'entremise de cercles dramatiques, le public semble de plus en plus attiré par le théâtre populaire, celui par exemple qu'on présente au Théâtre des Variétés. Les écrivains canadiens-français, tenus de « composer des pièces sur des sujets touchant autant que possible à l'histoire du Canada » (Elzéar Roy), demeurent en marge de ce théâtre populaire. En 1911, Marcel Dugas, sous le pseudonyme de Marcel Henry, publie à Paris *Le Théâtre à Montréal. Propos d'un huron canadien*. Sur les vingt pièces qu'il commente, aucune n'est écrite par un dramaturge canadien-français.

À partir de la guerre de 1914-1918, la situation du théâtre ne s'améliore pas, bien au contraire. Plusieurs acteurs français ne reviennent pas au pays après la guerre et la grippe espagnole de 1918 constitue un dur coup pour le théâtre professionnel, puisque toutes les salles sont fermées provisoirement. On voit néanmoins surgir de nouvelles troupes, dont certaines sont en phase avec ce qui se fait au même moment dans les théâtres parisiens. Inspiré par l'exemple américain des *little theaters* et par le Vieux-Colombier de Paris, le « Petit Théâtre », dirigé par Henri Letondal, joue au début des années 1920 Henri Ghéon sur une scène dépouillée et intime. La pièce est cependant vite cataloguée comme du théâtre « expérimental », selon un clivage dont Arsène Bessette se moquait déjà dans *Le Débutant*. Le public montréalais, peu habitué à ce théâtre moderne, ne suit pas et le « Petit Théâtre » doit peu à peu insérer des numéros de vaudeville au milieu de ses spectacles.

Au même moment, le Monument-National organise régulièrement des « Veillées du Bon Vieux Temps », qui connaissent davantage de succès que le théâtre sérieux. De jeunes acteurs canadiens-français commencent à se faire un nom, principalement dans le registre burlesque, où se distinguent des comédiens comme Olivier Guimond et la « Poune » (Rose Ouellette). Ce théâtre comporte des numéros de danse, de musique et de chant. On y présente également de courtes pièces de théâtre parfois écrites par des auteurs locaux, comme Louvigny de Montigny ou Conrad Gauthier. Dans le même esprit, la scène du Monument-National accueille des comédies musicales, des opérettes et divers spectacles légers destinés au grand public. Mais ces efforts trahissent surtout les difficultés matérielles éprouvées par les propriétaires de salles de théâtre. Les pièces du répertoire français jouées par des acteurs étrangers coûtent très cher à produire. Les directeurs de théâtre hésitent à présenter des œuvres nouvelles et se rabattent presque toujours sur des valeurs sûres, déjà connues du public de Montréal ou de Québec. Cela explique aussi leur réticence à présenter des œuvres canadiennes-françaises, jugées trop risquées financièrement. Le journaliste et dramaturge

Léopold Houlé (1883-1953), auteur de nombreuses comédies, dont *Le Presbytère en fleurs*, jouée plus de deux cents fois et publiée en 1929 aux éditions Albert Lévesque, est un des rares à obtenir du succès. Par ailleurs, même les classiques étrangers ne garantissent pas la rentabilité des salles de théâtre, qui sont moins nombreuses en 1930 qu'en 1900. Parmi les causes de ce déclin, il faut souligner la concurrence de plus en plus forte du cinéma, en particulier vers la fin des années 1920 avec l'avènement du cinéma parlant. Même lorsque le théâtre connaît des succès, comme avec certains mélodrames, ceux-ci ne sont pas durables, car ils sont rapidement adaptés au cinéma, ce qui incite les directeurs à retirer la pièce de l'affiche au profit du film. Le cinéma occupe dès lors la place que tentait d'occuper le théâtre commercial. Après l'essor spectaculaire qu'il a connu vers 1900, le théâtre canadien-français doute toujours de son existence à la fin des années 1920.

Le grand succès du théâtre canadien-français de cette période, c'est *Aurore, l'enfant martyre* (1921). Bien avant Fridolin et Tit-Coq de Gratien Gélinas, il s'agit de la première figure populaire de la dramaturgie québécoise. Toutefois, rares sont ceux qui connaissent les auteurs d'*Aurore*, les comédiens Léon Petitjean et Henri Rollin (pseudonyme de Willy Plante). Comme c'est souvent le cas des légendes populaires, l'origine du texte se perd dans ses multiples variations. Peut-on seulement parler d'une œuvre ? Avant 1982, date à laquelle Alonzo Le Blanc publie le texte d'*Aurore, l'enfant martyre* à partir de feuillets remis par un des comédiens, la pièce reste inédite et ses auteurs sont de parfaits inconnus. Ce qu'on sait de la pièce vient en droite ligne du film qui en a été tiré en 1951 (par Jean-Yves Bigras), lui-même conçu à partir d'une version romanesque publiée peu avant par Marc Forrez (pseudonyme d'Émile Asselin). Objet de nombreuses adaptations, le texte de la pièce reste secondaire et malléable. Le personnage d'Aurore, privé d'intériorité, est avant tout un type que chacun peut imaginer à sa guise, chargé d'un poids symbolique assez exceptionnel dans l'imaginaire populaire, bien au-delà de ses actualisations théâtrales, romanesques ou cinématographiques. Enfant mal-aimée, battue par ses parents, Aurore incarne la figure par excellence de la victime innocente, dans une communauté qui se perçoit elle-même comme menacée par ceux qui la dirigent. Fait significatif, elle se retrouve aussi sous la plume d'un autre acteur d'origine française, Henry Deyglun, qui se met à l'écriture théâtrale et deviendra dans les années 1930 un des auteurs de mélodrames les plus prolifiques du Québec. Il reprend la figure d'Aurore dans une pièce intitulée *Le Martyre de la petite Aurore* jouée au Théâtre Français en août 1927.

À l'origine d'*Aurore* se trouve un fait divers qui a défrayé la chronique en 1920 : une femme est accusée, puis condamnée pour avoir torturé une enfant que son mari avait eue d'un premier mariage. Une troupe de théâtre décide de monter un spectacle directement inspiré de cette histoire. Les scènes de torture frappent l'imagination : Aurore est obligée de toucher un tisonnier brûlant, puis elle est fouettée par son père et finit par mourir de ses blessures, malgré l'intervention d'une voisine, du curé et d'un médecin. Dès sa première version, la pièce connaît un succès retentissant. La troupe de Léon Petitjean multiplie les tournées un peu partout au Québec, au Canada et même aux États-Unis. Continuant sur sa lancée, Petitjean, aidé d'Henri Rollin, compose deux nouveaux actes décrivant le procès de la marâtre, et il ajoute une sorte de morale à l'histoire, avec la condamnation de la marâtre à la pendaison. Ainsi allongée, la pièce triomphe encore et devient un véritable événement populaire. Le public réagit si fortement qu'il arrive que des spectateurs s'en prennent à l'actrice qui joue le rôle de la marâtre. À la mort de Rollin et Petitjean, un autre acteur de la troupe, Marc Forrez, modifie de nouveau le texte, l'amputant de ses rares scènes comiques et accentuant encore davantage son aspect mélodramatique. En tout, de 1920 à 1950, il y aurait eu environ cinq mille représentations d'*Aurore, l'enfant martyre* au Canada et aux États-Unis.

Le climat intellectuel dans le Québec des années 1930 est fort différent de ce qu'il était au tournant du siècle. Le conflit entre l'exotisme et le régionalisme s'essouffle avec l'arrivée d'une nouvelle génération qui cherche moins à relancer le débat qu'à le dépasser. L'engagement devient le mot d'ordre des écrivains et des intellectuels, qu'ils soient tournés vers la tradition ou vers la modernité. L'heure est à l'action (nationale, catholique), non à l'art pour l'art. Le contexte international pèse plus lourdement que durant les années folles : le krach de 1929, la montée du fascisme, la peur du communisme, les échos de la guerre civile espagnole (1936-1939) puis la Seconde Guerre mondiale ont des répercussions importantes au Québec. La légèreté affichée par la génération précédente laisse la place à une gravité nouvelle des discours. Le chômage se répand, le nationalisme se durcit, les rappels à l'ordre lancés par l'Église se font de plus en plus pressants et les élites traditionnelles trouvent dans la Crise la confirmation de la faillite du libéralisme et du matérialisme, en même temps que la justification d'un retour aux valeurs anciennes. Le contrôle idéologique et moral de l'Église se resserre, et l'on assiste au triomphe des idées de Lionel Groulx (primat de la religion, retour à la terre, magnification du passé, culte de la « race », rejet de l'individualisme, de la ville, de l'Amérique, etc.) et à une réaction politique qui se traduit en 1936 par l'élection de l'Union nationale, dirigée par Maurice Duplessis.

Mais si ces valeurs anciennes reviennent en force dans les années 1930, c'est que le monde est en crise. L'immense nostalgie qui traverse cette décennie est peut-être moins le signe d'une continuité que le symptôme d'une rupture et, pour une bonne partie de l'élite intellectuelle, d'un déclin. Le discours et la réalité semblent ne plus coïncider. Le clergé et les milieux conservateurs dénoncent l'urbanisation et la modernisation des modes de vie ; ils célèbrent un Québec rural et traditionnel qui correspond de moins en moins à la réalité. En effet, au quotidien, les transformations sociales sont évidentes : on compte un million d'habitants à Montréal en 1930, le tramway favorise le développement d'un centre-ville où se concentrent les commerces, le cinéma parlant se développe rapidement et constitue un puissant relais des cultures française et américaine, la radio s'implante dans la plupart des foyers, les journaux à grand tirage continuent de prendre de l'expansion, concurrencés par les premiers tabloïds à caractère populaire, la pauvreté et le chômage consécutifs à la Crise font apparaître de fortes divisions entre les couches sociales, des groupes se font davantage entendre, en particulier les femmes, mais aussi de nombreux laïcs, encouragés par le clergé, qui se réunissent dans des associations comme la Jeunesse étudiante catholique (1934). Même au sein de l'Église, des fissures importantes apparaissent, et on assiste aux premiers signes de la désaffection qui s'accentuera par la suite.

La Seconde Guerre mondiale constitue le moment capital de cette crise des valeurs anciennes. Sur le plan économique, elle marque la fin de la longue dépression et le début d'une forte croissance. Sur le plan politique, elle provoque une crise majeure au moment du plébiscite de 1942 sur la conscription, qui fait apparaître au grand jour le clivage idéologique entre les Canadiens français, majoritairement opposés, et les Canadiens anglais, majoritairement favorables. Sur le plan culturel, l'impact de la Seconde Guerre est beaucoup plus général et plus diffus. En littérature, il n'a guère été étudié jusqu'à présent, sauf à la lumière des changements qui secouent le milieu de l'édition littéraire. On sait en effet que la défaite de la France en mai 1940 entraîne un véritable boom éditorial à Montréal, puisque tout commerce avec la France occupée est interdit. Au-delà du seul contexte éditorial, la guerre exacerbe les contradictions qui avaient déjà commencé à ébranler les idéologies traditionnelles. Elle correspond à une ouverture sur l'Europe et sur les mouvements associés à la modernité culturelle. À l'influence américaine déjà évidente dans les médias de masse s'ajoute une sympathie nouvelle pour la France contemporaine, malgré les préventions exprimées par l'Église. Des écrivains, des artistes, des musiciens, des architectes, des médecins ou des scientifiques avaient appris à connaître la France lors de séjours d'études durant les années 1910 ou 1920. Quelques-uns avaient même choisi de s'y installer pour de bon. Avec le déclenchement de la guerre, ils doivent toutefois revenir au pays. Parallèlement, le nombre de collèges classiques s'accroît rapidement depuis le début du siècle. La base sociale des jeunes intellectuels s'élargit et inclut aussi plusieurs femmes, qui ont désormais accès à l'enseignement supérieur. Entre le discours de cette élite intellectuelle et celui des élites traditionnelles, l'écart se creuse au point que la jeune génération commence à dénoncer le retard intellectuel du Québec.

Les oppositions entre l'ici et l'ailleurs, entre le terroir et la ville, entre l'ordre et l'aventure (Jacques Blais) sont au cœur de la littérature des années 1930-1945. Mais elles donnent lieu à une effervescence désordonnée, qui révèle à la fois la fin d'un monde et le début d'un autre. Dans bien des textes, le neuf passe par l'ancien, ce qui se traduit par des œuvres mixtes, faussement traditionnelles. C'est le cas des sonnets d'Alfred DesRochers, qui feront l'objet du premier chapitre. Seront ensuite examinés les débats entourant la question de la langue littéraire ainsi que l'essor de la critique, genre pratiqué par un nombre si important d'écrivains que Jacques Blais propose de parler d'un « âge de la critique ». Autre trait marquant de cette période : c'est la première fois qu'une génération de femmes s'impose sur la scène littéraire, principalement des poètes. Au même moment, de jeunes romanciers adoptent des thèmes nouveaux, liés à la ville, au monde moderne ou à la révolte des idées. Leurs romans d'initiation sont toutefois moins connus que les « classiques » du roman de la terre, qui indiquent à la fois l'apothéose et la fin du genre : ce sont ceux de Claude-Henri Grignon, Félix-Antoine Savard, Ringuet et Germaine Guèvremont. La tradition ne vaut plus par elle-même : elle est mise à l'épreuve des réalités nouvelles ou d'un passé soumis aux lois de l'aventure, comme on le voit aussi dans les romans de Léo-Paul Desrosiers. Du côté de la poésie, la transition est plus nette, plus radicale : les œuvres majeures d'Alain Grandbois et de Saint-Denys Garneau donnent la pleine mesure du renouveau esthétique qui se produit durant cette période. Ces transformations touchent aux œuvres aussi bien qu'au milieu littéraire, comme on le verra dans le dernier chapitre consacré au boom éditorial que connaît le Québec au moment de la guerre. On n'avait pas connu une telle richesse ni une telle variété entre 1895 et 1930, alors que la plupart des romans et des recueils de poésie surgissaient, épars, pour tomber rapidement dans l'oubli. Le mouvement de renaissance qui se crée à partir de 1930, au-delà des courants régionaliste et exotique, est plus durable et plus fécond que les mouvements antérieurs. Une véritable tradition d'écriture se met en place.

1
Alfred DesRochers et sa province aux noms exotiques

Alors que *Maria Chapdelaine* est reçu d'emblée comme un chef-d'œuvre régionaliste, il faut attendre Alfred DesRochers (1901-1978) pour que la poésie régionaliste offre l'exemple d'une réussite d'envergure, et cet exemple sera un aboutissement car, après DesRochers, la plupart des poètes importants renonceront aussi bien aux traditions nationales qu'aux traditions prosodiques dont il se fait le champion. Ce n'est qu'avec la « poésie du pays », à partir des années 1950, que la nation redeviendra un enjeu dans la poésie québécoise, et le vers régulier trouvera peu d'adeptes dans la seconde moitié du XXᵉ siècle. « Enfin, DesRochers vint », écrit Claude-Henri Grignon dans l'étude qu'il consacre aux deux premiers recueils de DesRochers, *L'Offrande aux vierges folles* (1928) et *À l'ombre de l'Orford* (1929), son maître livre. Un peu plus tôt, le critique Louis Dantin, qui joue un rôle de mentor auprès de nombreux poètes de l'époque comme Robert Choquette et Rosaire Dion-Lévesque, s'était offert pour « lancer » DesRochers, lui qui avait jadis lancé Nelligan. Un peu plus tard, le jeune Saint-Denys Garneau notera, lui aussi, la nouveauté de DesRochers : « C'est le premier vrai poète canadien que je lise », écrira-t-il en 1931 à Claude Hurtubise.

En 1929, lorsque paraît *À l'ombre de l'Orford*, il n'y a pas, en effet, d'exemple de poésie à la fois aussi achevée formellement et d'inspiration aussi radicalement « canadienne ». Chopin et Loranger, nous l'avons vu, accordaient une place importante aux références nationales et quelques régionalistes comme Le May et Beauchemin avaient publié des sonnets bien maîtrisés. Mais aucun de ces poètes ne se réclamait à la fois d'un « canadianisme intégral » et de l'exemple de Nelligan. DesRochers était certes conscient de cette particularité, comme en témoigne le titre qu'il avait d'abord choisi pour son recueil de 1929 : « Ma province aux noms exotiques ». C'est Louis Dantin qui le convaincra de changer de titre. Mais l'attitude demeure : dire les réalités régionales dans une forme pure.

Deux types d'inspiration cohabitent chez DesRochers, et notamment dans *À l'ombre de l'Orford*. On trouve d'abord une poésie épique célébrant le deuil d'une grandeur passée et désormais inatteignable :

> Je suis un fils déchu de race surhumaine,
> Race de violents, de forts, de hasardeux,
> Et j'ai le mal du pays neuf, que je tiens d'eux,
> Quand viennent les jours gris que septembre ramène.

Le poète insiste : « Et c'est de désirs morts que je suis enfeuillé ». Il s'agit bien de prendre acte d'une déchéance tout en maintenant par le souffle poétique le souvenir de la grandeur passée. Pour conclure son recueil, DesRochers invoque le « Vent du nord » et tente de conjurer le destin dans une tonalité qui sera celle de Gaston Miron dans les années 1950 :

> Ô vent, emporte-moi vers la grande Aventure.
> Je veux boire la force âpre de la Nature,
> Loin, par-delà l'encerclement des horizons
> Que souille la fumée étroite des maisons !

On voit qu'il ne s'agit pas d'opposer l'ici à l'ailleurs, mais plutôt deux conceptions de l'ici : celle de l'Aventure, dont DesRochers tente de faire revivre l'esprit tout en désespérant de le voir renaître, et celle de la petitesse domestique à laquelle il refuse de consentir. La Nature à laquelle tend le poète n'est plus la terre cultivable : c'est l'espace ouvert de l'Amérique. Grand lecteur de littératures anglaise et américaine, DesRochers est l'un des premiers poètes canadiens-français à étendre le régionalisme au vaste territoire de l'Amérique continentale. Il le fait non pas sur le mode de la conquête et de l'appropriation, à la façon romantique et naïve de Louis Fréchette, mais en l'associant étroitement à l'expérience personnelle d'une déchéance, de « désirs morts ».

L'autre forme d'inspiration propre à la poésie de DesRochers s'apparente davantage à la tradition du terroir. Encadrés par ces appels à la grandeur, deux groupes de sonnets, qui constituent l'essentiel d'*À l'ombre de l'Orford*, sont respectivement consacrés à la vie des hommes de chantier et à la vie des cultivateurs. D'une élaboration tout aussi savante (et peut-être même davantage, puisqu'il s'agit de sonnets toujours très finement travaillés), ces poèmes présentent toutefois un lyrisme plus sobre : il s'agit de décrire un certain nombre d'usages, en tenant à distance la harangue idéologique. Ces descriptions relèvent du tour de force non seulement en raison de la maîtrise de la forme du sonnet, mais aussi parce qu'elles accomplissent à la fois l'ambition des « exotistes » et le programme des régionalistes. Par exemple, dans le premier de ces sonnets, « City-Hôtel », DesRochers intègre des termes « canadiens » et des mots anglais qui tiennent le rôle de mots rares et, prolongeant un extrait d'une chanson populaire, campe l'univers traditionnel des chantiers :

> City-Hôtel
> *Nous n'irons plus voir nos blondes.*

> Le sac au dos, vêtus d'un rouge mackinaw,
> Le jarret musculeux étranglé dans la botte,

Les *shantymen* partants s'offrent une ribote
Avant d'aller passer l'hiver à Malvina.

Dans le bar, aux vitraux orange et pimbina,
Un rayon de soleil oblique, qui clignote,
Dore les appuie-corps nickelés, où s'accote,
En pleurant, un gaillard que le gin chagrina.

Les vieux ont le ton haut et le rire sonore,
Et chantent des refrains grassouillets de folklore ;
Mais un nouveau, trouvant ce bruit intimidant,

S'imagine le camp isolé des Van Dyke,
Et sirote un demi-*schooner* en regardant
Les danseuses sourire aux affiches de laque.

Voici une poésie ouvertement régionaliste, offerte et reçue comme telle. Pourtant, elle ne plaît qu'à moitié à un critique traditionnel comme Camille Roy, qui reproche à DesRochers son réalisme prosaïque. Curieusement, Louis Dantin, dont les goûts modernistes sont diamétralement opposés à ceux de Camille Roy, exprime un agacement similaire lorsqu'il blâme son ami de mêler les genres : « C'est comme une alliance, au-dessus d'un bar de Bytown, entre Jos Montferrand et José Maria de Hérédia ; – et l'on dirait un peu que vos bûcherons coupent des arbres sur le Parnasse. » Or, une telle impureté des styles est précisément ce que semble rechercher DesRochers, lui qui se vante de faire de la poésie pure avec des chansons populaires, de parler du passé en étant nouveau. Il n'y parvient pas en jouant le moderne contre l'ancien, mais, de façon inattendue, en mêlant une forme classique, le sonnet, à une forme plus traditionnelle encore, la chanson. Par ailleurs, à l'inverse des pastorales comme celles de Blanche Lamontagne-Beauregard, les sonnets réalistes de DesRochers sont traversés de cris, de hurlements et de « meuglements effarés ». Le poète est un fils déchu, les paysans sont abrutis par le travail, un porc est égorgé, le paysage est austère, le langage est cru : le terroir ici a quelque chose de dur, de mystérieux et d'inquiétant. Après *À l'ombre de l'Orford*, DesRochers ajoutera les poèmes du « Cycle du village », mais ceux-ci sont plus conformistes. Ses deux minces recueils ultérieurs, *Le Retour de Titus* (1963) et *Élégies pour l'épouse en-allée* (1967), n'atteindront pas non plus la qualité des poèmes du recueil de 1929. Signalons par ailleurs son recueil d'interviews imaginaires d'auteurs québécois (y compris lui-même), paru sous le titre *Paragraphes* (1931).

En 1932, DesRochers obtient le prix David, ex æquo avec Robert Choquette (1905-1991), que l'on surnommera le « prince des poètes du Canada français ». Choquette cherche à accorder le classicisme de la forme et le modernisme des

la ville, mais c'était davantage la Ville idéalisée par l'art telle que Verhaeren l'avait décrite dans *Les Villes tentaculaires* (1895). Chez Marchand, c'est la réalité quotidienne de la modernité urbaine qui passe au premier plan et devient le lieu de la poésie. La ville n'est plus seulement une idée, mais une façon de vivre et de sentir. Le corps s'impose désormais au regard de l'écrivain, comme dans le poème intitulé « Paroles aux compagnons » :

> Ô tous vos corps de lente usure
> Mangés par tant de bénignes blessures,
> Vos mains de servitude et vos visages laids
> Sur qui rôde, hébétée, une exsangue luxure,
> La teinte de vos chairs et le pli de vos traits
> Et vos regards déshérités de l'aventure !

Marchand est une rareté sans doute dans le paysage littéraire des années 1930, mais il n'est pas le seul à représenter la misère sociale avec une telle sympathie. On trouve une préoccupation similaire chez un autre ami de DesRochers, Émile Coderre, alias Jean Narrache (1893-1970). Après s'être essayé sans succès au vers régulier, ce dernier se met à écrire des poèmes en langage populaire qui lui valent une rapide notoriété. *Quand j'parl' tout seul* (1932) puis *J'parl' pour parler* (1939) font de lui une sorte de Jehan Rictus canadien-français.

> J'parl' pour parler... Si, à la fin,
> On m'fourre en prison pour libelle,
> Ça, mes vieux, ça s'ra un' nouvelle !
> L'pays f'rait vivre un écrivain !

Ni Marchand ni Jean Narrache ne poursuivent leur œuvre au-delà de cette période. La poésie se détournera bientôt de sa dimension sociale et c'est le roman réaliste ou « joualisant » qui prendra ensuite le relais pour exprimer cette thématique. Déjà dans les années 1930, le roman de Claude-Henri Grignon, *Un homme et son péché*, se rapproche par son réalisme de la poésie de DesRochers, Marchand ou Narrache. Dans chacun des cas, l'écrivain se pose la question de la langue d'écriture, qu'il cherche à accorder avec le monde qu'il dépeint.

2

La langue littéraire

Au seuil des années 1930, la critique se ressent encore de l'onde de choc des querelles du début du siècle. Les positions sont moins tranchées qu'alors, mais les questions demeurent ; elles se cristallisent autour de la langue d'écriture, principal sujet des nombreux essais critiques qui paraissent alors. Autour de cet enjeu central, on polémique beaucoup ; les critiques se répondent d'un livre à l'autre, et ce discours sur la littérature canadienne-française contribue à la faire exister. L'une des voix les plus fortes de ce débat est sans contredit celle de Claude-Henri Grignon (1894-1976). En 1933, quand il publie son premier roman, *Un homme et son péché*, Claude-Henri Grignon est déjà un personnage connu, une sorte de Léon Bloy ou de Charles Péguy canadien-français. Il publie au même moment *Ombres et Clameurs*, recueil de critiques sur la littérature canadienne-française. Mais il s'imposera encore davantage dans les années qui suivent, grâce à des cahiers qui, bien que présentés comme une revue, sont rédigés par lui seul et qu'il appelle *Les Pamphlets de Valdombre* (1936-1943). Grignon s'intéresse à tout ce qui se publie, poésie comme roman, mais il se montre particulièrement véhément quand il s'agit de langue française et de canadianismes. Sa principale cible est un autre polémiste, le critique et professeur Victor Barbeau, à qui il envoie en 1939 une lettre virulente. Barbeau vient de publier un ouvrage sur le français au Canada, *Le Ramage de mon pays*, dans lequel il fait l'éloge de canadianismes de bon aloi. La liste qu'il dresse suscite toutefois ce commentaire péremptoire de Grignon : « Vous trouvez à peine cinq cents canadianismes. J'en connais trois mille. » L'auteur d'*Un homme et son péché* refuse d'embellir la langue qu'il entend autour de lui. Il invente le mot « joual » dont il se sert à plusieurs reprises, comme dans ce texte de 1939 :

[L]es Français qui reviennent en Nouvelle-France devraient avoir au moins le bon sens et la politesse de nous dire que nous parlons « joual » et que nous écrivons comme des « vaches » [...] La vérité, c'est que nous parlons et écrivons mal. Qui nous ? Je vais vous le dire, mon cher professeur, et je pense bien que vous n'irez pas me contrarier à ce sujet.

Nous, les professeurs, nous les hommes de lettres, nous les « professionnels », les bacheliers satisfaits, les journalistes, nous les dirigeants, les intellectuels, les fins-fins, les collets montés, tous tant que nous sommes, nous parlons et nous écrivons le plus pur français de joual que l'on puisse imaginer.

Grignon se permet d'autant plus de donner la leçon aux écrivains « officiels » qu'il vient de faire la démonstration, avec *Un homme et son péché* dont il sera question plus loin, qu'il existe un réel public pour une littérature écrite dans une langue colorée de « joual ».

À l'inverse, les partisans d'un français universel, lisible en France, s'opposent à ceux qui souhaitent voir se constituer, grâce à l'emploi d'un lexique local, une langue authentiquement canadienne-française. En 1933, par exemple, Victor Barbeau félicite Alain Grandbois qui vient de faire paraître *Né à Québec* de n'avoir « pas cru nécessaire, pour affirmer ses origines ethniques, sa filiation intellectuelle, de recourir aux archaïsmes, aux canadianismes, aux incorrections grammaticales ». Louis Dantin abonde dans le sens de Barbeau, mais sa position nuancée lui donne davantage de crédibilité auprès des écrivains de l'époque. Son œuvre critique est l'une des plus originales de la période. Dantin suit activement l'évolution littéraire même s'il vit depuis 1903 en Nouvelle-Angleterre. À cause des relations tendues avec sa famille provoquées par sa manière de vivre et son choix de quitter l'Église, Dantin ne reviendra pas au Québec et considère sa vie aux États-Unis, où il sera toujours pauvre, comme un véritable exil. De plus, ses idées politiques, qui évoluent vers le socialisme, sont à ses yeux une raison supplémentaire de se sentir indésirable au Québec. Le 18 avril 1937, il écrit à DesRochers : « Tout ce que j'espère avant de mourir, c'est de voir Hitler, Mussolini, Le Noblet [Duplessis] dégommés, Franco par terre, l'expérience russe démontrée et les États-Unis (peut-être!) frayant le chemin à un capitalisme nouveau dont la richesse profiterait à tous. » Il meurt à Boston en 1945.

Sa carrière connaît deux périodes distinctes. La première, dont il a déjà été question, correspond aux années de l'École littéraire de Montréal et à sa collaboration à la revue *Les Débats* où paraît d'abord l'analyse de l'œuvre de Nelligan, qui deviendra la fameuse préface. Puis, en 1920, après une période de silence, Dantin, sollicité, commence à collaborer à *L'Avenir du Nord*, au *Canada* et à la toute nouvelle *Revue moderne* ; il poursuit dans les mêmes années une correspondance avec plusieurs écrivains (Olivar Asselin, Marie Le Franc, Jovette Bernier, Robert Choquette, Louvigny de Montigny, Rosaire Dion-Lévesque qui vit au New Hampshire et, plus tard, Alfred DesRochers). Dans sa présentation des *Essais critiques*, Yvette Francoli montre que cette abondante correspondance amène une pratique critique plus libre dans laquelle Dantin n'hésite pas à se montrer sévère et assez directif dans les conseils qu'il donne et dans les choix qu'il suggère aux animateurs des revues auxquelles il collabore. Son influence est aussi assurée par cette présence épistolaire dans le milieu littéraire. Dans les mêmes années, entre 1920 et 1936, il publie l'essentiel de son œuvre : les recueils de poésie *Chanson javanaise* (1930), *Chanson citadine* (1931), *Chanson intellectuelle* et *Le Coffret de Crusoé* (1932), parutions attendues auxquelles on fait chaque fois largement écho ; des contes et des recueils critiques, eux aussi beaucoup commentés, et notamment *Poètes de l'Amérique française*, dont le tome I, qui paraît en 1928, comprend une section consacrée aux poètes haïtiens, et dont

Louis Dantin et son fils. Centre d'archives de Montréal, Fonds Gabriel Nadeau, MSS-177. Bibliothèque et Archives nationales du Québec.

le tome II paraît en 1934, ainsi que les deux tomes de *Gloses critiques*, qui parais-sent respectivement en 1931 et 1935. Son roman autobiographique, *Les Enfances de Fanny*, sera publié après sa mort, en 1951, par Rosaire Dion-Lévesque.

Il aura fallu à Dantin beaucoup de talent critique pour exercer ainsi à distance et par sa seule plume un pareil pouvoir symbolique. Son influence lui vaudra quelques tenaces ennemis, dont Claude-Henri Grignon, qui, dans ses *Pamphlets de Valdombre*, lui reproche en 1938 d'avoir égratigné Léon Bloy et le traite pour cela de « blasphémateur » au « style de mélasse » et qui « se croit la fine fleur des pois pour avoir préfacé un Nelligan imitateur et un peu fol ». Mais la majorité des critiques saluent sa clairvoyance et reprennent volontiers ses jugements. Son interprétation de Nelligan notamment fait très longtemps autorité. Sensible aux réalités de son époque (il évoque les grandes grèves en Angleterre et les mouvements féministes), pourfendeur des différents conformismes, Dantin juge les nouvelles parutions à partir d'une vaste culture littéraire que ne freine aucune censure, et avec une connaissance intime du milieu littéraire canadien-français par rapport auquel sa position d'exilé lui garantit l'indépendance. Il évolue vers une conception de plus en plus universelle de la littérature. Les différentes oppositions qui structurent la discussion littéraire au cours de la période sont en quelque sorte assumées et dépassées dans ses commentaires qui ne cherchent pas à choisir un camp. Ainsi, sur la question de l'autonomie vis-à-vis de Paris, comme DesRochers plus tard, il accorde peu de poids à la reconnaissance en France des écrivains canadiens-français, y compris lorsque ceux-ci y reçoivent des prix : « On n'eût jamais songé à primer ces ouvrages [...] s'ils eussent vu le jour en France. Telles de ces distinctions furent même, oserais-je dire, une insulte à notre culture et à notre aptitude à nous juger nous-mêmes », écrit-il dans *Gloses critiques*. Toutefois, cette revendication d'indépendance ne l'empêche pas de trouver souhaitable que la littérature canadienne-française se rapproche esthétiquement de la littérature française plutôt que de s'en distancer volontairement comme le désirent alors les régionalistes. Les écrivains canadiens-français devraient, selon lui, adopter « la langue française moderne, dénuée de stigmate provincial : celle qu'il nous faut, bon gré mal gré, apprendre et suivre en son évolution constante, à moins de rester isolés, séquestrés dans notre île mentale, réduits bientôt à balbutier une langue morte ». Dantin parvient à traiter l'actualité littéraire sans se laisser enfermer dans les polémiques qui la ponctuent et en pratiquant une critique de type essayistique où la lecture est créatrice : « [La critique] cesse d'être, en un mot, grammaticale, pédagogique, pour devenir psychologique, intime, faisant mieux ressortir en même temps que la personnalité de l'écrivain, celle du critique lui-même. » Comme en témoigne la vivacité du dialogue critique dans sa correspondance, c'est bien cet interlocuteur privilégié, rigoureux et sensible que Dantin aura incarné pour les écrivains canadiens-français dont il a accompagné et souvent orienté le travail.

Plus polémique, le libéral Albert Pelletier (1896-1971) défend dans *Carquois* en 1931, puis dans *Égrappages* en 1933, « le canadianisme intégral » et en appelle au « nationalisme littéraire ». Il s'en prend aussi bien à Dantin à cause de sa trop grande attention à la forme qu'aux « grammairiens », aux « puristes » et aux « éplucheurs », ou encore à Camille Roy pour ses « gestes bénisseurs [...] sur les plus poncifs de nos faiseurs de strophes, et ses indulgences plénières aux plus indigentes de nos rimettes ». Mais il dénonce surtout l'impact d'une langue littéraire inadaptée à la situation locale qui empêche l'éclosion d'œuvres authentiques ; d'après lui, il faut, pour produire une littérature nationale, des écrivains sensibilisés aux réalités d'ici, alors que le système d'éducation fabrique au contraire « des produits déracinés et cultivés dans une serre ». Pelletier oppose alors une langue livresque, « séparé[e] de son organisme de vie, [...] impuissant[e]

à rendre les formes diverses de nos pensées, les nuances de nos sentiments »,
artificielle, efféminée (pour « fifilles pieuses »), destinée aux académiciens et aux
lecteurs français, à une langue « vraie », « colorée », intégrant canadianismes et
même anglicismes, qui « valent infiniment mieux pour nous que les expressions
académiques équivalentes [car] elles sont à nous ». À ce désir d'« une langue à
nous » Pelletier est prêt à sacrifier la France : « [s]i les Français veulent nous lire,
ils nous traduiront, comme ils traduisent la littérature provençale ». À l'exception
du recueil de DesRochers, *À l'ombre de l'Orford*, qu'il loue sans réserve comme
« une œuvre canadienne par le fond et par la forme », Pelletier ne trouve pratiquement pas de textes qui correspondent à son idéal et l'épilogue des *Égrappages* est
particulièrement amer : « La littérature canadienne-française, dans son ensemble,
traduit assez bien notre grande qualité nationale : la force d'inertie, et notre grand
défaut national : la paresse de nous contenter de ça » ; par où il rejoint « l'irréductible désespérance des Fournier et des Asselin » dont il se disait déjà solidaire
dans *Carquois*. Ce pessimisme ne l'empêche pas de fonder, en 1935, la revue *Les
Idées*, à laquelle collaborent notamment Robert Choquette et Berthelot Brunet,
et de créer les Éditions du Totem qui publient *Un homme et son péché*.

Dans ses *Essais critiques* de 1929, Harry Bernard (1898-1979) est plus nuancé
sur cette question d'« une langue à nous » ; il refuse d'en faire une condition
d'existence de la littérature canadienne-française qui sera, à son avis, « constituée
par des livres écrits en français. L'exemple donné dans ce sens par la Belgique et
la Suisse française est concluant. » Mais son diagnostic sur la faiblesse de la littérature rejoint celui de Pelletier : la cause en serait l'écart trop grand qui existe au
Québec entre la langue orale et la langue écrite : « Nombre d'hommes parlent
donc la langue qu'ils savent naturellement, et se servent pour écrire de celle-là
qui leur vient des livres. C'est pourquoi un si grand nombre de nos ouvrages [...]
prennent un ton neutre, incolore, inodore, à cause de la langue employée. » Il
faut, croit-il, assumer le « parler original », « instrument de précision » nécessaire
à notre littérature ; Harry Bernard recommande donc « d'écrire comme on parle,
à la condition de bien parler ». Les contes de Maupassant lui fournissent le meilleur
exemple de « mise en valeur sérieuse, intelligente, d'un parler populaire » et d'une
écriture qui se déploie « naturellement, le plus simplement du monde, comme
s'il n'existait pas une langue littéraire conventionnelle ». Reconnaissant sans insister les mérites de Paul Morin, il juge que « le livre exotique, même fait de main de
maître, reste un livre d'inspiration étrangère » et se réjouit de trouver dans les
romans de Robert Laroque de Roquebrune, ancien exotique, une inspiration
régionaliste.

Parmi les émules de Camille Roy figure Henri d'Arles (1870-1930), pseudo-
nyme de l'abbé Henri Beaudé, proche de Lionel Groulx qui l'invite à collaborer à
L'Action française et auteur de divers recueils d'essais critiques (*Estampes*, 1926,
Miscellanées, 1927). Fidèlement régionaliste, il se place davantage du point de vue

des thèmes que de celui de la langue : « exploitons notre histoire, nos coutumes, nos paysages, tout ce qui nous individualise en quelque sorte et nous situe à part dans la grande famille française ». Il s'intéresse particulièrement à la question de l'Acadie, mais son attachement au pays ne l'empêche pas de commenter, dans une prose élégante, à la fois érudite et impressionniste, les œuvres de plusieurs écrivains français, de Saint-Simon à Verlaine. Séraphin Marion (1896-1983), professeur à l'Université d'Ottawa, auteur de *Sur les pas de nos littérateurs* (1933), s'attache à la cohérence des textes de ses contemporains, mais accorde davantage d'importance au critère moral. Maurice Hébert (1888-1960), le père d'Anne Hébert, est un des hommes de lettres les plus respectés ; il est critique littéraire de 1925 à 1939 à la revue *Le Canada français* et prononce de nombreuses conférences. *Les Lettres au Canada français*, publié en 1936, réunit ses chroniques les plus importantes. L'essayiste humaniste se distingue par un souci d'impartialité, d'objectivité, et une position de surplomb par rapport aux diverses polémiques. Il s'accorde avec Marcel Dugas sur la qualité de *Né à Québec* d'Alain Grandbois, où il voit « un roman-film », et fait d'*Un homme et son péché* le « meilleur roman canadien ». Cet éclectisme montre que, pour lui, la langue littéraire ne fait plus l'objet d'une orthodoxie mais se juge à son efficacité esthétique.

Le bohème Berthelot Brunet (1901-1948) traverse l'époque et franchit les clivages : défenseur indéfectible des exotiques, il sera pourtant, en 1925, secrétaire de l'École littéraire de Montréal qui accueille largement les régionalistes ; et il accompagnera l'aventure de *La Relève* jusqu'aux tout derniers numéros de *La Nouvelle Relève*. Ancien notaire, reporter à *La Patrie*, collaborateur de nombreux journaux et revues, dont le *Mercure de France* où il publie régulièrement des chroniques au cours d'un assez long séjour en France dans les années 1930, il se distingue par des opinions tranchées et une ironie féroce. En 1946, il publie aux Éditions de l'Arbre une *Histoire de la littérature canadienne-française* (suivie de *Portraits d'écrivains* dans la réédition en 1970), véritable antimanuel, insolent et personnel, aux antipodes du prudent et bienveillant *Manuel d'histoire de la littérature canadienne de langue française* de Camille Roy. D'une audace alors peu commune, le livre posthume de Brunet, *Histoire de la littérature française*, propose une lecture étrangère de la littérature française et esquisse, par le choix des auteurs retenus, une sorte de « panthéon des mineurs » comme celui qu'imaginera plus tard Jacques Ferron. Il n'hésite pas non plus à se moquer de certains auteurs reconnus, comme lorsqu'il conseille malicieusement de lire Anatole France en traduction anglaise plutôt que dans la version originale. Dans ces textes écrits à la fin des années 1930, la question de la langue littéraire ne se pose plus dans les termes d'un choix entre universalisme et régionalisme ; les enjeux se sont dilués et les œuvres les plus valorisées sont celles qui parviennent à intégrer les deux positions pour en tirer le meilleur profit littéraire. Des œuvres fortes capables d'intérioriser les deux prescriptions de l'ancrage local et de la portée universelle vont marquer la fin de ce débat, qui resurgira cependant, à partir d'enjeux différents, dans les années 1960. Parmi les nouvelles voix célébrées à l'époque par Dantin pour avoir réussi à échapper au provincialisme, il y a un certain nombre de femmes de lettres pour qui l'écriture n'est pas un combat collectif, mais l'expression d'un lyrisme amoureux et d'une vision d'abord subjective du monde.

3
Des femmes de lettres

Depuis le début du siècle, plusieurs femmes jouent un rôle important dans la vie littéraire au Québec, notamment dans les journaux et les magazines. Il a déjà été question de Robertine Barry, qui écrit sous le pseudonyme de Françoise et qui est sans doute la plus connue d'entre elles grâce au *Journal de Françoise* qu'elle crée en 1902. Elle y milite activement pour la reconnaissance des femmes dans les associations littéraires ou scientifiques comme la Société du parler français et la Société royale du Canada. Une telle reconnaissance n'allait pas de soi dans le milieu littéraire de l'époque. Quelques années plus tôt, Gaëtane de Montreuil (Georgina Bélanger) s'était vu refuser l'admission à l'École littéraire de Montréal. Avec l'urbanisation et le développement d'une presse à grand tirage qui réserve une page aux « intérêts féminins », le nombre de femmes de lettres s'accroît rapidement à Montréal. Joséphine Marchand-Dandurand, Fadette (Henriette Dessaulles), Madeleine (Anne-Marie Huguenin) et Marie Gérin-Lajoie acquièrent, grâce à ces pages féminines, une tribune qui leur permet de défendre leur cause. Des réseaux se forment d'abord avec des femmes de lettres canadiennes-anglaises, puis avec certaines associations françaises. En 1908, les femmes canadiennes-françaises ont accès au collège classique grâce à la fondation du Collège d'enseignement supérieur pour jeunes filles Marguerite-Bourgeoys de Montréal. C'est là qu'étudiera, entre autres, Blanche Lamontagne-Beauregard. Des salons littéraires se créent ces mêmes années, que ce soit chez Françoise ou chez Madeleine. Le phénomène de l'émergence des femmes de lettres au tournant du siècle est si remarquable que Camille Roy écrira en 1905 : « Montréal est la capitale du féminisme au Canada. C'est là que se fixent le plus volontiers, et qu'aiguisent chaque semaine leurs plumes les femmes écrivains, les femmes apôtres des droits de leur sexe. »

Il faut toutefois attendre les années 1920 pour que des femmes se fassent reconnaître non seulement comme journalistes, mais aussi comme poètes ou romancières. Le roman sentimental, surtout dans sa variante édifiante, tel que le pratiquent en France Berthe Bernage ou Germaine Acremant, connaît une vogue certaine dans l'entre-deux-guerres ; les journaux et les magazines à grand tirage, comme *La Revue moderne*, diffusent un grand nombre de ces romans sentimentaux français, qui inspirent plusieurs romancières. Ainsi, Blanche Lamontagne-Beauregard, qui incarne mieux que quiconque la poésie traditionnelle de l'époque, publie en 1924 *Un cœur fidèle*, où une intrigue amoureuse prévisible et conforme à la morale a pour cadre une Gaspésie stylisée selon les besoins de la thèse régionaliste.

La littérature féminine qui émerge vers 1930 se distingue assez nettement de la production littéraire masculine. Elle est représentée surtout par Jovette Bernier, Medjé Vézina et Simone Routier. Au second plan, on trouve Éva Senécal, Cécile Chabot, Alice Lemieux-Lévesque et Hélène Charbonneau. Chez elles, le « canadianisme intégral » n'occupe guère de place, pas plus que la recherche d'une langue originale. La nouveauté vient surtout du regard posé sur le monde et notamment de la thématique de l'amour que l'on trouve dans la plupart des textes écrits par des femmes. C'est le cas du livre d'Éva Senécal (1905-1988), *Dans les ombres,* qui ouvrait en 1931 la collection « Les romans de la jeune génération » chez l'éditeur Albert Lévesque. Éva Senécal, d'abord poète, avait obtenu un certain succès avec son deuxième recueil, *La Course dans l'aurore,* paru en 1929, prix de l'Action intellectuelle de L'Action catholique de la jeunesse canadienne-française (ACJC) devant *L'Offrande aux vierges folles* d'Alfred DesRochers.

La sensualité qui se manifeste dans cette littérature féminine n'est jamais scandaleuse, malgré certains titres comme *La Chair décevante* (1931) de Jovette Bernier ou *Les Tentations* (1934) de Simone Routier. Mais l'évocation des désirs du corps n'en est pas moins soutenue avec audace. La ferveur de la sensation, peu représentée dans la littérature canadienne-française jusque-là sauf chez Laure Conan, est si grande dans certains textes que ceux-ci déconcertent la critique, laquelle conclut bien souvent à une sorte d'excès romantique ou à un sentimentalisme naïf. Cette première génération de femmes de lettres comprend surtout des poètes, même si certaines d'entre elles ont aussi écrit des romans. Le livre qui donne le ton à cette production est le roman *La Chair décevante* de Jovette Bernier (1900-1981). L'auteure est déjà connue comme journaliste et poète. Elle a publié trois recueils de poésie et s'apprête à en publier un quatrième, son meilleur (*Les Masques déchirés,* 1932), où l'on voit s'exprimer « le désir et la fièvre », de même qu'un certain mysticisme. C'est toutefois son premier roman qui témoigne le mieux de sa désinvolture à l'égard du conformisme moral. Publié également dans la collection « Les romans de la jeune génération » chez Albert Lévesque, *La Chair décevante* ne manque pas de témérité. Le choix du titre est révélateur à cet égard : « Je veux un titre qui fasse vendre le livre, écrit Jovette Bernier à Louis Dantin. Camille Roy en aura la nausée mais ça fait passer la bile. Je pense que je vais risquer mon titre ; ce qu'il a qui fait ouvrir les yeux c'est le mot "chair" mais mon Dieu, ils n'ont qu'à se regarder pour en voir et s'ils n'en ont pas, c'est cela qui est tragique. D'en avoir ça n'a affolé personne et puis je n'en montre pas dans mon roman. » Les risques de censure, on le voit par cette lettre, étaient parfaitement connus de la romancière. On lui reprochera comme prévu d'avoir choisi son titre uniquement afin d'« épater le bourgeois » (Jean Bruchési). *La Chair décevante* constitue un court roman psychologique, écrit à la façon d'un journal intime en un style saccadé, fait de notations et de phrases souvent nominales. Le roman est centré sur le personnage torturé d'une veuve qui se voue à l'amour

Jovette Bernier, 1945. Fonds Conrad Poirier, P48, S1, P23117. Bibliothèque et Archives nationales du Québec.

d'un fils illégitime. Le passé refait surface quand elle apprend que son fils risque d'épouser, sans le savoir, sa sœur. Pour prévenir l'inceste, elle se rend chez son ancien amant, devenu entre-temps un grand avocat, et lui révèle tout. Le roman se termine comme une tragédie racinienne : l'amant se tue et la narratrice, accusée de l'avoir tué, sombre dans la folie. Sur cette trame principale se greffent un peu malaisément les épisodes amoureux et mondains de la vie de la veuve, passée du statut de fille-mère à celui de grande bourgeoise grâce à son mariage. C'est l'occasion pour Jovette Bernier de prendre ses distances avec l'univers rustique du roman régionaliste. Elle peint un décor raffiné, évoque des croisières de luxe et la vie en villégiature. Du point de vue de ses censeurs, le roman pèche sans doute autant par le récit de ces distractions luxueuses, où la narratrice apparaît relativement libre, que par la thématique de l'inceste et le personnage de la fille-mère. Féministe de la première heure, Jovette Bernier publiera un autre recueil de poèmes (*Mon deuil en rouge*, 1945) et un autre roman (*Non monsieur*, 1969), mais elle se fera surtout connaître par ses sketches humoristiques à la radio puis à la télévision.

Plus discrète que Jovette Bernier, Medjé Vézina (1896-1981) est l'auteure d'un seul recueil de poèmes, intitulé *Chaque heure a son visage* (1934) et publié à la maison d'édition d'Albert Pelletier (Éditions du Totem). Tout le recueil évoque l'amour, la chair, le plaisir des sens, le refus de la douleur, l'ivresse physique qui consume le cœur des amants. La poésie abondante et généreuse est portée par une vitalité qui tient presque de la révolte. Elle participe à une délivrance dont la pulsion est symbolisée ici par le Vent :

> J'ai ce désir affreux de m'emmêler à vous,
> Ô Vent ! Ton nom palpite et ma bouche te nomme ;
> Qu'exigez-vous de moi, ô mon multiple amant ?
> Je veux crier sur toi ma passion sauvage.
> Ah ! pouvais-je savoir que je vous aimais tant ?
> Que je vous adorais dans tout ce qui ravage,
> Dans ce besoin violent d'inlassables départs ?

Vézina fait dialoguer la voix du désir et celle de Dieu, comme elle le dit dans un autre poème intitulé « Prière pour ma volonté » : « Mon Dieu, c'est toi qui mets dans notre chair, hélas ! / L'ardent désir que tu ne permets pas. » Ce ton direct se manifeste aussi par la souplesse du langage poétique, qui joue sur plusieurs registres, tantôt celui de l'éloquence enflammée s'étalant en de longues séquences lyriques, tantôt celui d'étonnants raccourcis comme dans un vers du poème initial « Matin » : « Le ciel crève d'été, toute la vie est blonde. »

L'ambition littéraire de Simone Routier (1901-1987) ne fait aucun doute. En 1928, elle envoie son premier recueil de poèmes, *L'Immortel Adolescent*, à Louis Dantin, à Édouard Montpetit et à d'autres critiques influents. Elle tient compte des avis de chacun et réédite le recueil l'année suivante. La stratégie lui réussit puisqu'elle obtient alors le prix David. En 1930, elle s'installe à Paris, où elle occupe diverses fonctions aux Archives du Canada, et fait paraître en France un petit recueil de poèmes (*Ceux qui seront aimés*, 1931) ainsi qu'un recueil de « notules » (*Paris. Amour. Deauville*, 1932). À Paris, elle se retrouve en compagnie de plusieurs autres écrivains canadiens-français, tel Alain Grandbois avec qui elle aura une liaison amoureuse. Comme les exotiques l'ont fait avant elle, elle déplore la mollesse de la critique littéraire canadienne-française en la comparant à la critique française. Dans *L'Immortel Adolescent*, Simone Routier expérimente

Medjé Vézina, photo tirée de
Madeleine Gleason-Hughenin,
Portraits de femmes, Montréal,
La Patrie, 1938, p. 182.

des styles variés. Le recueil contient des vers classiques, romantiques et des curiosités modernistes comme ce pastiche de Jean Cocteau intitulé « Le bœuf sur le
toit », qui s'ouvre ainsi :

> Dancings,
> couples incrustés.
> Ah ! tout ce tapage !
>   Sa mère le lui avait
> défendu.

On trouve encore de telles pièces dans son recueil le plus réussi, *Les Tentations*,
publié en 1934. Elle renoue avec certains thèmes du pays, comme celui de la
neige, mais trouve surtout son style dans l'évocation mélancolique de ses déceptions amoureuses :

> Lassitude, ô ma lassitude de vivre !
> Plus lasse que la lassitude elle-même…

Après la mort accidentelle de son fiancé deux jours avant son mariage et après son rapatriement forcé en 1940, Simone Routier entre brièvement au cloître de Berthierville. Ses derniers poèmes (*Le Long Voyage, Les Psaumes du jardin clos* et *Je te fiancerai…*), tous publiés en 1947, portent la marque de la « quête-Dieu ». Ce glissement du sensualisme vers le mysticisme est assez caractéristique, somme toute, de l'écriture féminine des années 1930. On en trouve un autre exemple chez Cécile Chabot (1907-1990) dans son premier recueil, *Vitrail* (1939). Ce courant religieux et mystique sera relayé peu après par l'œuvre de Rina Lasnier, qui fera l'éloge de Simone Routier et se situera dans la lignée de cette première génération de femmes poètes.

4

Le roman et la fin d'un monde

À partir de 1933, on voit paraître cinq romans qui sont souvent présentés comme les « classiques » du roman canadien-français traditionnel. Ce sont *Un homme et son péché* (1933) de Claude-Henri Grignon, *Menaud, maître-draveur* (1937) de Félix-Antoine Savard, *Les Engagés du Grand Portage* (1938) de Léo-Paul Desrosiers, *Trente Arpents* (1938) de Ringuet et *Le Survenant* (1945) de Germaine Guèvremont. Ces cinq romans ont en commun de parler d'un monde ancien : celui du village chez Grignon et Guèvremont, celui de la drave chez Savard, celui de la traite des fourrures chez Desrosiers et celui de la terre chez Ringuet. Ils n'en parlent pas toutefois comme on le faisait avant eux, c'est-à-dire de façon idéaliste, pour célébrer un mode de vie qu'on souhaitait perpétuer. Ils évoquent tous un monde qui s'achève ou s'est achevé, et qui entre en contradiction avec le présent. Si on les considère – sauf *Les Engagés* – comme des romans de la terre, c'est pour dire aussitôt qu'ils en présentent une image négative, comme s'ils constituaient à la fois l'apothéose et la fin d'un monde. Tous expriment, à leur façon, non pas la grandeur d'un mode de vie traditionnel, mais son inévitable déclin. Leur point de vue, résolument réaliste – sauf dans *Menaud* –, est de plus en plus marqué par ce sentiment que la civilisation canadienne-française est arrivée à sa fin.

Le succès d'*Un homme et son péché* est phénoménal dans l'histoire littéraire du Québec : réédité plus d'une dizaine de fois, il est à l'origine d'une série radiophonique diffusée plusieurs fois par semaine, de 1939 à 1962. La télévision (*Les Belles Histoires des pays d'en haut*) puis le cinéma contribuent par la suite à faire du roman un best-seller et un classique du répertoire québécois. Encore aujourd'hui, les prénoms de Séraphin et de la malheureuse Donalda font partie de la culture populaire et de la légende nationale. Aucun roman de la terre n'a eu un tel rayonnement, à l'exception de *Maria Chapdelaine* que Grignon célèbre d'ailleurs comme un modèle inégalable.

La réussite de Grignon dans *Un homme et son péché* tient en partie à l'originalité de son personnage qui ne ressemble à aucun autre héros du terroir. Séraphin Poudrier incarne le type de l'avare, dans la lignée du Harpagon de Molière et du père Grandet de Balzac. Il n'est ni un cultivateur ni un défricheur. La terre, pour lui, est une entreprise commerciale. Il ne veut pas d'enfant (« des enfants, ça finit par coûter cher »), il fait de sa femme Donalda « moins qu'une servante » et il s'attache chaque villageois en en faisant son débiteur. Son avarice culmine à la mort de Donalda, âgée d'à peine vingt et un ans. La scène est longuement décrite, de l'agonie jusqu'à l'enterrement. Au moment de déposer le corps dans un cercueil trop petit, un vieux cercueil construit pour une enfant qui avait finalement

Claude-Henri Grignon, 1956. Archives Radio-Canada. Photo Henri Paul.

survécu à sa maladie, Séraphin doit plier le corps. Détail macabre : « Comme les genoux du cadavre dépassaient un peu la bière, Séraphin pesa dessus et un craquement d'os se fit entendre. »

Le personnage de Séraphin a quelque chose de tragique, comme si le roman débordait le cadre étroit du réalisme pour accéder à une vérité humaine plus large. La terre n'est pas seulement un répertoire de thèmes ou un style de vie : Séraphin fait littéralement corps avec elle. Il habite sa terre comme personne avant lui : il la possède au sens à la fois physique et abstrait du terme. Il en connaît toutes les ressources, mais, plus encore, il en fait le support d'une pulsion sexuelle qui constitue l'un des motifs principaux du roman. Dès le début, Séraphin s'interdit d'exister autrement qu'à travers sa passion de l'or. S'il réprime les désirs qu'il éprouve pour le corps de Donalda, c'est pour mieux s'adonner à un péché plus intense que ceux des autres damnés : « Séraphin Poudrier les dépassait tous par la perpétuelle actualité de son péché qui lui valait des jouissances telles qu'aucune chair de courtisane au monde ne pouvait les égaler. Palpitations de billets de banque et de pièces métalliques qui faisaient circuler des courants de joie électrisants jusque dans la moelle de ses os : idées fixes qu'il traînait avec lui. » Aucun roman canadien-français n'avait jusque-là montré avec une telle insistance le désordre d'un personnage. Le péché est rendu visible, jusque dans la scène finale alors que Séraphin aperçoit sa maison qui brûle. « C'est moi qui brûle! » s'exclame-t-il comme s'il n'y avait aucune différence entre la propriété et lui, comme s'il était, au bout du compte, possédé par ses biens. Il se jette alors dans le feu pour tenter de sauver sa fortune. Son cousin Alexis ne trouve qu'un cadavre brûlé, une pièce d'or enfouie au creux de la main fermée.

On comprend que la télévision puis le cinéma aient pu adapter si souvent ce roman : son réalisme est soutenu par un sens de l'image tout autant que par un sens du langage, l'un et l'autre assumés dans les personnages légendaires de Séraphin et de Donalda. Ce ne sera pas le cas des autres récits de la terre de Grignon qui renouent plutôt avec la veine traditionnelle des romans agriculturistes. « Le déserteur », texte éponyme d'un recueil de récits paru un an après *Un homme et son péché*, contient par exemple un avertissement analogue à celui qu'on trouvait vingt ans plus tôt chez Damase Potvin dans *Restons chez nous!*, ou chez J.-M.-Alfred Mousseau dans *Mirage. Roman d'actualité* (1913). Un habitant « déserte » la campagne pour tenter sa chance en ville. La misère s'abat sur lui et, sans trop comprendre ce qui lui arrive, il se retrouve bientôt en prison pour homicide involontaire. Fait significatif, Grignon sous-titre *Récits de la terre* des histoires qui se déroulent le plus souvent en ville, comme pour avertir le lecteur de ne pas y aller ou pour l'inciter à retourner à la terre.

Félix-Antoine Savard (1896-1982), né à Québec, élevé à Chicoutimi, reste associé d'abord à la région de Charlevoix où il s'installe à partir de 1927. Il commence à enseigner au Séminaire de Chicoutimi alors qu'il n'a pas encore terminé ses études, puis devient prêtre colonisateur en Abitibi et dans Charlevoix. Parallèlement, il entre à l'Université Laval où ses cours portent notamment sur Claudel, Mistral, Ramuz et la poésie canadienne-française. Il sera doyen de la Faculté des lettres de 1950 à 1957, plusieurs fois président de la Société du parler français mais aussi de la Société de géographie, fondateur avec Luc Lacourcière et Marius Barbeau des Archives de folklore de l'Université Laval. La figure de Mgr Savard, ecclésiastique et universitaire, rappelle celles de Camille Roy et Lionel Groulx, mais, à la différence de ceux-ci, il sera célébré par les écrivains de la génération suivante, notamment à travers le personnage de Menaud. Le portrait que fait André Major en 1968 en témoigne : on y voit « un homme trapu, le visage à la fois bon, viril et sensuel, vêtu d'une lourde pelisse de castor, coiffé d'un bonnet de fourrure, qui marche sur la neige durcie en s'appuyant sur une canne noueuse » et qui pourrait être le vieux maître-draveur. Savard lui-même signe « Menaud » les lettres qu'il adresse aux jeunes écrivains dans les années 1960 et parle d'André Major comme d'un « fils de Menaud ».

Le plus souvent, on lit *Menaud, maître-draveur* comme l'épopée de la nation dépossédée, le chant de la défaite et surtout l'appel à un réveil des consciences.

Cambuse à Menaud, dessin de Félix-Antoine Savard (entre 1962 et 1965). Reproduit avec l'aimable autorisation de Louise Cantin.

Menaud est un draveur qui lutte contre la mainmise des compagnies étrangères. Il transmet ses valeurs de résistance à ses deux enfants : Joson, qui meurt accidentellement dans la rivière, et Marie, courtisée par un personnage (le Délié) qui incarne le traître, puisqu'il est au service d'une des compagnies étrangères. Marie refusera finalement sa main au Délié et choisira d'épouser plutôt un ami de son frère. Mais l'avenir de Menaud reste hanté par le fantasme de l'échec, comme si tout allait malheureusement changer « au pays de Québec ». Il sombre en effet dans la folie après avoir cherché en vain à livrer combat avec le Délié, qui s'était enfui dans la montagne. La folie de Menaud effraie les villageois – « des hommes [...] se passaient la main sur le front contre le frôlement de cette démence » –, et Josime, le sage voisin, commente : « C'est pas une folie comme les autres! Ça me dit, à moi, que c'est un avertissement. »

Mais cette folie peut aussi se lire autrement, comme l'a montré dès 1966 André Brochu, qui fait de Menaud « un curieux intermédiaire entre *Maria Chapdelaine* et *Trente Arpents* » et souligne l'aspect tragique du sentiment d'appartenance : « aucune conciliation [...] entre les univers de la femme et de l'homme, de la maison et de la montagne, entre les valeurs de la vie sédentaire et de la vie nomade [...]. Entre [...] la vie de la chair et la fidélité du sang, il y a divorce radical. » Menaud est étrangement passif et se présente d'abord à nous comme un lecteur de romans. Dès le début, on le voit en train d'écouter des passages de *Maria Chapdelaine* lus à haute voix par sa fille (appelée justement Marie) et transcrits tels quels dans le roman de Savard. Le roman de Louis Hémon est un véritable « bréviaire », comme le note Brochu. Menaud ressemble ainsi au *Don Quichotte* de Cervantès qui lit tellement de romans de chevalerie qu'il finit par confondre le monde livresque et le monde réel. *Maria Chapdelaine* devient pour Menaud un livre sacré, comme s'il remplaçait la Bible et structurait son rapport au réel. Il en résulte un roman très différent du réalisme sobre de Louis Hémon. Plus qu'un hommage ou une suite, *Menaud, maître-draveur* est une dramatisation lyrique de *Maria Chapdelaine*. Savard durcit les éléments constitutifs du roman de Louis Hémon, tant les personnages que les valeurs qu'ils incarnent ; c'est d'ailleurs la troisième des voix qu'entend Menaud, celle du devoir de survivance dicté par l'histoire. Ainsi, chez Savard, l'abandon de la terre n'a plus les traits naïfs d'un Lorenzo Surprenant, séduit par les lumières de la ville américaine, mais ceux, menaçants, du Délié, cynique et vendu au plus offrant. De même, si la mort de François Paradis « écarté » dans la neige gardait quelque chose de la douceur d'un effacement, l'engloutissement de Joson dans la rivière donne lieu à une scène d'un tellurisme violent exemplaire du style de *Menaud, maître-draveur* :

Menaud se leva. Devant lui, hurlait la rivière en bête qui veut tuer.

Mais il ne put qu'étreindre du regard l'enfant qui s'en allait, contre lequel tout se dressait haineusement, comme des loups quand ils cernent le chevreuil enneigé.

Cela s'agriffait, plongeait, remontait dans le culbutis meurtrier...

Puis tout disparut dans les gueules du torrent engloutisseur.

Menaud fit quelques pas en arrière ; et, comme un bœuf qu'on assomme, s'écroula, le visage dans le noir des mousses froides.

L'exaltation de Savard survit aux importantes coupures qu'il effectue dans la réédition de 1944 et aux modifications qu'il introduit dans celles de 1960 et 1964. Ses livres suivants confirment sa stature, mais aucun personnage n'aura l'importance de Menaud. Savard s'essaie à presque tous les genres : il publie un autre roman, *La Minuit* (1948), un conte, *Martin et le Pauvre* (1959), deux textes dramatiques, *La Folle* (1960) et *La Dalle-des-morts* (1965), des recueils de poèmes, notamment *Symphonie du Misereor* (1968) et *Le Bouscueil* (1972), et des notes de journal, *Aux marges du silence* (1974) et *Carnet du soir intérieur* (1978-1979). On lui doit également des livres plus hétérogènes comme ces recueils de souvenirs, notes, récits, poèmes, inspirés de ses voyages en Abitibi, *L'Abatis* (1943), et en Acadie, *Le Barachois* (1959). *L'Abatis* est le plus intéressant par la force du style. Le lyrisme savant de ces courtes proses juxtaposées évoque le Claudel de *Connaissance de l'Est*. Voici le début d'« Estampes » :

Les pieds boueux, je marche, avec allégresse, dans cette pâte de terre molle et collante. C'est mon ouverture du printemps, ma prise de possession solennelle des champs régénérés, et comme l'entrée du pontife dans la glorieuse liturgie de Pâques.

Je bénis ce renouveau. J'ai le cœur gonflé d'alléluias et de cantiques. Jusqu'au moindre bourgeon hérissé et tendu qui m'est un objet de transport ; et, comme dans le temple qu'un coup de soleil dans la rosace a transfiguré, je m'émerveille des architectures et des ornements de la terre.

Un insecte bourdonne au flanc chaud de la butte. Le grelot rouge d'une drupe sonne aux aubépines l'éveil. Dans une bosse et la mobilité du sable, la corporation des fourmis construit un ouvrage aussi délicat et difficile que les coupoles de Byzance.

Fidèle disciple de Lionel Groulx, Léo-Paul Desrosiers (1896-1967) possède un talent plus proprement romanesque que l'auteur de *Menaud*, auquel il ressemble pourtant par la richesse de ses paysages et par une certaine éloquence du style. L'œuvre de Desrosiers n'a toutefois pas la même notoriété que celle de Savard, même si elle est bien reçue par la critique de l'époque. Figure méconnue, vivant à l'écart des groupes, Desrosiers mène une carrière de fonctionnaire à Ottawa, puis devient en 1941 conservateur de la Bibliothèque municipale de Montréal. Il a surtout écrit des romans et des ouvrages historiques. Gabrielle Roy parlait de lui comme de « notre Fenimore Cooper ». Dès son premier roman, *Nord-Sud* (1931), certains voient en lui un successeur de Louis Hémon ; comme Maria, les personnages de ce roman sont déchirés entre deux voies possibles, celle du nord à défricher et celle de l'aventure californienne. À la toute fin, le personnage principal, Vincent Douaire, choisira cependant la deuxième solution, comme si le besoin d'aventure était plus fort, dans l'univers de Desrosiers, que l'attachement à la nation. D'autres romans confirmeront ce goût de l'aventure, en particulier *Les Engagés du Grand Portage* (1938) et *L'Ampoule d'or* (1951), les deux premiers romans canadiens-français publiés aux Éditions Gallimard.

L'action des *Engagés* se déroule en 1799, mais elle est narrée au présent et ne vise pas d'abord à la reconstitution de cette époque. En un style simple, sans grandiloquence, Desrosiers raconte les intrigues d'un engagé, Nicolas Montour, qui veut gravir les échelons au sein de la Compagnie du Nord-Ouest. *Les Engagés du Grand Portage* fait pénétrer le lecteur dans le monde peu réglementé de ces coureurs des bois capables d'affronter à la fois les rigueurs du climat et les rivalités meurtrières entre les compagnies. On y trouve de nombreuses descriptions des forêts de l'Ouest, comme le souligne Réjean Beaudoin, pour qui *Les Engagés* est « le premier cas vraiment représentatif d'un roman inspiré par l'immensité du continent ». Desrosiers peint avec naturel les détails concrets de la vie en forêt. Sa réussite tient aussi à la qualité de l'intrigue elle-même et à la vérité de l'analyse psychologique des personnages. Dans un cadre historique habilement dépeint, l'auteur échappe aux clichés et propose une vision réaliste de cet univers soumis aux lois de la concurrence économique. Le lecteur en retire une impression curieuse, comme si des intrigues de salon et le jeu des ambitions individuelles se déployaient au cœur des forêts. La victoire de Montour, élevé au rang de « bourgeois » par sa Compagnie, consacre la défaite de la vieille mentalité rustique et sentimentale incarnée par Louison Turenne. S'il révèle et, d'une certaine façon, condamne la cupidité du personnage de Montour, le roman ne peut que lui donner le plus grand rôle.

L'Ampoule d'or présente aussi un personnage moralement suspect : il s'agit cette fois d'une adolescente rebelle qui s'amourache d'un jeune marin français. L'action se déroule à Percé, en Gaspésie, à l'époque de la Nouvelle-France. Là encore, le contexte historique importe moins que la tension née des désirs d'un personnage. C'est l'opposition entre l'individu passionné et le monde qui structure tout le roman. Mais la passion n'est plus l'or ou l'argent, comme dans les romans précédents : c'est l'amour. L'histoire est racontée par l'héroïne elle-même, devenue plus tard institutrice et ayant pleinement racheté ses péchés de jeunesse. La première partie du roman est la plus forte : la narratrice évoque avec précision son enfance tourmentée par la présence d'une sorcière, la Maussade, puis par l'amour jaloux qu'elle éprouve pour un marin français appelé Silvère. Après avoir rejoint celui-ci malgré l'interdit paternel, elle est chassée de la maison familiale, trouve refuge chez la Maussade et apprend que Silvère en aime une autre. Humiliée, elle tente de se suicider. Le personnage révèle ici toute sa violence et fait songer au jeune François d'Anne Hébert, dans *Le Torrent*. Mais l'héroïne de Desrosiers ne meurt pas : grâce à l'étonnant personnage de la Maussade, et surtout grâce à la Bible qu'elle trouve par hasard au fond d'un bateau, sa « folie » s'apaise peu à peu. Contrairement à celle de Menaud, cette folie est un drame avant tout individuel et, si elle trouve sa solution dans la religion, c'est par la lecture directe de la Bible. Desrosiers, lui-même grand lecteur de la Bible, écrira ensuite des livres consacrés au mysticisme de personnages historiques comme Marguerite Bourgeoys, Jeanne Le Ber et Maisonneuve. Esprit conservateur, duplessiste convaincu, il ne cesse pourtant de s'intéresser à des figures excessives et passionnées qui entrent en conflit avec les valeurs traditionnelles.

Contemporain de Félix-Antoine Savard et de Léo-Paul Desrosiers, Philippe Panneton (1895-1960), qui écrit sous le pseudonyme de Ringuet, est issu de la bourgeoisie libérale de Trois-Rivières. Médecin, professeur à la Faculté de médecine de l'Université de Montréal, puis diplomate – il est ambassadeur du Canada au Portugal de 1956 jusqu'à sa mort –, c'est une sorte d'humaniste passionné par la littérature et l'histoire. Dans *Un monde était leur empire* (1943), essai qui se distingue radicalement de l'historiographie nationaliste, Ringuet étudie l'histoire du Nouveau Monde, celle des Incas, des Mayas, des Aztèques et autres civilisations précolombiennes. Le livre passe presque inaperçu, malgré la hauteur de vues et la curiosité intellectuelle dont il témoigne. Pour l'une des premières fois, l'Amérique au sens le plus large fait partie de l'horizon identitaire de l'écrivain canadien-français. Ringuet prolongera en 1954 sa réflexion sur l'histoire de l'Amérique dans une étude intitulée *L'Amiral et le Facteur ou Comment l'Amérique ne fut pas découverte*, portraits juxtaposés de Christophe Colomb et d'Amerigo Vespucci. Il a également écrit des contes réalistes (*L'Héritage et Autres Contes*, 1946) et surtout des romans, dont *Fausse Monnaie* (1947) et *Le Poids du jour* (1949). *Fausse Monnaie* met en scène le séjour de citadins dans les Laurentides et analyse la fausseté de leurs rapports. *Le Poids du jour* raconte la vie blessée de Michel Garneau, qui découvre un jour que son parrain est son véritable père. Il quitte Louiseville et se dévoie à Montréal tout en faisant fortune. Nouveau bourgeois, il finira par retrouver la sérénité : il quitte la ville et trouve refuge dans la nature de Saint-Hilaire. Ce roman, comme le précédent, contient plus d'interrogations existentielles que de qualités romanesques.

C'est *Trente Arpents*, publié chez Flammarion à Paris en 1938, qui constitue la pièce maîtresse de l'œuvre de Ringuet. Forte du succès obtenu en France, la critique locale l'accueille comme un nouveau *Maria Chapdelaine* et l'histoire littéraire le considère souvent comme le dernier roman de la terre. Selon le modèle des romans-chroniques de l'entre-deux-guerres, de Roger Martin du Gard à Georges Duhamel, Ringuet raconte la saga des Moisan, depuis l'enfance de l'orphelin Euchariste, qui hérite de la terre de son oncle Éphrem et fonde une famille, jusqu'à sa vieillesse chez des petits-enfants américains parmi lesquels il est un étranger. Ringuet reprend aussi au roman de la terre un découpage selon le cycle des saisons, mais il passe plus vite sur la première partie, l'installation de la nouvelle famille, le mariage d'Euchariste avec Alphonsine, la naissance des enfants, Oguinase qui part pour le séminaire et sera prêtre, Étienne qui aura la terre, Éphrem, l'éternel cadet, le rebelle et le préféré, Napoléon qui sculpte le bois, et les filles, Héléna, Malvina, Lucinda, Orpha, Marie-Louise, figures presque interchangeables, industrieuses et discrètes.

Ringuet s'attache moins à la psychologie des personnages qu'à la chronique sociale et politique, observant par exemple comment la Première Guerre mondiale influe sur le cours des céréales et apporte une brusque prospérité à l'agriculture. Il décrit sans complaisance mais non sans humour les mœurs villageoises, campagnes électorales, fierté des marguilliers, rivalité entre voisins, querelles de clocher. Par ailleurs, il introduit une première fois l'étranger dans cet univers homogène, à travers une sorte de survenant, l'engagé français, Albert Chabrol, « un curieux homme, un étranger des vieux pays qui parlait français, mais différemment. Il s'était amené un beau jour, comme ça, passant le long de la route lourde de soleil de maison en maison. » Albert, ancien déserteur qui ne va pas à la messe et fascine Éphrem, repart brusquement, vraisemblablement en août 1914, pour s'enrôler. L'étranger apparaît aussi dans l'épisode décisif de la visite du cousin des États-Unis, Alphée Larivière, devenu par commodité « Walter S. River » et marié à une Américaine, Grace, dont « la blouse décolletée ne cachait plus les choses secrètes ». Séduit par une Amérique où se confondent pour lui féminité, urbanité, émancipation et facilité, Éphrem émigre là-bas. Ce départ qui s'ajoute à celui de Lucinda, « placée » à la ville, atteint Euchariste plus durement que son veuvage et marque le début des malheurs : perte des récoltes dans l'incendie de la grange, coûteuse poursuite contre un voisin, escroquerie du notaire. Euchariste abattu ne trouve aucun soutien auprès d'Étienne qui, pressé de prendre en main la terre et de moderniser les façons de faire, lui montre la porte. Avec lui, l'agriculture se mécanise, s'industrialise et Euchariste, paysan d'une autre époque, n'y a plus sa place. Il ne la trouvera pas davantage chez Éphrem à qui il rend visite aux États-Unis. Le vieil homme constate que son fils, ouvrier dans les filatures, n'est ni riche ni vraiment heureux et il cohabite tristement avec sa bru et ses petits-enfants qui ne parlent pas français.

Non seulement la terre de *Trente Arpents* ne nourrit plus ses enfants, mais elle pousse vers les villes étrangères ceux qui l'ont servie toute leur vie. L'amour de la terre, l'esprit de famille, le culte des traditions, la fidélité à la langue française, tout cela ne pèse pas lourd dans l'univers des Moisan. Chacun, Euchariste y compris, pense à soi, à ses intérêts :

La quiétude de la vie terrienne, la douceur du travail des champs, l'enchantement des horizons larges et libres, Napoléon Moisan n'y tenait pas le moins du monde, car il n'en savait rien. Pas plus d'ailleurs que ses frères et sœurs, qu'Oguinase, conduit par son père et son curé sur la voie sainte du sacerdoce; qu'Éphrem parti vers une tâche mieux rémunérée; qu'Étienne qui pourtant restait et entendait rester; qu'Euchariste, le père, qui tout doucement commençait à s'en aller. À qui leur eût demandé s'ils aimaient la terre, c'est-à-dire l'ensemble des champs plans où bêtes et gens sont semés de façon éparse par un semeur au geste large, s'ils aimaient ce ciel libre au-dessus de leur tête; et les vents, et la neige, et la pluie qui faisait leur richesse; et cet horizon distant et plat : à celui-là, ils n'eussent répondu que par un regard étonné. Car ce qu'aimait Euchariste, c'était non *la terre*, mais *sa terre*; ce qu'aimait Étienne, c'était cette même terre qui s'en venait à lui, à laquelle il avait un droit évident, irrécusable. Ils étaient les hommes non de la terre, mais de leur terre.

Euchariste, isolé dans sa propre famille, ne fréquente plus que l'église où se rassemble une communauté d'exilés canadiens-français typique de ces « Petits Canada » de la Nouvelle-Angleterre; le roman se termine sur l'image du vieil homme qui travaille comme gardien de nuit : « Dans son garage, à White-Falls, Euchariste Moisan, le vieux Moisan, fume et toussote. » Plus que bien des textes des mêmes années, *Trente Arpents* se conforme aux règles romanesques, on n'y trouve pas de digressions essayistiques et le narrateur ne commente les événements que du point de vue de l'un des personnages; des destins sont attribués même aux figures secondaires, donnant ainsi à l'ensemble la cohérence d'un monde en soi. L'histoire et l'économie du Québec, toujours liées à celles du monde comme on le voit dans l'évocation des camps de bûcherons investis par les jeunes déserteurs, sont ici plus qu'une toile de fond et déterminent l'action des personnages. Enfin, le romancier conserve une distance qui l'éloigne du discours clérico-nationaliste et l'amène à regarder la terre avec l'œil d'un étranger. Le critique Louis Dantin croyait même que Ringuet était un écrivain français comme Louis Hémon. « Que l'auteur de *Trente Arpents* fût un Français, je le voyais à divers signes, mais surtout à la science de la construction, à la maîtrise du langage, au vocabulaire étendu et précis, à la sûreté de la syntaxe. Ce n'est pas tout à fait ainsi qu'on écrit, me disais-je. »

Le Survenant de Germaine Guèvremont (1893-1968) s'inscrit dans un tout autre rapport au temps que les premiers romans de Savard ou de Ringuet. À sa parution en 1945, le monde qu'il évoque paraît définitivement révolu, figé dans ce passé stylisé, déjà en voie de folklorisation, que mettent en scène les contes que l'auteure a publiés dans le recueil *En pleine terre* (1942). Assez unanimement d'ailleurs, la critique louera la romancière pour avoir su insuffler de la nouveauté à une matière réputée démodée. Germaine Guèvremont, née Grignon, cousine de Claude-Henri Grignon, grandit à Saint-Jérôme dans une famille cultivée et peu conventionnelle. Elle collabore très tôt à des journaux étudiants et à la chronique féminine de *La Patrie* où elle signe des billets sentimentaux sous le pseudonyme de « Janrhêve ». Avec son mari, Hyacinthe Guèvremont, elle s'installe et reste quinze ans dans la région des îles de Sorel où elle situera l'action de son roman. Après la naissance de cinq enfants et la mort de l'un d'eux, Germaine Guèvremont revient au journalisme poussée par son beau-frère, Bill Nyson, modèle probable du Survenant, journaliste à la *Gazette* de Montréal où elle-même devient courriériste en 1926; de 1926 à 1935, elle sera également rédactrice du *Courrier de Sorel*. Elle collabore régulièrement à la revue *Paysanna* où paraissent ses premiers contes et travaille avec Claude-Henri Grignon à la rédaction de sketches pour la série radiophonique *Un homme et son péché*. C'est Alfred DesRochers qui, ayant lu ses contes, l'encourage à réunir ses personnages dans un roman; Germaine Guèvremont lui envoie les chapitres au fur et à mesure qu'elle les écrit pour recevoir ses commentaires, l'appelant dans ses lettres du nom des personnages, tantôt « Cher Survenant », tantôt « Cher père Didace ».

Le Survenant met en scène l'opposition, déjà présente dans *Maria Chapdelaine*, entre les sédentaires, que représente le père Didace, et les nomades, incarnés par le Survenant. Libre, mystérieux et fier, le Survenant, apparu un soir par hasard, repart après une année pendant laquelle il aura réveillé la vie au Chenal du Moine où il s'est imposé tant par sa force physique que par sa parole séduisante. Après le passage de ce « grand dieu des routes » en qui le vieux Didace a trouvé le fils idéal – exact opposé d'Amable, paresseux, mesquin et jaloux –, rien n'est plus comme avant : Didace rajeuni va se remarier avec « sa blonde », l'Acayenne,

Phonsine est enfin enceinte et Angélina Desmarais, l'amoureuse du Survenant, porte fidèlement le deuil de cet amour impossible. Germaine Guèvremont reprend, pour les transformer, de nombreux éléments de la tradition du roman de la terre : Didace est sédentaire par devoir familial plus que par conviction et il envie l'existence libre et errante du Survenant. Bien qu'il parcoure le pays et qu'il « aime la boisson », le Survenant n'est pas comme François Paradis, un coureur des bois, ni vraiment un homme de la forêt ; c'est un aventurier que les premières versions du dernier chapitre désignent comme un lointain parent des Beauchemin, Malcolm-Petit de Lignères, jeune citadin cultivé qui aurait brusquement abandonné sa brillante carrière et sa riche famille pour courir « le vaste monde ». Germaine Guèvremont donne à son personnage des attributs qui brouillent son identité. Blond comme un Irlandais mais soupçonné d'être « un Sauvage », le Survenant est une force de la nature capable de vaincre le plus puissant lutteur de foire, mais il est également un artisan raffiné qui fabrique un « fauteuil voltaire » de même qu'un esprit cultivé qui se vante de « mange[r] comme un Gargantua ! », mot repris au vol par l'un des cultivateurs : « Parle donc le langage d'un homme, Survenant. Un gargantua ! T'es pas avec tes sauvages par icitte : t'es parmi le monde ! » L'étroitesse d'esprit des habitants à l'égard de l'Acayenne inspire au Survenant une véritable profession de foi :

Soudainement il sentit le besoin de détacher sa chaise du rond familial. Pendant un an il avait pu partager leur vie, mais il n'était pas des leurs ; il ne le serait jamais. Même sa voix changea, plus grave, comme plus distante, quand il commença :

— Vous autres...

Dans un remuement de pieds, les chaises se détassèrent. De soi par la force des choses, l'anneau se déjoignait :

— Vous autres, vous savez pas ce que c'est d'aimer à voir du pays, de se lever avec le jour, un beau matin, pour filer fin seul, le pas léger, le cœur allègre, tout son avoir sur le dos. Non ! Vous aimez mieux piétonner toujours à la même place, pliés en deux sur vos terres de petite grandeur, plates et cordées comme des mouchoirs de poche. Sainte bénite, vous aurez donc jamais rien vu de votre vivant ! Si un oiseau un peu dépareillé vient à passer, vous restez en extase devant, des années de temps. Vous parlez encore du bucéphale, oui, le plongeux à grosse tête, là, que le père Didace a tué il y a autour de deux ans. Quoi c'est que ça serait si vous voyiez s'avancer devers vous, par troupeaux de milliers, les oies sauvages, blanches et frivolantes comme une neige de bourrasque ? Quand elles voyagent sur neuf milles de longueur formant une belle anse sur le bleu du firmament, et qu'une d'elles, de dix, onze livres, épaisse de flanc, s'en détache et tombe comme une roche ? Ça c'est un vrai coup de fusil ! Si vous saviez ce que c'est de voir du pays...

Les mots titubaient sur ses lèvres. Il était ivre, ivre de distances, ivre de départ. Une fois de plus, l'inlassable pèlerin voyait rutiler dans la coupe d'or le vin illusoire de la route, des grands espaces, des horizons, des lointains inconnus.

La singularité du roman tient pour une large part au statut héroïque ainsi dévolu au personnage de l'étranger. Elle tient aussi à la liberté de l'écriture, pleine de mots du cru et d'anglicismes, dont le fameux « neveurmagne », juron favori du Survenant que la série télévisée a popularisé. *Le Survenant* est aussi un des rares romans de la terre qui fasse pénétrer le lecteur dans les lieux physiques de la région qu'il décrit :

> Les grandes mers de mai avaient fait monter l'eau de nouveau. À mesure qu'il avançait, le Survenant s'étonna devant le paysage, différent de celui qu'il avait aperçu, l'automne passé. En même temps il avait l'impression de le reconnaître comme s'il l'eût déjà vu à travers d'autres yeux ou encore comme si quelque voyageur l'ayant admiré autrefois lui en eût fait la description fidèle. Au lieu des géants repus, altiers, infaillibles, il vit des arbres penchés, avides, impatients, aux branches arrondies, tels de grands bras accueillants, pour attendre le vent, le soleil, la pluie : les uns si ardents qu'ils confondaient d'une île à l'autre leurs jeunes feuilles, à la cime, jusqu'à former une arche de verdure au-dessus de la rivière, tandis qu'ils baignaient à l'eau claire la blessure de leur tronc mis à vif par la glace de débâcle ; d'autres si remplis de sève qu'ils écartaient leur tendre ramure pour partager leur richesse avec les pousses rabougries où les bourgeons chétifs s'entr'ouvraient avec peine.

Avec *Le Survenant*, Germaine Guèvremont déplace l'enjeu du roman de la terre. Au lieu de creuser le conflit entre la vie rurale et la vie urbaine, elle fait jouer l'une contre l'autre deux mythologies anciennes : celle d'un terroir sans avenir représenté par le fils légitime et celle, plus archaïque et plus neuve à la fois, du sauvage instruit incarné par le Survenant.

Deux ans seulement après la parution du *Survenant*, Germaine Guèvremont fait paraître la suite, *Marie-Didace*. Ce second roman n'a pas les qualités du premier, ni dans l'écriture nettement plus traditionnelle, ni dans la composition des personnages. Le Survenant parti (encore qu'il soit constamment évoqué, comme si on attendait désespérément son retour), le roman perd toute forme de tension et ne dépasse guère le tableau de mœurs. Seule la folie croissante d'Alphonsine, la bru du père Didace et la mère de Marie-Didace, constitue un élément original. À sa sortie, le roman reçoit tout de même un accueil favorable, mais c'est l'auteure du *Survenant* qu'on célèbre surtout. En 1950, les deux romans sont traduits en anglais en un seul volume mais sous deux titres différents, *The Monk's Reach* pour l'Angleterre et *The Outlander* pour les États-Unis et le Canada. Malgré ce succès confirmé par plusieurs autres prix, Germaine Guèvremont ne publie pas d'autre livre. Elle se consacre à l'adaptation de ses romans en radioromans puis en téléromans. *Le Survenant*, suivi de *Marie-Didace* et du *Chenal du Moine*, devient l'un des premiers téléromans de Radio-Canada et, grâce à cette série, le personnage acquiert le statut d'une véritable légende.

5
Romans d'initiation

Plusieurs personnages romanesques de la première moitié du XXe siècle rêvent de s'initier aux nouvelles réalités de la vie urbaine. Ils illustrent l'émergence d'une bourgeoisie intellectuelle canadienne-française, fraîchement issue des collèges classiques. La ville est, pour la plupart d'entre eux, un idéal quelque peu abstrait, lointain, le symbole des tentations auxquelles succombe, par exemple, Lorenzo Surprenant dans *Maria Chapdelaine*. Mais à partir des années 1930, la ville se fait beaucoup plus concrète et donne lieu, avant *Au pied de la pente douce* (1944) et *Bonheur d'occasion* (1945), à des romans d'apprentissage qui mettent en scène des personnages urbains. Ils ne racontent pas leur arrivée en ville : ils y sont nés. C'est leur initiation au monde adulte qui constitue l'essentiel de la trame narrative. L'écrivain campe ainsi un paysage urbain devant lequel les anciennes valeurs du discours clérico-nationaliste n'ont plus guère de pertinence. D'où le caractère essayistique de plusieurs de ces romans qui cherchent moins à raconter des aventures qu'à dégager une nouvelle morale ou à discuter de certaines idées plus adaptées au monde moderne. Dans ces romans intellectuels et bourgeois, l'écrivain semble inventer un personnage qui redouble sa propre figure.

Paru chez Albert Lévesque en 1932, dans la même collection que *La Chair décevante* de Jovette Bernier et *Dans les ombres* d'Éva Senécal, *L'Initiatrice* est le deuxième roman de Rex Desmarchais (1908-1974), après *Attitudes* (1931). Desmarchais est un romancier discret qui a longuement travaillé à la Commission des écoles catholiques de Montréal. Son *Initiatrice* s'apparente par plusieurs aspects au roman sentimental ; il annonce l'essor du roman psychologique au Québec, mais il fait surtout apparaître le passage du village à la ville et à une sorte de vision très littéraire de la société. Le prologue s'ouvre sur le bruit du tramway en banlieue. Une compagnie américaine a construit une manufacture (Oklahoma Match Co.) dans « le Castel », vaste manoir traditionnel. Le narrateur lit Lamartine à haute voix et se fait surprendre par Violaine, la fille du propriétaire. Ils tombent amoureux, mais Violaine, fille illégitime, se refuse au jeune homme et mourra sans lui avoir avoué sa bâtardise. Le roman s'achève sur une sorte de précaution à la façon des romans du XIXe siècle : « J'ai fini d'écrire cette histoire. Ce n'est pas un roman malgré les passages romanesques qu'elle peut renfermer. C'est le récit que fait un jeune homme de son adolescence fiévreuse, de son réveil à la vie intellectuelle, à la vie sentimentale. »

Après *Le Feu intérieur* (1933), qui reprend la même thématique de l'amour impossible, Desmarchais adopte un ton plus politique dans *La Chesnaie* (1942), qui se souvient de l'esprit révolutionnaire de 1837. Il met en scène un personnage ouvertement dictateur, Hugues Larocque, « le Salazar des Canadiens français », qui rêve « d'accomplir pour [s]on patelin ce que Barrès a fait pour sa Lorraine ». Hugues Larocque entend lever une armée canadienne-française et forme à cette fin, avec quelques amis, la « Société secrète dictatoriale » (SSD). Ce groupe s'installe à « la Chesnaie », propriété somptueuse constituée principalement d'une vieille maison en pierres grises entourée de six chênes. Ce domaine avait appartenu à un patriote qui avait résisté aux Anglais au moment des troubles de 1837-1838. Il s'agit de l'aïeul d'Alain Després, jeune écrivain libre et fortuné qui accepte de financer l'organe de la SSD, *La Nouvelle France*. Charmé par le magnétisme d'Hugues, il se laisse embrigader jusqu'à ce qu'il participe involontairement au meurtre d'un des membres du groupe jugé déloyal. Par la suite, il cherche à supprimer son « Chef » et y parvient grâce au concours de sa sœur Claire. On apprend à la toute fin que celle-ci a été la maîtresse d'Hugues et que leur fils a miraculeusement survécu. Le Chef meurt, mais il laisse sans le savoir une descendance. Aucun roman n'illustre plus que *La Chesnaie* la montée du fascisme et le rêve de voir un véritable Chef se lever enfin au Québec. Ce héros est représenté ici par la figure d'un écrivain conspirateur. L'autre figure d'écrivain, celle d'Alain, paraît beaucoup plus pâle, comme si elle ne pouvait exister que dans l'ombre de la première.

En 1934, Jean-Charles Harvey (1891-1967) fait paraître un roman à teneur également politique, mais son libéralisme heurte de plein fouet les valeurs dominantes de l'époque et subit immédiatement les foudres de l'archevêque de Québec. *Les Demi-civilisés* est une charge contre la misère intellectuelle de l'élite canadienne-française, parmi laquelle se trouvent ceux que Jean-Charles Harvey appelle péjorativement les « demi-civilisés » :

Il me semble que notre paysannerie est la plus civilisée qui soit au monde. Elle est la base sur laquelle nous bâtissons sans cesse. Ce n'est pas chez elle qu'on trouve la plaie des demi-civilisés : c'est dans notre élite même.

À bien des égards, *Les Demi-civilisés* reste un document d'époque, une sorte de pamphlet romanesque en même temps qu'un texte à teneur autobiographique qui révèle l'ambition intellectuelle de son auteur. Son double, Max Hubert, fonde une revue « indépendante » (*Le Vingtième Siècle*) grâce au père de sa femme Dorothée. Signe prémonitoire de ce qui attend le roman de Harvey, la revue subit les foudres du clergé pendant que Dorothée s'enferme dans un couvent. Curieusement, ce roman ouvertement opposé au conservatisme clérical est sans doute celui qui ressemble le plus, par son sentimentalisme et par la lourdeur de sa thèse, au roman traditionnel de la période précédente. Alors que DesRochers et quelques autres parlent du passé de façon originale, Harvey semble parler du monde moderne en un style ancien. Lui-même confiera, au moment de la réédition du roman en 1962, qu'il s'était trompé de genre et qu'il aurait dû écrire un essai plutôt qu'un roman. La leçon idéologique sera encore plus forte dans *Les Paradis de sable* (1953), qui s'attaque cette fois au communisme et à l'esprit de parti. En 1937, après avoir perdu son poste de journaliste au *Soleil*, Harvey fonde son propre journal d'opinion, *Le Jour*. Cet hebdomadaire libéral dénonce la pauvreté intellectuelle canadienne-française et s'en prend tout particulièrement au système d'éducation, que Harvey juge arriéré. Peu d'intellectuels à l'époque déploient une telle énergie dans le combat des idées. Même après la disparition de son journal, en 1946, Harvey continue de collaborer à plusieurs périodiques et multiplie les conférences à la façon d'un tribun du XIXᵉ siècle.

Né Rodolphe Dubé, François Hertel (1905-1985) est lui aussi très présent sur la scène intellectuelle. Il entre à vingt ans chez les jésuites où il enseigne la littérature et la philosophie. À quarante ans, il défroque et part s'installer en France, où il affirme connaître la grande vie et rattraper le temps perdu. Personnage peu conventionnel, il s'invente des noms, des passés, fonde des revues artistiques ou occultes, publie plus d'une trentaine d'ouvrages en tous genres. Dans ses *Souvenirs et Impressions du premier âge, du deuxième âge, du troisième âge. Mémoires humoristiques et littéraires* (1977), il paraît n'appartenir à aucune époque, sinon à une sorte de romantisme éternel et toujours anachronique. Écrivain optimiste et mondain, il ne ressemble ni aux modernes ni aux anciens. À la recherche de sa propre jeunesse, il tient un discours qui varie peu, répétant que l'école constitue le terreau essentiel de toute culture. Sa poésie, d'abord facétieuse dans des recueils aux titres en forme de jeux de mots (*Axes et Parallaxes*, 1941, *Strophes et Catastrophes*, 1943), devient plus grave avec *Mes naufrages* (1951).

Son principal roman, *Le Beau Risque* (1939), saturé de références littéraires, illustre l'univers privilégié des collèges classiques que Hertel a longtemps fréquentés. Le narrateur, un prêtre professeur de belles-lettres, décrit l'un de ses élèves, Pierre, une « mauvaise tête » qui s'amuse à exhiber un roman de Zola, « pas pour le lire : c'est bien trop ennuyeux, mais pour montrer qu'il ne craint rien ». Roman d'initiation, *Le Beau Risque* est aussi un roman psychologique à la façon du *Disciple* de Paul Bourget. Le maître enseigne à Pierre les chefs-d'œuvre littéraires, la « suprême beauté » des Évangiles. Pierre boit ses leçons, se reconnaît dans Nelligan (« Il y a des gaucheries, dit-il ; mais c'est un poète de chez nous »), à qui il rend d'ailleurs visite. Cette scène constitue le moment le plus fort du roman : « Nelligan nous attend ; l'air distant, las de la vie. Il tremble un peu. Ses cheveux qui se font rares découvrent un front encore beau et si large au-dessus des yeux gris, très doux. Avec beaucoup de distinction, il me tend la main. » Pierre, jeune homme de son temps, adore aussi le sport (la crosse, le saut à ski, le golf), la nature, l'histoire. Il tient un journal intime, mais décide d'y mettre un terme et de vivre plutôt que d'écrire, de se « débourgeoiser », de courir ce que lui et ses camarades appellent « le beau risque ».

6
Alain Grandbois : l'expérience tourmentée de l'ailleurs

Né peu après la génération des poètes exotiques, Alain Grandbois (1900-1975) voyage beaucoup plus que ses prédécesseurs. C'est si vrai qu'il est difficile de dissocier chez lui l'expérience de l'écriture et l'expérience de l'ailleurs. En cela, il est bien le contemporain d'écrivains de l'entre-deux-guerres comme Blaise Cendrars, Paul Morand ou Jules Supervielle. Mais Grandbois n'est à proprement parler ni exotique, ni bourlingueur, ni exilé. Les poètes de la génération de l'Hexagone reconnaîtront en lui le premier poète moderne du Québec, celui qui incarnait « la santé de la parole », selon l'expression d'Yves Préfontaine. « Avec lui », écrira Fernand Ouellette dans le même numéro de *Liberté* en 1960, « le vivant, le poème et l'esprit devenaient au Québec ce qu'ils étaient partout ailleurs, des domaines infinis. » Lit-on Grandbois de la même façon aujourd'hui ? Rien n'est moins sûr. Si l'on comprend ce qu'il a pu représenter pour des poètes en quête d'un nouveau lyrisme, il reste que l'ouverture de Grandbois sur les « domaines infinis » se fait, le plus souvent, sur le mode du regret et d'une immense mélancolie.

Après une enfance choyée, à Saint-Casimir de Portneuf, dans une famille cultivée qui l'encouragera à voyager et à écrire, Grandbois fait ses études de droit, puis s'en va vivre en Europe grâce à un important héritage. De 1925 à 1939, il ne passe en tout que quelques mois au Québec. Il vit surtout à Paris – « les plus belles années de ma jeunesse », dira-t-il – ou sur la côte d'Azur, d'où il s'embarque vers différentes villes et même vers la Chine où il publiera son premier recueil (*Poëmes*, Hankéou, 1934). En 1936, il se rend en Espagne et s'y fait arrêter par l'armée franquiste ; l'année suivante, il se retrouve à Berlin où il entend un discours de Hitler. Il assiste aux grands événements de l'Histoire, mais ne s'attarde nulle part. Partir est pour lui une seconde nature : il se vantera d'avoir traversé au total trente fois l'Atlantique et quatre fois le Pacifique. L'homme se crée ainsi une légende, celle de l'éternel voyageur. Mais il n'a rien du touriste moderne : les lieux, les curiosités culturelles l'intéressent moins que les gens. Ce sont les « visages du monde » qui le retiennent, selon le titre d'une série radiophonique diffusée au début des années 1950 au cours de laquelle il présentera ses souvenirs de voyage.

Un autre volet de la légende fait de Grandbois une sorte de don Juan qui change constamment de ville pour rencontrer ou fuir une femme. Sa correspondance confirme certes ses nombreuses conquêtes amoureuses, mais l'homme paraît un séducteur le plus souvent malheureux et nostalgique. Toute son œuvre porte la trace de ses déchirements sentimentaux, associés à la vanité et à la fragilité des choses. Grandbois incarne une jeunesse désabusée, cultivée, tantôt bohème, tantôt mondaine. Il fréquente les artistes et les poètes de la rive Gauche, mais aussi la noblesse d'Europe sur la côte d'Azur. Il se promène en Bugatti à Port-Cros et joue les athlètes : il remporte un concours de natation à Cannes, suit des cours de pilotage un an après que Charles Lindbergh a traversé l'Atlantique, s'essaie à la boxe comme Hemingway et d'autres écrivains de l'époque. Mais la légende est trompeuse : de retour au pays, Grandbois n'a plus rien d'un dandy, ni même d'un globe-trotter. Il a dépensé tout son héritage et recourt à des expédients qui lui permettent de se consacrer à l'écriture tout en voyageant encore de façon occasionnelle. En 1958, il se marie et s'installe bientôt à Québec, où il mènera une vie relativement discrète, travaillant à titre de publicitaire au Musée de Québec.

S'il participe à ce qu'Apollinaire appelait « l'esprit nouveau » des années folles, s'il côtoie les peintres cubistes, les poètes surréalistes et les nombreux écrivains cosmopolites qui font de Paris leur capitale, Grandbois n'appartient pourtant que de loin aux divers mouvements qui émergent au lendemain de la Première Guerre mondiale. « Ce qui est près de lui est sans prestige », dira de lui le poète René Chopin. Installé à Paris, il se soucie peu de s'y faire reconnaître. Il n'est pas non plus pressé de devenir écrivain : il publie son premier livre à l'âge de trente-trois ans, après avoir subi la pression de sa famille qui s'inquiétait de le voir prolonger indéfiniment sa vie de bohème.

Né à Québec sort à Paris en 1933, à l'initiative de son ami Marcel Dugas, qui l'avait introduit dans les salons parisiens où il avait été mis en contact avec l'éditeur Albert Messein. Grandbois aurait travaillé plusieurs années à ce récit historique qui raconte la vie de l'explorateur Louis Jolliet, par ailleurs ancêtre des Grandbois. Même si quelques critiques, comme Lionel Groulx, lui ont reproché ses inexactitudes historiques, l'ouvrage est solidement documenté. Il est surtout écrit en un style nerveux et concis qui tranche avec la prose descriptive et souvent didactique des romans historiques, comme le roman *Cavelier de La Salle* (1927) de Maurice Constantin-Weyer, auquel Grandbois aurait voulu donner la réplique en lui opposant la figure d'un explorateur issu de l'Amérique. S'agit-il d'un récit nationaliste pour autant ? En fait, Grandbois se trouve à satisfaire un peu tout le monde, tant les régionalistes et les nationalistes que les universalistes comme Victor Barbeau, qui félicitait Grandbois de ne pas s'être senti obligé d'employer des canadianismes. L'intérêt véritable de ce court récit dépasse toutefois le débat entre les régionalistes et les exotiques. Dans la prose de Grandbois, l'essentiel tient moins au récit lui-même qu'à un certain plaisir de la description. On le voit bien dans l'exemple suivant, qui décrit le père de Louis Jolliet au moment où il revient à Québec grelottant de fièvre : « Il avait le masque creux, les gencives violettes, le corps marqué de taches vineuses. Sa chair devint flasque et répandit des odeurs fétides. Le scorbut le rongeait, le tua. » Le simple glissement de l'imparfait (rongeait) au passé simple (tua) suffit à exprimer la fulgurance de la mort. À certains moments du récit, en particulier lorsque Louis Jolliet se trouve dans les eaux du Nord, l'auteur change de registre et devient lyrique : « Posés sur le brouillard comme des cathédrales de rêve, des icebergs élevaient des murailles de cristal éblouissant. » Loin d'être accidentelles, ces ruptures de ton sont caractéristiques de l'écriture de Grandbois et le seront davantage au fur et à mesure qu'il acquerra un style plus personnel.

S'il a écrit et publié à Paris ce premier livre portant sur l'histoire québécoise, c'est au Québec que Grandbois va écrire et publier ses *Voyages de Marco Polo* (1941) et les quatre nouvelles qui seront rassemblées dans *Avant le chaos* (1945). Dans chacun de ces textes, les thèmes associés au voyage et au dépaysement s'expriment à travers une expérience concrète du monde. *Les Voyages de Marco Polo* est le plus déconcertant de ces textes, un peu à la manière du livre que Ringuet consacrera aux figures de Colomb et de Vespucci dans *L'Amiral et le Facteur*. Mais l'ouvrage de Grandbois étonne davantage, car il s'agit d'un portrait dans lequel on peut reconnaître l'auteur lui-même et qui semble abolir la distance culturelle ou géographique au lieu de la faire ressortir. En avant-propos de ses *Voyages de Marco Polo*, il écrit : « Les distances ne comptent plus. L'espace est aboli. New York apprend à l'aube le dernier cauchemar nocturne de Pékin. » Où qu'il aille, l'humain conserve la même nature « immuable et secrète ». Marco Polo intéresse Grandbois qui se projette sans mal dans la figure légendaire de cet explorateur vénitien du XIIIe siècle. L'ouvrage à moitié historique et à moitié fictif surprend la critique, qui ne sait trop comment lire un texte aussi atypique, ce qui n'empêche pas Grandbois de recevoir le prix David. C'est surtout la maîtrise de la langue qui séduit les commentateurs, lesquels diront la même chose du recueil de nouvelles *Avant le chaos* en 1945. On compare Grandbois à André Malraux, à Paul Morand et on se réjouit de voir enfin un écrivain d'ici prêter son talent à des thèmes universels. C'est à la lumière du débat toujours actuel entre le terroir et l'exotisme qu'on lit alors Grandbois, mais il est clair, à voir le succès d'estime remporté par ce dernier, que ce débat est en train de donner raison aux détracteurs du régionalisme, comme Victor Barbeau, René Garneau ou Roger Duhamel. Grandbois rééditera *Avant le chaos* en 1964 en y ajoutant quatre nouvelles, dont la plus surprenante et la plus réussie, « Julius », est une sorte de portrait autobiographique composé d'une seule phrase. Dans les autres nouvelles, le narrateur est aussi le double de l'écrivain et il reprend le constat des *Voyages de Marco Polo*, à savoir que les hommes de partout se ressemblent devant l'amour et la mort.

Même s'il a déjà fait paraître un premier recueil de poèmes en 1934, Grandbois n'est connu avant *Les Îles de la nuit* (1944) qu'à titre de prosateur. Les exemplaires de *Poëmes*, publié à Hankéou, ont presque tous été perdus en Chine lors de leur transport. À partir des *Îles de la nuit*, alors que Grandbois apparaît désormais surtout comme un poète, prose et poésie continuent de coexister dans son œuvre, et de façon très différente de ce qu'on voit au même moment

Alfred Pellan, *Alors nous vivions aux remparts des villes endormies.* Illustration pour *Les Îles de la nuit* d'Alain Grandbois, 1944. © Succession Alfred Pellan/SODRAC (2007). Musée national des beaux-arts du Québec, 2000.288. Photo Pierre-Luc Dufour.

chez Saint-Denys Garneau, où le poème se fait délibérément prosaïque. Chez Grandbois, le prosateur et le poète ont deux styles presque opposés. Autant *Né à Québec* est écrit dans un langage sobre, autant *Les Îles de la nuit* déploie un lyrisme incantatoire et même hiératique par moments. Il ne faudrait toutefois pas exagérer le contraste entre les deux écritures, qui se contaminent souvent. Mais il convient de retenir que la poésie, pour Grandbois, ne constitue ni une valeur absolue ni une vocation comme cela a été le cas pour Nelligan. Il y a même, chez lui, une certaine réserve à l'égard du genre poétique, accusé d'être trop mièvre, trop facile : « je n'aime pas particulièrement la poésie, celle des autres et la mienne y compris, naturellement. Je goûte bien davantage une belle prose sèche, dure et riche. » Dans l'édition critique de sa poésie, on lit non sans surprise que Grandbois « n'a jamais lu au complet les œuvres des grands poètes ». Il lit comme il voyage, au hasard des rencontres et des lectures, avec un détachement qui n'exclut ni la passion ni l'élégance.

En 1968, Grandbois est le deuxième poète québécois à entrer dans la fameuse collection « Poètes d'aujourd'hui » de Seghers, tout juste après Saint-Denys Garneau en 1967. Jacques Brault y présente et analyse son œuvre poétique en écartant d'emblée les clichés qui font de Grandbois un poète cosmique ou vaguement surréaliste. Il insiste au contraire sur les grands thèmes de l'amour et de la mort qui inscrivent Grandbois dans une longue tradition poétique, et souligne la simplicité verlainienne de plusieurs de ses poèmes. L'originalité du poète ne tient pas à l'usage du vers libre ou à quelques procédés formels, mais à l'ampleur de son registre, ce que Brault appelle la voix toute particulière de Grandbois : alternance de vers solennels ou énigmatiques et de séquences presque intimistes, mélange d'improvisation et de rigueur rythmique, ton méditatif où s'exprime toutefois la « joie de parler », superposition du cosmique et du familier, etc. En plus de ces apparentes contradictions, il existe un écart énorme entre l'œuvre poétique publiée en recueils et la masse des inédits. De son vivant, Grandbois n'a publié que quatre courts recueils totalisant seulement soixante-dix poèmes : *Poëmes* (sept poèmes publiés à Hankéou en 1934), *Les Îles de la nuit* (qui inclut les poèmes d'Hankéou), *Rivages de l'homme* (1948) et *L'Étoile pourpre* (1957), sans compter quatorze poèmes publiés dans des revues. On est loin du millier de poèmes écrits par Grandbois, selon Jacques Brault, lequel ajoute que, pour rendre justice au poète, il est nécessaire de revenir aux textes essentiels qu'il a publiés de son vivant : « De ses innombrables feuillets griffonnés en vitesse ou dactylographiés avec soin subsistent deux, peut-être trois dizaines de grands poèmes. »

La plupart d'entre eux proviennent des *Îles de la nuit*, qui constitue le sommet de l'œuvre de Grandbois. C'est là que la tension entre l'« instant mortel » et la « fuyante éternité » est la plus aiguë. C'est aussi là que le poète élève ses souvenirs personnels à une hauteur qu'ils n'atteindront que rarement par la suite. Le temps est le grand drame du poète, bien plus que l'espace qui n'est jamais que la matérialisation de l'évanescence des choses. Le présent disparaît dans un passé qui se liquéfie aussitôt, coulant entre les doigts comme le sang d'une blessure. La grâce refuse de s'accomplir dans la durée et meurt comme un songe, une apparence : « Ô tourments plus forts de n'être qu'une seule apparence », lit-on au tout début du recueil. Cette hantise de la mort et du temps irréversible traverse tout le livre : les beaux visages appartiennent tous au passé. Et ce passé s'éloigne à toute vitesse. Le voici devant des « chambres vides » ou dans « l'immense désert de la pluie et de la nuit », sous une « étoile ironique ». « Les fantômes mêmes me sont ravis », aussi fuyants que les tourments initiaux. Ne reste que « le froid brûlant de la dernière solitude », ce qui n'empêche pas le poète de lancer un appel à la fraternité humaine (« Ô vous tous sur ce chemin perdu de mon passé / Je fais appel à vous de toutes mes blessures ouvertes »).

Plus que les frères, c'est la femme qui, au milieu de la nuit, suscite les images les plus fortes et les plus nombreuses. « En vain la neige de tes doigts comme un doux végétal » : sa présence est aussi une vaine apparence, mais le corps désiré de la femme devient le symbole obsédant de tout le reste qui, à l'instar de la figure de la fiancée, a la beauté d'une promesse. La solitude qui en résulte n'en est que plus douloureuse : « Je suis comme un désir figé parmi les îles de la nuit ». Grandbois fait revivre ces instants de plénitude comme s'ils contenaient l'élan de la poésie elle-même. Avant Gaston Miron ou Paul-Marie Lapointe, il écrit les premiers véritables poèmes d'amour de la littérature québécoise :

> Avec ta robe sur le rocher comme une aile blanche
> Des gouttes au creux de ta main comme une blessure fraîche
> Et toi riant la tête renversée comme un enfant seul
>
> Avec tes pieds faibles et nus sur la dure force du rocher
> Et tes bras qui t'entourent d'éclairs nonchalants
> Et ton genou rond comme l'île de mon enfance
>
> Avec tes jeunes seins qu'un chant muet soulève pour une vaine allégresse
> Et les courbes de ton corps plongeant toutes vers ton frêle secret
> Et ce pur mystère que ton sang guette pour des nuits futures
>
> Ô toi pareille à un rêve déjà perdu
> Ô toi pareille à une fiancée déjà morte
> Ô toi mortel instant de l'éternel fleuve
>
> [...]

L'impression initiale de douceur disparaît, la joie se change en angoisse et le recueil se clôt sur l'évocation d'une immobilité définitive :

Fermons l'armoire aux sortilèges
Il est trop tard pour tous les jeux
Mes mains ne sont plus libres
Et ne peuvent plus viser droit au cœur
Le monde que j'avais créé
Possédait sa propre clarté
Mais de ce soleil
Mes yeux sont aveuglés
Mon univers sera englouti avec moi
Je m'enfoncerai dans les cavernes profondes
La nuit m'habitera et ses pièges tragiques
Les voix d'à côté ne me parviendront plus
Je posséderai la surdité du minéral
Tout sera glacé
Et même mon doute

Les images, on l'aura remarqué dans les exemples qui précèdent, sont extrêmement simples chez Grandbois et contrastent fortement avec l'allure parfois solennelle de certains vers qui commencent par le vocatif « Ô », à la façon de Saint-John Perse. Poète des grands espaces, de l'incantation lyrique, Grandbois peint pourtant un monde intérieur, celui des « musiques de l'enfance », des baisers de la fiancée, du langage des mains. Il écrit à partir de sa propre expérience, qui est avant tout sensorielle. Un tel intimisme se remarque davantage dans le recueil suivant, *Rivages de l'homme*, que Grandbois, malgré le succès des *Îles de la nuit*, doit publier à compte d'auteur. Ce recueil n'a pas l'ampleur du précédent : le vers y est apaisé, moins désespéré, parfois aussi plus monotone, sauf dans les derniers poèmes où il est d'une extrême véhémence. Pour le critique Jacques Blais, il s'agit d'un « livre de transition »; pour Jacques Brault, d'un livre d'une grande rigueur. Ce dernier cite le poème « Demain seulement » comme « l'un des plus beaux de toute la littérature québécoise ». En voici la dernière strophe :

Je vaincrai demain
La nuit et la pluie
Car la mort
N'est qu'une toute petite chose glacée
Qui n'a aucune sorte d'importance
Je lui tendrai demain
Mais demain seulement
Demain
Mes mains pleines
D'une extraordinaire douceur

Avec *L'Étoile pourpre,* l'accent se déplace du substantif vers l'adjectif, symbole d'énergie pulsionnelle. L'amour n'est plus seulement un cortège d'images nostalgiques liées à la perte ; c'est à la fois un « beau désir égaré » et une plongée dans le présent, comme dans le poème « Noces » qui s'ouvre ainsi : « Nous sommes debout / Debout et nus et droits / Coulant à pic tous les deux ». L'angoisse des premiers recueils subsiste, mais le poète s'écrie : « Je suis vivant », « Je respire », célébrant la femme aimée dans l'allégresse des sens.

Grandbois, aux yeux de la génération qui s'en réclame, représente moins une forme particulière de poésie que l'événement même de la poésie. Celle-ci s'ouvre comme jamais auparavant et, indifférente aux querelles anciennes, symbolise la plus grande liberté. À partir de 1960, Grandbois accumule les hommages et les prix : on réédite ses trois recueils poétiques aux Éditions de l'Hexagone en 1963, il est le premier lauréat la même année du prix Molson du Conseil des Arts du Canada, il reçoit deux doctorats honorifiques et obtient du gouvernement du Québec le prix David en 1970. À partir de 1990, son œuvre est rééditée en huit volumes dans la collection « Bibliothèque du Nouveau Monde » des Presses de l'Université de Montréal. Parce qu'il a beaucoup écrit et parce que son œuvre (surtout posthume) est d'inégale valeur, il est difficile d'apprécier à sa juste mesure ce poète majeur auquel on a fini par préférer Saint-Denys Garneau. Mais il reste le grand inspirateur de la génération des poètes de l'Hexagone, celui qui incarne mieux que quiconque le désir de renouveau de la poésie québécoise au milieu du XXe siècle.

7
Saint-Denys Garneau : l'écriture ou la quête de soi

Comme celle de Nelligan, l'œuvre de Saint-Denys Garneau (1912-1943) marque un tournant dans l'histoire de la poésie au Québec. Mais il faudra un certain recul pour reconnaître sa nouveauté, qui n'a plus rien à voir avec la querelle des exotiques et des régionalistes. C'est vers la connaissance de soi que se tourne l'auteur de *Regards et Jeux dans l'espace* (1937). Sa poésie ne se définit plus en fonction de la maîtrise de formes fixes, comme le sonnet et l'alexandrin qui sont encore courants dans la poésie canadienne-française des années 1930. À l'instar de Grandbois, Saint-Denys Garneau adopte en effet le vers libre, non pas tant par désir de rompre avec les pratiques traditionnelles que par une sorte de nécessité intime de l'expression. L'intériorité n'est plus seulement un thème romantique : elle devient l'horizon du poème, sa raison d'être, mais aussi son langage. Dès lors, c'est tout « l'ancien jeu des vers » (Apollinaire) et, à travers lui, le primat accordé à l'art sur la vie, qui est soudainement remis en question. Après s'être écrié : « Ô poésie enfin trouvée ! », Saint-Denys Garneau travaille à débarrasser le poème de ses artifices et de ses enthousiasmes faciles. Il vise l'authenticité plus que la réussite formelle. La poésie s'élève en vacillant et ne cherche pas à masquer la forme hésitante de son expression. C'est au contraire son caractère incertain et dépouillé qui fait son charme et même sa grandeur. À lire Saint-Denys Garneau, il arrive ce qui ne se produit jamais quand on lit Nelligan ou d'autres poètes qui l'ont précédé : on oublie tout à coup les conventions de la poésie.

Pour comprendre les affinités esthétiques et spirituelles de Saint-Denys Garneau, il faut d'abord rappeler ses liens privilégiés avec la revue catholique *La Relève*. La création de *La Relève*, en 1934, marque le dépassement des combats esthétiques et idéologiques des années 1930. C'est moins en effet les goûts littéraires qui ont changé que l'approche même de la culture, mot qui prend ici un poids qu'il n'a pas dans les autres revues. *La Relève* est fondée par Robert Charbonneau et Paul Beaulieu et réunit un groupe d'anciens élèves du Collège Sainte-Marie de Montréal, parmi lesquels se trouvent aussi Hector de Saint-Denys Garneau, Claude Hurtubise, Robert Élie et Jean Le Moyne. Roger Duhamel, Louis-Marcel Raymond, Guy Sylvestre et Berthelot Brunet y publieront également des critiques. Les animateurs de la revue ont en commun la même formation humaniste, la même foi catholique et, à l'exception de Charbonneau et de Raymond, ils appartiennent à la bourgeoisie francophone montréalaise ; le Canada français leur apparaît comme une sorte de désert culturel, mais aussi philosophique et spirituel : « Nous sommes plusieurs à sentir le besoin chez les jeunes d'un groupement national catholique indépendant pour développer dans ce pays un art, une littérature, une pensée dont l'absence commence à nous peser. » Il faut souligner la portée ontologique du manque auquel ils entendent remédier. Dans ces conditions, l'art, la littérature ne peuvent être ni les produits d'une consommation raffinée ni les soutiens d'un projet politique, ils doivent donner à l'être humain le moyen de se connaître et de s'accomplir. La culture n'est pas extérieure à l'individu : elle participe à la définition de l'être. Cette conception vise autant les formes artistiques que la religion, qui ne peut être confondue avec la seule observation de règles, pas plus que la question politique ne saurait se réduire aux enjeux nationaux. En 1938, alors que le patriotisme est d'une actualité brûlante, ils écrivent : « Les problèmes de la personnalité et de la culture nous ont paru préalables à l'action nationale. »

La religion catholique est à *La Relève* un horizon philosophique ainsi qu'un engagement qui structure tous les autres ; c'est à travers le catholicisme que les membres du groupe accèdent à la culture, à la pensée et à l'art ; c'est en tant que catholiques plus qu'en tant que Canadiens français qu'ils prennent des positions politiques. Leur ton modéré les maintient à bonne distance de tous les radicalismes et en marge des enjeux politiques immédiats, ce que d'ailleurs on leur reprochera. C'est aussi le catholicisme qui médiatise leur rapport à la culture française : proches du mouvement du Renouveau catholique français, ils se réfèrent à Jacques Maritain et au personnalisme, et s'inspirent d'Emmanuel Mounier, fondateur de la revue *Esprit*. Dès 1934, les conférences du père Paul Doncœur, jésuite influent, sont reproduites dans la revue, y compris lorsqu'il dénonce le conformisme de la pratique religieuse au Canada français, comme dans « La jeunesse chrétienne dans la crise mondiale » en 1934 : « la possession, "l'établissement" d'un catholicisme officiel entraînent un abandon de l'héroïsme [...] on se maintient dans un conformisme bourgeois parce qu'on n'a pas toujours le courage de rompre avec son milieu ». Mais plus que la caution esthétique que leurs aînés espéraient de la France, les membres du groupe de *La Relève* reprennent de ces intellectuels français une manière chrétienne de vivre la modernité, à la fois sur le plan social et politique et sur le plan de l'art et de la pensée. C'est dans cette perspective que la revue aborde des problèmes de tous ordres, spirituel, philosophique, politique, sociologique, littéraire. En ce sens, le changement que représente *La Relève* n'est pas une rupture mais un déplacement radical des enjeux. Robert Charbonneau croit devoir s'en expliquer en mai 1936 :

On nous permettra, à l'occasion du troisième anniversaire de la publication de notre premier cahier, de revenir [...] sur les positions [...] que nous tenons à l'égard des autres groupes et en face des publics canadiens, afin de dissiper un malentendu.

La Relève, en se plaçant dès le début sur le plan philosophique, transcendait, au moins dans l'intention, les autres groupes, disons plus justement qu'elle embrassait tous les domaines sans se limiter à aucun.

Notre fonction qui est de dégager une doctrine nous imposait de rester libres à l'égard de tous les groupes directement engagés dans l'action.

L'impact de *La Relève* sur la littérature du Québec se mesure d'abord à l'émulation que suscite un milieu intellectuel : Saint-Denys Garneau n'en connaîtra pas d'autre, et c'est là que se forment des romanciers comme Robert Élie ou Robert Charbonneau qui y puise la matière de son essai *Connaissance du personnage*, publié en 1944. La religion ne sert pas ici de filtre moral mais de point de vue pour la lecture, et la réflexion se nourrit du néothomisme qui cherche à actualiser la philosophie de Thomas d'Aquin et à la dégager de la tradition théologique. À *La Relève,* on lit aussi le philosophe catholique Gabriel Marcel et Julien Benda dont *La Trahison des clercs* (1927), qui stigmatise les errances politiques des intellectuels, est une référence majeure pour les membres du groupe. La revue accorde également une place importante à la création et publie de plus en plus de poèmes ou d'extraits d'œuvres, des textes de Claudel, de Raïssa Maritain, puis de François Hertel et les premiers poèmes d'Anne Hébert. *La Relève* cesse de paraître en 1941 pour réapparaître la même année sous le nom de *La Nouvelle Relève.* L'équipe et les principes ont peu changé, mais le contexte, lui, infléchit la politique éditoriale ; tandis que la création occupe de plus en plus de place, la revue s'ouvre aux textes des intellectuels français exilés aux États-Unis et en Amérique latine en raison de l'occupation de la France par les Allemands.

Saint-Denys Garneau publie dans *La Relève* la plupart de ses articles ainsi que quelques poèmes. C'est parmi les membres du comité de rédaction de cette revue que le poète trouve ses principaux amis (Jean Le Moyne, Robert Élie et Claude Hurtubise). Pour ce groupe montréalais, il faut chercher la tradition ailleurs que dans la littérature locale, et même ailleurs que dans la seule littérature. La musique et la peinture occupent autant de place que la poésie dans leurs échanges épistolaires. Saint-Denys Garneau passe lui-même une partie importante de son temps à peindre des paysages et à suivre de près l'évolution de la peinture au Québec. Il se reconnaît dans le personnalisme, qui, opposé à l'individualisme libéral, met l'accent sur l'unité de la personne et cherche à concilier la tradition catholique avec les exigences de la société moderne. Une telle unité de l'être intérieur et extérieur obsède Saint-Denys Garneau dans toute son œuvre. Il y revient sans cesse comme à un défaut de sa personne et craint que sa poésie n'en porte la trace. Sa vie aura été un combat contre le caractère inauthentique de l'être, toujours soupçonné de se prendre pour un autre que lui-même. Il est vrai qu'on a quelque peu exagéré le côté sombre et austère de l'homme, selon les témoignages de ses amis, qui se souviennent volontiers de son rire et de ses facéties. Mais, de santé fragile, hanté par un sentiment de culpabilité qui s'étend peu à peu à tous les domaines de l'existence, Saint-Denys Garneau se retire progressivement dans le manoir familial de Sainte-Catherine-de-Fossambault. Il meurt d'une crise cardiaque en 1943 lors d'une excursion en canot.

Hector de Saint-Denys Garneau. Collection particulière.

On a beaucoup écrit au sujet de la mort prématurée de Saint-Denys Garneau. Une autopsie a confirmé la cause accidentelle du décès, mais plusieurs continuent encore aujourd'hui de croire que le poète s'est suicidé, selon une thématique présente dans plusieurs de ses textes. De façon plus générale, le destin malheureux du poète est interprété comme le reflet du sort que réserve la société de l'époque à l'artiste en quête de lui-même. Cette société, jugée aliénante, aurait conduit le jeune poète à se débattre contre d'insurmontables problèmes moraux et à s'accuser de vanité. D'où l'étrange volte-face du poète quelques mois à peine après la sortie de *Regards et Jeux dans l'espace*, alors qu'il décide d'en retirer tous les exemplaires des libraires. Pourquoi un tel geste ? On ne peut qu'admettre, avec Robert Melançon, « que nous n'en savons rien, que nous n'en saurons rien ». Mais l'événement donne une idée assez juste de la contradiction des sentiments que Saint-Denys Garneau éprouve à l'égard de son œuvre. Il tente de s'en expliquer dans son journal et insiste sur la crainte d'être un imposteur. Il associe même le plaisir de lire ou d'écrire à un vice de la chair. Dans sa correspondance, il parle de la « tentation de paraître » et promet qu'on ne l'y reprendra plus. Il tient d'ailleurs parole et demeure résolument à l'écart du milieu intellectuel. Après 1941, il ne fréquente même plus ses amis de *La Relève*. Sa dernière lettre, écrite le 21 août 1943, soit deux mois avant sa mort, ne contient que cette réponse laconique à ses amis qui se proposaient de lui rendre visite : « Ne venez pas me voir. »

De son vivant, Saint-Denys Garneau n'est donc à peu près pas connu de ses compatriotes en dehors du milieu de *La Relève*. Son influence se fait toutefois sentir après sa mort, notamment dans l'œuvre de sa cousine Anne Hébert qui s'inspire directement de ses poèmes. C'est surtout à partir de la publication posthume de son œuvre que l'on prend la mesure de sa valeur exceptionnelle. En 1949, Robert Élie signe l'introduction des *Poésies complètes* de Saint-Denys Garneau qui comprend *Regards et Jeux dans l'espace* ainsi que soixante et un poèmes regroupés sous le titre « Les solitudes ». Suit la publication du *Journal* (1954) et des *Lettres à ses amis* (1967). En 1971, l'œuvre prend une envergure nouvelle avec la monumentale édition critique de 1 320 pages publiée par Jacques Brault et Benoît Lacroix. Cette édition met clairement en évidence que Saint-Denys Garneau a beaucoup écrit même s'il a peu publié. Elle fait surtout ressortir la part énorme de la prose (plus de huit cents pages) dans cette œuvre considérée jusque-là presque exclusivement comme celle d'un poète. C'est particulièrement vrai des huit cahiers du *Journal* qui forment le principal massif de cet ensemble hétérogène. Placé au centre de cette édition, le *Journal* a une fonction englobante, comme l'a montré Jean-Louis Major. C'est là en effet que Saint-Denys Garneau verse l'essentiel de son œuvre, y compris ses poèmes, ses essais, ses courts récits et même plusieurs lettres à sa famille ou à ses amis. Non seulement il avait l'habitude de transcrire bon nombre de ses écrits dans son *Journal,* mais, en outre, il apparaît rapidement que tout, chez lui, s'inscrit dans un vaste projet d'écriture de soi. Cette quête intime donne à ses textes épars leur unité et leur cohérence. À l'inverse, le journal déborde rapidement les notations quotidiennes pour devenir une sorte d'atelier où l'écrivain multiplie les ébauches et les esquisses en tous genres.

L'un des aspects les plus caractéristiques de ces textes d'apparence si variée est leur dimension fragmentaire, inachevée. Sauf *Regards et Jeux dans l'espace*, qui est un livre extrêmement construit, toute l'œuvre de Saint-Denys Garneau se présente comme une somme désordonnée de textes. « L'écriture de Garneau, résume Pierre Nepveu, incarne une modernité de l'inachèvement. » Ce n'est pas que le poète ait manqué de temps pour l'unifier ou pour lui donner une forme aboutie. L'œuvre s'élabore au contraire dans un désordre et une inquiétude qui lui semblent également nécessaires. Chaque poème surgit comme s'il était le premier d'une série, comme s'il reprenait à zéro. L'expression « commencement perpétuel », que l'on rencontre dès *Regards et Jeux dans l'espace*, s'applique fort bien à l'ensemble des textes garnéliens. C'est l'idée centrale de l'œuvre et, en même temps, c'est ce qui l'empêche de se construire en tant qu'œuvre. Il n'y a en effet de création véritable, selon ce paradoxe, qu'à condition de retrouver chaque fois le désir et l'innocence de l'élan initial.

En ce sens, rien n'est plus typique de la poésie garnélienne que les premiers vers de *Regards et Jeux dans l'espace* où l'énergie du commencement se trouve explicitement thématisée :

Je ne suis pas bien du tout assis sur cette chaise
Et mon pire malaise est un fauteuil où l'on reste
Immanquablement je m'endors et j'y meurs.

Mais laissez-moi traverser le torrent sur les roches
Par bonds quitter cette chose pour celle-là
Je trouve l'équilibre impondérable entre les deux
C'est là sans appui que je me repose.

D'une strophe à l'autre, on passe de l'immobilité (associée à la chaise et au fauteuil) au mouvement brusque (lié à l'image du torrent). On passe aussi de l'angoisse de la mort à la sensation de vitalité. Mais ce retournement n'est pas total : l'équilibre ainsi trouvé est « impondérable » et se définit donc de façon négative. On entend d'ailleurs, comme l'observe Jacques Blais, dans ce poème à la fois simple et subtil, l'écho de « malaise » dans « Mais laissez » et de « j'y meurs » dans « je me repose ». De même, si l'absence d'appui suggère une grande détermination du sujet, capable de s'élancer par lui-même dans la vie, elle dit aussi la fragilité d'un tel rapport au monde.

Cette fragilité éloigne Saint-Denys Garneau d'une tradition poétique fondée sur le culte d'un langage raffiné, assuré de ses effets et nourri par la fascination pour les mots rares ou pour la valeur ornementale de la poésie. C'est plutôt le mouvement inverse qui s'observe chez lui : il dépoétise le langage ou, comme le suggère encore Pierre Nepveu, il tire la poésie du côté de la prose. Son vocabulaire s'inspire du langage courant, son vers épouse la phrase élémentaire et son poème n'hésite pas à faire de petits récits ou à décrire le plus simplement possible tel paysage, telle scène quotidienne. On voit ainsi des enfants jouer, danser ou marcher ; on regarde des arbres en plein midi :

Ils sont simples
Ils font de l'ombre légère
Bonnement
Pour les bêtes.

Derrière la banalité des apparences, il y a toutefois une série de déplacements, de correspondances (au sens baudelairien) entre le monde extérieur, le moi intime, l'âme et l'au-delà. La simplicité chez Saint-Denys Garneau est trompeuse. Sa poésie est aussi d'une rare complexité, comme dans le dernier poème intitulé « Accompagnement », où l'on retrouve les « jeux d'équilibre » du début du recueil, mais soumis cette fois à l'expérience de la dissociation du moi :

Je marche à côté d'une joie
D'une joie qui n'est pas à moi
D'une joie à moi que je ne puis pas prendre

Je marche à côté de moi en joie
J'entends mon pas en joie qui marche à côté de moi
Mais je ne puis changer de place sur le trottoir
Je ne puis pas mettre mes pieds dans ces pas-là
et dire voilà c'est moi

Je me contente pour le moment de cette compagnie
Mais je machine en secret des échanges
Par toutes sortes d'opérations, des alchimies,
Par des transfusions de sang
Des déménagements d'atomes
                    par des jeux d'équilibre

Afin qu'un jour, transposé,
Je sois porté par la danse de ces pas de joie
Avec le bruit décroissant de mon pas à côté de moi
Avec la perte de mon pas perdu
                    s'étiolant à ma gauche
Sous les pieds d'un étranger
                    qui prend une rue transversale.

Le poète fait surgir l'étranger non pas de l'extérieur, mais de sa propre intériorité, et introduit ainsi de profondes variations dans la relation avec soi et avec autrui. Ce qui frappe aussi dans ces vers, c'est la manière progressive de décrire la solitude, qui n'est pas un cliché romantique, mais une expérience déroutante dont on suit le mouvement intime jusqu'à la perte finale. L'aventure de la marche ou de la danse ne s'arrête d'ailleurs jamais : elle se poursuit au-delà du poème avec cette image de soi-même en étranger qui s'éloigne.

L'inachèvement constitue également une caractéristique centrale des poèmes posthumes de Saint-Denys Garneau. Au lieu de finir dans une sorte d'apothéose, le poème ne cesse de repasser par les mêmes chemins (mot garnélien par excellence). Son langage a quelque chose d'obsessionnel, car il ne cesse de se reprendre et de rebondir sur lui-même, comme s'il lui importait moins d'arriver à exprimer une fois pour toutes ce qu'il a à dire qu'à donner à voir le mouvement concret de son élaboration. Cela produit des images comme celle-ci, où l'inachèvement devient parfaitement visible :

Dans ma main
Le bout cassé de tous les chemins

L'inquiétude chez Garneau prend souvent une dimension corporelle, qu'il s'agisse de pas perdus ou de trous comme dans « Poids et mesures », qui est une sorte d'art poétique :

> Mais un trou dans notre monde c'est déjà quelque chose
> Pourvu qu'on s'accroche dedans les pieds
>   et qu'on y tombe
> La tête et qu'on y tombe la tête la première
> Cela permet de voguer et même de revenir
> Cela peut libérer de mesurer le monde à pied,
>   pied à pied

L'écriture et la marche se superposent dans l'image des pieds reprise de plusieurs façons et à travers une syntaxe et un rythme si heurtés qu'ils semblent mimer l'un et l'autre le déséquilibre du corps.

De telles répétitions se retrouvent tout autant dans la prose de Saint-Denys Garneau, que ce soient son journal, ses lettres ou ses récits. L'une des images garnéliennes les plus typiques est celle du squelette, qui figure la mort bien sûr, mais aussi une sorte d'idéal de pureté artistique. Cette image est au cœur d'un des textes les plus saisissants de Saint-Denys Garneau, écrit en 1938 et intégré à son *Journal* sous le titre « Le mauvais pauvre va parmi vous avec son regard en dessous ». Rejeté par les riches, le pauvre accepte de partir, mais il pousse l'idée jusqu'à son terme : « Il s'assoit dans sa pauvreté, dans son épuisement complet, son désert. » Suivant l'idée qu'on trouvait au début de *Regards et Jeux dans l'espace*, il n'a pas d'appui, sauf une mystérieuse « exigence verticale » qui est la vie même. Rien n'arrête toutefois le désir de purification de ce « mauvais pauvre », qui se défait de sa chair et de tout ce qui lui donne une « apparence »; finalement, même son squelette est attaqué, réduit à sa colonne vertébrale, symbole de la verticalité absolue : « C'est comme un soulagement. Maintenant il sera réduit à ce seul tronc vertical, franchement nu. C'est, comme il dit, sa dernière expression. La seule acceptable, la seule qu'on est sûr qui ne ment pas. » La maladresse de cette dernière phrase n'a rien d'accidentel chez Saint-Denys Garneau : elle est l'expression même d'une pauvreté générale de l'être.

Une telle pauvreté ne sera pas au goût des écrivains de la Révolution tranquille, pour qui Saint-Denys Garneau deviendra le contre-modèle par excellence. Il incarnera l'image du poète souffrant, replié sur lui-même et bourgeois. Une bonne partie de la poésie du pays s'écrira en réaction aux « marais intérieurs » (Paul Chamberland) de l'auteur de *Regards et Jeux dans l'espace*, à qui on oppose et préfère le lyrisme grandiose de son contemporain Alain Grandbois. Jacques Ferron se moquera, dans *Le Ciel de Québec*, de la « poésie aigrelette » de Saint-Denys Garneau et s'amusera à caricaturer tout le groupe de *La Relève*. La radicalité de tels rejets trahit toutefois une fascination qui ne tardera pas à s'exprimer positivement. À partir de 1980, en effet, « l'héritage de la pauvreté » (Yvon Rivard) laissé par Saint-Denys Garneau deviendra paradoxalement d'une richesse incomparable. Il sera revendiqué par des poètes et par des essayistes comme Jacques Brault, Jean Larose ou Hélène Dorion. La consécration de Saint-Denys Garneau coïncidera avec l'essor de l'intimisme et deviendra emblématique d'une modernité qui a peu à voir avec les engouements de la Révolution tranquille. La solitude de l'œuvre garnélienne ne sera plus seulement l'expression d'une société aliénante, soumise au joug du clergé : elle se rattachera au drame de la solitude humaine qu'on retrouve chez Tchekhov, Kafka ou Beckett. De plus, on commencera aussi à relire la poésie et la prose de Saint-Denys Garneau sous l'angle religieux. Mais s'il est indissociable des autres aspects de l'œuvre, le langage spirituel de Saint-Denys Garneau demeure problématique aux yeux de plusieurs critiques, pour qui il n'aurait fait qu'empêcher l'épanouissement du poète. C'est aussi en cela pourtant que son œuvre est centrale dans l'histoire littéraire du Québec : elle force à regarder ensemble ce qu'on a voulu séparer à tout prix, à savoir l'esthétique moderne et le sentiment religieux.

8

La guerre et le boom éditorial

Malgré les efforts des éditeurs Édouard Garand et Albert Lévesque pour dynamiser la vie littéraire au Québec durant l'entre-deux-guerres, celle-ci parvient mal à s'organiser réellement. Le secteur de l'édition littéraire reste encore anémique en 1936, alors que le bottin des lettres canadiennes-françaises ne signale que six éditeurs : Beauchemin, Granger Frères, Albert Lévesque, les Éditions du Totem, les Éditions du Zodiaque et la Librairie Garneau. En mai 1940, avec la capitulation de la France, la situation change rapidement. Comme il est interdit d'importer des biens venant de pays ennemis ou occupés par l'ennemi, le Canada ne peut plus faire venir les livres de France. Le gouvernement de Mackenzie King accorde alors aux éditeurs canadiens des licences exceptionnelles leur permettant de réimprimer tous les titres français non disponibles au pays, moyennant des droits versés au Bureau du séquestre des biens ennemis. Un immense marché s'ouvre aussitôt qui entraînera un boom éditorial, lequel s'accroîtra encore en 1943 avec la Loi de l'instruction obligatoire.

Cette situation profite d'abord aux quelques maisons d'édition déjà en place, notamment Beauchemin, Fides (1937) et Valiquette (1938). Elle permet également à de nouveaux éditeurs de voir le jour : Variétés, Pony et surtout les Éditions de l'Arbre en 1941, suivis entre 1943 et 1945 par huit autres éditeurs (Parizeau, la Société des Éditions Pascal, Serge, Marquis, Lumen, Mangin, B.D. Simpson et Pilon). Cet essor fulgurant est toutefois suivi par un déclin tout aussi rapide. Dès la fin de la guerre, les licences ne sont plus accordées, privant les éditeurs de leur principal outil de développement. Une douzaine d'éditeurs cessent de publier entre 1946 et 1949. Seuls survivent les éditeurs scolaires comme Beauchemin, Granger Frères, la Librairie générale canadienne, de même que les Éditions Fides, spécialisées dans les livres religieux. La littérature n'offre plus aucune rentabilité commerciale, de sorte que le nombre annuel de titres littéraires décroît peu à peu, faute de marché. C'est ainsi qu'on observe un recul de la production littéraire dans la décennie 1950 : selon Jacques Michon, on publie en moyenne 11,9 romans par année, alors qu'il y en avait 14,5 durant les années 1940.

Malgré sa brièveté, l'effervescence éditoriale des années 1940-1946 modifie considérablement le paysage littéraire du Québec. Elle a permis l'établissement de liens directs avec certains écrivains français réfugiés à New York. Les éditeurs montréalais ont en effet cherché à s'attacher plusieurs d'entre eux. Parmi ceux qui viennent à Montréal se trouvent Antoine de Saint-Exupéry, Georges Simenon et Jacques Maritain. On publie également Paul Claudel, Julien Green, François Mauriac, Pierre Emmanuel, Pierre Seghers, Paul Éluard, Georges Bernanos et plusieurs autres. On réédite les classiques : en 1943, par exemple, Bernard Valiquette fait paraître les œuvres poétiques complètes de Victor Hugo en un seul volume. De même, on fait connaître plusieurs auteurs naguère à l'Index : Balzac, Baudelaire, Verlaine, Rimbaud, Proust et Gide. Ces livres sont distribués non seulement au Québec et au Canada français, mais aussi un peu partout dans le monde, aux États-Unis, en Argentine, au Mexique et dans plusieurs pays méditerranéens. En 1944, à propos des Éditions de l'Arbre dirigées par Robert Charbonneau et Claude Hurtubise, le critique américain Wallace Fowlie, collaborateur occasionnel de *La Nouvelle Relève*, écrit ceci à Henry Miller :

Il y a à Montréal une petite maison d'édition d'esprit catholique libéral (dans la lignée de Maritain), qui publie pas mal de bons livres. Éditions de l'Arbre, 60 ouest, rue Saint-Jacques. Je leur ai parlé de vous et de votre œuvre quand je suis allé à Montréal au printemps dernier. Cela peut donner quelque chose. Si vous leur écriviez en demandant le catalogue ? Jusqu'ici, les deux jeunes directeurs littéraires ont mené un bon combat contre les forces réactionnaires du clergé.

Si éphémère qu'il ait été, cet essor d'une édition doublement indépendante, de l'Église ainsi que des groupes idéologiques, a des conséquences directes sur la littérature du Québec. L'effervescence intellectuelle qu'il entraîne profite aux auteurs locaux en créant un contexte favorable à la réception de nouvelles œuvres. Les éditeurs montréalais, encouragés par quelques figures éminentes comme Édouard Montpetit, professeur à l'École des Hautes Études commerciales et à la Faculté des sciences sociales de l'Université de Montréal, publient également des écrivains canadiens-français : par exemple, *Au pied de la pente douce* de Roger Lemelin paraît aux Éditions de l'Arbre et *Bonheur d'occasion* de Gabrielle Roy est publié à la Société des Éditions Pascal. Plusieurs de ces textes côtoient des signatures françaises prestigieuses et en tirent une légitimité nouvelle. Certains, comme ceux de Lemelin et de Roy, qui se vendent très bien et reçoivent rapidement l'attention de la critique, font la preuve qu'il existe un marché pour la littérature canadienne-française.

La Seconde Guerre mondiale coïncide aussi avec la création de l'Académie canadienne-française (1944). C'est Victor Barbeau, l'ancien polémiste et l'éternel pourfendeur du régionalisme, qui en est l'instigateur. Cette académie fort modeste n'a toutefois qu'un impact symbolique dans le milieu intellectuel et représente tout au plus un signe additionnel d'un désir d'institutionnalisation qui tend à se manifester au cours de cette période. L'émergence de revues vouées à la création littéraire va dans le même sens, mais elle constitue un événement plus déterminant. *La Nouvelle Relève*, dont il a déjà été question, poursuit en 1941 l'entreprise de *La Relève*. *Gants du ciel*, fondée en 1943 par Guy Sylvestre, collaborateur régulier de *La Nouvelle Relève*, emprunte son titre poétique à Jean

L'Académie canadienne-française, 8 décembre 1944. De gauche à droite : Alain Grandbois, Gustave Lamarche, Rina Lasnier, Robert Rumilly, Lionel Groulx, Robert Choquette, Victor Barbeau, François Hertel, Philippe Panneton, Marie-Claire Daveluy, Léo-Paul Desrosiers, Guy Frégault, Robert Charbonneau. Division des archives, Université de Montréal, Fonds Victor Morin (P0056), 1FP, 00404.

Cocteau et revendique une certaine modernité. Mais la revue la plus ambitieuse est sans doute *Amérique française*, fondée en 1941 par Roger Rolland et Pierre Baillargeon, première revue québécoise affirmant, par un sous-titre explicite, « Revue littéraire », son intention de se consacrer exclusivement à la littérature. Pierre Baillargeon, ancien collaborateur de *La Nouvelle Relève*, François Hertel et Gérard Dagenais alternent à la direction jusqu'au rachat de la revue, en 1948, par Corinne Dupuis-Maillet, qui la dirige et la finance de 1949 à 1951, date à laquelle lui succède sa fille, la romancière et journaliste Andrée Maillet. À partir de 1955, la revue connaît plusieurs interruptions, elle cesse de paraître en 1960 et la publication de deux plaquettes en 1963-1964 ne parvient pas à la relancer. Les écrivains canadiens-français les plus importants du milieu du siècle passent par *Amérique française* : Alain Grandbois, Anne Hébert, Jean-Jules Richard, Gabrielle Roy, mais aussi Roland Giguère, Gilles Hénault et plus tard Jacques Ferron, Gaston Miron, Alain Horic et Jacques Brault y publient certains de leurs premiers textes. Moins proche que *La Nouvelle Relève* des intellectuels français réfugiés en Amérique du Nord pendant la guerre, prudente dans ses engagements – en 1942, dans une entrevue au journal *Le Devoir*, Baillargeon présente *Amérique française* comme « l'organe officiel du groupe de l'immense majorité qui ne se groupe pas » – et surtout fidèlement soutenue par la famille Maillet, la revue survit à la crise de l'édition de l'après-guerre. Si *Amérique française* et *La Nouvelle Relève* ont en commun plusieurs collaborateurs – Guy Sylvestre, Jean Dufresne, Berthelot Brunet, Louis-Marcel Raymond et Jacqueline Mabit –, les différences sont manifestes : la présentation d'*Amérique française* se démarque par sa couverture en couleur, illustrée de portraits ; la revue adopte en outre une certaine légèreté de ton qui contraste avec le style grave et inquiet de *La Nouvelle Relève*, et qui se manifeste surtout pour rejeter « la thèse et l'utilitarisme [...] notoires assassins de l'inspiration » (Hertel) ou pour ridiculiser « le régionalisme-mouffette » (Baillargeon) ; enfin, *Amérique française* affirme dès son titre son américanité, même si c'est l'adjectif qui pèse le plus lourd, comme l'indique le mandat de « distraire et divertir ses lecteurs tout en reflétant la culture française telle qu'elle existe déjà dans les trois Amériques » (Corinne Dupuis-Maillet). Il n'y a plus ici, comme à *La Nouvelle Relève*, un axe religieux qui sous-tend la plupart des collaborations. Les œuvres étrangères contemporaines, surtout françaises, appartiennent à des esthétiques diverses et démontrent bien l'éclectisme de la revue. Y sont régulièrement commentés Marcel Proust, Paul Valéry et Jean Giraudoux, mais aussi Françoise Sagan, des poètes comme Saint-John Perse, Yvan Goll, Louis Aragon, Paul Éluard, André Frénaud et Pierre Emmanuel, ainsi qu'André Gide, Michel Leiris, Roger Caillois, Albert Camus, Georges Bataille et Jean-Paul Sartre.

Ce n'est pas un hasard si une telle ouverture se produit au moment de la guerre. La violence des bouleversements est si forte qu'elle fait entrer symboliquement le monde extérieur dans la culture canadienne-française. Au-delà des phénomènes spécifiques, comme le boom éditorial ou la création de revues littéraires, on assiste alors aux premiers signes d'une transformation majeure de la culture. Celle-ci ne se définit plus seulement, ni même d'abord, en fonction de l'identité nationale ou de schémas idéologiques relativement simplistes qui opposent les écrivains du terroir aux écrivains exotiques. De *La Relève* à *Amérique française*, l'écrivain canadien-français s'ouvre à la diversité des esthétiques.

QUATRIÈME PARTIE

L'invention de la littérature québécoise

1945–1980

L'IDÉE D'INVENTION DE LA LITTÉRATURE QUÉBÉCOISE EST habituellement associée à la seule période de la Révolution tranquille. L'expression même de « littérature québécoise » ne s'imposera qu'à partir du milieu des années 1960. C'est la revue *Parti pris* qui en revendiquera l'usage dans un numéro manifeste de 1965 intitulé « Pour une littérature québécoise ». Mais si cette expression passe aussi rapidement dans la langue courante, remplaçant presque aussitôt la vieille appellation « littérature canadienne-française », c'est qu'elle traduit une idée qui a déjà fait son chemin auparavant. La littérature n'est plus liée aussi étroitement qu'avant au seul projet de survie nationale, mais se reconnaît dans un ensemble diversifié de pratiques qui seront immédiatement reçues comme autant de manières d'interroger l'identité nationale. C'est cette visée interrogative plutôt qu'affirmative qui semble commune aux textes qui s'écrivent pendant cette période. Un tel déplacement est majeur en ce sens qu'il met à distance la tradition littéraire locale et oblige à la repenser, comme s'il fallait se la réapproprier, mais en fonction d'un contexte où l'identité (de la nation comme de l'individu) se donne pour incertaine. Cette tradition est à inventer au même titre que la littérature contemporaine. C'est toute la littérature québécoise qui s'invente alors, depuis son origine jusqu'à son évolution dans un avenir rapproché.

Les historiens ne s'entendent toutefois pas lorsqu'il s'agit de définir ce passage de la tradition à la modernité. Au début des années 1970, plusieurs d'entre eux ont repris la thèse, courante dès la Seconde Guerre mondiale, selon laquelle le Québec était en retard par rapport aux autres sociétés industrialisées, notamment par rapport à ses voisins immédiats, les États-Unis et la province de l'Ontario. La Révolution tranquille est apparue, dans cette perspective, comme la fin du retard historique et le moment où s'est confirmée la rupture entre le Québec traditionnel et le Québec moderne. L'expression « idéologie de rattrapage », lancée par le sociologue Marcel Rioux, par opposition à l'idéologie de conservation qui aurait été dominante du milieu du XIXe siècle jusqu'au milieu du XXe, résume bien cette thèse du retard. Selon Rioux, le rattrapage commence en 1945 et serait chose faite en 1960 alors que s'ouvre une nouvelle période, marquée par ce que le sociologue appelle « l'idéologie de développement ». La thèse du retard est cependant sérieusement contestée à la fin des années 1970 par une nouvelle génération d'historiens. Paul-André Linteau, Jean-Claude Robert, René Durocher et François Ricard, auteurs d'une *Histoire du Québec contemporain* (1979 et 1986), croient au contraire que l'image traditionnelle du Québec, comme société homogène ayant évolué en marge de la modernité, ne correspond pas à la réalité historique. Selon eux, le Québec n'a jamais été un « bloc monolithique ». Le passage de la tradition à la modernité ne s'est pas fait d'un coup, mais selon un rythme progressif qui est comparable à celui du Canada anglais et des autres pays industrialisés. Selon cette interprétation, les bouleversements qui surgissent à partir de 1960 ne constituent pas non plus un événement unique au Québec.

Il paraît difficile d'expliquer l'ébullition des années 1960 sans l'inscrire dans une plus longue durée. Un nombre important d'œuvres typiques de la Révolution tranquille ont commencé à s'écrire dans l'immédiat après-guerre. Dès 1947, l'éditeur et romancier Robert Charbonneau, à la faveur d'une querelle célèbre avec des intellectuels d'ici et de France, parle ouvertement de l'indépendance de la littérature canadienne-française par rapport à Paris. Sans doute est-ce là une idée ancienne, déjà présente au XIXe siècle, mais la situation n'est plus la même. Le projet de Charbonneau ne doit plus rien à la vision religieuse et messianique de l'abbé Casgrain. Il procède d'un point de vue d'éditeur qui constate, désabusé comme l'était jadis Crémazie, que la littérature d'ici n'intéresse pas la France. En outre, loin de prôner la « nationalisation » de la littérature locale à la manière de Camille Roy, Charbonneau, comme l'ensemble des écrivains de sa génération, situe la littérature canadienne-française dans le contexte de l'Amérique du Nord et sur fond d'universalisme. Par ailleurs, après des décennies d'efforts en ce sens, les transformations des conditions d'écriture en viennent à porter des fruits. On assiste au milieu du siècle à la mise en place d'une infrastructure littéraire qui prépare le terrain à l'explosion qui aura lieu à partir de 1960.

L'évolution littéraire s'intensifie en effet de façon claire au moment où s'amorce la Révolution tranquille, ainsi nommée par un journaliste anglophone anonyme qui avait parlé de *quiet revolution* (*The Globe and Mail*). L'année 1960 marque symboliquement la rupture la plus nette, avec l'élection du gouvernement libéral de Jean Lesage, qui succède alors à l'Union nationale dont le chef, Maurice Duplessis, était mort subitement en 1959 après avoir été au pouvoir de 1936 à 1939, puis de 1944 à 1959. Cet événement imprévu masque des changements plus profonds de la société, notamment l'arrivée de la génération des baby-boomers au milieu des années 1960. C'est parmi cette génération fortement scolarisée que se recrutent une partie des écrivains qui seront à l'avant-scène de la Révolution tranquille. Cet effet de génération se double d'un effet de classe sociale, ces écrivains appartenant presque tous à une petite bourgeoisie francophone en pleine ascension. La littérature québécoise que l'on cherche à faire exister se caractérise par une très forte unité, qui ne tient pas tant aux œuvres elles-mêmes, lesquelles s'avèrent plus variées qu'on ne l'a dit, qu'aux discours qui accompagnent les œuvres et à l'ascendant que l'écrivain acquiert au sein de la société. Jamais auparavant l'écrivain québécois n'avait participé avec autant de visibilité aux débats proprement politiques. Le questionnement identitaire dont il est porteur trouve instantanément des résonances dans les divers mouvements de contestation qui émergent tout au long de cette décennie agitée.

À partir de 1970, l'idée de fondation nationale laisse la place à des revendications politiques et esthétiques moins unifiées : la contre-culture, le formalisme et le féminisme en constituent les trois principaux vecteurs. Plusieurs écrivains de cette décennie vont s'opposer directement à leurs prédécesseurs au nom d'une transgression radicale de la littérature. Toutefois, on met en cause non pas l'invention de la littérature québécoise, à laquelle les plus jeunes écrivains continuent de croire, mais l'idée même de littérature, qui devient suspecte, symbole d'un ordre bourgeois qu'il s'agit de renverser. La nouvelle génération d'écrivains se tourne alors tantôt vers l'avant-garde française, tantôt vers la contre-culture américaine. Mais le mouvement général qui prend naissance après la Seconde Guerre mondiale semble s'épuiser vers la fin des années 1970. La littérature québécoise renvoie alors à un corpus de plus en plus légitime, mais de moins en moins unifié.

Au total, donc, la riche période qui va de 1945 à 1980 comprend trois sous-périodes distinctes : de 1945 à 1960, c'est l'autonomie de la littérature qui caractérise le mieux les débats esthétiques et les œuvres qui s'élaborent ; de 1960 à 1970, ce sont les années d'exposition au cours desquelles l'écrivain est appelé à jouer un rôle politique et trouve un contexte favorable pour donner à ses œuvres un rayonnement qu'elles n'avaient jamais eu jusque-là ; de 1970 à 1980, ce sont les années de contestation qui voient se multiplier les groupes et les avant-gardes au nom de ruptures plus ou moins fortes que l'on cherche à articuler au projet national.

Au lendemain de la Seconde Guerre mondiale, la situation de la littérature au Québec est paradoxale. D'une part, on l'a vu, la production littéraire décroît légèrement au cours de cette période après la faillite de la plupart des maisons d'édition qui avaient vu le jour pendant la guerre. Tout ce qui est du domaine artistique et littéraire demeure encore étroitement surveillé par le clergé, qui contrôle la quasi-totalité du système d'enseignement. Le règne de Maurice Duplessis (1944-1959) coïncide avec ce qu'on appellera « la grande noirceur » et aggrave l'impression de retard que plusieurs intellectuels laïcs dénoncent au même moment. Privé de l'aide de l'État, le monde littéraire tarde en effet à s'organiser et ne parvient à se développer malgré tout que grâce à des revues et à des maisons d'édition artisanales, qui n'ont toutefois pas de réel impact public à l'époque. D'autre part, durant cette période émergent les écrivains majeurs de la Révolution tranquille qui se prépare dès l'après-guerre. Malgré la baisse du nombre de livres publiés, l'engagement de chaque écrivain dans un projet littéraire personnel paraît plus fort que jamais. Un fait permet de mesurer la nouveauté de la situation : dans les années 1930, les écrivains rencontrés sont, la plupart du temps, les auteurs d'un ou deux textes importants. Leur œuvre ne s'étend pas dans la durée, même si quelques-uns d'entre eux continuent d'écrire après 1945. En revanche, les écrivains majeurs de la période qui s'ouvre en 1945 écriront toute leur vie et leur œuvre s'étendra dans plusieurs cas jusqu'aux années 1980. C'est notamment le cas de Gabrielle Roy, de Rina Lasnier et d'Anne Hébert, qui illustrent bien le changement constaté alors. Au-delà des circonstances historiques, la littérature apparaît chez elles comme un engagement individuel et acquiert une autonomie qu'elle n'avait pas auparavant. Celle-ci semble aller de soi et rejoint un mouvement plus général qui vise à dégager la littérature locale des obligations politiques immédiates afin de l'élever à la hauteur des autres littératures modernes.

L'expérience de la Seconde Guerre mondiale joue à cet égard un rôle déterminant qui dépasse les transformations des institutions sociales, culturelles et politiques. En peinture et en littérature, il est assez remarquable que cette période coïncide avec une ouverture sur les grands courants internationaux, notamment ceux issus du surréalisme et de l'art abstrait. Les mouvements littéraires et artistiques étrangers ne sont plus simplement exotiques, comme ils pouvaient l'être au moment de la Première Guerre mondiale. Ils font désormais partie du paysage local. Grâce aux nouveaux médias et à l'émergence d'une génération de journalistes et d'intellectuels qui ont souvent acquis une partie de leur formation à l'étranger, l'impact de ce qui se passe ailleurs se fait immédiatement ressentir au pays. Les contestations les plus spectaculaires ont lieu d'abord dans le champ pictural, d'où émane en 1948 le manifeste le plus célèbre de l'histoire québécoise, *Refus global*, écrit par Paul-Émile Borduas et signé par quinze artistes. Elles s'expriment ensuite autour du journal *Le Devoir* et de la revue *Cité libre*, où se concentre durant les années 1950 l'opposition au duplessisme. Les écrivains participent à ce débat et s'attribuent volontiers la fonction de critiques des élites traditionnelles. Mais leur rôle reste assez discret avant la Révolution tranquille, contrairement à celui des artistes qui multiplient les gestes provocateurs et cherchent à traduire leur désir de rupture dans des œuvres avant-gardistes. Quelques textes poétiques appartiennent toutefois à cette mouvance, entre autres l'œuvre de Claude Gauvreau, certains textes de Gilles Hénault et de Roland Giguère ainsi que le premier recueil de Paul-Marie Lapointe, *Le Vierge incendié* (1948).

Les voix les plus fortes, au cours des années 1945-1960, ne sont pas assimilables à un courant littéraire, mais se caractérisent par une quête surtout individuelle. Ce n'est que plus tard, à la faveur du discours rassembleur de la Révolution tranquille, qu'on tentera d'associer certaines de ces voix à un mouvement général, la poésie du pays. Quelques-uns des poètes qui émergent dès l'après-guerre, comme Gaston Miron, Fernand Ouellette et Paul-Marie Lapointe, publieront leurs textes majeurs à partir des années 1960 et seront étudiés plus loin dans ce contexte. La période 1945-1960 sera donc examinée autrement que sous le signe de la Révolution tranquille anticipée : ce qui se met en place à cette époque, ce n'est pas un projet politique ou littéraire précis, mais une constellation d'œuvres qui s'écrivent à distance les unes des autres. Alors que la littérature des années 1930 était marquée par la vitalité du discours critique, on se tourne en 1945 vers les œuvres de création. D'où sans doute le caractère moins spectaculaire de cette période, qui ne se laisse pas résumer par des débats d'idées ou par des ruptures fracassantes en dehors de l'événement exceptionnel que constitue *Refus global*. L'écrivain, plus que l'artiste, travaille dans l'ombre et se tourne volontiers vers les drames intérieurs plutôt que vers la question nationale ou sociale. Il prolonge ainsi le travail d'écriture entrepris dès les années 1930 par Alain Grandbois et Saint-Denys Garneau. La littérature devient pour lui une vocation, l'œuvre d'une vie.

L'autonomie nouvelle de la littérature s'exprime de diverses manières, comme on le verra dans cette section. En 1946-1947, elle sous-tend d'abord le débat entre « la France et nous » qui entraîne une redéfinition de la littérature canadienne-française. En 1948, la colère des avant-gardes retentit dans *Refus global*. En dehors des groupements, trois voix majeures émergent au cours de cette période, trois voix de femmes aux parcours extrêmement différents même si toutes trois commencent à écrire au même moment : Gabrielle Roy, Rina Lasnier et Anne Hébert. Pour rendre compte de l'importance de leur œuvre, les pages qui leur sont consacrées débordent forcément les limites chronologiques de la période.

On ne parlera pas seulement ici de *Bonheur d'occasion* et d'*Alexandre Chenevert*, mais bien de toute l'œuvre de Gabrielle Roy, même si une majorité de ses textes ont été écrits et publiés après 1960. De même pour les œuvres de Rina Lasnier et d'Anne Hébert, qui ont leur cohérence propre, au-delà des divisions par période. Les années d'après-guerre sont également marquées par l'influence du surréalisme qui se fait sentir chez plusieurs jeunes poètes, en particulier chez Roland Giguère, et par les revendications modernistes de poètes montréalais anglophones, notamment autour de Frank R. Scott. Par ailleurs, cette période voit s'élaborer un roman qui n'est pas seulement le roman de la ville, comme on le dit souvent, mais plus significativement le roman de l'individu, au sens que donnent à ce mot le personnalisme et l'existentialisme, et qui trouve avec André Langevin son principal représentant. Enfin, c'est au milieu du siècle qu'on assiste à la naissance d'une dramaturgie nationale, avec Gratien Gélinas et Marcel Dubé.

1
La France et nous

Si la littérature devient de plus en plus autonome une fois terminée la Seconde Guerre mondiale, c'est d'abord que les conditions d'écriture changent assez radicalement. De façon générale, la situation des écrivains s'améliore considérablement par rapport à la période précédente. Les grandes entreprises de presse continuent de se développer et, s'adressant à un public de plus en plus large, se mettent à la recherche d'écrivains capables de séduire ce nouveau lectorat. De même, la radio fait désormais partie de la vie domestique et donne à plusieurs écrivains l'occasion de se faire connaître à travers le pays. L'Office national du film du Canada (1939) et surtout l'avènement de la télévision, en 1952, ouvrent encore davantage la sphère publique aux auteurs, qui seront nombreux à écrire des téléthéâtres et des séries télévisées. Grâce à ces médias de grande diffusion qui les sollicitent beaucoup, les écrivains ont désormais accès à des revenus qui permettent à quelques-uns de se consacrer plus librement à leur œuvre et qui donnent en outre à certains de leurs textes une diffusion qu'ils n'auraient jamais pu avoir sans cela, étant donné l'exiguïté du marché littéraire et la précarité des infrastructures éditoriales. Cette précarité devient plus évidente que jamais alors que se multiplient les faillites des maisons d'édition nées à la faveur de l'éphémère boom éditorial créé par la guerre. Si l'édition littéraire retombe alors à peu près au point où elle était avant la guerre, l'expérience acquise par les jeunes éditeurs montréalais a laissé de nombreuses traces.

Durant les années de guerre, ces éditeurs ont profité d'une situation qui paraît unique dans l'histoire de la francophonie littéraire. Ils se sont développés comme si Paris n'existait pas. Or, dès la reconstruction de la France, en 1946, la situation redevient ce qu'elle a toujours été, Paris assumant de nouveau le rôle de capitale littéraire. Mais ce « retour à la normale » ne se fait pas sans heurts. Une brève querelle va opposer Montréal à Paris et révéler, sur le plan local, d'importantes dissensions entre des écrivains et des journalistes canadiens-français selon qu'ils estiment que la littérature canadienne-française existe indépendamment, ou non, de la littérature française. Très vite, le débat glisse vers la question identitaire puis, à travers elle, vers une discussion sur les rapports entre le centre parisien et la périphérie canadienne-française et sur l'appartenance de l'écrivain d'ici à l'Amérique. Les participants à ce débat ne se contentent pas de répéter les arguments anciens qui opposaient, en 1867, Octave Crémazie à l'abbé Casgrain et, en 1906, Jules Fournier à Charles ab der Halden. Ils ne débattent plus de l'existence de la littérature canadienne-française, ni ne tentent d'opposer le classique au contemporain, le traditionnel au moderne ou le régional à l'exotique. Il s'agit pour eux, d'une part, de discuter d'égal à égal avec des critiques français, et de juger la littérature française en regard des autres littératures contemporaines (notamment l'américaine), puis, d'autre part, de présenter la littérature canadienne-française comme une littérature indépendante de la littérature française. La littérature canadienne-française ne se voit plus comme une simple branche de l'arbre de la littérature française, selon une métaphore souvent reprise à l'époque, mais bien comme un arbre en soi.

La querelle commence le 8 mars 1946 quand Louis Aragon, membre du Comité national des écrivains français (CNE), s'en prend dans *Les Lettres françaises* à des éditeurs montréalais à qui il reproche d'avoir publié des écrivains français accusés de collaboration. Constitué dans la clandestinité par des écrivains, des critiques et des intellectuels antifascistes et résistants, le CNE, qui jouit dans la France nouvellement libérée d'une légitimité considérable, arbitre l'épuration du champ littéraire. De fait, des écrivains comme Charles Maurras, Pierre Drieu La Rochelle et Marcel Jouhandeau continuent d'être publiés au Québec au moment où, en France, ils font l'objet d'une purge systématique. Durant la guerre, les élites canadiennes-françaises se sont habituellement reconnues dans les valeurs du régime de Vichy dirigé par le maréchal Pétain (famille, travail, patrie). Cela n'a pas empêché plusieurs intellectuels d'appuyer le général de Gaulle – c'était notamment la position défendue à *La Nouvelle Relève* –, mais l'idée de combattre auprès de l'Angleterre suscite tout au long de la guerre une vaste méfiance chez les Canadiens français, car elle est interprétée comme un geste de soumission à l'égard du colonisateur. D'où le refus majoritaire du Québec exprimé au moment du plébiscite de 1942 visant à légitimer la conscription. S'appuyant sur le sentiment national, l'opposition à la conscription est si forte qu'elle donne lieu à la création d'un parti politique, le Bloc populaire, dirigé par André Laurendeau. Pour lui comme pour la majorité des Canadiens français, le conflit, d'abord européen, n'opposait pas deux formes de civilisation (le fascisme et la démocratie), mais les intérêts territoriaux et financiers français, britanniques et allemands, perception renforcée par le discours d'une partie du clergé, prête à toutes les alliances pour contrer les grands « fléaux » du moment : communisme, franc-maçonnerie, libéralisation des mœurs, etc. Aussi, une fois la guerre terminée, le discours hésitant des élites canadiennes-françaises contraste-t-il vivement avec les positions tranchées des intellectuels français.

C'est précisément cette complaisance idéologique à l'égard du fascisme et des écrivains collaborateurs que dénonce Aragon dans *Les Lettres françaises*. Celui qui lui répond en premier, Robert Charbonneau, s'estime pourtant au-dessus de tout soupçon. Il fait partie de ceux qui, dans le sillage de *La Relève*, ont déjà pris position en faveur des républicains espagnols lors de la guerre civile de 1936, et se sont toujours opposés à Hitler et au nazisme. S'il n'est pas le seul à prendre la plume (Berthelot Brunet, entre autres, se joint à lui), Charbonneau est sans doute le mieux placé, parmi les intellectuels canadiens-français, pour réagir aux critiques d'Aragon et d'autres intellectuels français. Non seulement il se sent à l'abri du reproche idéologique, mais aussi il peut répondre en tant qu'éditeur qui connaît bien les lois du marché et qui mesure concrètement la relation de dépendance de l'écrivain canadien-français vis-à-vis de Paris. C'est sur ce thème qu'il axe son intervention, plus que sur les délicates questions idéologiques soulevées par ses interlocuteurs français. D'où le malentendu qui s'installe entre eux : en France, il s'agit d'éradiquer le fascisme qui a bien failli triompher ; au Québec, il s'agit de permettre à la jeune littérature de se développer enfin, en créant une infrastructure éditoriale locale, et d'affirmer ainsi la spécificité de la littérature canadienne-française.

Pour y parvenir, elle doit toutefois acquérir véritablement son indépendance et vaincre de vieux préjugés. Charbonneau en énumère plusieurs : la supériorité accordée à l'action sur le travail intellectuel, le jansénisme « interdisant de lire des ouvrages d'imagination », le complexe d'infériorité face à des livres canadiens jugés d'emblée inférieurs aux livres étrangers, le parisianisme encore très prégnant chez les écrivains canadiens-français, la prétendue impossibilité de créer une littérature distincte à cause de la langue et l'exiguïté du milieu. La solution qu'il préconise semble au début reprendre celle de Camille Roy : « Si nos écrivains veulent qu'on les lise et qu'on les suive, s'ils veulent s'imposer partout, ils doivent d'abord être Canadiens. » Mais Charbonneau ajoute : « Ils n'ont qu'à être canadiens et à chercher leur technique non dans un seul pays, ni à travers un seul pays, mais partout. » C'est ce dernier mot qui change la perspective. L'autonomie de la littérature canadienne-française ne passe plus, comme chez les régionalistes, par le terroir et la race, mais par Joyce, Kafka, Dos Passos ou Faulkner. L'un des arguments les plus souvent avancés par Charbonneau est que les œuvres littéraires les plus neuves, en particulier les romans, ne proviennent plus de Paris, comme cela a été le cas dans le passé. L'écrivain canadien-français n'a donc plus intérêt à trouver ses modèles en France : il lui faut regarder ailleurs, à commencer par les États-Unis. L'universalisme et, plus particulièrement, l'américanité que revendique Charbonneau sont aussitôt interprétés, chez des critiques montréalais, tel René Garneau, comme une offensive contre la culture française.

L'idée capitale des interventions que Charbonneau regroupe en 1947 dans un « journal de la querelle » intitulé *La France et nous* demeure celle d'autonomie ou d'indépendance. Non pas sur le plan des formes ou des thèmes, comme naguère chez Camille Roy, mais sur le plan beaucoup plus général de l'identité individuelle et collective et, de façon plus pratique, sur celui des moyens matériels dont dispose l'écrivain canadien-français pour s'affranchir du centralisme parisien. De ce point de vue, les éditeurs montréalais ne font pas le poids et la querelle s'épuise d'elle-même dès lors que l'institution littéraire parisienne se remet à fonctionner normalement. Mais il ne s'agit pas moins d'une première tentative pour prendre ses distances par rapport à Paris au nom de la modernité elle-même (et non plus en vertu du régionalisme littéraire). Après le critique, c'est l'éditeur qui tente de tirer les leçons de cette brève expérience au cours de laquelle Montréal s'est comporté comme un petit centre littéraire. Le relatif succès de l'édition littéraire durant quelques années permet ainsi à Charbonneau d'apprécier ce qui manque réellement au Canada français pour avoir une littérature autonome.

La querelle entre « la France et nous » illustre parfaitement comment les lois de la concurrence s'appliquent à un domaine comme la littérature – et tout particulièrement à la littérature francophone, où la centralité parisienne est écrasante. La querelle éclaire une différence majeure, source de nombreuses incompréhensions, entre le champ littéraire français, alors structuré par les divisions idéologiques, et le champ littéraire québécois, dominé à la même période par une volonté d'autonomie plus déterminante que les tensions politiques. Rare cas d'affrontement direct entre des intellectuels québécois et des intellectuels français, cette polémique permet aussi de prendre la mesure de la réaction défensive que provoquent des écrivains du Québec qui se réclament de leur situation nord-américaine pour intervenir dans le champ littéraire français. Charbonneau sort amer de cette expérience, qui l'amène à conclure à l'impossibilité d'une relation équitable avec la France et à la nécessité de tourner le regard ailleurs, en l'occurrence vers le Canada anglais et les États-Unis. Il y a une part d'utopie, et sans doute aussi de ressentiment, dans le retournement de Charbonneau. Mais on voit nettement se dessiner, à partir de la querelle, le double lien qui ne cessera de hanter par la suite l'écrivain québécois : l'espoir déçu de voir la culture d'ici reconnue par la France et le désir d'embrasser l'Amérique – quand ce n'est pas le rêve d'être à la France ce que les États-Unis sont à l'Angleterre...

À partir de 1945, l'édition se replie sur l'activité religieuse et scolaire, au détriment de l'édition littéraire. Seul le secteur de l'édition poétique, dont les moyens matériels et les ambitions commerciales sont modestes, se développe durant cette période. On voit apparaître de petites maisons artisanales comme celle que crée Roland Giguère en 1949 sous le nom d'Erta. Gilles Hénault et Éloi de Grandmont avaient déjà créé Les Cahiers de la file indienne en 1946. Puis, en 1953, Gaston Miron et ses camarades fondent l'Hexagone, jetant les bases de ce qui deviendra dix ans plus tard bien plus qu'une maison d'édition, soit le carrefour de la poésie québécoise. Du côté du roman, qui exige un investissement plus lourd que la poésie pour être produit et diffusé, on se remet difficilement de la crise éditoriale de l'après-guerre. Le nombre de romans publiés diminue sensiblement après 1947, même si l'éditeur montréalais Pierre Tisseyre lance cette année-là une maison d'édition, le Cercle du livre de France, qui joue un rôle important durant les années 1950. Tisseyre crée en 1949 le prix du Cercle du livre de France, qui se veut une sorte de Goncourt canadien dont l'obtention donne droit à une publication en France, entérinant ainsi la prime de prestige attachée à Paris. Mais il n'y a ni marché ni tradition pour assurer un rayonnement significatif aux auteurs qu'il publie. Comme la diffusion en librairie ne suffit pas, Tisseyre met sur pied au début des années 1950 un Club du livre qui offre aux abonnés une sélection mensuelle de livres français parmi lesquels on insère quelques titres canadiens-français. En attendant les politiques de subsides adoptées quelques années plus tard, notamment à travers le Conseil des Arts du Canada créé en 1957, Tisseyre cherche ainsi à susciter un lectorat grâce auquel la littérature canadienne-française pourrait se développer sans dépendre de la seule reconnaissance de Paris. En 1954, le journaliste Jean-Louis Gagnon et l'éditeur Claude Hurtubise (qui fondera les Éditions HMH en 1960) lancent des cahiers intitulés *Écrits du Canada français* destinés à réunir les meilleurs écrivains d'ici. Une autre solution, retenue par de nombreux romanciers et dramaturges de cette époque, comme Roger Lemelin, Germaine Guèvremont, Marcel Dubé ou Yves Thériault, consiste à écrire non seulement pour les journaux comme auparavant, mais aussi pour la radio et bientôt la télévision. Ces initiatives demeurent toutefois dispersées et reposent sur quelques individus. Mais elles témoignent d'une volonté commune de réunir des conditions favorables à l'émergence d'une littérature autonome.

2
Refus global

Il est un lieu où la rupture esthétique fait l'objet de revendications unifiées, assumées par des groupes et non pas seulement par des individus relativement isolés. Il s'agit du milieu artistique, auquel se joindra le poète et dramaturge Claude Gauvreau. Ce milieu connaît une véritable effervescence dès la fin de la Seconde Guerre mondiale, autour de la figure dominante de Paul-Émile Borduas. En 1948, deux manifestes paraissent à quelques mois d'intervalle : en février, *Prisme d'yeux*, signé par une quinzaine d'artistes réunis autour d'Alfred Pellan, revendique l'autonomie et la liberté de la peinture, à l'abri des contraintes idéologiques et esthétiques ; puis, en août, voici *Refus global*, plus radical, qui associe l'art non plus seulement à la liberté individuelle, mais, conformément aux principes de l'« automatisme surrationnel », à l'expression de l'inconscient. Ce manifeste, qui fait date dans l'histoire de la modernité québécoise, est rédigé par Paul-Émile Borduas et signé, lui aussi, par une quinzaine d'artistes.

Refus global comprend en fait plusieurs textes, outre le manifeste rédigé par Borduas et contresigné par l'ensemble du groupe. On y trouve deux autres textes de Borduas, dont un lexique de l'automatisme, trois « objets dramatiques » de Claude Gauvreau, de courts essais de Bruno Cormier et de Françoise Sullivan, un texte pamphlétaire de Fernand Leduc, tout cela entrecoupé de nombreuses reproductions d'œuvres d'art réalisées par quelques-uns des signataires. L'ouvrage de facture artisanale, composé sur une Gestetner louée pour l'occasion et tiré à quatre cents exemplaires, est lancé le 9 août à la Librairie Tranquille. Le manifeste est aussitôt reçu comme une bombe dans le milieu intellectuel. Un mois plus tard, Borduas est suspendu de son poste de professeur à l'École du meuble. Quelques journalistes influents, comme André Laurendeau et Gérard Pelletier, jusque-là opposés aux idées révolutionnaires défendues dans le manifeste, dénoncent alors l'ingérence politique dans le domaine de l'enseignement. Mais rien n'y fait : le 21 octobre, Borduas est officiellement congédié.

L'une des premières cibles du manifeste est le clergé canadien-français, accusé d'avoir tenu le peuple « à l'écart de l'évolution universelle ». Cependant, la liste des refus déborde de beaucoup le seul anticléricalisme :

Rompre définitivement avec toutes les habitudes de la société, se désolidariser de son esprit utilitaire. [...] Refus d'un cantonnement dans la seule bourgade plastique, place fortifiée mais trop facile d'évitement. Refus de se taire – faites de nous ce qu'il vous plaira mais vous devez nous entendre – refus de la gloire, des honneurs (le premier consenti) : stigmates de la nuisance, de l'inconscience, de la servilité. Refus de servir, d'être utilisable pour de telles fins. Refus de toute INTENTION, arme néfaste de la RAISON.

C'est cette dernière idée qui suscitera les attaques les plus nombreuses, tant de la part des catholiques conservateurs que de la part des libéraux. Ne plus croire à la raison, c'est renoncer à la fois à la légitimité des dogmes religieux ou moraux et à l'idéal moderne du progrès. Sur le plan esthétique, l'éloge de l'intuition ou de la spontanéité et la fascination pour le domaine nouveau du rêve paraissent tout aussi inacceptables, y compris aux yeux des commentateurs les mieux disposés face à l'œuvre de Borduas, comme l'écrivain et critique d'art Robert Élie, futur directeur du Musée d'art contemporain. Le manifeste donne lieu à un débat qui prendra de l'ampleur dans les mois qui suivent sa parution, bien au-delà de l'effet de scandale. Car *Refus global* ne s'attaque pas seulement à la « bourgade plastique » et aux conventions esthétiques : c'est tout un mode de vie bourgeois qui est remis en question au nom d'une liberté apparemment sans limites et de « l'anarchie resplendissante ». Au « refus global » correspond par ailleurs une ouverture simultanée sur tout ce qui s'apparente, de près ou de loin, à la modernité. Dans sa correspondance avec Borduas, Gauvreau résume bien le sentiment qu'ils ont de toucher *en même temps* à toutes les formes modernes de la pensée et de l'art : « Nous sommes Descartes - Voltaire - Sade - Delacroix - Beethoven - Cézanne - Debussy - Lautréamont - Jarry - Artaud - Tzara - Picasso - Klee - Mondrian - Stravinski - Breton, tout ça à la fois » (lettre du 29 novembre 1949). Un tel éclectisme moderne ne va pas toutefois sans une certaine rigidité, incarnée par Borduas qui publie en 1949 *Projections libérantes*, où il fait le bilan de son engagement pédagogique, et multiplie ensuite les gestes (et les lettres) de rupture. Il s'installera à New York en 1953 avant de partir pour Paris.

Refus global marque le moment fort de l'avènement du surréalisme au Québec. Mais il ne s'agit pas d'un événement isolé. Le mot circule tout au long de la décennie, et même un peu avant, comme l'ont montré François-Marc Gagnon et André-G. Bourassa. On le rencontre à une ou deux occasions chez un poète comme Saint-Denys Garneau ou chez un peintre figuratif comme Jean Paul Lemieux. C'est toutefois à partir du retour au pays d'Alfred Pellan en 1940 et d'une exposition que celui-ci organise la même année que l'on assiste à de réelles manifestations artistiques clairement inspirées du surréalisme. Peu à peu, le mouvement s'organise, comme l'atteste en 1946 la première exposition du groupe automatiste, avec notamment Paul-Émile Borduas, Pierre Gauvreau, Fernand Leduc, Jean-Paul Mousseau et Jean-Paul Riopelle. Quelque temps après, le mouvement s'amplifie et se politise, sous l'influence d'intellectuels de gauche, comme Gilles Hénault, qui publient dans le journal communiste *Combat*. L'art moderne suscite de plus en plus d'inquiétude du côté des autorités religieuses et politiques, qui l'associent à la libération des mœurs et surtout au communisme. En 1949, peu après la publication du manifeste *Refus global*, Pierre Gauvreau, appuyé par le groupe des automatistes, mais aussi par des écrivains nullement apparentés au surréalisme comme Jacques Ferron et Jean-Jules Richard, écrit une

Seconde exposition des automatistes au 75, rue Sherbrooke Ouest, chez les Gauvreau, 1947.
De gauche à droite : Claude Gauvreau, Julienne Gauvreau, Pierre Gauvreau, Marcel Barbeau, Magdeleine Arbour, Paul-Émile Borduas, Madeleine Lalonde, Bruno M. Cormier et Jean-Paul Mousseau. Musée national des beaux-arts du Québec, 99.213. Photo Maurice Perron.

longue lettre au *Devoir* pour protester contre l'application de la « loi du cadenas » par le premier ministre Maurice Duplessis, laquelle permet de fermer toute maison utilisée « pour propager le communisme ou le bolchévisme ». La même année, plus d'une trentaine d'artistes et d'écrivains, parmi lesquels se trouve Roland Giguère, signent un manifeste (écrit par Claude Gauvreau) en appui aux grévistes de la mine d'Asbestos. On voit par là que le mouvement de contestation dans lequel s'inscrit *Refus global* dépasse le seul milieu artistique et rejoint des combats sociaux et politiques. Mais cette ouverture coïncide avec la dispersion du groupe automatiste, dont la dernière exposition (*La matière chante*) a lieu en 1954.

Si le manifeste *Refus global* ne suscite que mépris et sarcasmes en 1948, il en va tout autrement par la suite. La Révolution tranquille fera de Borduas une icône de la modernité québécoise. En 1959, la revue d'avant-garde *Situations* célébrera les dix ans du manifeste. Fernande Saint-Martin y décrira *Refus global* comme

« la plus haute affirmation de la mission de l'artiste et de l'intellectuel que nous ayons jamais encore entendu proférer par l'un des nôtres ». Quelques années plus tard, ce sont surtout les écrivains qui revendiqueront l'héritage de Borduas. Pierre Vadeboncœur écrira dans *La Ligne du risque* : « Borduas fut le premier à rompre radicalement. Sa rupture fut totale. Il ne rompit pas pour rompre ; il le fit pour être seul et sans témoin devant la vérité. » Pour Hubert Aquin et Jacques Godbout, Borduas deviendra le « père de la révolution artistique ». La mythification de Borduas se poursuivra au cours de la décennie suivante, notamment chez François Charron et André Beaudet. De leur côté, les historiens de l'art comme René Payant réévalueront l'apport proprement pictural de Borduas et s'intéresseront de plus en plus aux autres artistes signataires du manifeste, dont les œuvres se révéleront parfois plus audacieuses ou plus fécondes que celle du « maître ». Si *Refus global* marque un moment important dans l'histoire culturelle et continue d'être célébré comme un texte inaugural, c'est aussi parce que la rupture n'est justement plus comme auparavant le fait d'un ou de quelques individus, et ne porte plus sur des aspects esthétiques ou idéologiques spécifiques. Le manifeste se donne, selon le titre si mémorable et si souvent cité par la suite, comme un geste d'éclat qui s'inscrit dans un mouvement plus général. *Refus global* dépasse ainsi la seule émergence du groupe des automatistes et participe pleinement à l'invention d'une culture québécoise moderne.

3
Gabrielle Roy entre réalisme et intimisme

Arrivée à Montréal au tout début de la Seconde Guerre mondiale, Gabrielle Roy (1909-1983) se lance à l'assaut de la métropole pour y vivre de sa plume. Née à Saint-Boniface au Manitoba, elle a derrière elle une carrière, tôt interrompue, d'institutrice. Elle revient d'un séjour de vingt mois en Europe qui l'a convaincue d'abandonner son idée première de devenir comédienne pour se consacrer entièrement à la littérature. Elle a choisi de ne pas retourner à Saint-Boniface, de peur d'y retrouver le climat provincial et les tracas familiaux qui l'avaient poussée à fuir deux ans plus tôt. Si Montréal reste encore, à bien des égards, une petite ville à côté des capitales européennes qu'elle a connues, c'est le seul endroit où elle peut entreprendre de devenir écrivaine. Le contexte de la guerre a rendu ce choix presque nécessaire, puisqu'elle ne pouvait ni rester en Europe ni espérer trouver un véritable milieu littéraire francophone au Canada ailleurs qu'à Montréal. Mais elle n'y connaît à peu près personne, ce qui l'oblige à découvrir par elle-même les ressources propres à la vie intellectuelle montréalaise. Même si sa famille maternelle est d'origine québécoise, la trajectoire de Gabrielle Roy ressemble à celle d'une immigrante comme Marie Le Franc plus qu'à celle de l'écrivain canadien-français traditionnel.

À peine installée dans la métropole, Gabrielle Roy parvient à placer ses textes dans des journaux, comme le faisaient la plupart des écrivains de cette époque. Elle collabore d'abord à l'hebdomadaire *Le Jour*, fondé en 1937 par Jean-Charles Harvey et qui fait partie des rares journaux canadiens-français sympathiques aux idées modernes et libérales. Elle vend également ses textes (nouvelles, billets humoristiques, souvenirs de voyage, etc.) à d'autres journaux dont le tirage est plus considérable. Elle collabore notamment à *La Revue moderne* (31 000 exemplaires en 1940) qui fait vivre bon nombre d'écrivains et qui, comme l'indique son titre, se range assez nettement du côté de la littérature nouvelle sans pour autant être avant-gardiste ou révolutionnaire. Cette revue veut simplement être de son temps et réunit des écrivains capables de séduire un vaste lectorat afin que la littérature canadienne-française perde la réputation d'être ennuyeuse. L'essor de la littérature doit beaucoup à ces journaux qui connaissent alors une formidable poussée. Plusieurs fournissent aux écrivains un revenu régulier tout en leur permettant de voyager et de s'intégrer à la vie non seulement intellectuelle, mais aussi sociale et politique.

À la différence de l'entre-deux-guerres, la conjoncture se révèle très favorable aux écrivains canadiens-français, qui, pour peu qu'ils sachent plaire au public, ne manquent jamais de travail. On leur demande des manuscrits et les écrivainsjournalistes les plus talentueux se trouvent bientôt en position de choisir parmi un ensemble d'offres. Le cas de Gabrielle Roy est à cet égard exemplaire : après avoir été lancée par des journaux de petite et de moyenne dimension, voici qu'elle est engagée de façon régulière en 1940 par un magazine dont le tirage est l'un des plus considérables au pays : le *Bulletin des agriculteurs* (qui tirera à 145 000 exemplaires en 1948). C'est grâce à ce magazine qu'elle commence une série de reportages sur Montréal, lesquels constituent l'embryon du plus célèbre roman de cette période, *Bonheur d'occasion.* Au même moment, un autre journaliste, Roger Lemelin (né en 1919), publie deux romans urbains qui se situent dans des quartiers pauvres de Québec, *Au pied de la pente douce* (1944) et *Les Plouffe* (1948), et qui marquent, avec *Bonheur d'occasion,* le tournant réaliste du roman québécois.

Dans l'histoire littéraire, ces romans symbolisent tout à la fois l'arrivée en ville de la littérature québécoise et le moment fort du réalisme romanesque. Ces fresques sociales sont aussi parmi les premiers grands succès de vente qu'aient connus des écrivains canadiens-français. Mais le style très différent des deux écrivains de même que le choix de la ville (Québec dans le cas de Lemelin, Montréal dans celui de Roy) donnent à chacune des œuvres une résonance distincte. L'écriture de Lemelin est tournée vers la peinture savoureuse de mœurs locales ; celle de Gabrielle Roy, vers le portrait réaliste de personnages au milieu d'une ville qui porte tous les signes de la vie moderne (le cinéma, les magasins, la foule, etc.). Autre élément distinctif : le succès des *Plouffe,* comme celui d'*Un homme et son péché* de Claude-Henri Grignon ou celui du *Survenant* de Germaine Guèvremont, doit beaucoup aux adaptations qui seront faites pour la radio ou la télévision. Le succès de *Bonheur d'occasion,* lui, est entièrement le fait du livre. Gabrielle Roy pose sur la ville un regard neuf, empreint de sympathie et d'ouverture, comme si elle éprouvait une amitié spontanée pour cette famille Lacasse forcée de survivre au milieu d'une ville marquée par le chômage. Montréal n'apparaît plus ici dans sa dimension locale, en opposition avec la vie rurale et ancienne ; c'est une ville en mouvement, plongée dans le tumulte de l'histoire contemporaine, divisée en classes sociales et en quartiers ayant chacun leur propre mode d'organisation, une ville trop complexe pour être ramenée à une vision unificatrice. En arrière-plan de tout le roman, on voit bien encore la « ville aux cent clochers » avec son passé, ses traditions, ses patois ; mais le roman s'ouvre sur un horizon beaucoup plus vaste, comme si le monde extérieur faisait désormais partie du monde local. Les grands drames universels, la pauvreté, le chômage, sont décrits à partir du contexte local et de façon si concrète que la ville devient tout à coup visible, habitable et dynamique : on y voit son spectacle incessant, ses maisons toujours à louer et cette montagne qui symbolise la réussite sociale et la division entre les ouvriers francophones et la bourgeoisie anglophone.

Bonheur d'occasion saisit aussi l'occasion ambiguë que constitue ici la guerre, à la fois tragédie et gage d'une nouvelle prospérité. À Emmanuel qui, sur le marchepied du train, se demande quelles raisons poussent les hommes à s'engager, Florentine fait cette réponse lapidaire : « Ben, moi, je vois qu'une chose, dit-elle posément. C'est parce que ça faisait votre affaire de vous mettre dans l'armée. » La presse et la radio (évoquées aussi dans *Au pied de la pente douce*) donnent à l'événement une proximité menaçante dont Rose-Anna fait l'expérience en apprenant par le journal l'invasion de la Norvège :

Elle resta hébétée un moment, l'œil dans le vide, et tirant la courroie de son sac. Elle ne sut pas d'abord d'où et comment lui était venu le coup qui la paralysait. Puis, dressée au malheur, sa pensée vola vers Eugène. De quelque façon inexplicable et dure, elle crut sur l'instant que le sort de son fils dépendait de cette nouvelle. Elle relut les gros caractères, syllabe par syllabe, formant à demi les mots du bout de ses lèvres. Sur le mot « Norvège », elle s'arrêta pour réfléchir. Et ce pays lointain, qu'elle ne savait situer que vaguement, lui parut lié à leur vie d'une manière définitive et incompréhensible. Elle n'examina, ne calcula, ne pesa rien, elle oublia qu'Eugène l'assurait dans sa dernière lettre, qu'il resterait au moins six mois au camp d'entraînement. Elle voyait des mots qui s'allongeaient devant elle lourds de danger immédiat. Et cette femme, qui ne lisait que son livre d'heures, fit une chose extraordinaire. Elle traversa rapidement la chaussée en fouillant déjà dans son sac à main ; et à peine arrivée sur le trottoir d'en face, elle tendit trois sous au vendeur de journaux et déplia aussitôt la gazette humide qu'il lui avait remise. S'appuyant au mur d'un magasin, elle lut quelques lignes, poussée, entraînée par des ménagères qui sortaient de la fruiterie, et retenant son sac comme elle le pouvait sous son bras serré contre elle. Au bout d'un moment, elle plia le journal d'un geste absent, et leva devant elle des yeux lourds de colère [...]

D'un pas d'automate, elle prit le chemin de la rue Beaudoin. Elle les connaissait bien, soudain, toutes ces femmes des pays lointains, qu'elles fussent polonaises, norvégiennes ou tchèques ou slovaques. C'étaient des femmes comme elle. Des femmes du peuple. Des besogneuses. [...] Elle était de celles qui n'ont rien d'autre à défendre que leurs hommes et leurs fils. De celles qui n'ont jamais chanté aux départs. De celles qui ont regardé les défilés avec des yeux secs et, dans leur cœur, ont maudit la guerre.

[...] Elle voulut se reprendre, se défendre de la haine comme de la pitié. « On est au Canada, se disait-elle en brusquant le pas ; c'est bien de valeur ce qui se passe là-bas, mais c'est pas de notre faute. » Elle reniait farouchement ce cortège triste qui l'accompagnait au retour. Mais elle ne pouvait aller assez vite pour s'en dégager. Une foule innombrable l'avait rejointe, venant mystérieusement du passé, de tous les côtés, de très loin et aussi de très près, semblait-il, car des visages nouveaux surgissaient à chaque pas, et ils lui ressemblaient.

La ville s'incarne dans des personnages qui n'y sont ni des touristes ni d'anciens paysans forcés d'y gagner leur vie. L'héroïne du roman, Florentine Lacasse, y est née et ne rêve pas d'en sortir : la ville est à la fois son passé et son avenir. Elle appartient pleinement à Montréal et semble en attente d'une occasion pour s'y plonger davantage, et s'arracher du même coup à la misère du faubourg populaire de Saint-Henri. L'un des passages les plus souvent cités du roman fait voir la ville à travers les yeux de Florentine :

Mais que cette ville l'appelait maintenant à travers Jean Lévesque ! À travers cet inconnu, que les lumières lui paraissaient brillantes, la foule gaie et le printemps même, plus très loin, à la veille de faire reverdir les pauvres arbres de Saint-Henri ! [...] Jamais elle n'avait rencontré dans sa vie un être qui portât sur lui de tels signes de succès. Il pouvait bien, ce garçon, n'être qu'un mécanicien en ce moment, mais déjà elle ne doutait pas plus de sa réussite dans l'avenir, dans un avenir très rapproché même, que de la justesse de l'instinct qui lui conseillait de s'en faire un allié.

Ce passage permet aussi de voir que le roman décrit un monde en transition, non plus seulement saisi en fonction de ce qui se perd comme dans le roman des années 1930, mais comme porté par l'euphorie du changement et la peur de manquer sa chance. Florentine espère se faire un allié de ce jeune homme confiant afin de participer, elle aussi, au plaisir de cette vie moderne et urbaine qu'il incarne. Son aventure sentimentale revêt une portée sociale évidente : son besoin d'émancipation, sa fureur de vivre correspondent au rêve de la nouvelle génération. Toute hésitation, toute nostalgie semblent avoir disparu : c'est vers l'avenir que tend ce personnage. Le monde traditionnel paraît entraîné dans le mouvement inéluctable de l'Histoire. À travers les yeux de cette héroïne, Gabrielle Roy décrit Montréal avec un sens de l'observation qu'on n'avait guère rencontré jusque-là que chez un autre écrivain étranger auquel la critique l'a d'ailleurs souvent comparée, Louis Hémon. Est-ce parce que l'un et l'autre viennent d'ailleurs qu'ils offrent un miroir aussi exact de la réalité québécoise ? Toujours est-il que Gabrielle Roy ne se sent nulle obligation à l'égard de la société qu'elle décrit et n'a pas de thèse à faire valoir. La réalité est vue dans la perspective de chaque personnage, sans que le narrateur se permette de la juger directement.

Un tel détachement face aux enjeux idéologiques traditionnels n'est peut-être pas étranger non plus au fait qu'il s'agit d'un roman écrit par une femme et que les personnages principaux sont des femmes. Il existe bien sûr d'autres personnages féminins dans l'histoire du roman canadien-français, d'Angéline de Montbrun à Maria Chapdelaine. Mais Florentine Lacasse se distingue des personnages féminins traditionnels, symboles de continuité ; c'est elle qui, avec Jean Lévesque dont le rôle est toutefois moins central, incarne le rêve d'ascension sociale dans Bonheur d'occasion. Son mariage final avec Emmanuel Létourneau n'est pas commandé par quelque voix autoritaire, mais tient davantage au calcul individuel. C'est malgré elle, en effet, que Florentine devient mère à son tour et reproduit la vie de sa propre mère, Rose-Anna. Quant à celle-ci, qui est l'autre

Gabrielle Roy, à Tangent (Alberta), en 1942. Bibliothèque et Archives Canada, NL-17530. Reproduite avec l'aimable autorisation de François Ricard.

grand protagoniste du roman, son sort est tout sauf enviable. À elles deux, Florentine et Rose-Anna portent sur leurs épaules la pauvreté de cet univers social, avec en plus le fardeau de la maternité. Ce sont pourtant elles qui développent une vision personnelle du monde dans le roman. Leur héroïsme ne consiste pas à se révolter contre des déterminismes sociaux, mais à soutenir, devant ceux-ci, un regard plus riche et plus nuancé que celui des personnages masculins.

Peu de romans au Québec ont été aussi souvent analysés que *Bonheur d'occasion* : se sont succédé des lectures sociologiques, thématiques, psychanalytiques, narratologiques, féministes, comparatistes, en plus de nombreuses études sur la réception du roman. Tous les critiques s'entendent pour reconnaître la place unique de ce roman dans l'histoire littéraire du Québec, considéré par plusieurs comme le classique par excellence. Ils s'entendent beaucoup moins sur la place que le roman occupe dans l'œuvre personnelle de Gabrielle Roy. Longtemps, on a estimé que *Bonheur d'occasion* était le chef-d'œuvre inégalé de l'écrivaine. Les romans qui ont suivi, de *La Petite Poule d'eau* jusqu'à *La Rivière sans repos*, ont souvent été qualifiés de mineurs en regard du grand roman initial. On ne s'expliquait pas que Gabrielle Roy n'ait pas donné d'autres grands romans réalistes après le succès phénoménal de *Bonheur d'occasion*. Cette vision réductrice de l'œuvre a toutefois été contestée par plusieurs critiques, de Jacques Brault à François Ricard, pour qui les textes parus après *Bonheur d'occasion*, loin d'être mineurs ou inférieurs, forment un ensemble dont les sommets sont multiples. On mesure alors à la fois l'extrême cohérence et la logique d'approfondissement qui sous-tendent chaque moment de cette œuvre.

Quoi qu'il en soit, la vie de Gabrielle Roy bascule avec *Bonheur d'occasion*, dont le succès est sans précédent dans l'histoire du roman québécois. Ce triomphe se construit en quatre temps : d'abord au Québec, où le roman est acclamé par la critique ; puis aux États-Unis, où, traduit sous le titre *The Tin Flute* (en référence au jouet que Jenny, l'infirmière anglophone, offre à Daniel, le jeune frère de Florentine qui se meurt à l'hôpital), il est sélectionné par le plus important club du livre (« Literary Guild of America »), lequel en fait son « Book of the Month » ; peu de temps après, les droits de *Bonheur d'occasion* sont vendus à un studio de Hollywood pour la somme considérable de 75 000 dollars ; enfin, consécration ultime, le roman sort en France, aux éditions Flammarion, et reçoit en 1947 le prix Femina, premier prix majeur accordé par Paris à un écrivain canadien-français. Sollicitée de toutes parts, tant au Québec qu'au Canada, Gabrielle Roy entreprend alors un séjour en Europe qui durera trois ans. Malgré le prix Femina, l'écrivaine goûte à la cruauté de la critique française qui, jugeant son roman populiste et un peu facile, laisse en outre entendre que le prix Femina lui a été décerné pour des raisons surtout diplomatiques, comme une marque de gratitude de la France à l'égard du Canada deux ans après la fin de la guerre.

Après *Bonheur d'occasion*, tous s'attendent à un autre roman de la ville de facture réaliste. La critique québécoise ne cache d'ailleurs pas sa déception à la parution de *La Petite Poule d'eau* (1950), qui raconte l'histoire de la famille Tousignant au fin fond du Manitoba. Il s'agit de trois récits juxtaposés qui s'inspirent d'une expérience vécue par Gabrielle Roy, alors qu'elle était institutrice dans une école rurale. D'une composition plus simple que celle d'un roman comme *Bonheur d'occasion*, *La Petite Poule d'eau* se situe dans une nature parfaitement hospitalière, celle-là même dont rêvait en vain Rose-Anna. C'est un peu comme si Gabrielle Roy, au lieu de s'intéresser à Florentine Lacasse, avait choisi pour héroïne Rose-Anna, appelée ici Luzina. Le renvoi à *Bonheur d'occasion* est presque explicite au début du livre, alors que Luzina fait sa sortie annuelle au village de Rorketon et admire le spectacle de la rue. Sa réaction rappelle celle de Florentine excitée devant les vitrines de la rue Sainte-Catherine :

Elle était ainsi ; toute l'année, il lui paraissait, là-bas, dans son île, que jamais elle ne se rassasierait du spectacle des vitrines illuminées de Rorketon, des lumières électriques qui restaient allumées toute la nuit dans la rue principale, des nombreux buggies qui y venaient, des trottoirs en planches, des gens qui y circulaient, enfin de l'intense vie qu'offrait ce gros village.

Cependant, le charme de cette modernité tape-à-l'œil n'agit pas longtemps sur Luzina, qui préfère sa maison isolée, sa famille, son petit coin au bout du monde. Alors que Florentine éprouvait une véritable ambition sociale, Luzina est d'un tout autre bois. C'est un personnage heureux de son sort, d'une bonté intérieure exemplaire. Non pas par patriotisme ou devoir religieux : elle est la gaieté même. Elle ne ressemble donc qu'à moitié aux nombreux personnages de mères canadiennes-françaises chargées du poids de la patrie, pas plus que les autres personnages du roman ne se réduisent à des types traditionnels. Si *Bonheur d'occasion* pouvait encore se lire en regard des vieux débats entre la ville et la campagne, il n'y a rien de tel dans *La Petite Poule d'eau*, qui semble s'écrire d'un tout autre point de vue. La fraîcheur de la vie, la simplicité des personnages, la beauté des lieux sont si éloignées de la misère urbaine décrite dans *Bonheur d'occasion* que François Ricard parle d'un « anti-*Bonheur d'occasion* » : « Au réalisme social s'oppos[ent] le rêve et l'utopie ; au présent, le passé ; au décor urbain, la grande nature sauvage ; à la souffrance, le bonheur ; aux inégalités sociales et ethniques, l'harmonie et la fraternité ; aux Lacasse, la famille de Luzina et Hippolyte Tousignant. *La Petite Poule d'Eau* sera ainsi une sorte de *Bonheur d'occasion* en creux, un anti-*Bonheur d'occasion*, une œuvre dans laquelle un auteur se libère enfin de la gloire que lui a apportée son premier roman. » Une telle liberté paraît radicalement nouvelle dans la littérature de l'époque, comme si l'écrivaine n'entendait se vouer qu'à sa propre volonté, en dehors des attentes de la collectivité.

En 1954, presque dix ans après *Bonheur d'occasion*, Gabrielle Roy renoue, dans *Alexandre Chenevert*, avec l'univers montréalais. Mais la conscience inquiète d'Alexandre a peu à voir avec le volontarisme de Florentine, et au faubourg misérable de Saint-Henri succède le monde des petits employés, centré sur un personnage sans ambition, laissé-pour-compte de la nouvelle prospérité économique, témoin malheureux des drames humains et des tragédies de toutes sortes qui sont rapportés, jour après jour, dans les journaux de l'après-guerre. *Alexandre Chenevert*, selon l'aveu de Gabrielle Roy, a été son roman le plus difficile à écrire, celui dans lequel elle voulait affirmer ses propres idées sur la condition de l'homme actuel, dans la perspective de la littérature engagée existentialiste qu'elle lisait à l'époque, de Saint-Exupéry à Camus et à Sartre. Elle brosse dans ce roman un portrait émouvant, l'un des plus beaux que l'on trouve dans la littérature québécoise. Le héros n'a plus rien d'héroïque au sens romanesque du terme : c'est un homme mûr, modeste employé d'une banque montréalaise, honnête, perfectionniste surmené, marié à une femme à laquelle il n'accorde plus aucune attention, dérangé dans ses habitudes par les rares visites de sa fille et de son petit-fils. Il lit avidement les journaux et il en souffre sans arrêt, comme atteint personnellement par le malheur d'hommes et de femmes qui lui sont pourtant étrangers. C'est ce qui le rend rapidement attachant en dépit d'une médiocrité qui aurait pu être caricaturale si elle avait été ramenée aux clichés de la bêtise petite-bourgeoise. Alexandre Chenevert est à la fois plus et moins que cela. Homme ordinaire, il n'a aucune raison objective de se plaindre, lui qui mène une vie tranquille et sans histoire. Ses pâles tourments semblent innombrables : maladies diverses, insomnies, difficultés matérielles, doutes religieux, angoisse existentielle, détresse psychologique. Mais cet homme banal s'éveille sous nos yeux « à une inquiétude aussi vaste que le monde », sur fond de bonté d'âme, de générosité humaine. Un jour, sur le conseil de son médecin qui lui recommande de partir, il loue un petit chalet à la campagne. Il y découvre le silence de la nature, se met à penser à Dieu et il éprouve une félicité nouvelle devant les sensations les plus élémentaires : la faim, la soif, la fatigue. « Ainsi commença la plus belle journée de son existence. » Dominé par un sens aigu du devoir, il retourne ensuite en ville, où, malgré son impression d'avoir été transformé, il retrouve les choses comme il les avait laissées. Sa mort à l'hôpital, peu de temps après, alors qu'il prend conscience trop tard de l'amour de sa femme et de la sympathie respectueuse de quelques connaissances fidèles, ébranle la foi de l'aumônier, qui n'a pas de réponse à l'agonie de cet homme rongé par les maux de son temps.

Peu sensible à l'originalité de ce roman, la critique se demande toujours ce qu'il advient de l'auteure de *Bonheur d'occasion* et plusieurs craignent que Gabrielle Roy ne soit, comme trop d'écrivains canadiens-français avant elle, l'auteure d'un seul titre. Dès lors, et pour longtemps, la trajectoire de Gabrielle Roy paraît s'éloigner des feux de l'actualité. Avec le cycle des romans intimistes ou nordiques qui

René Richard, *L'Homme dans la forêt. La Montagne secrète.* © Collection Musée Louis Hémon.

est inauguré par *Rue Deschambault* en 1955 et qui se poursuit avec *La Montagne secrète* (1961), *La Route d'Altamont* (1966) et *La Rivière sans repos* (1970), la distance entre elle et le milieu littéraire québécois s'accentue. Comme Anne Hébert ou Rina Lasnier, mais selon une esthétique placée tout entière sous le signe de la prose, Gabrielle Roy paraît écrire en marge d'un milieu littéraire en pleine effervescence nationaliste.

Après avoir été, à l'époque de *Bonheur d'occasion,* considérée comme une écrivaine relativement engagée, hostile au duplessisme et sympathique aux revendications syndicales notamment, Gabrielle Roy se tient de plus en plus à l'écart de la chose publique. Son parcours suit une direction presque inverse de celle des écrivains québécois de la nouvelle génération, qui vont au contraire multiplier les interventions de nature politique au cours des années 1960. Fédéraliste, Gabrielle Roy ne se reconnaît pas dans les revendications de revues comme *Liberté* ou *Parti pris.* Elle se jette corps et âme dans l'écriture comme si c'était un absolu, vivant tantôt à Québec, tantôt retirée dans sa maison de Petite-Rivière-Saint-François (Charlevoix), quand elle n'est pas en voyage. En 1967, après le fameux discours du général de Gaulle du balcon de l'hôtel de ville de Montréal, elle rompt toutefois son silence et laisse exploser sa colère : « Je proteste contre la leçon que le Général de Gaulle prétend donner à notre pays. » Mais c'est là une exception. Le plus souvent, elle refuse d'embrasser des causes, des idéologies et cultive au contraire son indépendance d'écrivaine jusqu'à la fin de sa vie. Avant d'être l'instrument d'un combat politique ou social, l'écriture demeure pour elle, comme elle le confie dans une lettre de 1968, « sa raison même de vivre ».

À partir de la Révolution tranquille, le décalage entre Gabrielle Roy et la majorité des intellectuels québécois ne cesse de s'accroître. Certes, elle se réjouit de la modernisation de la société et de l'État, elle approuve en outre le combat féministe de l'époque, mais elle rejette catégoriquement le nationalisme et oppose aux grands thèmes collectifs des interrogations plus intérieures. De plus, autre marque d'indépendance, elle retrouve la foi au milieu des années 1960, c'est-à-dire au moment même où les églises québécoises se vident. Elle avait cessé de pratiquer depuis qu'elle avait quitté Saint-Boniface pour l'Europe, un quart de siècle plus tôt. Un de ses textes les plus déroutants, le recueil de contes *Cet été qui chantait* (1972), porte nettement la marque de ce nouvel esprit religieux, non dénué de mysticisme, et déconcerte la critique. La nature y chante, y parle en de courts tableaux d'une énigmatique simplicité. Comme plusieurs autres écrivains de sa génération, notamment ceux dont il lui arrive de faire l'éloge, tels Alain Grandbois, Félix-Antoine Savard ou Germaine Guèvremont, elle existe alors, aux yeux de la critique, par son œuvre passée. Sa carrière internationale est pratiquement terminée, ses romans ne se vendant plus guère ni en France ni aux États-Unis. Elle est devenue un classique au Québec et au Canada.

Cette consécration jette toutefois de l'ombre sur le caractère actuel et vivant de son œuvre, qui est loin d'être terminée au début des années 1970. Elle connaît au contraire un nouveau souffle dans la dernière partie de la vie de Gabrielle Roy. De 1975 à sa mort en 1983 paraissent pas moins de sept nouveaux titres, dont deux reprennent, il est vrai, des textes écrits antérieurement (*Fragiles lumières de la* terre. *Écrits divers 1942-1970* et *Un jardin au bout du monde*, ouvrage paru en 1975 mais reproduisant en partie des textes écrits dans les années 1940). En 1978, elle reçoit le prix du Gouverneur général pour *Ces enfants de ma vie*, qui marque la redécouverte de Gabrielle Roy par le grand public comme par la critique. Celle-ci voit dans la prose limpide des portraits qui composent *Ces enfants de ma vie* non plus une forme de mièvrerie, mais plutôt une œuvre de maturité. Ce sont les années durant lesquelles Gabrielle Roy atteint le sommet de son art et prépare son ambitieuse autobiographie, *La Détresse et l'Enchantement*, célébrée, malgré son inachèvement, comme une sorte d'aboutissement. Plusieurs des meilleurs commentateurs de son œuvre montrent alors l'esprit de continuité qui caractérise l'ensemble des textes de Gabrielle Roy. André Brochu parle de *La Détresse et l'Enchantement* comme d'un « roman intérieur » et insiste à juste titre sur la part de fiction que contient l'écriture autobiographique. Jacques Brault retrouve de son côté l'intimisme de Gabrielle Roy dans toute son œuvre, jusque dans *Bonheur d'occasion*. En 1996, François Ricard signe une biographie qui est en même temps une relecture de toute l'œuvre de Gabrielle Roy. Il y montre l'originalité et la cohérence de cette œuvre « toute parcourue d'autobiographie ». Une telle continuité ressort également de l'analyse de Lori Saint-Martin, *La Voyageuse et la Prisonnière. Gabrielle Roy et la question des femmes* (2002).

Ce tableau ne serait pas complet si l'on ne signalait aussi les nombreux liens qui rattachent cette œuvre au Canada anglais. Au début de sa carrière, Gabrielle Roy a hésité entre les deux langues, ayant lu jusque-là surtout la littérature de langue anglaise. Mais en 1938, alors qu'elle se trouve à Londres, elle opte résolument pour le français, comme elle le raconte dans *La Détresse et l'Enchantement* :

Pour moi qui avais parfois pensé que j'aurais intérêt à écrire en anglais, qui m'y étais essayée avec un certain succès, qui avais tergiversé, tout à coup il n'y avait plus d'hésitation possible : les mots qui me venaient aux lèvres, au bout de ma plume, étaient de ma lignée, de ma solidarité ancestrale. Ils me remontaient à l'âme comme une eau pure qui trouve son chemin entre des épaisseurs de roc et d'obscurs écueils.

Cette décision n'empêche pas Gabrielle Roy de goûter au succès du côté anglophone, d'abord aux États-Unis, puis surtout au Canada anglais. Autant à Montréal qu'à Toronto, on l'appelle « la grande dame de la littérature ». Tous ses titres sont traduits presque aussitôt, publiés chez McClelland & Stewart et repris par la suite dans la célèbre collection « New Canadian Library » puis intégrés au cursus scolaire tant au Québec qu'au Canada anglais. De tous les auteurs canadiens-français, elle est la plus étudiée au Canada anglais et l'une des plus traduites, avec Anne Hébert. Sa riche correspondance avec son amie et traductrice Joyce Marshall comme avec le critique William Arthur Deacon ou avec l'éditeur Jack McClelland montre bien que Gabrielle Roy suivait de très près l'évolution de sa carrière au

Canada anglais et surveillait attentivement chacune des traductions de ses livres. Plusieurs de ses textes sont si bien assimilés au canon littéraire canadien-anglais, constate E. D. Blodgett, que de nombreux lecteurs anglophones ont cru que des romans comme *The Tin Flute* et *Where Nests the Water Hen* (*Bonheur d'occasion* et *La Petite Poule d'eau*) avaient d'abord été écrits en anglais. C'est dire à quel point son œuvre, unique en cela, appartient véritablement aux deux littératures, par delà les frontières nationales ou linguistiques.

4
Rina Lasnier : la poésie comme exercice spirituel

L'image de Rina Lasnier (1910-1997) est double et contradictoire : d'une part, elle est considérée, avec Saint-Denys Garneau, Anne Hébert et Alain Grandbois, comme l'un des « grands aînés » de la poésie québécoise moderne et elle jouit, à ce titre, d'un évident prestige ; d'autre part, elle demeure beaucoup moins lue que ses trois contemporains et elle paraît même quelque peu marginale en regard des principaux courants poétiques de l'après-guerre. L'inspiration biblique qui sous-tend son œuvre, mais aussi un certain hermétisme du langage (vocabulaire exotique, syntaxe sophistiquée, symbolisme appuyé, ton solennel) contribuent à faire de sa poésie l'une des plus exigeantes qui soient au Québec, ce qui explique que peu de lecteurs s'y soient aventurés. Ceux qui surmontent cette difficulté et qui font l'effort d'entrer véritablement dans cette poésie découvrent un univers qui ne ressemble à rien de ce qui triomphe au même moment sous l'enseigne de la poésie du pays. On pense davantage à Claudel, à Saint-John Perse, à Pierre Jean Jouve ou à Patrice de La Tour du Pin, parfois aussi à Nelligan et aux poètes exotiques québécois du début du siècle. Mais la poésie de Rina Lasnier résiste plus que d'autres aux séries habituelles de l'histoire littéraire. La foi qui s'y manifeste est d'une telle intensité et d'une telle hauteur qu'elle n'a pas non plus grand-chose à voir avec le catholicisme prudent et conformiste qui régnait à l'époque. On a parlé de mysticisme à son propos, mais c'est encore une fois la réduire à une catégorie dans laquelle elle ne se reconnaît guère.

On sait peu de choses sur la vie de Rina Lasnier : enfance relativement heureuse dans une famille aisée d'Iberville, études en Angleterre, retour au pays où elle doit renoncer à poursuivre ses études de médecine et demeure alitée durant deux ans, après quoi elle étudie la littérature puis la bibliothéconomie. En 1939, elle publie son premier texte (*Féerie indienne*), une pièce de théâtre sur l'Iroquoise convertie au christianisme, Kateri Tekakwitha, et le soumet à Victor Barbeau qui devient presque aussitôt son mentor. Il convainc Rina Lasnier de renoncer à un poste de fonctionnaire et de se consacrer entièrement à sa poésie, ce qu'elle fera toute sa vie. Bien qu'elle fréquente peu le milieu des poètes, sa solitude volontaire n'a pas le caractère angoissé de celle d'un Saint-Denys Garneau. Elle est la condition même de son indépendance d'esprit et ne l'empêche nullement de voyager avec bonheur, de rencontrer des gens et de participer activement à la vie littéraire. Membre fondateur de l'Académie canadienne-française en 1944, elle collabore à divers périodiques et ne cultive aucunement l'image romantique du poète incompris. Elle reçoit au contraire de nombreuses marques de reconnaissance, du prix David (1974) jusqu'à un doctorat honorifique de l'Université de

Montréal (1977). Deux choses paraissent caractériser surtout sa vie : sa foi catholique et sa foi dans la poésie. Elle pratique l'une et l'autre avec une ferveur égale, comme si celle-ci nourrissait celle-là. À l'époque de la Révolution tranquille, une telle attitude n'avait guère de chances de faire des adeptes. Rina Lasnier ne s'en plaint pas, mais elle a des mots très durs pour les poètes et surtout les critiques de la nouvelle génération. « Or, il faut bien le constater », écrit-elle dans l'avant-dire de ses *Poèmes* parus chez Fides en 1972, « la faune de la critique contemporaine, glacée et dissolvante, laisse plus de cadavres (à la Roland Barthes) et de lépreux (à la Guillemin) que d'enchanteurs mystérieux et de proférateurs écoutés. » Faute de dialogue possible avec cette critique savante, elle s'emploie, comme elle le dit plus loin, à « vivre en poésie ». La poésie n'est pas pour elle une simple activité comme une autre : elle devient une façon de vivre et c'est tout l'être qui s'engage dans ce qu'elle appelle tantôt ascèse, tantôt création.

Ses œuvres de jeunesse se distinguent déjà par une très grande diversité formelle (poèmes en vers réguliers, poèmes en prose, chants, prières, ritournelles, allégories, etc.) et par la recherche d'images fortes, comme le suggère le titre du premier recueil, *Images et Proses* (1941). Mais il s'agit d'une écriture encore naïve, tout comme les pièces de théâtre (sauf *Le Jeu de la voyagère,* 1941) et la poésie mariale de *Madones canadiennes* (1944), recueil inspiré et illustré par des photographies de Marius Barbeau. C'est avec *Le Chant de la montée* (1947) que Rina Lasnier parvient à donner à son penchant pour le symbolisme poétique et religieux une tournure davantage personnelle. Le recueil comprend une suite de chants centrés sur la figure biblique de Rachel, incapable de donner un enfant à son mari Jacob. Le poème reste fidèle au texte biblique et en adopte le ton solennel, mais il parvient aussi à se l'approprier grâce au thème de la fécondité. Il choisit de célébrer des figures qui, à l'instar de Rachel et surtout de Marie, font de l'amour un pur don : « Voici sur moi la splendeur du don parfait; voici la gloire de l'amour sans issue. » Et plus loin : « Je suis plus inutile que l'autel effrité au désert, plus délaissée que le puits qui trompe la soif par la mort. » C'est après avoir consenti à son « néant », après s'être « couchée sous Sa parole » que Rachel devient féconde et engendre enfin un fils. L'allégorie a aussi une connotation poétique et Rina Lasnier ne cessera par la suite de faire de l'inutilité du poème sa position esthétique première.

À partir d'*Escales* (1950), l'inspiration religieuse, moins conventionnelle, s'intensifie et s'intériorise tout à la fois. Ce recueil marque le début de la période la plus faste de Rina Lasnier, qui culminera avec *Présence de l'absence* (1956) et *Mémoire sans jours* (1960). Le registre poétique, déjà très varié, s'étend davantage. On y trouve encore de nombreux poèmes consacrés à des thèmes, à des figures ou à des épisodes de l'Ancien et du Nouveau Testament (comme les poèmes « Ève » ou « Passion »), mais le recueil contient surtout des tableaux de la nature, selon des formats très différents. De nombreux poèmes d'une ou deux strophes évoquent délicatement un palmier, un magnolia en fleur, une tortue, etc. À côté de ces miniatures, des poèmes plus longs racontent l'aventure de l'être au milieu des eaux ou des forêts. Ces poèmes ajoutent à la précision du trait l'ampleur des symboles. La nature s'y anime et s'y transfigure sous nos yeux en une véritable tempête, comme emportée par une violence qui la rend à ses forces élémentaires, à ce que Rina Lasnier appelle l'Esprit. Dans la dernière strophe du poème intitulé « Le vent », un des nombreux textes de Rina Lasnier portant sur le thème de l'arbre, l'allégorie est particulièrement évidente :

Ô arbre méconnu de tes propres frondaisons,
Te voici délivré de la feuille parasitaire
Trahie de baisers rouges à chaque saison !
Te voici seul dans le scandale nécessaire
De ta dénudation, te voici dans le haut-mal !
Ô cordes tendues, ô cime automnale !
Voici le moment périlleux de ton exaltation,
Voici la touche que tu n'as pas choisie,
Voici l'instant où tu ne peux plus éviter l'Esprit ;
Deviens un vide musical, diffuse ton cœur,
Car pour toi seul le vent sera le Remplisseur !

Dans le poème « Jungle de feuilles » du recueil suivant, *Présence de l'absence*, l'image de l'arbre est développée de façon plus concrète, plus sensuelle aussi :

Absence de la forêt suffoquée de feuilles
luxuriance à pourrir l'armature de l'arbre,
toison sans tête, sans ossature, monstre de pelage ;
frondaisons sans sursis de ciel aux bras des branches.

L'excès figuré ici par le trop-plein de feuilles, fortement connoté sur le plan sexuel, est précisément ce qui étouffe la forêt. Or, le poème ne se contente pas de formuler ce paradoxe : il le mime dans sa forme même, puisqu'il va, par un jeu d'assonances et de répétitions, créer chez le lecteur la sensation du trop, en l'étouffant sous un amas d'images renvoyant au corps (armature de l'arbre, toison sans tête, monstre de pelage, bras des branches). Plus loin, cet excès se traduit par l'image de la « feuille grasse collée à la graisse de la moiteur ». La nature apparaît dans ce poème comme sauvage, hostile et irrespirable en raison de sa densité. Il manque à cette « jungle tiède » le Feu ou l'Esprit, cette force intérieure qui animerait les choses et que le poème nomme à la fin « la gloire amoureuse d'un corps incendié ».

La confrontation de l'être avec le monde inconscient trouve son expression la plus riche dans la célèbre suite poétique qui ouvre *Mémoire sans jours* et qui s'intitule « La Malemer ». Ce poème difficile et ambitieux, comparable au « Tombeau des rois » d'Anne Hébert, raconte, en une série de versets, la descente en soi-même du poète :

> Je descendrai jusque sous la malemer où la nuit jouxte la nuit – jusqu'au creuset
>   où la mer forme elle-même son malheur,
>
> sous cette amnésique nuit de la malemer qui ne se souvient plus de l'étreinte de
>   la terre,
>
> ni de celle de la lumière quand les eaux naissaient au chaos flexueux de l'air,
>
> [...]

Le mot étrange de « malemer » peut s'entendre de plusieurs façons : c'est le malheur de « l'eau fautive », du péché originel, la mer séparée des autres éléments (symbolisés par la foudre ou l'aile) et condamnée à l'obscurité stérile ; mais tout comme la jungle de feuilles, la malemer devient accueillante pour celui qui court le risque d'y plonger le regard sans se payer de mots (« refuse le calfat des mots pour tes coques crevées »). D'où le retournement du poème qui se clôt sur une image de fécondité :

> ni le soleil ni le vent n'ordonnent la terre – mais la rosée née de la parfaite
>   précarité,
>
> ni la lumière ni l'opacité n'ordonnent la mer – mais la perle née de
>   l'antagonisme des eaux,
>
> *maria*, nom pluriel des eaux – usage dense du sein et nativité du feu.

Le thème de la mort et la réflexion sur la vocation du poète se retrouvent dans *Les Gisants* (1963), mais la question s'y trouve posée de façon moins angoissée. Le premier poème, « Le vase étrusque », fait de l'art « une frivolité sérieuse » : on y voit un joueur de flûte et une danseuse peints sur des vases destinés à contenir les cendres d'un mort. Plus descriptifs, précédés d'un argument qui en fixe le sens, les poèmes de ce recueil se sont libérés de leur violence, mais au prix d'une certaine intensité. C'est surtout par leur exotisme classique et par leur virtuosité formelle que ces poèmes se distinguent.

Les recueils suivants s'éloignent des longues suites personnelles au profit de poèmes plus modestes en apparence, mais tout aussi prodigues en images. Ce sont des *Quatrains quotidiens* (1963), dont plusieurs évoquent la nature, tout comme dans *L'Arbre blanc* (1966). Le poète Robert Marteau écrit à ce sujet : « Rien chez Rina Lasnier ne vient en écriture qui ne soit de quelque façon passé par la nature, et rien dans la nature qui n'ait affaire avec l'esprit. » Elle publie encore beaucoup dans les années 1970 et 1980, fidèle au sens du sacré qui sous-tendait ses premiers recueils. Son plus fervent admirateur, le poète et critique Jean-Pierre Issenhuth, fait d'elle en 1991 « le plus grand poète québécois vivant ». Elle est en tout cas l'une des voix les plus singulières de sa génération. Les modes, les courants poétiques n'ont à peu près aucune influence sur elle : sa poésie a quelque chose d'obstinément inactuel dans le paysage littéraire québécois.

5
Anne Hébert : la violence intérieure

Comme celles de Gabrielle Roy et de Rina Lasnier, l'œuvre d'Anne Hébert (1916-2000) s'étend sur plus d'un demi-siècle. Elle s'en distingue toutefois par le fait qu'elle couvre presque tous les genres (poésie, conte, roman, nouvelle, théâtre). Anne Hébert ne fait partie d'aucun groupe ou courant littéraire, ni au Québec ni à Paris où elle a passé presque toute la seconde partie de sa vie. Elle n'a rien de l'écrivain marginal, mais elle écrit de façon solitaire, sans chercher à s'intégrer au milieu littéraire – ni à le fuir du reste. Elle s'impose par son œuvre seule, non par des interventions sur la place publique.

Une telle confiance dans la souveraineté de la littérature ne va pas encore de soi dans le Québec de 1940. Il faut dire que peu d'écrivains sont issus d'un milieu plus favorable à la culture. Fille du réputé critique Maurice Hébert et cousine de Saint-Denys Garneau avec qui elle fait du théâtre et s'initie à la poésie, Anne Hébert semble née dans la littérature. Un tel héritage est assez exceptionnel. Il tranche nettement avec le climat intellectuel de sa ville natale : « La ville de Québec de mon enfance, dira-t-elle, c'était le désert, au point de vue littéraire. » À Montréal, on l'a vu, son cousin et quelques amis ont déjà entrepris de créer les conditions d'une renaissance littéraire par l'intermédiaire de *La Relève* puis de *La Nouvelle Relève*. Anne Hébert y fait paraître quelques poèmes, repris ensuite dans son premier recueil, *Les Songes en équilibre* (1942). Mais sa collaboration demeure discrète si on la compare à celle des amis de Saint-Denys Garneau et des écrivains en vue à l'époque, qui sont souvent des essayistes, des critiques ou des journalistes. Anne Hébert n'est rien de tout cela, se consacrant exclusivement à son œuvre de création. Ce choix n'a pas la couleur de la révolte comme chez un Nelligan, par exemple, pour qui la vocation poétique constituait un rejet violent du père. Devenir poète, dans la famille Hébert, ce n'est nullement déchoir. Au contraire, c'est assumer pleinement l'héritage paternel.

Vers 1950, aucune œuvre de la tradition québécoise ne ressemble à celle qu'Anne Hébert se prépare à créer. Ses modèles sont très proches (Saint-Denys Garneau) ou très lointains (en particulier la Bible comme réservoir de mythes ou la psychanalyse comme traversée des forces obscures de l'être). Elle lit *Maria Chapdelaine*, comme tout le monde au Québec, mais elle découvre aussi, et bien souvent par l'entremise de Saint-Denys Garneau, Rimbaud, Claudel, Éluard, Supervielle, Mauriac, Bernanos, etc. Elle connaît ses classiques mieux que son cousin et croit profondément à l'universalité de l'art. Mais elle trouve son inspiration dans ce qui constitue le cœur même de l'identité québécoise. C'est tout d'abord la religion catholique, saisie non pas dans sa pratique quotidienne ou ses

Anne Hébert. Photo Gar Lunney. Photo reproduite avec la permission de l'Office national du film du Canada. © Tous droits réservés.

dogmes moraux, mais comme accès à un symbolisme universel. Les personnages religieux qui abondent dans son œuvre sont presque toujours des êtres torturés par le mal (pasteur tourmenté, sorcières, diables, démons, ogres, etc.) et qui versent tantôt dans le jansénisme, tantôt dans le mysticisme, quand ce n'est pas dans la magie noire. C'est ensuite la famille, comme horizon unique et parfois si oppressant qu'il avale l'individu, le condamnant à l'inceste ou au meurtre. C'est enfin le langage, d'une justesse et d'une puissance évocatrice admirées tant par la critique française que par la critique québécoise. On a beaucoup parlé de la pureté de langage d'Anne Hébert, qui détestait l'idée d'introduire des canadianismes pour donner une couleur locale à la littérature. Mais cette pureté n'en porte pas moins la trace d'un combat, comme si la parole était arrachée au silence des grands espaces et aux voix étouffées de sa communauté. Malgré son ampleur, l'œuvre d'Anne Hébert s'écrit ainsi toujours dans la retenue, tendue vers le mot exact et s'interdisant la facilité de la parole livrée à elle-même. Cette économie formelle ou cette pudeur de l'écriture contrastent avec l'évocation des grands mythes religieux et surtout l'exploration des pulsions sexuelles.

L'écart entre cette œuvre et le Québec duplessiste est évident. Les deux textes qui marquent l'émergence véritable d'Anne Hébert sur la scène littéraire, soit *Le Torrent* (1950) et *Le Tombeau des rois* (1953), n'ont pas trouvé d'éditeur au Québec. *Le Torrent*, jugé trop violent, a dû être publié à compte d'auteur, sous le label des Éditions Beauchemin. Même situation pour *Le Tombeau des rois*, dont les frais de publication ont été pris en charge par Roger Lemelin, ce qui a permis à Anne Hébert de le faire distribuer par l'Institut littéraire du Québec. Grâce à une préface du poète Pierre Emmanuel et au critique Albert Béguin qui publie quelques-uns de ses poèmes dans la revue catholique *Esprit*, Anne Hébert reçoit une offre des Éditions du Seuil pour publier son premier roman, *Les Chambres de bois* (1958). En 1960, *Le Tombeau des rois* est repris chez ce même éditeur, augmenté de *Mystère de la parole*. La suite de son œuvre, sauf son théâtre, paraîtra aussi au Seuil. Anne Hébert choisit de faire carrière en France où elle séjourne régulièrement à partir de 1954 avant de s'y installer tout à fait au milieu des années 1960.

Onze ans séparent son premier recueil, *Les Songes en équilibre*, du *Tombeau des rois*. D'un recueil à l'autre, l'évolution est frappante. On passe d'une écriture juvénile, célébrant la famille et la Vierge Marie (« Poème pour papa », « Maman », « Berceuse lente »), à une voix originale qui va donner un des recueils les plus célèbres de la poésie québécoise. Entre les deux, il y a eu la publication du *Torrent*, une œuvre en prose qui semble avoir débarrassé l'écriture de tout ce qu'elle pouvait avoir de mièvre et de naïf. Même si la nouvelle « Le torrent » demeure chargée de poésie, l'écriture est d'une tout autre nature. Impossible de reconnaître dans cette prose nouvelle l'aimable poète des *Songes en équilibre*. C'est une personne différente qui écrit, dirait-on – ce que confirme d'ailleurs Anne Hébert qui refusera d'inclure ce premier recueil dans *Œuvre poétique 1950-1990* (1992). Et c'est cette même personne qui écrira aussi les poèmes du *Tombeau des rois*.

« Le torrent » est une longue nouvelle d'une soixantaine de pages qui décrit le drame d'un individu privé d'existence et qui fait un jour la découverte de son absence au monde. C'est lui-même qui raconte son aventure, sa « seule et épouvantable richesse », comme il le dira à la fin de son récit. La tragique solitude du héros s'exprime, dès les premiers mots de la nouvelle, par une formule qui restera fameuse : « J'étais un enfant dépossédé du monde. » Élevé par sa mère dans une ferme presque complètement coupée de la civilisation, François a douze ans lorsqu'il rencontre un premier visage humain qui ne soit pas celui de sa mère. C'est un vagabond, et François apprend par lui que sa mère, appelée familièrement « la grande Claudine » par l'homme, était naguère une prostituée. C'est pour réparer sa faute et se venger de cette société hostile qu'elle s'est retirée dans la plus extrême solitude. Pour la même raison, elle destine son fils à la prêtrise et ne voit en lui que l'instrument de son rachat. « Tu me continues », lui répète-t-elle sans cesse. Cette retraite hors du monde mauvais obéit à une rigueur morale et religieuse extrême. La mère, d'une autorité tyrannique, bat son enfant dès qu'il manifeste la moindre volonté individuelle. Après sa première année au collège toutefois, François découvre le monde. Il tient tête à sa mère et lui annonce son refus de retourner au collège. Sa mère le frappe alors si durement avec ses clefs qu'il en devient sourd. Ne résonne plus dans sa tête que le bruit du torrent qui coule au bas de la maison. Peu après arrive un cheval, appelé Perceval, que la mère ne parvient pas à dompter, incarnation de la force qui a toujours fait défaut à François. Celui-ci tue sa mère grâce au cheval qu'il délivre de son entrave au moment où elle s'en approchait. François est alors libre, mais sans rien qui lui ressemble ou à quoi il puisse s'identifier. Une étrange créature, appelée Amica, fait son apparition dans la deuxième partie de la nouvelle. Elle préfigure toute la lignée de sorcières et de diablesses qui peupleront l'œuvre d'Anne Hébert. On ne sait ni trop d'où elle vient ni quel est son rôle auprès de François. À la limite du pur symbole, voire de l'hallucination, elle disparaît tout à coup, laissant François seul avec lui-même, prisonnier de cette violence inexprimable que symbolise le torrent. Il finit par s'y jeter comme Narcisse dans son reflet.

Les autres nouvelles du *Torrent* s'apparentent davantage au style de jeunesse de l'écrivaine et ressemblent à des contes. On retrouve cependant la gravité du « Torrent » dans certains textes ultérieurs, notamment sa dernière pièce de théâtre, *Le Temps sauvage* (1963) dont il sera question dans le chapitre sur le théâtre des années 1960, et le thème de l'enfermement dans le premier roman d'Anne Hébert, *Les Chambres de bois,* qui se déroule d'abord à la campagne, puis à Paris, dans un univers clos. Michel est à la fois pianiste, peintre et poète. Catherine, d'une famille ouvrière, découvre le monde de la poésie grâce à lui et accepte de s'installer chez lui, dans un appartement parisien qui possède deux chambres de bois. Mais la vie ne pénètre plus dans ces chambres closes qui constituent un « monde captif ». Catherine supplie Michel de briser le silence de l'appartement. Il refuse, comme il renonce à donner des concerts. Prisonnière d'un homme qui ne l'aime pas, Catherine ne connaît plus de la ville que sa rumeur ; elle brode, coud, apprend des fables et des poèmes par cœur et s'applique à ressembler à ce que Michel voudrait qu'elle soit. Michel, lui, espère autre chose. Son rêve consiste à croire « à l'imminence de sa solitude rompue ».

On reconnaît là les mots célèbres d'Anne Hébert dans un texte intitulé « Poésie, solitude rompue », paru dans l'édition de ses *Poèmes* en 1960 au Seuil : « *Et moi, je crois à la vertu de la poésie, je crois au salut qui vient de toute parole juste, vécue et exprimée. Je crois à la solitude rompue comme du pain par la poésie.* » Cette foi dans la poésie marque le passage de l'écriture concentrée à l'extrême du *Tombeau des rois* à celle, plus déliée, du *Mystère de la parole*. La poète n'est plus une « fille maigre », mais la fille d'Ève, « l'alchimie du jour » succède à la nuit, le « printemps de la ville » remplace les « villes désertes », les chambres s'ouvrent dans une sorte d'éblouissement. La poésie est portée par la ferveur des commencements, en parfaite résonance avec le renouveau littéraire symbolisé par l'année 1960. « *Notre pays*, écrit encore Anne Hébert, *est à l'âge des premiers jours du monde.* » Les poèmes les plus saisissants demeurent toutefois ceux du *Tombeau des rois*. La voix du poète, sans les facilités du lyrisme, s'y fait entendre avec une pureté extraordinaire, comme l'écrit le préfacier Pierre Emmanuel : « Un verbe austère et sec, rompu, soigneusement exclu de la musique : des poèmes comme tracés dans l'os par la pointe d'un poignard, voilà ce qu'Anne Hébert propose. »

La violence de l'œuvre d'Anne Hébert vient en bonne partie de la part faite au désir sexuel, presque toujours associé à la mort. Dans le poème « Le tombeau des rois », on voit déjà se dessiner cette thématique. Guidée par son propre cœur qu'elle porte au poing « [c]omme un faucon aveugle », attirée par le « désir des gisants », elle s'enfonce dans les tombeaux des rois et s'arrête devant les étuis ornementés de « sept grands pharaons d'ébène » :

> Avides de la source fraternelle du mal en moi
> Ils me couchent et me boivent ;
> Sept fois, je connais l'étau des os
> Et la main sèche qui cherche le cœur pour le rompre
>
> Livide et repue de songe horrible
> Les membres dénoués
> Et les morts hors de moi, assassinés,
> Quel reflet d'aube s'égare ici ?
> D'où vient donc que cet oiseau frémit
> Et tourne vers le matin
> Ses prunelles crevées ?

Ce sont là les derniers mots du recueil : la descente au fond de soi, épreuve où le sujet est à la fois chasseur et proie, se clôt sur une libération et sur l'apparition d'un monde nouveau qui reste à découvrir.

Le thème du secret constitue, selon André Brochu, le fil conducteur de toute l'œuvre d'Anne Hébert. Dans chacun de ses textes, peu importe le genre, le regard se porte de l'autre côté des « grandes fontaines » qui dorment au fond des bois et qui symbolisent les grands interdits. Il ne s'agit pas tant de repousser ou de rejeter ces interdits que de suspendre le jugement moral afin de regarder le monde avec les yeux des personnages, si terribles et si immoraux soient-ils. Chaque fois, c'est le même processus de dévoilement qui se met en place. Cela donne lieu à des textes à la fois semblables dans leur inspiration et fort différents dans leur forme. Car la plongée dans l'intériorité, si elle vise toujours à révéler la part obscure des personnages, peut prendre des allures étonnantes, de l'enquête policière jusqu'au récit fantastique. La surprise vient peut-être d'abord du fait que, très tôt, Anne Hébert s'affranchit des conventions littéraires et ne se préoccupe pas davantage de respecter la linéarité du récit qu'elle ne se souciait de respecter les formes fixes de la poésie. Cette grande liberté formelle se traduit par un curieux mélange de classicisme et d'ésotérisme, de catholicisme et de paganisme, de réalisme et de symbolisme. Par là, son œuvre correspond assez peu à l'image épurée qu'on se fait d'elle généralement. Sa cohérence se trouve plutôt dans la violence des passions qui se déchaînent. Fascinée par le mystère, par le mal en tant que tel, Anne Hébert aborde l'individu non par ce qui lui assure une identité, mais par ce qui le pervertit et l'aliène.

Avec *Kamouraska* (1970), cette violence passionnelle trouve son expression la plus achevée. L'histoire se déroule entre Sorel et Kamouraska peu après les troubles de 1837-1838. Ce n'est toutefois pas un roman historique au sens traditionnel. Les personnages du roman se situent dans l'espace grandiose de l'hiver québécois, qui a ici quelque chose d'intemporel. L'amour qui lie Élisabeth d'Aulnières à son amant, le médecin George Nelson, appartient lui aussi au temps éternel de la légende, celui de Tristan et Yseult. Et pourtant, il s'agit sans doute du roman le plus réaliste écrit par Anne Hébert, construit autour de faits authentiques présentés avec un luxe de détails à la façon des grands romans du XIXᵉ siècle. On y retrouve la manière poétique d'Anne Hébert, qui décrit l'univers sensoriel et affectif des personnages, n'abordant le contexte historique et les aspects de la société qu'à partir de l'expérience singulière que les protagonistes en font. Toutefois, leur intériorité devient un espace conflictuel et non plus seulement l'expression de leur solitude ou de leur folie. Le conflit n'est pas rapporté à une sorte de désordre affectif, aux drames de l'enfance, mais à une nécessité intérieure des personnages. Pour l'une des seules fois dans l'œuvre d'Anne Hébert, le sentiment amoureux et le désir sexuel coïncident.

Le roman s'ouvre à Québec, alors que l'héroïne, Mᵐᵉ Rolland, née Élisabeth d'Aulnières, veille son mari qui se meurt. Elle est hantée par les images tragiques du meurtre de son premier mari, Antoine Tassy, seigneur de Kamouraska. Homme violent qui ne cesse de jouer avec la mort (la sienne, mais aussi celle de sa femme), Antoine est un personnage plus complexe que dans les traditionnels romans sentimentaux. C'est une brute désespérée, un noble voyou dont la passion destructrice semble venir de la même source que la passion amoureuse d'Élisabeth et de George. Ce dernier n'est pas un véritable étranger, étant même un camarade de collège d'Antoine, comme les deux héros des *Anciens Canadiens* de Philippe Aubert de Gaspé père. Nous sommes d'ailleurs dans la même région, le Bas-du-Fleuve. C'est là, plus précisément dans la baie de Kamouraska, que le meurtre est commis en plein hiver. Pour échapper à la justice, George est ensuite obligé de s'enfuir aux États-Unis, parmi les siens. Élisabeth est accusée de complicité, mais elle est rapidement libérée et s'empresse de rétablir son honneur en épousant un homme qu'elle n'aime guère, M. Rolland, celui-là même qui agonise à ses côtés au moment où elle se remémore toute cette histoire. Le roman est d'une construction habile, inversant l'ordre chronologique et entremêlant les scènes du passé et celles du présent tout en faisant du meurtre d'Antoine le point culminant qui donne à l'ensemble du livre son intensité tragique et sa cohérence.

Roman haletant, *Kamouraska* fait revivre un XIXᵉ siècle au romantisme à la fois feutré et pulsionnel, toujours aspiré par le silence des lieux et des individus. Le décor est immense, presque trop grand pour ceux qui y vivent. Le lecteur est projeté dans un pays qui redevient sans cesse le « désert d'arbres et de neige » qu'il a été dans l'imaginaire des premiers colons :

Rivière-Ouelle. Me raccrocher à ce nom de village, comme à une bouée. (Le dernier village avant Kamouraska.) Tenter de faire durer le temps (cinq ou six milles avant Kamouraska). Étirer le plus possible les premières syllabes fermées de ri-vi-, les laisser s'ouvrir en è-re. Essayer en vain de retenir Ouelle, ce nom liquide qui s'enroule et fuit, se perd dans la mousse, pareil à une source. Bientôt les sonorités rocailleuses et vertes de Kamouraska vont s'entrechoquer, les unes contre les autres. Ce vieux nom algonquin ; il y a jonc au bord de l'eau. Kamouraska !

Je joue avec les syllabes. Je les frappe très fort, les unes contre les autres. Couvrir toutes les voix humaines qui pourraient monter et m'attaquer en foule. Dresser un fracas de syllabes rudes et sonores. M'en faire un bouclier de pierre. Une fronde élastique et dure. Kamouraska ! Kamouraska ! Il y a jonc au bord de l'eau ! Aïe ! les voix du bas du fleuve montent à l'assaut. Parlent toutes à la fois ! Les abeilles ! Toujours les abeilles ! Les habitants du bas du fleuve, en rangs serrés, suivent, décrivent et dénoncent, à voix de plus en plus précises et hautes, le passage d'un jeune étranger, dans son extraordinaire traîneau noir, tiré par un non moins extraordinaire cheval noir.

On retrouve cette beauté austère du paysage dans le film que Claude Jutra (1973) réalise à partir du roman et qui contribue à faire de celui-ci le premier grand succès d'Anne Hébert.

Si la violence humaine répond à celle de la nature dans *Kamouraska*, la correspondance est encore plus explicite dans l'autre grand roman d'Anne Hébert, *Les Fous de Bassan* (1982), qui reçoit en France le prix Femina et qui sera également porté à l'écran (Yves Simoneau, 1986). Ici aussi, l'intrigue tourne autour de la folie meurtrière, mais elle est moins déterminée par la logique des personnages que par une malédiction souterraine qui semble émaner des lieux mêmes. Le roman s'inspire d'un fait divers survenu en Gaspésie en 1936 : deux jeunes cousines sont assassinées dans un petit village et leur meurtrier sera finalement libéré sous prétexte que ses aveux ont été arrachés de force. Dans le roman, ce village s'appelle Griffin Creek et il se situe quelque part en bordure du fleuve. Peuplé de loyalistes plus ou moins parents les uns avec les autres, ce village forme une société complètement fermée sur elle-même. Elle reproduit, en inversant les rôles puisqu'ils sont ici attribués à des anglophones, la société traditionnelle du Québec. La critique n'a pas manqué de souligner cette dimension sociologique. Elle a toutefois mis davantage l'accent sur la construction faulknérienne du roman, composé de six chapitres donnant successivement le point de vue des principaux protagonistes selon des formes chaque fois différentes (mémoires, lettres, journal, souvenirs, etc.). Elle a aussi insisté sur la description magistrale du paysage de la mer qui unit toutes ces voix et donne au livre l'allure d'un chant poétique. Encore ici, le roman se fait poème.

Le meurtre n'a toutefois pas le même sens que dans *Kamouraska*. Il avait, pour Élisabeth d'Aulnières et George Nelson, une fonction libératrice, même s'il finit par les séparer à jamais. Dans *Les Fous de Bassan*, le double meurtre semble un acte démentiel et d'une cruauté inexplicable. Le coupable, Stevens, n'éprouve d'ailleurs nul remords, comme s'il portait la mort en lui-même. Tous les personnages de la communauté, du reste, sont coupables à quelque degré. Même le pasteur du village, dont les souvenirs ouvrent le roman, est possédé par l'instinct de destruction, lui qui se servait du corps de deux jumelles pour assouvir ses pulsions sexuelles. Sa femme se pend en apprenant la nouvelle de la bouche de l'idiot du village. L'inceste flotte dans tout le roman, comme si le désir sexuel, dans une société où chacun est parent directement ou indirectement avec l'autre, ne pouvait qu'être sacrilège. Collés au même destin, les personnages ressemblent, comme le suggère le titre métaphorique du roman, aux « fous de Bassan », à ces oiseaux qui vivent en communauté sur les bords du fleuve Saint-Laurent. Aucun n'est doté d'une individualité véritable, aucun n'échappe aux pulsions élémentaires et au mimétisme généralisé. La cause ultime de la tragédie est d'ailleurs associée, d'abord par le pasteur, puis par le meurtrier lui-même, à la nature : « Le vent a toujours soufflé trop fort ici et ce qui est arrivé n'a été possible qu'à cause du vent qui entête et rend fou. »

Toute l'œuvre d'Anne Hébert est hantée par la poésie du mal et par ce que Robert Harvey appelle « l'écriture de la passion ». Ce sont les éléments qui symbolisent de la façon la plus claire cette violence du monde. On pense particulièrement à l'eau, non pas à l'eau douce et tranquille, mais au torrent, aux grandes fontaines qui se cachent au fond des bois, à la pluie qui s'abat sur les vitres ou à la mer déchaînée. L'œuvre est aussi traversée par des animaux comme le cheval, symbole de la force. L'être ordinaire habite ainsi un monde qui le dépasse et le subjugue. D'où le privilège accordé par Anne Hébert aux êtres portés eux-mêmes par une passion grandiose ou littéralement possédés par quelque force étrangère. Cela se voit dans *Les Enfants du sabbat* (1975) et dans *Héloïse* (1980) tout comme dans les livres de la dernière période d'Anne Hébert, qui montrent à quel point celle-ci est capable de se projeter dans une variété de personnages marginaux. Ces romans et ces récits sont gagnés par une vision essentiellement poétique du monde. Dans *Le Premier Jardin* (1988), par exemple, qui raconte le retour à Québec d'une actrice appelée Flora Fontanges dont le parcours ressemble à bien des égards à celui d'Anne Hébert, une phrase résume la fonction poétique qu'elle attribue à l'écriture et à l'art en général : « Depuis longtemps, Flora Fontanges est persuadée que, si un jour, on arrive à tout rassembler du temps révolu, tout, exactement tout, avec les détails les plus précis – air, heure, lumière, température, couleurs, textures, odeurs, objets, meubles –, on doit parvenir à revivre l'instant passé dans toute sa fraîcheur. » Les récits de la dernière période se donnent donc moins pour but de raconter une suite de péripéties que de reconstituer un climat, un univers complexe de perceptions aussi exactes que possible. Outre *Le Premier Jardin*, cet ensemble comprend les récits intitulés *L'Enfant chargé de songes* (1992), *Aurélien, Clara, Mademoiselle et le lieutenant anglais* (1995), *Est-ce que je te dérange ?* (1998), *Un habit de lumière* (1999), auxquels s'ajoutent les pièces de théâtre *La Cage* (sur la légende de la Corriveau) et *L'Île de la demoiselle* (1990) ainsi que les recueils de poèmes *Le jour n'a d'égal que la nuit* (1992) et *Poèmes pour la main gauche* (1997). On retrouve dans les derniers récits des personnages typiquement hébertiens, presque toujours des marginaux, comme l'artiste Flora dans *Le Premier Jardin* qui rappelle Michel dans *Les Chambres de bois*, ou l'enfant chargé de songes qui évoque François dans *Le Torrent*. Ces récits, entre la nouvelle et le roman, abordent des thèmes contemporains à travers des figures sociologiquement déterminées, comme celle du travesti Jean-Éphrem de la Tour dans *Un habit de lumière* ou de Delphine l'exilée dans *Est-ce que je te dérange ?*

6
La poésie d'inspiration surréaliste

Alors que les Alain Grandbois, Saint-Denys Garneau, Gabrielle Roy, Rina Lasnier et Anne Hébert se définissent par leur vision universaliste de la littérature, une nouvelle génération de poètes, née à partir de 1920, subit l'influence des avant-gardes littéraires, en particulier du surréalisme. L'impact est toutefois moins spectaculaire en littérature qu'en peinture, où le passage de l'art figuratif à l'art abstrait divise de façon évidente le champ artistique. Chez les poètes, l'abandon du vers régulier et des formes fixes est déjà chose faite dans les années 1930 et ne constitue plus un enjeu esthétique au lendemain de la guerre. Le manifeste *Refus global*, on l'a vu, est d'abord et avant tout un manifeste d'artistes, et non d'écrivains. Deux écrivains seulement font partie du groupe des quinze signataires : Thérèse Renaud (1927-2005), qui a publié un recueil de poésie surréaliste, *Les Sables du rêve* (1946), et surtout le dramaturge et poète Claude Gauvreau (1925-1971). Il fait paraître dans *Refus global* trois « objets dramatiques », d'inspiration claudélienne, qui appartiennent à un ensemble intitulé « Les entrailles ». Mais le lien de Gauvreau avec Borduas passe moins par la littérature que par l'art, Gauvreau participant activement aux expositions du groupe automatiste.

Claude Gauvreau est un cas à part dans l'histoire littéraire du Québec. Il incarne le rêve d'une poésie pure, fondée sur un langage qui ne ressemble à aucun autre. Ce langage est pour lui une façon de dépasser l'écriture automatique du surréalisme sur son propre terrain, en accueillant aussi, non dans la passivité mais dans un état de tension, des mots inconnus. Ce sera « l'exploréen » :

> Illyiiazzam-m-mirrra....h
> c'est dans ce décor de jaguars et de paumes qu'il ensevelit pour toujours la
>   crête de son audace sifflante.
>
> murmure
> mol
> meur
> mair
> mahyr
> montt
> creu
> vig
> tnass
> oll
> buch

rouvrir les tenailles qui empèsent le mec
qui empèsent le monde

De toutes les œuvres littéraires québécoises inspirées par le surréalisme, celle de
Gauvreau se distingue par sa fonction provocatrice, laquelle s'inscrit tout à fait
dans l'esprit des automatistes qui ont signé *Refus global*. Son recueil *Étal mixte*,
écrit en 1950-1951, s'attaque en particulier au clergé canadien-français. Voici par
exemple un extrait de sa célèbre « Ode à l'ennemi » :

Pas de pitié
les pauvres ouistitis
pourriront dans leur jus
Pas de pitié
le dos de la morue
ne sera pas ménagé
Cycle
Un tricycle
à ongles de pasteur
va jeter sa gourme
sur les autels de nos présidences
Pas de pitié !
Mourez
vils carnivores
Mourez
cochons de crosseurs de fréchets de cochons d'huiles de cochons de
caïmans de ronfleurs de calices de cochons de rhubarbes de ciboires
d'hosties de bordels de putains de saints-sacrements d'hosties de bordels
de putains de folles herbes de tabernacles de calices de putains de
cochons

Ce texte ne sera publié qu'en 1968, alors qu'une nouvelle génération de poètes
formalistes découvrira Gauvreau et verra en lui son plus génial précurseur. En 1953,
il prophétise que « nous aurons la grande révolution de la poésie bientôt. (Il est
temps) ». Il vient de terminer son unique roman, *Beauté baroque*, écrit en hommage à sa maîtresse, la comédienne Muriel Guilbault, peu de temps après son
suicide. Dans une lettre à Borduas où il le prie de se joindre au « jury » de quinze
membres attendu chez lui pour la lecture de *Beauté baroque*, voici comment
Gauvreau décrit ce roman « moniste » inspiré de *Nadja* d'André Breton : « un
objet saturé de souffrance et de gémissement, [...] un objet difficilement sondable,
peut-être monstrueux, certainement vrai ». Après ce roman, Gauvreau sombre
dans la folie. Ses lettres à Borduas décrivent de façon bouleversante l'évolution

de ses délires, ses internements répétés, son suicide différé, son insupportable réputation d'être « l'idiot du village ». Gauvreau reviendra sur la scène littéraire seulement en 1970, lors de la Nuit de la poésie. Il sera accueilli comme un monument par les jeunes poètes. Son suicide en 1971 lui vaudra une aura tragique, de sorte que l'on parlera bientôt du mythe de Gauvreau, comme on avait parlé du mythe de Nelligan ou du mythe de Saint-Denys Garneau. Alors qu'en 1970 sa pièce *La Charge de l'orignal épormyable* n'est jouée que devant une poignée de spectateurs, *Les oranges sont vertes*, créée en 1972, soit juste après son suicide, sera acclamée à la Place des Arts, comme on le verra dans le chapitre sur le théâtre des années 1970. La redécouverte de son œuvre aboutit en 1977 à la publication de ses *Œuvres créatrices complètes* qui permet de mesurer l'ampleur de ses écrits.

Si Gauvreau est la figure la plus flamboyante du surréalisme littéraire au Québec, d'autres poètes du milieu du siècle sont associés de façon plus ou moins oblique à ce mouvement. Le plus bel exemple de poésie surréaliste est sans doute *Le Vierge incendié* que Paul-Marie Lapointe publie en 1948. À ce premier livre inspiré de Rimbaud, de Lautréamont et de Paul Éluard, il faut ajouter les poèmes de la *Nuit du 15 au 26 novembre 1948* qui, comme *Le Vierge incendié*, seront repris dans la rétrospective *Le Réel absolu* (1971) que nous aborderons plus loin. Alors que *Refus global* suscite des réactions nombreuses et entraîne des conséquences directes sur la carrière de Borduas, tel n'est pas le cas des poèmes de Lapointe ou de Gauvreau en dépit de leur évidente violence verbale. L'impact qu'une telle poésie pouvait avoir vers 1950 est à peu près nul, comme si elle n'était pas prise en considération par la critique de l'époque.

C'est aussi le sort de Gilles Hénault (1920-1996) qui fonde en 1946, avec Éloi de Grandmont (1921-1970), une petite maison d'édition, Les Cahiers de la file indienne, qui vise à faire connaître l'écriture automatique, même s'il s'agit d'abord et avant tout d'associer, comme chez leur maître à penser Alfred Pellan, poésie, féerie et cubisme. Éloi de Grandmont n'a qu'un rapport très indirect avec le surréalisme. La poésie du *Voyage d'Arlequin* (1946) a la légèreté d'une chanson ou d'un jeu, à la manière de Jacques Prévert ou de Géo Norge. Grandmont se fera davantage connaître comme dramaturge et surtout comme l'un des fondateurs du Théâtre du Nouveau Monde, dont il invente le nom. Hénault joue un rôle beaucoup plus important dans l'essor de la poésie moderne au Québec. Né dix ans avant la plupart des poètes majeurs de la Révolution tranquille, il leur fraie la voie sans trop l'avoir cherché. Gaston Miron reconnaîtra son rôle de pionnier en parlant de lui comme du père de la poésie moderne au Québec. L'œuvre de Hénault est relativement mince : elle tient, pour l'essentiel, en quatre plaquettes reprises en 1972 sous le titre *Signaux pour les voyants* qui comprend en outre quelques poèmes parus dans des revues. Par la suite, Hénault publiera deux recueils plus volumineux, mais accueillis sans enthousiasme par la critique (*À l'inconnue nue*, 1984, *À l'écoute de l'écoumène*, 1991). Il a occupé divers postes dans le milieu artistique et littéraire, notamment celui de directeur du Musée d'art contemporain de 1966 à 1971. Il a aussi publié plusieurs traductions, dont, en 1977, celle du roman *Without a Parachute* (1972) de l'écrivain anglo-montréalais David Fennario.

En 1948, Hénault se reconnaît dans l'art abstrait de Borduas et dans la poésie moderne après avoir collaboré à ses débuts à *La Relève* où paraissent deux poèmes en 1940, et à *La Nouvelle Relève* où sa collaboration s'intensifie. Journaliste aux idées de gauche et militant syndical, il ne sera pas invité à signer le manifeste de 1948, son engagement au sein du Parti communiste ayant été jugé incompatible avec l'esprit anarchiste du manifeste. Il s'initie à la poésie sans pouvoir compter ni sur l'école, qu'il ne fréquentera pas longtemps, ni sur la bibliothèque familiale (« Il n'y avait pas de livres chez moi, pas de bibliothèque »), ni sur l'existence d'un milieu littéraire déjà constitué. C'est en autodidacte et de façon assez éclectique qu'il découvre tout à la fois Rimbaud, Valéry, Jammes, Breton, Éluard et Saint-John Perse. La poésie n'a pas chez lui le caractère solitaire qu'elle avait chez Saint-Denys Garneau ou chez Grandbois : « La solitude est pourrie », écrit Hénault. La poésie s'extériorise, s'expose sur la place publique et devient un « théâtre en plein air », selon le titre du premier livre qu'il publie en 1946.

Au surréalisme, la poésie de Hénault emprunte à la fois la visée collective, le ton ludique ou contestataire et le goût pour l'expression directe, pour le cri de l'homme primitif. Dans le poème « Bestiaire », souvent considéré comme l'illustration de l'art poétique de Gilles Hénault, il oppose le cri vivant et rassembleur de l'animal à la « parole articulée » de l'homme qui n'est qu'arabesques stériles et fleurs de rhétorique. « Il me faut la parole nue », dira-t-il. Cet impératif d'un langage direct, cette recherche d'un lyrisme spontané ne s'adossent toutefois pas à « l'automatisme surrationnel » d'un Gauvreau. Il s'agit de rapprocher la poésie de la parole, le poète du lecteur, l'écriture de l'action. Le poète insiste sur la lisibilité du texte et émaille ses poèmes de déclarations d'intention comme celles-ci : « Il me faut des mots comme des balles et des cris purs qui transpercent », « Je veux lever toutes les défenses, brûler tous les interdits ». Ces marques répétées d'une conscience en éveil éloignent clairement Gilles Hénault du primat accordé par le surréalisme à l'inconscient. Les images se distinguent chez lui par leur transparence ironique et par leur langage volontairement prosaïque. Le poète s'amuse à faire de l'esprit avec son lecteur et prend mille libertés à l'égard du poème. Il semble même revendiquer une certaine maladresse et des ruptures de ton, intégrant tout à coup une chanson, une comptine ou des jeux de mots comme s'il ne se souciait pas le moins du monde d'être pris au sérieux comme poète, comme s'il tournait la poésie en dérision. Il ne cesse pourtant de parler gravement du langage, mais c'est pour se plaindre, comme dans son plus célèbre poème, « Sémaphore » (1962), de l'incommunicabilité des mots : « Les signes vont au silence », écrit-il au début de ce poème, qui aboutit toutefois au dégel de la parole, selon une thématique qui traversera tout le discours poétique de la Révolution tranquille. Chez Hénault, cet appel fraternel à une communauté précède et dépasse le cadre étroit du pays : il inclut l'« étrange étranger » et les « Peaux-Rouges / Peuplades disparues ».

Roland Giguère : la marche en avant

Roland Giguère (1929-2003) est l'héritier le plus naturel du surréalisme au Québec. Un peu plus jeune que Gauvreau, il ne collabore pas au manifeste *Refus global*, mais il se fait remarquer, dès 1949, en fondant une maison d'édition de poésie, Erta, qui publie des livres apparentés, de près ou de loin, au surréalisme. On y trouve notamment les neuf plaquettes que Giguère publie entre 1949 et 1960 de même que des recueils de Gilles Hénault, de Jean-Paul Martino et de Claude Haeffely. Formé à l'Institut des arts graphiques de Montréal, Giguère s'intéresse très tôt à la typographie, grâce notamment à son maître Albert Dumouchel, et plusieurs livres publiés chez Erta sont de véritables objets d'art. Giguère lui-même illustre certains de ses livres ou ceux de ses amis, dessine des maquettes de revues ou des affiches d'expositions. À partir des années 1960, il s'impose de plus en plus par ses gravures et ses dessins, également d'inspiration surréaliste, y trouvant un même bonheur et une même facilité d'expression. C'est donc à la fois comme poète, graveur et éditeur qu'il participe à l'effervescence culturelle de cette période.

À l'instar de plusieurs contemporains, Giguère s'initie au surréalisme d'abord par le biais du milieu artistique. Avec des peintres comme Gérard Tremblay et Léon Bellefleur, il fait partie de la bohème montréalaise qui fréquente la Librairie Tranquille au lendemain de la publication de *Refus global*. Vers 1950, Giguère publie ses premiers poèmes dans des revues de création comme les *Cahiers des arts graphiques*, de l'Institut des arts graphiques, ou encore dans l'éphémère revue du romancier Jean-Jules Richard, *Place publique*, fondée en 1951. Si le climat de l'époque est réfractaire aux idées révolutionnaires, comme on l'a vu à propos de *Refus global*, les jeunes artistes sont désormais suffisamment nombreux pour avoir le sentiment de se joindre à un mouvement en marge de la « grande noirceur ». Giguère dira lui-même à propos de cette période : « Je me souviens des années '50 comme d'un moment d'effervescence extraordinaire, il y avait quelque chose de clandestin dans ces activités que menaient alors quelques groupes isolés. C'était, on le sait, la Grande Noirceur. Nous étions un peu comme des taupes qui creusions un tunnel vers la lumière. » Mais cette clandestinité rend le travail artistique extrêmement précaire. Si certains critiques spécialisés se montrent sensibles aux nouveaux courants artistiques, le public ne suit guère, de sorte que plusieurs peintres choisissent de quitter le Québec pour poursuivre leur carrière à l'étranger, principalement à Paris. C'est le cas de Paul-Émile Borduas, Alfred Pellan, Jean-Paul Riopelle, Fernand Leduc, Marcelle Ferron.

Roland Giguère, 1965. Fonds du ministère de la Culture et des Communications, E6, S7, SS1, D652354. Bibliothèque et Archives nationales du Québec. Photo Gabor Szilasi.

Pour Giguère aussi, l'ouverture sur la modernité internationale se concrétise par les nombreux contacts qu'il établit avec des mouvements d'avant-garde à l'étranger. Grâce au Belge Théodore Koenig qui s'installe en 1950 à Montréal et qui fera paraître un de ses livres chez Erta, Giguère entre en relation avec des groupes surréalistes européens et commence à collaborer à leurs revues. Il publie d'abord des textes avec le groupe international Cobra qui conjugue, comme lui, l'art visuel et le poème (le nom Cobra est formé des premières lettres de Copenhague, Bruxelles et Amsterdam). Lors d'un premier séjour à Paris en 1955, Giguère présente ses dessins et ses gravures dans plusieurs expositions aux côtés d'autres artistes québécois (notamment Léon Bellefleur, Albert Dumouchel, Fernand Leduc, Jean-Paul Riopelle et Marcelle Ferron). Il publie également des poèmes dans la revue *Phases*, qui survit au groupe Cobra dont elle est issue. Ses collaborations à des revues surréalistes se multiplient au cours de son second séjour à Paris, entre 1957 et 1963. Le nom de Roland Giguère apparaît dans les sommaires de trois revues belges d'inspiration surréaliste (*Phantomas, Edda* et *Temps mêlés*) de même que dans ceux de *Documento Sud* à Milan et de *Boa* à Buenos Aires. Comme Guillaume Apollinaire et les premiers surréalistes, il se met à collectionner des masques, des statuettes et d'autres objets associés à l'art primitif. Il fréquente André Breton à partir de 1959 et continue de se réclamer du surréalisme à un moment où, en France, il s'agit déjà d'un mouvement ancien et où, au Québec, sauf quelques exceptions comme Jean-Paul Martino ou Guy Gervais, il ne fait plus guère d'adeptes.

Pour comprendre cet apparent anachronisme, il faut expliquer davantage ce que signifie le surréalisme de Giguère. Son adhésion à ce courant semble, à première vue, moins complète et surtout moins radicale que celle de Gauvreau et de Paul-Marie Lapointe. Elle ne se manifeste d'ailleurs pas d'entrée de jeu et ne se ramène pas, comme chez ce dernier, à une expérience de jeunesse. Le surréalisme est moins pour lui une révélation soudaine qu'une façon de se rapprocher peu à peu de sa propre écriture. Il ne l'invoque en effet qu'assez tard et sans en faire un dogme ni même un modèle à proprement parler. S'il n'a jamais fait du surréalisme un combat ou une revendication, le surréalisme lui a pourtant été essentiel et ses plus grands poèmes sont ceux qui s'y apparentent. Le surréalisme a été, dans l'ensemble de son œuvre artistique et poétique, d'abord et avant tout un indispensable réservoir de négativité. Porté naturellement à regarder surtout du côté de la lumière, à écrire pour alléger le monde, il trouve dans le surréalisme ce qu'il appellera « le pouvoir du noir », c'est-à-dire une force de contraste, une agressivité qui contracte sa poésie et lui donne toute son intensité :

> Le blanc n'est rien, ni espace ni lumière,
> le blanc est vide sans le noir qui le marque,
> le fouette, l'anime.

Au milieu du siècle, le surréalisme ne représente plus en Europe une avant-garde structurée en chapelle littéraire. Il faut remonter plus en amont pour saisir la trajectoire de Giguère à ses débuts en 1949. C'est par la lecture de Paul Éluard qu'il découvre la poésie surréaliste. Bien qu'il ait été associé à l'essor du mouvement, Éluard est toujours apparu assez peu orthodoxe au regard des mots d'ordre de Breton, notamment en ce qui concerne l'écriture automatique et la fonction révolutionnaire du langage poétique. Son lyrisme amoureux et ce qu'il appelait « l'évidence poétique » l'éloignent de l'hermétisme. Ce qui prime chez Éluard comme chez Giguère, ce n'est pas le choc de l'image audacieuse ou l'innovation formelle, mais la musicalité du poème, sa transparence de même qu'une certaine expressivité qui témoigne d'un désir de communication. D'où la complicité avec le lecteur qui est ici comme un frère à qui le poète tend la main. À l'inverse de l'explosion langagière souvent hermétique du *Vierge incendié* de Paul-Marie

Lapointe ou du langage exploréen de Gauvreau, une telle écriture va vers son lecteur et tend vers la simplicité. En cela, elle se rapproche de celle de Hénault, mais avec un souci poétique plus marqué. Au total, même si elle n'est pas fondée sur des effets de rupture comme celle des défenseurs de l'automatisme, la poésie de Giguère emprunte néanmoins au surréalisme plusieurs principes d'écriture.

Le premier de ces principes est d'ordre technique. Giguère, pas plus qu'Éluard, ne croit aux vertus de l'écriture automatique et à la fameuse dictée de l'inconscient qui permettrait au poète d'écrire en dehors de toute intention. Mais, s'il se méfie de l'automatisme, qui débouche sur des images obscures, il se méfie plus encore de la préméditation et du beau discours. De même, s'il s'intéresse au monde des rêves, il n'en fait pas une voie d'accès pour observer l'inconscient, mais y trouve un moyen de dépasser la réalité visible pour atteindre à une vérité plus profonde, grâce au pouvoir transformant de l'imagination créatrice. On voit bien pourquoi on a pu parler, à son propos, de surréalisme « modéré ». À l'écriture automatique, Giguère oppose le pur plaisir de l'improvisation ; au délire hallucinatoire du rêve, la chaleur du désir amoureux ; à la fulgurance des images improbables, la douce folie de l'imagination. Ce que Giguère reprend du surréalisme, c'est donc moins un impératif absolu qu'une force d'impulsion : « Le poème m'est donné par un mot, une image, une phrase "qui cogne à la vitre". Dès que cette phrase est couchée sur le papier, elle s'étale, pousse ses ramifications, croît comme une plante ; le poème s'épanouit selon un élan, un rythme naturel qu'il porte en lui dès le premier mot. » Il décrit dans les mêmes termes empruntés au premier *Manifeste du surréalisme* de Breton sa manière de dessiner : « Je pars souvent d'une tache, d'un hasard provoqué, peu à peu se dessine une image qui veut apparaître et dès que je vois, je m'applique à faire émerger cette image (l'image "qui cogne à la vitre"). »

On se fera une bonne idée de cette technique de l'improvisation dans l'un des poèmes les plus réussis et les plus cités de Giguère, « Roses et ronces », publié dans son quatrième recueil, *Les Armes blanches* (1954), et dont voici un extrait :

> Rosace rosace les roses
> roule mon cœur au flanc de la falaise
> la plus dure paroi de la vie s'écroule
> et du haut des minarets jaillissent
> les cris blancs et aigus des sinistrés
>
> du plus rouge au plus noir feu d'artifice
> se ferment les plus beaux yeux du monde
>
> rosace les roses les roses et les ronces
> et mille et mille épines
> dans la main où la perle se pose

Tout le poème est construit autour de l'image sonore et visuelle des roses et des ronces qui donne lieu à une série de variations placées souvent en début de strophe. C'est cette image qui « cogne à la vitre ». À partir de l'opposition courante entre la fleur et l'épine, cette image engendre un développement poétique par petits blocs relativement indépendants et assure une certaine unité au cœur même de la dispersion des mots.

L'héritage surréaliste de Giguère se révèle aussi par la nécessité de « changer la vie » selon le mot d'ordre de Rimbaud repris par Breton. À la révolution poétique correspond ainsi la révolution politique, même si le transfert de l'ordre du langage à celui de l'action n'est jamais simple ni direct. Toute l'histoire du surréalisme est ponctuée de manifestes, de revues et de textes collectifs qui rompent avec l'image traditionnelle de l'écrivain enfermé dans sa tour d'ivoire. Le contexte de l'après-guerre, loin d'atténuer cette tendance, lui donne au contraire une nouvelle actualité. Le groupe Cobra auquel collabore Giguère s'identifie par exemple au surréalisme révolutionnaire et ne craint pas de s'associer au Parti communiste. Cela dit, la révolte chez Giguère procède d'une vision plus individuelle qui ne se réduit pas à un combat politique. Selon lui, l'attitude du poète surréaliste est essentiellement révolutionnaire, mais le terrain sur lequel il agit n'est pas celui du militant politique. Le surréalisme est paradoxalement à la fois une façon d'engager le discours poétique dans l'action et une façon de le détacher de toute forme de récupération politique. C'est surtout ce deuxième aspect que défendra Giguère pour marquer la spécificité du poème, dont l'autonomie reste encore fragile dans le contexte idéologique du Québec au milieu du siècle. Il se méfie de la confusion entre l'action du poème et l'action du poète et, plutôt que Jean-Paul Sartre ou les poètes de la Résistance, il cite *Le Déshonneur des poètes* du poète surréaliste Benjamin Péret, qui affirmait en réponse à une anthologie de poèmes de la résistance intitulée *L'Honneur des poètes* : « plus un poète est intégré à la société moins il est poète ». Mais la poésie de Giguère n'en est pas moins une poésie de la révolte, comme le montre cet extrait d'un poème aux accents prophétiques intitulé « La main du bourreau finit toujours par pourrir » :

> la grande main qui nous cloue au sol
> finira par pourrir
> les jointures éclateront comme des verres de cristal
> les ongles tomberont
>
> la grande main pourrira
> et nous pourrons nous lever pour aller ailleurs.

Par-delà la signification politique immédiate que certains y ont vue à l'époque – la main du bourreau devenant tout à coup celle de Duplessis –, ce poème est typique de l'esprit de révolte qui sous-tend la poésie de Giguère. Il s'agit moins d'un cri de ralliement que de l'expression d'un désir de fraternité fondé sur la foi en l'avenir. Les peurs dont parlait Borduas dans *Refus global* semblent inexistantes chez Giguère. Sa poésie s'écrit sous le signe de la plus haute confiance, comme si la révolte avait déjà eu lieu et commençait à porter des fruits. Dans un recueil de 1951 intitulé *Yeux fixes*, Giguère se souvient d'« *avoir déposé des mines un peu partout* ». Mais c'est du passé, semble-t-il. Dans les années 1950, la révolte ne s'exprime plus par des gestes de sabotage, mais s'élargit et devient une attitude générale, une façon d'habiter le monde, un exercice de lucidité en même temps qu'un appel plein d'espérance pour aller de l'avant.

Cette confiance dans les mots se traduit chez Giguère, comme chez plusieurs écrivains post-surréalistes des années 1950, par des calembours, des mots d'esprit, des énoncés faussement absurdes et des poèmes à caractère ludique. L'humour est à la fois un ton et une marque de distance visant à déjouer le discours sérieux. Il n'y a rien de pathétique ni de grandiloquent chez Giguère. La révolte, la mort, les grandes vérités se ramènent à des énoncés concis où perce l'ironie du poète, qui se révèle également un fin prosateur : « Pour aller loin : ne jamais demander son chemin à qui ne sait pas s'égarer. » L'humour est particulièrement perceptible dans son recueil le plus ouvertement surréaliste, *Le défaut des ruines est d'avoir des habitants* (1957), fortement inspiré par Henri Michaux. On y trouve une sorte de fable poétique, *Miror*, qui est une réécriture de *Plume* :

VII

Miror possédait une nuit sur dix, un verre transparent mais vide, une épingle du jeu, un marron du feu et quelques souvenirs de feuilles vertes maintenant jaunes et cassantes, sans valeur, sans beauté.

XIX

S'il lui venait l'idée de verser de l'eau dans une vitrine de restaurant, celle-ci devenait aussitôt un immense aquarium et les gens à l'intérieur se mettaient à nager en cherchant la sortie. Miror barricadait portes et fenêtres et les nageurs d'occasion, se voyant condamnés à la natation à perpétuité, se résignaient, en prenaient vite l'habitude et regagnaient finalement leur place, non sans se demander à quel genre de fou ils avaient affaire.

S'il se reconnaît pleinement dans le surréalisme, Giguère est aussi celui qui semble le mieux capable, parmi les écrivains surréalistes québécois, de s'en dégager. Au-delà des trois aspects que l'on vient de relever, à savoir la spontanéité de l'écriture, l'esprit de révolte et l'humour, Giguère retient surtout du surréalisme le refus de séparer l'univers du poème de la vie elle-même. La révolte surréaliste est, chez lui, presque entièrement intériorisée. Elle se traduit moins par le refus du monde que par le désir d'aller de l'avant. « Pour tout effacer j'avance », écrit-il en insistant sur le pouvoir libérateur du regard et des mots. Dans ce consentement du poète qui, au lieu de se couper du monde, le soumet à la loi de la féerie, une sorte de miracle s'opère, comme dans le court et savoureux poème « L'homme à la paille » :

Il vécut vingt ans avec une paille dans l'œil
puis un jour il se coucha
et devint un vaste champ de blé.

Construite autour d'images élémentaires, comme ici, la poésie de Giguère ne vise pas l'éclat du verbe. Elle préfère le murmure à l'éloquence, le blanc et le noir à la couleur, la ligne du dessin aux ornements de la peinture. « [L]e dessin lui, se présente à nous dans toute sa nudité, sans parure, la ligne seule donne forme ; le noir est toute sa gamme ; sa pauvreté fait sa force. » Sans la violence verbale des automatistes comme Gauvreau, cette poésie défait le langage avec une gaieté presque naïve, soutenue par « l'espoir qu'un jour nous vivrons tous pour aimer ». Le regard se tourne de lui-même vers « l'aurore promise », vers le « soleil d'or liquide » et vers le « visage lilial de l'avalanche ». Une lumière neuve perce, non pas la lumière éblouissante de l'éclair, mais la clarté à la fois discrète, généreuse et sensuelle du jour naissant, des « premiers gestes d'amour » et de l'« adorable femme des neiges ».

Durant les années 1960, Giguère ne publie qu'un seul nouveau recueil, *Naturellement* (1968), et se consacre surtout à son œuvre plastique. Mais son œuvre poétique connaît alors une fortune extraordinaire grâce à la publication en 1965 d'une première rétrospective dont le titre devient aussitôt un des principaux emblèmes de la Révolution tranquille : *L'Âge de la parole*. Il n'est pas rare, en effet, de rencontrer ce titre dans des synthèses historiques pour résumer ce qui se passe à partir de 1960, non seulement chez les écrivains, mais dans l'ensemble de la société québécoise. Après un siècle de silence, voici que les Québécois entrent enfin dans l'âge de la parole délivrée, portée par ce que Giguère appelle les « mots-flots ». Il faut rappeler toutefois que l'expression « âge de la parole » signifiait tout autre chose au départ. Giguère opposait en effet deux périodes de sa vie, c'est-à-dire la période de l'écriture poétique (l'âge de la parole) et la période de l'image (alors qu'il dessinait et gravait). On voit bien, par là, à quel point Giguère apparaît non seulement comme un précurseur, à la façon d'Alain Grandbois, mais comme un véritable contemporain de la Révolution tranquille. Même s'il a écrit la plus grande partie de ses poèmes majeurs avant 1960, Giguère appartient donc à la Révolution tranquille au même titre que Gaston Miron, Paul-Marie Lapointe et Paul Chamberland. Tous trois lui rendront d'ailleurs hommage dans un numéro de *La Barre du jour* publié en 1968 et intitulé *Connaissance de Giguère*.

Après *L'Âge de la parole*, deux autres rétrospectives des poèmes de Giguère voient le jour : *La Main au feu* en 1973 et *Forêt vierge folle* en 1978. Comme *L'Âge de la parole*, ces livres contiennent des textes parus dans des revues ou dans de courts recueils publiés d'abord à faible tirage ainsi que certains inédits. Giguère publie aussi *Temps et Lieux* en 1988 et *Illuminures* en 1997, où, tout en restant fidèle à sa manière, il prend ses distances par rapport à l'utopie d'un monde nouveau, tant la poésie semble devenue fragile.

8

Frank R. Scott et les « deux solitudes »

Alors que des poètes québécois de langue française se réclament de la modernité en s'inspirant du surréalisme, des poètes québécois de langue anglaise manifestent une semblable ouverture sur les avant-gardes, mais ils se tournent vers des auteurs singuliers davantage que vers un mouvement en tant que tel. Au même moment, un poète et militant socialiste comme Frank Reginald Scott (1899-1985) tente de rapprocher ce que son contemporain Hugh MacLennan (1907-1990) appelle, selon une expression qui deviendra fameuse, les « deux solitudes ». Un tel dialogue ne s'était pas produit auparavant, malgré certaines traditions communes comme celle du roman historique ou du régionalisme. Au XIXᵉ siècle, on l'a vu, les littératures canadienne-française et canadienne-anglaise se sont rarement croisées, sauf à travers quelques traductions. Elles ne se rencontrent guère plus durant la première moitié du XXᵉ siècle, même si plusieurs écrivains anglophones notoires vivent à Montréal. C'est le cas notamment de Stephen Leacock (1869-1944), professeur de science politique et d'économie à l'Université McGill. *Sunshine Sketches of a Little Town* (1912), composé de courts récits drôles et ironiques sur la vie traditionnelle dans un village typiquement canadien, vaut à Leacock une immense popularité à la grandeur du pays, de même qu'aux États-Unis et en Angleterre. Par la suite, il continue dans la même veine humoristique et publie presque un livre par an jusqu'à sa mort. Mais entre Leacock et les écrivains québécois de langue française, il n'y a guère de contacts. Il faut attendre Frank R. Scott pour voir apparaître un début de dialogue entre les deux littératures.

Né à Québec d'un père anglo-catholique qui jouissait d'un prestige national, Frank R. Scott étudie à Oxford et s'installe ensuite à Montréal où il adopte un comportement typiquement « retour d'Europe ». Montréal le déprime par sa médiocrité intellectuelle. Il reproche à sa ville exactement ce qu'Edmond de Nevers reprochait à son pays : de n'en avoir que pour le commerce, d'être fermée à la connaissance pure et à l'art. Devenu professeur de droit à l'Université McGill en 1928, il se définit comme un socialiste et un nationaliste. Scott participe en 1936 à la création du premier parti socialiste canadien, le CCF (Cooperative Commonwealth Federation), ancêtre du Nouveau Parti démocratique. Quant à son nationalisme, il se définit contre le nationalisme canadien-français qui se développe au même moment sous la tutelle du clergé. En 1934, Scott écrit un article intitulé « La province fasciste ». Il redoute le pouvoir de l'Église catholique, hostile au CCF et à d'autres groupes jugés radicaux. Il déplore surtout l'absence de leader socialiste francophone. Ainsi, Scott représente une menace à la fois pour le pouvoir fédéral et pour le pouvoir provincial du Québec qui, tous deux, le jugent trop à gauche. L'élection en 1936 de Maurice Duplessis confirme les craintes de Scott : ce sont les forces ultraconservatrices qui prennent le pouvoir à Québec. Il écrit de nouveau en 1938 un article sur le thème du fascisme au Québec, par réaction à la « loi du cadenas » votée par le Parlement provincial en 1937. Vers la fin de la même année, il prend la défense de républicains espagnols venus solliciter l'appui des Canadiens. Avec le médecin et militant communiste Norman Bethune, qui était sur le point de partir pour l'Espagne, Scott organise une réunion qui tourne à la manifestation. À l'extérieur de l'aréna Mont-Royal, des étudiants crient : « À bas, à bas, à bas les communistes ! » et « À bas les juifs ! ». La réunion sera interrompue et, le lendemain, cent mille catholiques se rassembleront à Montréal afin de dénoncer le communisme et l'appui du Canada aux républicains espagnols.

Au moment où la Seconde Guerre mondiale éclate, Scott est déchiré entre son attachement à la Grande-Bretagne et son anti-impérialisme. Il se range ouvertement du côté des Québécois francophones lors du plébiscite d'août 1942 qui libère le gouvernement canadien de sa promesse de ne pas voter la loi de la conscription. Scott écrit un article dans lequel il prend fait et cause pour le Québec, tentant d'expliquer le sens du vote des Québécois (73 % de non contre 69 % à 82 % de oui dans les autres provinces) au reste du Canada. Il reçoit l'appui de Thérèse Casgrain et de nombreux autres Québécois francophones. Du côté anglophone, de rares voix l'appuient, comme celle du poète montréalais Louis Dudek (1918-2001). Mais, pour la très grande majorité des politiciens et des journalistes canadiens, Scott s'aveugle, joue le jeu des nazis et certains l'accusent même de vouloir séduire l'électorat canadien-français pour le bénéfice du CCF.

En 1944, Scott lance un magazine de poésie, *Preview,* qui joue un rôle central dans l'émergence de la poésie canadienne-anglaise. Plus tôt, en 1925, il avait fondé avec le poète Arthur James Marshall Smith (1902-1980) une des premières revues de poésie moderne au Canada, *McGill Fortnightly Review,* et s'était imposé comme un des leaders de sa génération. Absorbé par les luttes politiques, il avait toutefois délaissé la poésie durant les années 1930. C'est dans le contexte polémique de la Crise de la conscription que Scott renoue avec la poésie et s'impose dans la vie intellectuelle montréalaise. Si les groupes littéraires et politiques dont il est l'un des piliers sont essentiellement anglophones, ses liens avec l'élite intellectuelle francophone sont nombreux. D'autres poètes montréalais anglophones s'intéressent à la culture francophone du Québec : Abraham Moses Klein (1909-1972) publie en 1948 *The Rocking Chair,* recueil de poèmes qui évoque la culture traditionnelle canadienne-française ; le poète Louis Dudek publie des articles où il cherche tantôt à unir, tantôt à distinguer les deux littératures du Canada. Mais c'est surtout Scott qui maintient une relation soutenue avec les écrivains francophones du Québec.

Comme son titre l'indique, *Preview* vise à publier des textes plus ou moins achevés. Le groupe qui se forme rapidement autour de la revue comprend, outre Scott, les poètes Patrick Anderson, Margaret Day, Neufville Shaw, Bruce Ruddick, auxquels se joignent peu après Patricia Kathleen Page et Abraham Moses Klein. Résolument à gauche, le groupe se réunit chez Anderson, qui croit à la poésie autant qu'au communisme. Dans leur sillage émerge une autre revue montréalaise de poésie, *First Statement,* animée par un groupe de poètes plus jeunes qui prétendent incarner la véritable relève. On y trouve John Sutherland, le rédacteur en chef, avec Louis Dudek, Irving Layton et Audrey Aikman. Les deux revues sont rivales et la plus jeune accuse l'autre d'élitisme, d'internationalisme et lui reproche de manquer de réalisme sur le plan politique. On y préfère les poètes américains aux poètes anglais : *Preview* cite Wystan Hugh Auden, Cecil Day Lewis, Stephen Spender et Dylan Thomas ; *First Statement* cite Ezra Pound et William Carlos Williams. Affichant un côté prolétarien, la nouvelle génération s'élève contre la première qui, selon elle, n'est pas assez radicale et cherche trop à raffiner son discours. Cela dit, les deux revues sont fortement apparentées et fusionnent en 1945 sous le titre *Northern Review.* Les dissensions font place à un projet commun qui doit beaucoup à Scott, celui de concilier la modernité poétique et le nationalisme canadien.

Sans le savoir, ce groupe de poètes (appelé tantôt « the Montreal Poets », tantôt « the McGill Group ») lance un débat déjà vieux dans le Québec francophone, celui du nationalisme littéraire. Scott résume les positions du groupe sur ce sujet en disant qu'un poème « n'est pas canadien parce qu'il parle des orignaux, ou de la glace, ou de la neige, ou de la montagne ». La question nationale ne se réduit donc pas à une série de thèmes spécifiques, mais exige l'invention de formes nouvelles capables de rendre compte de façon adéquate de la réalité locale. Ce qui importe, comme le dira l'un d'eux, ce n'est pas l'orignal ; c'est « l'originalité de l'orignal ».

Géographie et milieu social : voilà qui décrit bien la poésie de Scott dans laquelle on trouve d'abondants échos des événements historiques et de nombreuses descriptions de paysages canadiens, ce qui en fait un peu l'équivalent littéraire des tableaux du groupe des Sept. Beaucoup plus que chez les poètes canadiens-français de cette époque, la poésie chez lui est chargée d'un poids politique. Cela se voit, par exemple, dans un poème narratif comme « Laurentian Shield » ou encore « Lakeshore », écrit à North Hatley où Frank et sa femme, la peintre Marian Scott, ont pris l'habitude de passer leurs étés :

> This is our talent, to have grown
> Upright in posture, false-erect,
> A landed gentry, circumspect,
> Tied to a horizontal soil

Le groupe Preview, vers 1942. De gauche à droite : Kit Shaw, Neufville Shaw, Bruce Ruddick,
F. R. Scott. Assises : Peggy Anderson, Patricia Kathleen Page. Couché : Patrick Anderson.
Bibliothèque et Archives Canada, PA-143537.

The floor and ceiling of the soul;
Striving, with cold and fishy care
To make an ocean of the air*.

Si Scott exerce une influence importante sur la vie intellectuelle au Québec et au Canada, c'est toutefois moins par sa poésie que par son action dans les milieux culturels, politiques et universitaires. À McGill, il enseigne à Charles Lussier, futur directeur du Conseil des Arts du Canada, puis à Pierre Elliott Trudeau et à Gérard Pelletier. À la fin des années 1950, Trudeau est un visiteur assidu au bureau de Scott, son maître à penser à qui il doit l'idée d'une Charte des droits et libertés. Scott enseigne aussi à Leonard Cohen, qui deviendra un des familiers des Scott dans les Cantons-de-l'Est.

À McGill se trouve également un autre ami des Scott, le romancier Hugh MacLennan. Son célèbre roman, *Two Solitudes* (1945), représente côte à côte, pour une des rares fois dans l'histoire littéraire canadienne, les communautés francophone et anglophone de Montréal. Né à Glace Bay en Nouvelle-Écosse, MacLennan découvre Montréal à peu près en même temps que Gabrielle Roy et s'affirme, avec celle-ci et Scott, comme un écrivain d'abord et avant tout canadien. Si on relit avec plus de bonheur des romans ultérieurs comme *The Watch that Ends the Night* (1959) et *Voices in Time* (1980), *Two Solitudes* a le mérite de résumer en une expression forte les rapports entre les deux Montréal, l'Ouest anglophone et l'Est francophone. Ce roman de la réconciliation suggère que la bonne volonté des uns et des autres pourrait réduire les distances entre les deux cultures. En dépit de ce message optimiste, l'expression « deux solitudes » symbolisera au contraire, dans l'imaginaire québécois et canadien, l'irrémédiable étrangeté des deux groupes. MacLennan lui-même ne s'intègre guère au milieu littéraire francophone et illustre plutôt, par son exemple, le fossé bien réel qui sépare les « deux solitudes ». Son parcours est assez typique de cette époque où Montréal, qui est encore la métropole du Canada (le « cœur du Canada », disait MacLennan), attire les jeunes intellectuels anglophones du pays.

Par contraste, le destin de l'auteur de *Two Solitudes* fait aussi ressortir le caractère quelque peu exceptionnel de Scott, qui travaille déjà à réduire cet écart entre les deux cultures. Il commence très tôt à traduire la poésie québécoise, ouvrant la voie à une tradition qui prendra son essor seulement dans les années 1970. On lui doit en particulier un très riche échange épistolaire avec Anne Hébert au moment où il travaillait à la traduction du poème « Le tombeau des rois ».

---

* « Notre talent est d'avoir grandi / Debout, faussement debout, / Aristocratie terrienne, circonspecte, / Attachée à un sol horizontal / Plancher et plafond de l'âme ; / Luttant avec un soin froid et visqueux / Pour faire de l'air un océan. » [traduction de Florence Bernard]

Malgré l'élan donné en 1944 par la création de nouvelles revues de poésie, les contacts entre écrivains restent occasionnels au lendemain de la Seconde Guerre mondiale, qu'ils soient anglophones ou francophones. Sauf pour quelques groupes restreints, à commencer par celui de McGill, les écrivains ne se connaissent guère, même s'ils se lisent déjà. Il faut attendre la conférence de Kingston, en 1955, organisée par Scott, Louis Dudek, Doug Jones et plusieurs autres, pour que la poésie canadienne soit davantage qu'une visée abstraite. S'y trouve aussi A. J. M. Smith, revenu des États-Unis et figure dominante de la poésie canadienne (grâce notamment à l'importante anthologie *The Book of Canadian Poetry* parue en 1943). Les poètes de Montréal, de Kingston ou de Toronto ne s'étaient pour ainsi dire jamais rencontrés et n'avaient pas conscience, par conséquent, de former une communauté à l'échelle du pays. Au milieu du siècle, les écrivains anglophones de Montréal et ceux de l'Ontario commencent donc à se fréquenter et jettent les bases de l'institution littéraire canadienne-anglaise. Au cours de cette période, Montréal cède peu à peu sa place à Toronto comme métropole économique, politique et culturelle du Canada anglais. Le rapport de la commission Massey sur le développement des arts, des lettres et des sciences en 1951 va conduire à la création du Conseil des Arts du Canada en 1957. La réalisation de documentaires à l'Office national du film, l'avènement de la télévision canadienne en 1952 de même que la fondation des Archives nationales en 1953 jouent également un rôle dans la reconnaissance d'une culture canadienne. La conférence de Kingston en 1955 fait partie de cette série d'événements. La fameuse collection « New Canadian Library » de McClelland & Stewart, qui réunit pour la première fois les textes majeurs de la littérature canadienne, est une suite directe de la conférence de Kingston. Cette collection permettra à la littérature canadienne d'être enseignée dans les écoles secondaires et dans les universités. De même, elle incite des critiques canadiens à se tourner vers le corpus national plutôt que vers les classiques britanniques et américains. Les revues *Canadian Literature* et *Prism*, fondées toutes les deux en 1959 à Vancouver, découlent aussi du même événement. Désormais, la littérature canadienne va se doter d'une institution nationale, semblable à bien des égards à celle que le Québec cherche à créer.

Lors de la première rencontre des poètes organisée par Jean-Guy Pilon en 1957 au manoir Montmorency, un seul anglophone est présent : Frank Scott. Jean Bruchési, alors sous-secrétaire d'État, l'accueille ainsi : « Quoi, vous êtes le seul païen, ici ? » Dès la deuxième rencontre, ils sont plusieurs : Doug Jones, Jean Jay MacPherson et Scott Symons notamment, en plus de Scott bien sûr, le seul à sembler parfaitement à l'aise en passant d'un groupe à l'autre. La distance entre les « deux solitudes » se creuse toutefois au cours de la décennie suivante, avec la montée d'un nationalisme québécois plus radical. En 1963, Scott organise avec John Glassco et Louis Dudek une conférence de poésie devant réunir, dans les Cantons-de-l'Est, des poètes des deux langues ; aucun poète francophone n'y assiste. Membre de la commission Laurendeau-Dunton sur le bilinguisme et le biculturalisme, Scott prend alors la défense d'un fédéralisme davantage centralisateur. Au même moment, il remporte son plus grand succès en tant qu'avocat, obtenant gain de cause dans la défense des éditeurs de *L'Amant de Lady Chatterley*, que la Cour supérieure du Québec venait d'interdire. Au sommet de sa carrière juridique et politique, il est l'objet d'une satire de la part de Jacques Ferron, qui en fait un personnage de plusieurs de ses romans et contes, symbole de l'anglophone voulant « s'enquébécquoiser ».

Nul mieux que Scott ne fait apparaître les croisements et les distances de toutes sortes entre les « deux solitudes ». Son œuvre est également typique du bouillonnement intellectuel de Montréal au milieu du siècle. Profondément engagé dans son temps et dans son milieu, Scott jouira, vers la fin de sa vie, d'une réputation exceptionnelle dans l'institution littéraire canadienne. On reconnaîtra en particulier son rôle de pionnier à une époque où la littérature, au Québec comme au Canada, était en train de se donner les moyens d'exister concrètement et d'agir sur les plans à la fois esthétique et politique. Frank Scott incarnera la figure même de cet éveil chez les poètes anglophones. Il restera aussi l'un des plus ardents défenseurs d'une vision politique opposée au conservatisme de Duplessis et constituera un des relais essentiels pour comprendre l'évolution idéologique des intellectuels québécois attachés au fédéralisme canadien.

9

Le roman de « l'homme d'ici »

De 1946 à 1960, il se publie au Québec environ deux cents romans, donc en moyenne une quinzaine de titres par an. Une proportion importante de ces textes relève de la littérature populaire, qu'il s'agisse de romans pour la jeunesse, dont Paule Daveluy (*Chérie Martin*, 1957) est sans doute la représentante la plus connue ; de romans sentimentaux, souvent édifiants, publiés en série (par exemple *J'ai choisi le malheur*, en 1958, et *Vertige*, en 1959, de Reine Malouin) ; de romans historiques encore en vogue, mais dont varient le ton, parfois comique (*La Fille du roy* de Gabriel Nadeau, 1954), ou le public visé, souvent adolescent (*L'Épopée tragique. Roman acadien* d'Albert Laurent, 1956). Comme le montre Paul Bleton, la guerre favorise l'émergence du roman d'espionnage, souvent publié en fascicules (par exemple les 934 *Aventures de l'agent IXE-13, l'as des espions canadiens*, écrites par Pierre Saurel – pseudonyme de Pierre Daigneault – entre 1947 et 1967), mais parfois aussi sous une forme plus littéraire (*Les Chasseurs d'ombres* de Maurice Gagnon, 1959). La guerre inspire plus rarement des témoignages et récits, tels *55 heures de guerre* (1947) de Pierre Tisseyre, *Neuf jours de haine* (1948) de Jean-Jules Richard et *Les Canadiens errants* de Jean Vaillancourt (1954). Mais les romans les plus significatifs de cette période se tournent vers les drames intérieurs de l'individu, dont le désarroi spirituel et psychologique se rattache à une vision particulièrement pessimiste de l'Histoire, comme si l'horreur de la guerre avait entraîné une crise plus générale des valeurs.

À l'exception de Gabrielle Roy et d'Anne Hébert dont les œuvres s'imposent à la critique comme des univers pleins et cohérents, le roman des années 1950 n'a pas bonne presse. La critique, aussi bien contemporaine que rétrospective, souligne son artificialité et sa lourdeur. À ces romans, qualifiés par Jacques Allard de « romans intellectuels », Gilles Marcotte reproche d'évoquer des idées sans parvenir à les incarner dans des personnages. Pour lui, comme pour d'autres commentateurs de l'époque, tels Dostaler O'Leary malgré ses appels à l'indulgence ou Jeanne Lapointe parlant d'« une sorte de coloration d'ennui », il manque à ces romans un ancrage dans le temps. André Brochu est l'un des rares critiques à lier cette production romanesque à ce qu'il appelle « la problématique de la vie intérieure » sans pour autant dévaluer les textes.

La thématique de la vie intérieure va de pair avec une valorisation de plus en plus nette de l'individu en tant que conscience autonome et libre, dont l'identité n'est plus subordonnée à celle du « nous » national et clérical. Bien qu'il se perçoive comme fortement engagé dans la réalité sociale, ce sujet cherche à élaborer une pensée qui se veut avant tout personnelle. L'influence du personnalisme, déjà présente à *La Relève*, se répand au lendemain de la Seconde Guerre mondiale. Le personnalisme s'impose à travers la pensée d'Emmanuel Mounier, directeur de la revue française *Esprit*, qui sert de référence dans l'élaboration d'une pensée catholique progressiste au Québec. En 1952, *Esprit* consacre un numéro au Canada français, où l'on trouve, entre autres, la signature de Frank Scott. Les échanges entre *Esprit* et le Canada français touchent en particulier la littérature : Albert Béguin, qui remplace Mounier à la direction d'*Esprit* de 1950 à 1957, publie « Le mauvais pauvre » de Saint-Denys Garneau en 1953 et consacre à l'œuvre du poète deux études qui feront date, « Saint-Denys Garneau. Solitude canadienne » (1954), et, la même année, « Réduit au squelette ». Proche de ce réseau chrétien, rappelons la lecture d'Anne Hébert par le critique et poète Pierre Emmanuel qui préface *Le Tombeau des rois* en 1953.

L'époque est également marquée par le développement des connaissances scientifiques, notamment à l'Université Laval où le dominicain Georges-Henri Lévesque dirige depuis 1938 la Faculté des sciences sociales. On voit clairement se constituer une nouvelle élite montante, formée de professeurs d'université, de spécialistes des sciences humaines et sociales, de journalistes, d'écrivains et d'intellectuels résolus à prendre la parole et à s'engager sur le terrain de l'action sociale. Plusieurs d'entre eux se réclament du libéralisme et entrent en conflit ouvert avec les autorités politiques et religieuses. C'est le cas à la revue *Cité libre*, fondée en 1950 entre autres par Gérard Pelletier et Pierre Elliott Trudeau. Proche de la revue *Esprit*, *Cité libre* s'identifie d'emblée à la nouvelle génération : nés dans les années 1920, ses principaux animateurs, réunis autour de Pelletier et Trudeau, Pierre Vadeboncœur, Jean Le Moyne, Maurice Blain, Guy Cormier, Roger Rolland et aussi de manière plus sporadique Gilles Marcotte et Marcel Rioux, sont dans la trentaine. Ils ont en commun une formation classique et, surtout, ils sont liés par leur combat contre le régime de Maurice Duplessis, pour les libertés individuelles et pour la laïcité. Pelletier fait le portrait du groupe : « Nous sommes les enfants de la crise économique, les adolescents issus de la grande dépression [...]. Nous crevions de misère économique et d'incertitude. Nous avons grandi devant le spectacle d'une société en faillite. Nous avons été nourris de solutions toutes faites mais dont pas une seule ne correspondait, fût-ce de loin, à la réalité. » La revue va faire de cet ajustement de la réflexion intellectuelle à la réalité sociale et politique son principal projet. Plusieurs de ses animateurs choisiront la carrière politique et joueront un rôle important dans la Révolution tranquille. Certains, comme Pelletier et Vadeboncœur, sont des militants syndicaux qui prennent part à la grève d'Asbestos. Cet engagement dans la sphère publique les distingue de leurs aînés de *La Relève* avec qui ils partagent néanmoins la foi catholique. À cet égard, malgré leur parti pris pour une société laïque – Trudeau le rappelle, « la revue est anticléricaliste et non anticléricale » –, la religion continue d'être pour eux un engagement individuel fondamental.

Bien plus qu'un filtre idéologique et moral, elle demeure la principale voie d'accès à la culture.

Un des essais susceptibles d'éclairer l'humanisme chrétien qui sous-tend beaucoup de romans de l'époque est *L'Homme d'ici* (1952) du père Ernest Gagnon, tiré d'une série radiophonique. Le père Gagnon (1905-1978), jésuite, professeur de littérature française et canadienne-française à l'Université de Montréal de 1947 à 1969, est aussi commentateur religieux à Radio-Canada et amateur d'art sacré. L'« ici » du titre, celui du premier essai du livre qui en compte dix, n'est pas d'abord une catégorie géopolitique et socioculturelle, mais bien davantage une catégorie philosophique : il s'agit de distinguer « l'homme de là », projection théorique des philosophies essentialistes, à l'identité assurée et paisible, « l'homme du théologien, du philosophe et du savant » selon le père Gagnon, de « l'homme d'ici », décrit comme « absolument relatif [...] [dont] l'univers intérieur est infiniment complexe », dépendant des contingences, livré aux incertitudes, aux hantises du passé, aux affres du doute, à une subjectivité souvent malheureuse. Une fois établie cette distinction, le père Gagnon l'applique au Canadien français, comme à un cas particulier de « l'homme d'ici », dans une perspective ethno-psychologique alors fréquemment adoptée dans les essais. Se référant à la fois aux moralistes catholiques et, implicitement tout au moins, à la psychanalyse (de plus en plus présente dans les discussions de la critique littéraire, de Jean Le Moyne à Gérard Bessette), le père Gagnon réhabilite « les passions » comme partie intégrante de l'être et dénonce la « morale négative » qui prévaut chez les Canadiens français : « Un enfant à qui on n'a donné que des préceptes et des défenses, s'avance dans la vie complexe de l'adulte avec une morale de mots qui lui interdit de grandir au cœur du réel [...] Il se réfugiera, comme il le dit, dans les hauteurs de l'esprit, la passion des sommets et, tel un perroquet au perchoir, il languira sa vie dans une cage imaginaire, à se nourrir du grain sec des mots dont il a fait l'absolu » ; cette « cage imaginaire » semble faire écho au poème « Cage d'oiseau » de Saint-Denys Garneau et cet enfant apeuré à celui, « dépossédé du monde », de la nouvelle d'Anne Hébert, « Le torrent ». Dans ce texte, qui précise les conditions de la libération intérieure de l'être et celles d'une libération sociale, résonnent les thèmes et jusqu'au lexique de tout un pan de la production romanesque.

La notion sartrienne d'aliénation, appelée à une grande fortune critique chez les essayistes des années 1950 et 1960, de l'Hexagone à *Parti pris*, vient immédiatement à l'esprit lorsqu'on tente de saisir la cohérence de cette production romanesque : aliénation morale et psychologique des personnages mis en scène, aliénation familiale et sociale ou encore aliénation politique et historique des milieux décrits. Cette thématique s'accompagne de difficultés dans la pratique même de la forme romanesque, difficultés qui se manifestent dans des écritures souvent ostensiblement littéraires, par la surcharge de références ou la parodie. Il s'agit en général, comme le constate Réjean Beaudoin, de romans d'apprentissage, situés dans la bourgeoisie urbaine, où les héros se brisent dans les épreuves de l'âge adulte : choc du rêve et de l'ambition contre la réalité et ses compromissions, rupture avec la famille, entrée chaotique dans la vie sociale, réalisation de soi ardue, fluctuation douloureuse des amitiés, refuge malheureux dans la culture, découverte la plupart du temps traumatisante de la femme, de l'amour et de la sexualité. Parmi ces personnages, nombreux sont les apprentis écrivains, artistes, intellectuels et journalistes. Ce redoublement de la figure de l'auteur trahit, selon André Belleau, une intériorisation malaisée du modèle français, comme s'il s'agissait pour l'écrivain d'ici de prouver qu'il sait écrire. Ainsi s'explique peut-être l'application au classicisme que l'on sent dans la production romanesque des années 1950. Plusieurs textes sont écrits à la première personne, certains intègrent des fragments de journaux intimes ou de correspondance, mais ni le style ni la structure ne se distinguent par des innovations particulières. La correction et la modération stylistiques demeurent d'ailleurs des critères explicites du jugement critique.

Plusieurs lignes de force thématiques se dégagent de cet ensemble : la première tient à la non-coïncidence avec eux-mêmes des personnages qui, comme dans le célèbre poème de Saint-Denys Garneau, « marchent à côté » de ce qu'ils éprouvent. Cette distance vis-à-vis des événements rapportés, des lieux évoqués, du temps même qui est souvent immobile, caractérise notamment l'œuvre romanesque de Robert Charbonneau (1911-1967), commencée en 1941 avec *Ils posséderont la terre*, que suivront bientôt deux autres textes, *Fontile* en 1945 et *Les Désirs et les Jours* en 1948 ; après une longue interruption, Charbonneau publie en 1961 *Aucune créature* et, en 1967, *Chronique de l'âge amer*, récit à clefs sur le groupe de *La Relève*. Le personnage central de chacun des romans, André Laroudan dans *Ils posséderont la terre*, Julien Pollender dans *Fontile*, nom de la petite ville industrielle où se passe l'action des deux premiers romans, Auguste Prieur dans *Aucune créature*, mais aussi Philippe Servet et Olivier Cromaire, respectivement doubles de Jean Le Moyne et de Saint-Denys Garneau dans *Chronique de l'âge amer*, se ressemblent étrangement : adolescents rêveurs, épris de littérature, ambitieux malheureux dans leur milieu (la famille autant que la ville), tendus vers des amours qu'ils ne parviennent pas à faire exister, ils sont chacun accompagnés d'un ami, confident, modèle et rival dont la réussite les fascine et les effraie.

On peut aussi trouver des traits semblables dans deux romans de Robert Élie (1915-1973), essayiste, dramaturge, collaborateur régulier de *La Relève* et de *La Nouvelle Relève*, critique d'art, directeur adjoint des services de presse et d'information à Radio-Canada en 1948, avant de devenir conseiller culturel à la Délégation générale du Québec à Paris en 1961, puis directeur du Conseil des Arts du Canada en 1970. De son œuvre narrative publiée en totalité dans l'édition préparée par Paul Beaulieu en 1979 chez HMH, on retient surtout deux romans, *La Fin des songes,* paru en 1950, et *Il suffit d'un jour* en 1957. Le premier roman est centré sur le personnage de Marcel Larocque, traducteur, marié à Jeanne dont la sœur

Nicole est l'épouse de Bernard, son meilleur ami et son contraire absolu. La mélancolie de Marcel, toujours un peu à l'écart des autres personnages, semble d'abord attribuable à ses échecs amoureux, mais, comme le révèle le journal intime qui occupe la deuxième partie du roman, son mal-être est plus profond. Marcel Larocque est en effet tiraillé entre une quête d'absolu, passionnée et exigeante, et une apathie, une insatisfaction ressentie par avance devant toute chose. Cette difficulté à se concevoir comme sujet de ce qu'il vit le maintient toujours tragiquement à distance de lui-même. Les événements, même les plus traumatisants comme la guerre à laquelle il a participé, sont recouverts d'une sorte de banalité qui les prive de sens et qui ne se résout que par le suicide. Dans *Il suffit d'un jour*, deux trames romanesques s'entrecroisent : d'une part, l'histoire des meurtres et des trafics auxquels se livrent les habitants du village, dont beaucoup ont quelque chose à cacher de leur passé, d'autre part, l'histoire d'Élisabeth Bourdeux, enfant du péché, fille naturelle du Docteur Bourdeux qui la fait passer pour sa nièce. Héroïne par ailleurs d'un autre texte d'Élie, une longue nouvelle éponyme, Élisabeth appartient par ses doutes et ses questions, par l'intensité avec laquelle elle vit ses désillusions, au même type de personnages tourmentés que Marcel Larocque.

Ce malaise, que les textes décrivent aussi à la manière d'un empêchement, peut prendre une tournure dramatique comme dans *Au-delà des visages*, que publie en 1948 André Giroux (1916-1977), journaliste, fondateur avec Réal Benoit de l'éphémère revue *Regards* (1940-1942), auteur d'un téléroman à succès des années 1950, *14, rue de Galais*, puis haut fonctionnaire. *Au-delà des visages* raconte un fait divers : Jacques Langlet, jeune homme de bonne famille, intelligent et prometteur, tue une jeune femme qu'il vient de rencontrer après avoir fait l'amour avec elle dans une chambre d'hôtel. Le roman exploite le désarroi et l'incompréhension des personnes qui entourent le jeune homme devant un tel geste que lui-même ne s'explique pas ; un dominicain, le père Brillart, personnage secondaire qui cherche à consoler la mère de Jacques, met le meurtre sur le compte d'un désir de pureté. La question du mal est posée de nouveau dans le second roman d'André Giroux, *Le gouffre a toujours soif*, paru en 1953, récit de l'agonie de Jean Sirois, qui, victime à quarante ans d'un cancer du poumon, essaie de donner un sens à sa vie malgré l'absurdité de la mort proche.

C'est aussi autour d'un meurtre qu'Eugène Cloutier (1921-1975) construit *Les Témoins* (1953), succession de « témoignages » présentés par des doubles de François qui s'efforcent d'expliquer pourquoi ce dernier a tué sa femme Line et son ami Claude après les avoir poussés l'un vers l'autre. Malgré la mise en scène d'un procès, ce meurtre est surtout un prétexte à une réflexion sur la liberté individuelle et sur la dimension spirituelle de l'identité. *Les Inutiles*, paru en 1956, se distingue par son sujet, la cavale de Jean et Antoine qui s'évadent de l'asile de Saint-Jean-de-Dieu pour retrouver leur ami Julien, et par son ton humoristique.

Le point de vue sur la ville de personnages devenus étrangers et leur déception devant la réadaptation trop réussie de leur ami donnent lieu à une satire de la société marchande des années 1950. Jean, qui s'apprête à commettre un meurtre par fidélité à son idéal, est exemplaire des personnages tourmentés des romans de l'époque. Pourtant, le texte de Cloutier s'en écarte sensiblement par l'inscription dans le présent et la pirouette finale, située en pleine émeute du Forum, causée par la suspension du joueur de hockey Maurice Richard.

L'aliénation peut aussi s'inscrire dans la représentation de huis clos familiaux haineux où le personnage central est la victime et que dominent des mères malheureuses et cruelles. *Mathieu,* que publie en 1949 Françoise Loranger (1913-1995), en est le meilleur exemple. Il s'agit de l'unique roman de Françoise Loranger, auteure de nouvelles parues dans *La Revue moderne,* pigiste à Radio-Canada, et surtout dramaturge. Le principal intérêt de ce roman d'apprentissage, qui multiplie les intrigues et les péripéties, tient à la relation folle qui unit la mère, Lucienne, à ce fils qu'elle trouve laid, qu'elle rabaisse et injurie sans cesse, et sur lequel elle se venge de l'abandon de son mari, le père de l'enfant. On rapprochera cette trame romanesque de celle du *Torrent* d'Anne Hébert et aussi de celle de *Chaînes* (1955), série de trois nouvelles de Jean Filiatrault (1919-1982), et qui présente le même dispositif à la fois sadique et incestueux : Eugénie Dugré-Mathieu, trompée et abandonnée par son mari, reporte sur son fils Serge une affection jalouse et tyrannique. Elle éloigne de lui la jeune fille qu'il aime (comme le fait aussi Lucienne dans *Mathieu*) et l'aventure qu'elle a avec un des amis de son fils a une connotation clairement incestueuse. Il n'est pas sans intérêt de noter que la négativité et la violence de ces romans sont fréquemment incarnées dans ces personnages étonnamment semblables de mères monstrueuses qui se vengent sur leurs enfants de leurs malheurs de femmes abandonnées ; il y a là comme l'envers terrible de l'idéalisation de la mère canadienne-française que décrit Jean Le Moyne dans l'un des textes célèbres de son recueil *Convergences,* « La femme dans la civilisation canadienne-française » (1953).

Comme les romanciers catholiques qu'ils ont lus assidûment, et comme aussi le Camus de *La Peste,* les romanciers québécois des années 1950 s'intéressent à la question du mal. L'exploration des profondeurs inconscientes, des instincts, les retournements haineux des familles, les destins que brisent d'incompréhensibles passages à l'acte entrent dans cette thématique sombre. L'enjeu est d'autant plus crucial que la fiction met en place de plus en plus fréquemment un monde privé du recours à l'au-delà. « L'homme d'ici » des romans est, comme la critique le déplore à plusieurs occasions, un homme sans Dieu. Ni la prière ni la foi ne protègent Marcel Larocque du suicide ou Jacques Langlet du meurtre ; l'aumônier ne sait plus quoi dire au personnage éponyme du roman de Gabrielle Roy, *Alexandre Chenevert,* qui agonise et pour qui le mal aura pris la forme insidieuse et envahissante de l'actualité, des guerres et des misères du monde.

Certains romanciers de cette période cherchent à répondre à cette misère par des romans engagés. Il en est ainsi de Jean-Jules Richard (1911-1975), sympathisant communiste qui a mené une vie aventureuse et exercé divers métiers avant de faire la guerre. *Neuf Jours de haine* (1948) raconte le débarquement de Normandie de la Compagnie C que l'on suit jusqu'à son entrée en Allemagne. Venus de toutes les régions du Canada, ces soldats forment un microcosme social dans lequel Richard campe des personnages contrastés, que la violence révèle ; ainsi, chez Lernel, un gradé canadien-français, l'impuissance à vivre la réalité atteint son paroxysme lorsque, dépassé par la situation, il s'écroule et se met à prier sur la ligne de front, mettant ainsi ses hommes en danger. Le combat et la fraternité, thèmes privilégiés de Richard, sont de nouveau mis en scène dans *Le Feu dans l'amiante* (1956) inspiré de la grève d'Asbestos. Cependant, le plus connu de ses romans ultérieurs sera *Journal d'un hobo* (1965), récit à la première personne d'un hippie androgyne qui traverse le Canada, à la manière du héros d'*On the Road* de Jack Kerouac, mais dans une sorte de violence absurde qui sera appréciée par des écrivains plus jeunes, tel Patrick Straram.

La question sociale est reprise par des romanciers moins connus, comme Roger Viau (1906-1986), peintre et auteur d'essais historiques, qui publie en 1951 *Au milieu la montagne*. Cette chronique de la misère quotidienne d'une famille pendant la Crise de 1929 rappelle à bien des égards *Bonheur d'occasion*. Le ton est toutefois plus âpre et les personnages d'*Au milieu la montagne* sont beaucoup plus sombres. Chez Viau, la montagne recoupe aussi une frontière linguistique : le roman s'ouvre sur un « Ça parle au yable! » du père Malo et Jacqueline s'applique en vain à parler le français châtié des habitants d'Outremont. Dans *Les Vivants, les Morts et les Autres* (1959), Pierre Gélinas (né en 1925), journaliste et lui-même militant communiste jusqu'au début des années 1960, dépeint le milieu communiste montréalais de l'après-guerre. Maurice Tremblay, issu d'une famille de riches industriels, exprime dans le syndicalisme un idéal humaniste qui semble hérité de *La Relève*. Il se heurte rapidement à l'incompréhension de ceux qu'il souhaite aider, ainsi qu'aux complots de ses compagnons communistes. Au-delà de l'intrigue compliquée, de la narration ralentie par des digressions didactiques, le roman décrit minutieusement les conditions de travail (notamment celles des ouvrières de la Dominion Textile) et fait revivre certains mouvements sociaux : la grève aux magasins Dupuis Frères en 1952 et, comme chez Cloutier, l'émeute du Forum en 1955.

Une autre caractéristique du roman de cette époque tient à la place qu'y occupe la littérature. Gilles Marcotte déplore, dans *Une littérature qui se fait*, que les romanciers qu'il étudie aient trop lu « Bourget, Bordeaux, Bazin ». Impossible de ne pas évoquer aussi Mauriac, Bernanos et Green à propos des conflits moraux que racontent Charbonneau, Élie et Giroux. Ce rapport malaisé à la littérature, qui doit en quelque sorte s'afficher dans les romans au risque de les faire paraître artificiels, trouve aussi à s'exprimer dans des textes ludiques, satiriques ou parodiques, comme ceux de François Hertel (*Anatole Laplante, curieux homme*, 1944, *Journal d'Anatole Laplante*, 1947) ou de Pierre Baillargeon (1916-1967), dans *Les Médisances de Claude Perrin* (1945). Dans les romans de Jean Simard (1916-2005), également essayiste et traducteur, la distance critique et le ton dégagé tempèrent le propos moraliste. *Félix* (1947) semble être l'ébauche de *Mon fils pourtant heureux* (1956). Le premier texte est l'histoire à la première personne de Félix, jeune bourgeois de Québec. Le récit se présente comme une fable satirique et le narrateur multiplie les signes de connivence avec un lecteur qu'il imagine aussi désabusé que lui. Dans le second, donné comme l'autobiographie de Fabrice Navarin, on retrouve la même structure des chapitres, selon une chronologie ostensiblement marquée (ancêtres, rencontre et mariage des parents, enfance solitaire dans la crainte du père et l'amour de la mère, scolarité ennuyeuse et terne, premier amour, etc.). Mais comme l'a noté André Belleau, Fabrice Navarin tient à distance à la fois son propre personnage, sans cesse ramené à un type social – le fils de bourgeois canadien-français, instruit et gauche –, et l'écriture de son récit qu'il commente et juge au fil des pages. Il faut un séjour à Paris à la toute fin du roman pour que le récit rétrospectif se transforme en journal, changement de forme qui correspond à une sorte de crise et d'apaisement chez Fabrice, retrouvant la foi et consentant aux accommodements qui l'autorisent à être heureux, selon le titre du roman emprunté à Pierre Jean Jouve.

Sans doute peut-on également rattacher à la veine satirique, au moins en partie, la romancière et journaliste Andrée Maillet (1921-1995), reporter à *Photo-Journal*, puis éditorialiste au *Petit Journal*, directrice d'*Amérique française* et animatrice de la vie littéraire montréalaise des années 1950. Son étonnant premier roman, *Profil de l'original* (1952), comporte une dimension fantastique et reprend des éléments du conte traditionnel, dont la figure mythique de cet orignal fou que des bûcherons ont habitué au gin. Les aventures picaresques de Paul Bar le placent, sous divers déguisements, dans des contextes totalement différents que seuls quelques indices, souvent des clins d'œil ironiques à « l'élan », relient entre eux. La lecture devient alors un jeu et le texte apparaît comme une suite de pastiches, chaque chapitre imitant jusqu'à la caricature un genre ou une manière littéraire. Mais l'exercice parodique se double d'une fable sur l'origine et toutes les fuites de Paul Bar finissent par le ramener au bois d'où il était parti et à l'affrontement final avec l'orignal. La parodie et la satire sociale se retrouvent également dans les nouvelles qui composent le recueil *Les Montréalais* (1963), ainsi que dans le roman *Les Remparts de Québec* (1964), récit à la première personne de la jeune Arabelle Tourangeau, adolescente en révolte contre sa famille bourgeoise de Québec qui n'est pas sans évoquer pour les lecteurs contemporains la Bérénice Einberg de Réjean Ducharme. Ce sera encore le cas dans *Le Doux Mal* (1972), histoire de passion et d'argent qui met en scène une comédienne pendant la crise d'Octobre. Andrée Maillet poursuivra sa carrière jusque dans les années 1990 et ses livres suivants contiendront une charge contre la société canadienne-française, notamment *Les Lettres au surhomme*, paru en 1976 et repris en 1990 avec une suite, *Le Miroir de Salomé*, composé des lettres que Salomé Camaraire, jeune fille de la bourgeoisie canadienne-française, adresse à Love, son « héros » américain. Ces lettres, datées de décembre 1943 à octobre 1945, racontent la vie quotidienne et les déboires de Salomé qui veut s'émanciper de sa famille et terminer des études à New York.

Dans l'ensemble des romans des années 1950, deux œuvres s'imposent de manière plus décisive, celles d'Yves Thériault et d'André Langevin. Yves Thériault (1915-1983) aimait à se présenter comme un tâcheron des lettres ; dans les entretiens qu'il accorde à André Carpentier au cours des dernières années de sa vie, il prétend avoir écrit des textes pour les vendre afin de « mettre du roast-beef sur la table, puis [...] envoyer [s]es enfants à Marie-de-France ». Au-delà de la bravade par laquelle Thériault renforçait son image de baroudeur viril, homme de tous les métiers, tour à tour camionneur, portier de boîte de nuit et vendeur de fromages, se profile une tout autre conception de la littérature, qui intègre le divertissement et le document ethnographique et, par son souci de la rentabilité, rejoint la littérature populaire, qui connaît justement quelques succès dans les années 1950. Chez Thériault, sans doute l'auteur le plus prolifique de son époque, c'est d'abord la quantité qui frappe : une dizaine de recueils de contes, autant de romans – sans compter les « romans à dix sous » qu'il écrit avec sa femme (sous divers pseudonymes) dans les années 1940 –, des ouvrages pour la jeunesse, des pièces de théâtre et des récits érotiques. Marginal dans le milieu littéraire, Thériault, qui a commencé à écrire des sketches pour la radio où il était annonceur et qui travaillera pour le ministère des Affaires indiennes, affirme « ne pas être entré dans la littérature par la grande porte » ; il n'en reçoit pas moins de nombreux prix et quelques-uns de ses romans sont d'importants succès de l'époque.

De l'abondante production d'Yves Thériault, qui comprend notamment *Contes pour un homme seul* (1944), *La Fille laide* (1950), *Le Dompteur d'ours* (1951), *Ashini* (1960), *Les Commettants de Caridad* (1961), *Les Temps du carcajou* (1965), *L'Appelante* (1967), *Moi, Pierre Huneau* (1976), deux romans se démarquent particulièrement : *Aaron* publié en 1954 et *Agaguk* en 1958, livre à succès, traduit dans de nombreuses langues et rapidement intégré aux programmes d'enseignement. Aaron, adolescent juif hassidique, est élevé à Montréal dans le Mile End par son grand-père, le vieux tailleur Moishe Cashin qui a fui jadis les pogroms de Russie et a transité par les États-Unis. Depuis la mort de sa femme Sarah, de son fils David et de sa belle-fille Rebecca, il a reporté toute son affection sur ce petit-fils dont il veut faire un bon Juif, respectueux de la sévère orthodoxie qu'il pratique. Mais Aaron grandit, il veut se mêler aux autres adolescents, juifs ou pas (même si l'antisémitisme le plus vif règne dans les ruelles du quartier), il veut aussi rencontrer des filles, comme cette Viedna, Juive française qui cherche à s'assimiler et deviendra Cécile. Quand Aaron refuse de travailler avec lui et choisit de sortir du quartier juif pour trouver un emploi en ville, Moishe le renie et le chasse. Le roman s'achève sur l'image du vieux Moishe, désespéré, près de la mort, répétant au boucher Malak qui veut essayer de lui ramener Aaron : « Adonaï ne nous entend plus ».

Dans *Agaguk*, « roman esquimau », le héros quitte son village et son père qui en est le chef corrompu, pour s'installer avec Iriook, sa jeune femme, à l'écart dans la toundra. La naissance de son fils, Tayaout, le remplit de fierté. Mais au cours d'un voyage au village, il tue Brown, un trafiquant blanc qui a essayé de le voler. Agaguk devra désormais échapper aux siens qui sont prêts à le livrer. La police des Blancs parvient à le retrouver dans la toundra, mais son combat avec le Loup blanc, animal quasi mythique, l'a défiguré, et Iriook qui l'a sauvé le protège des policiers, à qui elle tient tête. Son père lui-même n'est pas sûr de reconnaître son propre fils. L'épreuve initiatique du combat avec le Loup blanc se double du processus de pacification et de « civilisation » qu'opère Iriook. Celle-ci amène progressivement Agaguk à éprouver des remords pour le meurtre qu'il a commis, à remettre en question les valeurs de sa communauté et à accepter l'émancipation d'Iriook elle-même. Le roman se termine par la naissance de jumeaux, une fille, qu'Agaguk accepte de laisser vivre en renonçant à la coutume ancestrale, et un garçon, dans l'exaltation d'une véritable refondation.

On le voit, bien que dépaysé chez les Juifs hassidiques ou chez les Inuits, le passage de l'ancien monde au nouveau est le même d'un récit à l'autre : une génération doit s'arracher durement à celle qui l'a précédée, non sans que les uns et les autres aient à payer le prix de ce passage. Plus que d'un simple exotisme, *Aaron*, roman juif, comme *Agaguk*, roman inuit, témoignent d'un déplacement de l'enjeu identitaire et d'une connaissance sans doute quelque peu idéalisée de ces communautés. Dans *Aaron*, Thériault fait vivre un Montréal juif, populaire, avec ses petits métiers, ses langues et ses rites, qui fait penser à la rue Saint-Urbain de Mordecai Richler, mais qui n'a pas d'équivalent dans le corpus francophone de l'époque. De même, *Agaguk* donne à voir le Nord du point de vue inuit, et ce sont les Blancs qui deviennent l'objet du regard ethnologique d'Agaguk et d'Iriook. Chez Thériault, en cela tout particulièrement homme de son temps, c'est l'héritage ancestral et le lien avec le passé qui constituent l'aliénation du sujet ; il s'en détache par une énergie souvent violente afin de se recréer. La sexualité reste la métaphore principale de ce recommencement du monde qui a parfois, comme dans *Agaguk*, des accents épiques. L'espace américain devient chez Thériault le grouillement de la ville au-delà du quartier-ghetto ou, au contraire, l'infinie toundra sans arbre. À la mise en scène d'univers sombres et de personnages contraints que l'on observe dans la plupart des romans de l'époque, Thériault oppose l'exal-

Yves Thériault, en compagnie de ses enfants Marie José et Michel, à bord du cargo *Maria Teresa G.*, en route vers l'Italie, juillet 1953. Photo Michelle Thériault.

tation d'une énergie brutale par laquelle des héros aux dimensions épiques travaillent à la reconstruction d'un monde.

Les principales interrogations de la période se retrouvent dans les romans d'André Langevin. Né en 1927, issu d'un milieu modeste, Langevin perd ses parents très tôt et passe son enfance à l'orphelinat, expérience de « la prison et de l'asile » dont son œuvre porte la trace. Il collabore à divers journaux, écrit des pièces de théâtre, des dramatiques pour la télévision, et travaille longtemps comme réalisateur à Radio-Canada. Lauréat de plusieurs prix, du prix du Cercle du Livre de France pour son premier roman, *Évadé de la nuit*, en 1951, jusqu'au prix Athanase-David pour l'ensemble de son œuvre en 1998, Langevin se retire brusquement du monde et de l'écriture au milieu des années 1970. On distingue dans l'œuvre deux périodes bien définies : la première comprend les trois premiers romans, *Évadé de la nuit*, *Poussière sur la ville* (1953) et *Le Temps des hommes* (1956) ; la seconde correspond à un retour au roman après seize années pendant lesquelles Langevin écrit régulièrement pour les journaux et les revues, dont le magazine *Maclean*, et compte deux romans, *L'Élan d'Amérique* (1972) et *Une chaîne dans le parc* (1974). Tous les thèmes précédemment relevés, le tourment intérieur, le vertige des pulsions, la distance à l'égard de soi-même, le désordre d'un monde privé de sens, la misère morale et sociale, traversent les romans de Langevin, et sont portés par des personnages qui atteignent une dimension tragique.

Évadé de la nuit, narré à la première personne par Jean Cherteffe, est l'histoire d'une impossible réparation. Jean retrouve son père qui les avait abandonnés, lui et son frère, dans la personne d'un ivrogne repoussant qui vient de mourir au tout début du roman. Le jeune homme tente de sauver de la déchéance un autre ivrogne, le poète déchu Roger Benoit, auquel il s'attache et qu'il ramène auprès de son fils mourant. Mais la guérison de l'abandon et le redressement de la figure du père auxquels Jean s'emploie désespérément restent vains : après la mort de l'enfant, l'ancien poète se suicide. Jean, tourmenté, envie parfois son frère Marcel, qui fait la guerre en Europe et à qui il écrit : « toi tu formes ton destin ». Pourtant, la dernière lettre de Marcel, qui précède de peu l'annonce de sa mort au combat, raconte des horreurs dont l'épisode de la petite fille que Marcel est contraint d'étrangler pendant une embuscade pour que ses cris ne signalent pas à l'ennemi sa présence et celle de ses hommes. Cette figure de l'enfant sacrifié (que l'on retrouve dans presque tous les romans de Langevin) trouve un écho à la fin du roman : Micheline, dont Jean est amoureux, fuit avec lui dans la forêt, puis revient en ville où elle meurt en accouchant. Avant de se suicider, de « s'évader de sa nuit », Jean a le temps d'entrevoir leur enfant, « un peu de chair vivante, sans identité, sans parenté ».

Poussière sur la ville est le plus connu et le plus accompli des romans de Langevin. Il raconte comment Alain Dubois, jeune médecin nouvellement installé à Macklin, petite ville minière, se laisse tromper par sa femme Madeleine, au vu et su de tous, sans intervenir, jusqu'au drame qui survient lorsque Madeleine, apprenant que son amant va se marier, tente de le tuer et se suicide. La ville de Macklin est présentée comme un décor :

Toutes les petites villes de la région ont un quartier préservé où les notables habitent des maisons cossues entourées de pelouses et de fleurs. Ici, point. D'une extrémité à l'autre, Macklin se plonge dans une laideur grisâtre, uniforme, qui n'est pas due à la pauvreté, mais sans doute au fait que la ville fut improvisée, qu'on y construisit pour les besoins d'un jour et que les maisons survécurent aux délais prévus.

Typique d'un certain vide américain, cette ville n'en est presque pas une, mais seulement une rue flanquée de quelques commerces, taverne, hôtel, restaurant, le tout recouvert de la poussière de la mine qui tue lentement les patients du Docteur Dubois et semble engluer les esprits dans un ennui que Madeleine ne peut pas supporter. Ce personnage, l'un des plus saisissants de la période, est une sorte d'Emma Bovary de l'Amérique des années 1950. Elle veut vivre, c'est-à-dire, de son point de vue, s'étourdir, danser sur les musiques du juke-box au restaurant de Kouri, lire des magazines sur son divan rose, prendre un amant dans cette ville où ses robes décolletées et ses manteaux colorés attirent les regards. Mais comme Alain le perçoit bien, cette superficialité, cette agitation tiennent à une angoisse qui la dépasse. Condamné par les notables, abandonné par sa clientèle après la mort d'un nouveau-né hydrocéphale – nouvelle inscription de l'enfant mort –, Alain est bafoué, mis au ban de Macklin, mais jamais ridicule. Seul, incompris de cette ville qui prend le parti de Madeleine, il perçoit cependant des gestes discrets d'amitié, à peine sensibles, du curé, de Kouri, du chauffeur de taxi, du médecin à qui il a succédé, comme autant de signes ténus d'une fragile solidarité humaine.

Au contraire des romans antérieurs, filtrés par la conscience du personnage principal, *Le Temps des hommes* fait alterner les points de vue de différents protagonistes, folie et haine de l'un, calcul de l'autre, créant ainsi une tension vers le désastre dont Pierre Dupas, un prêtre défroqué qui rappelle le médecin de *Poussière sur la ville*, est un témoin impuissant, déchiré entre sa foi en Dieu et sa confiance dans les hommes, l'une et l'autre trahies. *Le Temps des hommes* correspond aussi à l'espace de la forêt dont l'âpreté renvoie les êtres à leur propre violence. Le bois sert de nouveau de cadre à *L'Élan d'Amérique*, mais la technique romanesque est radicalement différente. La structure du texte rappelle les complexités du Nouveau Roman : par une série de retours en arrière, deux histoires autonomes se développent, d'une part, celle de Claire Peabody, Américaine d'origine québécoise au passé trouble, et, d'autre part, celle d'Antoine Houle, ancien ouvrier forestier malmené par des amours malheureuses. Leur rencontre correspond à l'affrontement de deux univers qui rappelle *Menaud, maître-draveur,* comme le remarque André Brochu pour qui Langevin allie une forme moderne (les deux récits croisés, la temporalité brisée, la narration non linéaire) avec des thèmes traditionnels (le coureur des bois, le Nord légendaire, le pays). Avec *Une chaîne dans le parc,* Langevin revient à un récit plus classique, mais le roman se distingue encore des textes antérieurs par l'adoption d'un point de vue d'enfant, qui mêle le réel et l'imaginaire. Pierrot, orphelin de huit ans, est hébergé par son oncle entre deux orphelinats. Le milieu est pauvre et l'enfant fait brutalement l'apprentissage de la vie. Dans ce roman qui comporte pourtant des scènes d'une extrême violence, Langevin attribue à l'amour entre Pierrot et la petite Jane une force salvatrice qu'il n'a dans aucun autre de ses textes. Par l'intensité de leurs sentiments et leur résistance au monde adulte, Pierrot, Jane et leur ami Gaston dit le Rat, jeune délinquant malade, sont proches des personnages de Marie-Claire Blais et de Réjean Ducharme.

10

La naissance d'une dramaturgie nationale

La période qui va de 1945 à 1960 marque les débuts du théâtre national et moderne au Québec. Après plusieurs faux départs, l'essor auquel on assiste alors sera durable. On voit apparaître un public suffisamment nombreux pour permettre à de nouvelles troupes de s'implanter véritablement. Les acteurs se professionnalisent, quelques metteurs en scène apparaissent et surtout plusieurs écrivains se lancent dans l'écriture dramaturgique et créent un répertoire québécois distinct du répertoire classique. Les conditions d'émergence d'un théâtre national se sont toutefois mises en place dès avant la Seconde Guerre mondiale. En 1930, Fred Barry et Albert Duquesne, déjà connus grâce à la troupe qu'ils avaient créée en 1914, ont fondé le Théâtre Stella et se sont entourés d'une équipe de comédiens présentant de nouvelles productions chaque semaine. À partir de 1934, le Stella a abrité l'Académie canadienne d'art dramatique d'Henri Letondal et formé des comédiens professionnels en art dramatique. C'est aussi au Stella qu'on a joué des pièces tirées de la dramaturgie canadienne-française, comme *Cocktail* (1935) d'Yvette Mercier-Gouin, dont le texte a été presque immédiatement publié chez Albert Lévesque – fait rare qui souligne la relative notoriété de cette dramaturge à l'époque.

Par ailleurs, la radio a permis à quelques acteurs de se faire connaître à l'échelle de la province. C'est le cas, en particulier, de Gratien Gélinas (1909-1999), qui a créé son personnage de Fridolin à la radio en 1938, avant de le transporter sur la scène du Monument-National où, durant neuf ans, il a fait courir le tout-Montréal. Ses « Fridolinades », sorte de chronique-spectacle de l'actualité locale, appartiennent à l'art burlesque de la revue. Personnage fortement stéréotypé, Fridolin parle le langage de chacun et il a tout du héros populaire. Vêtu de culottes courtes, d'un chandail du Canadien de Montréal et muni d'un « slingshot », il devient un type dans lequel le public canadien-français se reconnaît d'emblée. La force de Gélinas consiste surtout à avoir été le premier à réussir un rapprochement entre deux traditions jusque-là indifférentes l'une à l'autre, celles du théâtre sérieux et du théâtre de variétés. Plusieurs intellectuels de l'époque ne s'y trompent pas : en 1941, par exemple, dans *L'Action nationale*, le journaliste André Laurendeau se porte ainsi à la défense de Fridolin, mi-gavroche, mi-Charlot, contre une certaine critique jugée élitiste : « Qu'est-ce que Fridolin ? Un gavroche montréalais, une sorte de Charlot canayen et, je m'en excuse auprès des puristes, l'une des créations les plus originales de notre littérature. J'accorde qu'il s'agit de littérature populaire, mais cela ne détruit ni sa valeur ni sa fonction. »

Gratien Gélinas dans le rôle de Fridolin. Bibliothèque et Archives Canada, e000001119.

Sept ans plus tard, Gélinas extrait de l'une de ses « Fridolinades » la matière de *Tit-Coq* (1948). La pièce n'a plus rien toutefois de l'esprit burlesque qui animait chacune des « Fridolinades ». Il s'agit d'un drame à la fois social et familial dont la facture demeure extrêmement simple. Au premier acte, Tit-Coq, orphelin, est invité à passer Noël dans la famille de son camarade Jean-Paul. Il y éprouve, pour la première fois, la chaleur du foyer familial et s'éprend de la jeune Marie-Ange. Conscrit, il doit cependant partir au front. Au deuxième acte, Tit-Coq apprend par Jean-Paul que Marie-Ange a épousé un autre homme. À son retour au pays au début du troisième acte, fou de jalousie, Tit-Coq obtient de parler à Marie-Ange et la convainc de s'enfuir avec lui. Mais le « padre » leur fait voir que le couple se couperait ainsi de la famille de Marie-Ange et se condamnerait pour toujours à l'illégitimité. La pièce se clôt sur l'adieu pathétique de Tit-Coq, qui part seul, retrouvant son statut de « sans-famille ». Tout entière orientée vers la soumission finale du personnage, *Tit-Coq* vaut surtout en raison de l'authenticité des dialogues. Après avoir été jouée plus de cinq cents fois, la pièce de Gélinas sera publiée, en 1950, chez Beauchemin, puis adaptée au cinéma en 1952. On s'empresse aussi de traduire et d'exporter la pièce, avec l'espoir d'en faire un triomphe international semblable à celui que Gabrielle Roy rencontrait au même moment au Canada anglais et aux États-Unis. Le résultat est toutefois bien différent : la pièce de Gélinas, accueillie poliment à Toronto, tourne au fiasco à New York. Au Québec cependant, la critique crie au chef-d'œuvre. Toute la nation, émue par le destin tragique de ce héros orphelin, se reconnaît dans son rêve de trouver enfin une famille. Le théâtre, plus que le roman, devient ainsi le miroir d'une société. L'autre réussite de Gélinas, *Bousille et les Justes* (1959), est plus équilibrée, moins pathétique, mais le drame moral y reste lourd et le personnage de Bousille, d'une candeur trop parfaite, n'a pas la violence de Tit-Coq.

La période de l'après-guerre est également marquée par l'émergence de troupes professionnelles canadiennes-françaises. La plus connue est celle du père Émile Legault, les Compagnons de Saint-Laurent, créée en 1937. Vouée à « l'établissement d'un théâtre canadien », la troupe du Père Legault se distingue rapidement des autres troupes paroissiales par l'audace de ses pièces et par la qualité de ses acteurs. On y présente, outre les classiques et quelques vaudevilles, des pièces de Claudel, Cocteau, Ghéon, Anouilh, Giraudoux, etc. Les mises en scène sont délibérément épurées, délaissant les artifices du décor réaliste au profit de l'unité du jeu. Ce souci esthétique se mesure aussi à l'originalité des décors et des costumes, dont certains sont, par exemple, réalisés par le peintre Alfred Pellan. Les acteurs, soumis à la règle de l'anonymat et tenus de jouer alternativement de grands et de petits rôles, forment une véritable équipe. Forte de son succès, la jeune troupe du père Legault circule de collège en collège, de paroisse en paroisse. Plusieurs acteurs se rendent en France ou en Angleterre pour acquérir une formation professionnelle. Le théâtre, considéré jusque-là comme un art suspect par l'Église, acquiert une nouvelle légitimité sociale en même temps qu'un plus grand rayonnement auprès du public cultivé. En 1949, les Compagnons de Saint-Laurent deviennent une troupe professionnelle dûment reconnue. Ses activités cesseront toutefois dès 1952, faute de soutien de l'État. Entre-temps, quelques-uns de ses principaux acteurs, comme Jean Gascon et Jean-Louis Roux, fondent le Théâtre du Nouveau Monde (1951), haut lieu du répertoire classique et national.

D'autres institutions émergent au même moment et visent également à rendre le théâtre accessible à un public élargi, comme le Théâtre-Club (1953-1964), qui s'adresse aux collégiens, et surtout le Théâtre du Rideau Vert (1949), qui mêle le répertoire classique et le théâtre de boulevard, et s'installera en 1960 dans l'ancien Théâtre Stella. En marge de ce théâtre au modernisme modéré, conciliant, voire éclectique, on voit aussi se créer des troupes plus avant-gardistes, orientées vers le théâtre d'Alfred Jarry ou d'Antonin Artaud et inspirées des metteurs en scène comme Meyerhold. Parmi elles se trouvent la troupe des Apprentis-Sorciers (1954-1969), les jeunes acteurs de l'Égrégore (1959-1966) ou encore, à Québec, ceux de l'Estoc (1957-1967). Le Théâtre de Quat'sous, fondé en 1955 notamment par le comédien Paul Buissonneau, fait partie de ces nouveaux théâtres de poche. Du côté de la dramaturgie, ce renouveau passe par les pièces automatistes de Claude Gauvreau, par les premières pièces de Jacques Languirand (*Les Insolites*, 1956) inspirées du théâtre de l'absurde, ou encore par le théâtre satirique de Jacques Ferron, dont la première pièce, *L'Ogre*, paraît en 1949 aux Cahiers de la file indienne à côté de textes d'inspiration surréaliste.

Mais de telles expériences demeurent assez marginales à l'époque. L'écriture dramaturgique, comme une bonne part de la littérature canadienne-française de l'après-guerre, se définit bien davantage par l'émergence d'un certain réalisme et de l'analyse psychologique. L'évolution du théâtre suit de très près celle du roman : Marcel Dubé (né en 1930), le plus important de ces nouveaux dramaturges, s'inspire de deux romanciers, Roger Lemelin et Gabrielle Roy, pour évoquer la réalité locale. Sa pièce la plus connue, *Zone* (1953), n'est pas sans rappeler aussi la situation de *Tit-Coq* : Jean Cléo Godin y retrouve « l'image du Canadien français faible, isolé, incapable d'assumer seul son destin ». Mais la famille est remplacée par un groupe d'adolescents et la campagne, par la ville. La pièce de Dubé ne se fonde plus sur un dilemme moral, mais sur un drame humain. Tarzan, le leader du groupe de jeunes, tue un douanier qui l'a surpris en train de faire du trafic de cigarettes. Il meurt sous les balles des policiers au moment où il tente de s'enfuir. L'intrigue importe moins que l'atmosphère clandestine qui règne tout au long de la pièce. Ces jeunes aux surnoms enfantins (Tit-Noir, Tarzan, Passe-Partout, Ciboulette) suscitent immédiatement la sympathie : ils parlent une langue directe dont la vérité saute aux yeux. Leur rêve, à peine défini dans la pièce, ce qui permet à chacun d'y projeter ses propres désirs, est celui de

Les Compagnons de Saint-Laurent. Denise Vachon dans le rôle d'Olivia dans *La Nuit des rois* de Shakespeare. Costume peint par Alfred Pellan. Archives de la Province canadienne des Pères de Sainte-Croix. Photo Laurier Péloquin.

la nouvelle génération. « Je vous avais promis un paradis », dit Tarzan avant de mourir. La « zone » qu'habite ce groupe de contrebandiers constitue un univers à part dont la signification est double : c'est, en un sens réaliste, un quartier pauvre de Montréal comme le Saint-Henri de *Bonheur d'occasion*, mais c'est aussi, en un sens poétique, le lieu du rêve, le monde de l'enfance, de l'amour absolu et de la liberté individuelle.

Un simple soldat, pièce écrite d'abord pour la télévision (1957), accentue le caractère réaliste de l'écriture dramaturgique de Marcel Dubé et reprend le thème de la faiblesse déjà observé dans *Zone*. Elle s'inspire fortement de la *Mort d'un commis-voyageur* d'Arthur Miller (1949) que Dubé lui-même traduira en 1962. La pièce brosse en plusieurs tableaux le portrait d'un « simple soldat », Joseph Latour, qui s'est engagé dans l'armée mais ne s'est jamais battu, la guerre s'étant terminée avant qu'il ne soit envoyé au front. Bon à rien, soldat manqué, chômeur, il subit l'hostilité de sa famille, à l'exception de sa sœur Fleurette. Trois ans et demi plus tard, la situation s'est aggravée et son père doit lui avancer une forte somme pour lui éviter la prison. Joseph n'arrive pas à tenir sa promesse de le rembourser. Dans le douzième tableau, le père se résout à le chasser définitivement de la maison et le renie tout à fait : « pour moi, t'es plus personne ». Le père meurt trois jours plus tard d'une crise cardiaque. Joseph s'engage peu après comme soldat dans la guerre de Corée, et la pièce se clôt avec le télégramme annonçant sa mort au champ de bataille. Sur fond de guerre, comme *Tit-Coq*, *Un simple soldat* trouve surtout son sens tragique dans l'impossible réconciliation entre le père et le fils et dans ce qu'Hubert Aquin appellera « l'art de la défaite », que tous deux semblent avoir en partage. Les pièces suivantes de Marcel Dubé, qui devient un des auteurs dramatiques les plus prolifiques des années 1960, se déroulent presque toutes en milieu bourgeois. *Les Beaux Dimanches* (1968), *Bilan* (1968) ou *Au retour des oies blanches* (1969) révèlent le mensonge social qui aveugle les personnages, mais sans jamais les élever à la hauteur d'émotion de Joseph Latour.

Un simple soldat exploite un thème courant dans la littérature canadienne-française au milieu du siècle, celui de la relation entre le père et le fils. On trouve ce thème, par exemple, dans *Un fils à tuer* d'Éloi de Grandmont, créée en 1949 au Théâtre du Gesù. Nous sommes au début de la colonie et le père, qui vient de France, n'éprouve aucune hésitation quand vient le temps de faire la leçon à son fils. Celui-ci non plus n'hésite guère et il veut partir malgré les caresses maternelles et l'amour d'Hélène. Il est insensible aux arguments traditionnels : « Il faut l'attacher ici par autre chose que le Pays et cette Mission dont son père lui parle constamment. » Il croit au rêve (« le rêve, pour moi, c'est la réalité ») et incarne bien, par là, les espoirs de la nouvelle génération. Il veut aller en France, qui est son Amérique, non comme un retour aux sources, mais pour l'aventure. Incapable de voir son fils quitter la maison, le père sort son fusil et le tue par-derrière.

Même figure du père écrasant dans *Le Marcheur* d'Yves Thériault, pièce créée au Gesù en 1950 et qui oppose deux fils, l'hypocrite Jérôme et l'insoumis Damien, au moment où leur père se meurt. *Les Grands Soleils* de Jacques Ferron, créée en 1968 mais dont une première version paraît dès 1958, exploite le même thème, mais il inverse les rôles : c'est le fils cette fois qui se moque du père. La pièce évoque les Rébellions de 1837-1838 et oppose Félix Poutré, un patriote qui avait déjà été mis en scène par Louis Fréchette, mais transformé par Ferron en un personnage opportuniste et faible, à son fils François qui a l'âme d'un héros comme ses amis, le docteur Chénier, l'Amérindien Sauvageau et le « robineux en redingote » Mithridate. Ce renversement sera accentué dans le quatrième acte, ajouté dans la version de 1968, et dans lequel Mithridate s'écrira : « C'est Chénier qui triomphe et avec lui le Fils contre le Père. »

Si Gratien Gélinas et Marcel Dubé ancrent leurs personnages dans la réalité locale en les faisant parler la langue d'ici, Éloi de Grandmont, Yves Thériault, mais aussi Anne Hébert et Jacques Ferron conservent un français littéraire, semblable à celui qu'on trouve dans le roman de la même époque. Ce théâtre s'éloigne du burlesque et de la tradition populaire à laquelle appartient encore *Tit-Coq*. Jacques Languirand, par exemple, n'a plus rien à voir avec le réalisme et le pittoresque du terroir. Il s'imprègne aussi bien de l'existentialisme, de l'automatisme que du théâtre de l'absurde qu'il découvre durant un séjour à Paris. Ses pièces sombres et fantaisistes, même lorsqu'elles sont créées à la télévision comme *Les Grands Départs* (1957), n'ont pas le succès que connaissent celles de Gélinas et Dubé, mais elles montrent l'ampleur des déplacements qui s'opèrent à la fin des années 1950 dans le milieu théâtral.

Les changements qui marquent le Québec à partir de la Révolution tranquille sont si nombreux et si spectaculaires que l'année 1960 est vite devenue le symbole par excellence d'une modernisation qui embrasse tous les aspects de la vie sociale, politique, économique et culturelle. En littérature, les œuvres qui symbolisent ce désir de changement se multiplient et créent un effet général. Au-delà des mutations formelles et thématiques qui s'accélèrent après 1960, c'est le statut même de la littérature qui est tout à coup bouleversé. Deux caractéristiques s'imposent de façon évidente : d'une part, son aspect unifié, lié de très près à la question identitaire comme le suggère l'expression « littérature québécoise » qui remplace l'ancienne expression « littérature canadienne-française » ; d'autre part, son dynamisme manifeste dont témoignent les titres de plusieurs essais parus au cours de cette décennie (*Une littérature qui se fait* de Gilles Marcotte en 1962, *Une littérature en ébullition* de Gérard Bessette en 1968). La littérature se présente comme un projet urgent qui est tout à la fois le reflet et le vecteur des aspirations collectives à la base de la Révolution tranquille.

Les changements qui s'opèrent au cours de cette période s'expliquent notamment par l'intervention nouvelle de l'État. Jusque-là, le gouvernement se contentait de quelques rares actions dans le domaine culturel, principalement sous la forme de bourses ou de récompenses comme le prix Athanase-David (depuis 1922) ou le prix du Gouverneur général du Canada (depuis 1937). La Seconde Guerre mondiale a donné au Canada une nouvelle notoriété sur le plan international, laquelle s'est traduite par le désir d'affirmer son identité en encourageant les artistes et les écrivains canadiens. C'est de là qu'est venue l'idée de créer la commission Massey chargée d'enquêter sur les arts, les lettres et les sciences au Canada. En 1957, on l'a vu, le gouvernement fédéral suit l'une des recommandations de la commission Massey et crée le Conseil des Arts du Canada. Au Québec, les résistances à une telle intervention sont doubles : elles viennent du gouvernement Duplessis qui est toujours demeuré hostile à l'intervention de l'État dans le secteur culturel, traditionnellement associé au domaine privé ; mais elles viennent aussi des intellectuels réformistes pour qui le nationalisme culturel canadien ne pouvait s'affirmer qu'au détriment de l'identité du Québec. Avec la mort de Duplessis en 1959 et l'élection du Parti libéral en 1960, la situation change complètement. La création d'un ministère des Affaires culturelles, en 1961, permet à l'État québécois d'agir directement dans les domaines artistique, musical et littéraire. Georges-Émile Lapalme, le premier titulaire de ce ministère, s'inspire de l'exemple de l'écrivain français André Malraux, ministre de la Culture dans le gouvernement du général de Gaulle, pour établir les bases d'une politique globale d'aide à la culture québécoise. Les deux paliers de gouvernement se trouvent alors à entrer en concurrence pour appuyer les artistes et les écrivains québécois. Durant les années 1960, le gouvernement du Québec dispose toutefois de moyens très faibles et le soutien apporté aux écrivains ou aux éditeurs demeure presque symbolique. En comparaison, les interventions du gouvernement fédéral, notamment par le biais du Conseil des Arts, se révèlent plus généreuses et plus efficaces. Mais d'un côté comme de l'autre, la culture relève désormais du domaine public et devient une responsabilité de l'État.

L'intervention de l'État ne se traduit pas seulement par les différentes mesures de soutien mises en avant par le ministère des Affaires culturelles ou par des organismes publics voués à la culture. Elle s'effectue également à travers le domaine de l'éducation qui joue un rôle important en particulier dans l'évolution des lettres, à la fois par la formation du public, par la diffusion des œuvres et par la légitimation du corpus québécois. Au milieu de la décennie, l'État québécois entreprend un vaste mouvement de réforme de l'éducation dont les principes sont exposés par la commission Parent (Commission royale d'enquête sur l'éducation). Ce mouvement comprend, entre autres, l'abolition des collèges classiques au profit d'un système d'enseignement à la fois accessible à tous, séparé de l'Église et plus ouvert aux réalités modernes. C'est l'un des changements les plus déterminants de la Révolution tranquille et il touche en particulier le poids et le sens que l'on donne à la littérature québécoise. La commission Parent recommande que la littérature québécoise soit davantage présente dans la formation générale, depuis les écoles secondaires jusqu'aux nouveaux cégeps (collèges d'enseignement général et professionnel) créés en 1967. Dans les universités, on voit se développer des centres de recherche ou d'études consacrés à la littérature québécoise, dont on entreprend alors de faire une sorte d'inventaire, depuis les premiers écrits de la Nouvelle-France jusqu'aux textes les plus contemporains. Cette valorisation du corpus québécois s'accompagne d'un déplacement important du discours critique, influencé par la sociologie et l'historiographie modernes, par la psychanalyse et, de façon plus générale, par le structuralisme. Ce changement de perspective est manifeste dans l'*Histoire de la littérature française du Québec* que propose, en 1967 et 1969, une équipe de chercheurs dirigée par Pierre de Grandpré. Il s'agit de construire une mémoire littéraire, comme si celle-ci n'existait pas encore, comme s'il fallait « inventer » une tradition (Georges-André Vachon).

La coupure entre la littérature canadienne-française et la littérature québécoise est ressentie si vivement que les auteurs de la génération précédente, de Saint-Denys Garneau à Gabrielle Roy en passant par Rina Lasnier et la plupart des romanciers des années 1950, semblent rejetés dans un passé lointain. En revanche, les auteurs de la Nouvelle-France et du XIXe siècle sont redécouverts. Pierre Perrault relit Jacques Cartier, Réjean Ducharme cite Marie de l'Incarnation et

Nelligan. Le passé le plus reculé se rapproche pendant que le passé immédiat est repoussé avec mépris. De même, on oppose la poésie cosmique de Grandbois à la poésie solitaire de Saint-Denys Garneau. La littérature n'est plus seulement l'expression d'une société : elle se veut un moyen de transformer celle-ci. L'écrivain ne travaille plus dans une tour d'ivoire : il doit à présent s'exposer au regard de tous et participer à la vie publique. L'idée sartrienne d'engagement traverse tout le discours littéraire de l'époque et entre en contradiction avec l'idéal humaniste défendu naguère par *Cité libre*. L'heure est à l'action, à la mobilisation, au « parti pris ». Les mots d'ordre varient selon les groupes, mais les indépendantistes comme les socialistes s'entendent pour dire que l'écrivain ne peut plus écrire dans le silence de la retraite. Il doit prendre la parole et celle-ci devient le symbole d'une libération collective. Les années 1945-1960 ont été marquées par l'engagement de l'écrivain dans la littérature comme un monde en soi, structuré de façon autonome, avec des éditeurs capables de publier les auteurs d'ici et de leur assurer un rayonnement suffisant. À partir de 1960, cette impulsion est à la fois renforcée et contredite. Si l'organisation littéraire tend à se développer de façon encore plus nette que depuis 1945, l'écrivain n'entend plus s'occuper seulement de littérature. Il assume désormais une fonction politique.

Cette politisation du discours littéraire constitue la première caractéristique de cette période. Elle crée aussitôt une forme de résistance chez plusieurs écrivains qui craignent de voir leur œuvre récupérée sur le plan idéologique. Contrairement à la littérature patriotique du XIXe siècle et à la littérature à thèse des années 1920, la littérature de la Révolution tranquille ne veut pas être lue comme une simple apologie de la nation. Hanté par un idéal de lucidité, l'écrivain des années 1960 s'interroge sur la part d'aveuglement qui va de pair avec son désir d'action. Derrière l'enthousiasme des discours de fondation, il y a une forme d'inquiétude ou même de désespoir qui empêche l'écrivain d'adhérer entièrement à l'optimisme de l'époque. L'écrivain a foi dans le progrès et appelle de ses vœux les transformations sociales et politiques qui se mettent en place, mais sur fond de négativité. Le « je » célèbre sa liberté, mais il ne cesse d'évoquer en même temps sa solitude et son désarroi, qui deviennent d'autant plus tragiques qu'ils ne sont plus explicables uniquement par la situation extérieure. L'aliénation dont se plaint l'individu procède de sa propre difficulté à surmonter ses contradictions. Son engagement politique passe d'ailleurs aussi bien par une sorte de combat que par une réflexion sur le statut de l'écrivain et par un retour sur soi-même. D'où l'importance de l'autoréflexivité qui constitue une autre caractéristique importante de la littérature de la Révolution tranquille, et de façon plus ostentatoire que dans les romans intellectuels des années 1950.

Par ailleurs, les années 1960 sont celles où la question linguistique refait surface au point de devenir une véritable obsession nationale. Là encore, les textes littéraires tranchent vivement avec ceux d'avant, presque tous tributaires d'une vision étroitement normative qui évaluait la qualité d'un écrivain suivant sa capacité d'intégrer des codes, comme les règles de la versification ou simplement la grammaire. L'écrivain de 1960 n'aspire plus à prouver qu'il écrit bien. Au contraire, comme on le verra, plusieurs des meilleurs écrivains de cette époque commencent par dire qu'ils écrivent mal, comme pour se libérer d'un surmoi linguistique. La langue est étroitement associée au sentiment d'aliénation à la fois individuelle et collective. Mais elle est aussi un formidable terrain d'expérimentation et c'est surtout ainsi que l'écrivain se démarque de ses prédécesseurs. Écrire, c'est désormais affirmer une présence au monde par une parole vive que ne cherche pas à embellir ou à recouvrir l'écriture. L'écrivain s'empare de la langue non pas à la façon d'un virtuose, mais plutôt au nom d'une liberté d'expression qu'il ne sait d'ailleurs trop comment assumer. L'écrivain se joue de la langue pour plonger dans sa propre histoire, son passé, sa mémoire, et pour habiter pleinement les lieux qu'il fréquente désormais. Familier de la grande ville, mais obsédé par le souvenir du passé rural, il mêle les niveaux de langue en insistant, comme de raison, sur les usages vernaculaires qui sont alors immédiatement interprétés comme l'expression d'une identité nationale. Dans tous les cas, on assiste à une recherche de formes originales, tant par rapport au passé immédiat que par rapport à ce qui s'écrit au même moment en France ou ailleurs.

En plus de ces caractéristiques (politisation de la littérature, autoréflexivité et liberté de langage), la Révolution tranquille se distingue par les transformations rapides du champ littéraire. Celles-ci s'expliquent non seulement par l'intervention de plus en plus systématique de l'État, mais aussi par l'évolution démographique. La première cohorte de baby-boomers a vingt ans en 1965. L'élargissement rapide d'un public d'emblée sympathique à la nouvelle littérature québécoise a un impact direct sur l'essor de cette littérature. Les lecteurs ne se contentent pas d'accueillir les œuvres originales : ils les attendent et s'y projettent avec enthousiasme. Les œuvres de Marie-Claire Blais, d'Hubert Aquin et de Réjean Ducharme rencontrent immédiatement leur public et leur critique. La volonté d'encourager la littérature nationale ne se traduit pas, toutefois, de façon immédiate dans les chiffres. Malgré les nouvelles subventions de l'État, l'édition (Pierre Tisseyre au Cercle du livre de France, Claude Hurtubise chez HMH, Jacques Hébert aux Éditions du Jour, Gaston Miron à l'Hexagone) demeure encore modeste. Le nombre de livres publiés reste faible tout au long de la décennie. Selon les bibliographies annuelles de *Livres et auteurs canadiens*, il se publie 42 nouveaux ouvrages de fiction en 1969 alors qu'il s'en publiait 26 en 1962. En poésie, la progression est similaire : on passe de 29 recueils inédits en 1962 à 41 en 1969. Ce n'est que durant la décennie suivante que les politiques d'aide à l'édition produiront des effets décisifs. Les années 1960 se distinguent donc moins par un saut quantitatif que par une conscience nouvelle du rôle de l'écrivain dans la cité. La littérature n'a jamais eu une telle incidence dans la population et jamais l'écrivain québécois n'a joué un rôle aussi central dans la vie publique. De même, le degré d'exposition change : désormais, la littérature québécoise est présente un peu partout, dans les journaux, à la radio et même à la télévision. À l'échelle nationale, l'écrivain participe aux débats sociaux et politiques. À l'échelle internationale, la littérature locale obtient également une certaine reconnaissance. Le critique français Alain Bosquet publie en 1962 une anthologie (*La Poésie canadienne*, rééditée en 1968 sous le titre *Poésie du Québec*) qui fait connaître les poètes québécois en France. En 1966, Marie-Claire Blais reçoit le prix Médicis pour *Une saison dans la vie d'Emmanuel*. La même année, Réjean Ducharme est en lice pour le prix Goncourt. Le nombre d'écrivains québécois publiés chez un éditeur français augmente de façon importante : Anne Hébert et Jacques Godbout au Seuil, Marie-Claire Blais, Jean Basile et Jacques Brault chez Grasset, Réjean Ducharme chez Gallimard, Hubert Aquin chez Robert Laffont. D'autres écrivains québécois majeurs avaient, par le passé, été publiés en France, de Léo-Paul Desrosiers à Gabrielle Roy en passant par Ringuet. Mais le phénomène devient remarquable vers 1965. Ce ne sont pas seulement des individus qui obtiennent la reconnaissance parisienne : c'est la littérature québécoise, comme phénomène collectif, qui se met à exister sur le plan international.

Pour saisir le bouillonnement littéraire de cette décennie, il est difficile de respecter la stricte chronologie ou la division par genres. Les œuvres marquantes sont nombreuses et émergent à peu près en même temps. En outre, les groupes se succèdent rapidement et incluent des écrivains qui pratiquent souvent plusieurs genres. Il reste que c'est la poésie du pays qui, née avec la fondation des Éditions de l'Hexagone (1953), exprime avec le plus de force les mutations esthétiques et thématiques qui caractérisent le début de la Révolution tranquille. Quatre œuvres se distinguent dans cet ensemble : celles de Gaston Miron, Paul-Marie Lapointe, Fernand Ouellette et Jacques Brault, qui seront présentées au début de cette section. Seront ensuite étudiés l'essai littéraire, avec notamment les œuvres de Jean Le Moyne, Pierre Vadeboncœur et Fernand Dumont, et la critique, qui joue un rôle crucial dans l'invention de la littérature québécoise. Une révolte du langage touche profondément le roman, comme on le verra avec les exemples de Gérard Bessette, Jacques Godbout, et surtout Hubert Aquin, Jacques Ferron, Marie-Claire Blais et Réjean Ducharme qui seront tour à tour abordés dans des chapitres spécifiques. Il sera encore question du roman à propos du joual, revendiqué par plusieurs auteurs de *Parti pris*. C'est toutefois au théâtre, avec Michel Tremblay, que le joual trouve sa forme la plus naturelle. Autour de la bataille des *Belles-sœurs* (1968) et de l'œuvre de Michel Tremblay, on suivra ainsi l'évolution du théâtre durant la Révolution tranquille. Le chapitre suivant portera sur les romanciers des Éditions du Jour, dont on parle généralement peu même s'ils représentent un important foyer de renouveau. L'historiographie littéraire du Québec parle encore moins des œuvres de langue anglaise, qui connaissent pourtant au même moment un essor remarquable. Même si ces œuvres appartiennent d'abord à la littérature canadienne de langue anglaise, plusieurs d'entre elles, comme celles de Mavis Gallant, Mordecai Richler et Leonard Cohen, sont indissociables de la situation québécoise, et plus particulièrement montréalaise. C'est pourquoi elles seront évoquées dans la conclusion de cette section.

1

L'Hexagone et la poésie du pays

L'effervescence de la poésie québécoise commence bien avant 1960. On a vu dans la section précédente que l'immédiat après-guerre coïncide avec l'émergence de voix poétiques particulièrement originales, apparentées ou non au mouvement surréaliste. Dans les années 1950, l'activité poétique s'accroît de façon encore plus importante. Le privilège accordé à la poésie n'est pas que d'ordre littéraire ou symbolique, lié au prestige du genre et à la reconnaissance que les poètes suscitent entre eux. La poésie connaît aussi un essor sur les plans matériel et social. Celui-ci est d'autant plus remarquable que le roman peine au même moment à trouver un public nouveau et que la plupart des jeunes écrivains choisissent d'abord la poésie, comme si c'était là que l'on pouvait s'exprimer avec le plus de liberté. Selon Jean-Louis Major, de 1952 à 1961, la poésie représente 7,65 % de la production globale des livres, contre seulement 5,53 % pour le roman. Il faut dire que la poésie s'accommode mieux que le roman de l'édition artisanale qui se met en place à l'époque. De plus, même s'il reste très limité, le nombre de lecteurs suffit à créer un milieu social où le poète acquiert un statut et une légitimité. Un vaste mouvement poétique se développe, qui sera tenu pour fondateur par la suite.

Au moment où la poésie va s'exposer sur la scène publique et devenir l'un des symboles de la Révolution tranquille, elle compte déjà de nombreuses œuvres majeures. La Révolution tranquille les découvre, et elle leur donne un sens et une portée qu'elles n'avaient pas encore auparavant. C'est ce passage qu'il convient de reconstituer pour saisir ce qui se produit en 1960 : non pas une rupture, mais une relance, une exposition de tout ce qui entre dans la perspective de l'invention d'une littérature québécoise. Ce qui est nouveau, ce ne sont donc pas les œuvres elles-mêmes, qui existent déjà dès 1950, mais leur impact sur le milieu littéraire comme sur l'ensemble de la société, la fonction qu'elles y exercent. On pourrait résumer la séquence au moyen de la formule suivante. Dans un premier temps, qui commence vers 1950, on crée, on édite des œuvres avec le sentiment de fonder une littérature ; dans un second temps, qui commence vers 1960, on crée, on édite et on réédite des œuvres avec le sentiment de fonder une nation. D'où l'expression « poésie du pays » qui sert à désigner la production poétique de cette période.

Le foyer par excellence de cette poésie du pays se trouve aux Éditions de l'Hexagone, fondées en 1953 par Gaston Miron, Olivier Marchand, Gilles Carle, Louis Portugais, Mathilde Ganzini et Jean-Claude Rinfret. Le nom de la maison d'édition fait référence à la forme géométrique à six côtés, correspondant au nombre de membres fondateurs. Seuls Gaston Miron et Olivier Marchand sont poètes parmi ceux-ci, ce qui peut sembler curieux. Mais la cohérence du groupe tient moins à une vision esthétique commune qu'au désir de créer un mouvement grâce auquel la poésie puisse enfin exister. Les six fondateurs sont issus d'une association vouée aux loisirs laïques, appelée l'Ordre de Bon Temps (par allusion à une société du même nom fondée par Champlain et décrite par Lescarbot). Après quelques années, le groupe initial se défait et des poètes se joignent à Gaston Miron pour réorganiser la maison d'édition. Ce sont Jean-Guy Pilon, puis Paul-Marie Lapointe, Michel van Schendel, Fernand Ouellette et Alain Horic. Les circonstances de départ demeurent toutefois révélatrices d'un certain esprit qui caractérise l'Hexagone, lié par l'amitié plus que par une visée esthétique précise. Cet esprit d'équipe distingue l'Hexagone des petites maisons d'édition de poésie fondées un peu avant ou un peu après elle, et le plus souvent associées à un ou deux individus, comme les Cahiers de la file indienne, Erta, Malte, Orphée ou Atys. L'Hexagone se distingue aussi par sa volonté pragmatique d'élargir le cercle de ses lecteurs et par sa capacité de rassembler des poètes de tous horizons.

L'Hexagone publie la plupart des poètes majeurs de cette période : Gaston Miron, Fernand Ouellette et Michel van Schendel y commencent leur carrière, tandis que Paul-Marie Lapointe y fait paraître en 1960 *Choix de poèmes / Arbres*, qui marque son retour à la poésie après douze ans de silence. En passant à l'Hexagone, Paul-Marie Lapointe semble avoir renoncé au surréalisme de son premier recueil, *Le Vierge incendié*, au profit d'une tonalité toute différente qui fera de son poème « Arbres » l'un des emblèmes de la poésie du pays. En cela, il illustre un mouvement plus général qui va d'une modernité radicale, symbolisée par *Refus global*, à une modernité plus modérée et plus accueillante, incarnée par l'Hexagone. Ce mouvement n'est pas seulement un fait d'écriture : c'est aussi un fait de lecture, comme le suggèrent les cas de Gilles Hénault et Roland Giguère, qui seront lus après 1960 comme de véritables poètes de l'Hexagone. Leurs poèmes, publiés ailleurs à l'origine, seront alors réédités à l'Hexagone. De même, Yves Préfontaine commence dans les eaux surréalistes avant de passer à l'Hexagone et devient l'un des poètes les plus représentatifs de la poésie du pays, avec Jean-Guy Pilon, Gatien Lapointe et Pierre Perrault. On pourrait en dire autant de certains poètes plus radicaux, associés à *Parti pris*, comme Paul Chamberland et Gérald Godin, ou encore Gilbert Langevin qui publie d'abord dans sa propre maison d'édition (Atys). Ajoutons à cette liste le nom de Jacques Brault, qui fait partie de la famille de l'Hexagone sans pour autant y avoir publié ses poèmes.

Dès le départ, il est clair que l'Hexagone ne se veut ni une affaire de clan ni une école littéraire. Faire de la poésie, à l'Hexagone, c'est écrire des poèmes, mais c'est aussi apprendre à réaliser des livres, de l'impression jusqu'à la distribution. Le métier d'éditeur est indispensable à l'essor qu'on veut donner à la poésie. Celle-ci doit à présent s'adresser à un public plus large et trouver sa place dans la société. L'évolution est tout à fait frappante quand on examine, comme Gilles Marcotte l'a fait, les différents prospectus rédigés à l'occasion de certaines parutions. En 1953, on parle au lecteur comme à un ami qui fait partie de l'équipe éditoriale : on le tutoie et on lui demande de contribuer modestement au succès de l'entreprise, qui fonctionne par souscriptions. Le premier livre publié à l'Hexagone est lui-même une sorte de création collective : il s'agit de *Deux Sangs*, écrit par deux poètes, Gaston Miron et Olivier Marchand, et illustré par trois autres membres de la maison d'édition, Gilles Carle, Mathilde Ganzini et Jean-Claude Rinfret. D'une année à l'autre, les éditeurs se félicitent du fait que le cercle d'amis, c'est-à-dire de lecteurs, est en train de s'élargir. Dès le prospectus de 1958, on affirme triomphalement que « la poésie canadienne est maintenant en orbite ». Pas seulement celle publiée à l'Hexagone : le but explicite de cette maison d'édition est de créer une poésie nationale, voire une littérature nationale. Elle ne se présente donc pas en concurrence avec les autres maisons d'édition, mais cherche à créer un mouvement plus général qui fasse exister collectivement la poésie.

La production annuelle reste pourtant relativement faible, dépassant rarement trois ou quatre recueils. Il s'agit le plus souvent de plaquettes rédigées par des écrivains débutants, mais pas exclusivement. En 1956, Miron écrit avec fierté au poète français Claude Haeffely que l'Hexagone est parvenu à attirer un écrivain déjà connu, Rina Lasnier (*Présence de l'absence*). L'année suivante, ce sera au tour d'Alain Grandbois avec *L'Étoile pourpre*. Grandbois est vite présenté comme un grand inspirateur. La modernité de l'Hexagone se construit ainsi à même les œuvres du passé récent. Parmi celles-ci, des oppositions surgissent rapidement, comme entre Grandbois et l'autre grande figure poétique dont on ne cesse de parler – mais négativement – à l'Hexagone, Saint-Denys Garneau. Dans un numéro que la revue *Liberté* (publiée initialement par l'Hexagone) consacre à Grandbois en 1960, Saint-Denys Garneau symbolise ce que la poésie du pays veut précisément rejeter, soit la solitude, l'enfermement et l'échec. Grandbois apparaît au contraire comme le poète de la délivrance, celui qui a voyagé aux quatre coins du monde et dont le lyrisme cosmique s'enracine pourtant dans les réalités du pays. Mais cette opposition fait surtout apparaître le caractère indissociable des deux attitudes, l'une tournée vers l'expérience de l'ailleurs, l'autre vers la conscience subjective. Il serait assez facile de montrer qu'on retrouve ces deux attitudes poétiques aussi bien chez Saint-Denys Garneau que chez Grandbois, de même que chez la plupart des poètes du pays. Du reste, malgré le rejet de Saint-Denys Garneau, le fait remarquable paraît avoir été que l'Hexagone se construit beaucoup moins *contre* des modèles anciens qu'*avec* eux. Le groupe ne prétend pas faire table rase, mais se caractérise au contraire par sa facilité à tout intégrer, sauf ce qui se définit au départ par des exclusions fortes, comme l'automatisme de Claude Gauvreau, l'un des rares poètes modernes de l'époque à ne pas faire partie de la vaste constellation de poètes associés à l'Hexagone. Ni avant-gardiste ni traditionnel, ni exotique ni régionaliste, l'Hexagone occupe ainsi une position intermédiaire et éclectique qui fait son originalité.

Sur ce noyau de poètes connus se greffent un nombre important de poètes de moindre renommée. Selon Laurent Mailhot et Pierre Nepveu, « [c]'est dans la qualité de ses poètes "mineurs" que la génération de l'Hexagone manifeste le plus clairement son importance ». Ce sont Olivier Marchand, Luc Perrier, Jean-Paul Filion, Claude Fournier, Pierre Trottier, Maurice Beaulieu, Gilles Constantineau, Gertrude Le Moyne, Gemma Tremblay et quelques autres qui publient ailleurs qu'à l'Hexagone comme Fernand Dumont, Réginald Boisvert, Wilfrid Lemoine et Suzanne Paradis. On pourrait citer encore quelques noms, comme ceux du futur romancier Jacques Godbout, qui commence par écrire de la poésie, ou de Gilles Vigneault (né en 1928), qui publie plusieurs recueils de poèmes parallèlement à son œuvre de chansonnier. Ce qui frappe surtout, quand on lit chacun des recueils de cette époque, c'est que la poésie québécoise existe de façon manifeste, ne serait-ce que par le nombre croissant de textes publiés, mais qu'elle déborde en même temps les catégories dans lesquelles on est tenté de la ranger. C'est pourquoi on parle, de manière générale, du « temps des poètes » (Gilles Marcotte) ou encore d'un phénomène de génération, même si, comme on vient de le voir, l'Hexagone intègre plusieurs poètes nés plus tôt que 1930 et d'autres nés dix ans plus tard. La solidarité de génération explique aussi en partie que des poètes venus d'ailleurs, comme Michel van Schendel, Claude Haeffely ou Alain Horic, se soient d'emblée reconnus dans cette poésie. Au total, donc, la poésie des années 1960 ne se laisse plus résumer à quelques œuvres, comme cela a été le cas dans les années 1930 ou 1940 : on pourrait citer plus de trente noms qui participent tous, d'une façon ou d'une autre, à ce vaste mouvement qu'on appelle la poésie du pays. Celle-ci forme un tout d'autant plus perceptible que les nouveaux poètes tendent à se regrouper, à faire cause commune même s'ils publient sous différentes enseignes. Ils vivent presque tous à Montréal où ils fréquentent les mêmes lieux et se donnent les moyens d'exister en tant que communauté littéraire. Ils ont beaucoup lu, beaucoup voyagé et beaucoup fraternisé.

Sauf exceptions, ils arrivent à la poésie directement par le vers libre, sans passer par des formes traditionnelles comme l'avait fait leur aîné Alphonse Piché (1917-1998). Dans ses premiers recueils (*Ballades de la petite extrace*, 1946, *Remous*, 1947, *Voie d'eau*, 1950), il se nourrissait en toute indépendance de François Villon ou de Paul Valéry; au cours des années 1980, il explorera le vers libre dans des poèmes très directs sur le vieillissement (*Dernier Profil*, 1982, *Sursis*, 1987). Le jeune Sylvain Garneau (1930-1953), dans ses deux recueils, *Objets trouvés* (1951), préfacé par Grandbois, et *Les Trouble-fête* (1952), recourt quant à lui au vers régulier dans des poèmes rappelant à certains égards les chansons de Félix Leclerc (1914-1988) qui publie notamment, pendant la guerre, des contes (*Adagio*, 1943) et des fables (*Allegro*, 1944). Sylvain Garneau évoque l'enfance sur le ton d'une féerie mélancolique :

> Pour rendre belle encor la rivière vieillie
> Nous allons y jeter des étoiles de fer
> Qui brilleront, le soir, comme des coraux verts,
> Et qui feront rêver les noyés s'ils s'ennuient.

En règle générale, les poètes de l'Hexagone se préoccupent assez peu, au départ, de définir la poésie, leur poésie : les réflexions d'ordre théorique viendront plus tard, surtout après 1965. Dans la phase initiale, l'essentiel est de produire des œuvres, de rompre le silence : « Briser la statue du silence » (Fernand Dumont), « s'élever au niveau des songes » (Luc Perrier), « Parler comme si les très grandes voiles du matin ne devaient jamais disparaître » (Jean-Guy Pilon), c'est-à-dire entrer, comme le suggère le titre emblématique du recueil de Roland Giguère, dans « l'âge de la parole ».

Même si elles n'obéissent pas à un programme et n'appartiennent ni à un mouvement défini ni à une école littéraire, ces œuvres ont des airs de ressemblance, une vision commune du monde et des similitudes aussi bien thématiques que formelles. Ces ressemblances sont d'autant plus frappantes que la poésie du pays se distingue nettement de la poésie de langue française qui lui est contemporaine, du moins celle des pays francophones européens avec laquelle on avait l'habitude jusque-là de la comparer, soit celle de la France, de la Suisse romande et de la Belgique. Le critique français Alain Bosquet affirme n'en voir aucun équivalent ailleurs : « Depuis la poésie de la Résistance on n'avait vu telle ampleur révolutionnaire, tel but âprement défendu, telle nécessité définir une patrie future. » Certains la comparent à la poésie de la négritude qui a émergé, à partir de la Seconde Guerre mondiale, dans les pays antillais ou africains marqués par la décolonisation, notamment *Cahier d'un retour au pays natal* d'Aimé Césaire. Quelques écrivains de la Révolution tranquille associent le thème de la négritude à celui de l'aliénation canadienne-française. Paul Chamberland écrit par exemple : « je suis cubain yankee non je suis nègre je lave les planchers dans un bordel du Texas » (*L'afficheur hurle*). Paul-Marie Lapointe juxtapose, de son côté, les figures du nègre et de l'Amérindien : « abénaki maya nègre de birmingham » (*Pour les âmes*). Cela dit, on aurait tort de chercher à situer la poésie du pays dans une seule tradition : elle se caractérise au contraire par son ouverture sur plusieurs univers poétiques, de la chanson folklorique à l'héritage surréaliste en passant par la poésie américaine. Par ailleurs, l'expression « poésie du pays » ne se réduit pas non plus au contexte politique immédiat dans lequel les œuvres sont produites. Sans doute le pays en question est-il d'abord, aux yeux de tous, le pays à construire, celui que chante Gilles Vigneault au même moment et qui lutte pour son indépendance politique. Le militantisme de nombreux poètes du pays, au service de la cause nationale, va d'ailleurs contribuer à renforcer cette correspondance entre le projet poétique et le projet politique. Dans les poèmes toutefois, le mot « pays » a une valeur moins référentielle que symbolique et chacun est libre de le définir à sa guise, ou de ne pas le définir du tout et de lui prêter ainsi une part d'indétermination. Pour en saisir les points de convergence, il convient de regrouper ces points de vue sous une perspective plus générale, qui peut se résumer à trois dénominateurs communs : la fonction politique du poème, la thématique de la fondation et le lyrisme.

Le premier élément est le plus spectaculaire, car il rompt avec l'image traditionnelle du poète enfermé dans sa tour d'ivoire, coupé de la vie sociale ou politique. Aucun poète de l'époque ne semble pouvoir y échapper : le simple fait d'écrire constitue à partir de 1960 un geste lourd de signification politique. Les poètes abordent la question nationale par le truchement du pronom « nous », comme en 1957 lors de la première rencontre des poètes organisée par Jean-Guy Pilon et dont les textes seront publiés l'année suivante à l'Hexagone sous le titre *La Poésie et Nous*. C'est l'époque où la notion d'engagement sartrien fait partie de tous les débats littéraires, tant en France qu'ailleurs dans la francophonie. En 1948, Sartre signe sa fameuse préface (« Orphée noir ») à l'*Anthologie de la nouvelle poésie nègre et malgache de langue française* de Léopold Sédar Senghor. Au Québec, les poètes de l'Hexagone reprennent l'idée sartrienne d'engagement, mais en la nuançant fortement. Des cinq poètes ayant participé à *La Poésie et Nous*, seul Michel van Schendel, arrivé depuis peu au pays, défend l'idée d'engager la littérature, y compris la poésie, au nom du marxisme. Gilles Hénault, lui-même militant communiste de la première heure, estime au contraire que la signification de l'engagement, en France, est liée à un contexte historique précis et qu'elle ne peut pas être appliquée aisément à la situation de l'écrivain au Québec. Même méfiance chez Jacques Brault, Wilfrid Lemoine et Yves Préfontaine, qui tiennent tous trois à affirmer l'autonomie du poème à l'égard de la sphère sociale ou politique. La poésie, explique Jacques Brault, n'est pas sociale, mais « totale », liée au langage et à l'humain en général plutôt qu'à une collectivité en particulier. Pourtant, le simple fait de devoir établir une telle distinction suggère que la question de l'engagement est inévitable, même pour ceux qu'elle laisse sceptique.

Elle deviendra encore moins évitable par la suite. Le 25 février 1958, Gaston Miron écrit à Claude Haeffely : « Si je reviens à la poésie un jour, je me lancerai dans la poésie engagée, bien qu'elle fût une faillite en Europe. Je ferai de ma poésie un engagement politique. » Nul poète, plus que Miron, ne ressent l'inconfort d'une telle position, qui risque de réduire le poème à ce qu'il appellera plus tard un « non-poème ». « Je me fais publiciste et propagandiste », écrira-t-il alors au risque de sacrifier l'autonomie du poème. L'explosion en 1963 des premières bombes du Front de libération du Québec et l'instabilité qui s'ensuit contribuent à radicaliser le discours politique. On le voit nettement dans le passage de plusieurs poètes d'une revue comme *Liberté*, qui est d'abord et avant tout littéraire, à *Parti pris*, qui est une revue essentiellement de combat. Mais à *Parti pris* aussi, comme dans *La Poésie et Nous*, on se méfie de l'engagement de la poésie. Comme Sartre, c'est d'abord aux romanciers qu'on demande d'assumer dans leurs textes une véritable conscience sociopolitique. Tout en disant cela, les rédacteurs de la revue s'étonnent que ce soient plutôt les poètes qui jouent ce rôle au Québec. Plusieurs poètes publient d'ailleurs des poèmes ou des essais dans *Parti pris*, de Gaston Miron à Jacques Brault en passant par Gérald Godin et surtout Paul Chamberland (né en 1939), qui est le poète par excellence de *Parti pris*.

La consonance politique de son recueil *Terre Québec* (1964) est évidente. On y lit par exemple un poème intitulé « Le temps de la haine » :

> des balles dans le vitrail un matin
> le cœur cesse de battre
> belles cadences girouettent dans la sacristie saccagée
> des images
>
> adieu adieu je me tais   désaffecté le carrousel hallu-
> ciné du pur poème
> le face-à-main de la belle âme pourrit déjà dans une
> flaque où j'ai bu l'aube des villes

La poésie ne saurait plus s'écrire à l'abri de la violence extérieure et se réfugier dans le « pur poème ». La voici, même quand elle s'en défend, « engagée » dans l'urgence du combat, dans ce que Paul-Marie Lapointe appelle « une révolte de terre ». Cette politisation du poème culmine dans le poème-manifeste « Speak White » (1968) de Michèle Lalonde (née en 1937), qui sera créé dans le cadre des récitals *Poèmes et Chants de la résistance*, avant d'être lu triomphalement lors de *La Nuit de la poésie* en 1970 :

> Speak white
> il est si beau de vous entendre
> parler de Paradise Lost
> ou du profil gracieux et anonyme qui tremble
>   dans les sonnets de Shakespeare
>
> nous sommes un peuple inculte et bègue
> mais ne sommes pas sourds au génie d'une langue
> parlez avec l'accent de Milton et Byron et Shelley et Keats
> speak white
> et pardonnez-nous de n'avoir pour réponse

que les chants rauques de nos ancêtres
et le chagrin de Nelligan

Durant la crise d'Octobre 1970, Gaston Miron et Gérald Godin, parmi de nombreux autres écrivains et intellectuels, sont emprisonnés en vertu de la Loi des mesures de guerre. De tels événements concernent davantage l'engagement politique des poètes que la poésie en elle-même, mais ils donnent une bonne idée du climat révolutionnaire qui règne à l'époque et qui va orienter longtemps la lecture qu'on fera de cette poésie, parfois au prix de contresens ou d'anachronismes. C'est ainsi, par exemple, que le poème de Miron « L'octobre » sera interprété comme faisant référence aux événements d'octobre 1970 même s'il a été publié d'abord en 1963. Cette poésie a si souvent été lue comme l'expression directe d'un « nous » que des critiques, comme Pierre Nepveu, ont senti la nécessité de la « dépayser » pour en apprécier la richesse et la singularité.

Sortir de chez soi, aller à la rencontre du dehors, c'est-à-dire des autres et du monde réel, tel est le mouvement général qui se dessine dans cette poésie du pays. Ce réel peut prendre mille formes (la nature, la ville, le corps), mais c'est toujours un même élan qui conduit le sujet à y prendre part en se l'appropriant. On quitte la « maison fermée » de Saint-Denys Garneau, moins pour en créer une nouvelle que pour se lancer sur les chemins, sur les sentiers et sur les routes qui font de cette poésie une marche, une action. Suivant l'exemple de Roland Giguère, il s'agit d'aller de l'avant, de nommer les alentours, de prendre possession du paysage comme si on le voyait pour la première fois. Le moment par excellence de cette poésie est l'aube : « Nous partirons de nuit pour l'aube des Mystères », écrit Miron dans *Deux Sangs.* C'est le temps du commencement, de la naissance, de l'éveil, de l'inauguration, qui s'oppose aussi bien au temps routinier de la semaine (*Des jours et des jours* de Luc Perrier, 1954) qu'au temps historique, linéaire, fondé sur l'idée de continuité et de tradition. Dans un texte paru en 1967 dans *Parti pris,* intitulé « Fondation du territoire », Paul Chamberland fait de cette fondation la thématique centrale de la poésie du pays. Les images d'aube et d'explosion renvoient l'individu à un temps de l'origine ou à un avenir lointain. Le monde présent, lui, est jugé pauvre, insignifiant, aliénant même, puisqu'il empêche le sujet de rompre avec sa condition ancienne et de s'émanciper. Il s'agit donc de retourner à l'élémentaire, au substantiel, au primitif. D'où les nombreux départs racontés dans cette poésie, et qui sont autant d'épreuves initiatiques, comme l'écrit encore Chamberland : « L'errance, l'exil, issus du déracinement et de la dépossession, sont mués en quête passionnée des signes et du centre. » Paradoxalement, la poésie du pays passe ainsi par un dépaysement radical. Le retour à l'élémentaire, à la matière (terre, glaise, humus, etc.), ne constitue pas un simple enracinement dans la terre natale. Il va de pair avec une dispersion de l'être, qui s'arrache à ses habitudes, à son passé immédiat, à ses repères familiers pour mieux plonger en lui-même et entrer dans ce que Réginald Boisvert appelle tout simplement « le temps de vivre », selon le titre d'un recueil publié en 1955. En ce sens, le pays est moins une réalité déjà là qu'un espace à la fois archaïque et utopique dans lequel le poète peut fonder sa mémoire, son identité et projeter ses désirs.

D'autres thèmes se greffent sur cette esthétique de la fondation, dont celui de l'Amérique, qui s'impose rapidement comme l'horizon le plus vaste sur lequel se projette la poésie du pays. Le thème du voyage et de l'Amérique était déjà présent chez Hénault. On le trouvait également chez Alfred DesRochers et chez d'autres écrivains plus anciens, comme Arthur Buies et François-Xavier Garneau. Ce qui est nouveau, dans la poésie du pays, c'est que l'Amérique n'est plus associée au voyage, à l'extériorité : elle devient le lieu de la réconciliation avec soi-même. Sortir de chez soi pour aller vers l'Amérique, c'est retourner au lieu de l'origine. Pour la plupart des poètes nés au Québec, l'Amérique est avant tout le symbole de l'identité retrouvée. L'appropriation est d'autant plus exaltée qu'elle contredit un discours encore très présent selon lequel le Canada français s'est construit contre l'Amérique, dans une sorte de résistance héroïque qui lui a permis de conserver sa langue, sa religion et sa culture. L'Amérique actuelle est ainsi « l'Amérique étrangère » (Michel van Schendel). Pour se l'approprier, le poète sent le besoin de la détacher de la réalité contemporaine pour la projeter vers le temps de la fondation. Le jazz, revendiqué par Paul-Marie Lapointe et par Yves Préfontaine, accomplit cette jonction entre le moderne et l'archaïque, et sert à la fois d'horizon culturel et d'inspiration formelle.

Cette américanité – le mot commence à circuler dans les années 1960 – passe aussi par le désir de nommer le territoire. Jean-Guy Pilon (né en 1930) écrit, dans *Recours au pays* (1961) préfacé par René Char : « Nomme les choses, ne cesse jamais de nommer les plantes, les pierres, les objets. » Gatien Lapointe ne dit pas autre chose : « J'ai cette terre à nommer comme un amour » (*Le Premier Mot*, 1967). Telle est la tâche première du poète : nommer comme on baptise, en donnant au poème une fonction sacrée. L'Amérique, c'est aussi le fleuve comme dans l'« Ode au Saint-Laurent » de Gatien Lapointe. Plus souvent encore, l'Amérique renvoie au paysage nordique, à cet « Ungava terre de l'os » dont parle Paul Chamberland, ou encore à la terre-mère. Le continent, c'est le pays agrandi, vu et nommé comme aux premiers temps par les explorateurs de la Nouvelle-France. Yves Préfontaine parle d'« épouser ses propres sources » (*L'Antre du poème*, 1960), Pierre Perrault cite Jacques Cartier (*Toutes Isles*, 1963) en s'immergeant dans le texte d'origine pour retrouver l'émotion de la découverte. Le paysage est moins décrit que raconté, intériorisé comme héritage, mémoire, quête identitaire.

L'autre grand thème rattaché à la fondation du territoire est celui de la femme-pays. Les femmes poètes sont relativement peu nombreuses à l'Hexagone. À l'inverse de ce qui s'était passé durant les années 1930 et même 1940, où elles s'imposaient nettement, la nouvelle génération compte peu de noms marquants parmi les femmes. Pour neuf auteurs masculins à l'Hexagone, il n'y a qu'une auteure, déplorera Louky Bersianik en 1978. Il est vrai que, sauf Michèle Lalonde, ces poètes ont été oubliées – c'est le cas de Louise Pouliot, Gemma Tremblay et Gertrude Le Moyne –, ou ne sont guère associées à la poésie du pays – c'est le cas de Cécile Cloutier. Poésie surtout masculine, la poésie du pays n'accorde d'ailleurs pas à la femme une existence en soi : elle est avant tout un symbole idéalisé et renvoie à une mythologie de la terre-mère. Elle constitue la médiation par excellence entre l'individu et le monde. C'était déjà perceptible sans doute dans les poèmes surréalistes de Gauvreau, de Paul-Marie Lapointe et de Giguère. Avec la poésie du pays, la célébration du corps féminin n'a plus toutefois pour fonction de transgresser les codes moraux : elle a la vérité d'une expérience intime. Elle contient aussi, comme la poésie elle-même, une promesse d'avenir. Chez Fernand Ouellette, l'érotisme est plus extatique et plus violent, lié à l'éveil subit de la chair et à une sorte de fulgurance du corps. Le thème de la femme y appelle celui du pays, l'un et l'autre s'écrivant souvent au pluriel : « Éclosion de corps-pétales / et de pays solaires ». Chez Chamberland, la femme s'inscrit dans le quotidien, et l'image de la femme-pays s'impose d'elle-même, cueillie au passage dans le discours de l'époque : « femme ou pays double terre conjuguée dont j'étais l'anneau de sève », lit-on dans *Terre Québec*. Cette conjonction du pays et de la femme est encore plus évidente, plus nécessaire chez Miron, dont toute l'œuvre peut se lire comme une immense « marche à l'amour », selon le titre d'un de ses plus fameux poèmes.

À la vision politique et à la thématique de la fondation s'ajoute le lyrisme de la plupart des grands poèmes associés à cette poésie du pays. La parole poétique devient ici un chant orphique et exploite son pouvoir de séduction. L'ampleur des poèmes, l'abondance de mots et d'images, la hauteur avec laquelle la parole la plus personnelle se donne au lecteur, tout cela est typique d'un lyrisme qui renoue avec la tradition romantique, voire avec une conception mythique de la poésie comme parole originelle, sacrée. Cet enchantement et cette profusion ne se manifestent pas par de simples accumulations ou par une grandiloquence rhétorique ; ils trouvent leur unité dans le rythme et la justesse d'une parole profondément incarnée. C'est là l'autre versant de la poésie du pays : en plus d'être tournée vers l'extérieur, vers le monde social ou politique, vers l'actualité dramatique du « nous », la poésie est l'expression d'un « je » dont la vérité ne se trouve pas dans le jeu habituel des significations, mais dans la présence d'un corps, dans la chaleur d'une voix. D'où les innombrables notations qui renvoient dans la poésie du pays à l'expérience des sens, à la perception physique du monde. D'où également l'évidente oralité de cette poésie qui la distingue radicalement d'une poésie d'idées comme pouvait l'être la poésie patriotique au XIXe siècle. Si la poésie du pays donne le sentiment d'être organiquement liée au monde, ce n'est donc pas par opposition à l'expérience intime, mais au contraire parce qu'elle surmonte une telle opposition et fait de l'expression de soi le moyen par lequel l'écriture rejoint la parole collective.

On s'en fera une idée en lisant les poèmes les plus typiques de ce lyrisme, comme « Ode au Saint-Laurent » de Gatien Lapointe (1931-1983). Dès *Jour malaisé*, publié à compte d'auteur en 1953, et *Otages de la joie*, paru aux éditions de Muy en 1955, Lapointe mêle la simplicité et la transparence au désir d'inventorier le paysage sous tous ses aspects. Le poète reprend « [l]es mots faciles de tout le monde », dans l'espoir que l'individu et le monde se réconcilieront par le poème. La neige, la lumière, le vent appartiennent à un « paysage recommencé », assez semblable d'un poème à l'autre, porté par un élan et une joie qui ne sont pas sans rappeler Saint-Denys Garneau, mais tournés entièrement vers l'avenir et vers l'accueil. Comme dans l'ensemble de la poésie du pays, nous sommes à l'aube, devant un « jour à construire ». Il est difficile de ne pas croire à la beauté du monde, à l'ivresse des mots, à la possibilité de vivre ensemble. Cette confiance a parfois la couleur d'une certitude : « Tous les hommes vont apprendre à être heureux ». « Ode au Saint-Laurent » assume pleinement cette célébration de l'appartenance au pays. Le poème, qui est exceptionnellement long (près de cinq cents vers), contient les thèmes propres à la poésie québécoise de cette période. À travers la référence au fleuve, il embrasse tous les éléments du paysage dans un désir de fusion sans cesse répété. La force de cet ambitieux poème tient cependant moins à sa glorification du territoire (« C'est ici le plus beau paysage du monde ») qu'à son souffle et à son unité organique. « Ode au Saint-Laurent » n'a plus l'allure timide et un peu passive des premiers poèmes de Lapointe, qui semblent attendre que quelque chose se passe. Le poème transcende le simple effet de juxtaposition et s'élève au-dessus de lui-même dans un grand chant solennel qui devient à la fois récit, mythe, épopée. C'est la totalité du poème qui produit cette impression de mouvement, mais on en aura un aperçu à partir d'une séquence comme celle-ci, où chaque vers accomplit une action symbolique et suppose la coïncidence originelle du langage et de l'être :

> Je figure en plein air les songes de la mer
> Je dis ce que la terre a gardé du soleil
> J'annonce à pleine voix le désir habitable
> On me nomme en un présent infini
> Je suis destination je suis lieu d'origine
> Je suis le cantique et je suis l'outil
> Tout ce que j'aime est mon propre héritage
> Et la face de mes enfants
>
> J'ouvre le premier paysage

Les poèmes de Gatien Lapointe qui paraissent après *Ode au Saint-Laurent précédée de J'appartiens à la terre* (1963) cherchent à s'éloigner d'un tel lyrisme, comme si ce dernier était propre davantage à l'époque qu'au poète lui-même. Dans « Le pari de ne pas mourir » qui ouvre *Le Premier Mot* (1967), on lit : « Alors j'écris comme j'essaie de vivre, j'écris comme je suis seul et comme je souffre, j'écris comme je crie NON aux dieux et à la mort. » Puis s'installe un long silence de treize ans pendant lequel Gatien Lapointe enseigne la littérature à l'Université du Québec à Trois-Rivières. Il revient à l'écriture en 1980 avec un livre marqué par l'influence formaliste, *Arbre-radar*. On y observe pourtant une même fascination pour la nature et pour l'origine (« j'écoute naître des brouillons d'univers »), mais elle s'exprime désormais dans la dissonance et la déroute du sens comme dans cette séquence tirée du poème final : « sans nom, on d'I doubles, égaré du sens fraternel érupte silex – du corps-graal dedans dehors d'une lame rythment hors chiffres traversières images ! – ». Le lyrisme de l'« Ode au Saint-Laurent » a totalement disparu au profit d'une écriture syncopée, faite d'éclairs et d'éclats. Une telle mise à distance de la poésie du pays n'a rien d'exceptionnel chez les poètes de cette génération.

On pourrait faire la même observation à propos d'autres poètes du pays, comme Yves Préfontaine (né en 1937). Les poèmes de *Pays sans parole* (1967), souvent considéré comme son recueil le plus accompli, s'inscrivent tout naturellement dans la poésie du pays, mais sans pour autant être représentatifs de l'ensemble de son œuvre, écrite d'abord sous le signe du fragment surréaliste, puis dans une veine davantage dépouillée. *Pays sans parole* est certainement le plus lyrique de ses recueils, comme l'illustre le poème d'ouverture « Peuple inhabité » :

> J'habite un espace où le froid triomphe de l'herbe, où la grisaille règne en
> lourdeur sur des fantômes d'arbres.
>
> J'habite en silence un peuple qui sommeille, frileux sous le givre de ses mots.
> J'habite un peuple dont se tarit la parole frêle et brusque.

Comme chez Gatien Lapointe, le poème se construit ici autour d'une structure répétitive, en l'occurrence l'énoncé inaugural « J'habite » qui sera repris tout au long de la première section du poème. On trouve le même procédé anaphorique dans « Arbres » de Paul-Marie Lapointe ou dans le poème « Roses et ronces » de Roland Giguère. De telles séquences rythment le poème comme des refrains et permettent des jeux de variations en même temps qu'elles créent des effets de retour, comme si le poème prenait son élan sur lui-même pour se déployer en une sorte de spirale toujours amplifiée, passant rapidement du chant au cri, de la célébration à la révolte.

Dès le milieu des années 1960, la poésie du pays commence à se méfier d'elle-même, de peur sans doute de verser dans une exaltation naïve du pouvoir des mots. Pour un Jean-Guy Pilon qui demeure, dans l'ensemble de son œuvre, du côté de la célébration, il y a davantage de poètes qui, à l'instar d'Yves Préfontaine, vont commencer à juger la poésie suspecte et illusoire. L'heure est aux actes, non à la gratuité du poème. Cette lucidité critique, nul ne l'a incarnée plus fortement que Gaston Miron, lui qui n'a cessé d'écrire à propos de ce qui empêche le poème d'advenir. S'il illustre exemplairement les trois grands aspects de la poésie du pays que l'on vient de dégager – fonction politique, esthétique de la fondation et lyrisme subjectif –, Gaston Miron révèle aussi, par la résistance qu'il oppose au poème, ce qui fait la grandeur parfois tragique de cette poésie. C'est par là peut-être, plus que par la conformité à des traits thématiques ou formels, que son œuvre s'impose comme le modèle par excellence de la poésie du pays.

2
Gaston Miron : le poème et le non-poème

Gaston Miron (1928-1996) est un personnage très présent sur la scène publique, toujours en débat avec les autres et avec lui-même, à la recherche d'occasions pour prendre la parole au nom d'une nation qu'il veut orienter du côté de l'autonomie politique. Très jeune, il s'engage dans l'Ordre de Bon Temps, puis dans la fondation et l'animation des Éditions de l'Hexagone. Il milite aussi au sein de nombreux mouvements et partis, en faveur du socialisme et de l'indépendance du Québec. Il se définira toujours plus volontiers par l'intervention que par la poésie, étant plus à l'aise comme animateur que comme écrivain, lui qui a pourtant donné avec *L'Homme rapaillé* l'un des livres les plus marquants de l'histoire de la littérature québécoise.

Originaire de Sainte-Agathe-des-Monts, dans les Laurentides au nord de Montréal, il passe sa jeunesse dans la « vallée de l'Archambault », lieu auquel il restera toujours profondément attaché. Il racontera avoir été marqué par le sentiment d'étrangeté qui le saisissait lorsque les touristes anglophones, l'été, « se rendaient maîtres de la place » et par la prise de conscience du « noir analphabète » dans lequel vivait son grand-père. La lutte contre une domination et une aliénation qui lui semblent perdurer lui apparaîtra comme un devoir. Il arrive à Montréal en 1947 et adhère rapidement à divers mouvements de jeunesse tout en s'intégrant au milieu littéraire montréalais. Il connaît la misère matérielle et d'éprouvantes déceptions amoureuses, mais aussi l'amitié sur laquelle il fondera ses activités d'éditeur et d'animateur culturel. Chez Gaston Miron, la collectivité est omniprésente et les ancêtres, les camarades ou les compatriotes sont toujours associés à une humanité plus étendue. Pour lui, écrit Jacques Brault dans « Miron le magnifique », « [l]'homme quotidien, c'est chacun des hommes en l'homme et inversement ». Ainsi, ses positions nationalistes ne seront jamais de l'ordre du repli : Miron ne cesse en effet de tenter d'élargir le cercle des interlocuteurs et de donner une plus grande portée à son engagement. Cette recherche est visible dans sa correspondance avec Claude Haeffely dans les années 1950, qui sera publiée en 1989 sous le titre *À bout portant*, où il déclare lire avant tout des philosophes et des sociologues, cherchant les explications les plus fondamentales et les plus universelles. Dans les années 1960, à la lecture des théoriciens de la décolonisation, en particulier Albert Memmi et Jacques Berque, il trouvera des explications à l'aliénation nationale et à ses effets sur les Québécois qui donneront à ces phénomènes une signification plus précise : l'aliénation du colonisé telle que révélée par la langue. Au fur et à mesure de l'élucidation qu'il poursuit, Miron se fera de plus en plus didactique dans ses interventions, notamment dans les revues *Parti pris, Liberté* et *Maintenant*.

Gaston Miron. Photo Antoine Désilets.

Gaston Miron n'a pas beaucoup publié. Après *Deux Sangs*, tout premier recueil de l'Hexagone, conçu en collaboration avec Olivier Marchand et paru en 1953, Miron fait paraître quelques poèmes et quelques articles dans des journaux et des revues. Mais il faut attendre 1970 pour que *L'Homme rapaillé* soit édité aux Presses de l'Université de Montréal. En 1975, Miron publiera quelques autres poèmes sous le titre *Courtepointes*, aux Presses de l'Université d'Ottawa, mais il intégrera ensuite cette plaquette aux versions remaniées de *L'Homme rapaillé*, qui deviendra un livre totalisant, bien que jamais achevé. Une deuxième version du livre paraît en 1981 en France, chez François Maspero ; une troisième en 1993 dans la collection « Typo » de l'Hexagone ; une dernière, à l'Hexagone encore, en 1994, où Miron a ajouté des commentaires en marge de ses textes et quelques poèmes inédits plus récents. Après sa mort, une édition des poèmes paraît chez

Gallimard, avec une préface d'Édouard Glissant. Miron est le premier poète québécois à être publié dans la collection « Poésie » de cette maison. Des *Poèmes épars* et divers textes de circonstance sont ensuite publiés à l'Hexagone.

D'une édition à l'autre, la structure d'ensemble de *L'Homme rapaillé* changera très peu : ce seront plutôt le détail des poèmes ou leur emplacement de même que la sélection des essais proposés en fin de parcours qui varieront. Dans toutes les éditions, le livre s'ouvre sur un poème qui porte le même titre que le recueil :

> *J'ai fait de plus loin que moi un voyage abracadabrant*
> *il y a longtemps que je ne m'étais pas revu*
> *me voici en moi comme un homme dans une maison*
> *qui s'est faite en son absence*
> *je te salue, silence*
>
> *je ne suis pas revenu pour revenir*
> *je suis arrivé à ce qui commence*

La « maison » que constitue le livre a en effet été construite jusqu'à un certain point « en l'absence » de l'auteur. Comme Miron le soulignera lui-même, l'initiative de l'élaboration du livre n'est pas la sienne : ce sont ses amis universitaires Jacques Brault et Georges-André Vachon qui recueilleront les textes épars et qui suggéreront des regroupements. Le salut au « silence », dans ce poème liminaire, est un moment de transition, que souligne la rime, entre l'« absence » à laquelle le passé est renvoyé et le « commence » qui ouvre l'avenir. Le poème annonce ainsi à la fois la reconstitution d'un parcours et un nouveau départ qui serait la raison d'être du bilan. *L'Homme rapaillé*, écrit Pierre Nepveu dans la préface de l'édition de 1993, « parle d'un néant qui n'est déjà plus, d'une pauvreté déjà enrichie de quelques mots, quelques gestes décisifs, si incohérents soient-ils ». Miron, poursuit-il, cherche à « dire à la fois que cela (la naissance, le paysage, la maison, l'être) est enfin arrivé et que cela est encore à venir ».

Le « voyage » annoncé par le poème liminaire encadre le livre : dans la première section figurent des poèmes d'apprentissage qui portent le titre « Influences »; dans la dernière, des essais reconstituent le parcours du poète, ses tentatives d'élucidation et ses prises de position. Le cœur du livre est constitué de cycles de poèmes qui se transforment d'une version à l'autre de *L'Homme rapaillé*. Dans la dernière version se succèdent les cycles « La marche à l'amour », « La batèche », « La vie agonique », « L'amour et le militant », suivis par deux textes à la fois poétiques et didactiques, « Aliénation délirante » et « Notes sur le non-poème et le poème », puis par deux autres cycles, « Poèmes de l'amour en sursis » et « J'avance en poésie ». Figurent ensuite les poèmes initialement parus dans *Courtepointes* et quelques « poèmes postérieurs à 1978 » qui seront repris sans le recueil posthume *Poèmes épars* (2003).

Le cycle « La marche à l'amour » fait d'abord entendre une complainte mélancolique :

> Jeune fille plus belle que toutes nos légendes
> de retour à la maison que protègent les mères
> secrète et enjouée parmi les êtres de l'été
> elle aimait bien celui qui cache son visage

Au ressouvenir succède une recherche de l'amour pénible et tourmentée :

> je marche à toi, je titube à toi, je meurs de toi
> lentement je m'affale de tout mon long dans l'âme
> je marche à toi, je titube à toi, je bois
> à la gourde vide du sens de la vie
> à ces pas semés dans les rues sans nord ni sud
> à ces taloches de vent sans queue et sans tête
> je n'ai plus de visage pour l'amour
> je n'ai plus de visage pour rien de rien

L'amour, dans *L'Homme rapaillé*, est une suite d'affalements et de redressements, une lutte incessante contre les forces contraires :

> Si tu savais comme je lutte de tout mon souffle
> contre la malédiction de bâtiments qui craquent
> telles ces forces de naufrage qui me hantent
> tel ce goût de l'être à se défaire que je crache

Dans les poèmes de « La batèche », l'imprécation domine (« je vous magane, je vous use, je vous rends fous »), alors que dans ceux de « La vie agonique », les poèmes ressortissent plutôt au témoignage, à un autoportrait de la collectivité québécoise :

> Il est triste et pêle-mêle dans les étoiles tombées
> livide, muet, nulle part et effaré, vaste fantôme
> il est ce pays seul avec lui-même et neiges et rocs
> un pays que jamais ne rejoint le soleil natal

Les poèmes du cycle suivant, « L'amour et le militant », s'écrivent au plus près de l'engagement quotidien, « dans l'ordinaire rumeur de nos pas à pas ». « Aliénation délirante » (sous-titré « recours didactique ») et « Notes sur le non-poème et le poème » sont des exemplifications et des réquisitoires centrés sur l'illustration et la dénonciation de la situation coloniale du Québec, alors que les « Poèmes de l'amour en sursis » et « J'avance en poésie » tentent de conjurer le destin et d'ouvrir des voies « jusque dans les fins fonds du mal monde ». Dans les « Courtepointes » et dans les « Pages manuscrites » qui ferment la section des poèmes de la dernière édition du livre, Miron s'attache d'abord aux lieux (la vallée de l'Archambault et la rue Saint-Christophe, par exemple, dans les « Courtepointes »; Rome ou Lisbonne dans les poèmes plus tardifs). Les poèmes postérieurs à 1978 sont concis, plus timides dans leurs avancées. Leur présentation sous forme de brouillons fait voir une écriture hésitante, et ils sont d'ailleurs très peu nombreux. La parution posthume de *Poèmes épars* confirmera que l'écriture poétique de Miron était devenue rare, très concise et hantée par la fin.

Cette difficulté n'est pas nouvelle, car la plupart des poèmes de Gaston Miron ont été conçus entre 1952 et 1966. Après cette date, Miron écrit très peu de nouveaux poèmes et retravaille plutôt des poèmes anciens (c'est déjà le cas, d'ailleurs, dans *Courtepointes* en 1975). La minceur quantitative de l'œuvre s'explique par plusieurs facteurs. D'abord, Miron dit avoir toujours écrit avec peine, dans un affrontement intérieur douloureux, même au cours de l'écriture des poèmes les plus élaborés de son recueil. S'il a relativement peu écrit, c'est aussi qu'il a beaucoup parlé. Et s'il a davantage parlé qu'écrit, c'est qu'il croyait davantage à l'action qu'à la poésie. Il a été sans cesse tiraillé entre l'écriture de la poésie et le devoir d'engagement social, deux dimensions qui lui paraissaient antagonistes, et c'est le plus souvent le deuxième terme de l'alternative qui lui a semblé le plus urgent. Plusieurs textes témoignent de cette tension, notamment les « Notes sur le non-poème et le poème », texte élaboré à partir d'une liasse de notes et paru pour la première fois en 1965 dans *Parti pris*. Miron tente d'y cerner en quoi le poème « s'oppose à CECI, le non-poème » : « La mutilation présente de ma poésie, écrit-il, c'est ma réduction présente à l'explication. En CECI, je suis un poète empêché. » Les dernières lignes de ce texte montrent bien le déchirement du poète, qui n'arrive pas à déterminer s'il peut agir par la poésie ou s'il doit sortir du poème pour agir :

> Le poème ne peut se faire que contre
>   le non-poème
> Le poème ne peut se faire qu'en dehors
>   du non-poème

Par la poésie, Miron cherche d'abord à témoigner de l'aliénation avec la plus grande vérité possible. Comme c'est le cas dans ses interventions politiques, jamais le « je » des poèmes ne tourne le dos à la communauté, car il s'agit de parler en son nom, « sur la place publique », de dire ce qu'il y a de collectif dans l'aliénation personnelle. C'est ainsi qu'il glisse fréquemment du « je » au « nous » :

> poème, mon regard, j'ai tenté que tu existes
> luttant contre mon irréalité dans ce monde
> nous voici ballottés dans un destin en dérive
> nous agrippant à nos signes méconnaissables

Mais la poésie n'est pas seulement collective par l'association du locuteur au sort de sa nation. Comme l'a montré Pierre Popovic, les poèmes de Miron regroupent une grande variété d'« allocutaires fictifs » : outre le poème, comme dans l'extrait cité plus haut, la femme aimée, les parents, les camarades, les « poètes de tous les pays », l'humanité dans son ensemble sont interpellés. Le poète s'adresse aussi à lui-même et parfois à un « vous » antagoniste. Dans « Compagnon des Amériques », il s'adresse au pays, et le Québécois est d'abord témoin plutôt que destinataire direct de ce portrait qui est fait de lui, jusqu'au salut final où, une fois les ennemis écartés, il est convoqué à « toutes les rencontres » et invité à une prise en charge de l'histoire :

> Compagnon des Amériques
> Québec ma terre amère ma terre amande
> ma patrie d'haleine dans la touffe des vents
> j'ai de toi la difficile et poignante présence
> avec une large blessure d'espace au front
> dans une vivante agonie de roseaux au visage
>
> je parle avec les mots noueux de nos endurances
> nous avons soif de toutes les eaux du monde
> nous avons faim de toutes les terres du monde
> dans la liberté criée de débris d'embâcle
> nos feux de position s'allument vers le large
> l'aïeule prière à nos doigts défaillante
> la pauvreté luisant comme des fers à nos chevilles
>
> mais cargue-moi en toi pays, cargue-moi
> et marche au rompt le cœur de tes écorces tendres
> marche à l'arête de tes dures plaies d'érosion
> marche à tes pas réveillés des sommeils d'ornières
> et marche à ta force épissure des bras à ton sol
>
> mais chante plus haut l'amour en moi, chante
> je me ferai passion de ta face

je me ferai porteur de ton espérance

veilleur, guetteur, coureur, haleur de ton avènement

un homme de ton réquisitoire

un homme de ta patience raboteuse et varlopeuse

un homme de ta commisération infinie

      l'homme artériel de tes gigues

dans le poitrail effervescent de tes poudreries

dans la grande artillerie de tes couleurs d'automne

dans tes hanches de montagnes

dans l'accord comète de tes plaines

dans l'artésienne vigueur de tes villes

devant toutes les litanies

      de chats-huants qui huent dans la lune

devant toutes les compromissions en peaux de vison

devant les héros de la bonne conscience

les émancipés malingres

      les insectes des belles manières

devant tous les commandeurs de ton exploitation

de ta chair à pavé

      de ta sueur à gages

mais donne la main à toutes les rencontres, pays

toi qui apparais

      par tous les chemins défoncés de ton histoire

aux hommes debout dans l'horizon de la justice

qui te saluent

salut à toi territoire de ma poésie

salut les hommes et les femmes

des pères et mères de l'aventure

Même dans les longs poèmes épiques comme celui-ci, où, comme l'observe Claude Filteau, « la voix s'amplifi[e] d'une strophe à l'autre » pour mettre en œuvre une rhétorique nettement découpée et une cascade de métaphores, la poésie reste « en souffrance », selon l'expression que Miron utilise pour signaler les vers qu'il veut retoucher. Le poème, dans *L'Homme rapaillé*, demeure toujours provisoire, en quête d'une solution à laquelle il ne doit pas se substituer. Aussi Miron n'acceptera jamais de figer ses poèmes dans des versions définitives. Il en publie d'abord plusieurs états dans divers journaux et revues, et, au moment où il accepte enfin de les faire paraître en recueil, il insiste sur leur caractère inachevé et fragmentaire. Même la dernière version de *L'Homme rapaillé*, dans laquelle les poèmes ont pourtant été longuement soupesés, s'affiche comme une « version non définitive ».

Au fur et à mesure des reconfigurations de *L'Homme rapaillé*, Miron ne fait pas que réécrire ses poèmes : il distingue de plus en plus nettement, dans l'organisation de son livre, les pouvoirs respectifs de la poésie, à la fois témoignage, exploration, conjuration et incitation, et de la politique, voie propre de l'action. Le second volet du livre, celui des essais, est aussi, pour une part, témoignage, par la récapitulation du « long chemin » par lequel Miron a découvert en lui les signes de l'aliénation, mais il est aussi l'occasion d'indiquer des solutions. La question de la langue permet de poser le plus clairement possible le diagnostic :

Je suis né dans une situation de domination d'une langue par une autre, résultat et caractéristique d'une domination plus globale ; dans un état de fait de bilinguisme institutionnel et social à sens unique entraînant des aberrations langagières et des ravages psychologiques [...] Nous avons certes fait beaucoup de chemin, d'immenses progrès. Je ne vois cependant pas, n'en déplaise à nos internationaleux, que la situation ait fondamentalement changé, parce que nous n'avons pas été jusqu'au bout. La solution est politique. Point.

Miron, dans le dernier texte de son livre, insiste pour que l'action soit reprise là où elle s'est arrêtée ; or le refus de ses compatriotes de réaliser l'indépendance participe lui aussi, finalement, à l'empêchement dont témoigne *L'Homme rapaillé*, et le livre, dans ses dernières versions, semble figé dans un commencement bloqué.

Pour les poètes québécois de sa génération, même les plus différents de lui, Gaston Miron aura toujours été le compagnon par excellence et il en a été de même pour plusieurs poètes plus jeunes. Toutefois, après la fin de *Parti pris*, en 1968, il s'agit plutôt, pour la jeune génération, de se distinguer de lui, de son nationalisme surtout, mais aussi d'un humanisme où la jeune avant-garde voit un idéalisme à combattre. Ultérieurement, quand la littérature québécoise prendra ses distances par rapport à la politique, elle s'éloignera par le fait même des perspectives adoptées par l'auteur de *L'Homme rapaillé*. Ainsi, tout en demeurant au cœur de la littérature québécoise, Miron deviendra quelque peu en retrait, jusqu'aux années récentes où, après sa mort, des plus jeunes cherchent moins chez lui l'idéologue que le poète.

Dans la difficile élaboration de sa poésie, Gaston Miron se sera principalement nourri de deux traditions : celle des poètes québécois, et notamment des poètes mineurs qu'il a lus dans sa jeunesse, mais aussi de celle des poètes français, en particulier Rutebeuf, Joachim du Bellay, Paul Éluard et André Frénaud. Ceux-ci « ont passé outre à la fausse honte et à la fausse pudeur », écrit-il dans « Ma bibliothèque idéale », proposant ainsi une pratique de la littérature qui sera toujours la sienne : « je lis comme j'écris, pour m'exprimer et me construire, et aussi, selon l'une de mes vieilles obsessions, pour m'identifier en m'avouant ». L'attachement à la poésie française ressortit plus largement chez Miron à une véritable passion pour la France, où il a souvent séjourné à partir de 1959, au moment où il suivait des cours sur l'édition à l'École Estienne de Paris. Miron a été accueilli en France plus chaleureusement que tout autre écrivain québécois et reste là-bas l'un des écrivains du Québec les mieux connus.

3
Paul-Marie Lapointe et Fernand Ouellette :
la poésie assumée charnellement

Le premier recueil de Paul-Marie Lapointe (né en 1929), *Le Vierge incendié*, paraît en 1948, quelques mois après *Refus global*. D'inspiration surréaliste, ces poèmes de Lapointe, on l'a vu plus tôt, expriment une colère analogue à celle du groupe de Borduas. Ils paraissent d'ailleurs chez le même éditeur que *Refus global* (Mithra-Mythe). Mais Lapointe était trop jeune pour avoir participé à la rédaction du manifeste. Fraîchement arrivé à Montréal après avoir grandi au Lac-Saint-Jean, il se passionne pour Rimbaud et Éluard alors qu'il étudie au Collège de Saint-Laurent. *Le Vierge incendié* porte la marque des *Illuminations* rimbaldiennes et adopte le ton véhément du surréalisme. Le recueil se révèle, selon l'expression de Pierre Nepveu, « un des livres les plus excessifs, les plus fous de notre littérature ». Les mots s'articulent moins qu'ils ne s'entrechoquent, les actions se répétant à toute vitesse dans le désordre apparent des images et du sens, comme dans la séquence suivante : « Crâne balayé rose, je vais partir dans la barque du cheval. » Comment lire une telle poésie dans le Québec de 1948 ? En réalité, personne ne la lit en dehors de quelques amis poètes et artistes, liés au groupe des automatistes, qui vont reconnaître aussitôt en Lapointe un des leurs. C'est seulement au moment où Paul-Marie Lapointe publie ses recueils majeurs, dans les années 1960, qu'on découvre *Le Vierge incendié*.

Au-delà de la violence profanatrice, on est frappé par le ton libre de ce poète de dix-neuf ans qui semble écrire comme si l'Église, en tant qu'institution, n'avait déjà plus de poids : « Un jour qu'on s'empare des livres, on fait un feu de tous les missels, un bûcher pour les cagots de curés. » La révolte passe moins par une série d'invectives, comme chez Gauvreau, que par l'ironie et la désinvolture. Plusieurs critiques ont noté l'aspect grotesque et même humoristique de cette poésie insolite où tous les renversements sont permis :

> tentation   ivresse de suffocation dans les piétés
> sans pieds   tous les yeux jaunes et les nombrils
>   les cuisses rompent les digues de sagesse dans la tête
> des lacs   on pêche un melon brun dans l'aquarium
> de chocolat   aquarium poussé dans les aulnes de
> crâne délavés par les soirs de pinces   on ne con-
> naît pas la faune des matins futurs   mais on est assis
> dans le ciel   fauvettes grises dans les joues
> chanson modulée du blasphème sur le violet pointilliste
> des villes   les toits de piques défoncent l'amour

les parcs érotiques dégrafent vos corsages brûlants
nous étions pendus par les cheveux dans les planètes
queues d'églises

L'enchaînement des images n'obéit pas ici à une logique progressive. Les transitions habituelles du langage sont supprimées au profit d'une juxtaposition d'énoncés motivée tantôt par le sens, tantôt par le son. Une expression comme « piétés sans pieds » joue d'abord sur la redondance phonétique. Plus loin, l'image des digues appelle celle des lacs, qui évoque l'action de pêcher et, par réduction, l'univers enfermé de l'aquarium... L'écriture rebondit sur elle-même en vertu d'une improvisation qui la rapproche de l'automatisme. « [T]outes les routes sont ouvertes », clame le poète qui ne cesse d'abattre les murs pour reconstruire un espace poétique éclaté.

Si le sens semble se multiplier ainsi à l'infini, la poésie de Paul-Marie Lapointe fait surgir un monde concret, perçu par un sujet qui ne tente pas d'interpréter ce qu'il voit, mais plutôt de se l'approprier pleinement par les sens. Tel est sans doute l'aspect le plus caractéristique de la poésie de Lapointe, qui écrira en 1960, dans l'un des rares textes où il définira sa pratique : « Je dirai [...] qu'est sociale toute poésie *assumée charnellement* et qui, par construction ou destruction, vise à la transformation du monde (et de l'homme). » Dans *Le Vierge incendié,* des morceaux de corps surgissent d'un peu partout. Nous voyons des crânes, des jambes, des bras, des têtes, des seins : rarement un corps entier, rarement un « je » unifié. La conscience individuelle passe par un dispositif fragmentaire de perceptions. Ce sont les cuisses (et non pas l'individu lui-même) qui « rompent les digues de sagesse ». En ce sens, une expression comme « piétés sans pieds » n'est pas aussi gratuite qu'il le semble à la première lecture : le rapprochement phonétique signifie aussi que les piétés sont coupables de n'avoir pas de pieds, c'est-à-dire d'exister de façon abstraite, dans les hauteurs illusoires des conventions sociales. Le surréalisme de Lapointe, la valorisation de l'expérience sensorielle et l'érotisation du poème ne sont donc pas seulement des façons de refuser la morale prude de l'époque. Au-delà de la révolte elle-même, le sujet s'invente une morale autre, qui passe par la présence au monde et par une liberté considérée comme essentielle à l'acte poétique et au salut de l'homme.

Peu après avoir publié *Le Vierge incendié,* Lapointe écrit une trentaine de poèmes sous le titre « Nuit du 15 au 26 novembre 1948 », mais il ne prend pas la peine de les publier. Ils ne seront connus et intégrés à son œuvre que vingt ans plus tard. Ici, le poète radicalise les pouvoirs d'invention du langage et va même jusqu'à créer une langue à lui, comme l'avait fait Claude Gauvreau avec son langage « exploréen » :

iscrafou la mioum par tif
mani de surtic en pis

Paul-Marie Lapointe, île Perrot, 1948. Musée national des beaux-arts du Québec, 99.285.
Photo Maurice Perron. Reproduite avec l'aimable autorisation de Line-Sylvie Perron.

la couine ordih lesfoc
sparm é gronime moi lonn

En note, il ajoute ironiquement : « *ceci est du sauvage* ». Mais l'expérience s'arrête là et, après avoir écrit cette suite de poèmes improvisés, Lapointe se consacre à sa carrière de journaliste. Il ne publie plus rien avant son retour spectaculaire en 1959, alors qu'il fait paraître, dans le numéro inaugural de *Liberté*, le poème qui allait le faire connaître : « Arbres », repris l'année suivante dans le recueil *Choix de poèmes / Arbres*.

Le ton du poème « Arbres », comme des autres poèmes publiés dans les années 1960, est si radicalement différent que Paul-Marie Lapointe lui-même parle de « recommencement » : « Une poésie à partir de la réalité plutôt qu'une poésie du moi "contre" le monde, "contre" l'univers. » Alors que les poèmes de 1948 se rangent sous le signe de la négativité et de la déconstruction, ceux de 1960, sans renoncer à l'esprit de révolte, se transforment en chant de célébration. Certes, les similitudes sont nombreuses, à commencer par le privilège accordé à l'improvisation, qui devient plus évidente que jamais dans le poème « Arbres ». L'énoncé de départ, « j'écris arbre », revient à intervalles irréguliers tout au long du poème, comme un refrain ou un leitmotiv. On a déjà rencontré de telles architectures poétiques chez Gilles Hénault et chez Roland Giguère. Lapointe s'inspire toutefois plus directement du jazz, comme il l'expliquera dans ses brèves « Notes pour une poétique contemporaine » (1963) : « La forme d'improvisation particulière au jazz – ad libitum sur une structure donnée, linéaire et verticale – me paraît devoir exprimer de la façon la plus concrète la forme de la nouvelle poésie. » Le poème se compose de séquences nominales évoquant l'une ou l'autre des espèces d'arbres du Canada. Aucun verbe, aucune action ne les relie les unes aux autres, en dehors du geste qui consiste à écrire le mot « arbre » :

> j'écris arbre
> arbre d'orbe en cône et de sève en lumière
> racines de la pluie et du beau temps   terre animée
>
> pins blancs   pins argentés   pins rouges et gris
> pins durs à bois lourd   pins à feuilles tordues
> potirons et baliveaux
> [...]
>
> cèdres de l'est   thuyas et balais   cèdres blancs
>   bras polis   cyprès jaunes   aiguilles couturières
>   emportées   genévriers cèdres rouges   cèdres
>   bardeaux parfumeurs   coffres des fiançailles lam-
>   bris des chaleurs

[...]
j'écris arbre
arbre pour l'arbre

Écrit à partir d'ouvrages de botanique, en particulier d'un manuel intitulé *Arbres indigènes du Canada*, « Arbres » s'approprie poétiquement le territoire, selon une thématique centrale de la poésie du pays. Par son double mouvement de répétition et de libres associations, « Arbres » crée une unité organique entre la parole incantatoire et les choses, comme si celles-ci naissaient de celle-là. Ce qui, en 1948, menaçait de se dissoudre ou de s'éparpiller dans le non-sens et la dérision se réconcilie presque naturellement en 1960 grâce à la fluidité d'une parole à la fois généreuse et unificatrice.

Dans les autres poèmes de *Choix de poèmes / Arbres* et surtout dans le recueil suivant, *Pour les âmes*, la maîtrise formelle de Paul-Marie Lapointe s'affirme davantage. La structure s'assouplit et perd ce qui pouvait encore ressembler à un procédé d'écriture. On y trouve les thèmes habituels de la poésie du pays, soit la femme, les compagnons, le fleuve, les arbres ou l'Amérique, auxquels s'ajoutent les horreurs d'un monde déshumanisé. C'est moins le pays que la planète et l'espèce tout entière qui sont menacées d'anéantissement. À la vitalité des corps s'oppose l'acier des villes où « les petits hommes de préhistoire circulent / entre les buildings / dans la pluie chargée de missiles » (« Le temps tombe »). La guerre et la menace nucléaire font planer une terreur apocalyptique qui culmine dans le dernier poème, intitulé « ICBM (INTERCONTINENTAL BALLISTIC MISSLE) ». D'où l'effroi du poète qui s'écrie : « je suis l'angoisse » (« Gravitations »). Les prières anciennes n'y pourront rien : « désespérez de Dieu », ordonne-t-il (« Blues »).

Pourtant, rien, pas même ce langage cynique et désenchanté, ne vient à bout du climat d'espoir qui s'impose naturellement tout au long de ce recueil. Le titre lui-même, *Pour les âmes*, malgré son ironie (cette inscription figurait sur les troncs pour les offrandes à l'entrée des églises), est un acte de foi. Aux « sublimes », aux « fanfares », aux « défilés » et autres délires d'une « espèce satisfaite », le poème oppose sereinement « l'audace de posséder la terre ». Les images de dépossession abondent, mais elles n'ont pas de caractère définitif et annoncent au contraire un renversement. D'emblée, elles consentent à la beauté :

nul amour n'a la terre qu'il embrasse
et ses fleuves le fuient

Ce sont les premiers vers de « Psaume pour une révolte de terre », et déjà l'on sait que la révolte ne sera pas vaine. À ce distique initial répondent les deux vers chargés d'espoir sur lesquels s'achève le poème : « les fruits savent posséder l'âme /

comme l'étalon la mère ». Même mouvement libérateur dans le poème « Blues » qui, sur fond de tristesse, laisse échapper cette parole de confiance :

(la poésie appartient à tous comme la possibilité
d'affronter l'hydre et le trottoir ou l'hébétude
d'aimer l'entourage ou

rien n'est plus beau qu'une fille nous les adorons)

La beauté chez Paul-Marie Lapointe, qui est tout à la fois celle du langage et celle qu'éprouvent les sens, est immédiatement poignante et ne semble pas valoir pour autre chose qu'elle-même. Le poète n'hésite pas à recourir à l'ancien vocabulaire religieux (les âmes, les prières), mais en détournant celui-ci de ses visées habituelles et en supprimant l'idée de transcendance ou la quête d'une origine. Dans tout le recueil, les âmes, les corps, les fleurs, les arbres, les animaux, tout cela tient dans un seul et même espace résolument terrestre, lié par une force d'attraction qui fait graviter ensemble la beauté matérielle et la beauté immatérielle.

En 1971, Paul-Marie Lapointe publie à l'Hexagone une rétrospective de ses poèmes sous un titre emprunté au poète romantique allemand Novalis, *Le Réel absolu*. Il obtient alors deux des prix les plus prestigieux du pays, le Prix du Gouverneur général du Canada et le prix Athanase-David. Par la suite, il continue d'écrire mais délaisse encore une fois les formes qu'il avait pratiquées jusqu'alors. Dans *Tableaux de l'amoureuse,* publié en 1974, on retrouve la même opposition qu'auparavant entre le temps mécanique de la routine et la durée amoureuse : contre « la machination de vivre », le corps entraîne « l'adorable délire d'aimer ». Mais à l'ambitieuse fresque qu'était *Pour les âmes*, où les êtres et les choses sont saisis dans leur mouvement général, se substituent ici des tableaux aux dimensions réduites où ce sont les détails qui s'imposent. Lapointe abandonne les longues suites poétiques au profit de poèmes lapidaires, centrés sur la figure singulière de l'amoureuse, et autour d'un défi plus formel qui consiste à transposer le langage pictural en images verbales. Les couleurs s'intensifient, les animaux avancent vers le spectateur et les corps, tendus par le désir, se lient dans une danse érotique que chaque espèce exécute pour la « seule passion de l'œil ». Le sentiment cède entièrement la place à la gestuelle de l'extase sexuelle :

autour du rose l'amoureuse
déploie sa fourrure indomptable
accueille ses couchants ses aubes
en la bouche aussi bien qu'en l'autre bouche
où s'animent les nids
les petits cris

Dans une autre partie de ce recueil, intitulée « Art égyptien », qui contient sept poèmes relativement courts, le changement de ton est plus marqué encore. La poésie se fait plus exotique, mais aussi plus descriptive, d'un réalisme prosaïque : nous voici « dans un coin d'ombre de la salle 127 / au Louvre ». La beauté (des corps, de l'art) semble traverser les temps, préservée dans sa fragilité même. Dans le recueil suivant, *Bouche rouge* (1976), tiré à seulement cent exemplaires, l'art occupe toute la place. Des lithographies (de Gisèle Verreault) sont intégrées à ce livre au format minuscule, conçu comme un véritable objet d'art. La poésie devient plus confidentielle, mais aussi plus impersonnelle, comme si la matière existait pour elle-même, sans idée de possession. Le poème creuse les mêmes images, notamment celles du corps féminin, mais ce sont des instantanés mis bout à bout plutôt que des séquences liées les unes aux autres comme autant de sensations éprouvées par un sujet qui affirme ainsi sa présence au monde. Ce détachement, qui passe par des expérimentations de plus en plus éloignées du lyrisme de *Pour les âmes*, s'accentue dans *Tombeau de René Crevel* (1979), qui n'est plus un texte au sens traditionnel, mais, comme le suggère Robert Melançon, un « objet verbal fabriqué avec des mots empruntés à l'œuvre de Crevel sans tenir compte de leurs significations ».

Avec l'énorme recueil *ÉcRiturEs* (1980), Paul-Marie Lapointe surprend et déroute une nouvelle fois son lecteur. Fidèle à son habitude, le poète refuse de passer par les mêmes sentiers : « il ne faudrait pas qu'*Écritures* soit abordé comme un autre livre de l'auteur appelé Lapointe, Paul-Marie ». Le changement formel et thématique devient si frappant que la critique avoue son malaise. Il s'agit d'un coffret réunissant deux volumes totalisant plus de mille cinq cents pages de textes et de calligrammes faits à partir de mots croisés. Cela commence ainsi :

> petit robert
> petit rat possessif
> petit foc en toile très résistante

La poésie se dépoétise radicalement et s'affranchit du devoir de signifier tout en jouant sur la multiplicité des définitions possibles. Les mots se croisent au sens le plus littéral et échappent ainsi à toute forme de discours suivi. Même lorsqu'ils sont groupés sous la forme de calligrammes, les mots ne représentent rien en dehors de l'idée même de calligramme. Un tel pari a quelque chose d'affolant par sa cohérence même, la poésie devenant un art purement conceptuel.

Si déconcertante soit-elle, cette longue expérimentation textuelle réaffirme la liberté absolue du poème, qui va ici jusqu'à une sorte d'autodestruction jubilatoire. Rarement a-t-on vu un poète prendre autant de plaisir à changer de manière, comme pour déjouer le lecteur. On le voit encore dans le recueil suivant, *Le Sacre* (1998), tout entier construit autour du mot « Tabarnacos », qui sert à désigner les touristes québécois au Mexique. Ici aussi, le poème se fait jeu formel, comme le suggère le sous-titre *Jeux et autres écritures*. À l'aide de nombreuses figures de rhétorique (acrostiches, anagrammes, etc.), le mot « Tabarnacos » engendre une série de termes qui sont autant de points de départ de poèmes géographiques ayant pour décor le Mexique et, plus généralement, l'Amérique. Ce recueil, encore moins bien reçu que le précédent par la critique, renoue avec un côté burlesque déjà présent dans *Le Vierge incendié*. Dans *Espèces fragiles* (2002), Lapointe mêle encore les styles et les tons, mais sur le mode mineur. Les poèmes en vers et en prose alternent, et les univers varient beaucoup d'une section à l'autre, tantôt hommage aux écrivains admirés (Perec, Blake, Novalis, Baudelaire, Rimbaud, etc.), tantôt expression d'un désarroi intime qui rappelle le ton de *Pour les âmes* : « seul et nu / dans l'abîme du cri retenu ».

Avec Paul-Marie Lapointe, Fernand Ouellette (né en 1930) est l'un des principaux représentants de la « génération de l'Hexagone ». Comme c'est le cas de Lapointe, l'Hexagone lui permet de construire une œuvre tout à fait personnelle et de contribuer à réaliser la volonté de diversité affirmée dans les prospectus de la jeune maison. Lapointe et Ouellette partagent bien entendu des références (Novalis, par exemple), mais le matérialisme radical du premier contraste fortement avec la quête de transcendance du second. Héritier des romantiques allemands et d'une tradition poétique française qui va de Baudelaire à Pierre Jean Jouve, Ouellette associe en effet l'expérience poétique à un désir d'absolu qui le rapproche davantage de la poésie spirituelle de Rina Lasnier que du lyrisme concret de la plupart des poètes de l'Hexagone. L'idéalisme poétique, le symbolisme religieux et des préoccupations d'ordre métaphysique caractérisent toute l'œuvre de Ouellette, qui est également influencée par celle de son ami Robert Marteau. Poète français fasciné par l'alchimie et l'ésotérisme, Marteau a vécu plusieurs années à Montréal où il a même écrit plusieurs textes qui s'apparentent à la thématique du pays, notamment ceux qui décrivent le mont Royal (*Mont-Royal*, 1981) et le fleuve (*Fleuve sans fin : journal du Saint-Laurent*, 1986).

Fernand Ouellette a joué un rôle central dans l'essor de la poésie québécoise moderne. Au milieu des années 1960, *Le Soleil sous la mort* (1965) et surtout *Dans le sombre* (1967), tous deux publiés à l'Hexagone, le consacrent comme l'une des voix poétiques majeures du Québec. Il obtient aussi une certaine reconnaissance en France. De tous les poètes québécois de sa génération, il est sans doute le plus directement influencé par la tradition européenne. En 1966, il publie à Paris la première biographie du compositeur Edgard Varèse ; en 1973, il consacre un essai au poète Novalis et, vingt ans plus tard, il rassemble ses essais consacrés aux grands maîtres européens de la peinture (*Commencements*, 1992). Cela ne l'empêche pas d'écrire à maintes reprises sur la situation littéraire ou politique au Québec, notamment dans la revue *Liberté* dont il est l'un des membres fondateurs. On lui doit plusieurs articles pénétrants sur la langue française et sur la poésie, qu'il

Fernand Ouellette, 1987. Ministère de la Culture et des Communications du Québec.
Photo : Bernard Vallée.

commence à rassembler sous forme de recueil en 1970 (*Les Actes retrouvés*). Par la suite, sa pensée évolue à travers des textes qui sont à la frontière de l'essai, de l'autobiographie et du journal : outre le *Journal dénoué* en 1974, qui constitue l'une des meilleures voies d'accès à son œuvre, Fernand Ouellette publie notamment *Écrire en notre temps* (1979), *En forme de trajet* (1996) et *Figures intérieures* (1997). Il fait également paraître trois romans à caractère essayistique, *Tu regardais intensément Geneviève* (1978), *La Mort vive* (1980) et *Lucie ou un midi en novembre* (1985). Son intérêt pour le mysticisme, déjà manifeste dans des œuvres comme *Depuis Novalis*, s'accuse à partir de 1996, alors qu'il publie un ouvrage consacré à Thérèse de Lisieux (*Je serai l'Amour*).

Si Fernand Ouellette a pratiqué à peu près tous les genres, à l'exception du théâtre, c'est néanmoins la poésie qui domine son œuvre et lui confère son unité. Mais curieusement, l'auteur avoue que son choc poétique le plus grand a été provoqué en 1955 par la lecture d'un romancier, l'Américain Henry Miller. La « bonne corrosion » de l'œuvre de Miller, comme il l'explique dans son *Journal dénoué*, conduit Ouellette à s'affranchir de son vieux dualisme et à faire une poésie dont l'érotisme devient le thème central. La poésie, écrira-t-il dans *Les Actes retrouvés*, est « fille de cette puissance érotique ». L'expérience érotique devient également une sorte de naissance à l'être, y compris dans sa dimension métaphysique. On le voit bien, par exemple, dans ce poème tiré de *Dans le sombre*, qui constitue, selon le poète, sa meilleure œuvre :

L'ÂME

Quand elle ouvrit son corps dans le sombre,
d'herbe et de mort elle foudroyait !

Les yeux j'avais comme des fuyants de volière
pointant vers le feuillu de la terre.

Or mon âme s'éteignit
quand dans un seul désir elle s'élança
sur les tissus intimes à demi durs.

Encagé dans la nue
renversé sous le temps
très épars parmi les linges
je me rassemblai contre l'hiver.

On reconnaît ici la manière à la fois sévère et audacieuse de Fernand Ouellette, qui exprime l'extase corporelle et la fulgurance de l'instant à travers un langage rigoureux, à la limite de la préciosité. On voit aussi en quoi cette poésie très écrite et tout en tensions est singulière à une époque où l'on célèbre plutôt l'âge de la parole et le style incantatoire. Si le « je » rassemblé à la fin du poème s'apparente à l'homme rapaillé de Miron, tout le chemin parcouru pour y arriver sépare Ouellette des autres poètes du pays. Le rythme heurté, l'usage substantivé des adjectifs (le sombre, le feuillu), le recours à des images abstraites (comme « renversé sous le temps ») et les nombreuses inversions syntaxiques sont tout à fait typiques de son écriture. Le poème de Ouellette s'interdit la facilité, refuse d'être chant et vise avant tout la densité du langage. Tout en brisant la métrique, le poème conserve une forte unité, à la fois par la reprise de certains sons (comme dans les expressions « des fuyants de volière » et « le feuillu de la terre ») et par sa dimension narrative. Cette unité est également thématisée à la fin du poème au moment où le « je » abolit l'espace et le temps pour se rassembler « contre l'hiver ». Dans plusieurs autres poèmes, c'est le blanc, la lumière ou « le Soleil sous la mort », selon le titre du précédent recueil, qui métaphorisent ce moment paroxystique de la rencontre, alors que le sujet se perd dans l'autre et se redécouvre à la fois hors de lui et unifié.

Durant les années 1970, Ouellette publie une rétrospective de ses poèmes, suivie par deux recueils originaux, *Ici, ailleurs, la lumière* (1977) et *À découvert* (1979). Mais c'est avec *Les Heures,* publié en 1987, qu'il donne son œuvre la plus étonnante et la plus grave. *Les Heures,* écrit d'une seule coulée, du 23 janvier au 23 février 1986, est un poème narratif inspiré par l'agonie du père du poète. La poésie et la prose y coexistent avec un bonheur remarquable et s'équilibrent l'une par l'autre. La phrase est simplement découpée en vers, sans pour autant que le texte verse dans la discontinuité. Chaque renvoi introduit un peu de silence au milieu d'un poème qui autrement aurait défilé à toute vitesse :

> Nous étions
> de quelque façon
> subitement résumés.
> Nos ombres
> n'iraient pas plus loin.
> Il n'y avait aucun geste
> possible.
> Toutes les avenues
> ne se déroulaient plus
> que vers nous.
> Son absence commençait
> à nous rejoindre.
> Nous devenions plus légers,
> comme s'il nous avait entraînés
> un court chemin avec lui.

La sobriété des métaphores et de la syntaxe, l'attention à l'autre (au père, mais aussi au « nous » des proches), tout concourt à rendre compte de la proximité physique de la mort. Cette veine narrative, qui contraste avec les inventions souvent audacieuses des poèmes antérieurs de Fernand Ouellette, se prolonge dans une « chronique » poétique dont la publication en trois tomes s'amorce en 2005.

4
Le cheminement de Jacques Brault

Né à Montréal en 1933, Jacques Brault a d'abord été professeur à l'Institut d'études médiévales, puis au Département d'études françaises de l'Université de Montréal. Il a publié plusieurs recueils de poèmes, des essais, du théâtre et un récit. Comme chez Gaston Miron, Paul-Marie Lapointe ou Fernand Ouellette, c'est avant tout la poésie qui donne sa grande cohérence à son œuvre, réseau de textes qui se prolongent les uns les autres. Toujours à une certaine distance de l'air du temps, Brault n'en est pas moins attentif au présent, ce dont témoignent par exemple sa participation à la revue *Parti pris* et ses nombreuses contributions à la revue *Liberté*. Lecteur assidu d'auteurs de toutes époques et de tous pays qu'il présente comme des amis, il a donné des lectures marquantes de poètes québécois, surtout Saint-Denys Garneau, Alain Grandbois et Gaston Miron. Considéré comme un auteur de premier plan dès les années 1960, il devient pour plusieurs poètes, autour de 1980, le maître par excellence, tant il sait poursuivre la poésie jusque dans le désenchantement.

Son premier livre, *Mémoire*, paru en 1965 chez Déom, puis en 1968 chez Grasset, s'inscrit dans le mouvement de la « poésie du pays ». Le Québec y est en effet souvent évoqué, et dès les premiers vers, le poète s'adresse aux « amis moissonneurs ». Or ces amis sont disparus, et ceux qui restent semblent moins voués à l'action qu'à la mélancolie :

> Souvenez-vous mes amis souvenez-vous de ceux
> qui demeurent et de leur exil

Les morts sont du côté de la vraie vie, et les vivants du côté de la mort :

> Dehors c'est la mitraille du quotidien
> gestes rituels des assassins égarés
> qui vous plantent un regard aigu
> entre les épaules roulant leur fatigue
> comme de molles barques abandonnées

La célébration de la mémoire des disparus se conjugue ainsi avec une critique virulente du monde des vivants. Dans « Suite fraternelle », il est conseillé au frère défunt de ne pas revenir « en ce pays où les eaux de la tendresse tournent vite en glace ». Le portrait du « nous » est acerbe :

Nous
          les bâtards sans nom
          les déracinés d'aucune terre
          les boutonneux sans âge
          les clochards nantis
       les demi-révoltés confortables

Malgré cette condamnation, les camarades, l'enfant et l'amoureuse apparaissent
à la fin comme une médiation possible entre les morts et le pays :

Je crois Gilles que tu vas renaître   tu es mes camarades au poing dur à la paume douce tu
es notre secrète naissance au bonheur de nous-mêmes tu es l'enfant que je modèle dans
l'amour de ma femme tu es la promesse qui gonfle les collines de mon pays ma femme
ma patrie étendue au flanc de l'Amérique

Mais cet enthousiasme ne se rencontre pas souvent dans l'œuvre de Jacques
Brault. Car le monde de l'Histoire est plutôt celui de la guerre et de l'horreur :
l'Holocauste, Hiroshima semblent la condamner irrémédiablement.

S'il est difficile de faire confiance à l'Histoire, il en est de même pour le langage : « Voilà tout est dit et rien ne commence », lisait-on dans *Mémoire* ; « qu'on
nous pardonne si la parole ne s'accomplit pas », lit-on dans les premières pages
du recueil suivant, *La Poésie ce matin*, paru en 1971. Comme l'indique le titre,
l'espérance s'en remet au quotidien plutôt qu'aux idéologies. Le Québec est toujours présent, mais comme une « banquise neurasthénique ». La planète elle-
même s'avère inhabitable :

          Car il n'y a plus un espace de planète où vêtir
                 nos larmes de pudeur
       le sexe des fusils nous cherche sans cesse et nous
                 pénètre jusqu'à la tête

Il faut dès lors fuir le temps de l'Histoire et s'en remettre au « corps quotidien »,
dans un matin qui « tressaille naïf aux fenêtres » et que la poésie tente de préserver. La continuité est nette entre *Mémoire* et *La Poésie ce matin*, qui portent la
même quête de fraternité et la même condamnation d'une Histoire qui paraît
avoir dévasté le monde à jamais. Se dessine aussi un « cheminement », pour
reprendre un terme que Brault affectionne particulièrement, car si l'ambition est
la même, elle se déplace du côté d'une réalité plus humble. L'écriture emprunte
toujours les formes amples de la suite ou du verset, mais fait de plus en plus de
place à des formes brèves et à des vers courts. L'espérance et la parole se continuent, mais dans une méfiance qui semble les miner.

Avec *L'En dessous l'admirable*, paru en 1975, ce mouvement s'accentue brusquement. Dans les deux premiers recueils, la mort était plus vraie que la vie, mais la poésie tentait de rester du côté des vivants. *L'En dessous l'admirable* marque une cassure et la poésie bascule dans une solitude qui paraît irrémédiable :

Cela s'est passé. J'ignore comment, pourquoi. Cela s'est passé. Car j'étais seul. Parfaitement. Et si tranquille, dans une telle certitude que j'ai dû désapprendre en un éclair à me supposer un indice d'avenir et de mémoire même intolérables.

L'angoisse, inexplicablement, se dissipe et commence l'apprivoisement d'un autre espace :

je me suis perdu en chemin. Le poème, loin de s'accomplir, s'est comme déréalisé. Et l'espérance, collective et personnelle, gueulée à tous les vents ou tenue à la chaleur du secret, sociale et politique ou intime et amoureuse, l'espérance de lendemains meilleurs s'est démasquée : leurre, illusion, fumisterie. Le temps, celui de l'histoire aussi bien que des projets, ne nous compose que pour nous décomposer. C'est alors que dans cette espèce de no man's land, dans cette perfection d'inexistence, j'ai entendu le chant nu de l'indicible : un presque rien qui, justement, n'est pas rien.

C'est dans cet espace que s'écrira désormais l'œuvre de Jacques Brault, qui n'adoptera plus qu'un registre intimiste, mais un intimisme singulier, tant la subjectivité est fantomatique, paradoxalement convaincue de son irréalité.

La même année que ce petit livre où alternent prose et poèmes, Jacques Brault fait paraître deux autres ouvrages : un recueil d'essais, *Chemin faisant*, et des traductions, *Poèmes des quatre côtés*. Dans le recueil d'essais, l'auteur souligne la rupture dont témoigne *L'En dessous l'admirable* : colligeant des articles parus depuis 1964, il ajoute des commentaires en marge qui marquent la distance, sans renier pour autant l'écriture de jadis. En fait, l'auteur de *Mémoire* et de *La Poésie ce matin* se retrouve lui-même parmi les « gens de mon quartier » que sont restés la voisine d'enfance et plusieurs écrivains du Québec et d'ailleurs : Miron, Nelligan, Baudelaire, Saint-Denys Garneau, Char, Grandbois, Henri Michaux et Juan Garcia. Plusieurs essais marquants figurent dans ce recueil, notamment « Miron le magnifique », conférence de 1966 où Brault propose déjà les grandes articulations du « livre à venir » qu'est encore *L'Homme rapaillé*, et « Notes sur un faux dilemme », texte d'abord paru en 1964 dans *Parti pris* et qui illustre bien la distance que Jacques Brault prenait déjà à l'égard de l'exaltation partisane : « J'appelle *éloquence* tout langage mythique. L'éloquence travestit l'action en exutoire, elle débride la passion comme une plaie infectée, elle ne vit que de l'inconditionnel et de la croyance. » En 1975, la distance de Jacques Brault d'avec les militants s'accuse, mais il préservera toujours, en dépit de la solitude qu'il assume, la présence d'écrivains qui, dans ses textes, apparaissent comme des personnes. C'est d'ailleurs le cas dans *Poèmes des quatre côtés* qui se présente comme la réponse à « un appel » : « sur le seuil invisible d'un entre-deux, me niant et m'affirmant, j'écoutais ces voix lointaines toutes proches. Et je me disais qu'il serait bon de traduire, enfin d'essayer. » S'attachant aux modalités de cette rencontre, l'apprenti traducteur préfère parler de « nontraduction », car la traduction lui semble aussi « impossible » qu'« inévitable ». « Se décentrer », propose-t-il. « Ne pas annexer l'autre, devenir son hôte. » Les quatre voix sont, du nord, celle de John Haines ; de l'est, celle de Gwendolyn MacEwen ; de l'ouest, celle de Margaret Atwood ; du sud, celle d'e. e. cummings. « Où vont ces textes, se demande Brault en conclusion, sinon au recueillement ? Le mystère commun à ces quatre clartés a fini par me reconduire ici. Maintenant, je peux me recueillir en mon pays ; le centre ne fuit pas vers toutes sortes d'alibis, il ne se ferme pas sur une identité peureuse et nostalgique, il va et vient comme un sens qui ne craint plus de se mêler aux contre-sens. » Cette expérience de la rencontre d'autres voix sera souvent renouvelée dans la suite de l'œuvre, non seulement dans les nombreux essais critiques, mais aussi dans deux recueils à deux voix qui s'inspirent de la tradition japonaise du *renga*, suite de poèmes écrits alternativement par deux auteurs : *Au petit matin* (1993), écrit avec Robert Melançon, et *Transfigurations* (1998), conçu en collaboration avec E. D. Blodgett, où les poèmes sont à la fois « nontraduits » et continués par l'autre.

Ainsi, à la lumière de l'expérience de la « nontraduction », après la crise déconcertante qui mène à l'en dessous, s'ouvre la perspective du « contresens ». L'accueil des voix multiples qui définissent l'identité comme une rencontre est aussi l'accueil de la contradiction. Chez Brault, résume Jacques Paquin, « la coexistence des contraires représente non pas une fin, mais un passage qui favorise l'émergence de l'être ». La découverte de la poésie orientale nourrit une nouvelle poétique de plus en plus sensible à la valeur du silence et du paradoxe. Dans une méditation consacrée à la poète japonaise Komachi, dans *Trois fois passera* (1981), Brault écrit : « Oui, ce sont les petites amours qui font l'amour grand, les petits achèvements qui nous ouvrent au grand inachevé, les instants vécus qui donnent à voir et qui dissimulent l'éternité à vivre. » L'instant ne se présente donc plus d'abord comme un repli, mais comme le temps propre de la poésie, là où se rencontrent silence et parole. Cette poétique très proche de l'esprit du haïku japonais sous-tend les poèmes de *Moments fragiles* (1984) :

> *Novembre s'amène   nu comme un bruit*
> *de neige   et les choses ne disent rien*
> *elles frottent leurs paumes adoucies*
> *d'usure*

Le monde fait un bruit qu'il ne s'agit plus de transformer en sens : il s'agit plutôt de l'écouter comme une personne de qui on n'attendrait rien d'autre que la pure présence. L'« usure » n'est plus de la sorte une perdition mais une douceur que le poème accueille. Et nulle trace du poète lui-même, qui s'efface dans son écoute.

Jacques Brault publie plusieurs essais après *Chemin faisant*, dont *La Poussière du chemin* (1989) et *Ô saisons ô châteaux* (1991). L'humour et le détachement y sont de plus en plus sensibles, de même que l'effacement des frontières identitaires, que Frédérique Bernier rapproche de la logique du rêve « qui occasionne les déplacements et les condensations les plus improbables, les textes et les auteurs se fondant l'un dans l'autre, à la fois jumelés et indifférenciés ». Cette leçon de la « nontraduction » ouvre la voie à une intégration de la fiction, présente dans les chroniques épistolaires de *Ô saisons ô châteaux* (initialement parues dans la revue *Liberté*) où l'auteur devient un personnage parfois clownesque. Le registre de la fiction est aussi exploré dans le roman *Agonie* (1984) et dans *Il n'y a plus de chemin* (1990). Dans *Agonie*, le récit est structuré comme un commentaire, vers par vers, d'un poème de Giuseppe Ungaretti. Un étudiant, dans le demi-sommeil, entend son vieux professeur prononcer une phrase qui conclut son commentaire du poème. La phrase saisit l'étudiant mais lui échappe. Revoyant dix ans plus tard le vieil homme devenu clochard, il vole son carnet et reconstitue la vie de cet « homme gris » en s'identifiant à ses échecs. À la toute fin du récit, la phrase lui revient comme une illumination : « *Il n'y a pas, il n'y a jamais eu, il n'y aura jamais de pays.* »

Cette phrase inattendue fait tout à coup résonner les premiers livres de Jacques Brault et les désillusions de *L'En dessous l'admirable*. Ce type d'écho est très souvent présent dans l'œuvre. Par exemple, alors que *Chemin faisant* se continue dans *La Poussière du chemin*, *Il n'y a plus de chemin* prolonge à la fois la séquence des essais et le récit *Agonie*. Ce petit recueil se présente en effet comme un « carnet gris » qui pourrait être celui du roman. Aussi bien poésie que fiction, il fait entendre le monologue d'un clochard : « On est passé par là, jadis. Pour aller où ? En des temps reculés. Comme l'horizon, le temps, ça recule. Puis ça tombe. Tu en aperçois, un horizon ? Moi je n'y arrive pas. Ça doit être à cause des larmes. » Le clochard, hanté par l'angoisse et par la solitude, ne cherche qu'à « mourir en douce » : comme dans les tout premiers textes de Brault, c'est là que semble cachée la plénitude. Les livres ultérieurs continuent les œuvres précédentes en méditant sur l'effacement de l'identité et sur la mort. Dans *Au fond du jardin* (1996), où des textes intimistes sont commentés sans que leurs auteurs soient nommés, Brault explore le paradoxe d'un intimisme sans sujet :

On écrit *je* avec un peu d'humour, de tendresse muette, et ça donne un déchirement de douleur. On voulait voiler ; on exhibe. Comment s'en sortir ? On ne s'en sort pas. On va plus avant, sans repères. On magnifie par bravade ce que le malgré tout offre de possible, mince, difficile à identifier. On écrit *je,* quelqu'un d'autre, « un rêveur aux mains vides », et qui n'a plus rien à donner que le vide au creux de ses mains.

Les poèmes d'*Au bras des ombres* (1997), pour leur part, ont les accents d'un bilan et continuent de laisser une grande place au silence. Dans ces méditations domine la présence de la mort, qui reste le grand thème de l'œuvre :

> quel mutisme de mort soudain
> s'est mis à geindre si bas
> traversant tant de temps et lourd
> d'être là tandis qu'à vide
> je me taisais de ce que je suis ou pas

5
L'essor de l'essai :
Jean Le Moyne, Pierre Vadeboncœur, Fernand Dumont

Le climat d'effervescence politique et intellectuelle consécutif à la Révolution tranquille est propice au développement de l'essai, genre dont l'essor est l'une des caractéristiques de la période. Les enjeux sont nombreux et pressants : la politique, la langue, l'enseignement, de même que l'art et la culture et leur rôle dans la constitution de l'identité québécoise. La réflexion philosophique sur différents aspects de l'expérience humaine voisine avec le commentaire de l'actualité et la lecture critique de textes littéraires. Signe d'un nouvel impact du genre, plusieurs maisons d'édition ouvrent des collections spécialisées dans la publication d'essais. La légitimité de l'essai s'accroît encore de ce que beaucoup d'écrivains, des poètes surtout (Gaston Miron, Fernand Ouellette, Jacques Brault), mais aussi des romanciers (Hubert Aquin, Jacques Ferron, Jacques Godbout), en écrivent également. Des journalistes à qui leur travail donne une prise directe sur l'actualité pratiquent aussi ce genre, comme Gilles Leclerc, auteur de *Journal d'un inquisiteur* (1960), polémique et provocateur, André Laurendeau dont les chroniques des années 1961-1966 au magazine *Maclean* sont réunies sous le titre *Ces choses qui nous arrivent* en 1970, ou Jean Bouthillette (*Le Canadien français et son double*, 1972). Comme on le verra plus loin, c'est d'ailleurs par le journal (une lettre d'un jeune frère enseignant, Jean-Paul Desbiens, publiée dans *Le Devoir* par André Laurendeau) que s'ouvre le débat sur le joual et sur l'éducation. Sous le pseudonyme du frère Untel, Desbiens publie en 1960 un essai qui devient aussitôt un véritable best-seller (cent mille exemplaires vendus en un an), *Les Insolences du frère Untel*.

La première grande collection d'essais, intitulée « Constantes », est créée en 1961 aux Éditions HMH. Cette collection réunit plusieurs des essais les plus significatifs de la Révolution tranquille et contribue à donner au genre la reconnaissance dont il bénéficie désormais. De 1961 à 1970, vingt-cinq titres paraissent. Le domaine est vaste, allant de la littérature à la peinture et au théâtre en passant par les sciences sociales, la psychanalyse, la philosophie, la politique et l'histoire. On y trouve des rééditions (de *L'Homme d'ici* d'Ernest Gagnon) et des traductions (de Marshall McLuhan) à côté d'œuvres originales qui sont l'expression d'une nouvelle génération de penseurs et d'écrivains. Si plusieurs essais s'inspirent de l'actualité, c'est dans une perspective à long terme que ces œuvres se situent. Le rayonnement intellectuel des auteurs, leur rôle actif dans les débats sociaux, l'exigence de l'éditeur Claude Hurtubise assurent aux livres de la collection une importante diffusion. Parmi les essayistes de la décennie 1960, Jean Le Moyne, Pierre Vadeboncœur et Fernand Dumont, tous trois publiés par la collection

« Constantes », illustrent bien l'évolution de l'essai et le rôle dévolu aux intellectuels pendant la Révolution tranquille.

L'essai qui inaugure la collection, *Convergences* (1961), de Jean Le Moyne (1913-1996), réunit des articles qui remontent jusqu'aux années 1940. La reprise de textes anciens montre comment la pensée des années 1960 puise à celle des années précédentes dans une forte continuité des préoccupations et des références. Ami de Saint-Denys Garneau, Jean Le Moyne développe sa formation littéraire et philosophique avec le groupe de *La Relève*. Les essais réunis dans *Convergences* portent sur la littérature, la société et la religion. Le Moyne y revendique un point de vue « théologal » – c'est-à-dire qui a Dieu lui-même pour objet – et une ambition universelle en regard de laquelle la « famille québécoise » est un empêchement :

Elle est trop petite, la famille québécoise, même en tenant compte des cousins riches et des cousins pauvres de France. En ce qui me concerne, je ne resterais en famille à aucun prix, ma parenté fût-elle la plus authentiquement croyante ou la plus honnêtement laïcisante. Mon héritage français, je veux le conserver, mais je veux tout autant garder mon bien anglais et aller au bout de mon invention américaine. Il me faut tout ça pour faire l'homme total.

Ce texte daté de 1960, « La littérature canadienne-française et la femme », s'inscrit dans la troisième partie du recueil consacrée au rôle de la femme dans la culture au Québec. Le Moyne précise les raisons pour lesquelles il cherche à se défaire de la mentalité canadienne-française, situant « la source de notre mal au plus profond des valeurs et de l'intimité de notre peuple : sa religion, notre catholicisme exproprié par le cléricalisme et perverti par le dualisme ». Comme on le verra aussi chez Pierre Vadeboncœur et Fernand Dumont, c'est au nom même des valeurs chrétiennes que le procès de la religion canadienne-française est intenté.

Dans un autre essai daté lui aussi de 1960, « Saint-Denys Garneau, témoin de son temps », Le Moyne impute à l'étroitesse du milieu canadien-français la mort du poète et fixe l'interprétation de l'œuvre pour l'ensemble de la critique des années 1960. À partir d'extraits du *Journal* et des poèmes, l'essayiste rend hommage à l'écrivain et au « moraliste » tout en s'attachant à montrer ses carences : « [c]e qui manque n'est pas quelque chose que Saint-Denys-Garneau n'a pas encore acquis, mais c'est un bien, une part de réalité, de capacité, de possibilité qu'on lui a enlevée à son insu ». L'essayiste fait appel à la biographie de son ami et à ses propres souvenirs en même temps qu'à la littérature, de Laure Conan à Marie-Claire Blais, dans un texte à la fois intime et violent dont la toute première phrase donne le ton : « Je ne peux pas parler de Saint-Denys Garneau sans colère. Car on l'a tué. » Il accuse la société canadienne-française, écrasée, écrit-il, par une

« culpabilité monstrueuse, à la fois paralysante et animée d'une irrésistible invention ». D'autres textes interrogent l'américanité comme part de l'identité sociale, culturelle et spirituelle que le Canadien français doit assumer. Le Moyne explore la dualité américaine, à la fois désir et affrontement de l'Europe ; il rappelle le rôle initiatique des voyages que les Américains effectuent en Europe où, écrit-il, « ils s'en vont renouer connaissance avec l'Histoire » ; il s'intéresse à la fondation des États-Unis dont il fait ressortir le caractère religieux et utopique. La pensée de Le Moyne ne se définit pas contre l'Europe, elle l'intègre à partir de cette expérience du déplacement, de la transplantation et de la fondation qu'il désigne comme « la grande fatigue des peuples pionniers ». Chacune de ses analyses insiste sur le rôle essentiel que joue la littérature, à la fois « baromètre » de la société et mode d'exploration de l'être dans ses dimensions psychologique et spirituelle, indispensable relais de la réflexion sociale et culturelle.

Également collaborateur de *Cité libre*, homme d'action, militant syndical, permanent de la Confédération des syndicats nationaux (CSN), Pierre Vadeboncœur (né en 1920) suit un itinéraire politique assez représentatif de la Révolution tranquille. Son opposition au régime autoritaire de Duplessis et son engagement dans les luttes sociales des années 1950 l'allient en quelque sorte naturellement au fédéralisme de *Cité libre*, avant qu'il n'adhère au nationalisme progressiste dont les années 1960 voient l'émergence. L'essai lui permettra, selon Laurent Mailhot, de passer « de l'action à la littérature » et la cohérence de son œuvre, entièrement composée d'essais, tient en effet à l'intrication forte d'un engagement social et politique et d'une réflexion spirituelle qui trouve dans l'art et la littérature ses objets privilégiés.

La Ligne du risque (1963) reprend le titre d'un essai où Vadeboncœur propose une reconfiguration de l'histoire canadienne-française autour de la figure de Paul-Émile Borduas : « Notre histoire spirituelle recommence à lui », écrit-il. Son analyse de la société canadienne-française est assez proche de celle de Jean Le Moyne : « Nous sommes restés collés à la religion, sans vraiment la pratiquer [...] Notre liberté est morte d'une allégeance ambiguë donnée à une vérité qu'au fond nous n'acceptions pas et dont nous ne vivions pas. » Son style en revanche est bien différent, typique des années 1960 par son ton prophétique et par ses métaphores à la fois religieuses et révolutionnaires de résurrection et de matin du monde. Dans *La Ligne du risque*, la politique ne peut être comprise que dans sa dimension spirituelle et esthétique, tandis que la littérature et l'art ne sauraient être envisagés sans leur dimension politique. Ce recueil d'essais met au premier plan l'engagement de la pensée dans l'actualité : les textes sont datés et les revues où ils ont d'abord paru sont nommées. L'ensemble de *La Ligne du risque* fait ainsi apercevoir un itinéraire, des préoccupations plus abstraites des débuts (« La joie », article d'abord paru en 1945 dans *La Nouvelle Relève*) à l'inquiétude devant la perspective d'une nouvelle guerre mondiale (« Le retour de Micromégas. Un essai sur la paix », paru en 1963 dans *Cité libre*) en passant par un procès vigoureux intenté au syndicalisme américain. Vadeboncœur est aussi critique que Le Moyne devant la mentalité canadienne-française, mais alors que celui-ci prend ses distances par rapport à la nation pour s'affirmer comme sujet entier, l'auteur de *La Ligne du risque* écrit au nom de la nation, se plaçant parmi le « nous » canadien-français qu'il veut contribuer à transformer.

Le ton et l'enjeu de la réflexion de Vadeboncœur se modifient sensiblement à partir d'un recueil de 1978, *Les Deux Royaumes*, dans lequel l'essayiste se propose d'analyser les « grands changements » qui se sont produits en lui et l'expérience douloureuse qu'il fait de la « déspiritualisation » de la vie humaine et de l'activité intellectuelle. L'ensemble du recueil met à l'avant-plan les questions spirituelles et esthétiques ; la réflexion philosophique, surtout appuyée sur les arts, prend alors le pas sur la discussion politique. Dans certains textes antérieurs, dont *Un amour libre* (1970), Vadeboncœur explorait déjà une veine plus intimiste ; après 1978, il continuera de militer pour l'indépendance du Québec. Il reste que *Les Deux Royaumes* souligne un tournant important : l'essayiste choisit la solitude. Ne croyant plus à l'idée de progrès, il se tourne « dans la direction ascendante d'un courant, donc vers une source », comme il l'écrit dans *Essais inactuels* (1987). L'essai comme exploration intime plutôt que comme prise de position politique devient chez Vadeboncœur une forme de résistance à l'esprit du temps : « Je prends un plaisir rebelle à parler d'art dans des termes que n'avoueraient pas les doctrines politiques ou les esthétiques dérivées de celles-ci. Il me semble avoir le devoir de le faire, ne serait-ce que pour tendre à garder ouvert, pour ma part, l'angle de la liberté ». Dans *L'Humanité improvisée* (2000), Vadeboncœur s'attaque au postmodernisme, qui se satisfait d'une liberté aussi excessive qu'illusoire. « La liberté dont il s'agit consiste simplement à s'affranchir de ce qui, dans les êtres, n'est pas que permission, facilité, loisir, caprice, occasion, oubli. La personne s'évade de la personnalité et elle appelle cela autonomie personnelle. » La prise de distance du politique reste donc relative, puisque de nombreux essais tournés vers l'art et la littérature sont aussi explicitement politiques par le refus de l'époque et de ses valeurs. Dans une série de livres que Vadeboncœur fait paraître à partir du milieu des années 1980 (*L'Absence. Essai à la deuxième personne* en 1985, *Essais sur une pensée heureuse* en 1989, *Le Bonheur excessif* en 1992), l'essai se dégage de la rhétorique d'opposition pour devenir une contemplation paradoxale cherchant en vain son objet : « l'âme cherche l'objet qui la réclame sous tout ce qui retient son amour ou le hante. Ce qui a empire sur elle, c'est l'introuvable. Tel est le paradoxe ultime, gros d'une évidence qui jamais ne se dévoilera ».

Ami de Pierre Vadeboncœur avec qui il collabore à la revue *Maintenant*, intellectuel « émigré » du milieu ouvrier, selon l'analyse que lui-même proposera dans ses mémoires, *Récit d'une émigration* (1997), Fernand Dumont (1927-1997) est l'un des principaux penseurs de la modernisation de la société québécoise dans les années 1960. Après un doctorat en sociologie en France où il a étudié comme la plupart des intellectuels de sa génération, il participe activement à la transformation de l'enseignement supérieur à la fois comme professeur à l'Université Laval et fondateur de l'Institut québécois de recherche sur la culture (IQRC). Parallèlement à ses ouvrages théoriques sur la science économique (*La Dialectique de l'objet économique*, 1970), la sociologie (*Les Idéologies*, 1974), l'anthropologie (*L'Anthropologie en l'absence de l'homme*, 1981) et la théologie (*L'Institution de la théologie*, 1987), il poursuit une œuvre poétique, réunie en 1996 dans le recueil *La Part de l'ombre*. Sa pensée, aux confins du travail théorique et de la méditation poétique, plus philosophique que strictement sociologique, est d'abord orientée vers les fondements des sciences humaines, mais aussi vers les interrogations de la foi catholique (*Pour la conversion de la pensée chrétienne*, 1964, *Une foi partagée*, 1996).

Le Lieu de l'homme. La culture comme distance et mémoire (1968) est sans doute le livre central de l'œuvre de Fernand Dumont. Dans cet ouvrage, Dumont distingue « une culture première », correspondant à un rapport immédiat au monde, et « une culture seconde » construite dans la distance, la contestation et le dépassement de la première, comprenant les entreprises scientifiques aussi bien que les œuvres d'art. L'accès à cette culture seconde suppose un arrachement à la vie quotidienne dont l'essayiste va chercher des exemples chez les romanciers et les poètes ; arrachement nécessaire puisqu'il est la condition même de toute réflexion. La culture apparaît comme le foyer de l'œuvre de Dumont, car la conception qu'il en propose intègre la dramatisation, la transcendance et l'historicité :

Sans la culture, l'homme serait immergé dans l'actualité monotone de ses actes, il ne prendrait pas cette distance qui lui permet de se donner un passé et un futur. Il lui faut un monde déjà revêtu d'un sens, une dramatique où la conscience retrouve l'analogue ou la contrepartie de ses jeux : la culture est ce dans quoi l'homme est un être historique et ce par quoi son histoire tâche d'avoir un sens.

Les études québécoises constituent un volet important de l'œuvre de Dumont, qui a réalisé et dirigé de nombreux travaux sur l'analyse des idéologies. Dans *La Vigile du Québec* (1971), il reconstitue son parcours d'essayiste depuis les années 1950 et réagit aux événements d'octobre 1970. Des textes plus tardifs, surtout *Genèse de la société québécoise* (1993) et *Raisons communes* (1995), apparaissent comme des bilans, l'un sociologique et historique, l'autre philosophique, d'une réflexion sur ce qui fonde l'identité québécoise et sur la contribution singulière que cette petite collectivité peut apporter à la culture universelle.

De *Convergences* au *Lieu de l'homme*, la collection « Constantes » publie plusieurs essais marquants dans les années 1960. D'autres écrivains proposeront plus tard, dans cette collection et ailleurs, des rétrospectives d'articles parus au cours de cette décennie riche en débats (par exemple *Les Actes retrouvés* de Fernand Ouellette, en 1970, et *Chemin faisant* de Jacques Brault, en 1975). Aux Éditions Parti pris, la collection « Aspects » accueille des essais choisis en fonction de la ligne politique marxiste de la revue ; de 1966 à 1970, huit titres y sont publiés, dont une traduction du *Journal de Bolivie* d'Ernesto Guevara, le « Che » (la publication en quatre volumes s'étend de 1966 à 1969), une étude de Jean-Marc Piotte, *La Pensée politique de Gramsci* parue en 1970, ainsi que *Nègres blancs d'Amérique : autobiographie précoce d'un « terroriste » québécois* (1968) de Pierre Vallières (1937-1998). Membre du FLQ, Vallières écrit *Nègres blancs d'Amérique* au cours d'un séjour en prison à New York. L'ouvrage mêle à la réflexion politique et à la harangue révolutionnaire l'itinéraire personnel et les rencontres de l'auteur. Ces écrits révolutionnaires, proches de ceux qui paraissent au même moment en France, aux États-Unis et en Amérique latine, puisent leurs références aux différentes mouvances marxistes, aux théories de la décolonisation élaborées en Afrique et aux Antilles sous l'impulsion de Frantz Fanon et Albert Memmi, et aux discours qui animent le mouvement des droits humains aux États-Unis. Les auteurs en appellent volontiers à la littérature, de Rimbaud à la poésie de la résistance. Paul Chamberland et Pierre Maheu, cofondateurs de *Parti pris* dont il sera question dans le chapitre suivant, esquissent dans cette revue une sorte de mystique révolutionnaire.

La plupart des essayistes des années 1960 considèrent l'essai comme une forme littéraire à part entière. Mais, comme c'est le cas chez Fernand Dumont, l'essai marque aussi l'œuvre de scientifiques issus surtout des sciences sociales alors en plein développement. Ces spécialistes qui empruntent la voie de l'essai, soit pour vulgariser un savoir, soit pour approfondir une question hors du cadre académique, soit encore comme l'une des dimensions de leur approche, sont des historiens, comme Michel Brunet, Guy Frégault ou Maurice Séguin, animateurs, à l'Université de Montréal, de « l'école de Montréal » qui s'impose désormais après l'histoire nationaliste de Lionel Groulx. Ce sont également des sociologues, comme Marcel Rioux ou Guy Rocher de l'École des sciences sociales de l'Université de Montréal, foyer de contestation intellectuelle et politique depuis les années 1950. Ces essais (par exemple *La Question du Québec* de Marcel Rioux, 1969) éclairent la place faite à la littérature dans la pensée et dans l'espace public des années 1960. À cette époque, la science emprunte volontiers à la poésie ses figures et ses images. C'est là sans doute un des signes les plus évidents du pouvoir dont la littérature est alors investie.

6
Le poids de la critique

L'idée d'invention de la littérature québécoise s'exprime avec force dans le domaine de la critique littéraire au cours des années 1960. C'est le début d'une vaste entreprise d'inventaire et d'établissement du corpus québécois. Une floraison d'ouvrages apparaît en quelques années, comme *Présence de la critique* (1966) où Gilles Marcotte rassemble des contributions qui vont de René Garneau en 1958 à André Brochu en 1962. Les travaux collectifs se multiplient : Jean-Charles Falardeau et Fernand Dumont réunissent divers spécialistes dans *Littérature et Société canadiennes-françaises* qui inaugure en 1964 une longue tradition de lecture sociocritique de la littérature québécoise. La même année, Réjean Robidoux et André Renaud, de l'Université d'Ottawa où s'est ouvert un centre de recherche en littérature canadienne-française, publient *Le Roman canadien-français du XXᵉ siècle*. Pierre de Grandpré dirige la première histoire littéraire collective, *Histoire de la littérature française du Québec* (1967-1969). Le chapitre inaugural, « La littérature québécoise en perspective cavalière », signé par Georges-André Vachon, pose la question de « la tradition de lecture » qui, absente au Québec selon lui, serait « à inventer ». D'où la nécessité de faire connaître les textes anciens et surtout de les relire et de les relier au contexte nouveau de la Révolution tranquille. C'est ce que feront de nombreux critiques, en particulier ceux qui œuvrent à l'intérieur des départements universitaires de littérature qui sont alors en plein essor.

Il est impossible de dissocier l'idée d'invention de la littérature québécoise de l'émergence d'une critique savante. Certes, la critique journalistique ne disparaît pas, mais elle entre en concurrence avec une critique de type universitaire qui se méfie de l'impressionnisme et qui oppose aux simples jugements de goût des analyses plus élaborées. Un critique universitaire comme Jean Éthier-Blais (1925-1995), professeur à l'Université McGill, ne cessera pas pour autant de pratiquer une critique très personnelle, parallèlement, d'ailleurs, à l'écriture de poèmes, de nouvelles, de récits, de romans et de textes autobiographiques. Critique au *Devoir* à partir de 1960, Éthier-Blais est très présent dans le milieu littéraire (il réunira certaines de ses chroniques dans une série de *Signets* qui s'amorce en 1967), mais il reste en marge de son époque. Il oppose à celle-ci son nationalisme de droite et sa conception élitiste de la littérature. Il garde, par ailleurs, une affection particulière pour les écrivains de l'exil, tels Marcel Dugas et Paul Morin. Être de hauteur et de contrastes, tantôt caustique, tantôt précieux, il se passionne autant pour Paul-Émile Borduas que pour Lionel Groulx – ceux-là mêmes qui, chez Pierre Vadeboncœur, dans *La Ligne du risque*, constituaient les pôles opposés de la conscience québécoise – et accueille avec enthousiasme l'œuvre d'Hubert Aquin.

Mais l'œuvre critique la plus marquante à émerger dans les années 1960 est celle de Gilles Marcotte (né en 1925). Auteur de fictions, d'essais sur la musique et de nombreux ouvrages de critique, il passe du journal à l'université au cours de cette décennie. Après avoir été critique au *Devoir* puis directeur des pages littéraires à *La Presse*, il entre, en 1966, au Département d'études françaises de l'Université de Montréal. Il n'y a nulle rupture chez lui entre les deux fonctions et il continuera, tout au long de sa carrière universitaire, à collaborer à des journaux ou à des revues à large diffusion comme *Le Devoir* et *L'Actualité*. C'est même un des traits les plus caractéristiques de ses travaux que de se situer à la jonction d'une critique savante, orientée vers un public spécialisé, et d'une critique journalistique, destinée à un public plus large. Ses essais sur la littérature québécoise, abordée aussi bien dans son mouvement général qu'à travers des œuvres singulières, jouissent d'une diffusion considérable et servent souvent de référence.

Son premier livre, *Une littérature qui se fait* (1962), indique bien le sentiment commun à plusieurs critiques de l'époque d'assister à la naissance d'une littérature et d'être, en même temps, partie prenante de cette éclosion. Ce recueil de textes paraît dans la collection « Constantes » ; il s'agit du deuxième livre de cette collection après *Convergences* de Jean Le Moyne, à qui Marcotte répond indirectement. En effet, alors que Le Moyne prenait ses distances par rapport à la littérature canadienne-française, où il disait ne trouver « aucun aliment nécessaire », Marcotte écrit, dans un bref « Avertissement » :

On voudra bien considérer ce livre comme un témoignage, un acte de foi. L'intérêt que je porte, depuis plusieurs années déjà, à la littérature canadienne-française, n'est pas que le fruit d'une obligation professionnelle. Je crois très profondément que l'effort littéraire accompli dans la province de Québec prodigue les signes d'une évolution *ouverte* [...] Je laisse à d'autres d'attendre le grand livre, le chef-d'œuvre indiscutable, avant d'admettre l'existence possible d'une littérature canadienne-française. Pour moi, je n'ai pas le loisir d'attendre. Des livres, des œuvres existent – parfois très imparfaites, réduites à la seule valeur du témoignage ; parfois au seuil de la grandeur – avec lesquelles je veux engager dès maintenant le dialogue.

Marcotte définit d'entrée de jeu sa pratique de la critique comme une écoute : il s'agit de repérer une orientation qui viendrait des œuvres elles-mêmes et non de les juger à l'aune de quelque programme préétabli. La différence entre l'approche de Le Moyne et celle de Marcotte se manifeste notamment dans la lecture d'un auteur à qui ils accordent tous deux une importance capitale : tandis que le premier voit dans la poésie de Saint-Denys Garneau les symptômes d'un étouffement atavique, Marcotte cherche en elle les signes d'un épanouissement. C'est d'ailleurs le récit de cet épanouissement que met en place *Une littérature qui se fait*, dont l'organisation chronologique fait apparaître une évolution notable : alors qu'une étude des poètes Alfred Garneau et Albert Lozeau, datée de 1955, évoque « nos inquiétudes d'aujourd'hui devant une vie qui n'est pas tout à fait conquise », le recueil se clôt sur une étude de 1962 portant sur une œuvre contemporaine, qui se termine par cette phrase : « L'œuvre de Roland Giguère est celle de la vie conquise. »

La plupart des jeunes critiques qui viendront après Marcotte, même si certains s'en prendront à lui comme à un représentant du monde ancien, adopteront et l'architecture et l'orientation vers le présent mises en place par *Une littérature qui se fait*. Or le critique mettra peu à peu en question, dans les années suivantes, les perspectives qui ont été les siennes et l'institution qu'il a contribué à édifier. En effet, après *Le Temps des poètes* (1969), où il décrit « la poésie actuelle au Canada français », et *Le Roman à l'imparfait* (1976), où il observe les causes et les conséquences de l'absence du « grand réalisme » dans le roman québécois, Gilles Marcotte constate, dans *Littérature et Circonstances* (1989), qu'au Québec « l'institution précède les œuvres ». Selon lui, il faut entendre ce diagnostic de deux façons. Historiquement, d'abord, comme le constatait Crémazie – à qui Marcotte accordera toujours une importance particulière –, l'institution naît avant les œuvres elles-mêmes. Mais il faut observer aussi, insiste-t-il, que la littérature québécoise comme ensemble a toujours préséance sur les œuvres singulières, au détriment de celles-ci. C'est pourquoi les textes critiques plus tardifs de Marcotte tenteront de tenir le poids de la collectivité à distance. Il écrira par exemple, à propos des œuvres, dans *Le Lecteur de poèmes* (2000) : « Je ne puis ni ne veux les extraire complètement de l'histoire dont ils font partie, mais je les protège contre elle, ses ambitions parfois démesurées, je les sors d'un portrait commun qui les privait dans une certaine mesure de *l'irréductible* de leur entreprise. » L'ensemble de l'œuvre critique de Marcotte dessine ainsi un parcours qui va d'une lecture faite au nom de la collectivité à une mise en valeur de la singularité des œuvres, qui seraient paradoxalement victimes du développement de l'institution littéraire.

Au cours des années 1960, tandis que l'institution littéraire québécoise est encore en élaboration, la critique des nouveaux livres dans les journaux est souvent l'occasion de définir ce que les lecteurs attendent alors de la littérature d'ici. Il n'est pas rare que dans les recensions s'exprime le souhait de voir advenir le « chef-d'œuvre » capable de donner à la littérature québécoise un rayonnement qui lui aurait fait défaut jusque-là. Mais ce sont surtout les revues qui vont jouer un rôle essentiel pour la promotion de la littérature québécoise. Deux revues animent en particulier cette effervescence : *Liberté* fondée en 1959 et qui continue de paraître jusqu'à aujourd'hui, et *Parti pris* (1963-1968) qui, malgré sa durée limitée, a un impact décisif durant la Révolution tranquille.

Créée dans la foulée des Rencontres d'écrivains organisées par l'Hexagone, *Liberté* naît du même esprit de compagnonnage et d'amitié. Pendant plusieurs années, la revue est dirigée par Jean-Guy Pilon, mais elle reste toujours marquée par une orientation collective et pluraliste. En dépit de personnalités souvent très contrastées (par exemple Fernand Ouellette, Jacques Godbout, André Belleau, Michèle Lalonde, Yves Préfontaine et, jusqu'à sa démission fracassante en 1971, Hubert Aquin), les écrivains qui collaborent à *Liberté* se rejoignent autour d'une position éditoriale assez constante. Méfiante à l'égard des orthodoxies politiques autant que des engouements théoriques, la revue défend une conception humaniste de la culture et s'engage dans les débats du moment à partir d'une position qui fait de la littérature un point de vue privilégié sur le monde. La revue publie des textes de critique et de création, des chroniques et des réflexions sur la littérature. Une rubrique dont le titre varie au fil du temps couvre l'actualité littéraire pour le Québec, la France et sporadiquement pour le Canada anglais et les États-Unis. La musique, le cinéma et la peinture font également l'objet de chroniques fréquentes quoique irrégulières. La revue propose des dossiers thématiques et en consacre plusieurs à des écrivains, québécois (Rina Lasnier, Alain Grandbois) ou étrangers (René Char, Pierre Jean Jouve ou Ezra Pound). Quelques figures littéraires contemporaines, surtout Char et Camus, y incarnent une sorte d'idéal de l'écrivain engagé par son œuvre dans les combats de son époque. La réflexion sur le rôle de l'intellectuel, sur les enjeux et les limites de sa pratique est structurée autour de la question identitaire. Par exemple, on se demande en 1960 « Comment concilier notre civilisation américaine et notre culture française ». Elle revêt un aspect plus politique dans certains dossiers consacrés à l'histoire nationale ou à l'actualité : « 1837-1838 », « Le séparatisme », ou encore la crise d'Octobre 1970. C'est à *Liberté* qu'Hubert Aquin publie sa réponse à Pierre Elliott Trudeau intitulée « La fatigue culturelle du Canada français » (1962). De façon générale, l'équipe de *Liberté* partage l'enthousiasme que suscite le mouvement de modernisation de la Révolution tranquille ; ainsi, elle consacre un numéro en 1964 au barrage hydroélectrique de la Manicouagan que plusieurs collaborateurs sont allés visiter. Reste que la revue maintient une certaine réserve ou une distance critique à l'égard de la nouveauté, comme d'ailleurs à l'égard des enjeux idéologiques propres à cette époque. Ce qui domine, c'est l'ouverture sur les autres littératures du monde et non plus sur la seule littérature française, mais surtout l'affirmation d'un regard spécifiquement littéraire sur les questions sociales ou politiques. Par là, *Liberté* contribue avant tout – et cela se poursuivra durant les décennies suivantes – au développement du genre de l'essai.

Parti pris accorde aussi une place importante à la littérature, qui suscite toutefois la méfiance et à laquelle la revue préfère le terrain de l'engagement politique. La revue est fondée par Paul Chamberland et Pierre Maheu, avec le concours d'André Brochu (qui trouve le nom de la revue chez Sartre) et d'André Major, alors collaborateur de *Socialisme*, auxquels se joignent bientôt Jacques Renaud, Laurent Girouard et Gérald Godin. Ce sont pour la plupart des étudiants en lettres ou en philosophie. Plusieurs sont aussi poètes ou romanciers et certains se présentent d'abord comme des théoriciens formés à la dialectique marxiste. Si l'effet de génération saute aux yeux, l'âge n'est nullement un critère exclusif, comme le suggère la présence de Jacques Ferron, qui signe une chronique régulière. *Parti pris* connaît tout de suite un fort tirage et rejoint un public au-delà de la sphère littéraire. La revue s'affiche d'emblée comme plus radicale que *Liberté* sur le plan politique. Elle prône l'indépendance du Québec, la laïcité et le socialisme, l'accent étant mis sur la dimension progressiste d'un nouveau nationalisme. Cependant, *Liberté* et *Parti pris* coexistent sans rivalité et c'est dans un numéro de *Liberté* (« Jeune littérature, jeune révolution ») offert tout entier à « la jeune génération » que les futurs collaborateurs de *Parti pris* se trouvent réunis pour la première fois en 1963.

Dans la logique de son engagement politique, *Parti pris* fait de la littérature du Québec un enjeu majeur. En témoigne le numéro de janvier 1965 qui porte le titre « Pour une littérature québécoise » ; l'adjectif, qui va bientôt se banaliser, est ici polémique et relève d'une revendication. La plupart des ouvrages critiques qui paraissent au cours de la décennie font encore référence à la littérature canadienne-française, voire à la littérature française du Québec, et non à la littérature québécoise. L'expression revêt donc un sens nettement politique et marque une double coupure : par rapport à la France d'un côté, par rapport au Canada de l'autre. La littérature québécoise est ainsi présentée comme l'expression de l'identité québécoise. Conçu comme un manifeste, le numéro s'ouvre sur un essai de Pierre Maheu, « Le poète et le permanent », et comprend notamment un texte de Gaston Miron, qui fait le bilan critique de son engagement, un autre de Jacques Brault sur les dangers de « l'éloquence ». Dans « Dire ce que je suis », Paul Chamberland formule de manière intransigeante l'engagement de l'écrivain : « celui qui choisit l'abstention, l'exil en France, ou en Objectivité, en Universalité ou en Beau-Langage, trahit en le fuyant *le particularisme canadien-français, qui, toujours intact, le poursuit, l'atteint et le ronge de l'intérieur* ». Cette position radicale ne fait pas l'unanimité dans le groupe et certains, comme André Major et André Brochu, ne tarderont pas à prendre une voie individuelle, à l'écart des mots d'ordre ; Chamberland lui-même, du reste, dès la fin des années 1960, s'éloignera du « particularisme canadien-français » pour se rapprocher de la contre-culture.

Dans sa contribution au numéro « Pour une littérature québécoise », intitulée « La nouvelle relation écrivain-critique », André Brochu (né en 1942) explicite sa conception de la critique littéraire. Il observe que, malgré sa solidarité quant aux valeurs révolutionnaires de ses camarades, ses visées sont inverses : loin de vouloir se débarrasser du passé canadien-français, il veut découvrir « une identité québécoise à travers les œuvres qui constituent notre tradition ». Pour ce faire, plutôt que de s'en remettre à « la colère contre l'intellectualité » qu'il observe chez les écrivains de *Parti pris*, il souhaite que la critique, « analysant avec sérieux les œuvres d'un Chauveau, d'un Gérin-Lajoie, d'un Bourassa et de tant d'autres », vise « à rendre compte de l'obscure volonté d'art qui les animait ». Dans une livraison précédente de *Parti pris*, il en appelait à « une conception renouvelée et moins superficielle de nos œuvres littéraires. On a trop souvent parlé de "la sympathie qui nous rend si attachantes les œuvres de Gabrielle Roy", du rôle prépondérant de la grâce chez Saint-Denys Garneau, et autres balivernes du genre. La critique désormais sera intelligente ou ne sera pas ».

On voit par là se joindre les deux attitudes qui caractérisent la critique littéraire à l'époque de la Révolution tranquille : d'une part, un désir de s'approprier la tradition littéraire nationale, d'autre part, l'obligation d'appliquer à ce corpus de véritables méthodes de lecture inspirées de théories qui rompent avec la critique impressionniste. Toute une génération d'universitaires, à laquelle André Brochu lui-même appartient, va s'efforcer de mettre en place cette « critique intelligente » alors que, dans la foulée des réformes de l'enseignement, les universités intègrent des programmes de littérature québécoise à leurs départements de lettres. Une critique professionnelle, dite savante, prend désormais en charge le corpus local. Ainsi, la littérature québécoise se constitue en champ de savoir. Nicole Fortin a pu montrer ce que cette « invention de la littérature québécoise » doit aux revues universitaires (*Études françaises, Études littéraires, Voix et Images du pays*) qui voient le jour dans la deuxième moitié de la décennie. Il faut insister sur le fait que la plupart des critiques qui y publient des études ont été formés en Europe, surtout en France, et que la littérature française est leur premier domaine de spécialisation. La littérature québécoise apparaît pour eux comme un corpus relativement nouveau et inexploré. Ces critiques impriment à leurs travaux sur la littérature québécoise des exigences théoriques liées aux grands courants de la critique contemporaine. La sociologie marxiste de Georg Lukács et de Lucien Goldmann inspire Jean-Charles Falardeau. André Brochu applique aux textes québécois la thématique structurale de Georges Poulet ou de Jean-Pierre Richard, eux-mêmes nourris par les travaux de Gaston Bachelard. Gérard Bessette transpose la méthode psychocritique de Charles Mauron à l'étude d'écrivains québécois. Dans chacun des cas, la critique littéraire s'appuie sur le prestige nouveau des sciences humaines (linguistique, anthropologie, psychanalyse, etc.) pour rompre avec les vieilles méthodes de l'histoire littéraire et de la critique traditionnelle. Il s'agit à la fois de dégager les structures profondes des œuvres sur le plan thématique ou formel et d'élargir leurs interprétations en les rattachant tantôt à de grands mythes universels, tantôt à des idéologies qui renvoient au contexte historique et social du Québec. Cette « nouvelle critique » se développera de façon beaucoup plus large au cours de la décennie suivante.

7
Roman et jeux d'écriture

Si le roman des années 1950 se présente comme une manière d'interroger « l'homme d'ici », celui des années 1960 se veut plus autoréflexif, plus libre, plus fou dans ses formes comme dans son propos. Non pas à la façon radicale du Nouveau Roman, qui veut en finir avec le roman de type balzacien. Au Québec, le réalisme ne constitue pas, loin de là, un modèle fort et contraignant. Le roman québécois des années 1960 ne vise pas tant à rompre avec les mécanismes de la représentation réaliste qu'à exploiter la fragilité même de ces mécanismes. Par ailleurs, le vieux roman de la terre et le roman psychologique des années 1950 ne pèsent pas lourd dans la mémoire des jeunes romanciers de 1960. Ceux-ci se projettent dans des personnages qui sont jeunes comme eux et qui observent le monde avec une curiosité nouvelle, partagée entre l'émerveillement de l'enfance et l'inquiétude de ne pas trop savoir quel sens donner à la folie d'invention qu'ils incarnent. Le roman n'obéit à aucun programme précis, mais il commence généralement par une mise en question de l'écriture. C'est ce que Nathalie Sarraute, en France, a appelé « l'ère du soupçon », mais celle-ci est transportée dans un contexte où il s'agit moins de détruire que de créer. Le romancier fait entendre sa voix, porté par un enthousiasme qui est celui de l'époque tout entière, mais aussi par l'effort de lucidité qui le ronge jusque dans ses plus franches réussites. S'il est libre d'orienter la fiction à sa guise, le romancier ressent le besoin de s'en expliquer, comme si son lecteur était toujours doublé d'un critique. C'est pourquoi le roman des années 1960, tout en multipliant les expériences d'écriture, veut séduire son lecteur et en faire une sorte de complice.

Pour saisir l'évolution du roman de la Révolution tranquille, il convient toutefois de rappeler que les romanciers des années 1950, comme l'a montré André Belleau, avaient déjà commencé à donner à leurs textes une dimension plus explicitement littéraire, notamment par des jeux de citations et par le biais de personnages d'écrivains. Ce qui change de façon saisissante vers 1960, c'est d'abord et avant tout la question du langage, qui se défait d'une certaine raideur au profit de jeux d'écriture qui vont aller en s'amplifiant tout au long de la période. On le voit bien a contrario à partir de certains romans qui, malgré la modernité des thèmes, n'ont pas reçu l'accueil enthousiaste ménagé aux œuvres dont la facture même constituait une sorte de révolution dans le paysage romanesque québécois. C'est le cas, par exemple, des romans de Monique Bosco (1927-2007), née à Vienne. D'origine juive, elle quitte l'Autriche pour la France en 1931, y passe la guerre, connaît l'exode et doit se cacher. Elle émigre au Canada en 1948 où elle est successivement journaliste, auteure de textes pour Radio-Canada et l'Office national du film, collaboratrice à divers journaux et revues, et, après une thèse de doctorat sur la littérature canadienne-française, professeure à l'Université de Montréal. Son premier roman, *Un amour maladroit* (1961), n'est guère remarqué même s'il paraît chez Gallimard. Son roman le mieux accueilli est son troisième, *La Femme de Loth* (1970), qui fixe les constantes formelles et thématiques de son œuvre ultérieure : inspiration biblique, style elliptique, fragmentation du récit en épisodes courts, obsession des destins obscurs de femmes, poids de l'héritage juif, impossibilité de toute appartenance, solitude. Dans les romans suivants, centrés sur la condition féminine, notamment *New Medea* (1974) et *Portrait de Zeus peint par Minerve* (1982), tout comme dans ses poèmes (*Schabbat 70-77*, 1978), Monique Bosco continue de s'approprier les grands mythes et les textes fondateurs dans des réactualisations contemporaines qui en font ressortir la force tragique. Son œuvre, saluée par le prix David (1996), s'oriente ensuite vers l'essai, avec notamment *Confiteor* (1998) et *Bis* (1999).

Claire Martin (pseudonyme de Claire Montreuil, née en 1914) occupe, elle aussi, une situation quelque peu marginale. Ses textes les plus connus sont les deux récits autobiographiques *Dans un gant de fer. I. La Joue gauche* (1965) et *Dans un gant de fer. II. La Joue droite* (1966), qui retracent l'enfance et la jeunesse de l'auteure, issue d'une famille de la bourgeoisie de Québec, dominée par un père violent qui bat sa femme et ses enfants. Claire Martin évoque aussi la cruauté et la bêtise de quelques-unes des religieuses enseignantes rencontrées dans les deux couvents où elle a été pensionnaire. Quoique les événements rapportés remontent à une trentaine d'années au moment de la parution du livre, *Dans un gant de fer* est reçu, dans l'atmosphère de contestation des années 1960, comme une charge démystifiant durement la famille et la religion. La carrière littéraire de Claire Martin, d'abord annonceuse à Radio-Canada, a commencé par un recueil de nouvelles, *Avec ou sans amour* (1958), qui lui a valu le prix du Cercle du livre de France. La critique souligne alors le classicisme du style considéré comme « français » (Claire Martin se réclame d'ailleurs de Gide, Proust et Colette). La finesse de l'analyse des sentiments, l'humour, l'ironie, le sens de la formule se confirment dans les deux romans suivants, *Doux-amer* (1960) et *Quand j'aurai payé ton visage* (1962). Ce dernier texte tire son originalité de la succession des narrations, celle de Catherine, l'héroïne, celle de Robert, son jeune beau-frère dont elle tombe amoureuse et pour qui elle quitte son mari, Bruno, et celle de Jeanne Ferny, la mère des deux hommes, témoin de ce triangle amoureux. Dans *Doux-amer*, le narrateur, un éditeur, analyse rétrospectivement son histoire d'amour avec une romancière dont il a lancé la carrière et qui le quitte brusquement pour un autre homme avant de lui revenir, après qu'elle a été abandonnée à son tour. L'écriture de Claire Martin demeurera fidèle à ce style classique dans ses récits tardifs, parus après un silence de près de trente ans (*Toute la vie*, 1999, *Il s'appelait Thomas*, 2003).

En marge d'un tel classicisme, auquel il faudrait associer également l'écriture de Gabrielle Roy, d'Anne Hébert et même d'Yves Thériault, les années 1960 voient émerger des écrivains qui vont bouleverser le langage romanesque et qui, par un revirement soudain, ne forment plus du tout la marge, mais bien le centre de la littérature québécoise. Cela commence de façon relativement douce, avec par exemple les premiers récits poétiques de Marie-Claire Blais ou les contes de Jacques Ferron, puis ce sera le roman en joual, autour de *Parti pris*, et, entre 1964 et 1966, les œuvres clefs que sont *La Jument des Mongols* de Jean Basile, *Prochain Épisode* d'Hubert Aquin, *Une saison dans la vie d'Emmanuel* de Marie-Claire Blais et *L'Avalée des avalés* de Réjean Ducharme. L'effet d'entraînement est immense et se répercute jusqu'en France, où l'on prend acte de l'invention d'une littérature québécoise. La poésie du pays a joué un rôle similaire quelques années plus tôt, mais le roman donne à cette impulsion une évidence beaucoup plus grande. Le roman rejoint en effet un public élargi et intègre les références au monde actuel, celui de la ville, de la jeunesse, de la révolution sociale et nationale, de la libération sexuelle. Même quand il se livre à des jeux formels, le roman semble parler de son époque et à son époque.

L'un des premiers écrivains à saisir l'ampleur des changements est Gérard Bessette (1920-2005). Auteur en 1950 de l'une des premières thèses consacrées à la littérature canadienne-française, sur les images en poésie, il fait ensuite carrière à l'Université Queen's de Kingston (Ontario). Il incarne cette figure du « romancier professeur » qui n'existait guère jusque-là, mais dont on verra de nombreux exemples par la suite. Son œuvre se partage entre la fiction et la critique. Influencé comme on l'a dit par les théories de Charles Mauron, il propose des interprétations psychocritiques de trois romanciers québécois (Claude-Henri Grignon, Yves Thériault et Gabrielle Roy), signe des essais littéraires, dont *Une littérature en ébullition* (1968), et fait paraître en 1972 une *Anthologie d'Albert Laberge*. Dès son premier roman, *La Bagarre* (1958), Bessette fait de la littérature un thème central. Jules Lebeuf, un étudiant en lettres qui veut devenir romancier, pour la célébrité comme Simenon ou pour la gloire comme Balzac, craint de « ne pondr[e] que des romans "sérieux"... du sous-Bazin ou du sous-Bourget... ». Pour Lebeuf comme pour tous ces écrivains fictifs des romans des années 1950, la Beauté (de la littérature, de l'amour) est à distance. De manière significative, Lebeuf renonce à la littérature et choisit l'action, « la bagarre » syndicale. Le romancier, lui, choisit de situer son récit dans le Montréal des années 1950 et le fait dans une langue délibérément populaire, comme pour l'ancrer davantage dans la réalité sociale. Mais *La Bagarre* s'apparente encore à la veine sociale de la période antérieure, qui va de *Bonheur d'occasion* aux romans de Jean-Jules Richard, de Roger Viau ou de Pierre Gélinas. Ce n'est plus le cas de son deuxième roman, *Le Libraire* (1960), qui deviendra, aux yeux de la critique québécoise, l'un des romans phares de la Révolution tranquille.

Ce court roman, qui évoque implicitement *L'Étranger* de Camus, s'amuse à construire un univers de papier, jusqu'à donner à la chambre où loge le héros, Hervé Jodoin, les proportions d'une feuille de papier (le texte précise qu'elle fait exactement onze pieds sur huit et demi). Jodoin est un libraire maussade qui déteste les lecteurs et les livres, sauf comme marchandise à voler, et dont la principale activité consiste à écrire un journal « pour tuer le temps ». *Le Libraire* est saturé de littérature, mais il est écrit sur un ton personnel et désinvolte comme si le héros, blasé par la littérature, soumettait celle-ci à des fins banales de subsistance. Ce roman n'a rien à voir avec les ambitions de la tradition réaliste. Il illustre plutôt ce que Gilles Marcotte appellera, en 1976, le « roman à l'imparfait », soit un roman qui s'éloigne de l'Histoire au profit de menus faits présentés dans un désordre libérateur, soumis aux aléas de l'existence, et révélant les pouvoirs créateurs du langage. Peu de temps après *Le Libraire*, Bessette pousse l'expérimentation langagière à un niveau plus radical, avec *L'Incubation* (1965), un des rares exemples, avec *Quelqu'un pour m'écouter* (1964) de Réal Benoit, d'un roman québécois directement inspiré du Nouveau Roman français. La technique de *L'Incubation* est en effet empruntée à *La Route des Flandres* de Claude Simon. C'est l'histoire d'un suicide différé et « incubé », dans laquelle l'auteur met en place le petit milieu de l'Université de Narcotown où il situera désormais la plupart de ses textes. C'est aussi dans ce roman qu'il systématise l'usage de la parenthèse et le redoublement sémantique qui caractérisent notamment *Le Cycle* (1971) ou *La Commensale* (1975) écrit au même moment que *Le Libraire*. L'autoréférentialité s'accentuera par la suite, avec *Le Semestre* (1979) et *Les Dires d'Omer Marin* (1985) sous-titré « roman journal », où le retour du même protagoniste permet d'introduire le commentaire du roman précédent. Mais ces dernières expérimentations formelles feront moins de bruit à une époque où la figure de l'écrivain universitaire et les jeux formels seront devenus monnaie courante. Malgré l'importance de ses romans tardifs, Bessette demeurera aux yeux de la critique l'auteur du *Libraire*. Il s'en plaindra dans *Mes romans et moi* (1979), constatant à regret que « le maudit *Libraire* prend toute la place ».

Plus jeune que Bessette, Jacques Godbout (né en 1933) entre de plain-pied dans le renouveau littéraire et dans le bouillonnement idéologique de la Révolution tranquille, lui qui participe à la création de la revue *Liberté* en 1959 et du Mouvement laïque de langue française en 1962. Son œuvre, sensible aux changements rapides qui vont marquer la culture québécoise, se nourrit de l'actualité. On chercherait en vain une frontière nette entre son travail de journaliste, de cinéaste, d'essayiste, d'éditeur et de romancier. « Spécialiste en généralités », selon sa propre formule, il écrit ses romans comme il rédige ses chroniques dans les revues intellectuelles, surtout *Liberté* et *Parti pris*, mais aussi *Les Lettres françaises* (Paris), c'est-à-dire avec un sens aigu des résonances que ses textes peuvent avoir dans un milieu donné et à un moment précis de l'Histoire. Lecteur de Sartre à qui il avait voulu consacrer son mémoire de maîtrise en 1954 (mais les autorités universitaires s'y étaient opposées), il voit dans l'écriture une forme d'engagement social et politique, quoique de façon nettement plus mesurée que chez des révolutionnaires fervents comme Aquin.

Après avoir publié trois recueils de poésie, dont *Carton-pâte* paru en 1956 chez Seghers, Godbout passe au roman avec *L'Aquarium* en 1962, publié à Paris (Seuil) comme tous ses autres romans. Le roman se déroule dans un pays du Sud, peut-être en Éthiopie où Godbout a enseigné quelque temps. Le narrateur est un exilé, condamné à vivre dans un hôtel (la Casa Occidentale) comparé à un aquarium. Ce court roman a été associé à l'époque au Nouveau Roman, mais il a plus d'affinités avec *Le Libraire*, qui se déroulait lui aussi dans une sorte de huis clos et se terminait par le vol et la fuite. Le roman n'est pas sans faire penser aussi à un autre huis clos, celui des *Chambres de bois* d'Anne Hébert. À la différence de ces romans toutefois, celui de Godbout se permet une série de licences narratives qui font, par exemple, que le narrateur à la première personne semble au courant de ce qui arrive aux autres personnages, même quand il n'est pas témoin de leurs actes. Bessette et plusieurs autres critiques à sa suite lui reprocheront cette prétendue maladresse de construction. Mais c'est précisément elle qui fait l'originalité de ce roman qui met en question la vraisemblance de la fiction. *L'Aquarium* se distingue aussi par son écriture saccadée, faite de courtes phrases parfois inachevées, réunies en petits chapitres et formant une intrigue assez peu structurée. Cette désinvolture volontaire a pour effet d'accentuer la dimension fragmentée du récit où cohabitent, sans avoir de liens véritables, des exilés canadiens, australiens, polonais ou anglais.

Avec *Le Couteau sur la table* (1965), écrit alors qu'explosent les premières bombes du FLQ, Godbout veut d'abord raconter une liaison amoureuse entre un Canadien français et une Canadienne anglaise. Mais l'actualité politique infléchit l'écriture du roman au point que l'histoire d'amour interethnique devient le récit d'une rupture.

À partir de ce moment-là [*i.e.* les premiers attentats du FLQ] il n'était plus possible, psychologiquement, humainement parlant, de continuer la même histoire. Ça n'était plus possible pour personne. Donc le livre m'a tourné entre les mains et j'ai tenté de raconter comment tout ça effectivement aboutissait à une brisure. Et c'est pourquoi le récit se termine par un communiqué qui est le communiqué du F.L.Q. c'est-à-dire l'insertion de l'actualité dans la vie tranquille, individualisée, calme, amoureuse du personnage principal qui s'imaginait, jusqu'à ce moment-là, *Canadien*.

La distance entre l'art romanesque et les circonstances sociopolitiques semble abolie. L'écrivain revendique sa présence dans le monde et son roman se laisse délibérément contaminer par un autre récit, collectif celui-là, alimenté par les slogans politiques ou publicitaires, par ce qui s'écrit dans les journaux et par ce qui se dit dans les médias électroniques. Dans une chronique parue en 1971, Godbout reviendra sur cette conjoncture troublante de la Révolution tranquille. Qui écrit vraiment, se demandera-t-il ? Est-ce bien l'écrivain ? Il a beau signer son texte, celui-ci n'existe que s'il s'accroche d'une manière ou d'une autre à un texte collectif, appelé ici le « texte national ». L'écrivain n'est jamais que l'une des voix de ce grand texte, ce « Mur des lamentations » qui fera dire à Godbout qu'il « n'y a au Québec qu'Un seul Écrivain : nous tous ».

Ce mur des lamentations devient un peu le sujet du roman suivant, *Salut Galarneau!* (1967), le plus connu des romans de Godbout. Le héros, François Galarneau, est écrivain-ethnographe, roi du hot-dog et il accueille les touristes américains en les initiant à la culture et à l'accent du Québec. Il a deux frères, l'un dans les œuvres charitables et l'autre à Radio-Canada où il est scripteur. Le premier appartient donc au clergé catholique ; l'autre est du côté de la France (où il a étudié) et de l'écriture professionnelle de même que de la modernité audio-visuelle. François se situe entre les deux : il est resté à Montréal, vit depuis deux ans avec Marise, lit beaucoup et, tout en vendant ses hot-dogs, il remplit des cahiers qui forment le roman lui-même, cahiers qu'il veut soumettre à son frère Jacques, le véritable écrivain de la famille, pour qu'il les corrige. L'histoire se termine lorsque Marise décide de partir avec Jacques. François se fait alors emmurer vivant chez lui et s'écrit des lettres qu'il poste dans sa salle de bains ou dans son réfrigérateur. Il regarde la télévision, surtout les messages publicitaires. Cette scène fameuse illustre bien la situation de l'écrivain québécois qui ne peut opposer au mur des lamentations, commun à toute la collectivité, qu'un autre mur, celui de l'écrivain martyr qui ne veut plus jouer à l'ethnographe de service, et qui se révolte en se séparant physiquement des autres. Mais ce qu'il voudrait, au fond, ce n'est pas vivre en dehors du monde, c'est créer un « mur de papier, de mots, de cahiers ». Ou, mieux encore, c'est parvenir à *vécrire*, selon le mot-valise qu'il invente à la toute fin du roman : « Je sais bien que de deux choses l'une : ou tu vis, ou tu écris. Moi je veux *vécrire*. »

Ces deux actions seront incarnées par deux personnages distincts dans le roman suivant, *D'amour, P.Q.* (1972) : Thomas d'Amour, romancier et poète célèbre au Québec, et sa secrétaire Mireille, qui s'exprime en joual et incarne ici la figure de la lectrice. Voici les deux extrêmes, l'écrivain masculin de prestige, le grand intellectuel, et la fille du peuple, qui parle le langage de tout le monde et qui ne se laisse aucunement impressionner par la culture de son patron. Par un renversement des rôles assez typique du roman de cette époque, c'est elle en effet qui détient le vrai pouvoir créateur. À un certain point du récit, Thomas copie ce que Mireille lui dicte et adopte son style populiste et vernaculaire. À la fin, quand Thomas affirme « C'est MOI l'écrivain », elle aura le dernier mot : « Quand tu viens me dire que c'est TOI, L'ÉCRIVAIN, tu me fais mal aux seins, toi mon garçon, t'es l'aiguille du gramophone, t'es pas le disque, tu n'as pas la propriété des mots, si tu leur touches, c'est parce que la commune veut bien que tu nous fasses de la musique, mais faut pas nous faire chier. » Ainsi s'achève le premier cycle des romans de Godbout, caractérisé par la figure du personnage écrivain, mais peut-être surtout par le choc des langages, c'est-à-dire par la désacralisation de l'écriture littéraire au profit de langages empruntés à tout le monde. Le roman ici s'expose à la superficialité de tout ce qu'il tend à absorber, la télévision, le journal, les clichés de l'époque, en particulier ceux qui concernent le milieu intellectuel québécois auquel ces romans sont destinés. Pour chacun des personnages de Godbout, sauf François Galarneau, ce sont là des jeux d'écriture qui ne semblent jamais porter à conséquence. Le roman participe à l'invention de la littérature québécoise, mais comme forme non sérieuse et toujours un peu suspecte car le romancier sait d'avance que toute forme d'engagement, y compris dans l'écriture, comporte une part de trahison.

Les romans suivants de Godbout font encore une large place à l'actualité sociale et politique, et permettent de suivre l'évolution des débats au Québec. *L'Isle au dragon* (1976) aborde le thème de l'environnement et constitue une sorte de pamphlet écologiste. Il met en présence un riche investisseur américain, William T. Shaheen, qui projette de faire de l'Isle-Verte un vaste dépotoir atomique, et un dragon mythique qui se trouve au large de l'île. *Les Têtes à Papineau* (1981) reprend le thème du monstre, mais de façon plus réaliste et sans chercher à en dissimuler la portée politique au lendemain du premier référendum sur la souveraineté du Québec. L'histoire est celle d'un garçon bicéphale qui parvient à vivre un certain temps, allégorie de la dualité nationale, avant de se faire opérer et de ne former qu'une seule tête, ne parlant plus qu'une seule langue. Dans *Une histoire américaine* (1986), Gregory Francœur, un militant péquiste déçu comme il y en aura plusieurs après 1980, épouse la cause des réfugiés. Le personnage de Galarneau fait un retour dans le roman suivant, *Le Temps des Galarneau* (1993). De même, *Opération Rimbaud* (1999) nous ramène en Éthiopie, où se déroulait *L'Aquarium*. En marge de sa carrière de romancier et d'essayiste, Godbout tourne des documentaires et des fictions sur des héros oubliés, tel ce cow-boy Will James, Québécois exilé aux États-Unis et célébrité à Hollywood dans les années 1930. Il est aussi l'auteur de plusieurs chroniques (*Le Murmure marchand*, 1984) et d'un journal (*L'Écrivain de province*, 1990).

8
Hubert Aquin : une nouvelle capacité de noirceur

Pendant que les poètes du pays et les romanciers de *Parti pris* inventent une tradition en fondant celle-ci sur le territoire ou sur le joual, Hubert Aquin (1929-1977) se construit une filiation qui puise à toutes les géographies et à toutes les histoires. La modernité dans laquelle il se reconnaît vient exclusivement d'ailleurs : c'est celle de Flaubert, Joyce, Kafka, Faulkner, Borges ou Nabokov, parmi d'autres. Pour plusieurs lecteurs et critiques, Aquin symbolise la modernité québécoise en ce qu'elle a de plus international et de plus radical. Il est l'écrivain révolutionnaire par excellence, mais aussi le plus désespéré des écrivains de la Révolution tranquille. Toute son œuvre est placée sous le signe de l'ombre et de la lucidité. Dans son journal, en date du 18 février 1952, il cite *Un beau ténébreux* de Julien Gracq et lance une sorte de prophétie : « S'il y a jamais une littérature canadienne du nord, [...] elle devra redonner au français une nouvelle capacité de noirceur, et l'écho profond de nos bois. » Nul mieux que lui n'a su exprimer, par la littérature, une telle « capacité de noirceur ».

C'est d'abord en tant qu'essayiste et polémiste qu'Aquin se fait connaître au début des années 1960. Après avoir obtenu une licence en philosophie à l'Université de Montréal en 1951, il séjourne trois ans à Paris, où il commence une thèse de doctorat à l'Institut d'études politiques. Il publie quelques critiques littéraires au *Quartier latin* et des interviews d'écrivains à l'hebdomadaire *L'Autorité*. Il travaille ensuite comme réalisateur à Radio-Canada puis à l'Office national du film, où il est également scénariste avant de devenir producteur. Ses premiers textes majeurs paraissent dans la revue *Liberté*, dont il est le directeur en 1961-1962. Il publie alors « La fatigue culturelle du Canada français », longue réponse à Pierre Elliott Trudeau qui s'en était pris, dans *Cité libre*, aux nationalistes. Sur un ton posé qu'il abandonnera dans ses essais ultérieurs, Aquin défend la nécessité d'un nationalisme moderne fondé non pas sur l'identité ethnique, mais sur une communauté culturelle et linguistique qui ne se réduit d'ailleurs pas au seul Québec, mais englobe tout le Canada français. La principale originalité de ce texte réside toutefois dans la notion de « fatigue », empruntée à Aimé Césaire. Tandis que le néonationalisme, associé à la nouvelle génération alors en plein essor, semble porté par une énergie inépuisable et la confiance dans l'avenir, Aquin insiste sur la nature profondément ambiguë de la culture canadienne-française qui ne cesse de revivre les mêmes déchirements : « elle aspire à la fois à la force et au repos, à l'intensité existentielle et au suicide, à l'indépendance et à la dépendance ».

La même idée est reprise, mais sous un angle à la fois littéraire et psychanalytique, dans un texte intitulé « L'art de la défaite. *Considérations stylistiques* » (1965) et qui porte sur les Rébellions de 1837-1838. Aquin y souligne la passivité des patriotes, s'appuyant notamment sur le récit que Lionel Groulx avait fait de ces événements. Il constate : « certains peuples vénèrent un soldat inconnu, nous, nous n'avons pas le choix : c'est un soldat défait et célèbre que nous vénérons, un combattant dont la tristesse incroyable continue d'opérer en nous, comme une force d'inertie ». Au leadership hésitant de Papineau, parti en exil dès avant les troubles, Aquin oppose et préfère la lucidité et la vigueur combative de Chevalier de Lorimier, qui sera pendu.

Entre ces deux articles, Aquin prend fait et cause pour les activistes du FLQ et annonce publiquement, en 1964, qu'il va « prendre le maquis ». Il est membre depuis 1960 du Rassemblement pour l'indépendance nationale et appartient à l'aile la plus radicale de ce parti, celle qui refusera de se saborder, en 1968, pour laisser le champ libre au Parti québécois. En 1964, Aquin se rapproche brièvement du Parti socialiste et de *Parti pris*, revue nettement plus politisée que *Liberté*. C'est dans *Parti pris* qu'il publie en 1964 un de ses textes les plus célèbres, « Profession : écrivain », qui sera repris dans *Point de fuite* en 1971. « Écrire me tue », lance-t-il avec colère, dénonçant le « piège » dans lequel tombent les écrivains québécois incapables de s'engager politiquement. Il accuse nommément le romancier Jean Simard de se complaire dans « l'aventure intérieure », ce qui laisse l'argent et le pouvoir à ceux qui les possèdent déjà, c'est-à-dire surtout aux Canadiens anglais. « Écrivain, faute d'être banquier », lance-t-il en 1967 dans une entrevue accordée à Jean Bouthillette. L'ironie de l'histoire veut toutefois que ce soit précisément au moment où Aquin dénonce le statut d'écrivain au Québec qu'il y devient le symbole de l'écrivain véritable.

L'événement majeur de la carrière littéraire d'Aquin survient à la suite de son arrestation, en juillet 1964, pour port d'arme illégal. Interné durant quatre mois à l'hôpital psychiatrique Albert-Prévost, il y rédige *Prochain Épisode*, le premier roman qu'il publiera (il avait déjà écrit *L'Invention de la mort*, qui sera publié de façon posthume). Dès sa sortie au Cercle du livre de France en 1965, *Prochain Épisode* fait l'effet d'une bombe dans le paysage littéraire de l'époque. Jean Éthier-Blais écrit dans *Le Devoir* : « Nous n'avons plus à le chercher. Nous le tenons, notre grand écrivain. Mon Dieu, merci. » D'une vie romanesque au roman proprement dit, le passage est rapide et triomphal. Aquin s'impose tout de suite comme un écrivain majeur de la littérature québécoise, celui que la nouvelle génération de lecteurs espérait de tout cœur.

Ces lecteurs de la Révolution tranquille se reconnaissent plus aisément dans les fulgurances stylistiques et narratives de *Prochain Épisode* que dans le joual des romanciers de *Parti pris*. Le roman parle le langage de son époque, il en adopte la liberté créatrice, le lyrisme, la frénésie, le désordre jubilatoire, mais aussi la crainte de l'échec et le vertige devant l'Histoire. La première phrase fournit une image poétique qui résume à elle seule la contradiction entre la force et le repos dont parlait Aquin à propos de la fatigue culturelle : « Cuba coule en flammes au milieu du lac Léman pendant que je descends au fond des choses. » D'un côté, la révolution cubaine et la violence de l'incendie ; de l'autre, la quiétude d'un lac situé au cœur de la Suisse. Et les deux pôles symboliques sont renvoyés dos à dos au nom de la seule expérience qui compte véritablement, celle du sujet qui descend au fond des choses. « Cette phrase, écrit Gilles Marcotte, est la définition même de la Révolution tranquille. »

Prochain Épisode se présente comme un (faux) roman d'espionnage. Le narrateur est envoyé en mission par une femme blonde, appelée K, au nom de la cause séparatiste. Il est chargé de tuer un espion contre-révolutionnaire wallon, H. de Heutz, qui enseigne les guerres romaines en Suisse et travaille pour la Gendarmerie royale du Canada. Le récit se complique rapidement, H. de Heutz ayant plusieurs noms et plusieurs rôles. Le narrateur finit par s'identifier à son ennemi, qui devient une sorte de double ; de même, H. de Heutz est accompagné par une femme blonde qui rappelle K. Au plus fort de cette poursuite automobile menée à tombeau ouvert, le narrateur avoue lui-même en avoir perdu le fil. Incapable de tuer son ennemi, il est rappelé à Montréal par une lettre de K et se retrouve soudainement en prison, d'où il écrit son récit. Ce roman de la vitesse et du fantasme révolutionnaire trouve paradoxalement son sens tragique dans l'incapacité d'agir du narrateur, plusieurs fois mentionnée dans le texte :

je me déprime et me rends à l'évidence que cet affaissement est ma façon d'être. Pendant des années, j'ai vécu aplati avec fureur. J'ai habitué mes amis à un voltage intenable, à un gaspillage d'étincelles et de courts-circuits. Cracher le feu, tromper la mort, ressusciter cent fois, courir le mille en moins de quatre minutes, introduire le lance-flammes en dialectique, et la conduite-suicide en politique, voilà comment j'ai établi mon style.

Prochain Épisode se compose en fait comme une série de zigzags ou d'ellipses entre le récit d'espionnage et l'abondant commentaire qu'il suscite. Ce roman au second degré rompt le contrat de vraisemblance et les conventions propres au roman d'espionnage au profit d'un pacte de lecture d'un autre type. Au lieu de tendre vers la transparence et la résolution de l'énigme, le roman ne cesse de s'opacifier, le narrateur mettant en doute chacune des informations qu'il révèle, brouillant les identités de chaque personnage (ou les superposant), exploitant les nombreuses interrogations du lecteur et exhibant le véritable sujet du roman, qui est l'écriture elle-même. Le héros de cette fiction vertigineuse, c'est en effet le personnage de l'écrivain en tant que figure révolutionnaire parfaitement libre d'inventer l'histoire au fur et à mesure qu'elle se développe. Mais la gratuité du jeu est compensée par le sérieux avec lequel l'écrivain accomplit sa tâche : précision maniaque des références littéraires, géographiques et historiques, virtuosité du style, métaphores filées, logique de la construction narrative, dédoublement des personnages et oppositions symboliques des lieux (d'un côté, la prison de Montréal, de l'autre, les routes et les hôtels luxueux de la Suisse). En outre, le roman est traversé par les idées qu'Aquin défend à la même époque dans ses essais. Le drame du narrateur de *Prochain Épisode* illustre, sur le plan romanesque, « l'art de la défaite » dont parle Aquin dans *Liberté* : « La violence m'a brisé avant que j'aie le temps de la répandre. Je n'ai plus d'énergie ; ma propre désolation m'écrase. J'agonise sans style, comme mes frères anciens de Saint-Eustache. Je suis un peuple défait qui marche en désordre dans les rues qui passent en dessous de notre couche… » Par le récit de sa propre incapacité à entrer dans l'action, le narrateur espère conjurer cet « art de la défaite ». La révolution, par conséquent, ne peut avoir lieu que plus tard, dans un « prochain épisode ».

La signification politique ne disparaît d'aucun des trois autres romans d'Aquin, mais elle ne s'impose plus de façon aussi évidente. *Trou de mémoire* (1968) est une œuvre délibérément baroque dans laquelle la violence meurtrière prend sa source dans des pulsions d'ordre sexuel plutôt que révolutionnaire. La lecture n'est plus seulement un jeu de miroirs comme dans *Prochain Épisode* : le roman tend à devenir « inintelligible, indéchiffrable » (Anthony Purdy). Quatre narrateurs différents se partagent le récit : Olympe Ghezzo-Quénum (un pharmacien révolutionnaire de la Côte-d'Ivoire), Pierre X. Magnant (un pharmacien révolutionnaire de Montréal), l'énigmatique éditeur et RR (Rachel Ruskin). Ces deux derniers personnages interviennent dans les récits des deux premiers par le biais de notes faussement explicatives en bas de page, l'un allant parfois jusqu'à réfuter l'autre. Ici aussi, comme dans *Prochain Épisode*, les personnages se présentent comme des doubles. Olympe Ghezzo-Quénum est le double africain de Pierre X. Magnant, ce qui permet au récit d'évoquer la question de la décolonisation qui constitue un des thèmes importants chez Aquin. De même, RR est le double féminin de l'éditeur et tous deux ont en commun de chercher à s'approprier le récit. Entre ces narrateurs se trouve le corps de Joan, violée puis assassinée prétendument par P. X. Magnant. C'est là le motif central du roman, l'équivalent symbolique du crâne représenté dans un tableau de Holbein (*Les Ambassadeurs*) et dont Aquin tire sa technique de l'anamorphose longuement décrite dans le roman. Selon cette technique, directement associée à l'âge baroque et aux lois de la perspective, un élément d'un tableau peut n'être visible que selon un certain angle. La cohérence du tableau dépend étroitement de la position du spectateur ou, par analogie, du lecteur. La participation de ce dernier est donc cruciale pour donner un sens à l'œuvre. Cette sollicitation du lecteur constitue un trait général du roman de la Révolution tranquille, mais elle trouve, chez Aquin, une urgence qu'elle n'a pas ailleurs et qui semble s'accentuer dans chacun de ses textes. En 1976, il admettra avoir essayé « d'étreindre le lecteur littéralement dans *Trou de mémoire* ou de le violer même, à la limite, et de l'agresser pour ensuite le relâcher et le reprendre indéfiniment ».

Pour Anthony Wall, cette agression du lecteur constitue l'originalité profonde de l'œuvre d'Aquin. « L'œuvre romanesque d'Hubert Aquin agresse constamment son lecteur et c'est dans cette relation, chargée d'énergie, entre texte et lecteur qu'il faut chercher l'étonnante vitalité de cette œuvre. » Le troisième roman, *L'Antiphonaire* (1969), est sans doute le plus déroutant à cet égard. On y retrouve les mêmes procédés d'écriture : jeux de miroirs, dédoublements, roman dans le roman. Mais ici le roman est placé sous le signe de l'épilepsie et de l'ésotérisme. L'érudition historique est portée à son comble, au point de décourager plusieurs critiques qui jugent sévèrement l'œuvre. André Lamontagne parle ainsi d'une « construction funèbre » et d'une « autoréférentialité narcissique ». Les thèmes du viol, du meurtre et du suicide, déjà présents dans *Trou de mémoire*, se déploient de façon presque mécanique dans *L'Antiphonaire*. L'écriture baroque s'alimente de l'ésotérisme et donne lieu à une mystique du corps qui culmine dans les dernières pages, inspirées par le Cantique des cantiques.

Le roman se présente au départ selon une structure binaire, comme un chant alterné de deux voix, d'où le titre emprunté au vocabulaire de la liturgie. Il y a, d'un côté, l'histoire de Christine, située en Californie et à Montréal, et, de l'autre, l'histoire d'une jeune fille épileptique, Renata, qui se déroule en 1536 en Italie, en Suisse et en France. Christine est médecin, mais elle a cessé de pratiquer la médecine pour se consacrer à la rédaction d'une thèse de doctorat sur l'histoire de la médecine et elle se passionne pour le personnage-victime de Renata, dont elle fait son double. Les deux femmes sont violées et le violeur, dans les deux cas, est assassiné. Mais Renata est rapidement écartée du tableau et laisse la place à une galerie de personnages secondaires pendant que Christine fait alterner le récit de ceux-ci et celui de sa propre histoire. Les deux pôles sont aussi fragiles l'un que l'autre, soumis à un anachronisme constant. Les intrigues respectives importent d'ailleurs moins que la superposition des voix anciennes et contemporaines, les allers-retours entre le manuscrit d'un médecin du XVIe siècle et celui de Christine. Dans ce roman, le temps semble aboli. Les personnages n'ont pas d'identité propre, mais parlent par citations. Au moment de se suicider, Christine reprend elle-même les paroles d'un théologien mystique du Moyen Âge : « "Mourons et entrons dans l'obscurité" a dit saint Bonaventure quelque part. Noire et douce *exhortatio* que je n'avais jamais comprise vraiment! »

Le dernier roman qu'Aquin publie de son vivant, *Neige noire* (1974), est écrit sous la forme d'un scénario de film. Nicolas Vanesse abandonne sa carrière de comédien (son dernier rôle est celui de Fortinbras dans *Hamlet*) pour réaliser un film autobiographique qui mélange, comme les autres romans d'Aquin, l'univers réel et l'univers fictif, mais qui peut aussi se lire comme la transposition moderne de la tragédie de *Hamlet*. La traduction anglaise du roman, par Sheila Fischman, porte d'ailleurs un titre qu'Aquin aimait beaucoup, *Hamlet's Twin*. Nicolas part en Norvège en voyage de noces et tue (ou feint de tuer) sa femme, l'ophélienne

Sylvie Dubuque. Celle-ci avait revu peu auparavant son ancien amant, Michel Lewandowski, coupable comme Polonius, puisqu'on apprend plus loin qu'il est le père de Sylvie. Il se suicidera en lisant le scénario du film qui révèle son passé incestueux. Après la mort de Sylvie, enfouie sous les neiges de Norvège comme le père de Fortinbras, Nicolas trouve refuge chez une amie norvégienne de sa femme, Éva Vos. Éva le suit à Montréal, où elle rencontre l'actrice du film de Nicolas, Linda Noble, qui a déjà joué le rôle d'Ophélie et représente ainsi le double de Sylvie. Pour échapper au destin de celle-ci, victime du sadisme de Nicolas, Linda s'unit à Éva, dans une sorte de fusion à la fois sexuelle et mystique. Peu shakespearienne, cette fin confirme un mouvement qui a commencé avec *Trou de mémoire* et qui conduit à ce que René Lapierre décrit comme « l'effacement du monde réel dans l'extase ». Outre ces romans publiés, il existe neuf projets romanesques inachevés, dont *Obombre*, commencé en 1976, qui se voulait le dernier livre d'Aquin. Tout en voulant faire une sorte d'œuvre synthèse, Aquin s'y révèle, plus que jamais, un collectionneur d'informations et de matériaux hétérogènes en vue d'un « projet artistique total » qui ne prendra jamais forme.

Bien qu'elle fasse l'objet d'une large reconnaissance, l'œuvre aquinienne reste davantage analysée que lue. Elle fascine la critique universitaire, comme en témoigne le nombre très élevé d'articles savants, de mémoires et de thèses, mais, sauf *Prochain Épisode* et quelques essais publiés au même moment que ce roman, elle rejoint difficilement un public plus large. Celui-ci s'intéresse davantage à la vie tragique de l'écrivain et à son suicide en 1977 qui a provoqué une onde de choc dans le milieu littéraire. Le réalisateur Gordon Sheppard y a consacré deux livres, le premier écrit en collaboration avec la veuve d'Aquin, Andrée Yanacopoulo (*Signé Hubert Aquin*, 1985), le second présentant in extenso (mais en anglais) des entrevues et des témoignages sur le suicide d'Aquin (*HA. A Self-murderer Mystery*, 2003) et épousant la forme du scénario filmique de *Neige noire*. Pendant ce temps, une importante équipe de chercheurs s'est employée à publier l'ensemble des textes d'Aquin dans une édition critique de poche qui permet de repérer les sources de son œuvre et de suivre la genèse de chacun des textes, qu'il s'agisse des romans (achevés ou inachevés), des articles ou de notes diverses.

Jacques Ferron : la littérature par la petite porte

L'œuvre de Jacques Ferron (1921-1985) est nourrie par son expérience de médecin et par sa participation directe à la vie politique. Contrairement à plusieurs de
ses contemporains, Ferron n'a jamais vu de contradiction entre son activité littéraire et son militantisme. Toute son œuvre est parsemée de références à l'histoire
et à l'actualité politique du Québec, et sa façon souvent moqueuse et ironique de
faire de la politique, notamment en fondant en 1963 le Parti Rhinocéros sur la
scène fédérale, rapproche le politicien de l'écrivain. L'un et l'autre, avec un style
semblable, observent le monde extérieur par ses aspects en apparence les plus
dérisoires ou insignifiants. Si c'est par la politique et la littérature que Ferron s'est
fait connaître, c'est sa carrière de médecin qui lui permet de gagner sa vie. Elle le
met aussi en contact avec des gens de tous les milieux dont plusieurs se transformeront en personnages de contes ou de romans. La figure du fou, qui apparaît
dans plusieurs de ses textes, doit beaucoup à l'expérience acquise alors que
Ferron travaille à l'hôpital psychiatrique pour enfants du Mont-Providence, puis
à l'hôpital psychiatrique Saint-Jean-de-Dieu. La pratique de la médecine renvoie
par ailleurs à une position de témoin qui n'est pas sans rappeler celle de l'écrivain. Le médecin de famille se présente souvent dans l'imaginaire de Ferron
comme un personnage un peu à part de la société traditionnelle, un bourgeois
athée ne fréquentant guère l'Église et nourrissant une compassion profonde pour
les paysans ou les ouvriers qu'il soigne. Les deux carrières de médecin et d'écrivain ne sont jamais éloignées chez Ferron, qui publie la majorité de ses contes
(47 sur 71), non dans une revue littéraire, mais dans le bulletin *L'Information
médicale et paramédicale*.

Durant la Révolution tranquille, Ferron participe pleinement à l'invention de
la littérature québécoise et, comme plusieurs autres écrivains, il milite au sein du
mouvement indépendantiste. Mais il n'est jamais tout à fait là où on l'attend.
Dans les années 1950, on l'imagine à *Cité libre*, comme les autres intellectuels
antiduplessistes de sa génération ; il se retrouve plutôt candidat du Parti social
démocratique (futur Nouveau Parti démocratique), puis dans une éphémère
revue d'avant-garde au titre sartrien, *Situations*. Dans les années 1960, on l'imagine à *Liberté*, comme les autres écrivains nationalistes ; il n'y publie que de rares
textes. Il se sent un peu plus près de *Parti pris*, où on le traite comme un aîné
bienveillant, mais il ne se reconnaît pas dans ce rôle, et encore moins dans l'éloge
du joual qui n'a jamais été, pour lui, qu'un « langage présomptueux » : « Le joual
ne s'écrit pas. S'il a une dignité, cette dignité sera de servir de jargon à une
conspiration », écrit-il dans *Le Devoir* en octobre 1965. Ferron entre dans chacun

de ces groupes « par la porte d'en arrière », selon la coutume qui veut qu'un médecin entre ainsi chez ses patients. Cette attitude d'*outsider* est typique de Ferron et détermine aussi sa position paradoxale dans l'histoire de la Révolution tranquille. Il semble partout chez lui, il est de tous les débats, qu'ils soient de nature littéraire, politique ou sociale, mais il ne fait partie d'aucun groupe en particulier.

Du reste, Ferron est bien le seul écrivain de cette période ambitieuse à pratiquer avec autant de bonheur un genre réputé mineur, celui du conte, associé le plus souvent à une littérature traditionnelle. Le conte n'est pas, chez lui, un genre parmi d'autres : c'est, comme l'a montré Jean Marcel, le genre qui définit le mieux l'esthétique de Ferron. Les pièces de théâtre, les romans et même les essais de Ferron peuvent se lire comme des contes. Ses textes n'ont pourtant pas beaucoup à voir avec les contes de Louis Fréchette, d'Honoré Beaugrand ou de Pamphile Le May. Ferron ne cherche pas à transcrire des légendes orales ou des récits traditionnels qui, autrement, risqueraient de disparaître de la mémoire collective. Ses contes parlent abondamment du passé, mais c'est un passé entièrement réécrit à partir du présent. Quant à la culture orale, elle est transformée de fond en comble par la plume de l'écrivain et soumise au plaisir du style. Ferron dira à ce propos en 1967 : « je suis le dernier d'une tradition orale et le premier de la transposition écrite. » Cette phrase toutefois est trompeuse, car elle aurait pu être écrite à la fin du xixe siècle par plusieurs écrivains. Or, entre la tradition orale et la transposition écrite, il n'y a plus en 1960 de continuité forte. Ce sont deux mondes complètement étrangers l'un à l'autre. Ferron est bien conscient de cette coupure et ses contes ne sont ni nostalgiques ni folkloriques. Ce qu'il emprunte au conte, c'est d'abord une certaine légèreté, une manière inactuelle d'écrire, une façon d'inventer un style mi-sérieux, mi-amusant et d'assumer ainsi un regard libre, détaché, totalement personnel. Le conte permet en outre de mêler le réel et le merveilleux, la grande Histoire et l'anecdote, le familier et l'étrange, le mythique et l'historique, le profane et le religieux. Et surtout, le conte ferronien entraîne le lecteur dans un temps indéterminé, celui du « Il était une fois ».

C'est par la publication en 1962 des *Contes du pays incertain* que Ferron s'impose comme un écrivain original. Auparavant, il avait écrit quelques pièces de théâtre, dont *Les Grands Soleils* qui sera jouée au TNM en 1968. Mais les pièces de théâtre de Ferron sont faites pour être lues plus que jouées. Les meilleures ressemblent à ses contes, les autres, souvent très courtes, ne sont que des « bagatelles », selon sa propre expression. Les *Contes du pays incertain* rejoignent, eux, la thématique du pays qui est au cœur de la littérature de la Révolution tranquille. Composé de dix-sept contes, le recueil donne une dimension nouvelle aux textes qui, sauf dans un cas, avaient tous été publiés auparavant dans une revue. Mis bout à bout, ces contes dessinent un univers imaginaire fortement signé. Le style de Ferron ne ressemble à rien de ce qui s'était écrit avant lui. C'est tout l'univers du terroir (la religion, la famille, le village), mais porté à la hauteur du mythe et passé au crible d'une prose serrée, vive, pleine de clins d'œil à la façon des prosateurs classiques du XVIIIe siècle. Une finesse d'esprit extraordinaire s'y déploie, mais autour de thèmes en apparence triviaux, d'anecdotes tirées de la petite histoire. On voit la société québécoise à travers une satire permanente, avec cette drôle de hiérarchie qui fait qu'un seigneur n'est jamais très éloigné du cultivateur, comme si une immense familiarité gouvernait toutes les relations humaines, et même animales. On trouve en effet, dans ces contes, un certain nombre d'animaux qui ne sont pas moins intégrés socialement que certains individus. Et tout cela dans une géographie extrêmement précise, qui va de Val-d'Or à la Gaspésie ou jusqu'au « Farouest » en passant par Montréal et sa banlieue. Dans chaque conte, un curieux personnage apparaît, unique en son genre, qui fait littéralement corps avec les lieux. Jamais pareil aux autres mais incarnant parfaitement le pays incertain, ce personnage excentrique s'appelle tantôt Cadieu, tantôt Mélie. Ce n'est pas un héros légendaire, mais plutôt une figure solitaire, oubliée de la littérature et de l'Histoire.

Dans un conte intitulé « Le paysagiste », ce personnage se nomme Jérémie. Ferron le présente comme un simple d'esprit qui passe son temps à contempler le paysage. Il le décrit au milieu de « cette bonne province de Gaspésie, si théâtrale ». Le milieu social et géographique compte au moins autant que l'individu, dont on sait peu de choses. La Gaspésie de Ferron est d'abord « théâtrale », comme d'ailleurs tous les lieux qu'il décrit dans ses contes et ses romans. L'écrivain les aborde non pas pour leur donner un surcroît de réalité, au nom d'une esthétique qui serait celle du réalisme, mais en vertu d'une liberté et d'une vérité toutes personnelles. Le paysagiste ne ressemble à personne d'autre : il vit « au milieu d'un grand loisir ». Il regarde la mer et s'identifie tellement à ce qu'il voit qu'il se confond avec tel goéland et semble se perdre totalement dans le décor (réel et théâtral à la fois), comme s'il n'y avait aucune différence entre lui et le monde extérieur. La principale difficulté de ce contemplatif a été de se faire accepter par les siens. On le tenait pour paresseux et on se moquait de sa lenteur d'esprit, mais comme on est dans l'univers archaïque du conte, on se trouve également dans un type de société ancienne qui accorde un statut aux simples d'esprit. « Ailleurs qu'en Gaspésie on l'eût envoyé étudier la peinture chez les fous, car dans les provinces où l'on s'éclaire à l'électricité depuis plus d'une génération, on se croit déjà au ciel : on choisit ses enfants ; les autres vont en prison, damnés. La Gaspésie n'en est pas encore là ; on y reste du monde. » Un « concordat » oblige ses concitoyens à subvenir à ses besoins, ce qui lui permet de se consacrer à son travail de paysagiste : il passe ses journées à peindre directement sur l'horizon marin, qui est son chef-d'œuvre quotidien. Les badauds s'habituent à lui et commentent son œuvre : « Pas mal, disaient-ils, cette ondée ! Bien réussi, ton vent ! Pas fameuse, ta bruine du matin ! » Cependant, à mesure qu'il s'intègre à la société, y mettant

Jacques Ferron. Bibliothèque et Archives nationales du Québec, Direction du Centre de Montréal. Photo Michel Elliott.

d'ailleurs du sien et acceptant de bavarder avec tout le monde, le paysagiste se sent trahi : « l'acceptation des siens l'avait banni de soi ». Infiniment mélancolique, il finit par se noyer. Mais contrairement au cliché romantique, ce n'est pas pour avoir été rejeté par la société : la cause est ailleurs et, dans cet univers, elle importe finalement assez peu. Le paysagiste fait partie de cette vaste famille de fous, de prophètes (il ne s'appelle pas Jérémie pour rien), de criminels et de poètes qui habitent un monde à part et qui, pour cela précisément, constituent les héros de Ferron.

Deux ans après *Contes du pays incertain*, Ferron publie un deuxième recueil, comprenant vingt-trois contes et intitulé *Contes anglais et autres*. En 1968, il regroupe ces deux premiers recueils et y ajoute quatre contes, sous le titre général de *Contes, édition intégrale*, mais en respectant la division par recueil dans la composition interne du livre. Cette division disparaîtra toutefois progressivement par la suite et les études critiques parleront de plus en plus des contes de Ferron sans faire de distinction entre les deux recueils initiaux. Ferron lui-même n'a jamais manifesté beaucoup d'intérêt ou de rigueur dans la fabrication matérielle de ses livres et dans la diffusion de son œuvre. À partir de 1962, sa production augmente à un rythme rapide. De 1962 à 1975, il publie pas moins de dix-sept livres. Outre ses deux recueils de contes, cette liste comprend les titres suivants : *Cotnoir* (1962), *La Nuit* (1965), *Papa Boss* (1966), *La Charrette* (1968), *Historiettes* (1969), *Le Ciel de Québec* (1969), *L'Amélanchier* (1970), *Le Salut de l'Irlande* (1970), *Les Roses sauvages* (1971), *La Chaise du maréchal-ferrant* (1972), *Le Saint-Élias* (1972), *Du fond de mon arrière-cuisine* (1973) et *Escarmouches* (1975). À cette liste déjà longue, il faudrait ajouter la réédition augmentée de ses contes en 1968, la réédition en livre de ses pièces de théâtre (*Théâtre I* en 1968 et *Théâtre II* en 1975) et surtout la réécriture de *La Nuit*, qui devient *Les Confitures de coings* (1972). La presque totalité de l'œuvre de Ferron a été publiée, sinon écrite, durant ces années fastes qui culminent entre 1969 et 1972 alors qu'il fait paraître presque deux nouveaux livres par année.

La plupart des titres appartiennent au genre romanesque, même si plusieurs sont relativement courts et s'apparentent à certains des contes les plus longs. *Cotnoir* n'a que 99 pages, *La Nuit*, 134 pages, *Papa Boss*, 142 pages. En 1969, Ferron se lance toutefois dans l'écriture d'un roman massif, étant résolu à en finir avec « les petits romans à cent pages ». *Le Ciel de Québec* fait 404 pages. Il commence ainsi : « Monseigneur Camille, de la lignée humaniste des prélats québecquois, homme bon, discret et de bonne compagnie, disait sa messe au Précieux-Sang, dans la basse-ville. » Monseigneur Camille, c'est le célèbre critique national Camille Roy, celui qui a écrit le premier manuel de littérature canadienne-française. Il a perdu ici son patronyme, comme si le personnage était une figure connue du lecteur. Il incarne l'Église, bien sûr, puisqu'il appartient à la lignée des prélats *québecquois*, mais c'est ce dernier adjectif, orthographié de façon à renvoyer à la ville de Québec plutôt qu'à la nation québécoise, qui attire l'œil du lecteur. Nous sommes donc sous *Le Ciel de Québec*. Monseigneur Camille, « de bonne compagnie », dit la messe dans la « basse-ville », comme s'il faisait partie du peuple ordinaire, sans égard à son titre ecclésiastique. Comme dans la bonne province de Gaspésie, « on y reste du monde ». Cette perspective sociale traverse tout le roman qui se veut une chronique des années 1937-1938. Pourquoi ces années précisément ? Parce qu'elles coïncident avec la publication de *Regards et Jeux dans l'espace* de Saint-Denys Garneau et permettent à Ferron de mettre en scène le milieu intellectuel de l'époque. La littérature, on le voit, est au cœur du roman : Camille Roy, Saint-Denys Garneau alias « Orphée », sa mère « Calliope », sa cousine Anne Hébert, puis Claude Hurtubise, Jean Le Moyne, Robert Charbonneau, le poète Frank Scott (le personnage, appelé d'abord Frank Anacharcis Scot, s'enquébecquoisera pour devenir François Anacharcis Scot), auxquels s'ajoute une figure légèrement anachronique (Ferron avoue avoir un peu « triché » avec la chronologie), le peintre Paul-Émile Borduas. En bref, voici un roman qui raconte, avec autant de malice que de sympathie, les dessous de l'histoire intellectuelle, religieuse et politique du Québec d'avant la Révolution tranquille.

« Livre absolument baroque », selon la formule de Ferron lui-même, *Le Ciel de Québec* ne rencontre pas le même succès que ses contes. Mais il ouvre la voie à un livre en apparence beaucoup plus modeste, écrit en quatre mois, qui constitue cependant aux yeux de plusieurs critiques le sommet de son œuvre. Il s'agit de *L'Amélanchier*, le seul livre de Ferron à avoir été repris, quoique sans succès, par un éditeur français, Robert Laffont. Publié en 1970, il est comme l'envers du *Ciel de Québec* : l'univers merveilleux du conte opposé au réalisme grotesque du roman. Ferron y déploie avec un art maîtrisé une intuition déjà présente dans *Le Ciel de Québec*. L'amélanchier est l'arbre emblématique du bois enchanté qui se trouve derrière la maison des Portanqueu. Typique du Québec, il est reconnu par le frère Marie-Victorin, cité en exergue, comme l'un des plus beaux arbres du pays au moment de sa floraison. Tinamer de Portanqueu est une sorte d'Alice au pays des merveilles racontant son enfance, avec des arbres doués de parole et un lapin qui ne cesse de regarder sa montre-boussole et que Ferron appelle Northrop (par allusion au célèbre critique canadien Northrop Frye). D'une part, il y a le bon côté des choses, celui de la forêt magique et du conte, d'autre part, le mauvais, celui de l'école et des discours du savoir. Le prénom de la narratrice, anagramme de Martine, se situe lui-même du côté du jeu. Cette vision manichéenne cède bientôt la place à un désenchantement qui supprime les deux côtés à la fois, laissant Tinamer seule face à un monde privé d'opposition. Totalement désorientée, elle hésite alors à écrire soit à la manière d'un conte, soit à la manière d'une thèse, et se met à mêler ces deux styles pourtant incompatibles. Mais le conte se termine bien alors que Tinamer se retrouve « au milieu de toute chose, exactement au centre du monde », capable d'embrasser du même regard le bon et le mauvais côté des choses. D'une apparente sérénité, *L'Amélanchier* n'en contient pas moins les thèmes les plus troublants de l'œuvre de Ferron, notamment celui de la folie, que Tinamer découvre à travers son père qui travaille au « Mont-Thabor » où il soigne des fous.

Ferron donne le meilleur de lui-même dans les petits livres qu'il publie durant cette période. Plusieurs d'entre eux sont des réécritures de textes antérieurs, mais considérablement augmentés. *La Charrette* (1968) développe le conte « Le pont » déjà publié dans *Contes du pays incertain*. Ce roman, « peut-être mon meilleur livre », disait Ferron en 1974, est aussi le plus complexe sur le plan narratif et s'inscrit dans la veine des textes où la petite histoire se fond dans le mythe de Faust. Commencé au « je », le roman passe brusquement au « il » et raconte une sorte d'épopée nocturne dans le château illuminé de la ville, autour des « Portes de l'Enfer », nom d'un cabaret montréalais où se croise la faune étrange des personnages de Ferron. En 1971, *Les Roses sauvages* se présente de façon plus traditionnelle, mais sur un ton moins distancié, plus douloureux, directement inspiré de son expérience à l'hôpital psychiatrique Saint-Jean-de-Dieu. Construit en trois mouvements autour de la figure d'un homme d'affaires surnommé Baron, le roman raconte d'abord la folie et le suicide de sa femme, puis la rencontre d'une Terre-Neuvienne, enfin la folie et le suicide de Baron lui-même qui n'avait cessé d'écrire à sa première femme comme s'il la croyait encore vivante. Le roman se termine par une histoire de cas, une « Lettre d'amour » d'une patiente de l'hôpital psychiatrique écrivant à son cher époux. De la fiction au témoignage, l'écart tend à rétrécir.

De la même façon, la réalité fait irruption dans le roman *Les Confitures de coings,* qui est d'abord une réécriture de *La Nuit,* mais adaptée à la suite des événements d'octobre 1970. Convaincu que le mouvement indépendantiste avait été l'objet d'une vaste machination, Ferron en a beaucoup voulu à certains anglophones jusque-là sympathiques à la cause des Québécois, notamment Hugh MacLennan et Frank R. Scott. Ce dernier, un des grands amis de Pierre Elliott Trudeau, jouait un rôle important dans la version initiale, sous le nom de Frank Archibald Campbell. Révolté par ce qu'il appelle la machination mise en place par le pouvoir fédéral afin de discréditer le mouvement indépendantiste, Ferron fait suivre ses *Confitures de coings* d'un « Appendice aux *Confitures de coings* ou le congédiement de Frank Archibald Campbell ». On y lit : « Frank Archibald Campbell dont j'ai beaucoup écrit, mais toujours avec révérence et une sorte d'amitié, [...] n'est plus pour moi qu'un ridicule épouvantail à corneilles, une manière d'imbécile presque aussi méprisable que ce Hugh MacLennan ». La fiction ne va plus de soi et semble répondre à l'actualité politique.

En 1973, Ferron publie son dernier texte majeur, l'un de ses romans où apparaît le plus clairement sa poétique d'auteur, *Le Saint-Élias.* Ce roman est en même temps une sorte d'allégorie nationale. Nous sommes en 1869, le curé de Batiscan, Élias Tourigny, s'apprête à baptiser un trois-mâts qui partira ensuite pour les Bermudes et jusqu'en Afrique. « Que soit brisé l'écrou du golfe ! » lance le curé dont la soudaine éloquence surprend tous ses paroissiens. Au bout de quelques générations, un écrivain surgit, appelé Mithridate III, qui voudra renflouer le *Saint-Élias,* seul moyen de prendre possession du monde. Sa vision tient en une phrase : « J'écris et je refais la réalité de mon pays à mon gré. » Ce pourrait être aussi la devise de Jacques Ferron.

Après ces années fastes, Ferron rêve d'un grand projet romanesque, désigné sous le titre « Le Pas de Gamelin », mais il ne parviendra jamais à composer ce livre. Lui qui a toujours écrit avec facilité, au fil de l'inspiration, le voici qui se trouve devant un échec, une œuvre impossible. C'est l'écriture elle-même qui semble empêchée à partir de là, comme si elle avait perdu sa nécessité. Après une tentative de suicide en 1975, Ferron écrit de moins en moins, et se montre assez peu réceptif aux nombreux témoignages d'admiration d'écrivains de la génération suivante. Victor-Lévy Beaulieu, le plus célèbre disciple de Ferron, le voit comme « le seul romancier québécois qui ait tenté, tout au long d'une œuvre maintenant essentielle, de nous donner une mythologie ». Ferron obtient les prix les plus prestigieux, son œuvre est presque entièrement traduite ou sur le point d'être traduite en anglais. Mais il ne publie plus guère (sauf *Gaspé-Mattempa* en 1980 et *Rosaire* en 1981) et il se tient à l'écart de la vie publique. Il se tait au moment où il reçoit sa pleine consécration. Après sa mort en 1985 paraissent encore plusieurs livres, entretiens ou inédits à caractère autobiographique comme *La Conférence inachevée* (1987). La masse d'écrits de ce type fait peu à peu découvrir, derrière le Ferron satirique, un « autre Ferron », selon l'expression de Ginette Michaud. Ces textes qui s'éloignent de la fiction pour se rapprocher du témoignage incitent à relire toute l'œuvre de Ferron comme un va-et-vient constant entre le récit national et le récit de soi.

Ferron n'a cessé toute sa vie de réécrire ou de mettre bout à bout ses propres textes, comme autant de morceaux d'une œuvre à laquelle il se souciait peu de donner une forme définitive. Publiés souvent à la hâte chez des éditeurs peu soigneux, ses textes ont depuis lors été réédités par des spécialistes qui insistent sur la forte cohérence de cette œuvre malgré son inachèvement. Grâce à eux, le lecteur d'aujourd'hui est mieux à même d'apprécier la singularité de cette œuvre. Est-elle reconnue à sa juste valeur ? Ferron fait partie de ces écrivains québécois qui ont tellement rusé avec leurs lecteurs que ceux-ci ne savent plus trop où situer son œuvre. Ferron écrivain national ? Certes, mais le pays, chez Ferron, reste toujours un lieu imaginaire, un espace incertain ouvert à la fiction. De plus, on ne trouve guère d'écrivains à l'époque qui soient plus passionnés de littérature anglaise et de grands mythes universels. Célébrée au Québec au même titre que celle des plus grands, l'œuvre de Ferron reste cependant atypique. Elle est à la fois littéraire et non littéraire, se laisse aisément contaminer par les circonstances et le climat social. La littérature, chez Ferron, ne va jamais toute seule : elle participe à la vie au même titre que les autres langages.

10

Marie-Claire Blais et le chœur des misères lointaines

Marie-Claire Blais, née à Québec en 1939, est reconnue, dès le milieu des années 1960, comme un des écrivains importants du Québec contemporain. Son œuvre, abondante et variée, comprend une dizaine de pièces de théâtre, des recueils de poésie, des récits et une vingtaine de romans. Déployée sur un demi-siècle, cette œuvre traverse plusieurs périodes de la littérature québécoise et la place qu'elle occupe dans le paysage littéraire, toujours légèrement décalée par rapport aux enjeux culturels et politiques du Québec, est aussi significative dans les années 1960 qu'elle le sera plus tard, dans les années 1990 et 2000. Marie-Claire Blais publie son premier roman à vingt ans, encouragée d'abord par Jeanne Lapointe, professeure à l'Université Laval où la jeune femme suit des cours, puis par le critique américain Edmund Wilson qui lui fait obtenir une bourse de la Fondation Guggenheim grâce à laquelle elle peut rapidement se consacrer exclusivement à l'écriture. Séjournant régulièrement aux États-Unis, elle a peu à peu incorporé à son écriture une dimension américaine qui s'est rarement exprimée en français.

Ses trois premiers romans, *La Belle Bête* (1959), *Tête blanche* (1960) et *Le jour est noir* (1962), se caractérisent par une atmosphère tendue de huis clos et des thèmes violents (conflits familiaux, cruauté du désir, poids des deuils anciens, personnages adolescents souvent victimes de leur intense besoin d'absolu) qui ne sont pas sans rappeler les romans d'André Langevin ou les premiers textes d'Anne Hébert. La question du mal y est posée d'emblée, moins sur le plan social, la plupart du temps esquissé à grands traits, que sur le plan psychologique d'un « mal de vivre » intériorisé par des protagonistes tourmentés et souvent habités par le désir d'écrire : « Écrire un roman, c'est savoir que chaque mot fait partie d'un immense trésor. Oh! Si je pouvais un jour écrire des choses belles! Ne pas écrire le désespoir, mais l'espérance », songe le personnage narrateur de *Tête blanche*.

En 1965, *Une saison dans la vie d'Emmanuel* vaut à Marie-Claire Blais une large reconnaissance critique, encore accrue de ce que, l'année suivante, le roman remporte en France le prix Médicis. Dans le cadre stylisé d'une ruralité pauvre qui parodie les romans de la terre, une famille nombreuse typique du Canada français, dominée par la grand-mère Antoinette, voit avec un certain accablement l'arrivée d'un énième enfant, Emmanuel. Le point de vue de ce nouveau-né ouvre le récit dans une scène célèbre où il observe les bottines, pour lui démesurément grossies et presque vivantes, de son aïeule. Les aînés survivent à la dureté de la vie et à la sévérité obtuse du père grâce à la bienveillance un peu rude de la grand-mère. Ils se livrent aux jeux cruels et équivoques qu'organise Jean-Le Maigre, personnage central du récit, sorte de Rimbaud des pauvres,

Marie-Claire Blais. Photo Michel Blais.

convaincu qu'il est promis à un destin de poète et déjà auteur de « Mémoires » emphatiques dont la lecture par la grand-mère, après la mort de l'adolescent, constitue la deuxième partie du texte. Face à ces enfants sacrifiés, victimes de la maladie et de la pauvreté, du travail en usine et du sadisme des religieux abuseurs, mais sauvés par l'imagination toute littéraire de Jean-Le Maigre, l'interprétation hésite sans cesse entre le pathos et l'ironie. La vraisemblance est déjouée par une narration complexe où se succèdent des points de vue impossibles, notamment celui de Jean-Le Maigre écrivant son histoire tragique avant de la vivre. La référence à Rimbaud, de même que les souvenirs de Lautréamont, éloignent le texte du roman réaliste pour en faire une sorte de fable, à la fois joyeuse et noire, qui est aussi une nouvelle manière d'assumer le passé canadien-français.

La critique privilégie dans son ensemble une interprétation sociologique qui fait du roman l'un des textes emblématiques d'un changement radical des mentalités, consécutif à la Révolution tranquille. Abondamment commenté, au Québec mais aussi en France, traduit en treize langues, souvent rapproché des premières œuvres de Ducharme, *Une saison dans la vie d'Emmanuel* acquiert rapidement le statut de classique de la littérature québécoise.

Malgré des différences de ton et de style, les cinq romans suivants, *L'Insoumise* (1966), *David Sterne* (1967), récits plus conventionnellement réalistes, puis la trilogie composée de *Manuscrits de Pauline Archange* (1968), *Vivre! Vivre!* (1969) et *Les Apparences* (1970), reprennent pour une part les thèmes des premiers récits : un personnage, jeune et entier, affronte un univers hostile, se heurte à la cruauté et s'efforce de vivre par l'écriture ou la musique. *Manuscrits de Pauline Archange* se présente comme la remémoration d'une enfance écrasée par les humiliations que des religieuses elles-mêmes brisées infligeaient à leurs pensionnaires. Cette dénonciation des abus de la religion, dérivant dans une sorte de folie du sacrifice et de la punition, si fréquente dans la littérature québécoise des années 1960, est ici prétexte à une incantation poétique proche de la théâtralité de Jean-Le Maigre. Cet effet d'irréalité tient notamment aux voix multiples qui assument le récit, celle de Pauline Archange penchée sur son passé, celles du petit groupe qu'elle forme avec ses compagnes et celle, plus neutre, tour à tour individuelle et collective, qui englobe toutes les autres, « [c]omme le chœur de mes lointaines misères », selon la première phrase du texte. Le récit devient ainsi une incantation qui mime la prière sans que les pointes d'auto-ironie brisent complètement le caractère poignant des moments évoqués : « On dit qu'elles ne vivent que de salades et de prières, qu'elles ne dorment ni ne se lavent, et l'évidence est là qui souffle par les barreaux, avec une brave odeur de choux, de pauvreté et d'avarice. Leur extase pétrifiée longtemps vous poursuit dans les corridors, sous les voûtes grises, et même dehors sous le vent et la neige serrés. »

Un Joualonais sa Joualonie (1973), repris sous le titre *À cœur joual* pour l'édition française (Robert Laffont, 1974), et *Une Liaison parisienne* (1975) exploitent une veine satirique, multipliant, d'une part, les quiproquos issus des jeux de langue et décrivant, d'autre part, de façon délibérément stéréotypée, le milieu littéraire parisien. Mais Marie-Claire Blais délaisse rapidement ce pan de son œuvre, assez mal accueilli par la critique. Avec *Le Loup* (1972) et *Les Nuits de l'Underground* (1978), elle aborde explicitement les amours homosexuelles en les plaçant d'emblée sous le signe d'une fraternité universelle aux accents chrétiens : « Je veux parler dans ce récit de l'amour des garçons pour les hommes, des hommes pour les garçons, pourquoi ne pas dire plus simplement "de l'amour de mon prochain" [...] C'est le prochain que j'ai choisi » (*Le Loup*). L'intrication de la marginalité sociale et d'une vaste solidarité humaine, paisible et tolérante, seule susceptible de répondre aux malheurs du monde, esquisse une utopie qu'incarneront plus concrètement, dans la suite de l'œuvre, ces colonies d'artistes fréquemment représentées. L'univers homosexuel n'est pas pour autant idéalisé et il n'échappe ni à la cruauté ni à la perversion, comme en témoignent les relations entre « le Loup » et Sébastien, dont le nom renvoie à l'iconographie chrétienne de la souffrance consentie et du martyre.

Dans ses romans ultérieurs, Marie-Claire Blais bâtit peu à peu une certaine constance thématique et stylistique dont *Le Sourd dans la ville* (1979) fournit assez bien le modèle. Le « mal de vivre » des premiers textes s'est généralisé en angoisse oppressante devant le monde contemporain, évoqué comme une menace permanente de violences et de cataclysmes devant lesquels les personnages sont en état de survie. L'époque s'y inscrit plus directement par ses hantises, pauvreté, famine, guerres, dont le texte ne précise pas toujours la réalité historique mais dont il distille le souvenir (en particulier celui de la Shoah et de ses noms maléfiques, Mauthausen, Terezin dans *Le Sourd dans la ville*). Des épisodes anecdotiques, instantanés de la vie urbaine, bagarres, accidents ou faits divers (le viol de la petite fille dans *Le Sourd dans la ville*), fonctionnent comme des rappels tragiques de la contemporanéité. Les personnages se divisent désormais plus nettement entre les victimes (Mike, l'enfant malade, le « sourd », sa mère Gloria, la danseuse fataliste et généreuse, Lucia, la sœur, livrée à la prostitution et à la drogue, Florence au bord du suicide, Tim l'Irlandais alcoolique et son chien), et les prédateurs qui sont souvent des meurtriers (Luigi, le père, Charlie qui cherche à retrouver la prison dès qu'il la quitte, les clients violeurs). Entre les deux se trouvent les nantis qui préservent leur candeur en ignorant ce qui les entoure (Madame Langenais, son mari, le juge et sa famille heureux de leurs vacances). Le confort un peu cynique de ces derniers personnages est ébranlé par d'autres, anges gardiens passagers, généralement des artistes ou des intellectuels, porteurs impuissants de la souffrance humaine, telle Judith Langenais, professeure de philosophie hantée par les morts de la Shoah, marginalisée dans sa famille et solidaire des plus démunis dont elle ne parvient pourtant pas à soulager la peine.

Ce dispositif est repris dans tous les autres textes. *Visions d'Anna* (1982) raconte les errances d'une adolescente droguée et fugueuse qui, avec ses amis *drifters*, survit dans le monde dur de la rue, jusqu'aux plages du Mexique où ils croisent Rita, « la Femme d'Asbestos », perdue elle aussi, entraînant dans sa dérive ses deux fils qu'elle malmène. Les personnages se démultiplient au fil du récit et leurs rôles se complexifient. Devant les nombreux adolescents errants se tiennent les mères, elles aussi tiraillées par leurs propres contradictions, placées devant les limites de leur amour, incapables de répondre du choix qu'elles ont fait de leur donner la vie. Dans un monde de plus en plus délabré et menaçant, des anges déchus n'arrivent pas à sauver des enfants devenus « fantômes » ; la drogue, dont les prix sont chiffrés, est omniprésente dans le récit et les cérémonies auxquelles elle donne lieu rappellent *Les Anges vagabonds* de Jack Kerouac. L'art, représenté par un livre ou la reproduction d'un tableau, continue de manifester la possibilité de la beauté, mais il est frappé de la même impuissance à guérir le malheur.

Pierre – La Guerre du printemps 81 (1984), sans doute le plus violent des romans de Marie-Claire Blais, décrit du point de vue d'un garçon de seize ans un univers d'enfants prédateurs, qui se réclament de tous les mouvements radicaux du moment et se tatouent des insignes nazis. Le monde extérieur, plus que jamais apocalyptique, existe surtout par la télévision. Elle fascine Pierre et lui renvoie, en plus des faits divers et des exécutions à la chaise électrique, la rumeur désordonnée d'une sorte de guerre générale, où se confondent les bombardements au Liban, le terrorisme au Pakistan, les Brigades rouges en Italie comme aussi les souvenirs obsédants de la Shoah, d'Hiroshima et de Nagasaki, et les images des petites filles brûlées de la guerre du Vietnam – « Beaucoup plus tard, le brasier de leur dos ne guérirait pas. » À cette « guerre de 1981 », emblème d'une fin de siècle hallucinée, Pierre et les siens répondent par leur propre guerre : « Le vendredi soir, les villes ne seraient pour lui soudain que des zones de guerre, de terrains de jeux, de pillage. » Face à ce déferlement, soutenu par le lyrisme noir de Pierre qui se voit comme un nouveau Werther ou un nouveau Rimbaud, les engagements de ses parents pour l'écologie ou le féminisme ne sont plus que des « pancartes » dérisoires.

On retrouve le thème de la guerre dans *L'Ange de la solitude* (1989). Des femmes homosexuelles dont les histoires d'amour et de jalousie se croisent sont obsédées par les conflits tout proches. La mort de l'une d'elles, Gérard, brûlée vive dans un incendie, réactive l'image d'un monde de décombres où errent quelques survivants. Le récit se déroule dans une « île anglaise », quelque part dans la mer des Caraïbes, où se situeront bientôt la plupart des romans et plusieurs pièces de théâtre de Marie-Claire Blais. Cet espace insulaire, lumineux, luxuriant, propice à l'oisiveté, où les protagonistes se rencontrent volontiers dans des fêtes, est en même temps trompeur et, à l'instar des personnages, divisé. Les plages, les jardins, les maisons fraîches où des gens cultivés se réunissent sont menacés par les quartiers pauvres où rôdent des délinquants, un peu comme au large de cette île radieuse dérivent des bateaux chargés de réfugiés hagards.

C'est dans un espace assez semblable que se situe la trilogie composée de *Soifs* (1995), *Dans la foudre et la lumière* (2001) et *Augustino et le Chœur de la destruction* (2005). Ces textes confirment l'évolution de l'écriture de Marie-Claire Blais depuis 1980. Les trois romans consistent dans la succession de monologues intérieurs des différents personnages, à peine délimités par la conjonction « et » utilisée comme marqueur de rupture, suivie du prénom du protagoniste. Cette technique d'une narration multiple qui brouille les points de vue en les multipliant était déjà utilisée dans les romans antérieurs, dès *Le Sourd dans la ville*. De même, on trouvait dans *Visions d'Anna* la ponctuation réduite aux seules virgules, l'étirement de très longues phrases et la suppression des paragraphes que l'écrivain systématise dans la trilogie. Mais ces procédés y sont en quelque sorte poussés à l'extrême, comme l'est aussi la prolifération des personnages qui gravitent autour de quelques familles : celle du pasteur Jérémy et Mama, celle de Mélanie et Daniel, de quelques couples, Jacques et Tanjou, Renata et Claude. De nombreux personnages sont des artistes : Jacques est peintre, Daniel écrivain, Jean-Mathieu, qui meurt du sida, poète comme Charles et Adrien, Caroline, dont le troisième tome évoque la vieillesse et la maladie, photographe. La maladie et la mort pèsent sur la petite communauté. Peu d'événements surviennent dans ces récits entièrement constitués du flux de conscience de personnages qui méditent sur le cours de leurs existences respectives et sur celui du monde, dans une sorte de chœur discordant mais étrangement unifié par une commune angoisse. S'en dégage aussi ce lieu insulaire, à la fois accueillant et menaçant, point de rencontre d'artistes entre deux voyages, havre de paix pour leur travail de création, en même temps qu'il est le refuge des plus déshérités qui y échouent et s'efforcent d'y survivre. Des socialités ritualisées mais parallèles scandent la vie (la chorale de l'église, les bars, les courts de tennis et les promenades sur la plage, les fêtes et les funérailles) et permettent de furtives rencontres, toujours tendues par le danger, entre les deux univers. Ni la conscience des artistes, ni leur solidarité généreuse n'empêchent la haine sourde dont ils sont l'objet.

L'art, que ce soit le roman de Daniel, la poésie de Jean-Mathieu ou les chorégraphies d'Arnie Graal dansées par Samuel, occupe une place centrale dans la vie et les préoccupations des personnages dont cependant il n'apaise pas l'angoisse profonde. À ces œuvres d'art fictives s'ajoutent les œuvres d'art réelles interrogées dans leur capacité de figuration du monde actuel, comme *La Divine Comédie* où la critique a vu l'un des intertextes de la trilogie. Mais cette mise à l'épreuve de l'art au regard du présent est inscrite dès le début de l'œuvre de Marie-Claire Blais, dans des correspondances avec des œuvres particulières, telles que *Le Sourd dans la ville* placé sous l'invocation du *Cri* de Munch, comme aussi dans l'enjeu moral que les nombreux personnages écrivains accordent à leur écriture (ainsi que le fera aussi Augustino, l'enfant écrivain du dernier tome de la trilogie). L'époque s'inscrit violemment dans *Soifs* et les romans subséquents, à la fois par une présence accrue de l'actualité et par un incessant recours à la mémoire des désastres passés qui continuent de hanter le présent. La menace se fait alors presque prémonition, et de nouveau l'art est convoqué, sans illusion sur sa limite, pour son pouvoir de révélation, ce dont témoignent les chorégraphies de Samuel où la chute des corps renvoie aux victimes du 11 septembre 2001 dans *Augustino et le Chœur de la destruction*.

L'imaginaire religieux est également l'un des fils conducteurs de l'œuvre. La trilogie comporte, comme la majorité des ouvrages précédents, ses martyrs immolés à la consommation contemporaine et à sa violence, Petites Cendres, le prostitué sans cesse humilié, ou encore la Vierge aux sacs, jeune mendiante qui livre ses prophéties au coin d'une rue de New York et que Samuel se reproche de ne pas aider. Des fous de haine, comme Lazaro l'Égyptien qui veut rejoindre ses « frères » dans le terrorisme, rôdent encore dans ces récits, mais le point de vue de la narration les saisit dans leur souffrance propre avec la même compassion que celle que requièrent leurs victimes. Encore une fois s'affirme une sorte de constance de l'œuvre de Marie-Claire Blais, la conviction que chez tous les êtres, y compris dans l'abjection et la cruauté, quelque chose vaut d'être non pas racheté ni compris, mais accepté et recueilli par l'écriture, et qu'à cette seule condition la littérature peut sauver de l'inhumanité.

On reconnaît plusieurs aspects de l'univers romanesque dans les textes dramatiques de Marie-Claire Blais : perte de l'innocence, personnages sacrifiés à la férocité des autres (*L'Exécution*, 1968), artistes aux prises avec une œuvre envahissante pour leur vie privée (*L'Océan*, 1977), marginaux qui se regroupent en petites communautés à la fois rassurantes et menacées (*L'Île*, 1988), préoccupations féministes dans *La Nef des sorcières* (1976). Marie-Claire Blais signe aussi *Fièvre* (1974) qui réunit divers textes (*L'Envahisseur*, *Le Disparu*, *Deux Destins* et *Un couple*) et *Sommeil d'hiver* (1984). Plusieurs éléments de la structure des romans, comme les narrations multiples et polyphoniques, ou le recours fréquent au monologue d'un personnage ou même au soliloque, appellent en quelque sorte l'écriture théâtrale, de même que les didascalies souvent longues des textes dramatiques pourraient sans peine s'insérer dans les romans. Ses pièces ont été montées dans des théâtres au Québec et en France, notamment *L'Île*, et plusieurs ont été adaptées pour la télévision. Néanmoins, cet aspect de son écriture demeure moins connu et moins commenté que les romans.

L'œuvre comporte également deux recueils de poésie, *Pays voilés* (1963) et *Existences* (1964), un récit poétique, *Les Voyageurs sacrés* (1969), ainsi que des *Notes américaines* d'abord parues en 1993 sous forme de « carnets » hebdomadaires dans le journal *Le Devoir*, puis rassemblées en 2002 avec le sous-titre *Parcours d'un écrivain*. Dans ces fragments autobiographiques, Marie-Claire Blais revient sur ses premières années aux États-Unis, entre 1963 et 1970. Elle évoque son arrivée dans la petite ville universitaire de Cambridge, la maison d'Edmund et Elena Wilson à Wellfleet, près des plages de Truro, ses rencontres avec des artistes, peintres, musiciens et écrivains (Mary Meigs, Barbara Deming, militante des droits civils, le romancier noir Robert Lowell) dont plusieurs serviront de modèles aux personnages de la trilogie inaugurée par *Soifs*. Ces souvenirs, où la plus grande place est accordée aux autres, éclairent la formation de Marie-Claire Blais, bien différente de celle de la plupart des écrivains québécois de sa génération. En effet, *Notes américaines* permet de mesurer à quel point sera déterminant pour elle ce séjour en Nouvelle-Angleterre, à la frontière de deux mondes, l'un douillet où s'épanouit un humanisme raffiné, souvent peuplé d'exilés qui ont quitté l'Europe de la Seconde Guerre mondiale, et l'autre violent, celui d'une Amérique bouleversée par la lutte pour les droits civiques des Noirs, l'opposition à la guerre du Vietnam, les revendications féministes. À la fois entourée, protégée et toujours étrangère, Marie-Claire Blais découvre en même temps, écrit-elle, la langue anglaise et la littérature américaine, et se forge une conscience politique et éthique à laquelle son œuvre demeure fidèle.

11

La langue de Réjean Ducharme

Réjean Ducharme, né en 1941 à Saint-Félix-de-Valois, tour à tour commis de bureau, correcteur d'épreuves et chauffeur de taxi selon son elliptique biographie, a d'abord adressé un manuscrit (*L'Océantume*) à l'éditeur Pierre Tisseyre du Cercle du livre de France, qui en a refusé la publication. Il l'envoie alors directement chez Gallimard, qui publie coup sur coup quatre titres: *L'Avalée des avalés* en 1966, *Le nez qui voque* en 1967, *L'Océantume* en 1968 et *La Fille de Christophe Colomb* en 1969. Toute l'œuvre romanesque de Ducharme paraîtra de même à la prestigieuse enseigne de Gallimard où aucun autre écrivain québécois n'a bénéficié d'une telle fidélité. Soutenu notamment par Raymond Queneau, *L'Avalée des avalés* est mis en nomination pour le prix Goncourt 1966. Le prix n'ira pas au roman de Ducharme, mais fera exister en France et surtout au Québec cet auteur inconnu du milieu et dont la maturité littéraire paraît exceptionnelle pour son jeune âge. Lancées par *Minute*, magazine français à scandales, et relayées au Québec, les rumeurs les plus farfelues circulent sur son identité ; on soupçonne un prête-nom, on prétend que ses textes sont réécrits par l'éditeur. Dans les journaux québécois, au *Devoir* notamment, on s'enflamme pour ce récit d'un jeune génie méconnu au Québec et reconnu en France. Sommé de comparaître, Ducharme répond laconiquement à une interview dans laquelle il affirme, en des termes qui anticipent ceux de la préface de son deuxième roman, *Le nez qui voque* : « Je ne veux pas être pris pour un écrivain, je ne veux pas que ma face soit connue. » Depuis lors, il ne paraît ni dans les médias, ni aux remises des nombreux prix qui lui sont attribués et, passé l'effervescence de cette « affaire Ducharme », son incognito est tacitement respecté. Il rejoint dans la légende des écrivains fantômes les Thomas Pynchon et J. D. Salinger.

Son premier roman, *L'Avalée des avalés*, fixe pour longtemps l'image que la critique se fait de l'écriture de Ducharme : en France, on évoque Lautréamont, Jarry, Céline, on compare *L'Avalée des avalés* à *Zazie dans le métro* de Queneau. J.-M. G. Le Clézio exprime son enthousiasme fraternel dans un article du *Monde*, « La tactique de la guerre apache appliquée à la littérature ». Au Québec, le succès se transforme rapidement en consécration. Emblème d'une modernité de surcroît appréciée en France, Ducharme devient presque immédiatement un auteur majeur et son œuvre est d'emblée l'une des plus commentées et des plus étudiées. *L'Avalée des avalés* est constitué du monologue de la jeune Bérénice Einberg, tantôt méditation mélancolique, tantôt harangue violente, toujours marqué par l'humour grinçant et la flamboyance de la langue. Enfant rebelle, elle manipule sa mère catholique et son père juif, et cherche à entraîner son frère Christian dans la grande passion littéraire qu'elle lui voue. Rejetée par Christian, délaissée par sa mère et exilée à New York par son père, Bérénice, qui a perdu sa seule amie, Constance Chlore, part combattre en Israël où elle sacrifie une de ses camarades pour sauver sa propre vie. Mais le personnage « qui court après toutes les Bérénice de la littérature et de l'histoire » ne se prête guère à une lecture réaliste non plus qu'à une interprétation psychologique. L'enfance y est célébrée comme un espace et un temps purs, quoique douloureux. Dans un geste de sécession radicale, Bérénice se coupe du monde des adultes par l'invention d'une langue, le « bérénicien », qui salue au passage l'« exploréen » de Claude Gauvreau. Une telle représentation de l'enfance inverse le cliché littéraire ; ni Petit Prince ni Poil de Carotte, l'enfant de Ducharme lutte âprement pour sa survie et se montre aussi cruel que fragile. Il est également lourd de toute une mémoire livresque, et les citations littéraires dont sont ponctuées les diatribes de Bérénice – les explicites, volontiers déformées et détournées, comme les plus secrètes, savamment voilées, de Lautréamont, Rimbaud et Saint-Denys Garneau – font douter de l'âge du personnage. Ducharme ne sélectionne pas de modèles, mais à côté d'idoles comme Nelligan, figure et presque personnage de l'œuvre, il fouille dans le désordre d'une bibliothèque où se retrouve pêle-mêle toute une culture littéraire fracassée dans la surenchère des noms, des pastiches, des parodies et des échos divers.

Publié deux ans plus tard mais écrit antérieurement, *L'Océantume* ressemble à *L'Avalée des avalés*. On y retrouve le même personnage d'enfant révoltée, Iode Ssouvie, la même famille caricaturalement déséquilibrée (il s'agit cette fois d'une famille royale, celle de la reine Ina Ssouvie, ivrognesse, et de son mari, un armateur hollandais perdu dans ses lectures, Van der Laine), le même amour avec le frère Inachos, et le même personnage de l'amie, Asie Azothe, à la fois ange gardien et bouc émissaire. Le roman raconte au fond la même histoire de résistance acharnée et de reddition finale puisque, au terme d'un voyage qui mène les enfants à la mer, selon leur désir, le roman se termine sur cette séquence : « Nous sommes assis devant l'océan. Il pue à s'en boucher le nez. [...] – Nous y sommes. Soyons-y ! » Imprégné de toute une littérature du voyage, des atlas aux récits des premiers explorateurs de l'Amérique, le roman joue sur la rencontre des thèmes qui se croisent dans le mot-valise du titre, la mer et l'amertume. Rimbaud, Nelligan et Lautréamont y sont omniprésents.

Bien que proche des deux titres précédents par sa date de parution, *Le nez qui voque* marque une inflexion dans l'évolution de l'écriture de Ducharme : le narrateur, Mille Milles, est un adolescent aux prises avec « le sexuel » qui s'immisce jusque dans la relation qu'il entretient avec Chateaugué, « sa sœur de l'air ». Il s'agit aussi d'un roman montréalais, situé entre la bibliothèque Saint-Sulpice où Mille Milles et Chateaugué volent le portrait de Nelligan qu'ils vénèrent, la chambre qu'ils occupent près du marché Bonsecours, et le restaurant grec où Mille Milles finit par travailler comme plongeur. De plus, *Le nez qui voque* se présente comme

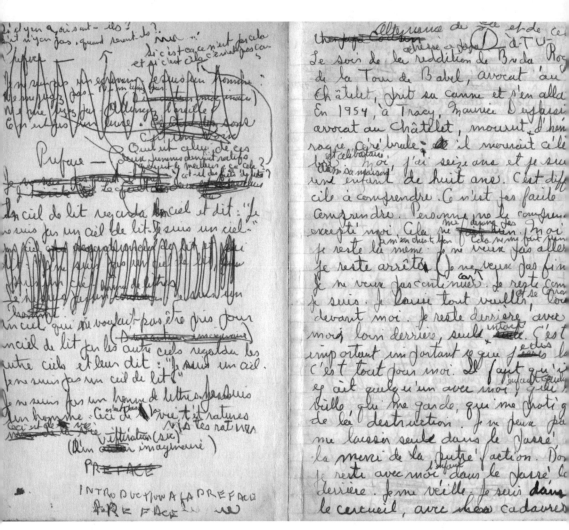

Manuscrit du *Nez qui voque* de Réjean Ducharme. Bibliothèque et Archives Canada.
Reproduit avec l'aimable autorisation de l'auteur.

la « chronique » tenue par Mille Milles des derniers moments de sa vie avec
Chateaugué avant que les deux jeunes gens ne réalisent le pacte de suicide qu'ils
ont conclu et que, finalement, seule Chateaugué accomplira. Mille Milles évoque
volontiers « le cahier » dans lequel il note leurs faits et gestes, et laisse libre cours
à ses divagations puisque « l'encre ne coûte pas cher ». L'échec que représentent chez Ducharme la fin de l'enfance et la résignation à la vie adulte est vécu à
deux par le couple ambigu, vaguement incestueux, que forment Mille Milles et
Chateaugué, mais sa chronique est tenue par le seul Mille Milles qui en détaille les
étapes selon une structure qui sera reprise dans les romans ultérieurs.

En 1969 paraît le plus étonnant des textes de Ducharme, *La Fille de Christophe Colomb*. Ironiquement sous-titré « roman » mais en réalité fausse épopée en vers, divisée en « chants », *La Fille de Christophe Colomb* raconte les aventures burlesques de Colombe, fille du célèbre découvreur, et d'une poule, qui parcourt le monde à la façon des héros de romans picaresques. Elle finira par décider, non pas de « cultiver son jardin » comme Candide avec qui elle n'est pas sans rapport, mais de vivre dans une nouvelle arche de Noé, parmi les animaux ; à la tête de ses nouveaux compagnons, elle anéantira les humains. Ce texte canular, qui tient d'*Ubu* et des *Chants de Maldoror*, semble une parenthèse entre *Le nez qui voque* et les romans qui s'y arriment directement, *L'Hiver de force* publié en 1973 et *Les Enfantômes* en 1976.

Dans *L'Hiver de force*, Nicole et André Ferron, dont on ne sait trop s'ils sont frère et sœur ou amants, aiment La Toune, de son vrai nom Catherine, chanteuse underground, égérie du milieu artiste et gauchiste montréalais sur lequel elle règne. Eux sont d'obscurs correcteurs d'épreuves, toujours à part dans le groupe de leurs anciens condisciples de l'École des beaux-arts. En attendant leur amie qui les utilise puis les abandonne, ils se défont de tout ce qu'ils possèdent. André, « de sa belle écriture », note par le menu leurs moindres gestes : déambulations dans Montréal, de la pharmacie Labow où ils surveillent le prix du disque qu'ils veulent acheter, aux Petites Éditions « perdues dans l'est », stations dans les bars, lectures de *L'Encyclopédie Alpha* et de *La Flore laurentienne* dont ils apprennent par cœur les entrées et à laquelle le roman emprunte les titres de ses deux premières parties, « La zone des feuillus tolérants » et « L'amarante parente (*Amarantus graecizans*) ». Surtout, André commente les films qu'ils regardent à la télévision, dans une compulsion qui va jusqu'à l'écœurement. Roman de la télévision qui filtre et nivelle tout ce qui passe par elle, *L'Hiver de force* est aussi un roman du conflit des langues et fonctionne à cet égard comme une capsule sonore des années 1970, dans laquelle l'auteur aurait saisi sur le vif des échantillons de la cacophonie des discours et des mots d'ordre, du choc des langages. Si l'humour est toujours présent, notamment dans la satire féroce du conformisme qui caractérise le milieu pourtant anticonformiste de la Toune, les Ferron comme Mille Milles sont toujours près de sombrer dans l'alcool ou la folie, « la paranoïa, la vraie celle des rats » ou « l'hiver » du titre, « de force, comme la camisole » ainsi que l'explique André à la fin du récit.

Les Enfantômes se présente comme les « mémoires » de Vincent Falardeau, qui les écrit « à la lumière d'une bougie plantée dans une bouteille de Seven up », après la mort de sa sœur jumelle bien-aimée, Fériée. Cette fois, la chronique prend un tour faussement historique et s'étend, selon une chronologie curieusement trouée, de l'immédiat après-guerre aux années 1970, évoquant, au hasard des plongées de Vincent dans ses archives, les scandales de la politique canadienne, le mariage de Grace Kelly et l'entrée des chars soviétiques dans Budapest.

Vincent et sa femme Alberta Turnstiff, leurs amis Alain et Madeleine, Fériée et sa protégée Urseule, Guillaume Chaumier et ses nombreuses conquêtes (dont Vincent hérite) forment un étrange milieu et vivent de complexes relations marquées par l'usure. Ducharme systématise l'usage de l'orthographe phonétique, l'imitation des accents, tel l'accent anglais d'Alberta (« Djai aurore des ergumènes ! ») ou le défaut d'élocution de Fériée, toujours « en drain dlir » ou « au dsu-dsa ». L'enchaînement ininterrompu des jeux de mots altère la langue au point de mettre en péril la lisibilité du texte. De nouveau, la drôlerie de certaines trouvailles voisine avec le deuil, celui de la sœur et de l'enfance, que le roman – qui s'est d'abord intitulé « Dans le noir je me souviens » – pousse jusqu'aux limites de la régression.

Parallèlement, de 1968 à 1978, Ducharme écrit pour le théâtre : *Le Cid maghané* et *Le marquis qui perdit*, dont les textes restent inédits, sont montés en 1968 et 1970. Le premier est une parodie de la pièce de Corneille où alternent des répliques en joual et d'autres en français soutenu dans une sorte de modernisation absurde du drame du *Cid* ; le second, une fantaisie sur les derniers jours du Régime français, sauve-qui-peut d'une élite cupide et sans scrupules qui s'affaire à quitter au plus vite la colonie alors qu'elle passe aux Anglais. Cette réécriture cavalière et pessimiste de l'histoire nationale montre que Ducharme connaît les écrits de la Nouvelle-France, notamment les *Lettres au cher fils* d'Élisabeth Bégon auxquelles il fait indirectement allusion. Ducharme est aussi l'auteur de deux autres pièces de théâtre, *Inès Pérée et Inat Tendu*, montée pour la première fois et publiée en 1976, et *HA ha !...* montée en 1978 par Jean-Pierre Ronfard qui signe la préface du texte publié en 1982. Dans *Inès Pérée et Inat Tendu*, on retrouve toutes les obsessions de l'œuvre de Ducharme accentuées par la théâtralisation : accumulation carnavalesque de péripéties loufoques, langage truculent, jeux de mots, allusions parodiques à la tradition littéraire, de Racine à *Arsène Lupin* ; mais également et tout autant : dureté des relations humaines, choc du désir d'absolu d'Inès Pérée et Inat Tendu contre le cynisme des adultes, lyrisme désespéré dont témoigne surtout la dernière scène, où les deux héros meurent, comme des imitations dégradées de Roméo et Juliette.

HA ha !... est un huis clos cruel entre quatre personnages, deux couples, Roger et Sophie, Bernard et Mimi, liés par des relations troubles qui tiennent autant aux souvenirs communs (Sophie et Bernard sont des amis d'enfance) qu'à la dépendance économique (Bernard est le propriétaire du « bloc appartements » où Roger et Sophie sont concierges). Tout au long de la pièce, leurs rapports pervers et violents s'enveniment et la brutalité des propos, la plupart du temps attaques et insultes mutuelles, ne soulage nullement la tension. La pièce se termine sur un jeu de « Tag » où Mimi, la plus vulnérable du quatuor, touchée par les autres personnages, doit « sauter en bas de la scène » pour être sacrifiée. La langue de *HA ha !...* imite le langage populaire sans pour autant être du joual ; il s'agirait plutôt, comme dans *Les Enfantômes,* d'une sorte d'oral-écrit qui essaie moins d'imiter la langue familière que de la rendre étrangère. Certaines altérations sont destinées à être entendues dans les répliques des comédiens : « Sass pupu », « Koskilla », « moignon moignon », d'autres, telles que « leurs scies roses du foie », ne provoquent d'effet qu'à la lecture. Cette stratégie défait les conventions de la représentation écrite de la parole destinée à la scène. Les critiques (Laurent Mailhot, Dominique Lafon ou Gilbert David) ont insisté sur ce détournement des règles du théâtre dans les pièces de Ducharme et sur l'extrême dureté de *HA ha!...*

Pendant quatorze ans, de 1976 à 1990, Ducharme ne publie aucun roman, au point que les médias s'interrogent sur la suite de sa carrière. Il écrit des paroles de chansons destinées à Pauline Julien et à Robert Charlebois pour qui il compose notamment « Le violent seul » et « Manche de pelle ». Dans ces textes, la marque ducharmienne, soit un certain usage de la syntaxe orale toujours au service d'un nouvel effet de sens, s'accommode des contraintes du genre de la chanson populaire. Ducharme touche aussi au cinéma : il est l'auteur de plusieurs scénarios de films, dont deux seront réalisés par Francis Mankiewicz, *Les Bons Débarras* en 1980 et *Les Beaux Souvenirs* en 1981. La petite Manon des *Bons Débarras,* qui lit *Les Hauts de Hurlevent* et entoure sa mère d'un amour passionné et jaloux, rappelle Bérénice Einberg. Ainsi, Ducharme transporte dans le théâtre, la chanson ou le scénario de film la cohérence thématique de son œuvre romanesque. En même temps, il transpose, surtout au théâtre et dans *Les Bons Débarras* dont le scénario est en partie en vers rimés, certaines des caractéristiques formelles de ses romans. Cette labilité dans le passage d'un genre à un autre se trouve encore illustrée par les collages d'objets recyclés qu'il expose sous le pseudonyme de Roch Plante ; à ses assemblages qu'il appelle des « trophoux », il donne des titres qui relèvent de la même logique parodique que l'œuvre littéraire : *Le Déjeuner sous l'herbe, 36 Étoiles hôtel, Chemin de fer à repasser* ou encore *Vents tripotants.* Le recyclage de ces déchets pauvres dont le sens naît du hasard de leur juxtaposition et du regard qu'on pose sur eux métaphorise exemplairement son travail de romancier.

Ducharme revient au roman avec *Dévadé* en 1990, *Va savoir* en 1994 et *Gros mots* en 1999. Son écriture a évolué, il pratique sans doute moins systématiquement le calembour et la fausse citation. Néanmoins, cette nouvelle série de textes s'inscrit dans la continuité de *L'Hiver de force* dont *Dévadé* peut être lu comme une sorte de reprise ou de variation sur le même thème. P. Lafond dit Bottom, pour le plaisir de l'inversion et de l'allusion à Shakespeare et à Rimbaud, est un « rada », un déchet social qui tient à la grandeur de son échec ; il est tiraillé entre deux amours et trouve refuge dans sa voiture et dans l'alcool. Le narrateur de *Va savoir*, Rémi Vavasseur, ressemble à Bottom et n'a guère plus de chance dans ses amours. En attendant le retour de sa femme Mamie, partie se perdre dans un voyage douloureux, il retape une maison qui s'écroule et fait la classe à la fille de ses voisins, la petite Fanie, incarnation de l'enfance désormais objet et non plus sujet de la narration. Proche comme un frère de ces deux personnages, eux-mêmes descendants de Mille Milles, d'André Ferron et de Vincent Falardeau, le Johnny de *Gros Mots* se console des scènes que lui fait sa femme Exa chez une Petite Tare dont il est amoureux et avec qui il partage le secret d'un cahier trouvé dans un fossé. Dans ce manuscrit « crotté », son « Alter Ego », un certain Walter, décrit une vie étonnamment semblable à la sienne. Johnny se retrouve dans le texte de Walter : « Moi comme une autre voix, celle que je suis en réalité si je l'entends de l'extérieur, avec les autres », comme si Ducharme, sensible à l'inflexion autofictionnelle de la littérature contemporaine, intégrait à son roman le personnage d'écrivain qu'il est devenu.

L'esthétique de Ducharme tient d'abord à son rapport à la langue : extrêmement perméable à l'inquiétude linguistique du Québec, il la transforme en autorisation illimitée. En effet, une fois abolie la loi de la langue, une fois dénoncé son arbitraire, tout est permis dans une permanente réinvention où les noms communs peuvent devenir propres ou inversement, où l'on peut à sa guise refaire les proverbes, les accords (surtout ceux du genre et du nombre), décréter de nouveaux sens aux mots (« se branle-basser » et « s'hortensesturber » comme Mille Milles) fût-ce pour affirmer sa dérisoire souveraineté, ou se livrer, comme le font les narrateurs de *L'Hiver de force*, au plaisir mauvais de collectionner les fautes. Incongruités et drôleries involontaires nées de la traduction, des prononciations, du côtoiement des langues officielles et de toutes les autres, Ducharme ramasse toutes ces « perles » comme les déchets qu'il assemble ; il les exhibe et les retravaille pour en extirper des significations inattendues. Chez Ducharme, il n'y a pas de salut politique dans la langue : ni le joual ni le français châtié ne peuvent mieux dire le monde, l'un et l'autre sont renvoyés dos à dos à cause de leur conformisme respectif. Il ne choisit pas une norme contre une autre, il met en scène leur affrontement, attentif à ses effets cocasses, absurdes ou signifiants. Ducharme pratique la même liberté à l'égard de la question politique et nationale : ses personnages vivent une révolte radicale, rimbaldienne, tour à tour extase poétique et descente en enfer, peu compatible avec la pensée révolutionnaire et irrécupérable pour la représentation collective.

Ces libertés avec la langue, Ducharme les prend aussi avec l'héritage littéraire omniprésent dans ses textes. Mais il instaure et maintient un rapport de pauvre avec la littérature, marqué par le « cheap » et le kitsch dégradé en « quétaine » que son théâtre pousse à bout. Pas de classique qui ne soit chez lui exposé au voisinage des livres pornographiques et des mauvais films de fin de soirée. Face à la littérature, on observe dans les romans deux tendances contraires : d'une part, une rage destructrice qui amalgame sans égard l'ensemble de l'écrit, renvoyant *À la recherche du temps perdu* au papier et donc aux arbres que l'œuvre a coûtés comme dans *Gros Mots*, et, d'autre part, l'élection affective, fraternelle ou passionnelle des livres que Fériée « aime comme si c'était du monde », des auteurs tel Nelligan dont « Constance Chlore est amoureuse », des textes tel *La Flore laurentienne*, qui correspond à une sortie significative de la littérature et dont la lecture est pour les Ferron « un sacrement ». C'est que Ducharme privilégie l'affect, comme Mille Milles qui prétend « rédiger cette chronique pour les hommes comme ils écrivent des lettres à leur fiancée ».

Le parti pris de la pauvreté est aussi celui de la marge comme l'attestent les lieux, répartis entre des échappées de pureté (le fleuve et toutes ses « îles immatérielles », celle de l'arbre et de la fleur uniques dans *Va savoir*, celles de Berthier, inondées au printemps dans *Le nez qui voque*, les arbres dont l'orme-navire de Bérénice), et ces habitations bizarres et précaires, sales et toujours près de sombrer : le steamer à demi enlisé dos au fleuve dans *L'Océantume*, la chambre de Fériée rue Saint-Urbain ou le domaine de La Ferrière dont « la photographie […] a jauni dans les agences immobilières de toutes les villes du comté » et qu'un incendie finit par raser dans *Les Enfantômes*, jusqu'à la maison de *Va savoir* que Rémi rénove et lambrisse « en petit bois de cercueil » mais qui continue de s'enfoncer dans la vase contaminée du terrain pollué. C'est à travers les personnages, eux aussi toujours marginaux, enfants en révolte sur le point de grandir, adolescents attardés, *drop-out* des Beaux-Arts ou du « Ministère du Jargon » selon le mot de Rémi dans *Va savoir*, bums, danseuses et autres « radas », que s'exprime également une lucidité cruelle sur le monde et les relations humaines. Au contraire d'Aquin à qui on l'a souvent opposé, Ducharme, en cela plus foncièrement romancier, ne diagnostique pas les maux de sa société : il les fait porter par ses personnages et c'est à travers eux qu'apparaît leur sens tragique.

Plus qu'aucun autre de ses contemporains, Ducharme a un impact sur les écrivains plus jeunes, soit qu'ils revendiquent son influence, comme Sylvain Trudel, Gaétan Soucy, Louis Hamelin, Monique Proulx, Lise Tremblay ou Bruno Hébert, soit qu'ils remettent en question son importance, comme David Homel qui pourtant a traduit *HA ha!…* en 1986. Entre l'hommage et la démystification, Ducharme est même devenu un personnage de romans, notamment dans *L'Envie* d'Hugo Roy (2000), *Le cœur est un muscle involontaire* de Monique Proulx (2002) et *Ça va aller* de Catherine Mavrikakis (2002).

Même si le mot « joual » existe depuis Claude-Henri Grignon qui s'en était servi dans ses *Pamphlets de Valdombre* en 1938 pour imiter la prononciation canadienne-française du mot « cheval », il ne fait pas partie de la langue courante avant la Révolution tranquille. Le 21 octobre 1959, le directeur du *Devoir*, André Laurendeau, publie un billet intitulé « La langue que nous parlons » et fait le constat suivant : « J'ai quatre enfants aux écoles, des neveux et nièces, leurs amis, [...] à peu près tous ils parlent joual. » Un frère mariste, Jean-Paul Desbiens (1927-2006), réagit à ce billet par une série de lettres publiques, signées du pseudonyme frère Untel, dans lesquelles il reprend le mot « joual » et en fait le point de départ d'une charge contre la dégradation du français au Québec. Ces lettres seront ensuite recueillies dans un pamphlet, préfacé par André Laurendeau, qui devient rapidement un livre-symbole de la Révolution tranquille : *Les Insolences du frère Untel* (1960). Le pamphlet renoue avec une tradition polémique déjà ancienne, marquée entre autres par Arthur Buies, Jules-Paul Tardivel, Jules Fournier et Victor Barbeau. Jean-Paul Desbiens recourt d'ailleurs à plusieurs arguments déjà utilisés par ses prédécesseurs, dont la peur de ne plus parler français et de perdre ainsi une partie essentielle de l'identité nationale. Cette peur ancienne a d'autant plus de résonance en 1960 que les autres aspects définissant l'identité québécoise, à commencer par la religion, paraissent obsolètes. La langue, ciment de la nation, reçoit ainsi un surcroît de sens, comme si elle résumait à elle seule les aspirations les plus profondes de la société québécoise.

Qu'est-ce que le joual exactement ? Pour André Laurendeau, le joual est un « jargon », un « langage vulgaire » dont la principale caractéristique est d'être fortement anglicisé. Il l'associe surtout à Montréal et à l'affichage commercial. Pour Jean-Paul Desbiens, le joual est plus négatif encore et déborde la seule question linguistique : c'est « une langue désossée, symptôme d'un malaise de civilisation et révélateur de l'échec du système de l'enseignement du français au Québec ». « Symptôme » d'un mal plus général, le joual est presque toujours considéré de façon péjorative. On le rapproche plutôt d'une forme de blessure propre au Canadien français, symbole d'une humiliation collective que l'on souhaite révéler au grand jour comme pour l'exorciser. Comparé par certains au créole, accolé surtout aux classes populaires et à la vie urbaine, le joual n'a pourtant pas de frontières précises. Il participe directement à la prise de conscience historique de l'ensemble de la société canadienne-française. Derrière le débat linguistique se trouve donc un problème politique.

À partir des années 1960, il devient impossible de parler de la langue sans évoquer le sentiment d'aliénation nationale. L'écrivain se trouve presque inévitablement entraîné sur le terrain politique, la langue étant toujours un indicateur de la position de classe de chacun. Cette politisation de la langue donne au débat linguistique une tournure nouvelle parmi les écrivains. La langue d'écriture n'est plus d'abord évaluée en fonction d'une norme linguistique. Écrire bien ou mal importe relativement peu : il s'agit d'écrire vrai, d'écrire dans une langue qui soit authentique. Mais comment y parvenir sans se condamner au régionalisme, sans que les textes deviennent illisibles hors du Québec ? Le rejet de l'académisme ne risque-t-il pas de conduire à une impasse ? C'est ce que craignent un grand nombre d'écrivains de l'époque. Contrairement à ce qu'on peut penser, le joual a été globalement rejeté par la plupart de ces écrivains, aussi bien par les tenants d'une langue classique, comme Gabrielle Roy ou Anne Hébert, que par les plus modernes, comme Pierre Vadeboncœur, Hubert Aquin ou Jacques Ferron. Mais, par le rejet même qu'il suscite, le joual crée la brèche par laquelle l'écrivain québécois s'invente une langue personnelle, libérée à la fois du populisme régional à la Claude-Henri Grignon et de la langue épurée imposée dans les collèges classiques.

Le débat autour du joual passionne littéralement le Québec des années 1960. En quinze ans, selon le linguiste Paul Daoust, il se publie en moyenne trois articles par semaine sur la question du joual. Entre 1960 et 1975, on compte 2 523 articles, dont 90 % prennent parti contre le joual. C'est dire toute la charge émotive suscitée par ce mot qui provoque une angoisse immédiate chez une vaste partie de la population. Cette peur collective s'explique, selon la sociolinguiste Chantal Bouchard, par le fait que le joual, inévitablement associé à la dégradation de la langue, heurte directement le sentiment d'identité nationale : « Il s'agit non seulement de la dégénérescence de la langue française, mais également [de] celle de la culture et [de] celle de la nation tout entière. » Le mal est d'autant plus sensible qu'il risque de gagner les médias de très grande diffusion, c'est-à-dire les journaux, la radio, le théâtre, le cinéma et la télévision. Si tous les jeunes parlent et écrivent en joual, comme le déplorent André Laurendeau et Jean-Paul Desbiens, c'est bien la preuve que l'avenir du français est menacé et que toutes les campagnes de refrancisation n'ont pas été efficaces. Il est temps, selon eux, de passer de l'autocritique à une action politique qui s'attaque au fond du problème. Le système politique fédéral est directement mis en cause pour expliquer les taux d'assimilation très élevés des francophones à l'extérieur du Québec et même à Montréal. Devant la montée des revendications nationalistes, le gouvernement Pearson instaure en 1963 la Commission royale d'enquête sur le bilinguisme et le biculturalisme, dirigée conjointement par André Laurendeau et Davidson Dunton. Les recommandations de cette commission conduiront à l'adoption par Ottawa, en 1969, de la Loi sur les langues officielles. Au Québec, la crise linguistique éclate en 1968 lorsque des parents allophones d'une école de Saint-Léonard, dans le nord de la ville de Montréal, contestent la décision des commissaires d'abolir progressivement les classes bilingues et de les remplacer par des classes unilingues de langue française. Après une série de confrontations entre militants francophones et parents italiens, le gouvernement provincial adoptera la loi 63 garantissant la liberté de choix de la langue d'enseignement. Cette loi soulève l'indignation des francophones, qui craignent que les immigrants ne s'assimilent ainsi aux anglophones. Cinq ans plus tard, la loi 22, dite « Loi sur la langue officielle », visera à apaiser ces craintes en proclamant pour la première fois le français comme langue officielle du Québec. Mais elle maintiendra le libre choix de la langue d'enseignement, ce qui mécontentera les francophones. En échange, elle imposera des conditions plus strictes à l'admissibilité aux écoles de langue anglaise, ce qui irritera les anglophones. En 1977, le jeune gouvernement du Parti québécois votera la loi 101, appelée solennellement « Charte de la langue française ». Cette loi confirmera que le français est la seule langue officielle du Québec, mais elle ira beaucoup plus loin que la loi 22. Le français deviendra la langue d'enseignement pour les nouveaux Québécois, les entreprises de cinquante employés et plus devront se franciser et l'affichage public ne pourra désormais se faire qu'en français. Plusieurs aspects de cette loi seront contestés par la suite (notamment sur l'affichage), mais l'esprit n'en sera pas moins globalement respecté, de sorte qu'on parlera peu à peu des « enfants de la loi 101 ».

Si la question linguistique suscite un tel débat dans l'ensemble de la société, elle se pose de façon toute particulière dans le domaine littéraire. Dès 1964, de jeunes écrivains regroupés autour de la revue *Parti pris* décident d'écrire en joual, provoquant aussitôt une vaste controverse. Ce sont Jacques Renaud, Laurent Girouard, André Major, Paul Chamberland et Gérald Godin, auxquels il faut ajouter Claude Jasmin qui ne faisait pas partie de l'équipe de *Parti pris*. Parmi les titres les plus représentatifs de ce courant, *Le Cassé* (1964) de Jacques Renaud (né en 1943) demeure l'exemple le plus saisissant. Il s'agit d'un court roman qui s'apparente aux nouvelles en joual que l'auteur publiera par la suite. La violence verbale parvient ici à un niveau d'abjection jamais atteint auparavant. Les individus sont dépossédés de leur humanité, soumis à la loi du meurtre et du viol. Le personnage principal, Ti-Jean, vit à Montréal dans une chambre sordide et n'éprouve que de la rage à l'endroit d'autrui. Il lit *Allô Police* en rêvant d'y trouver des décapités. Même s'il se prétend maquereau, il n'a pas d'argent, d'où son surnom de « cassé ». Sa maîtresse Philomène, mère d'un bébé, travaille le jour dans une manufacture et se prostitue le soir. Elle accepte les avances d'une jeune bourgeoise, Berthe, étudiante en lettres à l'Université de Montréal, qui lui offre de devenir sa maîtresse ; elle trompe aussi Ti-Jean avec un vendeur de marijuana, Bouboule. Quand il l'apprend, Ti-Jean égorge Bouboule avec un tournevis. Le critique Jean Éthier-Blais parlera du roman comme d'un « coup de poing en pleine figure ». Quant au joual, il se manifeste moins par des anglicismes que par une pauvreté générale du discours, fait de jurons et de termes scatologiques ou imitant une sorte d'argot populaire. Le discours des personnages et celui du narrateur sont à peine dissociables, comme si tout le roman collait à l'univers glauque de Ti-Jean :

Les écrivains de *Parti pris*. De gauche à droite: André Major, Gérald Godin, Claude Jasmin, Jacques Renaud, Laurent Girouard, Paul Chamberland. Photo Jean Beaudin.

J'me sus tanné en calvaire. J'ai colissé ça là. C'est de même. Y a toujours un maudit bout' d'être tout seul dans l'affaire... J'ai jamais aimé ça m'faire niaiser... J'ai dit à Jésus-Christ d'manger d'la marde longue de même pis j'ai commencé à m'crosser en pensant à Marie-Madeleine... Les gars, eux-autres, y m'ont envoyé chez l'diable... Y pouvaient pas m'envoyer ailleurs... Pis de toutes façons, la vie c'est un enfer... En enfer, ça doit pas être pire... Tu pries le bon Dieu pour oublier que tu y es, en enfer... Que tu vas y rester, même après ta mort, dans l'enfer parce que tu vas pourrir dans terre... En attendant moé j'm'arrange pour vivre quand j'en ai envie... Ch'comprends rien là-dedans, la vie, ça fait que j'veux rien savoir de ceux qui vivent...

Le joual n'a toutefois rien de systématique. Ainsi, le narrateur se sert à plusieurs endroits d'une langue plus soutenue, comme dans les lignes suivantes : « Près des réverbères, les feuilles des érables étaient crémeuses. Dans l'ombre, elles étaient brunâtres, incertaines, les feuilles. La ville était assommée, engourdie, effrayante par bouts. » De tels passages poétiques restent cependant assez marginaux et font ressortir la force impulsive du joual, qui est avant tout un cri de colère.

Dès sa parution, *Le Cassé* suscite une vive polémique dans les journaux et les revues. François Hertel, par exemple, dénonce son caractère faussement révolutionnaire : « Absolument illisible en France, en Belgique et dans toute l'ethnie française, il pousse aux confins du délire et du ridicule de tout salir, même sa langue maternelle. » Les autres écrivains de *Parti pris* se portent naturellement à la défense de Jacques Renaud. Gérald Godin compare le joual à une « arme politique » et lui confère une légitimité semblable à celle que des écrivains africains attribuent à la langue de leur pays par opposition au français standard. André Major associe le joual à un « nouveau réalisme » et le met lui-même en pratique dans son roman *Le Cabochon* (1964) et dans son recueil de nouvelles *La Chair de poule* (1965). Mais rares sont ceux qui croient à l'avenir du joual en littérature. Godin lui-même ne justifie le joual que par rapport à la conjoncture politique : « Le bon français, c'est l'avenir souhaité du Québec, mais le joual c'est son présent. » Jacques Brault écrit dans le même sens : « Le joual ne porte certainement pas en lui notre avenir culturel, et dans le présent, le mieux à faire est de se l'arracher du corps, d'extirper de soi cette gangrène asphyxiante. [...] La révolution (et particulièrement la littéraire), si elle passe par le joual, doit en sortir et nous en sortir au plus tôt. » Aux yeux de la majorité des écrivains sympathiques à la cause de *Parti pris*, le joual est un mal nécessaire. André Major se montrera plus tard extrêmement critique à l'endroit de ceux qui continueront de préconiser le joual et ses textes ultérieurs seront écrits dans un français châtié. Le débat prend d'ailleurs une tournure différente dès après la sortie de *Pleure pas, Germaine* de Claude Jasmin en 1965. Ce roman obtient un certain succès populaire, mais il est aussi, plus que les romans partipristes, la risée de la critique. Le roman se déroule en Gaspésie et il est raconté à la première personne par un narrateur ouvrier dont la langue répétitive et monotone ne parvient jamais à retrouver la vérité du personnage de Renaud. Il semble au contraire confirmer les craintes de ceux qui voyaient dans le joual une marque de régionalisme ou de populisme. Folklorique, le joual perd la force de provocation qu'il avait au départ.

Pour plusieurs, écrire ou non en joual est un « faux dilemme » (André Brochu). Derrière l'opposition apparente entre le joual et le français standard se cache plutôt un désir de synthèse entre la parole et l'écriture, entre la vie quotidienne et la littérature. L'échec relatif des romanciers qui ont tenté d'écrire en joual tient en grande partie à la difficulté même d'opérer une telle synthèse. Jacques Godbout intégrera le joual dans *D'amour P.Q.* (1972), mais à dose beaucoup plus modérée que chez les romanciers de Parti pris. De même, Réjean Ducharme fera dire au narrateur du *Nez qui voque* : « J'écris mal et je suis assez vulgaire », mais c'est pour se vanter plus loin : « Je suis un poète; qu'on se le dise; qu'on ne me prenne pas pour un vulgaire prosateur. » Dans *L'Avalée des avalés*, nous l'avons vu, Ducharme, comme Gauvreau plus tôt avec l'exploréen, invente le « bérénicien ». Écrire volontairement mal ou parler une langue purement imaginaire, cela revient au même. Dans les deux cas, la langue d'écriture est placée sous le signe de la liberté la plus totale.

Cet enthousiasme pour le langage va de pair avec une conscience exacerbée des difficultés propres à l'écrivain québécois, qui éprouve fortement le sentiment que les sociolinguistes appellent l'insécurité linguistique. Dès 1957, Gaston

Miron écrit au poète français Claude Haeffely : « Tu sais que je suis l'écrivain de langue française qui écrit le plus mal sa langue aujourd'hui. » Il ajoute toutefois aussitôt : « Mal. Avoir mal. Être mal. MAIS VIVANT. » L'écrivain des années 1960 ne s'attaque plus à ceux qui s'expriment mal, comme on le faisait au temps de Louis Fréchette ou de Jules Fournier. Il demande plutôt, à l'instar du romancier André Langevin : « Comment parvenir à exprimer, par le langage, des personnages dont l'incapacité de s'exprimer est une caractéristique fondamentale ? » L'écrivain lui-même accède à l'écriture après avoir pris conscience d'une telle incapacité. C'est le cas du poète Fernand Ouellette qui évoque son initiation dans ces termes : « Dès que j'ai essayé d'écrire, je me suis rendu compte que j'étais un *barbare*, c'est-à-dire, selon l'acception étymologique du terme, un *étranger*. Ma langue maternelle n'était pas le français, mais le *franglais*. Il me fallait apprendre le français presque *comme une langue étrangère*. » Le sentiment de honte à l'égard de la langue parlée ou écrite au Québec atteint un point culminant dans les années 1940 et 1950. Il se produit ensuite un retournement majeur chez un nombre important d'écrivains qui, au lieu de vouloir prouver leur maîtrise du français normatif, vont chercher à exprimer ce sentiment de honte à même la langue d'écriture. Le stigmate (écrire mal) se transforme soudainement en emblème, symbole d'une aliénation qui n'est plus d'abord individuelle, mais collective. Dès lors, la langue n'est plus une affaire de compétence que chacun possède ou acquiert à des degrés variables. Ce que l'écrivain exhibe, ce n'est plus sa maîtrise du français : c'est sa fureur d'écrire. La prétendue pauvreté verbale (qui ne s'exprime jamais aussi fortement que chez les écrivains les plus doués, comme Miron et Ducharme) devient une raison d'écrire commune à toute une génération. Celle-ci interroge l'éternel complexe d'infériorité linguistique de l'écrivain canadien-français et parvient à lui donner un sens en accordant à sa langue impure une expressivité inédite. À l'instar des autres écrivains francophones en dehors de la France, il découvre ainsi sa propre étrangeté dans la langue française.

Les œuvres qui intègrent le joual avec le plus de bonheur ne sont pas celles qui cherchent simplement à le transcrire le plus fidèlement possible. Fait significatif, ce n'est pas du côté du roman que l'on trouve les œuvres en joual les plus réussies. Sauf Ducharme, peu de romanciers de l'époque ont réfléchi, à la façon d'un Céline ou d'un Queneau, aux difficultés proprement techniques de la transposition dans l'écrit d'une langue orale. Une telle réflexion commence plutôt chez les poètes comme Gaston Miron, Paul Chamberland et surtout Gérald Godin (1938-1994). Ce dernier parvient d'ailleurs à créer une forme originale avec ses *Cantouques*, sortes de chansons poétiques qui trouvent leur inspiration dans la culture populaire, dans la vie quotidienne, mais aussi dans la tradition littéraire aussi bien française que québécoise. Le mot « cantouque », selon la définition qu'en donne Godin, désigne dans les chantiers un « outil qui sert à trimballer des billots » et, par transposition, « le poème qui trimballe des sentiments ». Ce sont des « poèmes en langue verte, populaire et quelquefois française » qui rappellent Jean Narrache, mais aussi Gaston Miron, comme dans cet extrait du « Cantouque du soir » :

> La vaisselle étant lavée
> la lune s'est levée
> sur la chanson sale des fonds de cour
> [...]
>> le pays que je travaille pour est un câlice un enfant
>> de chienne de nous maudire icitte sans une bougrine
>>> sans un ancêtre
>> sinon nous-mêmes hostie d'humus
>
>> ma jeunesse a crissé le camp comme un voleur
>> emportant tout sinon des dettes et des cassures à réparer
>> sémantique du blasphème et de l'injure
>> rien d'autre n'avons-nous sinon perclus au fond des tripes
>> entêté jappant sans cesse le cri bêlant d'un pays à naître

La question du joual devient le symbole d'un combat de plus en plus politique, lié au « pays à naître ». Elle évolue rapidement et débouche sur un débat plus large, lequel tend à transcender les aspects péjoratifs initialement rattachés au joual. L'idée d'une variété proprement québécoise du français acquiert en effet une légitimité nouvelle quoique souvent ambiguë. Il est assez significatif à cet égard que Jean-Paul Desbiens signe en 1972 la préface d'un ouvrage d'Henri Bélanger intitulé *Place à l'homme. Éloge du français québécois*. De la dénonciation du joual à l'éloge du français québécois se dessine ainsi une curieuse continuité. Ce glissement sera sévèrement critiqué par Jean Marcel dans *Le Joual de Troie* (1973) au nom même du projet d'indépendance du Québec. L'essayiste voit en effet dans cette valorisation une tromperie destinée à détourner les Québécois des vrais enjeux, car le joual ne saurait être que « du français mâtiné d'anglais à la surface du vocabulaire, mais avec rien dedans étant donné qu'il n'y a pas de réalité pour le soutenir ».

Mais la question du joual revêt aussi une dimension proprement littéraire qui n'est pas réductible aux enjeux idéologiques. Car pour la majorité des écrivains de cette période, il ne s'agit pas tant d'écrire ou non en joual que d'inventer une forme qui permette de surmonter l'opposition entre la langue d'écriture et la parole. Après les exemples romanesques et poétiques qu'on vient de voir, c'est au théâtre que le rapprochement entre langue littéraire et langue parlée va s'effectuer le plus naturellement, comme le montre Michel Tremblay qui donne, avec *Les Belles-sœurs*, créée en 1968, une première œuvre majeure écrite en joual.

13
La bataille des *Belles-sœurs*

Le théâtre ne connaît pas de bouleversements aussi rapides que la poésie et le roman durant la Révolution tranquille. Les théâtres créés au cours de la période précédente (notamment le Théâtre du Nouveau Monde et le Théâtre du Rideau Vert) se développent et proposent un répertoire éclectique, où l'on trouve pêle-mêle les classiques, le théâtre de boulevard, les pièces contemporaines françaises ou étrangères de même que plusieurs pièces tirées de la jeune dramaturgie nationale. L'institution théâtrale assume une mission éducative, comme on le voit avec l'ouverture en 1960 de l'École nationale de théâtre, puis par la création en 1963 d'un centre dramatique au Conservatoire de Montréal (qui prend le nom de Théâtre populaire du Québec en 1966) et, en 1964, de la Nouvelle Compagnie théâtrale. De grandes salles de spectacles voient le jour à Montréal (Place des Arts), à Québec (Grand Théâtre de Québec) et à Ottawa (Centre national des Arts). Parallèlement à ce théâtre officiel, les troupes expérimentales qui ont émergé dans les années 1950, comme le Théâtre de Quat'sous, les Apprentis-Sorciers ou l'Égrégore, continuent, elles aussi, sur leur lancée. Ces jeunes troupes intensifient leur présence durant la Révolution tranquille et apparaissent de moins en moins marginales au fur et à mesure qu'on avance dans la décennie.

La thématique du pays n'a guère été transposée avec succès au théâtre, sauf dans le poème dramatique *Au cœur de la rose* (1963) de Pierre Perrault (1927-1999), lequel marquera bien davantage le cinéma à partir de son film *Pour la suite du monde* réalisé en 1963 avec Michel Brault. Malgré les appels à une littérature engagée chez *Parti pris*, le théâtre demeure en retrait de l'actualité sociale ou politique, avec quelques exceptions comme *La Tête du roi* de Jacques Ferron qui fait écho aux premiers attentats terroristes du FLQ en 1963. Mais les choses changent durant la deuxième moitié de la décennie alors que se met en place ce que Michel Bélair appellera le « nouveau théâtre québécois ». Les jeunes dramaturges, metteurs en scène et comédiens, formés dans les théâtres de poche mais également dans des médias de large diffusion (radio, télévision, cinéma), participent activement à cette transformation du théâtre. Conscients de l'immense impact potentiel du théâtre au sein de la société, ils contribuent à l'exposition de la littérature québécoise. La création du Centre d'essai des auteurs dramatiques (1965) donne aux artisans du théâtre un outil important dans l'avènement d'une dramaturgie plus politisée, moins dépendante des visées éducatives ou commerciales. C'est justement le CEAD qui organise en mars 1968 la lecture publique des *Belles-sœurs* de Michel Tremblay, pièce d'abord refusée au Dominion Drama Festival de 1966, puis créée en août 1968 au Théâtre du Rideau Vert. À partir de là, on assiste à une transformation spectaculaire du langage dramatique et de l'institution théâtrale. S'il y a rupture dans l'histoire du théâtre québécois, c'est donc en 1968 qu'elle se produit, non en 1960.

Cela ne signifie pas pour autant qu'il n'y a pas évolution de la dramaturgie québécoise durant la Révolution tranquille. D'une part, la quantité de pièces écrites par des auteurs québécois ne cesse d'augmenter. Marcel Dubé, par exemple, connaît sa période la plus féconde, avec pas moins d'une douzaine de pièces si l'on inclut les téléthéâtres et les séries dramatiques télévisées. D'autre part, le théâtre se diversifie et n'est plus réductible à un seul dramaturge ni à un seul courant esthétique. Les principaux romanciers des années 1950 se mettent à écrire aussi pour la scène, d'Yves Thériault à André Langevin en passant par Jean Simard, Robert Élie ou Andrée Maillet. Le théâtre n'est plus un simple divertissement : il prend une valeur proprement littéraire. C'est même ce côté extrêmement écrit qui caractérise le théâtre de cette période, qui semble davantage fait pour être lu que pour être joué. Le meilleur exemple de ce théâtre littéraire est sans doute celui d'Anne Hébert. À cette époque, elle n'est pas une débutante au théâtre : en 1952, elle avait créé un conte radiophonique, *Les Invités au procès*, suivi en 1958 d'un téléthéâtre, *La Mercière assassinée*, qui raconte une intrigue policière. En 1966, elle crée sa pièce la plus achevée, *Le Temps sauvage*, évoquant l'univers étouffant d'une famille québécoise qui accueille une cousine, Isabelle, dont la mère vient de mourir. C'est une maison située à flanc de montagne, en marge de la vie rurale, espace aussi sauvage que le temps indiqué par le titre. Agnès, la mère, a choisi de cacher ainsi sa famille loin de la ville, mais aussi de la campagne traditionnelle, du temps historique. À la différence de François dans *Le Torrent*, la force de vie incarnée par Isabelle l'emporte sur l'immobilisme de la mère, comme quoi le Québec de 1966 est déjà loin de ce qu'il était en 1950. La pièce, créée au Théâtre du Nouveau Monde, a toutefois été accueillie avec des réserves, la critique la jugeant trop peu dramatique.

Autant le langage théâtral vers 1965 paraît sage, châtié et même quelque peu figé, indifférent aux particularités de la scène, autant celui qui émerge dans les dernières années de la décennie se fait tapageur, contestataire, humoristique et brûlant d'actualité. L'évolution est extrêmement rapide, parfois même au sein d'une seule et même œuvre comme c'est le cas avec Françoise Loranger. Elle s'était fait connaître en 1949, comme on l'a vu, avec un premier et unique roman (*Mathieu*), puis s'était lancée dans l'écriture dramatique en rédigeant des textes pour la radio et la télévision. Elle s'impose bientôt comme dramaturge, même si ses pièces ont souvent été négligées par les historiens du théâtre. Comme l'écrira Robert Lévesque, « [o]n établit toujours la séquence chronologique suivante dans l'histoire de notre théâtre : Gélinas-Dubé-Tremblay [...] Continuer de perpétuer cet axe masculin et inégal, c'est de l'ingratitude envers Françoise Loranger qui, au milieu de ces hommes, riche d'une vaste culture enracinée dans un

Les Belles-sœurs, de Michel Tremblay, Théâtre du Rideau Vert, 1968. Photo Guy Dubois.

monde qu'elle observait finement, a su créer des personnages plus riches que ceux de Gélinas, plus évolués que ceux de Dubé, plus nuancés que ceux de Tremblay. » Mais ce qui frappe surtout dans le parcours de Loranger, c'est le passage brutal d'un théâtre bourgeois, représenté notamment par *Une maison... un jour* (1965) et *Encore cinq minutes* (1967), à des pièces politiquement engagées, comme *Le Chemin du roy* (1968) qui s'inspire du « Vive le Québec libre! » prononcé par le général de Gaulle en 1967 à l'hôtel de ville de Montréal. Loranger qualifiera cette seconde manière de « théâtre de participation », ce qu'illustrent encore davantage ses deux pièces suivantes, *Double Jeu* (1969) et surtout *Médium saignant* (1970), écrite au lendemain du « bill 63 » sur le libre choix de la langue d'enseignement. Ces trois dernières pièces, fait significatif, sont toutes écrites en collaboration avec l'ancien assistant de Paul Buissonneau, le metteur en scène Claude Levac, lequel donne une tournure nettement plus expérimentale au théâtre de Loranger.

De toutes ces pièces, c'est *Encore cinq minutes*, créée au Théâtre du Rideau Vert, qui se distingue le plus. Il s'agit d'une pièce particulièrement vivante et riche sur le plan du langage. Elle se déroule, comme les premières pièces de Françoise Loranger, dans une maison bourgeoise. Au début, on croit à un simple conflit des générations entre les parents, Gertrude et Henri, et les enfants, Renaud et Geneviève. Mais c'est aussi un conflit social et linguistique, comme le montre cet échange entre Renaud et son père :

> RENAUD – (*Provocant*) Alors tchèque tes claques, veux-tu, parce que...
>
> HENRI – (*L'interrompant*) (*Indigné*) Non, Renaud ! Non ! Je veux bien te permettre les idées les plus révolutionnaires, mais énonce-les correctement ! Ce ne sont pas les idées qui déclassent un homme, mon garçon, c'est le langage !
>
> RENAUD – (*S'emportant*) Mais je ne demande que ça, être un déclassé !

Le conflit est exemplaire de l'idéologie de l'époque : la révolte passe ici par un déclassement volontaire et s'exprime par le recours à un joual qui constitue le principal déclencheur de la colère du père. Mais ce conflit s'élargit encore davantage dans la suite de la pièce et se reconstruit autour de l'opposition entre la mère, d'un côté, et le mari et les enfants, de l'autre. C'est en effet le personnage central de Gertrude qui fait la force de cette pièce. Présente sur scène presque sans interruption du début à la fin des deux actes, Gertrude fait penser à certains personnages de Gauvreau, notamment dans *La Charge de l'orignal épormyable*. En robe de chambre, elle a l'air à moitié folle, tournant en rond dans une pièce blanche aux murs vides mais au plancher encombré de meubles disparates (une chaise Louis XV, un fauteuil moderne américain, un vieux pétrin – coffre à pain – canadien, etc.). Elle tente de se créer une pièce à elle, dans un style qui ne soit plus dicté par les goûts des autres. Elle rêve de faire table rase, imagine « [u]ne grande pièce nue... Toute blanche... Toute blanche... » et, après s'être étonnée elle-même d'avoir dit deux fois « va chier », elle finit par jeter tout le mobilier à terre, devant sa famille qui ne s'explique pas sa rage soudaine. La véritable révolte ne vient donc pas finalement des enfants, mais de la mère, qui annonce, ultime folie, qu'elle quitte la maison pour de bon. « Partir pourquoi ? Ta vie est faite maintenant ! » lui lance son fils incrédule. « Il doit bien me rester encore cinq minutes, non ? » demande-t-elle comme si cet instant de plénitude allait réparer une vie entière de soumission.

Plus que tout autre dramaturge, c'est Michel Tremblay (né en 1942) qui marque les changements qui vont s'opérer dans le théâtre québécois à partir de 1968. C'est lui qui met fin à vingt ans de réalisme axé sur la psychologie des personnages en créant une sorte d'hyperréalisme qui s'inspire à la fois de l'*Opéra de quat'sous* de Bertolt Brecht et de *La Cantatrice chauve* d'Eugène Ionesco. C'est aussi lui qui transpose l'invention d'une littérature québécoise dans un langage proprement théâtral. Il ne s'agit pas d'un théâtre d'avant-garde ou expérimental comme en présentait, avant *Les Belles-sœurs*, la troupe des Apprentis-Sorciers entre 1955 et 1968, ou encore la troupe de l'Égrégore à partir de 1959. Le théâtre de Tremblay s'inscrit délibérément dans le prolongement des œuvres réalistes de Marcel Dubé et de Françoise Loranger. Toutefois, *Les Belles-sœurs* va exposer le réel, dans toute sa laideur et sa misère, comme Dubé ou Loranger n'avaient pas osé le faire. Pour y parvenir, Tremblay crée un langage qui rompt avec le français international et les conventions de la scène. Le vrai scandale de la pièce vient d'abord de ce qu'elle est écrite d'un bout à l'autre en joual.

Pour certains, la bataille des *Belles-sœurs* a été une sorte de « bataille d'*Hernani* », version québécoise. La pièce suscite d'emblée des réactions passionnées, souvent hostiles. Les journaux reçoivent de nombreuses lettres de lecteurs scandalisés (l'une d'elles s'intitule « Quand le *joual* bave au Rideau Vert ») et plusieurs chroniqueurs de théâtre s'avouent déconcertés devant une telle débauche de vulgarité. Mais si la réaction se révèle beaucoup plus forte qu'à propos des romans et des poèmes écrits en joual, la réussite de Michel Tremblay est également beaucoup plus marquée. L'enthousiasme du milieu littéraire ne fait aucun doute. Dès 1968, André Major écrit : « Le joual permet au drame d'en être un » ; Jean Basile parle de « chef-d'œuvre » ; Jean-Claude Germain y voit « un point tournant dans l'histoire du théâtre québécois ». Même Marcel Dubé, opposé au joual, reconnaît sa pertinence dans la pièce de Tremblay.

C'est qu'on imagine mal comment Michel Tremblay aurait pu faire parler autrement ses personnages sans leur enlever leur authenticité. Nous ne sommes plus dans une maison bourgeoise, comme chez Dubé ou Loranger. *Les Belles-sœurs* se déroule dans une cuisine d'un quartier populaire de l'est de Montréal où se tient un « party de femmes » issues du même milieu et parlant forcément la langue de ce milieu. Elles sont réunies pour coller un million de timbres-primes que Germaine Lauzon a gagnés dans un concours. Situation ubuesque où quinze femmes feignent de s'entraider tout en volant des livrets et en médisant les unes des autres. Toutes se ressemblent au point qu'elles ont l'air d'appartenir à une seule et même famille, et pourtant elles paraissent d'éternelles rivales. Il ne s'agit plus, comme dans le théâtre réaliste antérieur, d'opposer le père au fils, le bourgeois au déclassé, l'homme à la femme : tous les personnages sont des femmes et toutes sont déclassées. La bataille éclate naturellement entre ces femmes qui se ressemblent trop et qui, excitées par la chicane de famille, donnent l'impression de prendre plaisir à se détester. Les conflits n'épargnent aucune d'entre elles et se nourrissent de chaque réplique. Comme l'explique Laurent Mailhot, « [l]es jeunes s'opposent aux vieilles, les femmes mariées aux célibataires, les bigotes aux émancipées, les (relativement) futées aux imbéciles, les chanceuses aux malchanceuses. » Elles sont soumises à une loi du milieu qui les condamne à une sorte d'égalité dans le malheur et dans la pauvreté. Dès que l'une d'elles tente de dépasser les autres – que ce soit en voulant parler mieux ou en dissimulant des livrets de timbres-primes –, elle est aussitôt dénoncée, ramenée au niveau de la tribu. C'est ce qui se produit dans la réplique suivante de Marie-Ange Brouillette qui se moque du style snob de Lisette de Courval : « Chus pas t'allée en Urope, moé, chus pas t'obligée de me forcer pour bien perler ! » Les belles-sœurs ne sont pas tyranniques individuellement, mais par instinct grégaire. C'est ainsi qu'on peut comprendre le pluriel du titre, qui ne correspond pas à la réalité (il n'y a que deux belles-sœurs véritables parmi le groupe, soit Germaine et Thérèse), mais fait plutôt des « belles-sœurs » une catégorie indéfiniment extensible, où le groupe l'emporte sur l'individu.

Avec le joual, Tremblay rapproche le théâtre de la parole ordinaire, mais on insiste généralement moins sur le fait que le joual devient ici une langue écrite. On assiste avec *Les Belles-sœurs*, écrit justement Lise Gauvin, à un véritable phénomène de « *littérarisation* du joual ». Tremblay ne se contente pas de reproduire approximativement la langue vernaculaire, il mène un travail rigoureux et imaginatif afin de transcrire phonétiquement le joual : ouverture ou fermeture de voyelles (« énarvée » pour « énervée », « Urope » pour « Europe »), prononciation archaïsante (« moé » pour « moi »), nombreuses liaisons fautives mais colorées (« J'leur s'ai dit d'arriver de bonne heure »), anglicismes (« smatte », « fun »), jurons (« J'vas crisser mon camp ! »), etc. Certains mots déformés reviennent comme des leitmotive, tel « cataloye ». Le joual est stylisé, modulé au profit de l'écriture proprement théâtrale. Si Michel Tremblay atteint grâce à lui une telle force de vérité, c'est à la fois en lui donnant sa pleine extension et en l'arrachant au populisme et au pittoresque qui lui étaient associés depuis Claude-Henri Grignon. La bataille des *Belles-sœurs* est donc d'abord une bataille de mots.

Mais le joual n'est qu'un des aspects du théâtre de Tremblay, qui mêle adroitement le monologue et le chœur pour créer une forme originale, mi-parodique, mi-tragique, où la parole est tantôt un pur soliloque, tantôt l'expression de toute une collectivité, mais jamais un échange véritable entre deux êtres. Les dialogues d'ailleurs semblent impossibles, malgré la complicité mesquine qui unit toutes ces « belles-sœurs ». À plusieurs reprises, le projecteur s'arrête sur l'une ou l'autre des protagonistes, qui se lance alors dans une longue tirade que les autres femmes semblent ne pas avoir entendue lorsqu'elles reprennent par la suite leur commérage. En contrepoint, cinq femmes se lamentent en chœur de mener « une maudite vie plate » ou, vers la fin, neuf femmes chantent une « ode au bingo » qui est le sommet de l'humour « cheap » de la pièce. Chaque fois, les personnages cessent de se parler entre eux pour s'adresser directement au public. En grossissant ainsi certaines scènes particulièrement typiques de la misère existentielle de ces femmes, Michel Tremblay crée un effet de distanciation (comme chez Bertolt Brecht) et transgresse les conventions du réalisme.

Ainsi Michel Tremblay fait la preuve, avec *Les Belles-sœurs*, de la fécondité littéraire du joual. Sa pièce est traduite en plusieurs langues et constitue un classique du théâtre québécois. Il reprendra ensuite plusieurs personnages dans ce qu'il est convenu d'appeler le cycle des *Belles-sœurs*, qui comprendra une dizaine de pièces, parmi lesquelles la critique retient surtout la plus tragique, *À toi, pour toujours, ta Marie-Lou* (1971). Tremblay renouera avec ce cycle à partir d'*Albertine, en cinq temps* (1984) et encore dans plusieurs autres pièces où se produisent toute une cohorte de marginaux (travestis, homosexuels, danseurs, serveuses, exhibitionnistes, artistes, etc.) dont plusieurs se retrouvent également dans l'œuvre romanesque à partir de 1978 (*Chroniques du Plateau Mont-Royal*).

Après le choc des *Belles-sœurs*, la dramaturgie québécoise va prendre toutes sortes de directions. La porte est ouverte à d'autres pièces en joual : Jean-Claude Germain, Jacqueline Barrette, Sauvageau, Jean Barbeau, Michel Garneau et plusieurs autres dramaturges se lanceront dans cette voie et obtiendront d'importants succès. Le phénomène soulèvera de moins en moins de scandale, mais en même temps il deviendra de plus en plus clair que le joual ne peut pas constituer une fin en soi. Le joual servira par exemple à parodier des classiques, comme le font en 1968 Réjean Ducharme dans *Le Cid maghané* et Robert Gurik dans *Hamlet, prince du Québec*. Dans la foulée de l'Exposition universelle de 1967, qui engendre d'importantes subventions, le théâtre se donnera de nouveaux moyens scénographiques et deviendra plus spectaculaire et plus engagé. Ce sera moins l'affaire d'auteurs singuliers, comme c'était le cas avec Marcel Dubé, Françoise Loranger ou Michel Tremblay, que d'un ensemble d'auteurs pressés de se regrouper afin de substituer à la création individuelle les vertus de la création collective. Qu'il soit miroir de la société québécoise, espace d'expérimentation formelle ou moyen de conscientisation politique, le théâtre qui se fait à partir de 1968 multipliera les happenings et les coups d'éclat. Il appartiendra à une période marquée par les gestes de rupture, suivant en cela ce qui se produit au même moment du côté de la poésie et du roman.

14

Les romanciers du Jour

La critique littéraire a coutume de parler *du* roman de la Révolution tranquille ou *du* roman national comme si le singulier allait de soi pour désigner l'ensemble pourtant hétérogène des romans de cette période. Or, de même que la poésie du pays renvoie à des œuvres très diverses, de même le roman de la Révolution tranquille évolue dans plusieurs directions. Après l'épisode des romanciers joualisants de *Parti pris*, qui ne constitue qu'un moment de cette évolution, la nouvelle génération de romanciers ne se reconnaît pas, loin s'en faut, dans le seul projet d'un roman national. C'est ce que révèle notamment le catalogue des Éditions du Jour, qui ont joué, pour le roman québécois des années 1960, un rôle analogue – quoique à moindre échelle – à celui que l'Hexagone a joué pour la poésie.

Les Éditions du Jour ont été fondées en 1961 par Jacques Hébert, ancien directeur du journal étudiant *Le Quartier latin* et journaliste globe-trotter après la guerre. Jacques Hébert se fait connaître du grand public au moment de l'affaire Coffin, qui a été condamné et pendu en 1956 pour avoir tué trois touristes américains en Gaspésie. Hébert écrit alors un pamphlet (*Coffin était innocent*) qu'aucun éditeur n'accepte de publier de peur d'être poursuivi en justice. Il décide de s'associer avec l'imprimeur Edgar Lespérance pour fonder les Éditions de l'Homme (1958) et publie lui-même son livre. Le résultat dépasse les attentes : imprimé sur du papier journal, vendu à vil prix (1,00 $) et distribué dans les tabagies, le brûlot d'Hébert se vend à 12 000 exemplaires. Un an plus tard, les Éditions de l'Homme font paraître un autre pamphlet destiné à devenir un best-seller, *Les Insolences du frère Untel* du frère Jean-Paul Desbiens. Le contrat qui liait Jacques Hébert aux Éditions de l'Homme s'achève toutefois au bout de deux ans. Il choisit alors de créer sa propre maison d'édition et d'y faire une large place à la littérature. Il fonde les Éditions du Jour, qui deviennent bientôt un carrefour où vont se croiser les représentants de la relève. Si cette maison est moins connue que l'Hexagone ou les revues *Liberté* et *Parti pris*, c'est peut-être qu'elle ne participe pas à l'essor de la Révolution tranquille, mais plutôt une sorte de deuxième vague qui se prolonge au-delà des années 1960. Le passage de la thématique nationale à l'américanité et à la contre-culture s'y donne à voir de façon exemplaire.

De toutes les collections créées aux Éditions du Jour, c'est celle des « Romanciers du Jour » qui permet le mieux de mesurer les mutations de la littérature québécoise durant les années 1960. S'il paraît excessif de parler, comme certains l'ont fait, d'une véritable « école du Jour », s'il s'agit encore moins d'une avant-garde comme le Nouveau Roman en France, il reste que bon nombre de romans

publiés par Jacques Hébert se distinguent du roman canadien-français traditionnel, écrit dans le français qu'on enseignait dans les collèges classiques. Le changement ne s'incarne pas seulement chez un ou deux auteurs qui seraient les chefs
de file. Il y a ici un effet de groupe, chacun se reconnaissant dans un commun
désir de changement. La diversité des écritures est considérable, mais elle obéit à
une visée générale propre à toute cette période, celle de l'invention d'une littérature québécoise. Cette collection s'impose par la quantité de titres qui paraissent
à un rythme croissant tout au long des années 1960 (le sommet étant de 17 titres
en 1969). Le succès le plus éclatant est celui de Marie-Claire Blais, qui devient,
avec le prix Médicis accordé à *Une saison dans la vie d'Emmanuel* en 1966 (publié
à Paris chez Grasset après avoir paru aux Éditions du Jour), un symbole de réussite pour la nouvelle génération d'auteurs rassemblés par Jacques Hébert. En tout,
neuf romans de Marie-Claire Blais paraîtront dans la collection « Les romanciers
du jour ». Elle est la plus connue des voix féminines parmi ce groupe d'auteurs,
où l'on trouve aussi Andrée Maillet, Claire de Lamirande, Hélène Ouvrard et,
plus tard, Michèle Mailhot et Nicole Brossard qui, on ne s'en souvient guère, publie
ses premiers romans aux Éditions du Jour (*Un livre* en 1970 et *Sold-out* en 1973).
Se souvient-on davantage que c'est aux Éditions du Jour qu'ont commencé à
publier les Michel Tremblay, Jacques Poulin et Victor-Lévy Beaulieu? C'est aussi
aux Éditions du Jour qu'Yves Thériault publie ses romans à partir de 1963. De
même pour André Major à partir de 1968 et pour Jacques Ferron à partir de 1969.
Les lancements organisés par Jacques Hébert deviennent si nombreux et si courus qu'ils constituent bientôt de petits événements dans le milieu intellectuel
montréalais. Ils rejoignent un cercle de plus en plus large de lecteurs, en particulier des étudiants dont le nombre augmente rapidement. De facture très sobre et
bon marché, ces livres acquièrent une popularité relative et constituent un signe
parmi d'autres du renouveau spectaculaire de la littérature québécoise. Comme
le suggère le nom même des Éditions du Jour, la littérature ne s'y donne plus
comme une activité séparée du monde quotidien : elle participe à l'actualité, veut
créer l'événement et tend à se rapprocher du lecteur. En limitant les coûts de
production et en accueillant des romans appartenant à plusieurs tendances, la
maison d'édition parvient à rendre accessibles un grand nombre de textes d'auteurs québécois. Il ne s'agit donc pas de choisir entre tel et tel type de roman,
mais de donner aux romanciers québécois, par-delà les différences de sensibilité,
un nouveau lectorat, une nouvelle visibilité sociale.

Si l'on retient surtout de la collection des « Romanciers du Jour » l'émergence
de voix originales qui ne racontent plus des histoires comme on le faisait au
Cercle du livre de France, les formes anciennes ne sont pas absentes. C'est le cas
d'Yves Thériault, qui a déjà son public et qui poursuit dans une veine romanesque tournée vers l'action et le réalisme épique. Dans un autre sens, ce sera
encore le cas avec les contes de Jacques Ferron, qui est perçu comme un mentor

par la jeune génération des romanciers du Jour. Même parmi les plus jeunes, il s'en trouve pour suivre cette voie, comme l'illustrent Michel Tremblay, dont le premier livre est un recueil de contes urbains (*Contes pour buveurs attardés*, 1966), et Roch Carrier, dont *La Guerre, yes sir!*, paru en 1968, appartient à la même filiation tournée vers l'oralité.

Ce court roman, de loin le plus connu de Roch Carrier, se déroule à l'époque de la Seconde Guerre mondiale dans un village du Québec alors que les habitants veillent le corps d'un jeune soldat canadien-français mort au combat. Le ton choisi par Carrier n'a rien à voir avec le réalisme violent des romans de *Parti pris* ni avec les jeux d'écriture observés chez Bessette ou Godbout. Il rappelle plutôt celui de *Marie Calumet* de Rodolphe Girard ou encore celui de *La Veillée au mort* d'Albert Laberge. Carrier place l'horreur de la guerre et le drame de l'aliénation nationale sous le signe de l'inconvenance parodique et du rire collectif. Au tout début du roman, Joseph, un paysan, se coupe la main d'un coup de hache pour échapper à la conscription, puis il éclate d'un grand rire. Plus loin, dans une scène centrale, alors que tout le village est réuni autour du cercueil du jeune soldat, le recueillement tourne à l'orgie ; le drapeau canadien sert de nappe, les paroles de deuil et les prières se mêlent aux jurons et aux blagues salaces, et même le père du mort se met à rire aux larmes, gagné par l'ivresse et l'atmosphère carnavalesque : « il n'y a rien de plus drôle que la guerre ! » lance un des villageois. La mort et la vie échangent leurs signes, selon un renversement semblable à celui que le critique russe Mikhaïl Bakhtine a observé chez Rabelais. Seuls les soldats anglais, debout en retrait, gardent un sérieux imperturbable, observant avec mépris les mœurs étranges de ces « *French Canadians* » faisant ripaille devant le mort. Scandalisés par ce spectacle, ils finissent par expulser les villageois de la maison, provoquant ainsi leur colère. Dans le désordre qui s'ensuit, un des hommes du village tue un Anglais, croyant qu'il venait l'arrêter pour l'amener à la guerre. Le roman s'achève avec l'enterrement du jeune soldat rapatrié ; il aura duré le temps d'un banquet funèbre illustrant, mieux que n'importe quel traité sociologique, le fossé qui sépare les deux solitudes. Ce roman aux accents politiques, célébrant des personnages qui s'amusent à fustiger les « Maudits Anglais », a été beaucoup mieux reçu au Canada anglais qu'au Québec. Les critiques francophones lui ont reproché d'être une œuvre trop facile, ou encore une « œuvre de caricature » (André Major). André Belleau l'a pourtant rapproché de plusieurs romans majeurs de la Révolution tranquille, comme *Une saison dans la vie d'Emmanuel* de Marie-Claire Blais, y voyant un exemple probant de littérature carnavalesque. Pour lui, *La Guerre, yes sir!* appartient bel et bien à la Révolution tranquille, typique du roman québécois moderne qui s'invente dans le mélange des formes et des styles, brouillant obstinément la frontière qui sépare le comique et le sérieux, la parole brute et l'écriture sophistiquée, la tradition populaire et la culture lettrée.

Nulle part ce mélange de hauteur et de trivialité n'est plus lisible que chez Jean Basile, écrivain sous-estimé, mais qui occupe une place assez unique dans l'évolution du roman à l'époque de la Révolution tranquille. Né de parents russes, Jean Basile (Jean-Basile Bezroudnoff, 1932-1992) arrive au Québec après avoir vécu et étudié à Paris. Il publie aux Éditions du Jour un premier roman d'aspect assez conventionnel, *Lorenzo* (1963), avant de créer la surprise avec le premier volume d'une trilogie romanesque, *La Jument des Mongols* (1964), repris sous une forme légèrement remaniée chez Grasset en 1966. Comme Bessette et Godbout, Basile joue avec les formes traditionnelles du roman et fait de l'écriture elle-même un des thèmes constants du roman. Il a lu les Nouveaux Romanciers, les écrivains sur-réalistes, *Le Quatuor d'Alexandrie* de Lawrence Durrell, mais également Racine, Pascal, de même que les tragiques grecs. Cette culture livresque est aussi celle des trois jeunes Montréalais qui forment le noyau de la trilogie, appelés les trois « J », Jérémie, Jonathan et Judith, chacun assumant tour à tour la narration des trois romans. Nous sommes à Montréal, plus précisément boulevard Saint-Laurent, la *Main*, que les personnages connaissent comme le fond de leur poche. Le cosmo-politisme de Montréal n'est plus pour eux seulement une curiosité, comme ce pouvait l'être dans le roman canadien-français traditionnel : les personnages font littéralement corps avec cette rue qui est à la fois un milieu de vie et un vaste théâtre extérieur où ils peuvent donner libre cours à leur passion pour les mots. Ils ont retenu la leçon de leur mentor, Victor, dont les paroles sont régulièrement citées et qui disait : « Sans la Main, mes enfants, je crois bien que je détesterais Montréal. » Les trois « J » semblent n'avoir jamais connu autre chose que le bric-à-brac qui fait le charme de cette rue où se retrouvent non seulement des immigrants d'un peu partout, mais aussi un mélange d'exotisme raffiné et de marchandises à bon marché qui permet à l'ici et à l'ailleurs de se superposer. Basile perçoit ce monde bigarré et confus sans l'éprouver comme un dépaysement.

Cette familiarité qu'il ressent vis-à-vis de la *Main* se traduit par de longues séquences où Jérémie se laisse imprégner par le monde concret, comme ici avec les odeurs de la rue : « et je n'oublierai pas davantage les odeurs, celles-ci corpo-relles, qui varient entre l'odeur des pieds et d'aisselles plutôt mal soignées et celle de fiente qui provient, suintant à travers le moindre interstice des portes et des fenêtres du marché à volaille voisin ». La phrase se déroule sur plus d'une page, en une coulée de mots qui mime l'abondance et le foisonnement de la vie urbaine. Le roman se présente selon le procédé joycien du *stream of conscious-ness*, c'est-à-dire en suivant le flux de mots et d'images qui surgissent dans la conscience du personnage qui raconte l'histoire. D'où le désordre apparent de la narration, qui semble tenir de l'improvisation, au gré d'associations rapides et de nombreux échanges de paroles. Ce sont trois « Mongols », selon le titre du roman, attirés par l'amitié et surtout par l'amour qu'incarne la « jument » Armande, la maîtresse de Jérémie. À la différence des romans de Ducharme à qui on a souvent comparé Jean Basile, on a affaire ici à un trio d'individus qui ne croient pas à l'absolu des sentiments. Ils se livrent à toutes les débauches, et de plus en plus au fur et à mesure qu'on avance dans la trilogie. Dans *Le Grand Khan* (Estérel, 1967), Jonathan, l'écrivain du trio, celui qui rêve d'écrire des romans à la Walter Scott et qui déteste la poésie naïve, tue l'enfant difforme de Jérémie à la demande de ce dernier. Dans *Les Voyages d'Irkoutsk* (HMH, 1970), Judith s'enfonce dans la drogue et la nymphomanie tout en rêvant de sainteté. Montréal n'est plus qu'« un résumé de sueurs, de sang, de larmes et de sexe ». L'écriture fellinienne de Basile crée un univers underground où les habitants sont des spectateurs hallucinés de scènes étourdissantes de folie. La pornographie, l'homosexualité, l'expérience des drogues, le cinéma, la révolution politique et plus généralement la contre-culture américaine constituent désormais l'horizon thématique du roman.

L'œuvre de Jean Basile se situe à la frontière entre le roman intellectuel, incarné au même moment par Gérard Bessette et Hubert Aquin, et un roman d'un style beaucoup plus cru, qui trouve d'abord son inspiration dans le joual et dans des personnages comme ceux de Jacques Renaud ou d'André Major, issus des milieux populaires de Montréal. En l'espace de quelques années seulement, celles qui séparent précisément *La Jument des Mongols* et *Les Voyages d'Irkoutsk*, l'imaginaire romanesque se fait de moins en moins européen et de plus en plus américain. Ceci n'efface pas cela, mais la culture et la contre-culture américaines occupent une place grandissante, comme le constate Jean-François Chassay : « De la guerre du Viêt-Nam à la contre-culture, de William Burroughs à Ernest Hemingway, les signes culturels américains se greffent de plus en plus nombreux à la trilogie à mesure que celle-ci approche de son terme. » Cette passion pour l'Amérique sera au centre de plusieurs œuvres de la décennie suivante, notamment celles de Victor-Lévy Beaulieu, Pierre Turgeon, Michel Beaulieu, Gilbert La Rocque et Jacques Poulin.

À cette américanité nouvelle s'ajoute, parmi les jeunes romanciers du Jour, un goût manifeste pour le formalisme. Pour être pris au sérieux, le romancier doit se doubler d'un critique, et le roman, pour être authentique, doit marquer ses distances par rapport à la forme romanesque elle-même. L'écriture devient un thème obligé, et ce n'est pas un hasard si l'on voit naître à ce moment des romans de nature poétique ou encore des sortes de machines textuelles qui déconstruisent les mécanismes traditionnels de la narration, comme ceux de Jean-Marie Poupart (*Que le diable emporte le titre*, 1969), de Nicole Brossard (*Un livre*, 1970), de Louis-Philippe Hébert (*Récits des temps ordinaires*, 1972) ou d'André Brochu (*Adéodat I*, 1973). Ces écrivains appartiennent certes à la décennie ultérieure, marquée par la théorie littéraire, mais ils sont tous publiés aux Éditions du Jour, et se trouvent à radicaliser un mouvement qui était déjà là dans plusieurs romans des années 1960, et qui s'observe à l'intérieur même d'une œuvre comme celle de Jean Basile. Les Éditions du Jour jouent un rôle déterminant pour cette génération d'auteurs pour qui le roman est moins un genre qu'un moyen d'expérimentation littéraire. Forts de l'unité même de la littérature québécoise de cette époque, les romanciers du Jour n'ont pas besoin d'adhérer à un programme esthétique pour avoir le sentiment d'exister collectivement. Ils vont naturellement, et avec de moins en moins de retenue, vers l'éclatement des formes romanesques. Au milieu des années 1970, les dissensions se multiplient toutefois, ce qui pousse plusieurs écrivains du Jour à fonder leur propre maison d'édition, les « Quinze ». L'aspect artisanal et l'amitié qui ont caractérisé les Éditions du Jour, tout comme les Éditions de l'Hexagone, n'auront plus guère de sens à une époque où l'édition littéraire se professionnalise et devient une véritable industrie. Au total, les romanciers réunis autour des Éditions du Jour s'éloignent du roman national et s'inspirent plutôt de la ville et de l'Amérique. Montréal devient alors le principal foyer de l'imaginaire romanesque pour la nouvelle génération d'écrivains. C'est également vrai chez les écrivains québécois de langue anglaise, qui font toutefois découvrir Montréal d'une tout autre manière.

15

L'imaginaire anglo-montréalais :
Mavis Gallant, Mordecai Richler, Leonard Cohen

La scène littéraire montréalaise, qui a été le haut lieu de la poésie anglo-canadienne dans les années 1940 (grâce aux revues *Preview*, *First Statement*, *CIV/n* et aux publications des poètes de McGill), est éclipsée au cours des années 1960 par les nouveaux mouvements qui naissent au Canada anglais. À Vancouver, la revue d'avant-garde *Tish* rassemble de jeunes auteurs qui privilégient une poésie rythmique, plus orale qu'écrite, inspirée par les courants poétiques américains. Dans la foulée des réflexions de plusieurs critiques (dont Desmond Pacey et Northrop Frye) sur la spécificité de la culture canadienne, des écrivains torontois fondent en 1967 la maison d'édition Anansi vouée à la diffusion de la littérature canadienne. L'institutionnalisation de la littérature canadienne-anglaise, semblable à celle que connaît le champ littéraire québécois à la même époque, a également pu creuser l'écart entre les « deux solitudes ». Les échanges entre les écrivains anglophones et francophones du Québec semblent en effet moins fructueux qu'auparavant. Si Frank R. Scott, Doug Jones, Louis Dudek et Joyce Marshall sont invités à participer aux Rencontres des écrivains organisées par la revue *Liberté* de 1957 à 1960, leur absence se fait ensuite sentir jusqu'en 1972. Selon l'essayiste André Belleau, cette situation aurait été provoquée en partie par les changements sociopolitiques et idéologiques survenus à l'époque de la Révolution tranquille :

On notera, écrit-il, la participation d'écrivains canadiens-anglais aux IIe, IIIe et IVe Rencontres. La situation politique la favorisait. L'ennemi commun était Duplessis. Nous étions, comme le dit un jour Jacques Godbout, à l'époque de l'idéologie du Rapport Massey [qui, on l'a vu, a été à l'origine du Conseil des Arts du Canada]. On voyait sincèrement en Frank Scott un allié démocrate et progressiste. Il ne s'était pas encore mis au service des Rhodésiens d'ici pour combattre la loi 22. Il aura fallu simplement qu'un petit peuple dominé commence à affirmer son droit à l'existence pour que bien des masques tombent.

D'autres facteurs ont pu contribuer à creuser la distance entre les écrivains québécois de langue anglaise et de langue française : les revendications des artistes indépendantistes, les débats entourant la qualité de la langue française et le bilinguisme canadien, le caractère de plus en plus homogène d'une institution littéraire regroupant des textes d'écrivains francophones.

Plusieurs écrivains anglophones quittent le Québec au cours des années 1950. C'est le cas de la nouvelliste Mavis Gallant, née à Montréal en 1922. Méconnue au Québec, Mavis Gallant connaît pourtant une carrière internationale exceptionnelle, grâce notamment à sa longue collaboration au magazine *New Yorker* où elle publie des *short stories*. En 1950, après avoir pratiqué le métier de journaliste durant six ans au *Montreal Standard*, Mavis Gallant part en Europe et, à compter de 1960, elle s'installe à Paris où elle vivra désormais, tout comme Anne Hébert qui deviendra d'ailleurs son amie. Même si elle vit en français, Mavis Gallant écrit toute son œuvre en anglais. L'expérience de l'exil constitue un thème central de son œuvre, marquée par un mélange de compassion profonde et d'ironie subtile à l'égard de personnages saisis le plus souvent à travers leur situation familiale. Dépourvus du moindre sentimentalisme, ses textes se distinguent par la densité du trait, par l'acuité du regard et par un art de la retenue qui conviennent particulièrement bien au genre de la nouvelle, son genre de prédilection. Même si elle a aussi publié deux romans et quelques essais, dont un sur les événements de mai 1968, Mavis Gallant appartient à cette catégorie assez rare d'écrivains qui ont consacré le meilleur de leur talent à l'art de la nouvelle, comme l'Américain Raymond Carver ou la Canadienne Alice Munro à qui on la compare souvent.

C'est aussi une Nord-Américaine qui choisit de vivre en Europe et qui ne cesse de comparer les deux mondes. Dans *Home Truths* (1956), son recueil le plus auto-biographique, Mavis Gallant met en scène une jeune femme, Linnet Muir, dont le parcours redouble le sien. Née à Montréal, éduquée à New York mais parfaite-ment bilingue, Linnet Muir revient dans sa ville natale au début de la Seconde Guerre mondiale et y trouve du travail dans un bureau d'ingénieurs obligé d'ac-cepter une femme, les jeunes hommes s'étant enrôlés. Dans ce monde tradition-nellement masculin et exclusivement anglophone, Linnet Muir est doublement étrangère, en tant que femme, d'abord, mais aussi en tant qu'anglophone habi-tuée à côtoyer les Canadiens français. C'est ainsi que, dans « Between zero and one », elle juge sévèrement l'arrogance de ses collègues, tout en constatant la même fermeture du côté francophone : « Ce qu'ils avaient en revanche, c'étaient des marques de distinction – une assurance aveugle qu'ils étaient supérieurs de toutes les manières aux Canadiens français, qu'ils parvenaient étrangement à ne jamais voir ni entendre (une absence d'intérêt qui leur était doublement ou tri-plement rendue). » Montréal, observe-t-elle, est une ville où la vie culturelle fait défaut : « J'avais vécu à New York jusqu'à l'année précédente et il y avait des choses qui me manquaient terriblement. Il n'y avait ni théâtre, ni musique ; il y avait un musée des beaux-arts avec peu à offrir. Il n'y avait même pas de bibliothèque publique gratuite au sens que l'expression "bibliothèque publique gratuite" aurait eu à Toronto ou à New York. La bibliothèque municipale était une sombre farce. » Peu d'œuvres québécoises, même parmi celles écrites en français, font revivre avec autant de précision et de vérité le Montréal des années 1930 et 1940. Malgré la notoriété internationale de Mavis Gallant, il faudra attendre les années 1980 et 1990 pour que son œuvre soit traduite en français et reconnue au Québec. En 2006, elle deviendra la première lauréate anglophone du prix Athanase-David.

Mordecai Richler (1931-2001) est né à Montréal et a grandi dans le quartier juif du Mile End, qu'il s'est plu à mettre en scène dans plusieurs de ses récits. Comme Hugh MacLennan et Gabrielle Roy, Richler a fait de Montréal un lieu romanesque, a tenté d'en mesurer les écarts sociaux, d'en décrire les mœurs et les rites. Mais plutôt que d'opposer les riches anglophones de Westmount aux pauvres francophones de Saint-Henri, il a dessiné une autre géographie urbaine, étroitement liée à la vie de la communauté juive montréalaise. Le « ghetto de Montréal », décrit de manière presque clinique dans son deuxième roman, *Son of a Smaller Hero* paru en 1955, mais aussi dans son livre de chroniques *The Street* (1969), « n'a ni murs véritables ni dimensions mesurables [...] mais il n'en est pas moins bien réel ». Y vivent des juifs orthodoxes, des communistes, des ouvriers employés dans les usines de textile, des exilés pour la plupart ayant fui une Europe dévastée par l'antisémitisme. Les professionnels et les nantis, quant à eux, « possèdent leurs propres duplex à Outremont, quartier résidentiel douillet à l'ouest de l'avenue du Parc. [...] Leurs fils étudient à McGill. Ils sont sionistes, hostiles aux confréries estudiantines antisémites. » Au fil de l'œuvre, le lecteur assidu retrouvera les mêmes repères géographiques, les mêmes commerces, les mêmes symboles, les mêmes héros. La rue Saint-Urbain, lieu originel de plus d'un héros richlerien (à l'instar de l'auteur lui-même), l'école Fletcher's Field sise rue Saint-Dominique, le snack-bar Tansky, les Cigars and Sodas, le Canadien de Montréal, Maurice Richard se présentent comme les emblèmes du passé, de cette enfance quasi mythique que Richler ne cessera d'évoquer dans ses œuvres tardives.

Richler connaît réellement le succès en 1959, lorsqu'il fait paraître *The Apprenticeship of Duddy Kravitz*, traduit en 1976 par Jean Simard. Dans ce roman d'éducation, l'auteur relate les aventures quasi picaresques du très ambitieux Duddy. Né dans le quartier du Mile End, Duddy a perdu sa mère alors qu'il était encore un enfant. Son père, Max Kravitz, un chauffeur de taxi vaguement proxénète, passe ses journées au Eddy's Cigar and Soda à raconter les merveilleuses histoires du Boy Wonder, richissime légende originaire de la rue Saint-Urbain. Duddy choisit la voie incertaine du self-made-man, souhaite amasser une fortune suffisante pour acheter une terre dans la région de Sainte-Agathe, projet qui lui a été inspiré par les paroles de son vénérable grand-père Simcha : « Un homme sans terre est rien. Souviens-toi de ça, Duddel. » Mais le jeune homme se laisse happer par le cynisme d'un entourage mercantile et sans scrupules. Plutôt que de suivre les conseils de Simcha, Duddy adhère aux principes de l'homme d'affaires Cohen : « Mais toi et moi, Duddy, on est des officiers, et ça rend la chose encore plus difficile [...] On est capitaines de nos âmes, pour ainsi dire, eux sont les garçons de service. Et ces pauvres types, on les abandonne souvent sur le pont du navire en flammes. [...] Oui, c'est un champ de bataille. C'est pas moi qui l'ai fait comme ça (on m'a pas consulté). Il faut que je vive, c'est tout. »

Mordecai Richler. Photo Suzanne Langevin.

Sans emprunter un ton moralisateur, Richler confère à ce récit de l'ambition dévorante un tour tragicomique et satirique, qui annonce à bien des égards ses romans ultérieurs. Malgré son égocentrisme et sa cupidité, Duddy demeure un personnage attachant. Richler n'hésitera pas à le remettre brièvement en scène dans *St. Urbain's Horseman* (1971) et dans *Barney's Version* (1997). Loin de l'adolescent bagarreur et vorace de *The Apprenticeship*, Duddy y apparaît sous les traits d'un véritable transfuge, homme d'affaires accompli résolu à faire oublier ses origines modestes pour mieux pénétrer la haute société de Westmount.

Dans *The Incomparable Atuk* (1963) et dans *Cocksure* (1968), les milieux culturels torontois et londoniens sont tour à tour ridiculisés. Les artistes sont les esclaves du regard d'autrui, les producteurs s'avèrent obsédés par l'argent et les intellectuels souhaitent briller en société. Les cibles du romancier sont aussi celles de l'essayiste qui condamne l'inanité et l'artificialité des institutions littéraires. Dans *Shovelling Trouble* (1972) comme dans *Home Sweet Home* (1984) et *Broadsides* (1990), Richler dénonce de manière souvent virulente l'embrigadement forcé de l'écrivain, les protectionnismes culturels qui confèrent à des œuvres mineures le statut de chefs-d'œuvre et l'enthousiasme des universitaires en mal de classiques. L'auteur se range d'ailleurs dans la catégorie des « pigistes où personne, comme l'écrivit jadis James Thurber, ne s'assoit au pied de quiconque à moins d'y avoir été contraint ». Ce refus catégorique des nationalismes culturels annonce la vision de la société québécoise présentée par Richler dans *Oh Canada! Oh Quebec!*

Requiem for a Divided Country en 1992. Dans ce texte incendiaire, l'auteur s'en prend férocement aux défenseurs des lois linguistiques québécoises (lois 101 et 178) et aux souverainistes, revoit l'histoire du Québec afin d'en exhumer les égarements, qu'il s'agisse de l'antisémitisme de Lionel Groulx ou du règne corrompu de Maurice Duplessis. Le pamphlet a été reçu avec hostilité par le milieu intellectuel québécois, provoquant notamment les réactions passionnées de Lise Bissonnette, Jean Larose et David Fennario.

Après *St. Urbain's Horseman* et *Joshua Then and Now* (1980), l'œuvre romanesque de Richler atteint sa pleine maturité dans *Solomon Gursky Was Here* (1989) et *Barney's Version*. *Solomon Gursky* présente une synthèse des principaux thèmes de l'œuvre. L'imaginaire du Grand Nord, déjà exploré dans *The Incomparable Atuk*, y est revisité à travers les aventures quasi invraisemblables de l'aïeul Ephraim Gursky. La superficialité des milieux littéraires et culturels, l'hypocrisie des grands financiers et des familles aisées y sont également ridiculisées. La confrontation des milieux sociaux constitue sans doute le thème central du roman. Moses Berger, élevé dans le Mile End, est fasciné par la légendaire famille Gursky (rappelant à bien des égards la réelle famille Bronfman) qui a érigé sa fortune sur la contrebande d'alcool à l'époque de la prohibition. Mais c'est Solomon Gursky, disparu dans des circonstances étranges en 1934, qui apparaît comme le personnage le plus énigmatique. Solomon Gursky se présente tel un aventurier insaisissable et inspire à ceux qui l'ont côtoyé des sentiments contradictoires : tantôt détesté, tantôt aimé, il possède un charisme indéniable et une force de caractère hors du commun. Dans *Barney's Version*, la satire côtoie sans cesse une forme de gravité diffuse, liée à l'angoisse de la mort qui habite le narrateur. En 1995, l'année du deuxième référendum québécois sur la souveraineté – événement plusieurs fois évoqué dans le roman –, Barney relate dans des mémoires où la chronologie des faits et des événements est rarement respectée, son parcours singulier, « la vraie histoire de ma vie gâchée », se plaît-il à dire. *Barney's Version* se présente comme un roman de la nostalgie, donne à lire le travail de reconstruction mémorielle, parfois pénible, auquel se livre le narrateur menacé par la maladie d'Alzheimer. Des notes explicatives, rédigées par le fils de Barney, Michael Panofsky, visent d'ailleurs à rectifier les erreurs, à combler les trous et à préciser les diverses références données dans l'ouvrage. Mais le caractère quasi tragique du roman repose aussi sur les descriptions du Montréal contemporain. La ville est présentée comme un lieu ruiné, déclinant, menacé par la montée du souverainisme :

En vieillissant, je m'attarde encore à Montréal, m'aventurant l'hiver dans les rues glacées, malgré la fragilité croissante de mes os. Ça me plaît d'être enraciné dans une ville qui, comme moi, décline de jour en jour. Hier encore, me semble-t-il, les séparatistes lançaient officiellement leur campagne référendaire devant un millier de fidèles réunis au Grand Théâtre de Québec.

Véritable survivant, le narrateur de *Barney's Version* se montre excessivement critique à l'égard de la société qui est la sienne, mais refuse néanmoins de l'abandonner.

Leonard Cohen (né en 1934), d'abord connu pour ses chansons mais qui est aussi poète et romancier, est issu d'une famille d'industriels aisés de Westmount. Il commence en 1951 des études à l'Université McGill, hésitant entre le droit, la littérature et le commerce. Il y rencontre les écrivains Louis Dudek, Frank R. Scott, Hugh MacLennan, et surtout Irving Layton qui demeurera un ami et un conseiller marquant. Cohen fait paraître ses premiers poèmes dans la revue *CIV/n* (abréviation de *civilization* selon Ezra Pound), fondée en 1953 par Aileen Collins, Louis Dudek et Irving Layton. *Let Us Compare Mythologies*, son premier recueil, paraît en 1956 dans la collection « The McGill Poetry Series ». Lyriques, les poèmes célèbrent l'amour et le désir, et accordent une grande place à la spiritualité, renvoyant notamment à la tradition juive. Ces thèmes traversent aussi les recueils ultérieurs, mais la vision de l'Histoire devient à la fois plus sombre et plus ironique, par exemple dans *Flowers for Hitler* (1964) qui sera traduit par Michel Garneau :

> Now you and I are mounted
> on this heap, my dear :
> from this height we thrill
> as boundaries disappear.
>
> Kiss me with your teeth
> *All things can be done*
> whisper museum ovens of
> a war that Freedom won.[*]

Après des séjours répétés à New York et sur l'île d'Hydra en Grèce, Cohen fait paraître ses deux romans. Publié en 1963, *The Favourite Game* a une forte dimension autobiographique. À l'instar de Cohen, Lawrence Breavman, le personnage principal du roman, est né à Westmount dans une riche famille d'industriels. Orphelin de père, il tente de trouver sa véritable voie. Il erre, à Montréal et à New York, à la recherche de la femme idéale, qui sera incarnée par Shell, une jeune New-Yorkaise divorcée. Mais l'engagement amoureux lui semble trop proche de l'esclavage, lui rappelant « le monde prosaïque des adultes, le musée des échecs ».

---

[*] « Maintenant nous sommes toi et moi / montés sur ces tas, ma chère : / à cette hauteur nous frémissons / de voir les limites disparaître. // Embrasse-moi avec tes dents / *Tout est faisable* / murmurent les fours muséologiques / d'une guerre que la liberté a gagnée. »

Renonçant à Shell, c'est finalement vers la poésie que se tourne Lawrence. *Beautiful Losers*, paru en 1966, diffère à bien des égards du premier roman de Cohen. Plus violent, plus expérimental, plus sombre, il aborde les thèmes de la sexualité, de la drogue et du suicide. Le narrateur, un érudit fasciné par l'histoire de l'Amérindienne convertie Kateri Tekakwitha, habite un demi-sous-sol montréalais et relate sur le mode rétrospectif sa jeunesse folle hantée par les spectres de sa femme Edith et de son ami F., tous deux décédés. Ces *beautiful losers* entretiennent une relation tortueuse, amicale et amoureuse à la fois, fondée sur une soif d'absolu que Cohen associe à la magie et au jeu : « La magie ne faiblissait jamais. La magie ne se cachait jamais. La magie décidait de tout. » F. est le personnage principal du récit, être sans inhibitions qui manipule le narrateur et Edith, se déclarant « le magicien de leurs existences ». La deuxième partie du roman, « A long letter from F. », constitue un monologue décousu, composé d'extraits d'ouvrages historiques, de citations diverses, de dialogues tronqués, de coq-à-l'âne. Des appels à la révolution, en anglais comme en français, y côtoient des descriptions de martyrs (ceux de Kateri Tekakwitha, des pères Lalemant et Brébeuf notamment) et d'expériences sexuelles. Plus que les recueils de poèmes, les romans de Cohen s'inspirent de Montréal et sont marqués par la cohabitation des langues, des religions et des cultures. Si Breavman, dans *The Favourite Game*, se révèle plutôt cruel à l'égard de la communauté canadienne-française, pauvre et sous-scolarisée – un « *racial mystery* », pense-t-il –, F., dans *Beautiful Losers*, s'engage avec frénésie dans la lutte pour l'indépendance du Québec, laquelle semble répondre à sa soif de magie et de révolution.

Après la parution de *Beautiful Losers,* Cohen délaisse l'écriture romanesque pour se consacrer à la poésie et à la musique. Paru en 1968, *Selected Poems* comprend des textes issus des premiers recueils de l'auteur et quelques poèmes inédits. Trois autres recueils paraissent ultérieurement : *The Energy of Slaves* (1972), *Death of a Lady's Man* (1978) et *Book of Mercy* (1984), où la poésie se fait prière. En 1993, l'auteur rassemble ses recueils de poèmes, des extraits du roman *Beautiful Losers* et ses textes de chansons dans *Stranger Music*. Michel Garneau fait paraître, en 2000, aux Éditions de l'Hexagone, des traductions des poèmes, sous le titre *Étrange musique étrangère*. Mais c'est par la chanson que Cohen devient une vedette internationale, célébrée tant aux États-Unis qu'en Europe. Son premier album, *Songs of Leonard Cohen*, est produit en 1967, et comprend déjà certaines de ses chansons les plus renommées (dont « Suzanne », qui évoque le port de Montréal). À partir des années 1970, la pratique de Cohen conjugue surtout poésie et musique, leur attribuant en quelque sorte le même statut. Les chansons et les poèmes partagent la même tonalité mélancolique, de plus en plus marquée par la philosophie bouddhiste et par l'auto-ironie.

Même si la Révolution tranquille s'essouffle après la défaite du Parti libéral en 1966, le climat social et politique devient plus agité et plus inquiet au tournant des années 1970. La création en 1968 du Parti québécois, la crise linguistique qui s'aggrave d'année en année, la montée du terrorisme qui culmine lors de la crise d'Octobre 1970, tout cela illustre la dynamique de plus en plus conflictuelle qui caractérise les relations entre le Québec et le Canada anglais. À ces tensions liées au mouvement nationaliste s'ajoutent des revendications d'ordre social, placées sous le signe de la contre-culture, de la libération sexuelle et des luttes syndicales. Il faut dire que, depuis 1968, le contexte international s'est lui aussi enflammé. En France, les étudiants et les ouvriers se révoltent contre les institutions traditionnelles et la culture bourgeoise et ouvrent la voie à un vaste processus de modernisation des structures sociales. En Allemagne et en Italie, des groupes terroristes d'extrême gauche multiplient les attentats et les enlèvements, pendant que la Chine est en pleine Révolution culturelle. Aux États-Unis, après les manifestations étudiantes de l'Université de Berkeley, en Californie, tout le pays est secoué par des mouvements de contestation sur fond d'opposition à la guerre du Vietnam, de luttes raciales et d'utopies pacifistes. Un peu partout, les jeunes baby-boomers prennent alors conscience de leur nombre et de leur poids politique.

Au Québec, cette génération hérite d'un monde qui ne ressemble plus au monde stable et relativement traditionnel de ses parents : les collèges classiques ont disparu, l'Église est désormais séparée de l'État, sauf dans certains secteurs de l'éducation, et les premiers baby-boomers imposent rapidement leurs valeurs, en particulier la rupture avec la tradition, le culte de la jeunesse et l'affirmation de la liberté. La réforme de l'institution scolaire joue un rôle déterminant dans l'essor d'un nombre important d'écrivains et, plus généralement, dans l'avènement d'un vaste public désireux de lire des textes d'ici. Grâce à la création des cégeps et à l'insertion de textes littéraires québécois dans les programmes des cours de français, le lectorat s'initie à la littérature québécoise et non plus seulement à la littérature française. Les cégeps permettent à de nombreux écrivains, récemment formés dans les universités et acquis aux nouvelles théories littéraires, de s'intégrer au milieu de l'enseignement et d'exercer un métier en lien avec l'écriture. C'est parmi ces écrivains-professeurs que se recrute l'avant-garde formaliste qui se réunit autour des revues *La Barre du jour* (1965) et *Les Herbes rouges* (1968). On y trouve notamment François Charron, Normand de Bellefeuille, Philippe Haeck, Claude Beausoleil, Hugues Corriveau, France Théoret, Madeleine Gagnon, Yolande Villemaire et Suzanne Lamy. La littérature québécoise est également enseignée dans les départements de lettres des universités, où se retrouvent plusieurs écrivains et critiques qui jouent un rôle majeur dans la légitimation du corpus québécois (Gilles Marcotte, Jacques Brault, André Brochu, Jean Éthier-Blais, Jean-Marcel Paquette, Georges-André Vachon, Laurent Mailhot, François Ricard, etc.). Autour de nouveaux centres de recherche et de revues littéraires universitaires, on voit rapidement se constituer un discours spécialisé, qui fait de la littérature québécoise un objet de savoir. Il s'agit encore d'inventer la littérature québécoise, mais, chez les plus jeunes, à partir de grilles d'analyse qui se veulent « scientifiques », et non plus seulement au nom de l'affirmation nationale.

Dans le milieu éditorial, les années 1970 coïncident également avec des mutations profondes. Durant cette période, l'évolution du nombre de titres est fulgurante : on passe de 815 titres en 1968 à 4020 en 1978, soit une augmentation de près de 500 % (selon Allard, Lépine et Tessier, 1984). Toutefois, les tirages baissent sensiblement. Jacques Michon observe que les jeunes maisons d'édition ne parviennent pas à s'adapter aux nouvelles lois du marché. Les Éditions Parti pris survivent difficilement, de même que les maisons plus anciennes comme la Librairie Beauchemin et le Cercle du livre de France. Les Éditions du Jour périclitent après le départ de Jacques Hébert en 1974. Claude Hurtubise vend sa maison d'édition HMH au groupe Hatier en 1975. L'édition littéraire est de moins en moins l'affaire d'un seul homme et de plus en plus une entreprise commerciale. Le champ littéraire tend ainsi à se diviser de façon très nette, selon qu'on participe ou non à la logique du marché. D'un côté, on voit apparaître des éditeurs de grande diffusion, liés à des distributeurs internationaux qui se partagent un marché où le livre local se trouve en concurrence directe avec le livre étranger. D'un autre côté, on assiste à de nouvelles initiatives qui doivent compter sur les subventions de l'État. On voit surgir des maisons plus spécialisées, comme les Éditions du Noroît (1971) ou les Écrits des Forges (1971), vouées à la poésie, ou les Éditions de la courte échelle (1978) qui s'adressent au jeune public. De même, des éditeurs naissent ailleurs dans la francophonie canadienne, lesquels se consacrent à la création régionale, que ce soit en Acadie (les Éditions d'Acadie, 1972), en Ontario (Prise de parole, 1973) ou au Manitoba (les Éditions du Blé, 1974).

Ces transformations des conditions d'écriture se répercutent dans l'évolution des œuvres littéraires. Inspirés aussi bien par la contre-culture américaine que par le structuralisme, les jeunes écrivains, avec plus ou moins d'hostilité, tournent le dos à la génération de l'Hexagone. Ils « dépaysent » la littérature en substituant au thème du pays une sorte d'angoisse impersonnelle ou de violence associée au monde urbain. Plus encore, c'est le fonctionnement du texte qui change radicalement, replié sur le processus même de l'écriture dans une volonté de transgression du sens qui s'exhibe et s'épuise à force de se répéter. Toute la littérature, en tant que système de communication, se voit mise en accusation, aussi bien la poésie du pays, jugée naïve, que le roman traditionnel ou le théâtre bourgeois. Les catégories de « genre » ou d'« auteur » deviennent également suspectes et donnent lieu à de vigoureux débats. En marge de ces conflits esthétiques et idéologiques propres à la « nouvelle écriture », qui feront l'objet du premier chapitre de cette section, de nouvelles voix parviennent à se faire entendre. En poésie, trois noms retiennent particulièrement l'attention : Gilbert Langevin, Juan Garcia et Michel Beaulieu. Du côté romanesque, l'œuvre la plus étonnante et la plus typique à la fois est celle de Victor-Lévy Beaulieu, placée ici sous le signe du désenchantement à côté d'œuvres plus sobres comme celle d'André Major, ou moins connues comme celle de Gilbert La Rocque. Dans le domaine théâtral, qui est alors en plein renouveau, c'est comme si deux décennies se fondaient dans une seule : la scène devient le lieu privilégié pour l'expression de l'identité québécoise, comme cela avait été le cas de la poésie dix ans plus tôt, mais c'est aussi à ce moment que sont produites des pièces expérimentales, marquées au coin de l'improvisation et de la création collective. Enfin, dans la deuxième moitié de la décennie, le féminisme prend le relais du nationalisme et sert d'arrière-plan idéologique à des œuvres appartenant à tous les genres, marquant le passage à une littérature plus intime.

1

Contre-culture et « nouvelle écriture »

Alors que la décennie 1960 est marquée par la convergence formelle et thématique des œuvres littéraires, les années 1970 vont se distinguer par une diversification des tendances et même par une série d'oppositions parfois tranchées. De part et d'autre, on tente de poursuivre ce qu'avait commencé à faire *Parti pris*, mais il ne paraît plus possible de le faire à l'intérieur d'une seule revue. Après la disparition de *Parti pris* en 1968, son héritage se distribue parmi plusieurs groupes d'écrivains et d'intellectuels de gauche qui coexistent difficilement. Cette division du milieu littéraire et artistique se traduit par de nombreuses ruptures et polémiques. Celles-ci se nourrissent à la fois de rivalités internes au champ littéraire québécois et, de façon plus générale, d'un esprit de contestation qui trouve son origine tantôt dans la contre-culture américaine, tantôt dans les avant-gardes littéraires européennes et surtout françaises. Ces deux pôles ne sont d'ailleurs pas dissociables, les poètes québécois d'avant-garde étant eux-mêmes imprégnés par la contre-culture qui, à travers la musique (rock, pop, jazz), le cinéma et la télévision, constitue un phénomène de masse.

À l'enseigne de la contre-culture, il se crée une véritable fascination pour l'Amérique urbaine et contestataire. Inspirés par la génération *Beat* (Jack Kerouac, Allen Ginsberg, Lawrence Ferlinghetti) et par les immenses rassemblements hippies comme celui de Woodstock en 1969, les jeunes écrivains et artistes québécois donneront à leurs activités une dimension provocante plus spectaculaire et plus théâtrale que ne l'avaient fait leurs aînés. Robert Charlebois et d'autres chansonniers présentent *L'Osstidcho* en 1968 au Théâtre de Quat'sous puis à la prestigieuse Place des Arts. La musique et la contre-culture anglo-saxonnes se retrouvent au cœur de nombreux journaux « alternatifs » auxquels collaborent plusieurs écrivains, ce qu'illustre en particulier *Mainmise. Organe québécois du rock international, de la pensée magique et du gay sçavoir* (1969-1978), dont le tirage atteint 10 000 exemplaires. Cette revue, fondée entre autres par Jean Basile, ne publie guère de textes de création et se veut plutôt l'équivalent québécois de journaux contre-culturels américains comme *Village Voice* ou *Los Angeles Free Press*. Dans un langage cru agrémenté de photos et de nombreux dessins psychédéliques (la bande dessinée y est très importante), la revue s'adresse aux jeunes et propose des dossiers et des études sur les drogues, la musique rock, les religions et philosophies orientales, la libération sexuelle, l'homosexualité, la vie dans les communes, etc. D'autres revues ou journaux montréalais associés à la contre-culture voient le jour à la même époque, comme le mensuel bilingue puis presque exclusivement anglais *Logos* (1967-1973), de même que la revue

trimestrielle *Cul-Q* (1973-1977) et surtout le mensuel *Hobo-Québec. Journal d'infor-mation culturelle et littéraire* (1973-1981).

Parmi les poètes typiques de la mouvance contre-culturelle, signalons Patrick Straram (1934-1988), surnommé le Bison ravi (anagramme de Boris Vian), qui semble absorber toutes les influences du moment. Passionné de jazz et de cinéma (il tient des chroniques sur le cinéma dans *Parti pris,* puis dans *Chroniques* et *Hobo-Québec*), il écrit aussi sur le sport et fait de la critique littéraire. Né à Paris, il arrive au Québec en 1959 et y devient le principal représentant du situation-nisme, mouvement d'avant-garde politique et littéraire incarné, en France, par Guy Debord qui se fera surtout connaître au lendemain de la révolte de mai 68. Les livres de Straram ressemblent à un scrapbook où la réalité est simplement consignée à travers des coupures de journaux, des photographies, des fragments autobiographiques, des citations, etc. Son livre le plus connu, un journal de son voyage en Californie, s'intitule *Irish coffees au No Name Bar & vin rouge Valley of the Moon* (1972) :

> et je lirai déchiré ébloui Les Souterrains réplique
> l'autre possible
> c'est dingue ! Kerouac le Canuck et moi Québec libre
> histoires de même passion et mêmes chimères et délires
> mêmement à San Francisco
> souper de riz de salade et de lait sur K.M.P.X. près
> d'une heure les Rolling Stones

La poésie de Straram participe à la fois de la célébration et de la révolte, qui consti-tuent deux tonalités souvent distinctes chez les poètes de la contre-culture. Chez Raoul Duguay (né en 1939), par exemple, ou chez Lucien Francœur (né en 1948), la poésie se fait fantaisiste et elle se combine volontiers avec la musique (les deux poètes sont aussi chanteurs). Chez d'autres, la contre-culture est une forme d'agres-sion à l'égard d'un monde que l'on refuse en bloc. C'est notamment le cas de Denis Vanier (1949-2000), dont les titres sont autant de provocations, qu'il s'agisse de *Pornographic Delicatessen* (1968) ou du *Clitoris de la fée des étoiles* (1974). À la fois guerrier et martyr, Vanier, dont le premier recueil (*Je*, 1965), est préfacé par Claude Gauvreau, restera toute sa vie fidèle à cet esprit de « refus global » qui pour plu-sieurs n'a été qu'une mode passagère. Ses poèmes rappellent d'ailleurs davantage l'attitude altière de Gauvreau que l'esprit festif de la contre-culture :

> Quand je mourrai éclaté
> dans ma camisole de force où boivent
> les langues de feu
> gardez-moi comme une adhérence
> au corps de la passion

Le registre de Louis Geoffroy (1947-1977), dans *Empire State Coca Blues* (1971), s'apparente à celui de Vanier tout en étant plus explicitement politique. Chez Josée Yvon (1950-1994), l'influence contre-culturelle se fond dans un féminisme agressif (*Filles-commandos bandées*, 1976). Sur un ton moins violent mais plus dérisoire, les premiers livres de François Charron (né en 1952) sont également marqués par la contre-culture. Cela se traduit par des actes de rupture, des « assauts » parodiques (*18 assauts*, 1972) dirigés contre la poésie québécoise traditionnelle, dont cette réécriture en joual du poème « Rivage » de Jean-Guy Pilon, directeur de *Liberté* et symbole de la poésie du pays :

> Tu es la terre et l'eau
> Tu es continuité de la terre
> Et permanence de l'eau
> Le souffle d'or t'irise

devient :

> Toé pi la terre pi l'eau
> qu'tu continues à m'pogner
> la permanence du boutte
> qui m'coupe le souffle

Même ton iconoclaste chez Alexis Lefrançois (né en 1943), dans ce qu'il appelle « Petites choses » :

> la poésie dans tout cela ?
> la poésie madame empeste
> la poésie madame elle pue
> sert plus joue plus danse plus
> chante plus
> la poésie a chu
> la poésie
>   a chie
> est remplie de pustules
> est couverte de pus

Mais dans la poésie de Lefrançois alternent le goût pour la dérision et la sobriété grave de recueils comme *Calcaires* (1971) ou *Rémanences* (1977) dans lequel on lit ce chant en alexandrins :

> il me reste à chanter d'impeccables silences
> de plus lointaines fêtes et de plus blancs déserts

et plus loin que le ciel et toute indifférence
plus loin que le mépris qu'on imagine aux pierres
plus loin que tout retrait tout accord tout malaise
il me reste à chanter lumineuse la mort

C'est sur fond de contre-culture que se développent les avant-gardes poétiques durant les années 1970, même si elles chercheront à s'en distancier en légitimant leur pratique d'un point de vue théorique et idéologique. Deux revues se réclament explicitement de l'avant-garde : *La Barre du jour*, créée en 1965 et rebaptisée en 1977 *La Nouvelle Barre du jour*, puis *Les Herbes rouges*, créée en 1968 et dirigée, à partir du deuxième numéro, par les frères Marcel et François Hébert. Les deux revues sont apparentées, plusieurs collaborateurs signant des textes dans l'une ou l'autre, mais elles vont se distinguer et s'opposer peu à peu, *La Barre du jour* mettant davantage l'accent sur la théorie du texte et *Les Herbes rouges* appelant à une pratique résolument politique, inspirée du marxisme et bientôt du maoïsme. Précisons aussi qu'à une dizaine d'exceptions près les numéros des *Herbes rouges* se présentent sous la forme de plaquettes signées par un seul auteur.

Au départ, ces deux revues semblent vouloir se situer dans le prolongement du journal étudiant *Le Quartier latin* et surtout de *Parti pris*. Les quatre fondateurs de *La Barre du jour*, Nicole Brossard, Roger Soublière, Marcel Saint-Pierre et Jan Stafford, présentent celle-ci modestement comme « une revue littéraire à prix populaire ». Leur position éditoriale se résume à un plaidoyer pour l'enseignement de la littérature québécoise dès le niveau secondaire. Ajoutons que la revue s'allie également à des poètes plus âgés, surtout ceux qui s'apparentent à la mouvance surréaliste, comme Roland Giguère, à qui est consacré un dossier en 1968, et Claude Gauvreau, à l'origine d'un numéro sur les automatistes en 1969. On oublie par ailleurs que *La Barre du jour* contient régulièrement des textes de la tradition littéraire québécoise, y compris d'écrivains régionalistes comme Nérée Beauchemin ou Louis-Joseph Doucet. L'avant-garde, tout en affirmant vouloir faire table rase, cherche aussi à participer à l'invention de la littérature québécoise. La filiation avec des écrivains du passé est un peu moins marquée aux *Herbes rouges*, qui tire cependant son titre d'un livre paru à l'Hexagone (Jean-Paul Filion, *Demain les herbes rouges*, 1962). Parmi les premiers collaborateurs, on trouve également Roland Giguère, mais surtout des écrivains associés à *Parti pris*, comme André Major, Paul Chamberland, Jacques Brault et Jacques Ferron.

Nées sous le signe paradoxal de la rupture et de la continuité, ces deux revues vont cependant se radicaliser assez rapidement. Les textes violemment déconstruits signés par les poètes de la nouvelle génération, comme Nicole Brossard, François Charron, Roger Des Roches, André Roy, Normand de Bellefeuille, Claude Beausoleil, France Théoret, Yolande Villemaire, Madeleine Gagnon, André Gervais,

Philippe Haeck, Renaud Longchamps et plusieurs autres, marquent une évidente rupture par rapport à la poésie d'avant, jugée naïve et dépassée. Cette dissidence se manifeste clairement lors de *La Nuit de la poésie* de mars 1970, au cours de laquelle Roger Des Roches lance, au prix de quelques huées : « je préfère un corps certain à un pays incertain ». Au lendemain de l'événement, un groupe baptisé « groupe d'études théoriques », formé en partie de poètes publiant à *La Barre du jour* (Claude Bertrand, Pierre Bertrand, Michel Morin, Marcel Saint-Pierre, Claudine Sauvageau, Jan Stafford et France Théoret), dénonce dans *La Presse* l'allure trop nationaliste de *La Nuit de la poésie* et surtout la réduction de la révolution à la seule indépendance du Québec.

C'est que le thème du pays passe après le projet de se constituer en une avant-garde littéraire. Le modèle en l'occurrence est celui de la revue parisienne *Tel Quel*, fondée en 1960 par Philippe Sollers et d'autres jeunes écrivains comme Denis Roche et Marcelin Pleynet. *Tel Quel* s'oppose aux écrivains établis de la *Nouvelle Revue française* comme aux écrivains engagés des *Temps modernes* de Jean-Paul Sartre. La revue se reconnaît dans des auteurs comme Antonin Artaud, Georges Bataille et Francis Ponge, et se réclame de la « nouvelle critique » qui s'élabore autour de la sémiologie (Roland Barthes), de la linguistique structurale, du formalisme russe, de la philosophie (Michel Foucault, Jacques Derrida), de la psychanalyse (Jacques Lacan) et de l'anthropologie (Claude Lévi-Strauss). Le nouveau discours critique qui se met en place s'inspire du marxisme et vise à rapprocher la pratique littéraire de la pratique politique. *Tel Quel* n'est d'ailleurs pas le seul lieu, loin s'en faut, où les jeunes poètes québécois puisent leurs références critiques. Plusieurs poètes de *La Barre du jour* ou des *Herbes rouges* étudient en France et s'initient au structuralisme, qui sous-tend l'ensemble des sciences sociales et humaines, y compris, bien sûr, la critique littéraire (sémiotique, narratologie, nouvelle rhétorique, etc.). Il y a au moins deux conséquences immédiates à l'émergence, au Québec, de cette soudaine passion pour la théorie structuraliste : d'une part, ces poètes théoriciens rejettent l'ancienne critique et jugent désuètes les interprétations proposées jusque-là par l'histoire littéraire québécoise ; d'autre part, conformément aux présupposés du structuralisme, ils élaborent une théorie du texte comme entité autonome, en le détachant à la fois de l'auteur et du contexte social. D'où l'abîme qui sépare cette avant-garde de ses prédécesseurs, même des plus ouverts à la critique moderne comme André Brochu ou Georges-André Vachon, attentifs au contraire à l'environnement historique et social du texte littéraire.

Une telle manière de lire induit aussi une manière d'écrire qui fait apparaître au grand jour les rouages du texte, désormais perçu comme une mécanique complexe, une structure ayant sa logique propre. À l'été 1971, François Charron et Roger Des Roches publient, dans *La Barre du jour*, l'un des premiers textes qui tentent de théoriser ce qu'ils appellent la « nouvelle écriture ». À l'instar de *Tel*

Quel, ils dénoncent non seulement la figure de l'écrivain désengagé, accusé d'idéalisme, mais aussi la figure inverse de l'écrivain engagé, à qui ils reprochent de passer outre à la matérialité du texte, de n'y voir qu'un miroir de la réalité et surtout de vouloir à tout prix susciter l'identification du lecteur.

Donc, une nouvelle écriture (écriture *matérialiste*, i.e. considérant les phénomènes comme liés entre eux (langue / histoire), produisant et transformant) va avoir à *dénoncer* cette idéologie du texte-miroir, pour ensuite élaborer une théorie qui va situer l'écriture et ses implications politiques et idéologiques, permettre une véritable pratique de classe. [...]
Écrire non plus pour un « lecteur », mais pour une « lecture » qui désaxe le phénomène habituel : l'identification au texte. Attaquer en somme un tabou social : le langage.

C'est toute une tradition littéraire qui se trouve ainsi disqualifiée au nom d'un mouvement double et contradictoire : d'un côté, l'écriture se confond avec une « pratique de classe », d'où le joual utilisé par Charron ; de l'autre, il y a distanciation au moyen d'une écriture hypersavante, fruit d'un travail critique et d'un vaste dispositif intertextuel (*La Barre du jour* cite la notion d'intertextualité de Julia Kristeva dès 1968). C'est ce deuxième aspect qui ressort très nettement de la plupart des textes publiés aux *Herbes rouges* et à *La Barre du jour*. L'écriture y est souvent froide, cérébrale et semble conjurer la passion et la séduction au profit de montages intertextuels et d'acrobaties formelles.
C'est en effet le formalisme qui constitue la principale caractéristique de cette « nouvelle écriture », surtout si on l'oppose à la poésie expressive de la génération précédente. Il s'agit de privilégier le travail plutôt que l'inspiration, la matérialité du langage plutôt que sa fonction communicative ou sa charge émotive. Les livres deviennent des objets étranges, singuliers, par leur facture, par la disposition graphique des textes ou par l'usage de photographies ou de dessins. Qualifiés souvent d'illisibles par leurs détracteurs, voire par certains représentants de la nouvelle écriture qui entendent échapper ainsi aux facilités du lyrisme ou aux artifices du réalisme, ces livres interdisent de croire à la transparence du langage. Ils se perçoivent plutôt comme des actes, des événements ou des performances dont la visée ultime est de faire le procès de la littérature et du langage. Dans *L'Enfance d'yeux* (1972), Roger Des Roches (né en 1950), l'un des auteurs les plus prolifiques de cette période, écrit par exemple :

> tu tétradiadèmes qu'en soie dilates ces soies
> (mais qu'ordinaire puisible de
> geindre morsures)
>
> trait d'un sein lobal à lobe saignant
> pèses mon geste d'un air optiquair dilat

Dans *Lecture en vélocipède* (1972) de Huguette Gaulin (1944-1972), le sens est moins opaque, mais les images sont discontinues et arbitraires comme naguère chez les surréalistes, avec lesquels la poésie des années 1970 entretient d'ailleurs des rapports étroits :

> en reprise
> le déroulement des métaux
> je suis cernée   et fige où
> nos chevaux boitent leur bois noir

Cette déconstruction du langage poétique est parfois thématisée explicitement dans le texte lui-même, comme dans ce poème de Charron (*Projet d'écriture pour l'été 76*, 1973) qui passe du joual à l'autoréflexion théorique :

> saint-hubert bar-be-cue
> pour tout l'or au monde crissez moé l'poula dans l'sac
> y faut qu'on vienne me fêter ça su l'bec
> [...]
> avec lé mots de religion catholique
> j'ai fa cadeau dans mé culottes oh pas grand chose de neuf
>   (mais, où est donc passée cette profonde recherche,
>   suppose le lecteur, je suis abasourdi d'un tel dérèglement
> ....\ je creuse en vain la clef d'un
> message et n'y vois que saccage – l'auteur répond :
> *précisément)*

Le risque d'une telle attitude se devine aisément, car le projet s'épuise rapidement à force de ressasser la seule négation du sens. Du reste, il apparaît de plus en plus clair que le rejet de la littérature entraîne paradoxalement un excès de littérarité dont se moquera Francine Noël dans son roman *Maryse* (1983). C'est ce qu'admettent plusieurs auteurs, à commencer par François Charron qui, à partir de 1973, suivant l'évolution de Philippe Sollers fraîchement converti au maoïsme, ne se contente plus d'attaquer les symboles de la tradition littéraire québécoise (Anne Hébert, Rina Lasnier, etc.), mais s'en prend directement à Nicole Brossard et à *La Barre du jour* qu'il accuse de pratiquer un « art pour une élite ». En 1974, il collabore activement à la revue marxiste *Stratégies* et publie des « poèmes-essais » sous le titre *Interventions politiques* (L'Aurore). Mais au-delà des nombreuses polémiques qui éclatent alors au nom de telle ou telle idéologie, le retournement le plus révélateur vient de ce que la plupart des poètes renoncent, après s'en être réclamés, à la dimension purement abstraite et impersonnelle de l'écriture. Dans *Du commencement à la fin* (Les Herbes rouges, 1977), Charron écrit par exemple : « *et voilà le sujet étouffé parmi les phrases qui / se met à parler* ». Même autocritique chez d'autres poètes soi-disant formalistes, comme Roger Des Roches, Normand de Bellefeuille ou encore Nicole Brossard qui avouera dans un entretien ultérieur : « Mais, maintenant je peux le dire, j'ai l'impression qu'à force de vouloir voir le texte et d'évacuer l'auteur quelque chose se perdait. Aujourd'hui, dans les livres que je suis en train d'écrire, c'est devenu important pour moi de récupérer la chair de l'écrivain, si je puis dire. »

Que faut-il retenir de cet épisode formaliste ? Au-delà d'un certain dogmatisme théorique, qui sera vivement dénoncé par Pierre Nepveu et Jean Larose, ce moment de l'histoire littéraire paraît surtout révélateur d'une crise de sens qui annonce un changement important du statut et de la fonction de la littérature québécoise. Celle-ci se détache du nationalisme dont elle semblait avoir été l'expression et appelle à un dépassement qui tarde toutefois à trouver sa forme. Mais l'expérience formaliste continuera de marquer bon nombre d'œuvres au-delà des années 1970. *La Barre du jour*, devenue en 1977 *La Nouvelle Barre du jour* autour de Nicole Brossard, Michel Gay et Jean Yves Collette, fera paraître douze puis, bientôt, seize numéros par an jusqu'à sa disparition en 1990. *Les Herbes rouges*, transformée en 1978 en maison d'édition, publiera par la suite une poésie qui se voudra encore formaliste, sans pour autant prétendre jouer le rôle d'une avant-garde.

2
Voix fraternelles : Gilbert Langevin, Juan Garcia, Michel Beaulieu

Malgré l'esprit d'opposition qui caractérise les avant-gardes des années 1970, on observe chez plusieurs poètes de la même génération la continuation du projet fondamental de l'Hexagone, qui était de sortir de la solitude où les aînés étaient confinés en créant un milieu dynamique où la diversité des voix pourrait s'épanouir. Aux débats lancés par l'Hexagone vont ainsi succéder une multitude de spectacles, dont *Poèmes et Chants de la résistance* en 1968 et *La Nuit de la poésie du Gesù* en 1970. À Québec, la même volonté de rendre la poésie présente donne naissance au groupe « Poètes sur parole » en 1969, et, en 1976, à la revue *Estuaire*, fondée par Claude Fleury, Jean-Pierre Guay, Pierre Morency et Jean Royer. Le milieu de l'édition de poésie est aussi en effervescence au début des années 1970 : en 1971, comme on l'a vu, sont fondés les Éditions du Noroît et les Écrits des Forges qui accueilleront une grande diversité de voix, se tenant à distance des lignes directrices que cherchent alors à définir les avant-gardes.

Parmi les poètes qui ont accordé une grande place à la présence publique de la poésie, Gilbert Langevin (1938-1995) est l'un des plus fervents. Auteur de plus de trente recueils de poèmes et d'aphorismes ainsi que de plusieurs chansons, Langevin se définit comme un « parleur » et ne cesse, comme Gaston Miron (« mon père en poésie », dit-il), d'établir des regroupements : dès 1958, il fonde les Éditions Atys, puis, en 1961, avec François Hertel, un « Mouvement fraternaliste » ; il anime par la suite de nombreux récitals de poésie et collabore à plusieurs revues, dont *Hobo-Québec*. La convocation des amis s'observe dans les recueils eux-mêmes, où apparaissent de très nombreuses dédicaces. Mais la poésie de Langevin n'est pas pour autant un partage tranquille de la parole ; les poèmes témoignent en effet d'une douloureuse solitude, d'une souffrance à fleur de peau qui se dit souvent très pudiquement :

> Pour me reconnaître au milieu du bétail
> un détail
> j'ai les yeux en croix
>
> et les sanglots pleuvent sur les abattoirs
> le cadran du cœur en sa cellule rouge
> ronge son frein solaire

Le regard du poète semble le vouer à une crucifixion, évoquée dès *À la gueule du jour* (1959) :

Gilbert Langevin et Michel Beaulieu, 1976. Photo Gaëtan Dostie.

> je suis ce coup de lance
> au flanc d'un corps de Christ

Ce Christ qui incarne la souffrance mais qui la cause aussi peut-être (le coup est-il donné? est-il reçu?) déplace la tradition religieuse canadienne-française du côté d'une inéluctable perdition : « Bien qu'il soit sage de croire que si je suis bon avec les autres, ils le seront avec moi, la souffrance humaine demeure quand même sans limites. Ces gouffres grandissent comme des montagnes inversées où l'on se dégrade au lieu de gravir. » D'autres figures, parmi lesquelles le personnage de Zéro Legel et toute une galerie de pseudonymes, créent dans l'œuvre une sorte de communauté parallèle qui relance constamment le problème de l'identité, jusqu'à la psychose, évoquée en 1989 dans « Auto-psy » : « Jadis ouvert au truquage social, pouvant jouer le jeu du masque-à-masque, me voici perdu, éventré, sans repos. Je croule effroyable. Et cela ne m'arrivera pas qu'une seule fois dans une vie. Ce qui engendre donc épisodiquement la mise à part, l'internement, le rejet non seulement par l'ambiant mais par soi-même en définitive. »

La tension des contraires (ludique et tragique, fraternité et solitude, tendresse et colère, défense et attaque, utopie et désespoir, lucidité et folie), souvent poussée jusqu'à l'extrême, est constante dans la poésie de Langevin. « [M]ême les étoiles, écrit-il dans *Mon refuge est un volcan* (1977), [ont] du noir au ventre. » Le recours à la parole populaire permet de lutter contre ce noir envahissant, notamment par des détournements de proverbes (« Tout vient à point à qui sait être tendre ») ou autres lieux communs (« Un poète, en sa tour-déboire, exorcise la plèbe »). Qu'elle prenne le ton de l'humour ou du déchirement, la forme du poème, de l'aphorisme ou de la complainte, son écriture reste toujours une prise de parole solidaire des démunis. En leur nom, le poète se fait parfois menaçant, comme si l'imprécation, à défaut d'une vraie fraternité, pouvait renverser l'ordre des choses ; à d'autres moments, c'est le silence des sans-voix que le poème tente de rendre :

> Démunis
> hors courage et sans larmes
>
> dans la vacuité dans l'inconfortable
> aux perspectives désaffectées
>
> l'imaginaire en colère
> étrangle toute musique interne

L'œuvre de Langevin est au carrefour de plusieurs tendances de la poésie québécoise. On y reconnaît notamment le surréalisme de Roland Giguère et parfois celui de Claude Gauvreau, de même que les références de la contre-culture et un goût pour l'exploration formelle qui le rapprochent des avant-gardes. Mais le « fraternalisme » de Langevin, guère soluble dans les débats esthétiques, se situe à la jonction de la vie et de la littérature, dans ce que l'écrivain appelle la « poévie ».

Juan Garcia (né en 1945), ami de Gilbert Langevin, Jacques Brault et Gaston Miron, est aussi, au départ, très actif dans la vie littéraire montréalaise. Né au Maroc de parents espagnols, il arrive au Québec en 1957. Il participe avec Langevin à de nombreux récitals et se lie à plusieurs poètes. En 1967, son premier recueil, *Alchimie du corps*, paraît à l'Hexagone. En 1971, son recueil *Corps de gloire* lui vaut le Prix de la revue *Études françaises*, qui avait été décerné l'année précédente à Gaston Miron pour *L'Homme rapaillé*. Garcia ne publiera qu'un seul autre recueil, en 1982, *Pacte avec ma poésie*, paru en France, avant que la collection « Rétrospectives » de l'Hexagone révèle de nombreux inédits en 1989. Comme celle de Langevin, la poésie de Juan Garcia a des accents tragiques qui sont tendus vers la délivrance que pourrait apporter la fraternité. Mais on ne trouve pas chez Garcia la fantaisie de Langevin : le ton est grave et le recours très fréquent à l'alexandrin donne à sa parole une dimension solennelle, même lorsqu'il s'adresse aux « Compagnons de la neige » :

> j'affirme que le froid laissera des racines
> et même si ma voix faiblit le long du temps
> tant les mots perdent pied à être sur des pages
> je veux parler en nous pour que l'on s'en souvienne

Cette adresse aux compagnons est une façon à la fois de parler parmi le groupe (« en nous ») et de viser, pour ce groupe étendu à la nation, une participation à l'Histoire (« pour que l'on s'en souvienne »). Garcia fait ainsi la preuve de son appartenance à la poésie du pays dont il illustre les perspectives en déclarant les adopter. Mais dans la plupart de ses autres textes, c'est à Dieu que le poème est adressé, dans un espace intime où le poète et Dieu semblent seul à seul. Le poème se rapproche ainsi de la prière :

> Ô Dieu j'ai les yeux clos depuis tant de ténèbres
> que mon corps est troublé de la moindre étincelle
> et que dans cette vie dont Tu sais les verrous
> moi qui contre mon cœur obtins le choix des armes
> mis en joue que j'étais par mon propre regard
> je n'ai plus de recours qu'une poignée de mots
> pour assumer ce monde où la Mort est commune
> et me hausser vers Toi en de nouveaux silences
> aussi quand la planète est plongée dans le jour
> même si chaque pause apaise ma raison
> je cherche dans mes mains l'aumône du matin
> et malgré le maintien que Tu as de mon âme
> comme je n'y sens rien qu'une chaîne de plus
> j'en couvre mon visage au point de le quitter

Le sentiment d'étrangeté du poète procède en partie de l'expérience concrète de l'exil, mais surtout d'une solitude métaphysique et d'un mysticisme qui ne cesseront de s'accentuer avec le temps. La hauteur de la poésie de Garcia la rend à la fois étrangère et semblable à la poésie du pays. Étrangère, car la splendeur du verbe et les références altières à Dieu l'éloignent de la pauvreté dont se réclament des poètes comme Miron ou Chamberland. Semblable, car elle célèbre les vertus de la parole, la fraternité poétique et une sorte de manque à être fondamental. Garcia quitte le Québec en 1967 pour la France, où il sera interné dans un hôpital psychiatrique. Il s'installe ensuite en Espagne. Depuis l'Europe, il enverra plusieurs poèmes au Québec qui seront publiés notamment à *Liberté*. Dans ses derniers poèmes, Garcia rompra avec l'ambition de ses débuts :

> Je n'écrirai plus de poèmes ayant la hanche fine
> et au rythme cardiaque haché comme une viande
> non je n'écrirai plus de poèmes au souffle doux
> comme autrefois quand j'étais auteur de rêves

Il promettra de ne plus dire que « la stricte vérité » et fera ainsi vœu de simplicité, abandonnant presque complètement l'alexandrin. Peu étudiée, la poésie de Garcia demeure pourtant l'une des plus originales de cette période. Le poète Jacques Brault, l'un des rares à avoir commenté l'œuvre de celui qu'il qualifie de « contemporain capital », écrit ceci à propos d'*Alchimie du corps* : « L'usage de l'impératif, les apostrophes au Toi, de même que le ton grave, monocorde, légèrement rauque, et les vocables (sang, corps, plaie, âme, racine, glèbe, saison, etc.), le rythme régulier, la syntaxe parfois rompue, les images percutantes au passage, tout indique sans conteste le mouvement d'une âme à la recherche d'un corps, d'un corps qui ahane à *ramper jusqu'à l'aurore pour en faire partie*. »

À l'exemple de Gilbert Langevin et de Juan Garcia, Michel Beaulieu (1941-1985) se reconnaît davantage dans la fraternité des poètes que dans leurs rivalités esthétiques. Il commence à écrire au début des années 1960 et participe lui aussi activement à la vie littéraire montréalaise. En 1964, il fonde les Éditions Estérel, puis l'éphémère revue *Quoi* où se retrouvent des écrivains de la nouvelle génération aussi différents que Nicole Brossard, Gilbert Langevin, Raoul Duguay, Louis-Philippe Hébert et Victor-Lévy Beaulieu. Son travail d'éditeur et de journaliste ne l'empêche pas d'écrire une œuvre abondante, qui compte une trentaine de recueils de poésie, trois romans, une pièce de théâtre, plusieurs traductions et de nombreux textes de critique parus, entre autres, dans *Le Devoir*. Considéré comme l'une des voix importantes de la poésie québécoise dès 1970, Michel Beaulieu ne commencera toutefois à être relu que plusieurs années après sa mort, survenue alors qu'il avait seulement quarante-quatre ans.

Poète de la ville et du quotidien, Beaulieu se distingue du lyrisme des poètes du pays, du formalisme de *La Barre du jour* autant que de l'utopisme de la contre-culture, bien qu'il soit proche de plusieurs représentants de ces tendances. Il tient par ailleurs les vues métaphysiques d'un Langevin et d'un Garcia à distance, malgré toute l'estime qu'il témoigne à leur égard. Ouvert à de multiples influences, il trouve sa veine caractéristique du côté de l'intimisme, qui deviendra, à partir des années 1980, l'un des vecteurs les plus évidents de la poésie québécoise. Après les expériences diverses dont témoigne *Desseins. Poèmes 1961-1966*, Beaulieu trouve dans *Charmes de la fureur* (1970) une manière très personnelle où la quotidienneté se dit par des vers attentifs aux ruptures de l'instant et où domine l'adresse à un « tu », qui est parfois soi-même, parfois l'autre, parfois les deux réunis dans la figure amicale du lecteur :

> tu en venais à rompre l'œil
> et la ligne qui le porte au bout des jours
> au bout des nuits par-delà le jour et la nuit
> l'œil qui tend ton corps de fauve
> ta tête et ses grands froids ses murs de glace

l'œil arrêté selon le feu des carrefours
qui t'emporte avec lui jusqu'à l'épicentre
des nervures qui brûlent et brûlent pour toi
depuis plus de jours que n'en porte le temps

Dans les recueils ultérieurs, les déplacements pronominaux se multiplient, ainsi que l'observe Robert Melançon : « À tout moment, sans qu'on puisse le prévoir, la phrase passe d'une personne grammaticale à l'autre, du je au il et surtout au tu, à cette deuxième personne du singulier qui est, dans son indétermination même, l'interlocuteur privilégié. Tantôt c'est le moi qui se dédouble et se projette dans une distance paradoxale, tantôt c'est l'autre qui s'impose, étrangement proche, jusqu'à envahir toute la conscience ». Apparentée de cette façon à la fois au soliloque et à la lettre, la poésie de Beaulieu est narrative, mais le récit est à la fois continué et recommencé par le vers qui ne cesse de critiquer, de relativiser la perception et la construction d'un sens. La description, comme l'écrit Beaulieu dans une strophe de *Visages* (1981), est ainsi constamment ramenée à ses failles :

il s'agit de décrire
et non pas
de décrire vraiment de la
circonscrire plutôt comme
s'il s'agissait d'un possible
cette faille
où chaque seconde s'engouffre

Dans *Kaléidoscope ou les Aléas du corps grave* (1984), considéré par plusieurs critiques comme son recueil le plus abouti, Beaulieu compose une série de 31 poèmes intitulés « entre autres villes » entrecoupés d'autres textes qui évoquent aussi la vie urbaine où la quotidienneté est dépoétisée, désenchantée. Même dans les textes discrètement chargés de poésie, la réalité se résume à sa part ordinaire, celle d'où émerge finalement une angoisse sourde :

le café l'herbe brûlée
les graines rassemblées au fond
du cendrier parmi les mégots
les noyaux de cerise les ablutions
des voisins la vaisselle ta chevelure
ébouriffée ta minceur l'eau
coule dans l'évier tu manges
en regardant dehors le coin
d'une tranche de pain tu l'avales

avec une gorgée de jus d'orange
tu m'offres le couteau la lame
entre les doigts tu les lèches
tu bouges la tête en fronçant
les sourcils je la bouge de nouveau
ne faut-il pas bientôt partir

L'idée de la fin hante toute la poésie de Beaulieu, comme le suggèrent les images grises de déchets à travers lesquelles la réalité est ici saisie : herbe brûlée, graines, mégots ou noyaux de cerise. Les métaphores sont absentes, tout comme le rêve et la transcendance, et l'amour semble toujours se conjuguer au passé, comme si ne restait que l'expérience sans cesse éprouvée du déchirement amoureux. Chaque ville, chaque chambre vibre de souvenirs de perte. Le poème enregistre le passage du temps, accumulant des images précises d'objets, de lieux, de corps qui ont en commun de renvoyer à ce qui est voué à disparaître aussitôt. Dans les recueils posthumes *Vu* (1989) et *Trivialités* (2001), cette tonalité s'assombrit encore. La poétique de Beaulieu se poursuit par ailleurs chez d'autres poètes. En effet, plusieurs poètes contemporains ont reconnu dans son prosaïsme la voie par excellence du « doute poétique », comme l'écrit son ami Guy Cloutier. C'est notamment le cas de poètes qui publieront au Noroît, comme Paul Bélanger, Hélène Dorion, Rachel Leclerc et Pierre Nepveu.

3
Le désenchantement romanesque

Après les enthousiasmes entraînés par le succès du roman québécois durant la Révolution tranquille, les années 1970 sont celles du désenchantement. Le sentiment de perte et d'impuissance est partout présent, suscitant des réactions souvent violentes de la part de personnages frustes, toujours sur le point d'exploser. On passe du rêve à la réalité, et à une réalité brutale et vide de sens, livrée aux instincts et aux pulsions d'individus sans avenir. La famille et la société semblent avoir éclaté. L'expérience de la réalité tourne presque toujours à la déception, voire au désastre. L'euphorie des commencements a disparu, laissant place à des espoirs vite anéantis. Le monde contemporain est chaotique et plus aliénant que jamais. Ce monde, en outre, a quelque chose d'insaisissable et ne se laisse appréhender qu'à travers la conscience d'individus qui en subissent les affronts et l'absurdité. La violence même sur laquelle s'ouvre la décennie, avec la crise d'Octobre, se répercute dans plusieurs œuvres, comme *Corridors* (1971) de Gilbert La Rocque ou *Un rêve québécois* (1972) de Victor-Lévy Beaulieu.

Les grandes réussites romanesques des années 1970 sont le fait d'écrivains déjà reconnus : Anne Hébert avec *Kamouraska* (1970), Jacques Ferron avec *L'Amélanchier* (1970), Réjean Ducharme avec *L'Hiver de force* (1973) et Gabrielle Roy qui retrouve sa notoriété à partir de *Ces enfants de ma vie* (1977). Devant la nouvelle génération de romanciers, la critique affiche son scepticisme ou sa déception, constatant d'année en année que le roman québécois n'est plus « en ébullition ». Le nouveau et l'ancien se chevauchent, les romanciers les plus jeunes n'étant pas toujours les plus originaux : on retourne en effet à un imaginaire ancien qui se manifeste par la recrudescence de romans historiques ou de romans traditionnels habillés de neuf. Les libertés que s'accordent les jeunes romanciers par rapport aux lois du genre tiennent moins de l'invention que d'une nouveauté qui se répète et qui paraît de plus en plus gratuite. Elles ne sont plus interprétées comme le signe d'une conquête collective de la parole et, partant, elles semblent moins nécessaires. Même le joual, pourtant utilisé à profusion chez de nombreux romanciers de cette période, a perdu sa force de scandale.

Un des romanciers associés à l'école de Parti pris, André Major (né en 1942), ne croit plus du tout à la pertinence du joual en littérature. Dès *Le Vent du diable* (1968), il tourne le dos à l'univers du *Cabochon* : l'histoire se déroule dans un village perdu du Nord, le héros n'est plus un représentant du prolétariat urbain, mais un solitaire quelque peu sauvage, et surtout le romancier passe du style presque populiste, truffé de joual, à un lyrisme poétique qui n'est pas sans rappeler celui de *Menaud, maître-draveur*. Mais la rupture la plus manifeste s'effectue dans les trois romans suivants, regroupés sous le titre *Histoires de déserteurs* (1974-1976), qui constituent son œuvre la plus ambitieuse. Il s'agit d'un exemple assez rare au Québec d'une écriture rigoureusement réaliste, obéissant aux conventions du genre : narrateur omniscient, intrigue complexe et vraisemblable, personnages appartenant à un univers social reconnaissable, écriture sobre et transparente qui semble s'effacer derrière le récit lui-même. En dépit de son caractère apparemment traditionnel, cette œuvre marque bien le changement de climat qui s'opère dans le roman des années 1970. Selon Robert Major, « la rupture s'effectue à plusieurs niveaux : celui du style et de la qualité de l'écriture, celui du personnel du roman, celui de la tonalité d'ensemble, qui cesse d'être foncièrement optimiste pour prendre les teintes d'une universelle désolation ». Les personnages de cette « chronique », selon le terme que l'auteur propose lui-même pour désigner cette trilogie, ont tourné le dos à la famille et à la société, ont « déserté » le monde. Le récit s'organise autour de Momo Boulanger, héros du premier volume (*L'Épouvantail*), qui sort de prison pour être battu puis blessé par balle alors qu'il revient dans son village forestier des Laurentides, région dans laquelle se déroule une bonne partie de l'œuvre d'André Major ; puis Gigi, l'ancienne maîtresse de Momo, devenue prostituée à Montréal, assassinée de façon sordide dans une chambre d'hôtel ; enfin l'inspecteur Therrien, héros du deuxième volume (*L'Épidémie*), qui est une sorte de double de Momo, l'inspecteur et le hors-la-loi partageant le même désespoir morose qui les tient à l'écart du rêve et les cloue à la réalité la plus immédiate. En marge de ce duo, quelques personnages secondaires, tous plus misérables et primitifs les uns que les autres, acquièrent une certaine épaisseur dans le dernier volume (*Les Rescapés*). Cette trilogie peint un univers figé dans lequel la violence des rapports humains s'étend à tous les domaines de la vie et devient presque normale. Impossible d'y échapper, sauf à « prendre le bois », selon le conseil que l'inspecteur, devenu son protecteur, donne à Momo menacé de mort.

André Major adoptera une tonalité nettement plus intimiste après ses *Histoires de déserteurs*, dont une version remaniée paraît en 1991. Il publie en 1981 un recueil de nouvelles, *La Folle d'Elvis*, selon le titre du premier texte dans lequel « la gitane » confond ses amants de passage avec Elvis Presley. Le microcosme du village du Nord réapparaît dans les dernières nouvelles de ce recueil dont l'unité tient à la mélancolie de personnages toujours tentés par la fuite. En 1987, *L'Hiver au cœur*, un court récit présenté comme une « novella », et, en 1995, un roman, *La Vie provisoire*, modulent aussi, mais sur un ton plus méditatif, le thème de la désertion. Dans *L'Hiver au cœur*, un personnage écrivain, en pleine crise existentielle, incapable de réaliser le grand livre rêvé, se demande s'il n'est pas temps de « passer à autre chose, une aventure policière par exemple, ou une forme de Journal inspiré des petits riens qui sont le tout de l'existence, oui, un Journal d'où tout souci de cohérence serait exclu, tout souci de composition, tout souci de séduire ». Ce sera *Le Sourire d'Anton ou l'Adieu au roman* (2001), carnets tenus par l'écrivain de 1975 à 1992 et où il prend congé du roman, mais reste en quête de « cette part enfouie sous les décombres du quotidien qui peut tout éclairer d'une lumière nouvelle ».

D'autres figures de déserteurs hantent le roman québécois des années 1970 : *Mariaagélas* (1973), un des personnages les plus riches des romans d'Antonine Maillet, est une contrebandière acadienne à l'époque de la prohibition qui finit par quitter le pays où la Veuve-à-Calixte a juré d'avoir sa peau ; Nazaire, dans le premier roman de Louis Caron (*L'Emmitouflé*, 1977), déserte la Grande Guerre tandis que le Franco-Américain Jean-François déserte la guerre du Vietnam ; plus proche parent des déserteurs de Major, le coureur des bois Mathieu, dans *Un dieu chasseur* (1976), de Jean-Yves Soucy, vit dans une solitude presque totale au milieu des forêts du Nord et ressemble à un descendant de Menaud, animé par un appétit de liberté qu'il ne peut assouvir que dans une mystique de la nature ; Teddy Bear, le héros des *Grandes Marées* (1978) de Jacques Poulin, rêve de s'isoler de la société et se retrouve au milieu du fleuve, sur une île déserte ; Marc Fréchette, héros de *La Première Personne* (1980) de Pierre Turgeon, abandonne sa femme, ses deux enfants, son travail, son pays, son nom pour devenir « le premier détective électronique » de Los Angeles.

Autre écrivain du désenchantement, Gilles Archambault (né en 1933) commence à écrire durant la Révolution tranquille, mais il s'impose lentement et demeure en marge des courants littéraires. Les premiers livres d'Archambault ne collent pas à l'image du « jeune » écrivain qui était proposée à *Parti pris* ou à *Liberté*. En 1970, Archambault écrit : « Je suis autrement plus jeune que je ne l'étais en 1953 ou en 1963. » Il se distingue par une écriture intimiste et par la récurrence des mêmes thèmes et des mêmes personnages mélancoliques qui font de leurs échecs (amoureux, professionnels, etc.) le point de départ d'une méditation sur le malheur.

Son premier roman, *Une suprême discrétion* (1963), est écrit dans le style des romans psychologiques des années 1950. Marthe, âme solitaire, est commis dans une librairie ; André, jeune trentaine, éternel « tiède », incapable de s'engager dans une relation (amicale ou amoureuse), est le fils dandy d'un riche homme d'affaires et finit par se suicider. Les romans suivants, comme *La Vie à trois* (1965) et *Parlons de moi* (1970), mettent également en scène des personnages désœuvrés et permettent à l'auteur d'expérimenter diverses techniques narratives. Il faut toutefois attendre *La Fuite immobile* (1974), son sixième roman, pour que s'affirme le style précis et ironique d'Archambault, autour notamment de la figure d'un écrivain-journaliste, Julien, qui a le même âge que l'auteur, et qui est décrit comme « un amoureux sans femme, un écrivain sans œuvre ». Il travaille peu et il songe de temps en temps au suicide, mais sans passer à l'acte comme André. Le thème de la paternité, déjà présent dans les premiers livres d'Archambault, est au cœur du roman. Julien se souvient de son père qui se promenait dehors complètement nu sous un parapluie et qui est mort après avoir été interné. Julien est incapable de s'imaginer fondant lui-même une famille. La peur de la folie, incarnée ici par Louis, un oncle alcoolique, l'obsède jusqu'à la fin. Julien l'écoute avec pitié, mais sa propre vie n'est pas moins sombre que celle de cet homme minable qui a tout raté. Il fuit Laurence pour vivre seul à l'hôtel, puis retourne chez sa mère et renoue avec Laurence, dans une sorte d'hésitation perpétuelle. C'est cette indécision même qui caractérise les personnages principaux d'Archambault. Julien explique : « Je n'ai jamais aimé ceux qui entrent de plain-pied dans la vie, je préfère les êtres de doute. » Plus loin, le narrateur tient le même langage : « Julien aime seulement les gens malheureux. » À la vie elle-même il préfère la « réflexion sur la vie », et il habite en permanence le domaine de l'observation (de soi, des autres).

Le Voyageur distrait (1981) reprend la figure de l'écrivain, mais cette fois ce personnage ne place plus la littérature au-dessus de la vie : « Plus question de réclamer à ta littérature la moindre libération. » Il ne s'agit donc ni d'écrire ni de vivre, mais de « [s]urvivre dans la douceur, rien de plus ». Michel veut écrire un livre sur Jack Kerouac et se lance sur les traces de l'auteur d'*On the Road*. Au bout de la route, il retrouve Andrée, la femme avec qui il a vécu quinze ans et qui vit seule à San Francisco, après avoir abandonné son mari et sa fille de cinq ans. Comme souvent chez Archambault, c'est sur l'image du personnage le plus désespéré que le roman s'achève.

L'individu, chez Archambault, se caractérise toujours par sa lucidité et sa médiocrité assumée, mais il n'en est pas moins divisé, tenté d'aller dans plusieurs directions à la fois, et comme empêché d'agir par la certitude qu'aucune de ces routes ne s'impose d'elle-même ou qu'elles aboutissent toutes plus ou moins rapidement au même point final : la mort. L'intimisme pudique d'Archambault, comme celui de Jacques Poulin dont il sera question plus loin, s'accompagne d'un regard ironique, « oblique » comme il le dit dans un recueil de billets publié en 1984. Il est l'écrivain moraliste par excellence et il privilégie l'art du portrait, y compris l'autoportrait. Il lui arrive fréquemment de se mettre en scène avec un sens de l'autodérision qui fait le charme de ses « petites proses presque noires » qu'il lit à la radio ou qu'il publie en marge de ses romans et de ses nouvelles, selon le sous-titre qu'il donne au recueil *Les Plaisirs de la mélancolie* (1980). Archambault ne semble jamais aussi à l'aise que dans ces brèves satires qui font penser, en moins féroce, aux chroniques de Jules Fournier ou d'Arthur Buies. À partir d'une anecdote ou d'un petit fait autobiographique, l'écrivain fait le procès de la société moderne, à la manière d'un Cioran, qui constitue un de ses modèles avoués. Il partage avec ce dernier l'horreur de l'optimisme, l'asocialité, le refus du lyrisme et une sorte de marginalité têtue, quoique moins radicale que chez Cioran. Ses goûts le conduisent vers des écrivains discrets, souvent négligés par l'histoire littéraire, comme Jacques Chardonne ou José Cabanis. Au Québec, Archambault n'a jamais fait partie des auteurs les plus en vue et aime se présenter comme un modeste « ouvrier de l'introspection ».

À côté de ces romanciers réalistes au style dépouillé, les années 1970 sont marquées par l'émergence d'un roman qui se veut en rupture plus nette avec le réalisme conventionnel. Deux tendances se manifestent de façon plus évidente qu'auparavant : d'une part, un naturalisme radical au nom duquel il s'agit de tout montrer, de tout dire, en particulier ce que le roman québécois n'a guère osé représenter jusque-là : le corps nu et ses déjections, la sexualité exacerbée, les violents passages à l'acte, etc. ; d'autre part, un roman formaliste, inspiré du Nouveau Roman français et dans lequel, selon la formule célèbre du critique Jean Ricardou, « le roman n'est plus l'écriture d'une aventure, mais l'aventure d'une écriture ». Ces deux tendances se rejoignent en ceci qu'elles font de l'individu un être coupé du monde, soit parce que le personnage s'identifie tout entier à sa détresse intime, soit parce que le roman refuse les artifices du réalisme romanesque et se projette dans le « pays du langage » plutôt que dans le pays réel. Dans les deux cas prédomine le langage du rêve, de l'obsession, de la fantaisie morbide ou dérisoire, de la folie meurtrière ou suicidaire.

De tous les romanciers québécois des années 1970, c'est Victor-Lévy Beaulieu (né en 1945) qui incarne le mieux ces deux tendances réunies. C'est aussi lui qui occupe de la façon la plus ambitieuse l'ancien territoire du roman national. Il prolonge et amplifie à bien des égards le roman des années 1960, notamment celui de Jacques Ferron, que Victor-Lévy Beaulieu admire comme un maître. Il reprend la thématique du pays, mais la soumet à une pulsion d'écriture qui atteint à une sorte de mégalomanie, comme en témoigne la publication de plus d'une cinquantaine de titres (romans, essais, théâtre) rassemblés par les soins de l'écrivain qui est aussi éditeur. Après avoir été directeur littéraire aux Éditions du Jour en 1969, il fonde les Éditions de l'Aurore (1974), puis les Éditions VLB (1976) et enfin les Éditions de Trois-Pistoles (1994) où sont reprises ses œuvres complètes. Son entreprise romanesque prend la dimension d'une saga dès le deuxième titre, *Race de monde* (1969), qui inaugure *La Vraie Saga des Beauchemin*. La famille des Beauchemin comprend douze enfants, dont trois jouent un rôle important dans la saga : Jos, le mystique incapable d'affronter la réalité (*Jos Connaissant*, 1970), Steven, le poète exilé à Paris (*Steven le hérault*, 1985), et surtout Abel, le romancier, qui porte à lui seul tout le projet de l'auteur et qui est clairement présenté dans l'œuvre comme le double de celui-ci. Le personnage de l'écrivain appartient à la race de « fous, de névrosés, d'infirmes, d'ivrognes, de mystiques, de martyrs et de malades » (*Manuel de la petite littérature du Québec*, 1974) qui caractérisent le Québec de Victor-Lévy Beaulieu.

À la différence des autres personnages de Victor-Lévy Beaulieu, qui sont de purs symboles d'une aliénation qui les dépasse, la figure de l'écrivain habite son propre univers, déchirée entre une ambition littéraire démesurée et un sentiment d'impuissance qui l'apparente à toute la tribu des Beauchemin. Dans *Don Quichotte de la démanche* (1974), considéré souvent par la critique comme un des romans les plus représentatifs des années 1970, Abel, abandonné par sa femme Judith, se laisse littéralement enfermer dans les mots, hanté par le « désir furieux de remplir des pages et des pages ». Le rêve, pour Abel, est de rompre les digues de l'imagination créatrice, d'ouvrir la conscience collective aux mythes universels, symbolisés ici par la figure de Don Quichotte, qui fait irruption, à la toute fin du roman, dans la maison d'Abel, ramenant Judith sur son cheval. Il est venu « dans ce pays sans peuple dont le passé n'est qu'une longue et vaine jérémiade, dont la littérature n'est qu'une inqualifiable niaiserie ». Il appartient au passé le plus lointain, mais il représente aussi « une formidable possibilité d'avenir », une sorte de salut par la fiction. Dans le Québec « ratatiné » que dénonce souvent Victor-Lévy Beaulieu, il incarne surtout la grandeur du rêve et la supériorité de l'imagination sur la réalité elle-même. Un tel idéalisme revêt toutefois un sens dérisoire dans l'univers dégradé du « si pauvre Abel », qui ne croit pas longtemps à l'illusion : « [T]out est finalement devenu à l'image de ce pays, une extrême dérision, si extrême dérision qu'elle ne peut même pas être tragique car toute grandeur lui a été enlevée, comme s'il fallait absolument que tout se termine en queue de poisson, dans l'absence de temps et d'espace, comme s'il fallait vraiment que tout reste en l'air, inachevé, sans fin dernière ».

Conscient d'écrire un roman impossible, Victor-Lévy Beaulieu donne sa pleine mesure d'écrivain dans une étonnante « lecture fiction » en trois volumes consacrée au romancier américain Herman Melville (*Monsieur Melville*, 1978). Cet essai, qui fait partie du cycle des *Voyageries*, se distingue non seulement de son œuvre narrative, mais aussi des hommages que Beaulieu a offerts à Victor Hugo (*Pour saluer Victor Hugo*, 1971), à Jack Kerouac (*Jack Kérouac. Essai-poulet*, 1972) ou à Jacques Ferron (*Docteur Ferron*, 1991). À Hugo, il emprunte son prénom Victor ; à Kerouac, son goût du nomadisme et de l'écriture improvisée ; à Ferron, sa conscience historique et sa passion pour la mythologie. Mais seul Melville suscite une identification totale, à la fois littéraire et existentielle. Au-delà des clichés (l'Amérique, le voyage, l'aventure), Melville représente pour lui une sorte de frère. Son histoire est la sienne, en particulier ce qui se rattache à la vie familiale, à la maladie et à une tristesse qui s'accentue après l'effort démesuré consenti pour écrire *Moby Dick*, qui n'a pas reçu le succès escompté. Mais l'histoire de Melville est aussi une énigme que Victor-Lévy Beaulieu va tenter de déchiffrer en se livrant à une longue enquête dont le modèle est l'étude que Jean-Paul Sartre a consacrée à Flaubert dans *L'Idiot de la famille*. Beaulieu est moins un biographe qu'un écrivain-lecteur pour qui Melville devient un personnage romanesque plutôt qu'une personne. Parmi les leçons qu'il tire de sa lecture attentive des romans de Melville se trouve celle-ci qu'il ne cesse de mettre lui-même en pratique : « Jusqu'à la fin, Melville ne dérogea plus jamais à cette mise en forme de la fiction qui lui est particulière ; ses livres viendront tout autant de ses lectures que de sa vie même. »

Par là, Victor-Lévy Beaulieu se rattache, sans le revendiquer, à la nouvelle écriture qui s'élabore dans les années 1970 au Québec et qui postule l'autonomie de la littérature, désormais décrite comme une immense surface intertextuelle où les mots renvoient à d'autres mots plutôt qu'au monde réel. Abel a un appétit de lecture qui ne connaît pas de limites : il cite sans se lasser les plus grands noms de la littérature moderne, de Flaubert à Hermann Broch, et surtout James Joyce à qui Beaulieu consacre un monumental essai en 2006 (*James Joyce, l'Irlande, le Québec, les mots : essai hilare*). En dehors de la lecture et de l'écriture, Abel ne connaît que le néant de la non-histoire, qu'il associe à son « petit pays équivoque ». L'ultime solution, qui est aussi la conclusion de *Monsieur Melville,* serait du côté de la « souveraine poésie », celle à laquelle aspire finalement Melville et celle qu'incarne Steven, le frère d'Abel. Mais comme l'a montré Pierre Nepveu, ce culte quasi religieux de la poésie témoigne surtout d'un des grands paradoxes du roman de Victor-Lévy Beaulieu, qui se définit par ce qui est en dehors de lui, par ce qui lui fait défaut. Le roman ne peut jamais s'accomplir parce qu'il situe sa réussite au-delà de lui-même, aspirant à devenir épopée, mythe, parole sacrée, poésie. Il y a identité totale entre cet échec du roman, celui du personnage d'écrivain incarné par Abel-VLB et celui du Québec. Tous trois sont placés sous le signe de l'inaccomplissement.

On se méfie du roman traditionnel en ces années où la littérature est soumise aux attaques incessantes de l'avant-garde littéraire. Gilbert La Rocque (1943-1984), auteur de six romans et d'une pièce de théâtre, illustre parfaitement cette méfiance. Si Victor-Lévy Beaulieu pouvait rêver du Livre, La Rocque décrit avec violence un monde nauséeux qui n'est plus que déchets, trognons, sang, sperme, cadavres, pourriture humaine et animale. Il s'inscrit ainsi dans la filiation du *Cassé* de Jacques Renaud, mais la vulgarité du propos contraste avec le maniérisme de la phrase et la sophistication de la construction narrative. Dans *Après la boue* (1972), le monde est glauque, sordide, sinistre. Le temps stagne, symbolisé par la boue qui revient tel un leitmotiv. Les personnages plus vieux refusent de mourir, comme la grand-mère dans *Serge d'entre les morts* (1976) qui représente la vieille tradition canadienne-française, mais les plus jeunes songent à se tuer, comme Jérôme dans *Le Nombril* (1970), ou se noient comme Éric dans *Les Masques* (1980), quand ce n'est pas un avortement subi dans des conditions horribles, comme celui de Gabrielle dans *Après la boue.*

Si La Rocque fait de l'acte de création une pure dépense que résume la formule du narrateur des *Masques* : « on écrit comme on sent », il reste que l'on passe rapidement du pulsionnel au cérébral, de l'écriture improvisée à la surécriture, comme on le voit dans le passage suivant qui multiplie les effets de langage : « C'était août, la ville fondait quasiment dans l'enfer de ce soleil flambant nu au beau milieu du bleu assassin du ciel en délire, et la rue Saint-Denis c'était comme si elle avait fluviale coulé, asphalte liquéfié entre les trottoirs, rivière noire de poix bouillante dévalant engloutir dans le fin sud de l'île les insignifiances amerloquaines pacotillardes du Vieux Montréal. » Dans ce roman qui s'ouvre sur l'interview d'un romancier par une journaliste, l'acte créateur devient le thème principal. On suit les réflexions du narrateur qui s'aperçoit qu'il est devenu « à peine autre chose qu'un personnage du livre qu'il allait écrire ou qu'il était en train d'écrire ». Pas d'illusion ici : rien que des assauts de sa conscience et le refus de (se) raconter des histoires, de jouer la comédie, d'atténuer la folie humaine, d'oublier les souffrances du corps, d'embellir la réalité, de quitter les rues immondes de la ville. Seul compte le courage de regarder la mort en face, de faire tomber les vêtements qui masquent le corps. L'authenticité du romancier passe à la fois par de gros plans sur les déchets de l'être et par le dédoublement de son personnage qui s'acharne à raffiner et à démonter les mécanismes du roman qu'il compose. Rappelons que l'analyse d'un des romans de La Rocque, *Serge d'entre les morts,* devient le thème d'un roman de Gérard Bessette, *Le Semestre* (1979), dans lequel un professeur appelé Omer Marin met le roman de La Rocque à l'étude de son séminaire.

La spécularité de l'écriture romanesque fascine bon nombre de romanciers durant les années 1970. C'est le cas notamment de Jean-Marie Poupart qui intitule un roman *Chère Touffe, c'est plein plein de fautes dans ta lettre d'amour* (1973) tout en se demandant où placer un « [t]it passage théorique ». Même plaisir de la métafiction chez Pierre Filion dont tous les livres, romans et pièces de théâtre, exhibent le travail de l'écriture comme pour le tourner en dérision. Son premier roman, intitulé significativement *Le Personnage* (1972), résume bien l'évolution du genre : « Qu'est-ce qu'une histoire sans histoires ? Vous le lisez : un flot de mots ». C'est ce que seront aussi *Les Aventures de Sivis Pacem et de Para Bellum* (1970) de Louis Gauthier. Parmi les auteurs les plus prolifiques de ces romans antiromanesques se trouve Louis-Philippe Hébert. Peut-on même encore parler de roman à propos de son livre le plus connu, *La Manufacture de machines* (1976) ? On y trouve des descriptions d'objets ou de machines insolites (un aqueduc labyrinthique, des robots, un extracteur de jus, une horloge musicale, un catalogue des prothèses, etc.), évoqués avec la précision poétique d'un Francis Ponge, mais sur un ton plus ludique. Dans le premier chapitre, intitulé « Le discours d'utilité », on apprend ainsi qu'un « préposé aux inventions » détruit systématiquement chacune des inventions qui lui sont soumises pour l'obtention d'un brevet. « Lorsque, comme cela arrive rarement, une invention est acceptée, c'est parce qu'elle s'intègre parfaitement au Système établi, qu'elle n'est vraiment qu'une réinvention. »

Plus on avance dans la décennie, plus le poids de la théorie se fait sentir, chaque roman voulant réinventer sa forme. L'intervention inopinée de l'auteur au milieu de la fiction s'avère si fréquente qu'elle devient, aux yeux d'une certaine critique, un lieu commun qui va de pair avec l'abandon des éléments qui définissent traditionnellement le roman, à savoir la cohérence de l'intrigue, la mise en place d'un décor reconnaissable et la présence de personnages identifiables. Chez Roger Magini (*Entre corneilles et Indiens*, 1972), André Brochu (*Adéodat I*, 1973), Nicole Brossard (*Sold-out*, 1973, *French Kiss*, 1974), Roger Des Roches (*Reliefs de l'arsenal*, 1974) ou Geneviève Amyot (*L'Absent aigu*, 1976), le formalisme gagne en importance, associé à la « nouvelle écriture » des poètes (plusieurs des romanciers cités ci-dessus étant d'abord des poètes). Le roman se fait d'ailleurs expressément poétique, comme on le voit chez Fernand Ouellette (*Tu regardais intensément Geneviève*, 1978) et dans les deux premiers romans d'Yvon Rivard (*Mort et Naissance de Christophe Ulric*, 1976, et *L'Ombre et le Double*, 1979).

Dans ce contexte, l'écart entre certains romans pour *happy few* et des romans destinés au grand public ne cesse de se creuser. Un tel écart n'apparaissait pas clairement durant les années 1960, le roman québécois formant un bloc relativement homogène dans lequel on n'établissait pas de distinction forte entre, par exemple, les romans populistes de Claude Jasmin et les romans intellectuels de Bessette ou d'Aquin. Avec l'élargissement du lectorat et l'augmentation rapide du nombre de romans publiés, le clivage devient manifeste. L'immense succès d'Antonine Maillet, qui remporte le prix Goncourt avec *Pélagie-la-Charrette* (1979) après l'avoir raté par un vote avec *Les Cordes-de-Bois* (1977), suscite, en France comme au Québec, de nombreux sarcasmes de la part d'une critique acquise aux valeurs de l'avant-garde et pour qui le roman primé tient du folklore. Le personnage écrivain, très présent dans le roman de cette période comme on l'a vu, est le mieux placé pour sentir ce clivage. Dans *Les Masques* de Gilbert La Rocque, par exemple, ce personnage répond avec colère à la journaliste qui lui reproche d'écrire des romans difficiles : « Pas mon problème... Ceux qui sont pas contents, qu'ils lisent du Guy des Cars ou des grands prix littéraires. » Une telle opposition est désormais inévitable, signe d'une réelle division du paysage romanesque.

4
Théâtre et québécité

Après le choc des *Belles-sœurs,* le théâtre québécois est « en effervescence », selon l'expression du critique Martial Dassylva. Ce constat s'appuie en premier lieu sur la multiplication des troupes et sur un boom institutionnel. Entre 1967 et 1980, selon un autre critique, Gilbert David, la production de pièces quadruple et plus de quinze théâtres sont créés, notamment le Théâtre d'Aujourd'hui, fondé par d'anciens membres des Apprentis-Sorciers et des Saltimbanques, la Compagnie Jean Duceppe et le Théâtre du Trident à Québec. Les scènes déjà établies, le Théâtre du Nouveau Monde, le Théâtre du Rideau Vert et le Théâtre de Quat'sous, s'orientent résolument vers la production de pièces québécoises. Le Centre d'essai des auteurs dramatiques, qui a lancé Michel Tremblay, contribue directement à l'émergence d'autres dramaturges comme Antonine Maillet ou Michel Garneau. Le théâtre, autrefois marginal dans le champ littéraire, acquiert une visibilité et une légitimité sociales qu'il n'avait guère auparavant. C'est pour rendre compte de ce renouveau spectaculaire que Gilbert David fonde en 1976, avec notamment Michel Beaulieu et Yolande Villemaire, la première revue consacrée exclusivement au théâtre québécois, les *Cahiers de théâtre Jeu.*

Mais les changements ne sont pas seulement d'ordre institutionnel. Le théâtre se donne une fonction nettement politique, en relation étroite avec les bouleversements que connaît la société québécoise. Il s'adresse, souvent de manière délibérément provocante, voire scandaleuse, à un public qui déborde de loin l'élite habituée à fréquenter les salles de théâtre. Les happenings, le théâtre d'agitation-propagande et les manifestes se multiplient, de « Place à l'orgasme » (1968), inspiré par *Refus global* et lu par Jean-Claude Germain au milieu d'une messe à la basilique Notre-Dame, jusqu'au *Manifeste pour un théâtre au service du peuple* (1975) signé par le Théâtre Euh! et d'autres groupes de théâtre politique. On parle ici et là de « révolution théâtrale » au nom du marxisme, mais le plus souvent on préfère parler simplement d'engagement théâtral. Plusieurs pièces font directement écho au conflit linguistique, au combat nationaliste, aux luttes ouvrières, à l'émancipation des femmes ou aux vertus de l'écologie. Les troupes appartenant au « jeune théâtre » s'alignent sur des mouvements d'avant-garde tantôt européens, marqués notamment par Antonin Artaud et Bertolt Brecht, tantôt américains comme le *living theatre* fondé à New York en 1947. Ce nouveau théâtre remet en question la notion d'auteur, en particulier à travers des créations collectives qui transforment l'esthétique théâtrale.

Phénomène majeur de cette décennie, ces pièces collectives sont toutefois difficiles à apprécier aujourd'hui, même s'il existe des documents, visuels ou imprimés, qui permettent de les reconstituer au moins partiellement. Fernand Villemure en dénombre plus de quatre cents entre 1965 et 1974 et la revue *Jeu* consacrera plusieurs dossiers aux troupes les plus importantes : Le Grand Cirque ordinaire (1969-1977), dont la création collective *T'es pas tannée, Jeanne d'Arc?* (1969) devient rapidement un modèle du genre et sera présentée à travers tout le Québec, puis le Théâtre Euh! (1970-1978), dont les manifestations davantage politisées se déroulent un peu partout en ville, dans les rues comme dans les cafés. L'une des valeurs cardinales de ce théâtre iconoclaste passe par l'improvisation des acteurs, qui ne se contentent pas de jouer un texte, mais participent directement à sa création. Le texte varie donc d'une représentation à l'autre au gré des comédiens et de la relation qui s'établit avec le public. L'humour joue aussi un rôle important dans le succès populaire de nombreuses créations, comme cela avait été le cas avec les *Fridolinades* de Gratien Gélinas. On voit naître les premiers humoristes (les Cyniques, Yvon Deschamps, Marc Favreau alias Sol, Jacqueline Barrette, Clémence DesRochers) pendant que certaines troupes cherchent à élargir leur public en donnant un aspect comique à leurs spectacles. Le succès le plus éclatant, à cet égard, vient du Théâtre expérimental de Montréal, d'où naît en 1977, grâce à Robert Gravel, *La Ligue nationale d'improvisation* qui oppose deux équipes de comédiens selon des règles et un décor inspirés du hockey sur glace.

Malgré tout, le théâtre d'auteur continue d'occuper une place prépondérante dans le champ théâtral. Toute l'époque est dominée par Michel Tremblay, dont la production théâtrale s'accélère, avec une dizaine de pièces en dix ans. L'influence de son théâtre se fait sentir directement chez des dramaturges comme Jean-Claude Germain et Jean Barbeau. Mais ceux-ci sont également marqués par l'avènement des créations collectives et du théâtre d'improvisation, de même que par une autre forme de réécriture théâtrale particulièrement caractéristique des années 1970, les traductions et les adaptations de pièces du répertoire. Dans plusieurs cas, on l'a vu précédemment, le joual sert à « québéciser » des classiques du répertoire théâtral ; l'exemple de Réjean Ducharme et de Robert Gurik est suivi par Jean-Pierre Ronfard avec *Lear* (1977) et Michel Garneau avec sa « tradaptation » de *Macbeth* (1978). Par là, le nouveau théâtre québécois opère un double mouvement, qui vise à la fois à s'approprier le répertoire théâtral universel et à adapter ces langages au contexte québécois. La traduction, comme l'écriture théâtrale, devient le véhicule de revendications nationalistes et l'expression de la québécité.

Jean-Claude Germain (né en 1939) illustre tout à fait ce théâtre de la québécité qui se définit par le recours au joual, par le goût de l'improvisation, par l'autoréflexivité et par le mélange souvent grotesque de culture populaire et de sérieux historique. En 1969, il fonde, avec les Enfants de Chénier, le Théâtre du Même Nom (TMN, comme le très officiel TNM). Passionné d'histoire, il écrit avec la verve d'un conteur et dans une langue pittoresque et folklorique. Ses pièces sont truffées de railleries et d'apartés que les comédiens adressent aux spectateurs en marge de leur rôle, comme ici, dans sa première création intitulée *Diguidi diguidi ha! ha! ha!* (1969), alors qu'un des trois acteurs supplie Dieu que les spectateurs ne quittent pas la salle : « Ben oui, mon dieu, ben oui, je l'sé… je l'sé qu'vous aimez l'théâte univarsel et qu'vous haïssez l'théâte québécois parce que c'est p'tit, c'est minabbe, c'est mal habillé pis ça parle mal. » Les pièces de Germain ressemblent à celles de Michel Tremblay, mais dans un style caricatural et loufoque, qui tient presque du spectacle de variétés. *Les Hauts et les Bas d'la vie d'une diva : Sarah Ménard par eux-mêmes* (1974) est sous-titrée *Monologuerie-bouffe*. Sa pièce la plus connue, *Un pays dont la devise est je m'oublie* (1976), est une « grande gigue épique ». Les personnages y sont des types (le coureur des bois ou le Canadien errant, mais aussi un héros sportif comme Maurice Richard), incarnés par deux comédiens ambulants, Berthelot Petitboire et Épisode Surprenant, qui racontent, sous la forme de dialogues comiques, l'histoire du Canada, comme Yvon Deschamps pouvait le faire à la même époque à travers ses monologues.

Dans la même veine populaire, Jean Barbeau fonde le Théâtre quotidien de Québec et plaide pour un « théâtre décultivé » afin de se rapprocher de « notre véritable culture ». C'est le théâtre des « petites gens », de nouveau fondé sur l'improvisation et la création collective. Mais il choisit rapidement de revenir à du théâtre d'auteur, avec des pièces qui passent par la satire sociale, le drame intimiste et la fantaisie. *Goglu* (1970), héros presque désespéré d'un dialogue émouvant, ressemble à un personnage de Beckett. Il se désole de n'avoir rien à raconter : « J'ai rien à conter… Ç'a l'air un peu bête à dire, mais j'ai rien à conter, rien de c'qui s'appelle rien… On dirait qu'y m'est rien arrivé… » Plus ambitieuse, la pièce *Ben-Ur* (1971) met en scène un jeune agent de sécurité, Benoît Urbain Théberge, poursuivi depuis l'enfance par son surnom ridicule et condamné à n'être qu'un héros dérisoire. La pièce est immédiatement reçue comme une satire du Québécois « niaiseux », prisonnier de sa condition, de son mariage et de son travail au sein d'une compagnie, la « Brooks » (qui rappelle la Brink's, symbole de la domination économique des anglophones au Québec). Pour échapper aux humiliations quotidiennes, il se réfugie dans la lecture de bandes dessinées et s'imagine devenir lui-même un héros, à l'image de Tarzan, Lone Ranger ou Zorro, mais un héros québécois et non plus étranger. Son rêve se réalise malgré lui à la fin, alors qu'il tue un homme qui venait de lui voler un sac d'argent. C'est ainsi, en tuant un compatriote et en se soumettant totalement aux règles de la compagnie anglaise, qu'il devient un héros.

Si le Québec contemporain n'est pas absent du théâtre et si plusieurs pièces font directement référence à l'actualité politique, il reste que c'est surtout le Québec ancien, celui des villages, du joug religieux et de l'oppression nationale, que l'on exhibe au théâtre, comme pour l'exorciser. Ce sont d'ailleurs ces pièces qui obtiennent le plus grand succès sur les scènes du pays, comme le montrent par exemple la production maintes fois reprise de *Charbonneau et le Chef* du Torontois John Thomas McDonough, créée en 1971 au Théâtre du Trident et qui évoque le Québec duplessiste, ou encore *La Sagouine* (1971) d'Antonine Maillet, qui incarne le langage et la mémoire du peuple acadien. Le spectacle le plus joué du Théâtre Euh! s'intitule significativement *L'Histoire du Québec* (1972).

Outre Tremblay, Germain ou Barbeau, de nombreux dramaturges occupent une place importante dans la dramaturgie des années 1970 et trouvent leur inspiration principalement dans le passé québécois. C'est le cas de Roland Lepage (né en 1928), dont la pièce la plus classique, *Le Temps d'une vie* (1974), est une « chronique intime » de la vie d'une femme née à la campagne au début du XXe siècle. La pièce est destinée aux étudiants de l'École nationale de théâtre, tout comme *La Complainte des hivers rouges* (1974), plus originale dans sa forme qui se présente comme une litanie en l'honneur des insurgés de 1837-1838. Parmi les autres dramaturges qui se démarquent au cours de cette décennie, signalons surtout André Ricard (né en 1938) avec *La Gloire des filles à Magloire* (1975), pièce « injustement oubliée » selon Gilbert David, qui se déroule dans un village isolé où il n'y a pas encore l'électricité, ou Jeanne Mance Delisle, dont *Un réel ben beau, ben triste* (1979) se veut une tragédie moderne sur l'inceste.

Dans un registre très différent, typique du « jeune théâtre », la pièce *Wouf Wouf* (1969) de Sauvageau (pseudonyme d'Yves Hébert, 1946-1970) illustre, mieux encore que les pièces citées ci-dessus, la radicalité des mutations du théâtre québécois. Mort à l'âge de vingt-quatre ans, Sauvageau n'a guère eu le temps de construire une œuvre, mais cette pièce, sous-titrée *Machinerie-revue*, est portée par un évident désir de rompre avec les conventions théâtrales. Son préfacier, Jean-Claude Germain, y voit le « premier printemps du théâtre québécois ». La pièce déconcerte la critique plus que ne l'avait fait *Les Belles-sœurs*, non plus à cause de la langue cette fois, mais en raison de l'éclatement extrême des formes et des thèmes. La fable paraît secondaire, réduite à une histoire de drogue jamais livrée, avec pour personnage central Daniel, un jeune homme jeté dans la fosse aux lions de la vie moderne qui est bien en effet une sorte de zoo urbain. Il vit au milieu de deux douzaines de personnages qui interprètent une centaine de rôles. La scène est surpeuplée et mélange tous les genres, tous les langages : la poésie, le chant, la danse, le jazz, le music-hall, le cinéma, le lettrisme, le langage exploréen de Gauvreau, mais aussi les graffitis, les jeux de mots, les prières profanées, les reportages sportifs, les slogans politiques, le babil de la radio, la télévision, le cri des animaux et en particulier l'aboiement du chien qui donne son titre à la pièce. Les langages se juxtaposent dans un bric-à-brac délirant au centre duquel un homme littéralement aux abois réagit à tout ce qu'il voit, à tout ce qu'il entend, à tout ce qu'il désire, à l'extérieur comme à l'intérieur de lui. Le langage ne sert plus à communiquer avec autrui ni à saisir la réalité, et refuse d'ordonner le monde, qui devient une pure anarchie comme le voulait le maître à penser de

Sauvageau, Antonin Artaud. *Wouf Wouf* s'inspire aussi directement du philosophe Herbert Marcuse, pour qui la société d'abondance ramène l'individu à sa seule efficacité rationnelle au détriment de ses forces psychiques.

Par sa folie surréaliste, la pièce de Sauvageau s'apparente au théâtre de Claude Gauvreau, qui atteint une soudaine notoriété après son suicide en 1971, quelques semaines avant la première des *Oranges sont vertes* au Théâtre du Nouveau Monde. Peu auparavant, la création au Gesù d'une autre pièce de Gauvreau, *La Charge de l'orignal épormyable*, s'était pourtant soldée par un échec, les comédiens refusant même de jouer devant une salle presque vide. En 1972, *Les oranges sont vertes* fait salle comble et la critique y voit l'événement de la saison théâtrale. *La Charge de l'orignal épormyable* est ensuite reprise avec succès en 1974, dans une mise en scène de Jean-Pierre Ronfard. On ne peut s'empêcher de penser que la mort tragique du poète a déterminé en partie l'intérêt qu'on a manifesté tout à coup pour ses pièces. Mais c'est aussi que ces pièces marquent une rupture violente par rapport au réalisme et à la dramaturgie québécoise traditionnelle. Elles coïncident par là avec les outrances verbales et le désir de liberté qui caractérisent le nouveau théâtre québécois. Dans *La Charge de l'orignal épormyable*, « un des rares chefs-d'œuvre du théâtre québécois » selon Robert Lévesque, le héros au nom d'extraterrestre, Mycroft Mixeudeim, est enfermé dans une « maison spéciale » qui symbolise, pour beaucoup de spectateurs et de critiques, l'enfermement des Québécois durant la Grande Noirceur. La pièce a en effet été écrite dans les années 1950, comme *Les oranges sont vertes*, autre drame de l'enfermement mais inspiré plus directement encore de la vie de Gauvreau. Le héros, un critique d'art nommé Yvirnig, a perdu sa jeune maîtresse qui s'est donné la mort, comme l'avait fait l'actrice Muriel Guilbault, la « muse » de Gauvreau à laquelle il a consacré son roman *Beauté baroque* (1952).

Dès la deuxième moitié de la décennie, l'essor spectaculaire du théâtre québécois donne des premiers signes d'essoufflement. Jean Cléo Godin affirme en 1976, avec d'autres observateurs, que le théâtre québécois ne se porte pas bien. L'année suivante, même jugement : « Rien n'est changé, si ce n'est le titre des pièces : on voit en 1977 peu de signes de "renouveau". » La publication de pièces de théâtre est en chute libre après avoir connu une progression rapide au début de la décennie, en particulier grâce aux Éditions Leméac. Le modèle des créations collectives semble s'épuiser de lui-même et les troupes comme le Grand Cirque Ordinaire et le Théâtre Euh! disparaissent. Le théâtre ne semble plus créer l'événement, malgré l'exception que constitue la pièce de Denise Boucher, *Les fées ont soif* (1978), qui fait scandale.

En fait, c'est tout le théâtre de la québécité, et même une partie importante du théâtre d'auteur, qui semble en déclin, comme s'il ne reflétait plus vraiment les préoccupations de son époque, pour qui l'invention de la littérature québécoise est désormais chose faite. Plusieurs dramaturges changent de style ou de registre, comme Michel Tremblay à partir de *L'Impromptu d'Outremont* (1980) qui se situe dans un milieu bourgeois, ou encore Réjean Ducharme qui crée, en 1978, sa pièce la plus forte, *HA ha!...*, mais sans le ton parodique de ses premiers textes pour le théâtre. On pourrait aussi citer Michel Garneau, dont le théâtre s'orientera après 1980 vers une dimension nettement poétique, comme dans *Émilie ne sera plus jamais cueillie par l'anémone* (1981) qui porte sur Emily Dickinson. Le phénomène est plus marqué encore du côté du théâtre expérimental, qui met résolument l'accent sur les aspects scéniques au détriment du texte lui-même. D'où l'importance que l'on va donner au metteur en scène, qui devient un créateur au plein sens du mot, parfois même plus que l'auteur. Les pièces apparaissent comme des *work in progress*, prenant ainsi le relais des créations collectives. Au fur et à mesure que se marginalise le théâtre de la québécité, on voit croître l'influence des expérimentations formelles du « jeune théâtre » et des troupes d'avant-garde qui ont émergé discrètement durant la décennie et dont il sera question dans la dernière partie. Signalons en particulier le Théâtre de l'Eskabel fondé par Jacques Crête en 1971, le Groupe de la Veillée créé en 1973 par Gabriel Arcand et Téo Spychalski, *Les Enfants du paradis* (1975) de Gilles Maheu, qui deviendra Carbone 14, et surtout le Théâtre Expérimental créé en 1975 par Jean-Pierre Ronfard, Pol Pelletier et Robert Gravel, et transformé après la scission de 1979 en deux entités distinctes, le Théâtre expérimental des femmes, d'une part, et le Nouveau Théâtre expérimental, de l'autre.

5
Nicole Brossard et l'écriture féministe

Les années 1970 sont marquées au Québec, comme en Europe et aux États-Unis, par l'émergence du féminisme, mouvement où le travail intellectuel de réflexion et de théorisation sur la condition féminine est étroitement intriqué aux luttes politiques pour l'émancipation des femmes. En témoignent notamment la création en 1971 du Front de libération des femmes du Québec et de sa revue *Québécoises deboutte!* qui paraîtra jusqu'en 1974, ainsi que l'ouverture du premier Centre des femmes à Montréal en 1973. Sous la pression du mouvement féministe, le gouvernement du Québec crée en 1973 le Conseil du statut de la femme. Sur le plan intellectuel, le féminisme introduit de nouvelles perspectives et de nouveaux objets dans tous les secteurs des sciences humaines. Quelques textes français et américains nourrissent la réflexion des féministes québécoises : *Le Deuxième Sexe* de Simone de Beauvoir (1949), *The Feminine Mystique* de Betty Friedman (1963), *Sexual Politics* de Kate Milett (1970), *The Hite Report* de Shere Hite (1976), ainsi que les travaux de Luce Irigaray et d'Hélène Cixous. Au Québec, la lutte pour l'émancipation des femmes, « colonisées des colonisés », « esclaves des esclaves » selon les formules de l'époque, transcende les frontières nationales et linguistiques, et revendique une autre appartenance.

Le féminisme a aussi traversé la littérature, et l'ensemble des textes produits dans son sillage est indissociable de ce mouvement, de son histoire, de ses tiraillements, et des fortes résistances qu'il a soulevées dans le public. D'autant que la littérature se trouve parfois au centre de la controverse : le Conseil des Arts de la région métropolitaine de Montréal refuse de subventionner la pièce de théâtre de Denise Boucher, *Les fées ont soif,* qui sera néanmoins produite en octobre 1978 au Théâtre du Nouveau Monde. Au nom de la religion, des groupes d'opposants manifestent leur hostilité à chaque représentation et tentent ensuite, sans succès, de faire interdire la publication de la pièce. Composée de longs monologues, parfois en joual, la pièce met en scène la Vierge Marie, Jeanne d'Arc et une prostituée qui déplorent d'une même voix la condition faite aux femmes. À la suite de ce scandale, la pièce connaît un grand retentissement et sera traduite en plusieurs langues. Sa présentation sera l'une des batailles du mouvement féministe, qui en fera un symbole.

La désignation des poèmes, des essais, des romans ou des récits écrits dans la perspective féministe varie (dans les textes et dans la critique) et demeure polémique. « Écritures féminines », connoté par une féminité traditionnelle, est rejeté au profit d'« écritures au féminin », plus dynamique, ou de « l'écriture des femmes », qui postule une unité parfois radicalisée dans la formule « écriturefemme ». Dans *Stratégies du vertige* (1989), Louise Dupré date de 1975 l'inflexion féministe dans la littérature québécoise. Laurent Mailhot souligne la concentration d'événements fondateurs en 1975 (déclarée Année internationale de la femme par l'UNESCO) : fondation des éditions de la Pleine Lune, « La femme et l'écriture » comme thème de la Rencontre québécoise internationale des écrivains, parution du dossier « Femmes et langage » à *La Barre du jour* ; cela se poursuit en 1976 : fondation du Théâtre expérimental des femmes, des Éditions du Remue-ménage et de la revue féministe *Têtes de pioches* qui paraît jusqu'en 1979, année où sort *La Gazette des femmes*. Circonscrite dans le temps, l'émergence de l'écriture des femmes l'est aussi dans les lieux institutionnels. C'est à *La Barre du jour* et aux *Herbes rouges* que paraissent les premiers textes. Les principales représentantes de l'écriture des femmes – Nicole Brossard, Louky Bersianik, Madeleine Gagnon, France Théoret, Suzanne Lamy – partagent les présupposés politiques et théoriques de la « nouvelle écriture » dont il a été question plus haut. Comme le remarque Louise Dupré, en réintroduisant « la subjectivité au féminin », l'écriture des femmes prend le relais du formalisme tout en le modifiant. Au texte, neutre jusqu'à l'illisibilité, les femmes préfèrent l'écriture en tant que processus, dans lequel s'engage un sujet sexué. À la « mort de l'auteur », elles répondent par la présence de « l'écrivante » qui s'adresse volontiers à ses lectrices.

Plus encore que le formalisme, et malgré des polémiques internes, l'écriture des femmes est un phénomène collectif. L'idée même de collectif y est d'ailleurs particulièrement valorisée, la prise de parole au « je » voisinant avec un « nous » qui lui fait écho. Les auteures n'oublient jamais qu'elles sont « plusieures », selon le titre d'un recueil de textes de Louise Cotnoir (1984). Elles intègrent cette pluralité à leur écriture par la citation de textes des autres femmes du mouvement, ou encore par l'adresse ou la dédicace, qui sont des pratiques fréquentes. Plusieurs livres sont coécrits, comme *Retailles. Complaintes politiques* de Denise Boucher et Madeleine Gagnon (1977) ou *La Théorie, un dimanche* (1988) qui réunit, autour de Nicole Brossard, Louky Bersianik, Louise Cotnoir, Louise Dupré, Gail Scott et France Théoret pour un bilan critique du féminisme. Les femmes s'engagent aussi dans des créations collectives, telles que *La Nef des sorcières* (1976), texte dramatique de Marthe Blackburn, Marie-Claire Blais, Nicole Brossard, Odette Gagnon, Luce Guilbeault, Pol Pelletier et France Théoret.

Une certaine unité se dégage de ce corpus. Dans la continuité du formalisme, les textes s'interrogent sur eux-mêmes, se commentent au fur et à mesure qu'ils s'écrivent, réfléchissant non seulement sur leur forme, mais aussi sur l'authenticité de leur démarche et sur leur fonction politique. Cette conscience de l'écriture, présente dans la poésie comme dans les textes narratifs, contribue à la confusion des genres, revendiquée par ailleurs, entre poésie et prose, entre fiction et théorie ; ainsi s'impose la « théorie-fiction » ou « fiction-théorie », proche de l'essai. La narration à la première personne, du singulier ou du pluriel, se dédouble souvent dans un « elle » à la fois particularisé et englobant. Dans la même perspective, les personnages de fiction sont à peine esquissés et le récit s'attache davantage aux voix de « sujets-femmes » souvent interchangeables. Ce sujet s'affirme par l'inscription du corps féminin, évoqué du point de vue de la femme, en opposition avec les images poétiques et médiatiques qui en sont données, et souvent précisément par ce que ces images refoulent (la sexualité, les menstruations, l'accouchement, l'avortement, la maladie). Le quotidien occupe une place importante, en particulier les intérieurs, dans une attention à l'immédiat et au banal. Mais ces textes s'appuient aussi sur les grands récits mythologiques et littéraires pour y reprendre des figures héroïques féminines et révéler une filiation des femmes que l'histoire a occultée. Le féminisme élit également quelques classiques, *Lettres d'une religieuse portugaise*, Virginia Woolf, Marguerite Duras, tandis que la référence théorique la plus fréquente est celle de Roland Barthes. Les auteures se reconnaissent peu de parenté du côté des femmes qui les ont précédées dans la littérature québécoise. L'écrivain le plus souvent cité est plutôt Claude Gauvreau.

Nicole Brossard, née en 1943, apparaît comme la figure dominante de l'écriture féministe, d'abord à cause de la légitimité qu'elle a acquise à *La Barre du Jour* où elle a publié ses premiers textes théoriques et dont elle a contribué à fixer la ligne éditoriale, et puis comme poète. Chez elle, l'engagement féministe intervient dans une écriture qui a déjà trouvé sa voix, ce qui n'est pas le cas de la plupart des femmes du mouvement, pour qui « la venue à l'écriture » est souvent la conséquence de la rencontre avec le féminisme. Nicole Brossard s'impose aussi par l'ampleur de son œuvre (plus d'une trentaine de livres en quarante ans), et par la reconnaissance institutionnelle dont elle bénéficie au Québec, de même qu'à l'étranger où elle est traduite, commentée et étudiée par la critique savante. À partir de 1975, quatre éléments concourent à structurer fortement son œuvre : sur le plan politique, elle revendique un lesbianisme radical ; sur le plan formel, elle s'engage dans un travail de féminisation qui tend vers la création d'une « langue-femme » ; de plus, l'univers de ses fictions devient peu à peu exclusivement féminin ; enfin, l'armature théorique de son écriture s'affirme. En outre, Nicole Brossard, qui a souvent été prise à parti, a justifié son écriture et s'en est expliquée dans de nombreuses interventions, livrant ainsi un commentaire qui renforce la cohérence de sa démarche.

Après des recueils de poèmes dominés par un « je » assez lyrique, *Mordre en sa chair* en 1966 et *L'écho bouge beau* en 1968, la poésie de Brossard prend un tour nettement formaliste avec *Suite logique* (1970) et *Le Centre blanc* paru la même année. La subjectivité est évincée par une « énergie anonyme » à la recherche d'un point neutre, au-delà du sens. Ce « centre blanc » renvoie à une parole qui se désincarne (notamment par les images géométriques et mécaniques) et tend vers le silence, le blanc de la page et celui de la mémoire. C'est sous ce même titre, très évocateur du travail de Brossard, que seront repris ses poèmes de 1965 à 1975 dans la rétrospective parue à l'Hexagone en 1978. Le livre inclut aussi *Mécanique jongleuse* et *Masculin grammaticale*, *La Partie pour le tout* et *Champ d'action* qui regroupe trois textes théoriques. Cette rétrospective marque la reconnaissance de Brossard comme poète et rend particulièrement lisible l'évolution de son écriture en trois temps : d'un formalisme impersonnel à un formalisme au féminin, placé sous le signe « d'elle ramifiante que voici » (selon le titre d'un poème de *Mécanique jongleuse*), jusqu'à la théorisation poétique d'un sujet-femme qu'on trouve dans l'essai intitulé « Le cortex exubérant » (*La Barre du Jour*, 1974). Dans un texte programmatique repris dans *La Lettre aérienne* (1985), « L'appréciation critique », Brossard expose les grandes lignes d'une poétique féministe qui articule des « mouvements » (ambivalence, oscillation, répétition, « spirale pour conquérir l'espace », « flottement au-dessus du vide ») et des « stratégies » (humour, parodie, intertextualité, usage de langues étrangères, recours aux mythes pour la création de « personnages féminins mythiques »). Chez Brossard, le potentiel créateur de la femme est défini comme une énergie, selon un thème central de l'œuvre. Par la création qui est à la fois l'instrument et la conséquence de sa libération, la femme devient « intégrale » et l'œuvre érige en mythe cette utopie de l'essentialité féminine.

Nicole Brossard pratique aussi le roman : elle publie *Un livre* (1970), *Sold-out. Étreinte/illustration* (1973) et *French Kiss. Étreinte-exploration* (1974), puis *L'Amèr ou le Chapitre effrité* (1977). Comme on le voit dès la première phrase de *French Kiss* : « Chevauche la grammaire. Je m'étale, ardent, dérisoire et désir », les traits formels de la fiction ne diffèrent pas radicalement de ceux de la poésie. *French Kiss*, que Yolande Villemaire qualifie de « fiction mutante » dans sa préface à la réédition de 1980, met en scène un groupe de personnages dont nous suivons les amours, notamment dans Montréal où affleurent les traces du passé historique, de la Nouvelle-France au XIXe siècle. La structure du livre multiplie les complexités ; les décalages sont indiqués par des changements de typographie. Ainsi le dernier chapitre se termine par une calligraphie manuscrite, comme si l'auteure prolongeait le livre à la main. L'épilogue recentre la fiction sur Montréal grâce à une citation de Jacques Cartier découvrant « ladicte ville de Hochelaga », commentée par la formule lapidaire « Cosmogonie désarticulée » qui clôt le roman. *French Kiss* rassemble les principaux motifs qui réapparaîtront dans les romans suivants, l'érotisme lesbien évoqué comme une cérémonie, la ville avec ses courses nocturnes, ses autoroutes ouvertes aux énormes voitures américaines. Avec *French Kiss*, Nicole Brossard s'approprie une nouvelle esthétique, urbaine et baroque, marquée par le mouvement (les personnages se déplacent sans cesse, souvent en voiture à la manière des *road novels* américains) et la profusion (les figures secondaires, les lieux évoqués et les objets du quotidien se multiplient). Par ce roman

Nicole Brossard. Photo Josée Lambert.

qui lui vaut une vaste reconnaissance critique, Nicole Brossard fait le lien entre l'écriture des femmes, à laquelle l'associe l'univers lesbien, et une fiction éclatée, affichant les signes d'une modernité qui constitue l'emblème des avant-gardes de l'époque.

Dans *Le Désert mauve* paru en 1987, élogieusement commenté par la critique et rapidement enseigné, l'écriture évolue vers une plus grande lisibilité. On y retrouve l'enchâssement des récits, les mises en abyme et la contamination des langues. Nicole Brossard raffine encore la complexité de la construction grâce au dispositif de la traduction. Le roman est constitué de trois parties : un livre fictif (« Le désert mauve ») et sa traduction (« Mauve, l'horizon ») encadrent la section la plus longue (« Un livre à traduire »). Cette troisième section se présente comme le dossier préparatoire de la traductrice, Maude Laures (elle comporte des photographies du seul personnage masculin, le mystérieux « homme long »), en même temps que son journal qui reconstruit l'histoire du roman qu'elle traduit. Une telle structure permet la démultiplication des voix narratives, toutes féminines, et le redoublement de la fiction. Mais dans *Le Désert mauve*, l'originalité tient aussi à des personnages dont la présence est beaucoup plus affirmée que dans les romans précédents, à la prégnance de la langue anglaise, à l'atmosphère de roman policier et surtout aux lieux et aux paysages. À travers le Motel Red Arrow, isolé au bord de l'autoroute dans le désert de l'Arizona, avec son bar et sa piscine, Nicole Brossard reprend en la féminisant une Amérique médiatisée par le cinéma des années 1950. Le désert que les personnages traversent en voiture fait écho au motif du vide présent dans toute l'œuvre de Brossard : « Il y a dans le désert la poursuite des béances que font parfois les nuages. »

Au cours des années 1990 et 2000, Nicole Brossard poursuit, dans des récits souvent dédoublés et autoréflexifs, les mêmes thématiques de l'amour lesbien, de la filiation maternelle et de la ville, ce dont témoigne notamment *Hier*, paru en 2001, reçu par la critique comme un roman typiquement « postmoderne ». En revanche, l'écriture a rompu avec la luxuriance qui caractérisait *French Kiss* et dont *Le Désert mauve* portait encore la marque, au profit d'une syntaxe sobre par laquelle Nicole Brossard atteint sans doute une sorte de « classicisme », comme l'avait déjà suggéré François Charron, de manière provocante, dans un colloque que la *NBJ* consacrait en 1980 à la « nouvelle écriture ».

Louky Bersianik (Lucile Durand), née en 1930, travaille aussi au projet d'une écriture radicalement féministe. Son premier roman *L'Euguélionne* (du nom de l'héroïne, obtenu par la féminisation de « euguélion » qui signifie « évangile » en grec), sous-titré *Roman triptyque* (1976), se présente comme une parodie de la Bible. Il est divisé en 1386 fragments regroupés dans de très courts chapitres. L'Euguélionne, extraterrestre féminine, arrive sur Terre et va découvrir, en compagnie de son ami Exil, la vie de l'humanité. De nombreux personnages évoluent autour d'eux et leur histoire permet de mettre en scène les multiples inégalités des hommes et des femmes, dans le couple, la vie quotidienne, comme aussi dans la culture et le langage. Dans *L'Euguélionne*, Louky Bersianik amorce la construction d'une mythologie féminine qu'elle poursuivra dans *Le Pique-nique sur l'Acropole* (1979). Sous-titré *Cahiers d'Ancyl* (nom de la narratrice), ce deuxième roman obéit à la même logique du détournement des grands textes de la culture « patriarcale ». À partir du titre, équivalent trivial du *Banquet* de Platon, la fiction s'organise autour d'une réunion de femmes qui se rejoignent sur l'Acropole, symbole d'un espace public fondateur excluant les femmes, dont elles reprennent alors possession, autour de Xanthippe, épouse de Socrate et absente du *Banquet*. Les personnages interviennent successivement dans une parodie des dialogues philosophiques et commentent l'actualité ; ainsi un long développement est consacré à l'excision des femmes en Afrique. Si les clins d'œil abondent, cette parodie n'est pas gratuite ; elle illustre la « thèse » sous-jacente, celle de la nécessité pour les femmes d'un travail intellectuel de réappropriation de la culture. En 1990, Bersianik réunit des essais philosophiques, politiques et littéraires dans le recueil *La Main tranchante du symbole*, titre qui explicite l'une des idées-force du recueil, selon laquelle l'ordre symbolique structurant le langage et les religions s'édifie sur l'exclusion des femmes, la main qui bénit divise et écarte.

L'univers de France Théoret, née en 1942, est bien différent. Aussi éloignée des nouveaux mythes de Brossard que du foisonnement parodique de Bersianik, elle nourrit un rapport toujours inquiet à l'écriture et à la féminité : « Je suis souvent pessimiste, d'un pessimisme le plus noir qui s'accorde mal avec la volonté féministe », écrira-t-elle dans *Journal pour mémoire* (1993). Proche du groupe de *La Barre du jour*, Théoret publie en 1977 un premier recueil de poèmes, *Bloody Mary*, qui deviendra l'un des textes emblématiques de l'écriture des femmes. Comme dans ses recueils suivants, *Une voix pour Odile* (1978), *Vertiges* (1979), *Nécessairement putain* (1980) et *Intérieurs* (1984), Théoret privilégie les poèmes en prose qui intègrent le joual et dont la syntaxe se défait parfois dans une suite de slogans. Mais la singularité de France Théoret se trouve davantage dans une subjectivité douloureuse qui se débat entre une négativité menaçante et l'effort pour maîtriser le chaos, trouver un ordre. D'où, chez elle, les nombreuses images de résistance, de tension, de contrainte intérieure que représente bien ce vers de *Vertiges* : « Je me surveille de près. Je me tiens à l'œil. Si rigide le désert de l'Autre. »

L'évocation de la femme passe chez Théoret par l'identification de la narratrice à des figures négatives, marquées par la laideur, la pauvreté, la passivité. L'une d'elles, la « vieille petite fille », assure la cohérence du recueil *Nécessairement putain* : « Elle est entrée vivante dans le miroir et n'en est pas revenue. C'est une vieille petite fille au sourire fatigué. » Une autre, « la fille de bar », s'enfonce dans l'autodestruction : « Soudain les tables renversées la bière les verres les cendres et je me plais là-dedans laver les verres et la vaisselle dans l'eau rouillée geler en hiver j'adore par-dessus tout me faire hurler après du matin jusqu'à la nuit. » Même « la guerrière » qui donne son titre à la dernière section du recueil n'a rien de triomphant : « Marche arrière. Je suis une boîte fermée. Préservatif. Préservée. La mort pliée entre les dents. » La seule affirmation possible de cette féminité est encore négative et condamnée d'avance: « Ne suis ni vierge, ni putain, ni grande dame, ni servante. » Rare moment lumineux de l'œuvre, le long texte en prose intitulé « La marche » dégage une impression toute différente. Dans la marche, la femme qui n'est définie que par le pronom « elle », s'apaise et s'allège : « Elle est là peut-être lorsqu'elle déploie vive toute sa richesse au dehors », et plus loin : « Elle est la marche même d'une femme enfant haute délestée de toute épaisseur. »

France Théoret est aussi romancière. Louise Valois, la narratrice de son premier roman, *Nous parlerons comme on écrit* (1982), revient sur son passé et tente de le comprendre, par peur d'y rester « monstrueusement encagée ». Proche parente des figures de femmes des poèmes, elle évoque une enfance pauvre à Saint-Colomban, des études ennuyeuses, une tentative de suicide ou une dépression, autant de souvenirs présentés si allusivement qu'on ne sait pas si les événements se sont produits. *Nous parlerons comme on écrit* est aussi une réflexion sur la « génération » (le mot revient comme un leitmotiv) et sur l'héritage d'un passé québécois qui ne peut être ni intégré ni totalement refusé : « Les yeux crevés des générations ont transmis à perte de voix, l'envie et l'interdit tout à la fois, de se dresser contre elles. » La narratrice de *Nous parlerons comme on écrit* est doublement déshéritée, par sa classe sociale et en tant que femme. Seul pourrait réparer ce rejet l'accès à une parole et à une culture qui semblent toujours se refuser au personnage. En plaçant cette exclusion qui frôle la folie au centre de plusieurs de ses textes, Théoret pose du point de vue de la femme la question de la pauvreté matérielle et culturelle, de l'absence à l'histoire et de la parole impossible, dans des termes qui rappellent la réflexion des écrivains des années 1960 sur le « colonisé ». Cette idée réapparaît dans le recueil de textes *Entre raison et déraison* (1988) et dans *Journal pour mémoire* (1993), réflexion sur l'autobiographie plutôt qu'autobiographie, où elle évoque de nouveau sa propre expérience, le milieu pauvre dont elle est issue et avec lequel elle a dû rompre pour poursuivre des études. Elle insiste sur son avidité d'apprendre, son désir de culture, exacerbé par le côtoiement d'un anti-intellectualisme violent et souvent misogyne. La réflexion féministe vient donner à ce désir une nouvelle exigence : exister en tant que femme dans le langage et la pensée.

Madeleine Gagnon (née en 1938) vient pour sa part au féminisme par le marxisme. Elle s'engage dans l'écriture des femmes avec deux recueils de textes, à la fois poèmes et proses, *Pour les femmes et tous les autres* (1974) et *Poélitique* (1975), marqués par le formalisme et fortement imprégnés par la question du Québec. Dans *Poélitique*, la typographie utilise tous les sens de la page pour inclure des éléments de l'actualité; certains poèmes sont constitués de bribes de bulletins de nouvelles évoquant les bombes du FLQ ; d'autres dressent la liste des principales grèves survenues dans les différentes villes du Québec. Dans *Pour les femmes et tous les autres*, les poèmes narratifs de « la femme à Raoul » sont écrits en joual. Le joual porte aussi le discours théorique (François Charron reprendra ce procédé) :

> a s'est dit asteure c't'assez on va tout'
> débouler ça ensemble Freud pi Marx pi Simone pi
> Kate et la Germaine pi toutes du MLF FLF Québé-
> coises deboutes toutes mais là c'est l'temps d'passer
> à la pratique

Mais c'est surtout dans ses essais que Madeleine Gagnon précise une conception de l'écriture des femmes qui se distingue par une forte dimension critique et autocritique. En 1977, elle publie avec Hélène Cixous et Annie Leclerc *La Venue à l'écriture*, qui s'impose rapidement comme une référence du féminisme en France. Son texte « Mon corps dans l'écriture », à la fois personnel et théorique, ponctué de citations (où Sigmund Freud et Jacques Lacan voisinent avec Jacques Brault, Paul Chamberland et surtout Claude Gauvreau), marque un tournant dans sa pensée. D'une part, elle approfondit son analyse du féminisme en situant la domination des hommes sur les femmes au-delà du conflit de classes et inclut la dimension sexuelle dans l'analyse marxiste. Au passage, Gagnon réfute caté-goriquement le choix du lesbianisme politique qu'elle juge « compensatoire » et « sexiste ». Elle revendique au contraire un rapport de fraternité avec les hommes, plus particulièrement au Québec, dans le contexte d'une histoire de minoritaires :

Je suis née dans un pays où les mots font mal [...] Même le mot pays ne dit pas ici ce qu'il raconte ailleurs ; le mot combat parlait défaites et avortements ; victoire signifiait les autres ; frontières ne s'écrivait pas ; homme disait vaincu, colonisés et nos hommes des frères beaucoup plus que des maîtres.

D'autre part, à rebours de l'idée d'une langue des femmes, elle propose de mar-quer « la langue des hommes », celle de la maîtrise et de la connaissance, en remet-tant « le désir au centre du discours ». Dans une perspective proche des travaux de Michel Foucault, il s'agit d'ébranler la structure des savoirs par la prise en considération de la sexualité dans une écriture où la fiction est indissociable de la réflexion. Madeleine Gagnon définit cette écriture où l'affect et l'intellect coopèrent par le terme d'*Autographies*, titre qu'elle donne à la reprise de ses textes, I. *Fictions* en 1978 et II. *Toute écriture est amour, critique* en 1989. Elle publie aussi des romans où la dimension essayistique demeure présente, comme *Antre* (1978), suite de textes en prose qui amalgament autobiographie et récits de rêves, ou encore *Lueur. Roman archéologique* (1979). Dans ce dernier texte, la narratrice exhume, à travers l'évocation de ses grands-mères, les traces d'une féminité contrainte : « Chacune taisait ses malheurs, enfants alibis, maisons geôles, viols en sourdine, meurtres absous mariés à vos peines tenaces, vœux, étranges vœux d'esclaves aux chaînes invisibles, chaînes crochetées dans le fil de vos hivers secs, ou bien folie. » Très tôt (dès *Retailles* en 1977), Gagnon reconnaît les limites du féminisme, qui n'aurait pas su analyser son propre rapport au pouvoir. Elle publie par la suite plusieurs recueils de poèmes, rassemblés en 2002 dans *Le Chant de la terre*, anthologie de sa poésie depuis 1978. Elle trouve un nouveau public en 2000 avec un essai, *Les Femmes et la Guerre*, tiré d'un voyage effectué dans divers pays touchés par la guerre (Macédoine, Kosovo, Bosnie-Herzégovine, Israël et Palestine, Liban, Pakistan et Sri Lanka). Cette réflexion sur la guerre tient à la fois du reportage, du récit de voyage et du recueil de témoignages puisque la parole des femmes rencontrées y est rapportée. Le livre s'inscrit dans le féminisme autocritique de Gagnon par le souci de dépasser l'image habituelle des femmes pacifistes et victimes. Il s'agit de se demander en quoi les femmes sont aussi impliquées dans la guerre, si « le champ des larmes des mères n'est pas la doublure inéluctable du champ d'honneur des pères ». Madeleine Gagnon, comme elle l'avait fait dans les années 1970, passe par des zones d'ombre pour saisir aussi bien la souffrance que « l'appétence guerrière » des femmes.

Essayiste et critique littéraire, Suzanne Lamy (1929-1987), née en France, émigre au Québec en 1954 ; elle participe très tôt à la réflexion théorique sur l'écriture des femmes. Son premier recueil d'essais, *D'elles* (1979), rassemble six textes courts dont le plus connu est sans doute « L'éloge du bavardage », qui renverse la connotation négative de cette parole traditionnellement attribuée aux femmes :

Lieu de plaisir, le bavardage nie la maison close. Havre où se pêchent des coquillages moirés, ravis aux contradictions et aux insignes du pouvoir [...] Flot qui relie l'amont du vécu à l'aval de la réflexion et de l'insertion sociale [...] carrefour à l'allure d'école buissonnière qui ouvre sur une clairière où la femme prend du champ, assure son pas et caracole. Apprend l'autre et les autres.

Son second recueil d'essais, *Quand je lis je m'invente* (1984), regroupe des analyses de textes littéraires souvent inspirées de Barthes, et élabore, à partir de la psychanalyse, une lecture critique de l'écriture des femmes dont se réclamera « la critique au féminin » qui se développe au cours des années 1990. Suzanne Lamy est aussi connue pour un récit, *La Convention* (1985) ; ce journal tenu par une femme dont le compagnon est en train de mourir d'un cancer paraît presque prémonitoire du destin de l'auteure et la critique le lira comme une sorte de testament.

Comme les autres mouvements théoriques et politiques, le féminisme perd de sa radicalité au cours des années 1980. Si de nouvelles revues voient le jour, comme le magazine *La Vie en rose* en 1980 et la revue de poésie *Arcade. L'Écriture au féminin* fondée en 1981 par Claudine Bertrand, l'écriture féministe cesse de correspondre à un groupe et de définir un corpus précis. Mais, surtout, l'écriture des femmes s'éloigne de l'esprit subversif qui l'animait au départ et contribue au passage du formalisme, typique des années 1970, à une littérature dont la tonalité est plus personnelle, centrée sur l'expérience concrète du monde et sur la mémoire affective. En cela, le féminisme marque de façon particulièrement évidente la transition entre les années 1970, portées par les combats idéologiques et la déconstruction du texte littéraire, et les années 1980, caractérisées par le retour d'un sujet sexué, souvent intime, dont l'histoire singulière, plus que le destin collectif, détermine le rapport au monde.

CINQUIÈME PARTIE

Le décentrement de la littérature

(depuis 1980)

Rober Racine, *Le Terrain du Dictionnaire A/Z*, 1980. Vue de l'installation au Musée d'art contemporain de Montréal en 1995 (détail). Collection du Musée d'art contemporain de Montréal. Photo Richard-Max Tremblay.

À PARTIR DE 1980, LA LITTÉRATURE AU QUÉBEC ENTRE DANS l'ère du pluralisme. Après le référendum sur la souveraineté-association, dont le résultat (le non l'emporte à 60 %) est vécu comme une désillusion par la plupart des écrivains francophones, ceux-ci se sentent démobilisés. La question identitaire ne se résume plus, dès lors, à la seule appartenance nationale, mais passe par un ensemble de facteurs (la catégorie sociale, la famille, le sexe, la génération, le pays d'origine, la région, etc.) qui font éclater ce qu'on appelle, depuis peu pourtant, la littérature québécoise. L'arrivée de nombreux écrivains immigrants venus de partout contribue à modifier le paysage littéraire et devient même, jusqu'à un certain point, emblématique de la situation nouvelle. Les thèmes de l'exil et la figure de l'étranger, déjà très présents dans la tradition littéraire québécoise, sont réactivés sous un jour tout à fait différent. Les voici désormais associés à un monde multiculturel où les frontières nationales tendent à s'effacer.

Au même moment, la littérature québécoise élargit sa base : il y a désormais beaucoup plus d'auteurs, de livres et de lecteurs. L'augmentation de la production littéraire, déjà remarquable dans les années 1970, s'intensifie davantage après 1980 : selon les données recueillies par la Bibliothèque nationale du Québec, 531 romans et 268 recueils de poésie font l'objet d'un dépôt légal en 2000, comparativement à 160 romans et 147 recueils de poésie en 1986. Une telle expansion s'explique par plusieurs facteurs : l'enseignement de la littérature québécoise se répand à tous les niveaux du système scolaire, l'intervention de l'État dans le champ littéraire s'amplifie et plusieurs écrivains québécois parviennent à faire concurrence aux écrivains de France et d'ailleurs. Cette effervescence s'accompagne, en outre, d'une volonté générale de démocratisation de la culture, qui doit devenir l'affaire de tous, et non pas simplement celle d'une élite.

Les changements s'effectuent de façon relativement douce, sans rupture et sans figure de proue. Il n'y a pas de révolution comme en 1960, il n'y a pas de manifeste comme en 1948, il n'y a pas d'école littéraire comme en 1895. Pour plusieurs, cette absence de symboles ou de « grands auteurs » définit en creux la période qui s'ouvre vers 1980. Celle-ci ne parvient pas à se représenter positivement, comme si elle était privée de repères ou ne se voyait que sur un mode négatif, en accumulant les signes de ce qu'elle a perdu, de ce qu'elle n'est plus. Malgré la vitalité incontestable de la production littéraire, l'expression « littérature québécoise » aurait, elle aussi, perdu une partie de son sens. Selon Pierre Nepveu, le projet d'une littérature québécoise, incarné par *Parti pris* en 1965, « se serait à la fois réalisé et dissipé, et la "chose" se survivrait pour ainsi dire à elle-même comme une ombre ou un fantôme, semblable en cela à la plupart des autres littératures dites nationales à l'ère du post-modernisme ». Si les activités littéraires se multiplient (lancements, festivals littéraires, salons du livre, etc.), elles ne semblent guère laisser de trace dans l'imaginaire collectif. D'où le paradoxe central qui colore toute la période contemporaine : c'est au moment où la littérature québécoise paraît plus vivante et plus reconnue que jamais qu'elle est entraînée, comme toute la culture lettrée, dans un vaste processus de minorisation et de décentrement.

Le décentrement le plus évident concerne le rapport extrêmement chargé au Québec entre la littérature et la nation. Après avoir été au cœur du grand récit national depuis l'abbé Casgrain jusqu'aux années 1970, la littérature québécoise ne porte plus de façon ostensible les signes de la québécité. Ce changement permet de relire le passé littéraire selon une perspective nouvelle, moins strictement articulée à la seule émancipation nationale. Il permet également de poser explicitement la question de la littérature québécoise de langue anglaise, jusque-là écartée du corpus national. Alors que le rapprochement entre les écrivains francophones et les écrivains anglophones se limitait auparavant à des efforts individuels (comme ceux de Frank R. Scott), il se développe après 1980, notamment grâce aux nombreuses traductions. Cela dit, même si le contexte valorise les transferts culturels de toutes sortes, même si la littérature québécoise a perdu l'apparente cohésion qui était la sienne en 1965, il serait faux de prétendre qu'elle a perdu toute fonction nationale. On le voit bien à l'occasion de certaines polémiques, comme celle qui suit la publication d'une conférence de Monique LaRue (*L'Arpenteur et le Navigateur*, 1996) dans laquelle elle met en scène un écrivain d'origine québécoise qui se plaint de la place excessive prise par les écrivains d'origine étrangère dans l'institution littéraire locale.

Si le pôle national s'affaiblit considérablement en 1980, c'est aussi que le rapport avec le passé n'est plus le même. Le décentrement par rapport à l'Histoire n'est pas moins grand que le décentrement par rapport au « nous ». Les deux phénomènes ont d'ailleurs un lien étroit, puisque les nombreux écrivains venus d'ailleurs ne peuvent pas se reconnaître dans les références au passé québécois. Plus généralement, l'Histoire n'apparaît plus comme linéaire et homogène : il ne s'agit pas de rejeter la tradition, comme pouvait le faire l'écrivain de la Révolution tranquille. Il s'agit de lui ajouter d'autres traditions, d'ouvrir par conséquent le répertoire québécois à tous les répertoires, y compris le traditionnel. S'il y a refus, c'est celui de rompre avec un héritage précis ou d'exclure ceci au profit de cela. L'écrivain contemporain, naturellement inclusif, veut ceci *et* cela, selon des configurations aussi personnelles et aussi valables les unes que les autres. Dans cette perspective, faut-il encore parler de modernité? Plusieurs en doutent et préfèrent décrire la littérature contemporaine comme une littérature postmoderne. S'il n'y a pas de rupture en 1980, c'est précisément que la nouvelle esthétique se dégage de la « tradition de la rupture » (Octavio Paz) qui marquait la modernité. Elle ne se sent nul devoir face à l'avenir et nulle dette face au passé. Elle ne se définit plus contre la littérature qui la précède immédiatement et n'adhère plus à une logique de distinction qui était surtout celle des avant-gardes. Ce décentrement face à l'Histoire, et face à l'histoire littéraire en particulier, entraîne généralement un désarroi générationnel, comme si, faute d'idéal passé ou futur, l'individu contemporain, et l'écrivain au premier chef, était condamné à une sorte d'éternel présent et ne pouvait imaginer s'inscrire durablement dans l'Histoire. Là encore, l'écrivain contemporain perçoit ce qu'il a perdu et se souvient, souvent avec nostalgie, de ceux qui, dans les années 1960, ont eu, au contraire, la conviction de faire l'Histoire.

Autre décentrement majeur, l'écrivain québécois né vers 1960 et formé dans les tout nouveaux cégeps n'a plus du tout le même rapport à la France que l'écrivain né en 1940 et formé dans les collèges classiques. La France devient un pôle de référence parmi d'autres, remplacé, non pas tant par le pôle québécois, comme on le dit parfois, que par celui, difficile à définir, de l'international. L'écrivain québécois contemporain ne se situe plus seulement, ni même d'abord, par rapport à la littérature française, mais par rapport aux littératures dites étrangères, à commencer par celles d'Amérique, qui lui sont géographiquement proches. De même, on assiste à un décentrement relativement à la religion catholique, qui a été longtemps au cœur de l'identité canadienne-française. Le phénomène n'est bien sûr pas nouveau, et il paraît même plus typique de la Révolution tranquille qui a fait de la laïcisation des institutions un de ses principaux combats. Mais la très grande majorité des écrivains d'alors, y compris ceux qui se disaient anticléricaux, possédaient une culture catholique commune. C'est cet héritage qui a disparu parmi la génération de 1980, laquelle a pratiquement cessé d'aller à l'église. La question religieuse, libérée de la contrainte sociale, devient alors une affaire personnelle. Elle continue d'être présente dans certains textes littéraires, mais sous la forme de quêtes spirituelles ou mystiques qui s'appuient plus volontiers sur des religions ou des philosophies orientales que sur la tradition catholique.

Enfin, la littérature se décentre aussi par rapport à elle-même, c'est-à-dire par rapport à ce qui se définissait jusque-là comme littérature. Dans les années 1960, quand un écrivain décidait d'écrire en joual, comme Michel Tremblay, ou d'« *écrire mal* », comme Réjean Ducharme, c'était pour tordre le cou à la littérature. Il y avait une sorte de révolution dans le langage littéraire lui-même et les textes ainsi créés avaient un aspect inédit. Ce rapport subversif à la littérature, qui s'est radicalisé en 1970 au point de tourner bientôt à vide, n'a plus guère de sens après 1980. Ce n'est pas que l'idée de transgression ait disparu, mais plutôt, à l'inverse, qu'elle s'est répandue au point de s'être banalisée et d'être admise comme l'un des vecteurs propres au processus créateur. D'où la lassitude et la fatigue qui reviennent comme des leitmotive dans la littérature contemporaine, épuisée de toujours se lancer à la quête du nouveau. Par ailleurs, si la littérature cherche à occuper davantage de terrain en s'ouvrant à des formes extra-littéraires, comme le témoignage et ce que les Américains appellent *non fiction*, elle est concurrencée et dépassée par l'essor des sciences humaines et sociales. En outre, elle est marginalisée par les médias comme la radio, le cinéma, la télévision et, plus récemment, Internet. Nombreux sont les écrivains et les philosophes qui s'en inquiètent, dénonçant la dégradation de la culture en simples « produits culturels », tous équivalents et engendrant une inévitable confusion des valeurs. Dans ce contexte d'hyperconsommation, ce qui n'a guère d'utilité immédiate, comme la littérature, la philosophie ou la culture dite classique, semble appartenir à un autre âge.

Tous ces décentrements (par rapport à la nation, à l'Histoire, à la France, à la religion catholique, à la littérature elle-même) se ramènent peut-être au fond à un seul, qui est celui du sujet individuel lui-même, lequel doit reconstruire son identité dans un monde où la nation et la famille se sont décomposées. On a beaucoup parlé du retour du sujet à propos des années 1980, par opposition aux années formalistes qui ont précédé. Mais, pour un grand nombre d'auteurs contemporains, peu importe qu'ils soient romanciers, poètes, essayistes ou dramaturges, peu importe qu'ils soient d'origine québécoise ou d'origine étrangère, il s'agit moins en réalité d'un retour à un « je » ancien qu'une plongée en soi-même, à une profondeur qui n'a pas beaucoup d'équivalents dans la littérature antérieure. C'est un sujet « sans appui », pour reprendre la formule de Saint-Denys Garneau, qui devient sans doute l'écrivain québécois le plus admiré au cours de cette période, lui qui avait été tenu à l'écart par les écrivains de la Révolution tranquille. Les écrivains de l'intériorité n'ont jamais eu autant de place que depuis 1980, comme en témoigne la prolifération d'autobiographies, de journaux intimes, de carnets personnels, de correspondances, d'autofictions et de récits de soi. Le phénomène est d'autant plus visible quand on observe la manière dont l'époque contemporaine s'enthousiasme pour certaines œuvres d'écrivains appartenant à d'autres époques. On édite ou réédite les lettres d'Élisabeth Bégon ou d'Octave Crémazie, le *Journal* d'Henriette Dessaulles, les chroniques d'Arthur Buies. Cet intérêt pour les textes intimes se mesure aussi à l'accueil enthousiaste ménagé à Gabrielle Roy. La publication en 1984 de son autobiographie inachevée, *La Détresse et l'Enchantement*, constitue à cet égard un événement. Acclamée comme une réussite magistrale par la critique, cette œuvre appartient aux années 1980 au même titre que les œuvres d'écrivains plus jeunes. De façon plus discrète, l'« autre Ferron » émerge peu à peu au fur et à mesure que la critique fait paraître ses lettres et ses autres « papiers intimes ». De même pour Gaston Miron, dont la correspondance avec Claude Haeffely publiée en 1989 annonce, là encore, un « autre » Miron. Ou pour Fernand Ouellette qui publie un de ses plus beaux recueils, *Les Heures* (1987), en s'inspirant de la mort de son père. Dans le même sens, toute l'œuvre de Jacques Brault, marquée au coin de l'intimisme et fortement influencée par celle de Saint-Denys Garneau, trouve son unité et sa pleine résonance à partir de 1980, notamment auprès de la nouvelle génération de poètes, qui voit en lui un modèle.

Qui dit pluralisme dit bien sûr un ensemble de voix singulières qui ne se laissent pas aisément réduire à des catégories ou à des courants comme ce pouvait être le cas dans les périodes antérieures. Toute synthèse paraît vouée à l'échec, tant les nuances d'écriture sont nombreuses. Comment rendre compte de l'éclatement contemporain sans tomber dans la simple énumération ? Comment parler en détail d'écrivains singuliers si aucun d'entre eux ne se démarque franchement, si l'effet dominant demeure « l'égalité des voix » dont parle André Brochu à propos de la poésie ? Les chapitres qui suivent abordent délibérément un nombre restreint d'œuvres, comme autant d'exemples de ce qui s'écrit depuis 1980 au Québec. Ils n'épuisent pas, loin s'en faut, la totalité du corpus. De plus, les regroupements proposés visent moins à proposer des catégories fixes qu'à faire apparaître des résonances entre certaines œuvres.

Les treize chapitres qui composent cette partie abordent des œuvres fort différentes les unes des autres. On peut toutefois se faire une idée de l'évolution générale en observant certains enchaînements particulièrement significatifs : les trois premiers chapitres portent sur le roman, qui domine largement la production littéraire contemporaine ; les trois chapitres suivants examinent des textes et des œuvres marqués par la question identitaire, de l'écriture migrante au corpus anglo-québécois en passant par la francophonie canadienne ; trois autres chapitres portent sur des corpus appartenant à des genres définis : le théâtre, puis des genres spécialisés comme la nouvelle ou la littérature pour la jeunesse, enfin l'essai et la critique savante ; les trois chapitres subséquents abordent surtout la poésie, mais pas seulement, puisque l'intimisme sera aussi examiné à travers les nombreuses fictions qui s'y apparentent. Ces chapitres font ressortir l'imprécision des frontières génériques en régime contemporain, ce que confirme le dernier chapitre, qui reprend la question de la subjectivité à partir des fictions de soi qui apparaissent au tournant des années 2000.

1
Des best-sellers

Le phénomène de la littérature de masse n'existe guère au Québec avant la fin des années 1970. Jusque-là, le marché était trop limité pour qu'on puisse parler véritablement de best-sellers. Il y a bien eu, depuis *Les Anciens Canadiens*, quelques romans qui, toutes proportions gardées, ont constitué d'indéniables succès locaux, mais rien de comparable avec ce qui se produit à partir de *La grosse femme d'à côté est enceinte* (1978) de Michel Tremblay, du *Matou* (1981) d'Yves Beauchemin ou de *Maryse* (1983) de Francine Noël. Il ne s'agit plus de succès isolés ou de romans qui s'imposent à titre de classiques qu'on enseigne à l'école, comme *Bonheur d'occasion* en 1945 ou *Kamouraska* en 1970. La faveur dont bénéficient ces romans ne passe pas par l'institution scolaire. Elle ne dépend pas non plus de l'octroi de prix littéraires, comme le prix Goncourt attribué à *Pélagie-la-Charrette* (1979) d'Antonine Maillet. Ce sont des romans réellement populaires, dont le lectorat élargi traverse plusieurs couches de la société québécoise.

L'œuvre romanesque de Michel Tremblay est exemplaire à plusieurs égards de la nouvelle fiction québécoise. À la différence des romans emblématiques de la Révolution tranquille, comme ceux d'Hubert Aquin ou de Réjean Ducharme, ceux de Tremblay se caractérisent par leur grande lisibilité. C'est ce qui explique à la fois leur succès populaire et leur relatif discrédit aux yeux de la critique qui, à quelques exceptions près, les considère comme trop conventionnels et trop transparents pour faire l'objet de relectures approfondies. Le réalisme de Tremblay se distingue pourtant du réalisme traditionnel. Il se place d'emblée sous le signe de la « chronique », comme le suggère le titre général que l'auteur donne à l'ensemble de ses romans : *Chroniques du Plateau Mont-Royal*. Cette forme n'est pas nouvelle en soi, mais elle annonce bien que l'écrivain s'autorise toutes sortes de libertés par rapport aux visées totalisantes du genre romanesque. Dans une chronique, ce n'est jamais que la petite histoire qui est représentée, celle que l'on vit au jour le jour, sans perspective d'ensemble. Les déterminations extérieures disparaissent derrière des motivations immédiates, liées aux caprices du destin ou à la singularité des personnages. Le mot « chronique » convient d'ailleurs aussi bien aux livres d'Yves Beauchemin et de Francine Noël. On le voit dès l'ouverture de chacun de leurs romans, qui se situe au niveau de la rue : chez Tremblay, nous sommes rue Fabre ; chez Beauchemin, rue Sainte-Catherine ; chez Noël, dans une rue quelconque du Plateau Mont-Royal. Ces rues désignent moins un territoire particulier qu'un point de vue à partir duquel les personnages observent le monde extérieur. La rue est tout à la fois le symbole de la ville et l'espace par excellence du quotidien, de la vie immédiate, des personnages ordinaires.

Autre caractéristique de cette nouvelle fiction, le langage y est très libre, mais plus maîtrisé que dans les romans joualisants des années 1960. Tremblay, on le sait, est celui qui a donné au joual ses lettres de noblesse. Il est significatif qu'il ait lui-même réintroduit une division assez nette entre le discours en joual de ses personnages et la langue épurée du narrateur. Écrites à la troisième personne, la plupart des chroniques romanesques de Tremblay renouent avec une longue tradition d'écriture qui confine la langue vernaculaire dans les seuls dialogues. De ce point de vue, il y a une distance évidente entre le théâtre et le roman de Tremblay. La transition est particulièrement visible avec *C't'à ton tour, Laura Cadieux* (1973), qui se présente comme un roman, mais ressemble beaucoup au théâtre en joual des *Belles-sœurs*, même si le personnage de Laura Cadieux, comme plusieurs autres venus du théâtre de Tremblay, trouvera sa place dans l'univers des chroniques. À l'inverse de ce monologue romanesque, *La grosse femme d'à côté est enceinte* ne peut plus être confondu avec le théâtre de Tremblay. Certes, le roman conserve un aspect très oral, les dialogues étant nombreux et intégrés au fil du récit. Mais l'écriture ne renonce pas à ses prérogatives et s'amuse même à citer ses modèles ou ses contre-modèles, comme dans cette courte séquence, tirée du roman *Des nouvelles d'Édouard*, qui parodie le cliché (« La marquise sortit à cinq heures ») dénoncé jadis par Paul Valéry comme l'expression par excellence de l'arbitraire romanesque : « La duchesse sortit à cinq heures. Du matin. »

La duchesse en question, qui est un travesti, s'appelle ironiquement « la duchesse de Langeais », par allusion au personnage de Balzac. La tradition réaliste est donc bien présente dans l'univers romanesque de Tremblay, mais parodiée, travestie comme l'est le personnage lui-même. Plus encore, elle coexiste avec d'autres traditions qui lui semblent opposées, un peu comme le théâtre populaire de Tremblay qui emprunte certains procédés au théâtre le plus sérieux. Le roman s'ouvre ainsi à un symbolisme qui trouve ses racines dans la littérature fantastique et onirique. Tremblay a toujours été fidèle à cette tradition, comme en témoignent ses deux premiers livres, *Contes pour buveurs attardés* (1966), qui porte une citation d'Edgar Allan Poe en exergue, et un roman fantastique, *La Cité dans l'œuf* (1969). L'auteur dira en entrevue en 1981 : « Quand je suis revenu au roman en 1977, avec *La grosse femme*, j'ai essayé pour la première fois d'allier les deux littératures qui m'intéressent, le fantastique et le réalisme. C'était même le but du roman. »

Au début de ce roman, on rencontre trois tricoteuses, Rose, Violette et Mauve, symbolisant les trois Parques. Elles ne sont visibles qu'aux yeux des fous et des chats, comme si elles n'appartenaient pas au même monde que les personnages « réalistes » du roman. Cet aspect surnaturel, qui rappelle certains contes de Jacques Ferron, est renforcé par la présence d'un chat doué de conscience, portant le nom d'un ancien premier ministre célèbre (Duplessis) et ayant pour principal ennemi un chien portant le nom d'un autre premier ministre, mais cette fois aux couleurs libérales (Godbout). Le roman tient en une journée, le 2 mai 1942. La guerre fait rage au loin, mais l'histoire se déroule entièrement autour de la maison de la rue Fabre où cohabitent, entassés les uns sur les autres, trois générations de Canadiens français : la grand-mère Victoire, ses enfants Édouard, Albertine et Gabriel, marié à la « grosse femme », puis les petits-enfants, Richard, Philippe, Thérèse et le petit Marcel, qui a quatre ans. La simple occupation de l'espace constitue déjà une sorte de guerre permanente. Une telle concentration d'individus en un seul lieu, en une seule journée, donne au roman sa curieuse intensité dramatique sur fond d'ennui, de violence domestique et d'incestes plus ou moins explicites. C'est aussi un monde essentiellement féminin, que résume l'image du ventre énorme de la grosse femme. Les mères (Victoire, Albertine, la grosse femme, etc.) assurent la cohésion du groupe et disposent de l'autorité absolue sur les hommes, qui n'ont d'autre choix, pour exister individuellement, que de s'évader, soit par la guerre (Paul, Gérard Bleau), soit par le spectacle et le travestissement (Édouard), soit par l'imagination (Marcel).

De tous les personnages inventés par Tremblay, c'est celui de l'enfant Marcel qui symbolise le mieux le pouvoir du rêve et la passion de l'art, qui sont des thèmes majeurs de l'ensemble des six romans qui forment les *Chroniques* (*La grosse femme d'à côté est enceinte, Thérèse et Pierrette à l'école des Saints-Anges, La Duchesse et le Roturier, Des nouvelles d'Édouard, Le Premier Quartier de la lune, Un objet de beauté*). Héritier de Josaphat, un violoneux sorti de l'ancien temps, Marcel est aussi le seul personnage capable de voir les tricoteuses et de comprendre le langage animal de Duplessis. Il est le rêveur, l'artiste génial, un Nelligan contemporain (Tremblay écrira le livret d'un opéra sur Nelligan en 1990), et il sombrera d'ailleurs comme ce dernier dans la folie. Dans *Un objet de beauté*, qui clôt le cycle des *Chroniques* en 1997, Marcel devient un enfant dans un corps d'homme, un garçon obèse de vingt-trois ans qui se désole de la mort prochaine de sa tante Nana. Le roman se construit, comme les autres, par l'alternance de scènes fantasmées et volontairement kitsch, où Marcel se projette en peintre ou en musicien célèbre, et de retours pénibles au monde quotidien. L'évasion, chez Michel Tremblay, ne dure jamais longtemps. À la fin de ce roman, Marcel et sa mère Albertine sont contraints de retourner dans l'ancienne maison de la rue Fabre. « Ça va être le fun ! Ça va être le fun, moman, ça va être la même maison, mais on couchera pas aux mêmes places ! Pis... on sait jamais... sans être heureux parce qu'on est pas capables, on va peut-être avoir une vie plus endurable ! »

La littérature et l'art en général, du plus populaire au plus raffiné, jouent un rôle crucial dans l'élaboration des *Chroniques*. L'art ne permet pas seulement de se distinguer socialement, de s'élever au-dessus de sa condition, comme le diront péjorativement Albertine et les autres mères castratrices, mais aussi et surtout de s'évader et, pour les personnages les plus extravagants (ils sont nombreux), c'est là une manière – la seule – de vivre. Cette fonction salvatrice de l'art apparaît nettement dans les trois récits autobiographiques que Tremblay consacre respectivement au cinéma (*Les Vues animées*, 1990), au théâtre (*Douze coups de théâtre*, 1992) et à la littérature (*Un ange cornu avec des ailes de tôle*, 1994). Le même scénario se répète dans le nouveau cycle romanesque qui s'ouvre en 2003 avec *Le Cahier noir*. Le personnage central est cette fois une naine qui rêve d'échapper à la tyrannie maternelle en devenant actrice. Ainsi, que ce soit dans ses *Chroniques du Plateau Mont-Royal*, son théâtre, ses récits autobiographiques ou ses autres romans, l'univers de Tremblay demeure le même. Les personnages reviennent sur leur passé et dévoilent, peu à peu, un drame qui est celui de la fiction elle-même, de la nécessité de la fiction, comme si seule la création, l'imagination pouvait compenser l'horreur banalisée du monde réel.

Après un premier roman, *L'Enfirouapé* (1974), qui dénonçait l'aliénation nationale et l'art de la défaite des Québécois, Yves Beauchemin (né en 1941) connaît un succès retentissant avec *Le Matou* (1981). Traduit en quinze langues et vendu à plus d'un million d'exemplaires, adapté au cinéma (1995) par Jean Beaudin, le roman sort des limites de la consommation culturelle du milieu lettré québécois et fait partie de la sélection de France-Loisirs. Assimilé à la littérature populaire de qualité, le roman est peu étudié, mais cette rareté des études attire rapidement l'œil des critiques, qui y verront l'indice d'un phénomène nouveau. Frances J. Summers écrit : « Le peu de commentaires sur le sens du roman semble indiquer un paradoxe : on apprécie le roman parce qu'il n'a pas de signification profonde. » Selon Gilles Marcotte, Yves Beauchemin ouvre, avec Michel Tremblay et Francine Noël, l'ère des best-sellers québécois, mais son roman *Le Matou* ne se confond pas avec les « énormes sagas sans fortes prétentions littéraires » qui vont ensuite s'accumuler, et parmi lesquelles on pourrait sans doute ranger les romans ultérieurs de Beauchemin lui-même. Inspiré par Balzac, Tolstoï et Dickens, *Le Matou* se démarque toutefois, comme les romans de Michel Tremblay, de la tradition réaliste et introduit dans l'univers ordinaire de ses personnages une dimension fantastique. Le personnage le plus balzacien que l'on rencontre dans *Le Matou*, ce n'est pas le médiocre héros Florent Boissonneault, mais plutôt l'insaisissable Ratablavasky, faux philanthrope et vrai démon, qui est une sorte de Vautrin transporté au Québec. Il porte un nom étranger, qui cache peut-être une identité autrement banale (on soupçonne qu'il se nomme en vérité Ernest Robichaud). Il est vieux, habite à l'hôtel Nelson du Vieux-Montréal et semble immensément riche. Mais il est surtout un formidable metteur en scène capable de manipuler les autres à son gré, comme s'il incarnait les puissances du destin.

L'histoire commence au moment où Florent est témoin d'un accident. Un passant reçoit sur la tête l'un des énormes guillemets de bronze ornant la façade de l'ancien dépôt postal « C ». Florent se précipite à son secours sous les yeux de Ratablavasky, qui voit dans le sang-froid du jeune homme les qualités d'un homme d'action digne de sa confiance. Il le fait venir à son hôtel et le convainc de se porter acquéreur d'un restaurant appelé La Binerie, haut lieu de la cuisine traditionnelle québécoise au cœur du Plateau Mont-Royal. L'intrigue, construite en quelques pages à peine, va rapidement se développer autour d'une série de rebondissements et de personnages secondaires (on en rencontre près d'une centaine tout au long du roman). Parmi eux se trouve le matou, qui donne au roman son titre et qui tuera finalement Ratablavasky pour venger la mort de son maître, un enfant ivrogne appelé Monsieur Émile. Roman efficace, *Le Matou* a d'emblée été interprété comme l'expression d'une société acquise aux valeurs du libéralisme, de l'entrepreneurship. Florent Boissonneault se lance en affaires avec une foi et une énergie qu'aucun héros des années 1960 n'avait manifestées pour la réussite sociale. Il sait tout faire : après son aventure dans la restauration rapide, il s'en va en Floride pour fabriquer des parfums avant de rénover l'hôtel de sa tante ; de retour au Québec, il s'improvise collectionneur de meubles anciens, grâce à quoi il peut assouvir de nouveau sa passion première, la restauration. À la différence des personnages de Ducharme ou d'Aquin, le héros de Beauchemin a des rêves proprement matériels. Il est aussi beaucoup plus raisonnable qu'eux, son ambition personnelle étant pondérée par une sorte de bon sens élémentaire et un souci d'équilibre. Il aime l'argent et la vie de famille : il aura les deux. Cette possibilité de bonheur, cette confiance dans l'action est aussi ce qui distingue le roman des années 1980, beaucoup plus optimiste que le roman des années 1960. Le roman de Beauchemin rompt délibérément avec le culte canadien-français de la défaite et propose l'image nouvelle d'un héros francophone qui réussit à tromper ceux – étrangers (Ratablavasky) ou anglophones (Slipstick) – qui l'ont dupé. Les romans ultérieurs d'Yves Beauchemin, de *Juliette Pomerleau* (1989) jusqu'à *Charles le téméraire* (2004) en passant par plusieurs récits écrits pour les adolescents, accentueront cette visée positive, mais sans l'aspect fantastique du *Matou*.

Le roman par excellence de la nouvelle génération, beaucoup plus que ceux de Michel Tremblay ou d'Yves Beauchemin qui demeurent attachés à un Montréal ancien, c'est *Maryse* (1983), le premier livre de Francine Noël (née en 1945). Il s'agit d'un portrait drôle et féroce de sa propre génération, qui est passée par Mai 1968, par la fondation de l'UQAM en 1969, par la crise d'Octobre, par le militantisme de gauche et surtout par la libération de la femme. *Maryse* est un roman à la fois populaire et intellectuel, un *campus novel* comme il s'en est relativement peu écrit au Québec. Comme chez Tremblay, avec qui Francine Noël partage la truculence de la langue, le roman se présente sous la forme d'une chronique écrite à moitié en joual. L'époque est datée avec précision : elle va du 21 novembre 1968, soit « les années naïves », jusqu'au mois d'août 1975. Le personnage de Maryse est jeune (vingt et un ans) et appartient donc à la génération des baby-boomers lancée à la conquête d'un nouveau bonheur. Dès les premiers mots, on la voit qui se promène allègrement dans les rues de Montréal : « Ses souliers à talons hauts laissaient de toutes petites traces dans la neige molle qui ne resterait sûrement pas. » Elle marche avec insouciance, portée par une légèreté qui ne la quittera jamais, même quand elle subira la mauvaise humeur et le mépris de son « chum » Michel Paradis. Comme la neige de novembre, le monde des années 1970 ne laisse pas de traces et semble soumis à un cycle accéléré de modes qui disparaissent aussi vite qu'elles sont apparues.

Le roman est riche d'allusions littéraires, comme le montre le personnage de Michel Paradis, qui est un croisement du François Paradis de *Maria Chapdelaine* et du Jean Lévesque de *Bonheur d'occasion*, un modèle d'intellectuel viril qui mime davantage qu'il ne maîtrise les nouveaux codes idéologiques. Cela donne des pages qui sont comme des pastiches du jargon mi-révolutionnaire, mi-scientifique attribué aux étudiants et aux professeurs de la jeune UQAM. De façon plus sérieuse, le roman transpose aussi à travers le personnage de Michel le mythe de Pygmalion, Maryse s'initiant au langage intellectuel – elle fait une maîtrise en « littérologie » – afin de correspondre à l'idéal de Michel. Elle devient une pure créature et n'existe dès lors qu'à travers le regard de ce dernier. Elle se reconnaît d'ailleurs dans deux personnages de femmes ainsi subjuguées, celui d'Elisa Doolittle de *My Fair Lady* et celui de Florentine Lacasse de *Bonheur d'occasion*. Mais ce Michel-Pygmalion n'a guère de consistance et Maryse parvient sans trop de peine à le ridiculiser quand elle se décide à le faire. La rupture n'a pas lieu au moment où Michel la frappe, mais un peu plus tard, quand il se moque de la Sagouine, qui devient pour Maryse le symbole d'une culture populaire jusque-là refoulée : « Parle plus jamais de la Sagouine ou des femmes de ménage, Michel Paradis, parce que tu vas voir comment ça peut être pénible de sortir une fille qui comprend rien, qui mêle tout et qui est trop subjective. » Séparée, enfin libre, devenue professeure de cégep et entourée par ses amies Marité l'avocate et Marie-Lyre l'actrice, Maryse se lance pour finir dans l'écriture théâtrale. On comprend aisément que le roman ait été lu, dès sa sortie, comme une œuvre féministe, Maryse se métamorphosant littéralement en prenant tout à coup le contrôle de sa vie. On remarque surtout que ce roman, à l'instar du *Matou*, présente une image positive de son personnage principal, dont l'action résolue, fondée sur un immense désir de vivre, trouve un aboutissement apparemment heureux.

La figure de Maryse n'est toutefois pas aussi simple que celle de Florent. Son émancipation coïncide avec celle des femmes de son époque, mais Maryse demeure en marge des combats collectifs et des manifestations : sa victoire est surtout individuelle et, à la fin, le salut par l'écriture demeure assez ambigu. C'est qu'elle est plus énigmatique, plus fragile, plus inquiète aussi que le héros du *Matou*. Elle doute d'elle-même et vit une incertaine quête d'identité davantage qu'une ascension sociale. Elle compare son parcours à un « trip de langage », comme si rien de tout cela n'était vraiment sérieux. Sa réussite même est suspecte, trop rapide pour être durable. À chacune des étapes de sa vie, Maryse absorbe les langages contemporains avec une facilité extraordinaire. Elle double Michel sur son propre terrain, celui du langage savant, elle se joue du mélange des cultures, illustré par le croisement du français, de l'anglais et de l'espagnol. S'ouvrir aux nouvelles langues, aux nouvelles cultures, aux nouvelles identités, tout cela lui est naturel. Mais son drame personnel l'empêche d'adhérer vraiment à l'enthousiasme de son époque soi-disant libérée. Ce drame, c'est celui de la famille décomposée de Maryse, qui déteste sa mère et ne se souvient guère de son père, parti alors qu'elle était enfant. C'est aussi celui d'une semi-étrangère, qui se nomme en réalité Mary O'Sullivan, et qui ne se reconnaît pas entièrement dans le combat national des Québécois. Hostile à sa famille, anglophone parmi des Québécois francophones, issue des classes populaires et projetée dans une bourgeoisie en plein essor, Maryse n'est jamais tout à fait parmi les siens. Elle fait tout ce qu'elle peut pour s'intégrer à la culture qui l'entoure, celle des francophones indépendantistes et de l'élite intellectuelle. Mais elle demeure à moitié irlandaise, fille d'une femme de ménage, et elle ne parvient pas à concilier la culture d'élite et la culture populaire. Même à l'égard du combat des femmes, elle se sent seule, malheureuse d'être stérile alors qu'elle croise une manifestation en faveur de l'avortement. Elle a beau se tourner énergiquement vers l'avenir, le passé – ou plutôt l'absence de passé – ne cesse de refaire surface. Elle a le sentiment de n'être de nulle part, d'être sans racines. En cela, *Maryse* n'est pas seulement, comme on l'a dit, une peinture satirique des années 1970 ou le roman de l'émancipation des femmes. Le personnage de Maryse, hanté par la perte de repères familiaux, est aussi typique des années 1980. Dans *Myriam première* (1987), la suite de *Maryse*, ce contexte se précise sous la forme d'un vaste tableau social placé sous le signe de l'enfant (Myriam), comme chez Tremblay et Beauchemin.

La prolifération de best-sellers constitue certainement l'un des traits dominants de la littérature québécoise contemporaine, et de plus en plus au fur et à mesure qu'on avance dans la période. La liste des succès ne cesse de s'allonger, grâce notamment à des méthodes de marketing efficaces et à de nombreuses adaptations pour la télévision ou le cinéma. Ces romans ont le plus souvent l'allure de sagas historiques ou familiales, comme celles de Louis Caron (*Les Fils de la liberté*, 1981-1990), Alice Parizeau (*Les lilas fleurissent à Varsovie*, 1981), Francine Ouellette (*Au nom du père et du fils*, 1984), Arlette Cousture (*Les Filles de Caleb*, 1985-1986), Noël Audet (*L'Ombre de l'épervier*, 1988), Paul Ohl (*Soleil noir*, 1991), Micheline Lachance (*Le Roman de Julie Papineau*, 1995) ou Maryse Rouy (*Azalaïs ou la Vie courtoise*, 1995). On pourrait ajouter à cette liste le nom de Victor-Lévy Beaulieu, dont le roman *L'Héritage* (1987) bénéficie de la popularité du téléroman du même titre. Parmi ces best-sellers se distingue encore plus nettement la trilogie de Marie Laberge (*Le Goût du bonheur*, 2000-2001), qui fracasse les records de vente au Québec avec plus de 600 000 exemplaires vendus. Cette saga sentimentale s'ouvre dans le Québec traditionnel des années 1930 autour principalement de figures féminines insoumises, en lutte avec l'Église et portées par un idéal de bonheur qu'elles parviendront à réaliser.

Il existe désormais au Québec ce que le sociologue français Pierre Bourdieu appelle une sphère de grande production, comme dans la plupart des littératures modernes. Cette sphère s'organise selon les lois du marché et peut compter sur un système local de production et de distribution qui permet à ces œuvres d'être distribuées et promues à l'échelle de la province. Quelques-uns de ces romans seront par ailleurs traduits et connaîtront un certain succès international, comme *Un dimanche à la piscine à Kigali* (2000) du journaliste Gil Courtemanche, qui porte sur le génocide au Rwanda. L'avènement d'une sphère de grande production entraîne aussi, par réaction, l'essor d'un roman qui se définit justement par opposition aux best-sellers.

2
Jacques Poulin et le roman en mode mineur

À côté des gros romans qui se multiplient après 1980, on continue de lire de courts romans qui ressemblent à ceux qui se publient depuis 1960, mais qui n'en résonnent pas moins d'une manière différente. Plusieurs de ces romans écrits sur le mode mineur sont le fait d'écrivains déjà établis, mais qui s'imposent davantage ou autrement après 1980. On s'en fera d'abord une idée à partir de l'exemple de Jacques Poulin (né en 1937), dont l'œuvre tout entière appartient à cette veine du roman minimaliste. Même s'il commence à écrire en même temps que Réjean Ducharme et Victor-Lévy Beaulieu, Jacques Poulin ne s'impose véritablement sur la scène littéraire qu'à partir de son cinquième roman, *Les Grandes Marées* (1978) et, plus encore, avec *Volkswagen Blues* (1984). Par ses thématiques intimistes comme par son écriture d'une extrême retenue, Jacques Poulin appartient bien plus aux années 1980 qu'à la Révolution tranquille.

On le voit dès son premier roman, *Mon cheval pour un royaume* (1967), passé inaperçu à l'époque. Bien que le héros de ce très court roman soit un terroriste et s'apparente par là à certains personnages révolutionnaires d'Hubert Aquin, les visées politiques passent ici à l'arrière-plan, derrière une sorte de mélancolie que l'on retrouvait déjà chez Gilles Archambault et André Major. Le héros de *Mon cheval pour un royaume* est un écrivain, comme presque tous les héros de Poulin, mais ce n'est pas un écrivain comme ceux que l'on rencontre habituellement dans le roman des années 1960. Interrogé par le responsable du groupe terroriste, voici ce qu'il a à dire sur le sujet :

– J'ai lu votre roman. Votre héros a des idées intéressantes sur la Révolution tranquille. Très intéressantes.
– Ça n'a pas de rapport, monsieur le délégué.
– Ah... fait-il.
Il est resté la bouche ouverte. Je me sens maladroit ; j'aimerais mieux que le visage redevienne gris et fermé. Ce trou dans le visage semble exiger des explications, qu'il m'est impossible de fournir.
– Votre héros a un idéal politique. C'est tout de même devenu rare.
– Ça n'a pas de rapport non plus, monsieur le délégué, dis-je, m'efforçant cette fois de sourire pour ne pas le vexer.

Ce n'est pas seulement le rejet de l'interprétation sociopolitique de son roman qui caractérise l'attitude du héros de Poulin. Ce qui distingue surtout la prose de Poulin, c'est l'absence totale de révolte et le ton conciliant, aimable, faussement naïf. Le héros ne cherche pas à affirmer sa présence, à exprimer quelque résolution forte : il se contente de répondre poliment à son interlocuteur, en rectifiant au passage les choses, comme par souci d'honnêteté plus que par désir de persuasion. Il s'exprime avec franchise, mais sans éclat. Il ne croit visiblement pas aux catégories toutes faites et aux réponses simples, mais il ne tient pas à entrer en conflit avec qui que ce soit. Dans ce bref échange, il minimise donc le caractère oppositionnel de son discours et tente d'en atténuer l'effet par le biais du langage corporel (il s'efforce de sourire). De toute évidence, ce héros laconique n'appartient pas à l'âge de la parole.

À quel âge appartient-il alors? Il n'est pas sûr qu'il le sache, ni même qu'il tienne à le savoir. Le climat d'indétermination qui l'entoure lui convient. Face à des figures d'autorité, comme celle du « délégué » ci-dessus, ce héros – qui n'a rien d'héroïque – semble vouloir s'effacer, comme s'il savait d'avance que toute argumentation était inutile. Il est d'ailleurs assez significatif qu'il finisse par se faire sauter lui-même avec sa bombe au lieu d'attaquer la cible visée par l'organisation terroriste à laquelle il appartient. Un tel retournement isole le personnage et fait de lui un être à part, refusant d'adhérer à un programme idéologique. C'est là un trait commun aux premiers romans de Jacques Poulin, comme le montre Ginette Michaud, qui rapproche ainsi *Mon cheval pour un royaume*, *Jimmy* (1969), *Le Cœur de la baleine bleue* (1970) et *Faites de beaux rêves* (1974). On peut parler de résistance, tant chacun de ces romans s'emploie à marteler les pouvoirs de la fiction et à se tenir loin des sentiers battus par un certain roman national. À l'aliénation collective le roman poulinien oppose une aliénation individuelle, qui ne s'exprime plus que sur le mode mineur et dont les causes restent obscures, liées à une vie ancienne dont on n'entendra à peu près jamais parler.

À partir des *Grandes Marées* et surtout de *Volkswagen Blues*, Poulin semble abandonner une telle résistance et ouvrir son roman à des préoccupations sociopolitiques. *Les Grandes Marées* est une sorte de fable philosophique sur l'impossibilité de vivre en société ; *Volkswagen Blues* constitue une méditation romanesque sur l'histoire de l'Amérique, et le vieux Volks qui traverse le continent peut se lire, selon Pierre Nepveu, « comme une métaphore même de la nouvelle culture québécoise : indéterminée, voyageuse, en dérive, mais "recueillante" ». De telles qualités, cela saute aux yeux, ne s'apparentent guère aux grands thèmes de la fondation qui caractérisaient les années 1960. La femme ne constitue plus la métaphore du pays et n'appartient plus à la mythologie nationale. La quête amoureuse devient une fin en soi, comme le montre Pierre Hébert, qui y voit le principe d'unité de toute l'œuvre de Poulin. De même, le fleuve au milieu duquel vit le héros des *Grandes Marées*, tout comme les routes et les villes nord-américaines de *Volkswagen Blues*, ne balise pas un territoire national, pas plus que les références abondantes aux cultures québécoise et américaine que l'on retrouve dans tous les romans de Poulin ne se donnent à lire comme la marque d'une identité

Jacques Poulin. Photo Pierre Terracher.

collective. La lisibilité qu'on reconnaît à ses romans, qui aurait semblé pure naï-veté dix ans plus tôt – et qui a été effectivement associée dans un premier temps à de la mièvrerie –, devient la marque même de l'originalité de Poulin.

Celle-ci est paradoxale, car elle n'apparaît plus du tout comme une valeur du texte, lequel se caractérise au contraire, toute la critique le souligne avec insistance et parfois sur le ton du reproche, par ses nombreuses répétitions. Reconnaissable entre toutes, l'écriture poulinienne se présente en effet comme une réécriture perpétuelle des romans antérieurs. « Vous trouvez que mes livres se ressemblent trop ? » demandera ironiquement un des personnages du dixième roman de Poulin, *Les Yeux bleus de Mistassini* (2002). L'idée même de la ressemblance devient abondamment thématisée dans ses romans, notamment dans *La Tournée d'automne* (1993), où le héros, un chauffeur de « bibliobus », cite avec humour un critique du *Devoir* affirmant que « [d]'un livre à l'autre [...] on retrouve le même personnage avec les mêmes caractéristiques ». Poulin prend ainsi un malin plaisir à multiplier les recoupements avec les romans antérieurs, créant une sorte de complicité avec son lecteur.

Cela ne signifie pas, pour autant, que l'écrivain suive une recette ou qu'il renonce à évoluer. C'est que, pour Poulin, toute véritable écriture est une réécri-ture, de la même façon que toute véritable lecture est une relecture. On voit ainsi revenir, de roman en roman, un schéma narratif qui se résume à peu près ainsi : un personnage masculin, amateur de fictions et souvent écrivain lui-même, ren-contre une jeune femme, qui tient le rôle de l'amoureuse mais aussi de la lectrice. Ce couple se défait généralement à la fin du roman, mais il aura eu le temps de formuler de brèves réflexions qui portent tantôt sur la fragilité des relations entre deux personnes, tantôt sur des questions délicates rattachées à l'écriture, à la lec-ture ou à la traduction. De roman en roman, le jeu des répétitions est renforcé par la reprise de certains prénoms (Jim ou Jack pour l'homme, Marie pour la femme), par la récurrence de certaines scènes en apparence insignifiantes (comme celle du petit-déjeuner qui revient dans chaque roman), par le retour de situations quotidiennes, par la présence constante de chats et par la référence appuyée à certains auteurs fétiches (notamment Gabrielle Roy et plusieurs romanciers américains comme Ernest Hemingway, J.D. Salinger, Raymond Carver ou Kurt Vonnegut). Un tel minimalisme se distingue nettement de celui pratiqué à la même époque en France par un groupe d'écrivains réunis autour des Éditions de Minuit (Jean-Philippe Toussaint, Christian Gailly, etc.). Si Poulin partage avec eux son goût pour les récits miniatures et un certain désenchante-ment teinté d'ironie, il est très peu question du monde contemporain dans ses romans. Le héros poulinien ne regarde pas la télévision, ne va pas au cinéma et n'écoute pas de musique rock. En revanche, il raconte de vieilles légendes, il habite de vieilles maisons qui tombent en ruine, il se promène dans le Vieux-Québec, il traverse l'Amérique dans un vieux Volkswagen... Rien de « branché » dans l'univers poulinien, mais plutôt un paysage ancien, habité par un personnage asocial qui se raconte des histoires sans y croire tout à fait.

Dans *Les Grandes Marées*, par exemple, le héros est un « socio-affectif » employé au *Soleil* de Québec. Il se retrouve, selon son désir, sur l'île Madame, au milieu du fleuve, en compagnie d'un chat appelé Matousalem. Il y exerce le métier de traducteur de bandes dessinées, d'où son nom de code Teddy Bear (d'après T.D.B.). Inquiet à l'idée que son protégé se sente trop isolé, son patron lui présente une jeune femme (Marie), de même qu'un autre chat. Au grand bonheur de Teddy, elle s'installe sur l'île et tous deux y vivent comme dans un véritable jardin d'Éden. Il traduit consciencieusement les bandes dessinées, joue au tennis (seul contre un canon à balles) et s'occupe des tâches quotidiennes avec une application toujours égale. Mais le patron lui présente ensuite une série d'individus qui vont se partager le territoire tout en prétendant travailler au bonheur de Teddy. Ils s'appellent Tête Heureuse (la femme du patron), le professeur Mocassin, l'Auteur, l'Homme Ordinaire, l'Animateur et enfin le père Gélisol, et ont tous l'air d'appartenir à l'univers de la bande dessinée. Peu à peu, le fragile équilibre de la vie de Teddy se défait. Il apprend que le patron s'est doté d'un ordinateur qui fait le travail à sa place et que ses traductions ne servent plus à rien. À la fin, Marie a quitté l'île et Teddy s'en voit expulsé par les nouveaux habitants. Il rejoint à la nage l'île voisine où, transi par le froid, il aperçoit le corps pétrifié d'un vieil homme qui pourrait être son double fossilisé.

Si la plupart des romans de Poulin se déroulent dans un espace restreint quelque part autour de Québec ou au cœur même de la ville, *Volkswagen Blues* marque un changement d'échelle. On y trouve les mêmes obsessions que dans les autres romans, mais projetées dans une sorte d'odyssée nord-américaine. Dans *Jimmy*, le héros se disait « le plus grand menteur de toute la ville de Québec ». Dans *Volkswagen Blues*, Jack Waterman et sa compagne montagnaise, surnommée la Grande Sauterelle, se disent « les deux plus grands menteurs de l'Amérique du Nord ». Pour plusieurs critiques, ce roman illustre, mieux que tout autre, l'appartenance problématique de l'écrivain québécois à l'Amérique. Problématique, car il est difficile d'oublier que, si le roman se présente comme une traversée prodigieuse de l'Amérique, de Gaspé à San Francisco, il se termine par un échec lamentable. Jack part à la recherche de son frère dont il avait perdu la trace et il le retrouve, mais figé dans une chaise roulante et souffrant de *creeping paralysis*. Pire, son frère ne le reconnaît même pas et lui répond en anglais : « I don't know you. » Ainsi, cette longue quête des origines s'achève non pas sur la reconstruction de la famille et du passé, mais sur une nouvelle expérience de déracinement. Or, comme dans *Les Grandes Marées*, le héros ne semble ni surpris ni déçu par son échec : la fiction ne pouvait pas durer toujours. Y a-t-il vraiment cru ? Peu importe. « Que les dieux vous protègent ! » lui lancera sa compagne au moment de repartir, seule, avec le Volks. L'Amérique que présente Jacques Poulin est incertaine, comme naguère le pays de Ferron.

Malgré le succès de *Volkswagen Blues,* Poulin renoue avec le minimalisme de ses romans antérieurs dans ce qui constitue, aux yeux de plusieurs, son livre le plus dense et le plus achevé, *Le Vieux Chagrin* (1989). Nous revoici près de Québec, dans une vieille maison hétéroclite « dotée de plusieurs styles et coiffée de plusieurs toits dont les pentes se recoup[ent] », symbole d'une architecture postmoderne qui mêle les matériaux nobles et vulgaires, anciens et modernes. Jim, le narrateur, est un ancien professeur de littérature, spécialiste de Hemingway. Il écrit au grenier, comme la petite Christine dans *Rue Deschambault* de Gabrielle Roy. L'histoire, semblable au schéma habituel, tourne autour de trois femmes, d'un chat et, bien sûr, d'un livre que Jim essaie laborieusement d'écrire. Ce sont les mêmes ingrédients qu'auparavant, mais agencés avec une finesse et un dénuement qui séduisent la critique. L'intérêt du roman vient en particulier de la figure évanescente de Marika, qui ne sera jamais qu'une image, un rêve, un nom. Et ce nom, c'est celui d'une lectrice, puisque Jim le lit sur la page de garde du livre qu'il découvre au début du roman (il s'agit des *Contes des mille et une nuits*), en suivant des traces de pas qui le conduisent à une caverne. Dans un premier temps, Jim résiste à l'envie d'ouvrir le livre, comme s'il s'agissait d'un objet sacré. Mais, incapable d'écrire l'histoire d'amour qui constitue le sujet de son roman, il décide de se tourner vers la vie elle-même. Il se convainc de mettre en application la leçon par excellence qu'il a retenue de son maître Hemingway : écrire à partir de ce qu'on connaît le mieux. Il n'en faut pas plus pour que Jim se lance à la recherche de Marika, mêlant dans une seule quête la pulsion sexuelle et la pulsion d'écriture.

Si Jacques Poulin se caractérise par la constance de son écriture, tout entière placée sous le signe de la retenue, il n'en va pas ainsi chez quelques autres romanciers qui, à l'inverse, parcourent un assez long chemin avant d'arriver à ce roman en mode mineur. Leur trajectoire changeante montre bien la portée des mutations esthétiques qui se produisent vers 1980. Le cas le plus frappant est celui de Louis Gauthier (né en 1944), qui passe véritablement d'un extrême à l'autre. Ses premiers livres, *Anna* (1967), le premier tome des *Aventures de Sivis Pacem et de Para Bellum* (1970) et *Les grands légumes célestes vous parlent* (1973), appartiennent à la veine ludique, entre la farce et la dérision. Mais avec *Souvenir du San Chiquita* (1978) et, plus encore, à partir de ses récits de voyage vers l'Inde, *Voyage en Irlande avec un parapluie* (1984), *Le Pont de Londres* (1988) et *Voyage au Portugal avec un Allemand* (2002), l'écriture de Louis Gauthier devient grave et dépouillée. Le critique Robert Vigneault souligne avec raison l'ampleur du changement : « Je n'arrive pas à évoquer un autre exemple d'écrivain qui ait ainsi commencé par une extrême débauche verbale pour aboutir à une forme d'écriture aussi resserrée. » Le narrateur de ces récits de voyage est une sorte de hobo indolent qui a perdu ses rêves et sa légèreté. Pourquoi voyage-t-il vers l'Inde et pourquoi ne s'y rend-il jamais ? L'Orient est ici une visée lointaine, synonyme de silence, d'abandon et d'absence de contrainte ou de désir. Le personnage est résolu à ne pas retourner en arrière, à ne pas reprendre la vie qu'il menait, mais il est accablé par le souvenir d'Angèle et plus encore par le sentiment d'échec. Il écrit des lettres qu'il n'envoie jamais, il voit des gens qui ne le connaissent pas, il se laisse séduire par des femmes qui ne l'intéressent pas, il est indifférent au bonheur des autres comme à son propre malheur. Reste la littérature, qui n'est plus pour lui un jeu, mais une ascèse, une façon de se soustraire au monde. Écrire devient plus nécessaire que vivre : « Au fond, la vie ne m'intéressait pas, seule la littérature m'intéressait, et ce qui dans la vie ressemblait à la littérature. C'était à la fois ma perte et mon salut » (*Le Pont de Londres*). La littérature chez lui, comme chez Major, Archambault et Poulin, ce n'est jamais que le récit des choses les plus banales, celui qui s'interdit les facilités de l'exotisme et les surprises de l'intrigue pour se réduire à la seule expérience subjective du monde. Plus rien n'existe en dehors de la conscience désenchantée que ce personnage décrit sur un ton de plus en plus désespéré en passant de l'Irlande à Londres puis au Portugal.

Chez Yvon Rivard (né en 1945), l'évolution est assez remarquable à partir de son troisième roman, *Les Silences du corbeau* (1986). Ses deux premiers romans, *Mort et naissance de Christophe Ulric* (1976) et *L'Ombre et le Double* (1979), apparentés à ceux du poète Fernand Ouellette, étaient nettement influencés par le symbolisme de Rainer Maria Rilke et par la pensée de Maurice Blanchot, avec l'humour en plus. Dans *L'Ombre et le Double*, le personnage principal, Thomas, est « chroniqueur de la province de Mistassini », accusé par les villageois de s'opposer à la quête de frontières. Sa faute principale est d'avoir écrit : « je suis prisonnier d'un pays sans nom », et c'est pour cela qu'il subit un procès devant jury. À l'instar de plusieurs autres écrivains de sa génération, Yvon Rivard mettait ainsi en pièces le vieux roman national en se moquant de la quête de frontières et il engageait son personnage dans une aventure plus individuelle, centrée sur une figure d'écrivain ou son double. Parodie d'épopée, chronique philosophique, roman poétique, symboliste ou fantastique, *L'Ombre et le Double* entraînait le lecteur dans un dédale de sens où les identités des personnages se font et se défont, où l'ombre du rêve devient plus visible que la lumière des choses.

Dans un texte de 1988, « Confession d'un romantique repentant », repris dans le recueil d'essais *Le Bout cassé de tous les chemins* (1993), Rivard juge sévèrement ses deux premiers romans qui lui paraissent trop abstraits et surtout trop romantiques. « Je suis un écrivain romantique qui tente de se soigner », écrit-il. Il raconte comment est né le projet des *Silences du corbeau*, un livre infiniment plus sobre, qui parle de l'auteur lui-même, de son expérience de voyageur (en Inde, comme chez Louis Gauthier), de son environnement immédiat, de sa famille, bref, dira-t-il, de la réalité. Ainsi l'on voit se produire chez Yvon Rivard ce qui se produit également chez Jacques Poulin, c'est-à-dire un mouvement vers soi, mais aussi vers le monde concret des choses et l'univers des perceptions immédiates. Cela procède d'une écriture plus modeste et plus transparente en apparence, moins « avant-gardiste ». *Les Silences du corbeau* conserve toutefois une réserve ironique à l'égard du monde décrit, en l'occurrence la spiritualité orientalisante. Un groupe d'Occidentaux à Pondichéry (Inde) habitent dans une *guesthouse* tout près d'un ashram. Ils se rendent régulièrement chez Mère, une adolescente de dix-sept ans qui les attire à la fois par son érotisme et par les pouvoirs spirituels qu'ils lui prêtent. Alexandre, le narrateur, raconte leur histoire, tout en participant, quoique avec un brin de cynisme, à leurs rituels. Il n'oublie pas « le regard oblique du corbeau » qui l'a accueilli à Pondichéry et qui le poursuit jusqu'à sa chambre. L'entreprise de « sauvetage spirituel », pour reprendre une expression d'André Major, tourne court quand le groupe apprend que la jeune « Mère » est en fait illettrée et ne dit que des insignifiances que son interprète transforme en pseudo-vérités pour tromper les Occidentaux.

Dans *Le Milieu du jour* (1995), qui prolonge à bien des égards *Les Silences du corbeau*, le narrateur est un écrivain scénariste qui aime deux femmes, Françoise, la mère de sa fille Alice, et Clara, une jeune traductrice venue du Canada anglais. Il est beaucoup question de littérature, notamment à travers les figures d'un ami écrivain, Nicolas, alias Hubert Aquin, et de Rilke, l'autre grande référence littéraire du narrateur. Mais le roman est aussi un long essai sur le triangle amoureux et, plus encore, sur ce personnage irrésolu, qui veut et ne veut pas vivre avec sa maîtresse Clara et qui finira par perdre les deux femmes qu'il aime. Incapable de fixer son désir, le narrateur est au milieu de sa vie, comme au milieu du jour. « Comment allais-je réussir à traverser le milieu du jour, ces heures creuses remplies de lumière stagnante que j'avais toujours détestées et auxquelles ma vie commençait à ressembler ? »

Au cœur du *Siècle de Jeanne* (2005), dernier volet de la trilogie romanesque, on retrouve la même situation, le même triangle amoureux, les mêmes personnages torturés et malheureux que dans les deux romans précédents. Mais le temps a passé et il y a déjà six ans qu'Alexandre habite seul. Entre les scénarios qu'il écrit pour gagner sa vie, il continue d'aimer Clara, qui l'a quitté, et rêve de réparer le désastre de son autre vie, celle qu'il menait avec sa femme Françoise et sa fille Alice. Impossible de tourner la page, le passé refuse de se laisser oublier. C'est d'ailleurs l'un des grands thèmes de ce roman qui est une méditation sur le temps. Alexandre est obsédé par ce que Virginia Woolf appelait « l'extrême fixité des choses qui passent ». D'où la passion que lui inspire l'enfance avec ses petits gestes, ses jeux apparemment insignifiants et sans cesse répétés. C'est le temps qu'incarne Jeanne, la fille d'Alice. Elle est née avec ce siècle, ou presque, et elle représente pour Alexandre l'innocence retrouvée, celle par qui il rachète, peut-être, les fautes anciennes. À travers la joie mélancolique d'Alexandre, *Le Siècle de Jeanne* aborde aussi d'autres thèmes qui donnent parfois au roman l'allure d'un essai, mais d'un essai qui se nourrit de la fiction et qui interroge le monde à travers la littérature, l'art ou le cinéma.

3
Romans baroques et hyperréalisme

Entre le roman minimaliste et le roman d'action, on trouve quantité de fictions à l'architecture complexe, marquées à la fois par le goût des jeux formels et par une interrogation sur l'identité subjective sur fond de violence et de chaos. Typiquement contemporains, ces romans mettent en scène des individus en quête d'eux-mêmes à une époque où les repères semblent plus confus que jamais. La réalité quotidienne y est pleine d'énigmes, enveloppée dans une atmosphère inquiétante et saturée de références littéraires. C'est pourquoi cette fiction se caractérise à la fois par son désir de renouer avec le réel le plus ordinaire et par une très grande liberté formelle. Héritier du formalisme, mais aussi parfois de la contre-culture et du féminisme, l'auteur de ce roman tantôt réaliste, tantôt baroque, oublie rarement qu'il écrit d'abord et avant tout une fiction, un monde inventé. D'où son ludisme et son goût pour l'intertextualité. Mais ces jeux formels n'apparaissent plus comme des façons de briser le vieux moule romanesque, avec ses lourdes conventions réalistes. Au contraire, ce roman « postmoderne » cherche moins à rompre avec des modèles anciens qu'à s'ouvrir aux formes narratives les plus diverses, celles qui s'accordent avec le pluralisme contemporain et qui n'excluent pas un certain retour au réalisme traditionnel. Un tel élargissement du spectre permet de multiplier les niveaux de lecture, de brouiller les frontières entre la réalité et la fiction, entre la culture légitime et la culture triviale, entre l'originalité et l'imitation, entre le vrai et le faux. La fragmentation, la discontinuité, l'éclatement du sens constituent ici un mode naturel, une façon d'être propres à une génération d'individus qui doutent sans cesse de la place qu'ils occupent dans le monde. Chacune de ces fictions exacerbe la perte du sens de l'histoire, l'immersion dans un présent désordonné, l'effritement des liens sociaux, l'hétérogénéité des référents culturels et l'aspect de plus en plus énigmatique du réel.

La tentation du baroque n'est pas le seul fait des jeunes romanciers. L'œuvre de Marie-Claire Blais témoigne à sa façon d'un mouvement similaire. À partir de 1980, on l'a vu, ses romans suivent une direction inverse de celle des romans de Jacques Poulin : l'écriture s'amplifie et emprunte le procédé du flux de conscience pour faire entendre, dans un long chant polyphonique qui tend à s'affranchir de toute ponctuation, les voix de personnages multiples. Chez les écrivains de la génération suivante, ce roman de l'excès prend des formes extrêmement variées. L'un des textes qui symbolisent le mieux ce passage est sans doute *La Vie en prose* (1980) de Yolande Villemaire, qui a d'abord été associée à la poésie formaliste des Herbes rouges. *La Vie en prose* est publié chez le même éditeur et s'apparente encore à l'écriture expérimentale. Le groupe de femmes éditrices réunies au début du roman ressemble aux groupes que l'on trouvera dans les romans de Francine Noël, mais sans l'unité de l'intrigue. *La Vie en prose* est un roman gigogne, un roman composite où domine un bavardage chargé d'un poids politique, suivant en cela « l'éloge du bavardage » proposé par Suzanne Lamy. Le bavardage se veut contre-discours, lieu de plaisir, refus du sérieux, affirmation d'une solidarité en marge des discours légitimes. Mais c'est aussi une autre façon de concevoir l'écriture romanesque, qui épouse ici le décousu de la conversation. La formule en apparence banale qui ouvre *La Vie en prose*, « Vava dit que », a une portée presque magique. Toute censure semble exclue. C'est la parole, dans son exubérance spontanée, son désordre dynamique et sa vérité immédiate, qui est ainsi recueillie tout au long du roman. La narratrice n'arrête pas de parler, de faire parler les autres, comme si le monde contemporain était un vaste théâtre de la parole. L'invention romanesque passe par la fiction d'un montage qui accentue la vivacité des propos échangés. Les guillemets sont inutiles, puisque les emprunts et les citations se mêlent naturellement à la voix de la narratrice. L'écriture et la parole se fondent l'une dans l'autre, les personnages étant simultanément dans le réel et dans le fictif. « La vie en prose, parce que la distinction n'existe pas. »

Suzanne Jacob (née en 1943) publie d'abord des romans qui ont aussi un ton mi-léger, mi-grave, centrés sur des personnages féminins énigmatiques : *Flore Cocon* (1978), *Laura Laur* (1983), *La Passion selon Galatée* (1987), *Les Aventures de Pomme Douly* (1988) et *Maude* (1988). En 1991 toutefois, elle fait paraître un livre au ton nettement plus tragique, intitulé *L'Obéissance*. Ce roman surprend la critique, qui y voit une rupture à la fois formelle et thématique assez comparable à celle que l'on a observée chez Marie-Claire Blais. L'écriture se déploie dans des phrases beaucoup plus longues et plus lyriques que dans les romans précédents. Le réel acquiert un poids qu'il n'avait pas auparavant, en partie à cause du traitement réservé au thème de l'infanticide qui est au cœur de ce roman inspiré par un fait divers survenu au début des années 1970. Une mère pousse sa fille à lui obéir jusqu'à s'avancer dans la rivière pour s'y noyer. Comment en arrive-t-on à vivre pareil drame? La question en suscite d'autres, plus troublantes encore : « Comment de tels petits couples peuvent en venir à saigner à mort leurs enfants bien-aimés, comment de tels enfants bien-aimés de tous âges peuvent en venir à laisser leurs parents bien-aimés les saigner à mort, ou à devenir complices de leurs parents bien-aimés? » Au lieu de faire ressortir le caractère monstrueux et marginal du personnage de la mère, Suzanne Jacob choisit d'entrer au cœur même de la souffrance et de la cruauté qui s'y révèlent. Derrière l'histoire de la mère, « qui ne demandait qu'à disparaître », et de sa fille, qui ne demandait qu'à obéir, le roman fait apparaître d'autres récits tout aussi bouleversants, dont celui de Marie, l'avocate chargée de défendre la mère infanticide et qui, elle-même, a été victime d'une mère tyrannique.

Suzanne Jacob. Photo Guillaume Barbès.

Faut-il encore parler de réalisme pour décrire un tel roman? Suzanne Jacob préfère le mot « hyperréalisme », qui rend mieux compte, selon elle, des nombreux arrêts sur image caractérisant son écriture. Dans chacun de ses romans, les détails obsédants ou mystérieux s'accumulent et produisent une frayeur diffuse. L'action suivie est à peu près absente, sauf pour indiquer le ressassement de souvenirs traumatisants ou pour suivre les filiations étranges qui unissent les personnages. Ceux-ci sont à la fois vaporeux, fuyants et figés dans leur drame personnel, incapables d'évoluer ou de se libérer de leur angoisse. Dans un entretien accordé en 1989, Suzanne Jacob affirme écrire « pour la compréhension de ce *je* impossible à saisir, toujours en train de se liquéfier, de s'évaporer ». Ses romans se construisent, de plus en plus, sous la forme de puzzles avec des récits brisés dont le lecteur découvre malgré tout la cohérence. Telle est aussi l'architecture de *Rouge, mère et fils* (2001), qui raconte moins l'histoire d'une mère et de son fils qu'il ne peint un tableau abstrait dominé par la couleur rouge. C'est, entre autres, la couleur de la mère Delphine, « femme de feu », mais aussi celle de la maison du père où vont se rejoindre la plupart des personnages. La scène permet d'orchestrer les voix principales du roman et de jouer, d'une part, sur la mobilité extrême de chaque personnage dont on découvre alors le profond désarroi, et, d'autre part, sur l'unité du récit. L'effort de structuration est encore plus évident dans le roman suivant, *Fugueuses* (2005), qui fait se croiser quatre générations d'une même famille autour d'une succession de fugues.

Ce thème de la famille éclatée est au cœur de plusieurs fictions à la forme originale publiées dans les années 1980. C'est le cas chez Monique LaRue (née en 1948), dont le premier livre, *La Cohorte fictive* (1979), fait de la maternité un « retour au réel ». Mais ce réel ne va plus de soi et ce n'est pas un hasard si son roman le plus abouti, *Copies conformes* (1989), emprunte la forme traditionnelle du roman policier pour mieux la subvertir. Le personnage principal, Claire Dubé, mère de famille de trente-cinq ans, se trouve à San Francisco pour accompagner son mari informaticien quand elle est entraînée malgré elle dans une histoire qui redouble, avec de subtiles variations, le classique par excellence des romans policiers, *The Maltese Falcon* (1930) de l'écrivain américain Dashiell Hammett. Un tel jeu intertextuel rappelle les romans d'Hubert Aquin, mais le souci de réalisme est ici beaucoup plus évident. *Copies conformes* a d'ailleurs été comparé plutôt à *Volkswagen Blues* de Jacques Poulin, à la fois parce que l'action se déroule aux États-Unis (et plus précisément à San Francisco) et parce qu'on trouve dans les deux cas un goût similaire pour de petits détails significatifs qui permettent de brouiller toujours davantage l'enquête du narrateur. Le roman de Monique LaRue joue sur les ambiguïtés du monde contemporain considéré ici sous le signe de la technologie. Il se déroule entre le royaume de l'image (Hollywood) et celui de l'informatique (Silicon Valley), et explore les changements que l'ère de la haute technologie induit dans les rapports entre les humains et le réel. Ce qui ressort, ce n'est pas tant l'échec de la tentative d'élucidation de Claire que les questionnements qu'elle suscite. « Mais à qui appartiennent les idées ? [...] Qu'est-ce qu'une idée originale ? » Comment savoir qui l'on est vraiment ? Comment savoir si l'amour éprouvé pour autrui est authentique ? Comment faire confiance au langage, surtout lorsqu'on est une francophone exilée en Californie et que l'objet au centre de l'énigme est un travail sur la traduction et sur « l'interlangue » ? Comment, enfin, échapper au sentiment d'irréalité qui gagne l'héroïne alors qu'elle se met à ressembler à la femme dont elle occupe la maison et qui porte un nom semblable à celui de l'héroïne de Dashiell Hammett ? Par ailleurs, dans ce labyrinthe du sens, on ne perd jamais complètement pied. Il y a, d'un côté, le fils qui ne cesse de ramener sa mère à la réalité, puis, de l'autre, Montréal, qui est pour elle l'envers de cette Californie étrangère qui la fascine néanmoins. « Tout l'hiver, nous n'avions pourtant cessé de répéter, comme Kafka l'avait dit de la ville de Prague : "Montréal ne nous lâchera pas". » Le retour à Montréal, à la toute fin du roman, apparaît moins comme un retour à l'origine ou au pays que le retour à un réel habitable.

Dans *Le Double Suspect* (1980), Madeleine Monette (née en 1951) joue également sur les énigmes du réel. Une jeune femme, en voyage à Rome, réécrit le journal de son amie Manon afin de comprendre pourquoi celle-ci s'est suicidée. Peu à peu, elle se met à écrire comme si le « je » était le sien. Cette transposition du moi de la narratrice dans un « je » fictif se prolonge par une série de doubles qui font ressortir le rôle de l'autre dans la redéfinition de soi. À travers ces effets de miroir, le lecteur découvre les multiples peurs de la « déviance », surtout celle de l'homosexualité qui est à l'origine du suicide de Manon. Le roman suivant, *Petites Violences* (1982), se passe à New York, ville que la narratrice adore car elle permet d'« entrer en contact avec la réalité comme on entre en collision, sans pare-chocs ni amortisseurs ». Elle y est témoin volontaire de scènes violentes qui semblent naturelles tant elles sont nombreuses et attendues. Passionnée par ce spectacle permanent, la narratrice ne cesse de trouver dans le désordre urbain une sorte d'énergie pulsionnelle, un moyen d'intensifier la vie « pour ne pas être forcée de reconnaître qu'il ne s'y passe rien ». À l'inverse de ce roman de l'excès, *Amandes et Melon* (1991), malgré sa longueur (il fait plus de cinq cents pages), est un roman sur le vide causé par la disparition inexplicable de Marie-Paule, qui n'est jamais revenue d'un voyage en Turquie. Sa famille l'a attendue en vain à l'aéroport et l'on découvre alors l'immense détresse de ses proches, celle des parents comme celle de son frère qui devient anorexique et qui, comme tant d'autres personnages contemporains, n'aspire qu'à s'effacer. Le roman apparaît, ainsi que le suggère le titre emprunté à une toile peinte par la tante de Marie-Paule, comme une nature morte. Là encore, la saisie du réel va de pair avec la mise en scène du personnage de l'artiste ou de l'écrivain.

Le premier roman de Lise Tremblay (née en 1957), *L'Hiver de pluie* (1990), devient réaliste à partir d'un récit second. La ville de Québec où vit l'héroïne du roman est bien réelle, mais c'est aussi « celle des livres de Poulin », comme le précise la narratrice. Le personnage marche ainsi dans les rues de la vieille ville en traînant partout *Le Cœur de la baleine bleue*. Même si son Québec ne ressemble pas à celui, infiniment chaleureux, de Jacques Poulin, elle s'y comporte comme un personnage poulinien : elle écrit des lettres d'amour (sans jamais les poster) à un homme qu'elle imagine témoin de son désarroi quotidien. Existe-t-il vraiment? La réponse importe peu. Faute de le rencontrer, elle s'accroche à des êtres, inconnus ou familiers, qui ressemblent à des épaves humaines, symboles d'une génération qui n'a pas les moyens de ses rêves et qui vit échec sur échec : Jean-Louis, professeur d'université qui sombre dans la dépression; Marthe, une Amérindienne abandonnée par un homme qui l'avait amenée dans le Sud; Yves, un ami homosexuel, écrivain raté, qui s'installe en banlieue avec un autre homme, père de deux enfants, et qui prend du poids, comme l'épicier obèse en face de l'appartement de la narratrice. Elle-même cesse de marcher et s'abandonne à son obsession de la nourriture sucrée, le corps n'étant plus pour elle qu'une masse difforme, privée de beauté. Le thème de l'obésité reviendra dans le roman *La Danse juive* (1999), qui se situe cette fois à Montréal. Le corps monstrueux de la narratrice refuse de livrer ses secrets : « Ma graisse renferme aussi toutes les histoires que je n'ai pas pu raconter », explique-t-elle. Nous sommes dans le monde kitsch des magazines populaires, des vedettes de la télévision, des spectacles pour banlieusards, mais aussi dans le monde de la pauvreté et de la laideur. Les voisins de la narratrice, qui regardent la télévision à longueur de journée sans sortir, sont comparés à Nicole et André, personnages de *L'Hiver de force* de Ducharme. Mais c'est l'une des rares allusions à une forme de culture qui permette d'échapper à la pesanteur et à l'insignifiance du monde.

Sylvain Trudel (né en 1963), dans son premier roman, *Le Souffle de l'harmattan* (1986), invente un héros enfant qui ressemble à première vue à Bérénice Einberg ou à Mille Milles. Hugues est adopté et ne se sent nulle attache familiale; il aime la littérature, comme celle de Gustave Désuet, « poète délyrique » qui s'en prend aux riches d'Occident (qu'il appelle « Accident »); il accumule les jeux de mots faciles et il a un ami de son âge, Habéké, venu tout droit d'Afrique. Il est aussi furieux contre la société, mais sa colère n'a pas le même sens que chez Ducharme, pas plus que l'amitié qu'il éprouve pour Habéké, qu'il considère comme son véritable frère car il est « le déraciné des déracinés ». C'est autour du thème du déracinement en effet que se construit cette fable au cours de laquelle Hugues tente d'atteindre une île appelée Exil pour renaître et se donner enfin les racines qu'il souffre de n'avoir jamais eues. Il espère ainsi retrouver un monde primitif et neuf, un monde réenchanté même si le rêve et la foi se heurtent au principe de réalité (l'école, les parents, les policiers, etc.). *Le Souffle de l'harmattan* est lu, par la critique, comme l'un des romans emblématiques de la nouvelle génération.

Il y en a d'autres, comme *Vamp* (1988) de Christian Mistral (né en 1964) et *La Rage* (1989) de Louis Hamelin (né en 1959), deux premiers romans également salués par la critique comme l'expression d'une nouvelle génération d'auteurs. La question de la génération est d'ailleurs thématisée dès le début de *Vamp*, qui décrit ainsi la jeunesse underground de Montréal : « C'était la génération vamp, née de la Haute Technologie, qui dormait sur un futon, cultivait des bonsaïs, n'allait pas à la messe et se torchait une poésie du laid, du bas et du sale parce que sa pauvreté n'entraînait pas qu'elle soit insensible. » L'écriture *trash* de Mistral, ici comme dans les romans qui suivront (*Vautour*, 1990, *Valium*, 2000), s'apparente à celle de Victor-Lévy Beaulieu, mais elle se définit surtout par référence à l'Amérique de Jack Kerouac. C'est aussi le cas de *La Rage*, dont le style baroque exhibe à la fois son réalisme le plus cru et sa littérarité. Le narrateur, Édouard Malarmé, se passionne, comme l'auteur, pour la littérature américaine. Il vit dans un chalet au nord de Montréal, tout près des terres expropriées sur lesquelles on vient de construire l'aéroport de Mirabel. Il s'y est réfugié, dit-il, pour ne pas avoir à travailler. Il n'y a apporté qu'un livre, le dictionnaire, car il contient tous les autres : « Lorsque je lis le dictionnaire dans l'ordre, je lis tous les livres dans le désordre. » Roi du *pinball*, Rambo des Basses-Laurentides, Édouard incarne une sorte de héros de série B qui serait passé par l'université, mais pour retourner à sa nature primitive, aux sources mêmes de la violence. « La rage, lui explique son ancien professeur de biologie, c'est notre animalité qui nous guette du fond des âges. » La violence devient plus maîtrisée par la suite, en particulier dans *Le Joueur de flûte* (2001), septième roman de Louis Hamelin, qui évoque une Amérique révolue symbolisée par le père du héros, ancien joueur de flûte devenu un *has-been* de la contre-culture, se survivant à peine au milieu d'une commune isolée au large de la Colombie-Britannique. On trouve une atmosphère et des personnages comparables chez Guillaume Vigneault (né en 1970) dont *Chercher le vent* (2001) est une sorte de *road-book* qui suit l'errance d'un jeune héros désemparé sur les routes des États-Unis.

L'écrivain le plus follement baroque de cette période demeure toutefois Gaétan Soucy (né en 1958). Plusieurs aspects thématiques et formels de son œuvre apparaissent dès son premier roman, *L'Immaculée Conception* (1994) : personnages hébétés de douleur, faits divers troublants, cadre stylisé, scènes de carnaval et de profanation, mais aussi clins d'œil à la littérature, goût de l'allusion cryptée, multiplication des intrigues que relient entre elles de mystérieux objets, narration brisée par des retours en arrière. Dans *L'Acquittement* (1997), l'écriture est plus épurée et le romancier retient l'anecdote au bord du dénouement. Un musicien à la dérive, Louis Bapaume, revient au village de Saint-Aldor où il a enseigné vingt ans auparavant. Il disparaît dans la neige avant qu'on ait pu comprendre pour quelle faute il venait demander pardon à une ancienne élève. L'atmosphère de tension de ce roman très dense situé dans l'immédiat après-guerre rappelle celle des fictions d'Anne Hébert. Mais c'est surtout son troisième roman, *La petite fille qui aimait trop les allumettes* (1998), écrit en moins d'un mois (27 janvier – 24 février 1998), qui fait connaître Gaétan Soucy (le roman est traduit dans plus de vingt langues). À mi-chemin entre les facéties de Jacques Ferron, la philosophie de Ludwig Wittgenstein cité en exergue et *Alice au pays des merveilles* de Lewis Carroll, *La petite fille qui aimait trop les allumettes* constitue une étonnante fable improvisée dont le style mêle la simplicité de la parole et les mots rares ou inventés. La narratrice, prénommée Alice, se présente comme le « secrétarien » chargé de raconter dans un grimoire, en alternance avec son frère, les événements de leur étrange vie familiale. C'est elle qui prend les commandes du récit au moment où son frère découvre le cadavre de leur père, pendu dans sa chambre. Le squelette de la mère dort depuis on ne sait quand au fond d'un caveau, non loin du corps momifié mais toujours vivant de la sœur jumelle d'Alice, qui rappelle les personnages à moitié morts de Beckett. Comme les enfants n'ont à peu près jamais eu de contact avec le village le plus rapproché, ils ressemblent à des enfants sauvages. Mais si le frère est présenté comme idiot, Alice est très instruite grâce à la bibliothèque du père qui est remplie de dictionnaires, de romans de chevalerie, d'ouvrages philosophiques et d'une bible. Ce mélange de culture livresque et de régression animale est encore plus exacerbé dans le roman suivant, *Music-Hall!* (2002), qui se déroule à New York. Le héros s'appelle Xavier, mais ce nom est en fait l'acronyme de prénoms empruntés à six individus qui ont fourni les diverses parties de son corps. Xavier n'est donc qu'un amalgame, une créature artificielle et monstrueuse.

Les références à la littérature, au cinéma, à la chanson, à la télévision ou au monde virtuel abondent dans ce type de roman. Elles ne constituent pas seulement des indicateurs permettant de situer le personnage dans une certaine réalité contemporaine : elles tiennent souvent lieu de réalité et fournissent un récit préalable auquel s'identifie le personnage principal. Par là, ces récits brouillent les frontières de la fiction. Ainsi, Rober Racine (né en 1956) crée, dans *Le Mal de Vienne* (1992), un personnage (Studd) qui s'identifie totalement à l'écrivain autrichien Thomas Bernhard, avant de se mesurer aussi à des personnages romanesques célèbres, de Léopold Bloom aux frères Karamazov en passant par l'éditeur aquinien P. X. Magnant. Les références littéraires fourmillent tout autant chez Jean-François Chassay (né en 1959), dont le roman *L'Angle mort* (2002) fait se croiser des personnages qui passent leur temps à raconter l'histoire de leur vie. Ce roman à multiples contraintes est notamment structuré à partir des six conférences données par l'écrivain italien Italo Calvino dans *Leçons américaines*.

Dans le même esprit baroque, on pourrait ranger le premier roman de Nicolas Dickner, *Nikolski* (2005), où la passion généalogique donne lieu à une forme de délire imaginatif. Ici, les fenêtres du monde s'ouvrent toutes grandes, et des personnages à moitié déjantés plongent dans l'époque actuelle à la recherche de leur origine. Ils sont trois, Noah, Joyce et un narrateur qui commence par dire : « Mon nom n'a pas d'importance. » Les récits s'entrecroisent de façon apparemment aléatoire, mais se ressemblent tous selon un principe de symétrie suggéré par un mystérieux livre à trois têtes qui se retrouve dans la librairie où travaille le narrateur. L'écriture de Nicolas Dickner rappelle, par bien des côtés, celle de Jacques Poulin, et *Nikolski* est une sorte de *Volkswagen Blues* des années 2000, une traversée immobile de l'Amérique. L'écriture se laisse envahir par tout ce qui l'environne. Il s'agit de coller au monde des signes, mais en même temps d'ouvrir ce monde à des univers de sens inattendus, notamment par le télescopage du passé et du présent. Tout fait signe, tout est soluble dans l'écriture romanesque. D'un compas légèrement défectueux jusqu'au dépotoir d'ordinateurs, le roman est une collection de choses hétéroclites, de curiosités postmodernes ou de vieilleries inutiles qui deviennent les emblèmes d'un monde surchargé où rien d'original n'existe, où tout est indéfiniment recyclable. Le plus étrange est finalement que le personnage parvient, sans cynisme ni révolte, à reconnaître pour sien ce monde où même les compas semblent avoir perdu le nord.

4
L'écriture migrante

L'émergence de ce que l'on appellera, à la suite de Robert Berrouët-Oriol, « l'écriture migrante », est l'une des transformations les plus visibles de la littérature québécoise des années 1980. Le terme désigne à la fois la production des écrivains immigrants et une nouvelle esthétique littéraire, essentiellement fondée sur des critères thématiques (récits de migration ou d'exil, espace identitaire, deuil de l'origine, inscription de personnages d'étrangers, etc.), mais aussi sur la présence de plusieurs langues ou de plusieurs niveaux de langue à l'intérieur du texte. L'écriture migrante s'inscrit en outre dans le contexte politique international caractérisé par des flux migratoires de plus en plus importants, et dans un vaste mouvement critique nourri en France par les théorisations de la notion de postmodernité (Jean-François Lyotard, *La Condition postmoderne*, 1979), ouverte sur l'hybridité (Guy Scarpetta, *L'Impureté*, 1985) et le métissage culturel (Tzvetan Todorov, *Nous et les Autres*, 1989). Parallèlement, aux États-Unis, le postcolonialisme, concept hérité notamment d'Edward Said (*Orientalism*, 1978), inspire les *cultural studies* qui redéfinissent les appartenances culturelles (*Nation and Narration*, Homi K. Bhabha, 1990). Les travaux d'Édouard Glissant sur la Caraïbe influent aussi sur des reformulations de l'identité en « identitaire ».

Au Québec, plus qu'un mouvement, il se crée un nouveau secteur de la littérature, au-delà des frontières de genres et parfois de langues, qui suscite un véritable engouement critique et s'impose rapidement dans l'institution. L'écriture migrante est interrogée dans les travaux de synthèse comme *L'Écologie du réel. Mort et naissance de la littérature québécoise contemporaine* de Pierre Nepveu (1988). À la suite du livre de Simon Harel, *Le Voleur de parcours. Identité et cosmopolitisme dans la littérature québécoise contemporaine* (1989), les études de cas autant que les réflexions générales se multiplient, comme en témoignent plusieurs collectifs consacrés à cette question. En 2001, Clément Moisan et Renate Hildebrand donnent au phénomène une perspective historique dans *Ces étrangers du dedans. Une histoire de l'écriture migrante au Québec (1937-1997)* et confirment l'institutionnalisation de l'écriture migrante, qui s'intègre également dans les manuels destinés à l'enseignement. Ainsi, au Québec, l'écriture migrante n'est pas restée dans les marges où se tiennent par exemple les productions littéraires des minorités en Europe ; elle s'est imposée très vite comme l'exemple le plus patent de cette littérature « post-nationale » qu'appelaient de leurs vœux Réjean Beaudoin et Pierre Nepveu. À ce titre, elle apparaît souvent, au moins implicitement, comme une sortie, un dépassement de la littérature nationale considérée comme une littérature nationaliste, et une partie de la critique, tant journalistique que savante, reporte sur cette production les enjeux identitaires jusque-là associés à la littérature nationale.

Ce succès ne se réduit sans doute pas à la seule présence d'écrivains d'origine étrangère – deux décennies plus tôt, ni Michel van Schendel, ni Jacques Folch-Ribas, ni Juan Garcia n'ont été identifiés comme migrants. L'œuvre abondante de Naïm Kattan (né en 1928), indissociable de son expérience de Juif irakien émigré au Québec en 1954, s'inscrit rétroactivement dans la catégorie de l'écriture migrante. Auteur de nombreux romans dont *Adieu Babylone* (1975), de recueils de nouvelles dont *Le Sable de l'île* (1981), Naïm Kattan poursuit également une écriture d'essayiste : ses recueils les plus connus sont *Le Réel et le Théâtral* (1970) et *La Mémoire et la Promesse* (1978) ; plusieurs de ses textes ont été réunis en 2004 dans *La Parole et le Lieu*. Son essai *L'Écrivain migrant* (2001) analyse les conditions et les fonctions de l'écriture de l'exil.

Si la littérature québécoise a pu se reconnaître dans l'écriture migrante, c'est aussi sur la base de parentés esthétiques que plusieurs critiques ont perçues entre ses formes et ses thèmes et ceux qu'exploitaient déjà les écrivains nés au Québec. Le sentiment de l'exil, de l'errance, la difficulté à habiter le territoire, le vacillement des identités, la condition minoritaire, le conflit des mémoires, exprimés dans des narrations éclatées, des constructions baroques et des genres réinterprétés, caractérisent également une partie des œuvres que nous avons décrites dans les chapitres précédents. Une autre parenté tient à la continuité de la perspective identitaire, tour à tour affirmée et contestée dans le corpus migrant.

L'un des lieux importants de la pensée migrante est la revue *Vice versa*, qui, en 1983, sous la direction de Lamberto Tassinari et Fulvio Caccia, prend le relais de *Quaderni culturali* et paraît jusqu'en 1996. Publication trilingue (italien, français et anglais), la revue, essentiellement vouée aux questions culturelles, s'intéresse aussi à la politique et à la sociologie. Dans ses pages s'élabore, non sans débat, une réflexion sur cette « transculture », selon le terme de Caccia, qui émerge de l'immigration et transforme, aux yeux des collaborateurs de *Vice versa*, issus de la deuxième génération de l'immigration italienne, aussi bien l'immigrant que la société d'accueil. La littérature produite dans cette conjoncture de « triangulation des cultures » (Caccia) est au cœur des préoccupations de la revue. Le rayonnement de *Vice versa* bénéficie de ses liens avec la maison d'édition Guernica, également trilingue, fondée en 1978 par Antonio D'Alfonso, où paraîtront notamment, en 1983, *Quêtes. Textes d'auteurs italo-québécois*, réunis et présentés par Fulvio Caccia et Antonio D'Alfonso, et, en 1985, *Sous le signe du phénix. Entretiens avec quinze créateurs italo-québécois*, de Fulvio Caccia. Ces deux recueils présentent des fictions, des fragments autobiographiques ou des essais sur la question de l'immigration qui assurent à des écrivains d'origine italienne une certaine visibilité ; ils esquissent pour la première fois une problématique critique et esthétique commune. L'expérience littéraire la plus étroitement liée à la revue est celle d'Antonio

D'Alfonso (né en 1953), dont les poèmes trilingues (*L'Autre Rivage*, 1987) incarnent dans l'éclatement des langues les déchirements de l'immigrant. Il reprendra ce thème dans un roman autobiographique, *Avril ou l'Anti-passion* (1990), écrit à partir d'une lecture de la correspondance échangée entre ses parents.

En marge de *Vice versa*, l'œuvre du dramaturge Marco Micone (né en 1945), émigré au Québec depuis 1958, est directement associée à l'écriture migrante. Dans la trilogie théâtrale composée des pièces *Gens du silence* (1982), *Addolarata* (1984) et *Déjà l'agonie* (1988), trois générations d'immigrants italiens unis par leur condition et leur mémoire communes sont déchirées par la langue, qui les prive souvent de toute parole, et font face aux valeurs du nouveau pays. Micone revient sur cette situation dans un récit plus autobiographique, *Le Figuier enchanté* (1992). Il s'agit moins pour lui d'explorer la mémoire migrante du pays quitté que de penser l'apport de l'immigrant à sa nouvelle société, non sans faire écho aux conflits internes de la communauté italienne, divisée dans le choix de ses appartenances. Le poème intitulé « Speak what », publié pour la première fois en 1989 dans la revue *Jeu*, est à la fois un pastiche et un déplacement du célèbre « Speak White » de Michèle Lalonde :

> speak what now
> nos parents ne comprennent déjà plus nos enfants
> nous sommes étrangers
> à la colère de Félix
> au spleen de Nelligan
> parlez-nous de votre Charte
> [...]
> speak what now
> que personne ne vous comprend
> ni à Saint-Henri ni à Montréal-Nord
> [...]
>   imposez-nous votre langue
>   nous vous raconterons
> la guerre, la torture et la misère
> nous dirons notre trépas avec vos mots
> pour que vous ne mouriez pas
> et vous parlerons
> avec notre verbe bâtard
> et nos accents fêlés

En 1983 paraît *La Québécoite* de Régine Robin (née en 1939), historienne, linguiste et sociologue française d'origine juive émigrée au Québec en 1977. À en juger par le vaste travail critique qu'il suscite, ce roman incarne pendant longtemps le modèle du texte migrant, dont Régine Robin est également l'une des théoriciennes. Le roman est d'ailleurs construit comme une « fiction théorique » puisqu'il présente la succession de trois récits de l'immigration au Québec d'une intellectuelle française d'origine juive polonaise, proche à maints égards de la romancière elle-même. Chacun des trois récits, écrit au conditionnel, raconte une version possible de cette migration, chacune accrochée à une histoire d'amour différente et à un quartier de Montréal, « Snowdon », « Outremont » et « Autour du Marché Jean-Talon » selon les sous-titres des trois parties. À la déambulation dans Montréal, redécouvert par les yeux de la femme qui arrive et y cherche ses repères, se juxtapose la mémoire d'autres lieux, surtout Paris, celui des cafés et des cinémas, mais aussi celui de la guerre et de la déportation, du vélodrome d'Hiver où ont été emprisonnés les Juifs raflés les 16 et 17 juillet 1942. Le roman, qui se donne pour tâche de fixer la « porosité du probable, cette micro-mémoire de l'étrangeté », rassemble les matériaux hétérogènes d'une expérience : « Pas d'ordre. Ni chronologique, ni logique, ni logis. Rien qu'un désir d'écriture et cette prolifération d'existence. » Inventant une forme inspirée du *patchwork* pour montrer la migration ou, selon le mot de Robin, « la migrance », comme une position en quelque sorte ontologique, *La Québécoite* concentre les ambitions de l'écriture migrante.

Le choc des cultures ou le passage du pays d'origine au Québec constitue parfois l'objet central du récit. Le premier roman de la dramaturge Abla Farhoud (née au Liban en 1945), *Le bonheur a la queue glissante* (1998), donne ainsi la parole à une vieille femme qui a fui la guerre du Liban avec sa famille pour s'établir à Montréal. L'expérience de l'immigration est également au cœur du premier roman de Sergio Kokis (né au Brésil en 1944), *Le Pavillon des miroirs* (paru en 1995, accueilli avec enthousiasme par la critique et couronné par plusieurs prix), qui a pour héros un jeune artiste parti de Rio de Janeiro pour le Québec. Cela dit, le rapprochement de ces deux romans fait aussi voir tout ce qui les sépare, que ce soit le rapport à la langue ou l'univers social décrit. Le personnage créé par Abla Farhoud s'exprime dans une langue simple, émaillée de proverbes tirés de la tradition populaire ; celui de Kokis fréquente les milieux artistes et le roman est écrit dans une langue foisonnante qui interroge les rapports entre réalité et fiction. La remarque vaut d'ailleurs pour l'ensemble du corpus migrant, qui inclut des écrivains dont les esthétiques sont souvent si radicalement étrangères les unes aux autres qu'on peut se demander ce que ces écrivains ont en commun, en dehors du fait d'être nés ailleurs. La question se pose un peu moins dans le cas d'un certain nombre d'écrivains d'origine haïtienne venus au Québec pour fuir la dictature mise en place dès 1957 et dont les œuvres évoquent fréquemment les souvenirs d'Haïti. C'est le cas du poète Anthony Phelps (né en 1928), qui anime à Montréal le groupe Haïti littéraire (1960-1964), du romancier et linguiste Gérard Étienne (né en 1936) ou de l'essayiste Maximilien Laroche (né en 1937). Une partie de l'histoire littéraire haïtienne se déroule au Québec, où a longuement séjourné par exemple le poète Davertige, publié toutefois à Paris et célébré au début des années 1960 par la critique française. Entre 1975 et 1978 paraît à Montréal *Dérives*, sous-titrée *Revue interculturelle*, dirigée par Jean Jonassaint et animée surtout par des intellectuels de la diaspora haïtienne. Si ceux-ci demeurent en marge du milieu littéraire québécois, ce n'est plus le cas, à partir des années 1980, d'écrivains comme Dany Laferrière, Émile Ollivier ou Joël Des Rosiers.

Le premier roman de Dany Laferrière (né en 1953), *Comment faire l'amour avec un Nègre sans se fatiguer* (1985), traite sur le mode de l'autodérision l'expérience de l'arrivée au Québec. Provocant, le narrateur se dit « dragueur nègre consciencieux et professionnel »; il écrit un livre, *Paradis du dragueur nègre*, où il raconte ses aventures avec les nombreuses « miz » blanches que son ami musulman Bouba et lui collectionnent. Le livre lui vaudra le succès, des articles élogieux des grands critiques de l'époque, et même une entrevue avec « Miz Bombardier » (la journaliste Denise Bombardier) à l'émission *Noir sur blanc*. Caustique, tissé de références à la littérature et hanté par la musique, le roman de Laferrière exploite les préjugés racistes et met au jour les ressorts d'un exotisme facile à travers un personnage qui en profite, entre candeur et cynisme. Laferrière reprendra ce ton satirique dans deux autres romans, *Éroshima* (1987) et *Cette grenade dans la main du jeune Nègre est-elle une arme ou un fruit?* (1993), avant de se consacrer à une suite de récits autobiographiques et familiaux déployés comme une fresque sur Haïti : *L'Odeur du café* (1991), *Le Goût des jeunes filles* (1992), *Pays sans chapeau* (1996), *La Chair du maître* et *Le Charme des après-midi sans fin* (1997), puis *Le Cri des oiseaux fous* (2000).

Émile Ollivier (1940-2002), ancien militant exilé d'Haïti, sociologue et essayiste, publie l'essentiel de son œuvre littéraire en France. Elle comprend des romans (*Mère Solitude*, 1983, *La Discorde aux cent voix*, 1986, *Les Urnes scellées*, 1995), des recueils de nouvelles, dont *Paysage de l'aveugle*, d'abord paru au Québec en 1977, puis un récit d'enfance, *Mille Eaux* (1999). Il s'y montre particulièrement conscient des risques que suppose l'écriture de soi :

Je sais qu'il n'est guère d'entreprise plus risquée que celle de revisiter son enfance, de revenir sur sa vie, de la repasser, de la resucer, comme de la bagasse. Ceux qui se sont livrés à ce périlleux exercice croient qu'ordinairement ce projet prétentieux et insolent, même lorsque les auteurs déploient des merveilles d'intelligence, se heurte à des récifs : le contentement de soi qui piège, biaise beaucoup d'aspects, ou son contraire, la flagellation, qui ne vaut guère mieux, la posture mystificatrice, le maquillage rétrospectif, la coulpe battue *ad nauseam* dont on a appris, cela fait belle lurette, qu'elle est la forme la plus délirante de l'orgueil. Ferai-je à mon tour naufrage ?

Son dernier ouvrage, *La Brûlerie* (2004), paru de façon posthume, poursuit l'exploration autobiographique et relate les souvenirs de l'auteur à Montréal. La

Émile Ollivier.
© Images interculturelles.

fiction n'est jamais très loin de l'expérience vécue chez Ollivier, qui met ainsi en scène le déracinement de personnages, la plupart du temps haïtiens comme lui, ballottés entre les misères du pays d'origine et les aléas des différents exils (Québec, Floride), victimes de la dureté des régimes dictatoriaux et corrompus puis aux prises avec les désillusions de l'émigration. En marge de ses récits, Émile Ollivier développe aussi une réflexion sur l'errance migrante, doublement nourrie de sa pratique de sociologue et de militant politique pour l'aide aux immigrants et des théories de l'identitaire élaborées notamment par Édouard Glissant.

Ces théories influencent également Joël Des Rosiers (né en 1951), psychiatre et poète. Au fil de ses recueils, *Métropolis Opéra* (1987), *Tribu* (1990), *Savanes* (1993) et *Vétiver* (1999), il pratique une poésie savante, marquée par la fascination du mot rare, nouant la réminiscence mythologique à la mémoire de la découverte et de l'esclavage, comme dans la suite poétique « L'origine du monde » consacrée aux navires de Colomb (*Savanes*); les poèmes renvoient également à tout un héritage poétique où Homère et Mallarmé côtoient Aimé Césaire et Saint-John

Perse. Ses thèmes de prédilection, le lieu, l'exil, de même que l'érotisme et la violence, se retrouvent dans les chroniques, les articles et les entretiens réunis dans l'essai *Théories caraïbes : poétique du déracinement* (1996), qui s'ouvre sur l'hypothèse selon laquelle « l'imaginaire de la migration peut nous offrir une intelligence du monde ».

On le voit, une des caractéristiques de l'écriture migrante tient sans doute à ce qu'elle fait cohabiter, parfois à l'intérieur d'un même texte, mais le plus souvent dans la pratique de chaque auteur, une dimension réflexive, parfois théorique, par laquelle le phénomène de l'immigration est discuté et pensé, avec la fiction ou le récit autobiographique. C'est aussi le cas chez Ying Chen, née à Shanghai en 1961. La perspective transculturelle, que la critique a surtout privilégiée pour ses deux premiers romans, est loin toutefois d'en épuiser le sens. Dans *La Mémoire de l'eau* (1992), l'héroïne relate le passé de sa famille, plus particulièrement le destin de sa grand-mère Lie-Fei, qui a vécu la chute du système impérial chinois, puis la montée du communisme ; *Les Lettres chinoises* (1993), composé d'un échange épistolaire à plusieurs voix, raconte l'expérience de l'exil, notamment celle de Yuan, qui choisit de quitter sa Chine natale pour étudier à Montréal. À partir de *L'Ingratitude*, paru en 1995, les romans de l'auteure tendent de plus en plus vers l'épurement stylistique et référentiel. Très différents des premiers récits, ils renoncent en quelque sorte aux « histoire[s] de la vie réelle », et oblitèrent progressivement les repères spatiotemporels, les noms propres et les référents nationaux. Dans *L'Ingratitude*, qui se déroule en Chine dans une ville innommée, deux récits, liés à des temporalités distinctes, s'entrecroisent. Le premier s'attache aux réflexions d'outre-tombe de la narratrice, devenue le témoin de ses propres funérailles, assistant aux rituels qui transformeront son corps en fumée. Le second récit, écrit au passé, relate le duel entre la fille et sa mère. Leur conflit permanent est l'objet privilégié du monologue intérieur de la narratrice. Cruel, empreint d'une violence souterraine et diffuse, dénonçant l'empire exercé par la mère sur le destin de sa fille, *L'Ingratitude* demeure l'un des textes les plus percutants de Ying Chen.

Dans les années 2000, une certaine saturation de la catégorie, voire de l'étiquette, qu'est devenue l'écriture migrante est sensible autant chez des écrivains associés à cette mouvance, désormais désireux de s'en éloigner, comme Ying Chen, que dans les travaux de certains critiques qui ont contribué à l'élaboration de la notion. Dans son essai *Les Passages obligés de l'écriture migrante* (2005), Simon Harel déplore la récupération institutionnelle et l'affadissement de cette idée. De même, Pierre Nepveu revient sur la notion de littérature ou de culture « migrantes » : « N'y a-t-il pas un danger, ici, souligne-t-il, de décrire des processus impersonnels, globaux, qui ne tiennent pas assez compte de ce qui se passe dans les sujets concrets ? » La « littérature migrante » devient ainsi l'objet des mêmes critiques que la « littérature nationale ».

5

La nouvelle francophonie canadienne

À défaut de l'indépendance politique, le Québec s'est donné une indépendance littéraire. L'expression « littérature québécoise », nous l'avons vu, s'impose en effet au cours des années 1970 comme l'indication d'une autonomie qui n'a plus à être revendiquée, même si plusieurs critiques s'inquiètent d'une séparation trop nette d'avec la littérature française. Dans ce nouveau contexte, les écrivains de l'Acadie et de l'Ontario français, et plus largement les auteurs francophones canadiens qui ne vivent pas au Québec, constatent la disparition de l'ancien Canada français et voient la nécessité de redéfinir l'ensemble au sein duquel ils pourront se situer. Le caractère parallèle des littératures francophone et anglophone ne permet pas à ces auteurs d'imaginer une « littérature canadienne » : cette expression désigne désormais la littérature de langue anglaise, et il faut dès lors inventer de nouvelles références. À cet égard, le cas de l'Acadie et celui de l'Ontario français, les deux lieux les plus dynamiques, sont très différents. En effet, l'identité acadienne a une histoire bien plus ancienne que l'identité québécoise, alors que l'Ontario français ne devient une référence qu'après l'autonomisation symbolique du Québec.

Dès les débuts de l'implantation française en Amérique, la colonie acadienne est éloignée de ce qui deviendra le Québec. Géographiquement plus proche des colonies anglaises, elle se perçoit déjà comme distincte. Le Grand Dérangement de 1755 accuse tragiquement la spécificité de l'histoire acadienne : la déportation de 6 000 Acadiens (et de plusieurs autres en 1760) devient la référence par excellence pour un groupe dès lors dispersé en Europe et en Amérique, pour qui la notion de Canada français rappelle d'abord une déchirure. Dès 1884, les Acadiens insisteront pour se donner un drapeau et une fête nationale différents de ceux des francophones du Québec, tant est présente la menace de l'effacement de leur propre histoire.

Dans la littérature contemporaine, deux tendances opposées se dessinent : une écriture tournée vers la mémoire, comme chez Antonine Maillet, et, chez les plus jeunes, la volonté de se dégager du poids de l'histoire et d'accueillir la modernité, comme chez Herménégilde Chiasson ou chez France Daigle.

Antonine Maillet (née en 1929) est la figure la plus connue de la littérature acadienne. Elle est aussi une figure importante de la littérature du Québec, mais son œuvre est essentiellement tournée vers l'Acadie. Le premier grand succès d'Antonine Maillet, *La Sagouine* (1971), est une représentation du présent. La pièce met en scène une vieille Acadienne témoignant de sa pauvreté dans une langue qui, écrit André Belleau, « brille de la splendeur de l'origine malgré les marques de l'exploitation et de la misère, voire de la haine et du racisme ». Seule sur scène avec « son seau, son balai et ses torchons », la vieille femme commente le monde en racontant sa vie, et évoque aussi d'autres personnages, notamment son mari, Gapi. Le mari est plus véhément que sa femme, pour qui, toutefois, les imprécations ne font que masquer l'impuissance :

Gapi, lui, il dit que si leu paradis est rien que fait pour les riches, ben qu'il aime aussi ben point y aller pantoute. Il dit qu'un' étarnité qui s'achète, ça ressemble trop à ce monde icitte et qu'il en a eu assez d'un de c'te sorte-là. Il est pas aisé, Gapi, et quand c'est qu'il s'enrage, il pourrait aussi ben mettre le feu au paradis avec les propres flambes de l'enfer. Mais ça sert à rien de se mettre en dève, que j'y dis, ou ben d'asseyer de cotchiner, ou même de se bouder dans un coin et de faire sarment qu'on ira pas pantoute à autchun endroit. Une fois que t'es mort, c'est pas fini, et faut encore que tu te placis les pieds queque part.

D'abord révélée par l'immense succès de cette pièce, Antonine Maillet s'impose ensuite comme romancière, avec notamment *Mariaagélas* (1973), *Les Cordes-de-Bois* (1977) et *Pélagie-la-Charrette* (1979), qui lui vaut le prix Goncourt. Les romans de Maillet adoptent la forme de la chronique historique, tout en intégrant une grande diversité de voix. Celle de Pélagie, par exemple, qui ramène des déportés dans sa charrette, se mêle aux discours des ancêtres et des compagnons de route et, au bout du compte, de la culture populaire acadienne à laquelle Antonine Maillet cherche à redonner sa place dans l'Histoire. Ainsi, en dépit de l'humour et de la fantaisie, la célébration des ancêtres garde toujours chez elle une dimension solennelle. Plusieurs autres écrivains acadiens se tournent vers l'Histoire, et particulièrement vers le souvenir de la déportation. Certains choisissent la critique plutôt que la célébration ; c'est le cas de l'essayiste Michel Roy, qui, dans *L'Acadie perdue* (1978), fait le procès de la mythification des origines et plaide pour une véritable conscience historique.

Au cours des années 1970 et 1980, de nombreux auteurs acadiens, surtout des poètes, se regroupent autour de nouvelles maisons d'édition (les Éditions d'Acadie, fondées en 1972, les Éditions Perce-Neige, fondées en 1980) et de la revue *Éloizes*, fondée en 1980. Chez les plus jeunes, il s'agit d'abord de dire l'aliénation contemporaine. C'est le cas de Guy Arsenault, de Raymond LeBlanc ainsi que du cinéaste et polygraphe Herménégilde Chiasson, qui s'est surtout fait connaître par des poèmes dénonçant la résignation : « Nous fondons comme une roche à la chaleur de l'indifférence de la tolérance de la diplomatie du bilinguisme », écrit-il dans *Mourir à Scoudouc* (1974). Dans plusieurs autres publications de cet auteur prolifique qui deviendra lieutenant-gouverneur du Nouveau-Brunswick en 2003, il s'agit toutefois aussi de sortir du discours identitaire acadien pour explorer d'autres avenues, par exemple dans *Actions* (2000), fondé sur « cette observation de gestes anodins qui autrement auraient sombré, comme tant d'autres, dans l'amnésie générée par le flot continu de nos urgences ». La tonalité légère et ironique de France Daigle (née en 1953) se rapproche de cette ambition, en particulier dans ses romans, dont la composition fragmentée fait alterner des méditations souvent fantaisistes avec la description de la vie quotidienne à Moncton. Dans *Pas pire* (1998), la narratrice est invitée à parler de son roman *Pas pire* chez Bernard Pivot à la télévision française. Souffrant d'agoraphobie, elle réussit à faire le voyage, non sans se demander ce qu'elle pourrait bien dire à Pivot : « Que la mort, ou tout au moins l'inexistence, est inscrite dans nos gènes ? Que tout repose dans la manière, dans l'art de s'y faire ? Que tout est affaire de légitimation ? Légitimité de ce que nous sommes aux yeux du monde et à nos propres yeux. » Cette même question de la légitimité revient dans *Petites Difficultés d'existence* (2002), où un homme se tourne vers des dictionnaires pour éviter de transmettre les mots anglais du chiac à son enfant. Mais sa compagne lit à l'enfant des vers du poète acadien Gérald Leblanc (1945-2005) :

> Décembre, sous l'effet du mois de décembre
> au rythme plus lent en face du blanc
> l'attente enclenche l'attente
> une toupie karmique
> débobine sur le lieu
> je rapaille tous les décembres de ma vie
> et je tourne autour lentement

Ainsi, pour l'enfant de Terry et Carmen, le langage acadien devient autant un héritage à assumer que l'éternelle menace de la disparition.

Le fait d'être acadien ou d'origine acadienne ne conduit évidemment pas tous les écrivains à centrer leurs œuvres sur l'Acadie. Ainsi, on observe chez le poète Serge-Patrice Thibodeau (né en 1959), originaire de Rivière-Verte, une véritable fascination pour l'ailleurs, dont témoignent notamment *Le Cycle de Prague* (1992) et *Le Quatuor de l'errance* (1995), où les pérégrinations au Moyen-Orient prennent la forme d'une quête mystique, que Thibodeau reconnaît chez Saint-Denys Garneau dans son essai *L'Appel des mots* (1993). Par ailleurs, chez Jacques Savoie (né en 1951), originaire d'Edmundston, après un premier roman (*Raconte-moi Massabielle*, 1979) dont l'action de situe dans un village acadien, l'Acadie devient un lieu parmi d'autres : dans *Les Portes tournantes* (1984), par exemple, le récit alterne entre Québec, du point de vue d'un jeune enfant, et Campbellton, du point de vue de sa grand-mère qui a jadis « déserté » l'Acadie pour New York. L'influence de Jacques Poulin est parfois sensible, en particulier dans *Une histoire de cœur* (1988), où le style et la trame narrative rappellent *Le Cœur de la baleine bleue* ; mais celle du cinéma l'est davantage, par les effets de montage ainsi que par de nombreuses références explicites.

L'Acadie et l'Ontario français sont souvent associés par la critique à une même réalité, celle des « littératures de l'exiguïté », selon le titre d'un essai de François Paré, paru en 1992. À propos des rapports entre la littérature québécoise et les autres littératures francophones du Canada, l'essayiste observe que

[l]es littératures créent dans une large mesure leur propre envergure. Ainsi ces littératures parviennent-elles parfois à émerger, à leurs yeux du moins, comme centralités ; mais cette fabrication d'une image et d'une histoire hégémoniques ne se produit qu'à travers le renvoi vers une « province » métaphorique de toutes les conditions d'exiguïté et d'indifférence qui président malgré tout à leur genèse.

Ainsi, la littérature québécoise, en se dégageant de l'ancienne référence canadienne-française, aurait fait naître de nouvelles marginalités et, par le fait même, comme on peut l'observer dans plusieurs interventions d'Acadiens ou de Franco-Ontariens, une certaine hostilité à l'égard d'une affirmation aussi indifférente à leur sort. Le romancier, nouvelliste et traducteur Daniel Poliquin (né en 1953), par exemple, qui vit à Ottawa, affiche sa « dissidence franco-ontarienne ». Dans son essai *Le Roman colonial* (2000), il rejette le spectre de l'assimilation, pour faire valoir la faculté d'adaptation des Franco-Ontariens, facteur de liberté individuelle qui pourrait servir d'exemple aux Québécois, obnubilés selon lui depuis Lionel Groulx par une tradition nationaliste aliénante.

Contrairement aux Acadiens, chez qui la conscience collective est ancienne, les francophones de l'Ontario n'acquièrent le sentiment d'une véritable appartenance collective qu'à partir des années 1970. Comme en Acadie, de nouvelles institutions stimulent la vie culturelle, tout particulièrement la maison d'édition Prise de parole, fondée en 1973. Robert Dickson (1944-2007) joue un rôle déterminant dans la consolidation de cette maison, où il fait paraître plusieurs recueils de poèmes qui conjuguent au quotidien amour et politique. Patrice Desbiens (né en 1948) y publie en 1981 un livre marquant, *L'Homme invisible / The Invisible Man*. Il s'agit d'un recueil bilingue ; or les traductions anglaises qui apparaissent sur les pages de droite, loin de constituer de fidèles traductions, font apercevoir l'écartèlement du « bilingue de naissance ». Ainsi, dès le début, l'énoncé « L'homme invisible est né à Timmins, Ontario. Il est Franco-Ontarien » est traduit par « The invisible man was born in Timmins, Ontario. He is French-Canadian ». Établi à Québec, le narrateur raconte un échec amoureux et ses démêlés avec l'assurance-chômage pendant que sa voix anglaise s'écarte de plus en plus de sa voix française. On a souvent rapproché la poésie de Patrice Desbiens de celle de Gaston Miron, et dans ce recueil on peut en effet observer un prolongement direct des « Monologues de l'aliénation délirante ». Cependant, chez Desbiens, nulle place pour l'utopie : la poésie est constamment ramenée à la réalité la plus quotidienne, où le burlesque côtoie le sordide. Le dramaturge Jean-Marc Dalpé (né en 1957) explore le même univers, se réclamant toutefois d'une culture « hybride » qui permettrait de transformer les notions statiques de « frontières » et de « lignes de démarcation » en « passage » et en « voyage ».

Tantôt repoussoir, tantôt modèle, voire l'un et l'autre à la fois, le Québec joue un rôle important pour les Acadiens et pour les Franco-Ontariens, qui s'identifient cependant à des ensembles plus vastes, le plus souvent l'Amérique ou la francophonie. Certains écrivains affirment une distance irréductible, alors que d'autres vivent au Québec ou y sont publiés. Chez les écrivains québécois de langue anglaise, la perspective est fort différente. Bien qu'ils soient d'une certaine façon doublement marginalisés en étant loin des centres de la littérature canadienne de langue anglaise que sont Toronto et Vancouver et en étant rarement incorporés à part entière dans la littérature québécoise, ils n'ont guère amorcé de véritables mouvements d'affirmation collective. On n'attribue pas aux œuvres de Leonard Cohen, de David Homel ou de Trevor Ferguson, par exemple, la fonction de représenter la condition d'un groupe ; et du reste, ils ne se l'attribuent pas non plus. Mais leurs liens avec le milieu littéraire québécois sont particulièrement vivants par la traduction.

6

La traduction de la littérature anglo-québécoise

Dès les années 1960, certaines maisons d'édition ont commencé à publier les auteurs canadiens-anglais en traduction. C'est le cas notamment des Éditions HMH qui ont fait paraître des versions françaises des œuvres de Hugh MacLennan, de Mordecai Richler, de Northrop Frye et de Marshall McLuhan. Ce mouvement est demeuré cependant assez discret, la plupart des textes canadiens-anglais étant traduits en France plutôt qu'au Québec. Vers 1970, la pratique de la traduction commence à se professionnaliser, ce qui permet de rétablir un tant soit peu le dialogue entre les traditions littéraires canadienne et québécoise. En 1969, le poète Douglas Gordon Jones fonde la revue *Ellipse*, dont le mandat est de publier des traductions de textes littéraires canadiens, tant anglophones que francophones. Créé en 1972, le programme de subvention à la traduction du Conseil des Arts du Canada a une influence considérable sur la pratique. En cinq ans, selon Louise Ladouceur, il y a « presque deux fois plus de livres traduits que dans toute l'histoire de la traduction au Canada ». Des maisons d'édition en langue anglaise sont fondées à Montréal à cette époque, dont McGill-Queen's University Press (1969), spécialisée dans l'édition d'ouvrages savants et d'études couvrant les multiples champs des sciences humaines. À partir de 1973, les Éditions Véhicule Press rassemblent de jeunes artistes en arts visuels et des poètes expérimentaux, appelés les Véhicule Poets (Endre Farkas, Tom Konyves, Artie Gold, Claudia Lapp, John McAuley, Stephen Morrissey et Ken Norris). Au fil des années, les Éditions Véhicule Press sont devenues le plus important lieu de diffusion de la littérature anglo-québécoise. Elles publient des recueils de poésie, des romans, des études et des traductions de la poésie québécoise de langue française.

L'effet de ces nouvelles mesures et structures demeure certes assez limité, car la plupart des écrivains anglophones continuent d'être traduits en France plutôt qu'au Québec. Mais, peu à peu, les échanges entre les « deux solitudes » s'intensifient. Plusieurs critiques, au Canada anglais comme au Québec, s'intéressent aux œuvres écrites dans l'autre langue en s'attachant à la question de leur traduction et de leur diffusion dans l'ensemble du Canada. Philip Stratford, par exemple, délaisse le comparatisme au sens strict et privilégie déjà dans les années 1970 la problématique de la traduction littéraire. En plus d'avoir traduit des auteurs comme Jean Le Moyne, André Laurendeau, Antonine Maillet et Félix Leclerc, il fait paraître plusieurs ouvrages dans lesquels il tente d'établir des ponts entre les cultures francophone et anglophone. Dans les préfaces aux anthologies consacrées à la littérature québécoise – *Stories from Quebec* (1974) et *Voices from Quebec* (1977) –, il présente clairement son projet : faire connaître au lectorat canadien-anglais les œuvres du Québec, remédier à la méconnaissance réciproque des deux groupes culturels tout en soulignant leurs différences. Adoptant une perspective plus théorique, Sherry Simon montre bien, dans son ouvrage *Le Trafic des langues. Traduction et culture dans la littérature québécoise* (1994), que la pratique de la traduction littéraire dépasse largement le simple passage d'une langue à une autre. Elle oscillerait plutôt entre l'hommage et la profanation, entre l'accueil et la trahison. Comme l'explique Simon, d'une part, elle nécessite un véritable engagement de la part du traducteur qui, pour mieux comprendre l'œuvre, doit se plonger dans le milieu d'où elle est issue ; d'autre part, elle suppose une libre appropriation des codes et des repères culturels. Les études réunies dans son ouvrage comprennent une histoire de la traduction littéraire au Québec et au Canada anglais ainsi que des analyses d'œuvres marquées par le bilinguisme, voire le plurilinguisme, et leurs « effets de traduction ».

Ces effets de traduction permettent de reconfigurer la traditionnelle cartographie imaginaire de Montréal. Les deux solitudes ne sont plus aussi étrangères l'une à l'autre. Dans *Montréal. L'invention juive* (1991), Pierre Nepveu évoque par ailleurs la présence d'une troisième solitude, la communauté juive, qui ferait figure de tiers inclus. La tradition littéraire de cette communauté se situerait « au point d'intersection de cultures et de signes appartenant à divers horizons souvent conflictuels : la tradition et la modernité ; l'Europe et l'Amérique ; le français et l'anglais ». Plusieurs critiques et traducteurs s'intéressent à la littérature juive de Montréal. Pierre Anctil traduit en 1992 les *Poèmes yiddish* de Jacob Isaac Segal et consacre plusieurs ouvrages à la communauté yiddish de Montréal. En 1990, Charlotte et Robert Melançon publient la première traduction française de *The Second Scroll* d'Abraham Moses Klein, roman paru en version originale en 1951 qui relate les pérégrinations d'un jeune Juif montréalais à la recherche de son oncle. Le récit de Klein s'inspire à la fois de l'Israël biblique et des persécutions vécues par le peuple juif au cours du XXe siècle.

Dans la mouvance des écritures migrantes, des études sur la judéité et de l'intérêt grandissant pour les théories de l'hybridité culturelle, la critique littéraire québécoise se penche, à partir de la fin des années 1980, sur ce qu'on commence à appeler la littérature anglo-québécoise. Avant l'époque contemporaine, on ne parlait guère de littérature anglo-québécoise. C'est exclusivement au corpus littéraire canadien-anglais qu'appartenaient les œuvres de Hugh MacLennan, d'A. M. Klein, de Mavis Gallant, de Mordecai Richler et de Leonard Cohen. Mais un mouvement progressif au cours des années 1970 fait en sorte que plusieurs œuvres s'inscrivent à la fois dans la littérature canadienne-anglaise et dans la littérature québécoise. Dans un cas comme dans l'autre, elles se trouvent plus ou moins marginalisées, à l'exception de quelques-unes, comme celles de Richler ou de Cohen, qui connaissent un succès international. La notion même de littérature anglo-québécoise ne va pas de soi. Plusieurs critiques et écrivains résistent à l'employer librement, estimant qu'elle ne correspond pas à la perception que la plupart des écrivains québécois de langue anglaise ont d'eux-mêmes.

Le milieu littéraire anglo-québécois connaît néanmoins une réelle reconnaissance institutionnelle depuis le début des années 1980. De nombreuses anthologies voient le jour : *Cross/Cut. Contemporary English Quebec Poetry*, de Peter Van Toorn et Ken Norris, en 1982 ; *Voix off. Dix poètes anglophones du Québec*, présenté par Antonio D'Alfonso, en 1986 ; *Telling Differences. New English Fiction from Quebec*, publié par Linda Leith en 1988 ; *Montreal mon amour. Short Stories from Montreal*, recueil de textes choisis par Michael Benazon, paru en 1989 ; *Co-incidences. Poètes anglophones du Québec*, anthologie composée par Pierre DesRuisseaux en 2000. Cette abondance signale-t-elle un renouveau ou le bilan d'une effervescence déjà révolue ? Dans sa préface à l'anthologie de DesRuisseaux, Ken Norris observe « une perte de confiance culturelle » et même « un exode massif des anglophones du Québec (qui aboutit inévitablement au départ vers l'Ouest de plusieurs éditeurs littéraires anglophones) ». Le milieu littéraire anglophone reste toutefois actif à Montréal : ainsi, afin d'ébranler les frontières linguistiques, trois écrivaines anglo-montréalaises fondent le festival bilingue Blue Metropolis / Metropolis bleu, dont la première édition a lieu en avril 1999.

Pour plusieurs, les frontières entre les langues et les cultures s'estompent. Leur brouillage témoigne par là même des importants décentrements que connaît la littérature québécoise contemporaine. Cette dernière ne renvoie plus à un projet collectif construit autour de l'équation « une langue, une culture » et n'est plus assimilable à un nous homogène. Dans « Écrire en anglais au Québec : un devenir minoritaire ? », dossier de la revue *Quebec Studies* paru en 1999, plusieurs écrivains s'attachent à ce que l'on pourrait appeler une poétique du mineur et de la fragilité linguistique et identitaire. C'est la pluralité culturelle de Montréal qui inspire les réflexions de la majorité des rédacteurs de ce numéro. Replaçant l'histoire culturelle canadienne dans le contexte élargi de la postmodernité, Robert Majzels considère Montréal comme « un site de différence [...] où l'épuisement des grands récits émancipateurs de la modernité est particulièrement apparent ». Ne s'identifiant ni à la communauté anglophone ni à la communauté francophone, il se déclare « barbarophone », préfère la « déterritorialisation » et la « déstabilisation ». Nicole Brossard formule un constat similaire : selon elle, l'expérimentation par l'écriture permet d'approfondir le chaos, « de part et d'autre des deux solitudes ». Gail Scott, quant à elle, dit avoir le sentiment d'écrire dans une langue « mineure », « imprégnée de la culture et de la langue majoritaires franco-québécoises ».

Née en Ontario en 1945, Gail Scott arrive à Montréal en 1967 et pratique le journalisme et la traduction littéraire. Dès les années 1970, elle s'engage de manière active au sein du mouvement féministe et se lie d'amitié avec plusieurs écrivaines francophones (Nicole Brossard et France Théoret notamment, qu'elle traduira par la suite). Elle participe à la fondation du magazine culturel de langue française *Spirale* en 1979, de la revue bilingue *Tessera* en 1984 et contribue au recueil de critique féministe *La Théorie, un dimanche* paru en 1988. En plus des textes de critique littéraire qu'elle a fait paraître dans divers ouvrages, Gail Scott a publié *Spare Parts* en 1982, *Main Brides* en 1993 et *My Paris* en 1999. Dans *Heroine*, son premier roman paru en 1987, Montréal apparaît comme un lieu de rencontres et d'échanges : « Dans cette ville, chacun est une minorité », écrit l'auteure. De son point de vue, à Montréal, les rapports de force s'établissent désormais entre plusieurs minorités plutôt qu'entre deux cultures dominantes. La langue de Scott porte les traces de cette réflexion sur les identités culturelles : graffiti, affiches, slogans, noms de lieux, dialogues et récits de pensée bilingues confèrent à la ville de *Heroine* une identité duelle, mais non conflictuelle.

Le point de vue de David Homel (né en 1952) sur la situation de l'écrivain anglo-québécois diffère à bien des égards de celui de Gail Scott. Originaire de Chicago, il s'établit à Montréal au début des années 1980 après des études de littérature à Toronto. Il écrit ses premiers romans à Montréal tout en pratiquant la traduction. Il a d'ailleurs traduit plusieurs romans québécois francophones, dont *Cette grenade dans la main du jeune Nègre est-elle une arme ou un fruit ?* de Dany Laferrière et *Le cœur est un muscle involontaire* de Monique Proulx. Homel se réclame d'une pratique détachée des diktats institutionnels et se présente comme un *freelancer* très critique par rapport aux courants littéraires contemporains, tant du côté francophone que du côté anglophone. Le statut d'écrivain minoritaire ne correspond nullement, selon lui, à une forme de fragilité identitaire, mais renvoie plutôt au caractère « vindicatif et bagarreur » de ceux qui, exilés, ont dû lutter pour leur survie. Contrairement aux romans de Scott qui très souvent font de Montréal un territoire référentiel, l'œuvre de Homel n'entretient guère de rapports thématiques avec le Québec. Ses deux premières fictions, *Electrical Storms* (1988) et *Rat Palms* (1992), se déroulent aux États-Unis et relatent, sur le mode du roman d'apprentissage, les parcours de narrateurs adolescents affrontant la ruine de leurs idéaux. *Sonya & Jack* (1995) se présente sous la forme d'une épopée tragicomique et s'attache au destin d'un couple d'Américains originaires d'Europe de l'Est qui ont voulu vivre l'idéal communiste, véritables « quidams au service de la Révolution ». Après *Get on Top* (1999), histoire d'un messie féminin, Homel fait paraître *The Speaking Cure* (2003) qui met en scène Aleksandar Jovic, un psychologue serbe désabusé au centre d'une guerre civile à laquelle il se voit contraint de participer.

Né en Ontario en 1947, le romancier et dramaturge Trevor Ferguson accorde pour sa part une grande place à Montréal, où il a passé son enfance et où il revient vivre après plusieurs années de pérégrinations en Europe et en Amérique. Il publie plusieurs romans sous son nom, puis connaît un grand succès commercial, sous le pseudonyme de John Farrow, avec le polar *City of Ice* (1999) dont la traduction française paraît chez Grasset. La plupart de ses autres romans sont traduits au Québec par Ivan Steenhout (qui, on l'a vu, a publié plusieurs recueils de poèmes sous le nom d'Alexis Lefrançois). *Onyx John* (1985) paraît successivement chez deux éditeurs québécois, aux Éditions du Roseau, en 1990, et aux Éditions de la Pleine Lune, en 1997. Ce roman raconte le parcours du fils d'un pasteur alchimiste qui tente de se dégager de l'emprise d'un mafioso cherchant à tirer profit du savoir-faire de son père. Avec une ironie qui, sous le signe de l'alchimie, transmue la pauvreté en richesse, le roman nous entraîne dans le quartier Parc-Extension de Montréal :

Une voie rapide, le boulevard Métropolitain, nous isole au nord. À l'est et au sud, c'est la voie ferrée du Canadien Pacifique qui délimite notre territoire. La frontière ouest est la plus cruelle de toutes : les six voies du boulevard L'Acadie et une clôture nous séparent de nos riches voisins. Quand on grandit dans la misère, non seulement du mauvais côté de la voie ferrée, mais aussi du mauvais côté de la clôture, il est impossible de l'oublier. Quelqu'un, à l'extérieur, pense-t-il que nous sommes contagieux ?

Bien qu'il ait reçu le prix Hugh-MacLennan en 1996, Trevor Ferguson reste un auteur très peu étudié, aussi bien au Canada anglais qu'au Québec. Il y voit la rançon, pour un auteur anglophone, d'avoir choisi de vivre à Montréal plutôt qu'à Toronto.

La littérature québécoise de langue anglaise connaît pourtant un énorme retentissement avec le troisième roman de Yann Martel (né en Espagne de parents québécois en 1963), *Life of Pi* (2001), prix Booker, traduit en plus de trente langues, qui constitue un des plus grands succès internationaux de la littérature canadienne. C'est XYZ, au Québec, qui publie le roman en français, traduit par les parents de l'auteur, Nicole et Émile Martel. Pi est un jeune garçon d'origine indienne, rescapé du naufrage d'un cargo qui le transportait vers le Canada, avec à bord une partie des animaux du zoo paternel. Il dérive durant 227 jours dans un canot de sauvetage où se trouve également un tigre du Bengale, nommé Richard Parker. Le roman appartient au genre de la robinsonnade comme celle de Daniel Defoe au début du XVIIIe siècle ou comme *Vendredi ou les Limbes du Pacifique* (1972) de Michel Tournier. Mais c'est aussi une fable contemporaine avec, au centre, la figure du tigre, qui est ici un véritable personnage romanesque, comme la baleine Moby Dick de Melville. Pi survit non pas malgré le tigre, mais grâce à ce dernier : « sans Richard Parker, je ne serais pas vivant aujourd'hui pour vous raconter mon histoire ». Le tigre est dans le roman un puissant symbole d'une divinité à la fois meurtrière et fascinante. Par là, Yann Martel réintroduit la question de Dieu en prenant bien garde de ne pas l'associer à une religion en particulier. Pi se vante, dans la première partie du roman, d'être *en même temps* hindou, musulman et chrétien. Il porte sur ses épaules une sorte de grand rêve œcuménique et universel. En cela, il incarne moins un nouveau Robinson refaisant tout le chemin de la civilisation moderne qu'une forme d'idéalisme contemporain où se trouvent enfin réconciliés le combat pour la survie individuelle, le désir d'une communauté élargie et le besoin de transcendance. Derrière la fable ancienne, *Life of Pi* aborde ainsi des thèmes contemporains et passe outre aux oppositions traditionnelles entre l'Orient et l'Occident, de même qu'entre le réalisme et le symbolisme religieux.

La rencontre de l'Orient et de l'Occident, du Sud et du Nord, des cultures anglophones et francophones, trouve aussi des échos chez Neil Bissoondath (né à Trinidad en 1955), professeur de création littéraire à l'Université Laval, dont l'œuvre est rapidement traduite en français, en France, puis au Québec, notamment par Lori Saint-Martin et Paul Gagné. Dans un essai polémique intitulé *Selling Illusions. The Cult of Multiculturalism in Canada* (1994), traduit en français en 1995, Bissoondath dénonce les effets pervers du multiculturalisme. Selon cet essai qui a eu, par sa dimension critique, un fort impact sur les débats entourant la condition migrante au Québec, le multiculturalisme entraînerait le repli identitaire des communautés culturelles. Celles-ci seraient incitées à former une série de ghettos tournés vers le passé faisant obstacle à un véritable travail d'appropriation culturelle qui permettrait aux immigrants de se définir comme individus.

La question identitaire est également très présente dans sa fiction. Dans *The Worlds Within Her* (1998), une femme nommée Yasmin vit à Montréal et se rend à Trinidad pour disperser les cendres de sa mère. Ce retour sur le lieu de ses origines est aussi un déchirement, puisqu'elle y est vue comme une étrangère. « Citoyen du Canada, du monde, de tout le putain de bon Dieu d'univers! », lance un des habitants de Trinidad qui refuse de voir en elle une compatriote. *Doing the Heart Good* (2001) se situe à Montréal et met en scène un professeur anglophone aigri qui peine à communiquer avec son petit-fils francophone, mais l'intérêt se déplace rapidement vers des personnages secondaires torturés par leur passé inavouable. Dans *The Unyielding Clamor of the Night* (2005), un instituteur de vingt et un ans, Arun, né dans la capitale d'un petit pays jamais nommé, au large de l'Inde, se rend dans un village du sud. Cinq instituteurs qui l'ont précédé dans ce village se sont fait trancher la gorge ; les autres n'ont tenu que quelques mois, incapables de supporter la vue des enfants mutilés et misérables. L'instituteur a lui-même été amputé d'une jambe à la suite d'une maladie, ce qui le force à marcher avec une prothèse. La folie du terrorisme le rejoint peu à peu, loin de tout extrémisme et de tout endoctrinement, par une lente dérive qui n'est ni fanatique ni purement vindicative. Il n'y a plus de coupables et d'innocents, mais l'horreur d'un monde désespéré qui s'exprime, comme toujours chez Bissoondath, avec une douceur de ton qui contraste avec la cruauté de l'univers décrit :

Arun mit quelques secondes à comprendre ce qu'il avait vu. Ou plutôt son esprit mit quelques secondes à accepter la vue de bras, de jambes et de visages, de corps et de parties

David Solway. Photo Terence Byrnes.

de corps, si entrelacés et si entremêlés qu'ils semblaient former un tout, à l'exception d'une tête qui, au bout, roula comme un ballon de foot, pressée, aurait-on dit, de retrouver le corps duquel elle avait été détachée.

Du côté de la poésie, la traduction a fait découvrir aux lecteurs francophones une partie de l'œuvre de David Solway, né en 1941 dans la même ville que Gaston Miron, Sainte-Agathe-des-Monts. Professeur au John Abbott College de Montréal, Solway a aussi publié des essais incisifs sur l'éducation (dont *Education Lost*, 1989) et sur la littérature (*Director's Cut*, 2003). Depuis 1961, il a fait paraître de nombreux recueils de poèmes, d'une grande variété de tons et de formes, de la description méditative (*Stones in Water*, 1983) au sonnet shakespearien (*Modern Marriage*, 1987). La poésie de Solway fait une grande place au jeu : les échecs, notamment (*Chess Pieces*, 1999), mais aussi le canular. En effet, Solway a créé deux figures de poètes dont il prétend traduire les poèmes : le Grec Andreas Karavis (*Saracen Island*, 2000), et plus tard l'amante turque que celui-ci aurait abandonnée (*The Pallikari of Nesmine Rifat*, 2004). Solway est le premier écrivain anglophone à obtenir le Grand Prix du livre de la Ville de Montréal, avec *Franklin's Passage* (2003). Ce livre reconstitue, à partir de fragments hétérogènes, l'échec du navigateur anglais John Franklin, mort dans l'Arctique en 1847 alors qu'il tentait de trouver un passage maritime au nord-ouest du Canada. Fasciné par la Grèce, où il séjourne souvent comme son maître de jeunesse Leonard Cohen, ouvert à de multiples influences, Solway entre aussi en dialogue avec la poésie québécoise de langue française, et particulièrement avec Gaston Miron, à qui il s'adresse dans le poème « The table » :

> We understand each other perfectly, you said
>   with your customary grace,
>   setting pen and notebook
>   on the surface of the tray
>   cantilevered across the sickbed,
> despite my want of English
> and your barbarous French,
> for we speak a third language,
> *la langue de la poésie,*
> in which we are equally fluent.
>
> I must write that down, you said,
>   reaching for your implements
>   on the makeshift escritoire
>   that bridged the distance between us*.

* Nous nous comprenons parfaitement, as-tu dit / avec ta grâce habituelle, / déposant ton stylo et ton carnet / sur le plateau / posé en travers du lit d'hôpital, / malgré mon anglais insuffisant / et ton français barbare, / car nous parlons une troisième langue, / *the language of poetry,* / que nous parlons tous les deux couramment. / Je dois écrire ces choses, m'as-tu dit, / en prenant tes instruments / sur le secrétaire de fortune / qui était un pont entre nous, / toute distance admise et abolie. [traduction d'Yves Gosselin]

7

Le théâtre comme performance

La plupart des critiques de théâtre s'entendent pour dire que 1980 marque, sinon une rupture, du moins un « virage » ou un « tournant ». Durant toute la décennie 1970, le théâtre québécois a été l'un des vecteurs privilégiés du combat politique. Après l'échec du mouvement souverainiste lors du référendum de mai 1980, la création dramatique s'est rapidement détournée de la cause nationale et s'est orientée, comme le reste de la littérature, vers des questionnements plus diversifiés, qui varient selon la trajectoire de chaque dramaturge. On constate toutefois un certain nombre de dominantes, à commencer par les préoccupations d'ordre esthétique, tant sur le plan formel que sur le plan thématique. Cela se traduit par un grand nombre de pièces qui portent sur la création elle-même, mais aussi par un éclatement du langage théâtral qui emprunte volontiers aux arts du mime, de la danse, de la photographie, de la vidéo, du cinéma et de la musique. Ce faisant, ces pièces ressemblent de plus en plus à de véritables spectacles multimédias et s'éloignent nettement du théâtre conventionnel, pour lequel la représentation devait surtout illustrer un texte. À partir de 1980, le texte dramaturgique devient ainsi un élément parmi d'autres, quand il n'est pas tout simplement au service d'une mise en scène. D'où la montée en grade de la figure du metteur en scène, qui s'impose comme celle d'un créateur à part entière. Malgré tout, le texte ne disparaît pas et, à bien des égards, il se renouvelle en profondeur. Quelques critiques parlent même du « retour du texte » après une décennie vouée aux créations collectives et aux nombreuses parodies de pièces du répertoire. La nouvelle dramaturgie fait une large place au corps, à l'expression plus ou moins brutale de la sexualité, à la précarité du sentiment amoureux, à l'instabilité du couple et de la famille, à l'enfance, à la guerre, à la condition de la femme ou à la réalité homosexuelle. On voit par là que les principaux thèmes renvoient à des drames intimes et sociaux qui ne passent plus par le référent national. En donnant la parole à des personnages situés le plus souvent dans les marges de la société, ces mêmes pièces assument encore une fonction politique, mais de façon oblique et non plus mimétique comme cela avait été le cas du théâtre d'intervention. Toutes visent, de quelque façon, à redonner au langage théâtral sa spécificité, à « rethéâtraliser » le théâtre (Laurent Mailhot).

Sur le plan institutionnel, la consolidation des compagnies théâtrales déjà créées depuis le milieu du siècle constitue le phénomène le plus évident. La situation d'ensemble tend à favoriser un nombre assez restreint de compagnies bien établies (Théâtre du Nouveau Monde, Théâtre du Rideau Vert, Nouvelle Compagnie théâtrale, La Compagnie Jean-Duceppe, Théâtre d'Aujourd'hui, Théâtre du Trident, Théâtre français du Centre national des Arts), situées à Montréal, à

Québec et à Ottawa, et bénéficiant de subventions qui leur permettent de moderniser leurs équipements et d'absorber les coûts de production de leurs spectacles. Les troupes les plus fragiles, comme celles de Jacques Crête (Théâtre de l'Eskabel) ou de Pierre-André Larocque (Opéra-Fête), disparaissent dès la fin des années 1980. Au total, l'offre théâtrale, c'est-à-dire le nombre de pièces et de places, augmente considérablement au cours de cette période, mais le public, lui, ne croît pas aussi rapidement. D'où la nécessité de subventions, qui passent, selon Raymond Cloutier, de presque rien à douze millions de dollars durant les années 1990. Le souci de rentabilité est tel que même des troupes qui s'adressent à des publics plus restreints doivent adapter leur programmation de façon à la rendre plus « accessible ». C'est vrai, par exemple, du Théâtre de Quat'sous et même du Théâtre expérimental des Femmes qui deviendra Espace Go. Toutes ces compagnies devront soit agrandir et moderniser leurs salles, soit emménager ailleurs. Le résultat, déploré par de nombreux critiques ou amateurs, c'est que la production théâtrale, en dehors des festivals comme le Carrefour international de théâtre de Québec (1984) ou le Festival de théâtre des Amériques à Montréal (1985), a tendance à s'uniformiser. C'est ce qui explique le constat amer que l'on entend souvent au long de cette période selon lequel les infrastructures ne cessent d'être améliorées au détriment du théâtre lui-même, sans parler des gens de théâtre (dramaturges, acteurs, metteurs en scène, etc.) qui bénéficient peu des investissements consentis par l'État dans le domaine des arts de la scène. Dans son essai *La Liberté de blâmer* (1997), le critique Robert Lévesque écrit en ce sens : « nous nous sommes dotés d'institutions culturelles modernes et coûteuses, [...] nous avons développé des structures bureaucratiques calquées sur les modèles étrangers pour assumer le fonctionnement du tout, mais [...] joli hic, le tout tourne à vide sans idées directrices, sans travail scientifique, sans pertinence sociale, historique et artistique ».

Un spectacle, plus que tout autre, symbolise le tournant du théâtre des années 1980 : il s'agit du cycle *Vie et Mort du roi boiteux* de Jean-Pierre Ronfard (1929-2003), créé au Nouveau Théâtre expérimental. Ronfard se distingue des autres dramaturges de la période par l'étendue de son registre de même que par ses nombreux textes réflexifs sur l'art du théâtre. Il a d'abord mis en scène des textes du répertoire classique et québécois (des *Choéphores* en 1961 jusqu'à *HA ha!...* de Ducharme en 1978 en passant par *Les oranges sont vertes* de Gauvreau qu'il a révélé en 1972), puis, après avoir fondé le Nouveau Théâtre expérimental, il a mis en scène ses propres textes (notamment *Les objets parlent* en 1986, *La Voix d'Orphée* en 1990) et il a produit un grand nombre de spectacles en collaboration, dont plusieurs avec Robert Gravel (*Sade au petit déjeuner*, 1996), spectacles où il était presque toujours lui-même un des acteurs. *Vie et Mort du roi boiteux* est considéré par plusieurs critiques comme l'« œuvre-phare des années 1980 » (Jean Cléo Godin) ou « l'expérience la plus achevée d' "écriture scénique" de la décennie » (Bernard Andrès). La dimension spectaculaire de cette écriture scénique est telle qu'il est difficile de s'en faire une idée juste à partir du seul texte de la pièce, publié en 1981 chez Leméac. Peu de spectateurs ont eu la chance toutefois d'assister à la représentation de la totalité du cycle, qui dure pas moins de quinze heures. À mi-chemin entre le théâtre de variétés et la tragédie shakespearienne (à l'origine, le cycle s'intitulait *Shakespeare Follies*), cette « épopée sanglante et grotesque en six pièces et un épilogue » multiplie les références à des traditions diverses, de la tragédie antique (Eschyle, Sophocle) ou classique (Racine) au théâtre et à la littérature modernes (Bertolt Brecht, Gabriel García Márquez, Günter Grass), avec une place de choix faite à la littérature du Québec (Michel Tremblay, Victor-Lévy Beaulieu). Les cultures et les langues se croisent et se mêlent. Le roi est boiteux comme Œdipe, s'appelle Richard comme chez Shakespeare et s'en va consulter l'oracle de Delphes qui lui parle en latin. La dimension baroque et souvent burlesque de cette pseudo-tragédie passe aussi par le mélange des cultures savante et populaire. On trouve, dès le prologue, un cortège de personnages débarqués de partout : « une clocharde de la rue Saint-Denis, un bûcheron québécois, un Écossais, un hari-krishna, une dame distinguée, un homme-grenouille », etc. Plus tard entrent en scène Marilyn Monroe, Néfertiti et tout un défilé de personnages fictifs appartenant au folklore québécois. La pièce reprend la veine parodique caractéristique des années 1970 et relance l'entreprise de la création collective (on pense à *Wouf Wouf* de Sauvageau), mais l'accent est déplacé du texte vers une nouvelle grammaire scénique qui rompt violemment avec le réalisme, et plus encore avec le mélodrame familial. La scène se présente comme un collage carnavalesque, mais avec une certaine unité de thème, celui de la bâtardise, incarné par ce roi détrôné qui redonne sa place primordiale à l'acteur et permet de passer du tragique au dérisoire, et vice versa.

Le changement qui s'opère autour de 1980 se révèle également dans ce qu'on a appelé le « théâtre corporel » ou le « théâtre d'images », qui se développent rapidement autour de metteurs en scène et d'acteurs comme Gabriel Arcand (Groupe de la Veillée), Gilles Maheu (Carbone 14) et Robert Lepage (Théâtre Repère). Le Groupe de la Veillée, fondé en 1974, s'inspire directement du théâtre corporel de Jerzy Grotowski dont Gabriel Arcand est sans doute le représentant le plus exemplaire au Québec. Son interprétation de *L'Idiot* (1983) de Dostoïevski, dans une mise en scène de Téo Spychalski, constitue le moment fort de cette troupe, qui se fera plus discrète par la suite. L'influence de Grotowski se fait aussi sentir chez Gilles Maheu (né en 1948), d'abord formé à l'école du mime, puis par des metteurs en scène européens comme Étienne Decroux et Eugenio Barba, qui lui enseignent le rôle capital du corps au théâtre. En 1975, Maheu crée Les Enfants du paradis en hommage à Marcel Carné, une compagnie axée sur le théâtre de rue inspiré par le music-hall et le cirque. C'est de là que naîtra la troupe Carbone 14 en 1980, située dans un ancien poste de pompiers appelé L'Espace libre, que Gilles Maheu partage avec la troupe Mime Omnibus co-créée en 1970 par Jean Asselin et Denise Boulanger, de même qu'avec le Nouveau Théâtre expérimental de Jean-Pierre Ronfard. Haut lieu du renouveau théâtral, L'Espace libre devient, à partir du *Rail* en 1984, quatrième pièce de Carbone 14, un rendez-vous obligé pour les passionnés de théâtre. *Le Rail* a pour personnage central Lisa, une jeune chanteuse d'opéra animée de fantasmes sexuels morbides, qui raconte son aventure érotique avec le fils de Freud, sur fond de guerre et de catastrophe. Les spectateurs de cette pièce-événement se souviennent sans doute moins de l'intrigue dramatique que du décor sombre, enfumé, terrifiant, coupé en son centre par une longue voie ferrée rappelant les horreurs de la Shoah, ainsi que de la chorégraphie frénétique et bouleversante des acteurs. Cet imaginaire apocalyptique se retrouvera dans plusieurs autres spectacles de Maheu, notamment dans *Hamlet-machine* (1987), adapté d'un texte du dramaturge est-allemand Heiner Müller, et dans *Le Dortoir* (1988). En 1995, Carbone 14 déménagera dans une nouvelle salle mieux équipée, L'Usine C, mais les spectacles de plus en plus interdisciplinaires qui y seront présentés, malgré quelques succès (*Les Âmes mortes*, 1996), n'auront plus la même portée auprès du public ou dans le milieu théâtral.

La trajectoire de Robert Lepage (né en 1957) se compare aisément à celle de Gilles Maheu et témoigne du même phénomène, à savoir le triomphe du metteur en scène durant les années 1980. Le personnage acquiert toutefois une renommée qui n'a pas d'égale dans le milieu des arts de la scène. En 1982, il se joint au Théâtre Repère à Québec, puis il connaît un succès fulgurant dès son premier spectacle, *Circulations* (1984), construit à partir d'une carte routière des États-Unis lue comme un réseau de vaisseaux sanguins. Le texte dramatique importe moins que l'utilisation de « ressources sensibles », c'est-à-dire des objets, des images ou des éléments sonores qui servent de déclencheurs pour l'imaginaire. Marqué par la philosophie taoïste, Lepage cherche dans chaque idée ou sentiment son contraire et vise à une sorte d'harmonie formelle qui donne au spectacle son unité. À l'inverse des créations collectives et des improvisations habituelles, le théâtre de Lepage ne se distingue donc ni par l'éclatement ni par l'excès, mais au contraire par une recherche de simplicité des thèmes et des motifs, d'où son caractère plus accessible pour un public élargi. Si la critique a maintes fois souligné l'importance des objets, des accessoires, du mobilier scénique ou des leitmotive musicaux dans ce théâtre d'images, il n'en reste pas moins que ces éléments visuels et sonores, du moins dans les meilleurs spectacles de Lepage, ne se réduisent pas à de simples gadgets ou à des trouvailles techniques. Il s'agit de donner aux choses leur pouvoir d'évocation symbolique, de raconter leur histoire cachée, de les transformer en véritables personnages. Dans plusieurs cas, les mots eux-mêmes deviennent des objets, comme dans le spectacle solo intitulé *Vinci* (1986) qui révèle aussi le talent d'acteur de Lepage.

Au carrefour de l'art et de la technologie, le théâtre de Lepage atteint un sommet avec le cycle intitulé *La Trilogie des dragons* (1985). Peu d'œuvres ont suscité

La Trilogie des dragons de Robert Lepage. Photo Érick Labbé.

un engouement semblable à celui que la critique éprouve pour cette création de six heures. La pièce « holographique » (répétant sans cesse les mêmes figures, chaque partie contenant le tout) s'ouvre sur un parking au milieu duquel, à force de creuser, on découvre l'ancien Chinatown de la ville de Québec, puis en dessous la Chine elle-même. Sur le sable soigneusement sillonné, deux petites filles jouent avec des boîtes de chaussures qui évoquent les maisons et les commerces de la ville. Entre alors un vendeur de chaussures venu de Toronto et parlant un peu le chinois. Comme il est étranger à la ville francophone, personne ne veut l'accueillir, sauf le blanchisseur chinois avec qui il commence une partie de poker qui donnera lieu à une chorégraphie saisissante. Le spectacle est divisé en trois parties situées respectivement à Québec, à Toronto puis à Vancouver, selon une évolution chronologique et spatiale symbolisée chaque fois par un dragon d'une couleur différente : le dragon vert (1932-1935), le dragon rouge (1935-1955), le dragon blanc (1985). Théâtre d'images, certes, mais d'une profondeur et d'une spiritualité bien réelles. Celles-ci tiennent à la fois à la force symbolique des objets les plus familiers, à la simplicité des dialogues, au ludisme contagieux des personnages et à cette allégorie du monde contemporain où les civilisations (les Québécois dits de souche, l'anglophone de Toronto, l'immigrant chinois, etc.) se rencontrent à partir de ce non-lieu qu'est un parking et remontent peu à peu le fil du passé. La lumière vient du dessous, là où dorment les morts, les villes oubliées, vestiges d'une Histoire qui ne cesse de refaire surface. La pièce triomphe d'abord lors de sa création au Festival de théâtre des Amériques (dans un hangar du Vieux-Port de Montréal), puis à l'étranger. Par la suite, Robert Lepage continuera sur sa lancée, avec notamment un autre spectacle-fleuve, intitulé *Les Sept Branches de la rivière Ota* (1994-1996), qui dure sept heures. Étant donné sa fascination pour l'image, on ne s'étonnera pas de le voir s'engager parallèlement dans le cinéma (*Le Confessionnal*, 1995, *La Face cachée de la lune*, 2003). Mais c'est d'abord comme metteur en scène qu'il acquiert le statut d'une vedette nationale et internationale. En 1992, il devient le premier Nord-Américain invité à mettre en scène une pièce de Shakespeare (*A Midsummer Night's Dream*) au Royal National Theatre de Londres. Il fondera en 1997 à Québec la compagnie Ex Machina, qui est tout à la fois une salle de théâtre et un centre de production multimédia.

Parmi les nombreux autres metteurs en scène qui émergent durant les années 1980, Denis Marleau (né en 1954), fondateur du Théâtre UBU en 1982, ressort nettement. Ni acteur ni auteur, il fait de la mise en scène un art en soi et pousse le souci de cohérence formelle jusqu'à un niveau que l'on n'avait guère connu jusque-là. D'inspiration très littéraire, ses spectacles sont marqués par la virtuosité verbale (à la manière dadaïste), par une approche visuelle de la scène inspirée par l'art contemporain et par le jeu extrêmement stylisé, non réaliste, des acteurs. Il privilégie les textes d'artistes de la modernité (Jarry, Pessoa, Beckett, Koltès, Bernhard, etc.) tout en s'intéressant en même temps à des formes plus légères, empruntées à la tradition de l'*entertainment* à l'américaine, comme on le voit notamment dans *Merz Opéra* (1987), *Oulipo Show* (1988) et *Ubu Cycle* (1989). En 2002, Denis Marleau montre l'étendue de son registre avec la création des *Aveugles* de l'écrivain symboliste Maurice Maeterlinck au Musée d'art contemporain de Montréal. Dans le noir opaque, douze aveugles ne laissent voir que douze masques mortuaires qui aspirent toute la lumière et se détachent avec d'autant plus de force qu'ils semblent sortir littéralement de l'ombre et incarner le monde des ténèbres. Ici, le travail technique (le moulage des masques, l'éclairage ciblé) est mis au service d'une relecture originale d'une œuvre littéraire. Également associée au théâtre expérimental, l'actrice et metteure en scène féministe Pol Pelletier s'inspire comme Gilles Maheu du théâtre corporel. Refusant les conventions du système théâtral, elle se sépare en 1979 du Nouveau Théâtre expérimental de Jean-Pierre Ronfard pour créer le Théâtre expérimental des Femmes. Après un détour par l'Orient, elle revient au théâtre à la fin des années 1980 et propose un spectacle, *Joie* (1992), dont elle est à la fois l'auteure, l'interprète et la metteure en scène. Spectacle radical qui est marqué par l'intensité physique du jeu de l'actrice, et qui, à l'instar des derniers spectacles de Gilles Maheu, appartient tout autant à la danse qu'au théâtre.

Si le théâtre corporel, le théâtre d'images et les nombreuses performances interdisciplinaires caractérisent la scène contemporaine, il n'en reste pas moins que l'on assiste durant la même période au renouvellement en profondeur de la dramaturgie québécoise. Il n'est plus possible, en 1980, d'écrire une pièce comme *Les Belles-sœurs*, et Michel Tremblay lui-même l'a bien compris. Dans *L'Impromptu d'Outremont*, créée précisément en 1980, le salon bourgeois d'une maison d'Outremont remplace la cuisine familiale du Plateau Mont-Royal. Dans *Albertine, en cinq temps* (1984), la structure est davantage éclatée, et c'est un peu comme si Tremblay faisait un retour sur la tribu des *Belles-sœurs* pour la soumettre à la loi de la fragmentation. De façon plus conventionnelle, l'œuvre de Marie Laberge (née en 1950) suit le même mouvement, passant des drames collectifs ou historiques assez typiques des années 1970, catégorie à laquelle appartient encore *C'était avant la guerre à l'Anse à Gilles* (1981), à des pièces à caractère plus intimiste (*L'Homme gris*, 1984, *Oublier*, 1987) qui obtiennent un grand succès au Québec comme à l'étranger. Mais le tournant de 1980 se perçoit encore davantage avec l'émergence d'une nouvelle génération de dramaturges qui vont se lancer dans la recherche d'un langage proprement théâtral tout en se présentant comme les héritiers de Michel Tremblay. Parmi ceux-ci, trois auteurs se démarquent : René-Daniel Dubois (né en 1955), Michel Marc Bouchard (né en 1958) et surtout Normand Chaurette (né en 1954).

Deux thèmes caractéristiques du théâtre des années 1980 sont très présents chez ces trois dramaturges : celui de la création artistique et celui de l'homosexualité. C'est ce deuxième thème qui est sans doute le plus frappant chez René-Daniel Dubois et Michel Marc Bouchard. Dubois en a fait l'axe central de *26 bis, impasse du Colonel Foisy* (1982) et surtout de *Being at Home with Claude* (1985), son plus grand succès public. La pièce a pour personnage principal un jeune prostitué qui se trouve dans le bureau d'un juge. L'accusé force le représentant de l'ordre à entendre sa déposition, dans laquelle il confesse, en un langage passionné et cru, le mobile du meurtre de son amant. Chez Michel Marc Bouchard, la théâtralisation de l'expérience homosexuelle est au cœur de pièces comme *La Contre-nature de Chrysippe Tanguay, écologiste* (1983), *Les Feluettes ou la Répétition d'un drame romantique* (1987) et *Les Muses orphelines* (1988).

On pourrait dire la même chose de *Provincetown Playhouse, juillet 1919, j'avais 19 ans* (1982) de Normand Chaurette, mais ici la question homosexuelle est abordée dans une structure dramatique plus complexe qui joue d'abord sur l'autoréférentialité. Le héros, un ancien comédien appelé Charles Charles, soi-disant malade mental, raconte le crime survenu lors de la représentation d'une pièce pour trois comédiens qu'il avait lui-même écrite et au cours de laquelle un enfant devait être tué. Le soir de la première, l'illusion du meurtre se transforme toutefois en un meurtre réel, un enfant ayant été placé dans le sac qui devait initialement contenir du coton. Des trois comédiens, seul Charles Charles parviendra, en plaidant la folie, à éviter la peine de mort. On apprendra de sa propre bouche, dix-neuf ans plus tard, que c'est lui-même qui a orchestré le meurtre, à la fois parce qu'il ne pouvait supporter que les deux autres comédiens soient devenus amants et parce qu'il voulait créer un « coup de théâtre ». Sans ce moment fort, explique Charles Charles, les spectateurs risquaient de quitter la salle par ennui car il s'agissait d'une pièce au style déroutant et trop peu théâtral. C'est très exactement ce que la critique reprochait au théâtre de Chaurette, lui qui a la réputation d'écrire des pièces faites pour être lues et presque impossibles à jouer. On voit par le procédé du théâtre dans le théâtre comment l'auteur parvient à instaurer un dialogue teinté d'humour avec son propre public (et avec ses critiques). Dans ses pièces suivantes, Chaurette interroge de nouveau les limites du langage, en particulier son incapacité à rendre compte fidèlement des expériences vécues, même lorsqu'il s'agit simplement de rapporter ce qu'on a vu ou entendu. *Fragments d'une lettre d'adieu lus par des géologues* (1986) met ainsi en scène une commission d'enquête chargée de faire la lumière sur la mort mystérieuse du responsable d'une expédition scientifique au Cambodge, appelé Toni van Saikin. Or, le témoignage des quatre géologues se heurte à toutes sortes de contradictions et aboutit à l'échec de l'enquête, qui ne parvient pas à dégager quelque vérité que ce soit. La pièce s'achève sur deux monologues de nature poétique, récités par la veuve du scientifique puis par un assistant d'origine cambodgienne, qui conclut : « Impossible de savoir d'où l'on vient. Impossible de savoir où l'on va. Le cerveau de Toni van Saikin regardait la mer à l'infini, diffuse et chaotique, là depuis avant le commencement du monde. » Impossible aussi de distinguer le vrai et le faux, comme le montre encore *Le Passage de l'Indiana* (1996), où des personnages sont réunis dans une maison d'édition pour tenter d'éclaircir – en vain – une histoire de plagiat. Chaurette est l'un des dramaturges québécois les plus joués en France : sa pièce *Les Reines* (1991), réécriture du *Richard III* de Shakespeare autour des seuls personnages féminins, est inscrite au répertoire de la Comédie-Française.

Le thème de la création se retrouve dans plusieurs autres productions de cette période, soit par le biais d'une construction autoréflexive comme dans *J'écrirai bientôt une pièce sur les nègres* (1989) de Jean-François Caron, soit par le biais d'une figure d'artiste comme dans *O'Neill* (1990) d'Anne Legault. Ce qui frappe surtout, à partir des années 1990, c'est le retour de plus en plus évident au texte comme force matricielle du théâtre. Derrière les inventions formelles toujours très nombreuses et les emprunts réguliers aux autres arts, le théâtre se développe autour de jeunes dramaturges qui tentent de trouver un langage adéquat pour aborder la perte du sens propre à l'individu contemporain. Cela passe souvent par l'humour et l'improvisation, comme le font les acteurs réunis autour de la Ligue nationale d'improvisation, fondée en 1980 et qui connaît un vif succès durant toutes ces années. En 1992, Dominic Champagne, Jean-Frédéric Messier, Pascale Rafie et Jean-François Caron créent *Cabaret neiges noires*, qui se compose de courtes pièces évoquant plusieurs facettes de la vie contemporaine dans une atmosphère ludique où l'on assiste aussi au conflit entre les générations :

> LA VIEILLE DAME
> Tu vas te tenir debout, m'entends-tu ?
> Pis tu vas faire un homme de toi.

> MARTIN
> (Pop ton lithium pis farme ta yeule, O.K.)

> LA VIEILLE DAME
> Je t'ai pas mis au monde
> Pour te voir mourir, Martin.

> MARTIN
> (Ton hostie de référendum)

> LA VIEILLE DAME
> I have a dream Martin.

> MARTIN
> (Fuck off.)

Le tableau social est encore plus cru chez Yvan Bienvenue (*In vitro*, 1993), François Archambault (*Cul sec*, 1993) ou Anne-Marie Cadieux (*La Nuit*, 1994), à propos desquels Diane Godin se demande s'il ne faut pas parler d'un « nouveau réalisme ». Le désarroi propre à cette génération s'exprime de façon moins brutale dans une pièce souvent citée, *Littoral* (1997), écrite, en collaboration avec Isabelle Leblanc, par le dramaturge et metteur en scène d'origine libanaise Wajdi Mouawad (né en 1968). On y voit un jeune homme qui porte littéralement sur ses épaules la dépouille de son père afin de l'enterrer dans son pays natal. Le héros ne sait trop où il va, mais il n'est pas seul de son espèce. D'autres personnages se joignent à son odyssée et chacun raconte son histoire sans trop y croire, en attente d'un signe de quelque astre qui donnerait un sens à son aventure. Entre le réalisme et le merveilleux, le héros a le sentiment de ne pas exister, ce que la pièce exploitera en insérant un deuxième niveau par lequel intervient une équipe de tournage qui le filme comme si son aventure n'était en fait qu'une fiction.

La conscience exacerbée de soi-même caractérise un grand nombre de jeunes dramaturges dont les œuvres ressemblent à une quête identitaire orientée vers un passé lointain, se confondant avec un rêve d'archaïsme. C'est le cas de Daniel Danis (né en 1962) qui joue sur les différents niveaux de la mémoire, en un style poétique qui cherche moins à représenter qu'à mimer des sensations primitives, comme on le voit dans *Le Chant du Dire-Dire* (1998), où le « Dire-Dire » est une sorte de totem qui recueille la parole des enfants :

Tout jeune, aucun d'eux ne parlait. À peine. Parler pour le besoin, tout juste. Pas de nécessité de jaser. La mère, la leur, craignait ce silence.

Les délier, se disait-elle, et son mari aussi. Les délier pour les entendre, les rendre audibles à ce monde.

La mère, toujours la leur, avait pensé-rêvé à un objet : un jeu. Le père, le leur, l'avait fabriqué, en cuivre.

À la même époque, Larry Tremblay crée *The Dragonfly of Chicoutimi* (1995), où un aphasique francophone retrouve la parole en anglais – mais dans un anglais qui utilise la grammaire française. Sur un autre ton, la fragilité des relations affectives contemporaines devient le thème privilégié par des dramaturges comme Carole Fréchette (*Les Quatre Morts de Marie*, 1991), ou, plus récemment, Évelyne de la Chenelière (*Henri et Margaux*, 2002).

8
La spécialisation des genres

Tout en s'élargissant de façon spectaculaire à partir de 1980, le domaine littéraire tend à se fragmenter en fonction de publics de plus en plus ciblés. La littérature semble ainsi se subdiviser en secteurs relativement indépendants les uns des autres, centrés sur un noyau d'écrivains ou de critiques qui se spécialisent dans un genre ou un sous-genre et qui sont soutenus par un appareil institutionnel spécifique permettant un certain regroupement des activités (maisons d'édition, collections littéraires, revues, prix, etc.). Le phénomène de spécialisation peut être perçu comme une conséquence du décentrement de la littérature et de la perte d'influence de l'écrivain. Celui-ci n'aurait de véritable influence que dans un milieu plus ou moins restreint qui lui assurerait sa légitimité au sein de l'institution littéraire. Ce processus de marginalisation est particulièrement évident du côté de la poésie, comme on le verra plus loin. Le même phénomène prend toutefois un sens quelque peu différent dans des secteurs longtemps marginalisés, comme la science-fiction ou la littérature fantastique et, plus encore, dans deux secteurs qui connaissent un véritable boom au tournant des années 1980 : la nouvelle et la littérature destinée à la jeunesse.

Le mot « nouvelle », au sens littéraire, était fréquent au Québec durant tout le xixe siècle, mais les nouvelles publiées dans les journaux ou les revues n'étaient pas rassemblées dans des livres. Il s'agissait donc de courts récits épars sans statut véritable. Il faut attendre 1928 pour voir paraître un premier recueil de nouvelles, celui d'Arthur Saint-Pierre intitulé simplement *Des nouvelles*. Le genre demeure toutefois associé au recueil de contes folkloriques et, le plus souvent, il est pratiqué par des auteurs dont on retient davantage les romans, comme Albert Laberge, Ringuet, Gabrielle Roy ou Yves Thériault. Il n'en va plus ainsi à partir de 1980. On assiste alors à un engouement remarquable pour ce genre réputé mineur. Pour le nouvelliste Gaëtan Brulotte, « [l]e genre de la nouvelle a connu au Québec une explosion sans précédent depuis 1980. Auteurs, éditeurs, revues, radios, prix, enseignement, critique, toute l'institution littéraire québécoise s'est mise à l'heure de la nouvelle ». Le phénomène n'est d'ailleurs pas propre au Québec et il a fait l'objet de constats similaires en France, en Belgique et en Suisse.

Des écrivains se présentent volontiers non plus comme des romanciers qui publient par ailleurs des nouvelles, mais comme des nouvellistes (ou, dans certains cas, des nouvelliers, par analogie avec le mot « romancier »). Les signes de l'essor de la nouvelle sont nombreux, à commencer par la création au début des années 1980 d'un prix de la nouvelle (le prix Adrienne-Choquette) attribué par la Société des écrivains canadiens. De façon plus déterminante, ce sont d'abord les revues qui permettent une diffusion accrue de nouvelles, non seulement les revues déjà établies (*Écrits du Canada français, Liberté, La Nouvelle Barre du jour*, etc.), mais également deux revues créées presque en même temps et qui se consacrent exclusivement à ce genre : *XYZ. La revue de la nouvelle* (1985) et *Stop* (1986). Peu après, deux maisons d'édition spécialisées dans la nouvelle voient le jour, l'une à Québec, L'Instant même (fondée entres autres par Gilles Pellerin et Jean-Paul Beaumier), l'autre à Montréal, XYZ, du nom de la revue dont elle est issue. Parmi les nombreux nouvellistes associés à L'Instant même ou à XYZ, les deux principaux foyers de ce qu'on a appelé le renouveau de la nouvelle, citons Aude, Jean-Paul Beaumier, Bertrand Bergeron, André Berthiaume, Gaëtan Brulotte, André Carpentier, Hugues Corriveau, Esther Croft, Anne Dandurand, Diane-Monique Daviau, Daniel Gagnon, Jean Pierre Girard, Sylvie Massicotte, Gilles Pellerin, Monique Proulx, Hélène Rioux et Marie José Thériault. Plusieurs d'entre eux participeront à une série d'activités qui témoignent de l'intérêt suscité par le genre, qu'il s'agisse de soirées de lectures publiques, de festivals de la nouvelle ou de concours de nouvelles. La nouvelle bénéficie aussi du fait qu'elle est fréquemment mise au programme dans les cégeps et les universités. Les collectifs et les anthologies consacrés à ce genre se multiplient. Au total, c'est tout un milieu qui s'organise et donne au genre une vitalité et une légitimité qui lui avaient jusque-là fait défaut. Rapidement, le marché, peu rentable, va toutefois se saturer, comme le suggèrent la diminution du nombre de recueils à partir de 1995 et le fait que les maisons d'édition comme XYZ et L'Instant même devront se diversifier en s'ouvrant à d'autres genres littéraires. Le genre retrouve quelque chose de sa marginalité antérieure et les nouvellistes semblent résignés à écrire pour un public plus restreint. Mais la nouvelle contemporaine n'en a pas moins rompu avec l'image folklorique qui lui était associée par le passé. En outre, à l'instar de la poésie, elle dispose aujourd'hui de son propre circuit de légitimation.

Pour plusieurs nouvellistes contemporains, la nouvelle, loin d'être un « genre mineur », constitue une forme spécifique qui a ses lois propres et qui n'a pas à être systématiquement comparée au roman. Dans un texte intitulé « Pour la nouvelle », André Belleau insiste : « Faire court, c'est vraiment faire *autre chose* ». L'art de la nouvelle tient tout à la fois à sa brièveté, qui force à densifier le récit, et à l'unité ou aux effets de discordance que permet la construction d'un recueil. Elle favorise diverses formes d'expérimentations narratives, comme les textes ultrabrefs qui font l'objet de plusieurs numéros de *XYZ* ou de *Stop*, et qui rappellent les nouvelles en trois lignes que l'écrivain français Félix Fénéon faisait paraître dans les journaux à la fin du XIXe siècle. La nouvelle entretient par ailleurs un rapport souvent oblique ou allusif au réel, dont elle ne saisit que des fragments. D'où la parenté naturelle entre la nouvelle et le registre fantastique qui, à la différence de la science-fiction, se prête mieux aux formes du récit bref qu'au roman. L'évolution du fantastique suit d'ailleurs de près celle de la nouvelle. Le fantastique a existé dès le XIXe siècle, comme l'atteste la dimension gothique du premier roman québécois, *L'Influence d'un livre* de Philippe Aubert de Gaspé fils. Mais il est demeuré assez marginal jusque tard dans le XXe siècle, ce que confirme par exemple le cas de Claude Mathieu, dont le recueil de nouvelles *La Mort exquise* passe inaperçu en 1965, avant d'être réédité à L'Instant même en 1989, avec une préface de Gilles Archambault qui verra en Mathieu un écrivain de grande qualité injustement oublié par l'histoire littéraire. Dans les années 1970, on voit apparaître des auteurs qui seront aussi parmi les premiers spécialistes du fantastique au Québec, comme André Carpentier (*Rue Saint-Denis*, 1978) et André Berthiaume (*Incidents de frontière*, 1984).

L'un des plus efficaces défenseurs de la nouvelle est l'écrivain et éditeur Gilles Pellerin, qui consacre un essai à ce genre sous le titre ironique *Nous aurions un petit genre* (1997). Le « nous » du titre renvoie d'abord au groupe des nouvellistes, qui forment une sorte de famille élargie dont les membres débordent le seul cadre national. « Si L'instant même entend faire coexister des nouvellistes de diverses origines (avec une très nette prédominance québécoise tout de même) dans une même collection, sous une maquette unique, c'est que la notion de genre prévaut chez nous sur toute autre. » La dimension formelle de la nouvelle, centrale aux yeux de Gilles Pellerin, lui permet de jeter des ponts avec des écrivains d'ailleurs. Ces ponts, du reste, existent déjà puisque, souligne-t-il, la majorité des jeunes nouvellistes se réclament de Julio Cortázar ou de Jorge Luis Borges, non de la tradition locale, et encore moins de la tradition française qui, à la différence des traditions latino-américaines, états-unienne ou slave, a toujours considéré la nouvelle comme un genre secondaire. Pour Pellerin, les exigences et la valeur littéraire de la nouvelle, qu'il compare à un laboratoire d'écriture, ne sont pas moins élevées que celles d'un roman. Il y a d'ailleurs une filiation évidente entre certains nouvellistes et le formalisme des années 1970. C'est le cas, par exemple, de Bertrand Bergeron, dont la nouvelle « Surveillants et d ten s », parue dans *La Nouvelle Barre du jour* en 1979, sera reprise dans *Parcours improbables* (1986), premier recueil de L'Instant même. Les jeux narratifs hérités du formalisme mais aussi du Nouveau Roman abondent dans les recueils de Gilles Pellerin (*Ni le lieu ni l'heure*, 1987), Normand de Bellefeuille (*Ce que disait Alice*, 1989), Claire Dé (*Le Désir comme catastrophe naturelle*, 1989), Marie José Thériault (*L'Envoleur de chevaux et Autres Contes*, 1986), Hélène Rioux (*L'Homme de Hong Kong*, 1986) ou Michel Dufour (*Circuit fermé*, 1986).

Ce souci d'expérimentation formelle distingue la nouvelle contemporaine des nouvelles d'auteurs de générations précédentes, comme André Major (*La Folle d'Elvis*, 1981), Gilles Marcotte (*La Vie réelle*, 1989), André Brochu (*La Croix du Nord*, 1991) ou Gilles Archambault (*Comme une panthère noire*, 2001), qui respectent généralement les conventions du réalisme. Mais le formalisme et le réalisme sont loin de s'exclure mutuellement, comme on le voit chez Michael Delisle

(*Le Sort de Fille*, 2005). Le recueil le plus typique à cet égard, et l'un des mieux reçus à l'époque, est sans doute *Le Surveillant* (1982) de Gaëtan Brulotte, qui obtient les prix Adrienne-Choquette et France-Québec. Le travail formel va de pair ici avec la clarté et la simplicité du récit de même qu'avec un sens de l'absurde qui rappelle Samuel Beckett. La nouvelle éponyme met en scène un personnage chargé depuis vingt-cinq ans de surveiller un mur situé on ne sait trop où. « Il faut surveiller le mur. Être constamment aux aguets. Ne jamais commettre d'erreur. » Le surveillant s'acquitte consciencieusement de sa tâche, sans que l'on ne sache jamais à quoi sert réellement le mur qu'il surveille. Il est finalement renvoyé après avoir été surpris en train d'écrire ses mémoires. Cette nouvelle, comme plusieurs autres dans le recueil, donne à lire la culpabilité qui se rattache à l'écriture, tantôt interdite, tantôt inutile et bizarre, toujours soumise à un sévère examen de conscience.

Les thèmes les plus fréquemment observés dans les recueils de nouvelles contemporains recoupent en grande partie ceux qu'on peut repérer dans le reste de la littérature québécoise de cette période : disparition de la thématique nationaliste, plongée dans les énigmes du moi, expériences de la solitude, de l'ennui, de la marginalité sous toutes ses formes. Mais la nouvelle aborde ces thèmes sous le signe de l'instant ou du suspens temporel, ce qui la distingue du roman, qui s'inscrit plus volontiers dans la durée. Les lieux de passage comme les gares, le métro, les parkings, les bars ou les chambres d'hôtel sont plus familiers que les maisons bourgeoises ; l'errance et les voyages sont plus souvent représentés que la routine du travail. L'amour est un thème majeur, mais il est également placé sous le signe de la solitude et de l'incommunicabilité, y compris dans les nouvelles érotiques qui se développent de façon marquée durant ces années, comme chez les sœurs jumelles Anne Dandurand et Claire Dé (*La Louve-garou*, 1982) ou chez Daniel Gagnon (*Le Péril amoureux*, 1986). Nadine Bismuth reprend le même thème, sous l'angle de l'infidélité, avec son premier recueil au style gentiment ironique, *Les gens fidèles ne font pas les nouvelles* (1999).

Jouant des possibilités offertes par la forme du recueil, plusieurs nouvellistes s'efforcent de composer des livres de plus en plus unifiés, soit autour d'une thématique principale, soit grâce à la reprise de personnages, soit tout simplement en situant les nouvelles autour d'un même lieu. Monique Proulx, dans *Sans cœur et sans reproche* (1983), présente par exemple deux personnages qui reviennent et même qui vieillissent d'une nouvelle à l'autre, donnant ainsi aux nouvelles un ordre chronologique. Dans *Les Aurores montréales* (1996), c'est la ville, avec sa « gracieuse modernité de carte postale », qui permet d'unifier des histoires très variées qui ont aussi en commun de se nourrir de l'actualité, ce que renforcent les dédicaces et les références à des écrivains ou à des journalistes bien connus au Québec. Certains recueils extrêmement construits se rapprochent carrément de petits romans, comme *Tu attends la neige, Léonard ?* (1992) de Pierre Yergeau, au point même que les puristes du genre l'ont considéré comme un faux recueil de nouvelles, plutôt comme une suite de petits récits ou un roman morcelé, semblable en cela aux autres romans de l'auteur, comme *L'Écrivain public* (1996), situé dans le même décor abitibien. Autre exemple de recueil très unifié, *La Héronnière* (2003) de Lise Tremblay met en scène dans chaque nouvelle le conflit entre la vision du monde d'une citadine et celle d'un village de chasseurs qui font régner une étrange loi du silence.

Selon la même logique de spécialisation qui explique l'essor de la nouvelle ou des récits fantastiques, la période contemporaine voit aussi émerger au Québec des sous-genres comme les récits de science-fiction et, dans une moindre mesure, les récits policiers. Le dynamisme qui caractérise la science-fiction suit la même évolution que les autres secteurs de la littérature. On voit se constituer un milieu spécialisé vers la fin des années 1970, autour de quelques revues (notamment *Solaris* et *Imagine*, fondées respectivement en 1974 et 1979). Des écrivains de science-fiction comme Daniel Sernine, Jean-Pierre April, Esther Rochon et surtout Élisabeth Vonarburg obtiennent des succès enviables, au Québec comme à l'étranger. En 1984, celle-ci publie son roman *Janus* dans la collection « Présence du futur » chez Denoël à Paris et reçoit les éloges de la critique. Les succès sont plus rares dans le domaine relativement peu exploré au Québec du récit policier, malgré l'entrée, en 1999, d'un premier Québécois, François Barcelo, dans la collection « Série noire » de Gallimard avec *Moi, les parapluies*.

Les plus grands succès commerciaux viennent plutôt d'un autre coin du champ littéraire, soit le secteur florissant de la littérature qui s'adresse aux enfants et aux adolescents. En soi, le phénomène de la littérature jeunesse n'est pas neuf. Monique Corriveau s'était déjà illustrée dans ce genre, notamment avec *Compagnons du soleil* (1976). Mais il le devient par son ampleur. Plusieurs auteurs pour jeunes publics publient de véritables best-sellers, comme Raymond Plante avec la série inaugurée par *Le Dernier des raisins* (1986). À côté de ce roman-miroir, on trouve d'autres types de romans où dominent la critique sociale (Marie-Francine Hébert, Bertrand Gauthier), l'imagination (Christiane Duchesne) ou l'humour (Robert Soulières). De nombreux auteurs « pour adultes », comme Yves Beauchemin, Sylvain Trudel, François Gravel ou Chrystine Brouillet, se mettent à écrire également pour de jeunes lecteurs. La part de marché est si importante que ce secteur deviendra un champ d'étude spécifique. Des travaux récents, menés parfois par les auteurs eux-mêmes comme Dominique Demers, prennent la mesure de ce phénomène qui continue de s'amplifier durant les années 1990, souvent relayé par la télévision ou le cinéma. À partir de cette décennie, il se publie environ 250 titres par année, soit 35 % de la production québécoise annuelle. Il existe une quarantaine de collections de romans pour la jeunesse. Au total, selon Édith Madore qui consacre une thèse de doctorat à la littérature jeunesse au Québec, ce secteur rapporte 19 % des recettes globales des maisons d'édition. Celles-ci misent sur le public scolaire et tendent à créer des collections de plus en plus ciblées selon les catégories d'âge. Plusieurs universités offrent des cours en littérature jeunesse et bon nombre de mémoires et de thèses portent sur ce phénomène. Un tel engouement ne va pas toutefois sans susciter des critiques. Dans son *Histoire de la littérature pour la jeunesse* (2000), Françoise Lepage souligne le conformisme des livres destinés au jeune public, en particulier ceux qui s'adressent aux adolescents. Le souci de lisibilité est tel qu'il tend à niveler le style et à favoriser des romans-miroirs dont le vocabulaire, la syntaxe aussi bien que le contenu idéologique demeurent strictement contrôlés. C'est également le cas dans le théâtre pour jeune public, comme le montre l'exemple de la pièce de Michel Marc Bouchard, *L'Histoire de l'oie* (1991), qui porte sur les enfants battus et que certaines écoles refuseront de mettre à leur programme. Si la littérature pour la jeunesse obéit à une logique commerciale, elle garde quelque chose des visées pédagogiques qu'elle avait auparavant.

9

L'opposition entre la recherche et l'essai

À partir des années 1980, la critique savante est progressivement orientée vers la « recherche », tandis que s'impose dans les universités un système de financement issu des disciplines scientifiques, fondé sur les subventions qu'obtiennent les chercheurs. Après que l'enseignement en a assuré l'institutionnalisation dans les années 1960, la recherche, souvent organisée en projets collectifs, contribue à reconfigurer la littérature québécoise. Ainsi de nouveaux champs d'expertise se trouvent délimités, comme c'est le cas des études théâtrales qui, en se tournant surtout vers la scène, se séparent de plus en plus nettement des études littéraires attachées, elles, au seul texte dramatique. Cette autonomisation s'appuie sur des revues spécialisées (*Jeu*, *L'Annuaire théâtral*), des associations (la SQET : Société québécoise des études théâtrales) et sur la création de programmes en théâtre dans les cégeps et les universités. L'écriture des femmes s'impose aussi comme l'une des spécialisations de la recherche littéraire, à la fois sur le plan des textes étudiés et sur celui de l'approche critique. Inspirée par les *women's studies* et les *gender studies* qui se développent aux États-Unis et au Canada anglais, avec entre autres l'essai de Patricia Smart, *Écrire dans la maison du père* (1988), une « critique au féminin » de la littérature québécoise émerge au début des années 1980. Définie par Suzanne Lamy (« L'autre lecture », 1984), puis par Louise Dupré (*Stratégies du vertige*, 1989), cette relecture d'œuvres de femmes met au jour des thématiques, telle la maternité dans *Le Nom de la mère* (1999) de Lori Saint-Martin, mais aussi des filiations féminines et des positions différentes dans l'écriture.

Le morcellement des spécialisations s'observe dans tous les secteurs de la critique universitaire : il y a désormais des spécialistes du Régime français ou du XIXᵉ siècle, des récits de voyage ou de la littérature épistolaire, des réseaux d'écrivains ou de la littérature populaire, de l'imaginaire urbain ou de l'écriture migrante. Ces spécialistes se définissent à la fois par les corpus qu'ils privilégient et par les perspectives théoriques ou les méthodes qu'ils adoptent pour étudier ces corpus. Ceux-ci deviennent de plus en plus accessibles grâce à de nombreuses rééditions. Créée en 1980, la collection « Bibliothèque du Nouveau Monde », publiée aux Presses de l'Université de Montréal, vise à réunir en un vaste corpus d'éditions critiques les « textes fondamentaux de la littérature québécoise » sur le modèle de la « Bibliothèque de la Pléiade » en France. Facilitées par les nouveaux moyens dont disposent les chercheurs subventionnés, de vastes enquêtes historiques continuent d'être menées, qu'il s'agisse de répertorier l'ensemble de la production (Maurice Lemire et collaborateurs, *Dictionnaire des œuvres littéraires du Québec*, 1980-) ou de décrire le fonctionnement sociologique de la littérature depuis 1764 (Denis Saint-Jacques et collaborateurs, *La Vie littéraire au Québec*, 1991-) ; qu'on s'attache à un secteur particulier (Jacques Michon, *Histoire de l'édition littéraire au Québec au XXᵉ siècle*, 1999-) ou qu'on retrace « l'archéologie du littéraire » (Bernard Andrès, 1993-). Ces travaux historiques s'inspirent d'une sociologie du fait littéraire, issue des théories de Pierre Bourdieu adaptées à la littérature par Jacques Dubois, théories qui ont, au Québec, un retentissement important. D'autres travaux, consacrés à l'analyse des œuvres, s'inspirent, eux, de la sociocritique et contribuent à en reformuler la théorie, notamment en intégrant le concept de « discours social » proposé par Marc Angenot pour définir l'ensemble de l'univers discursif d'une époque donnée. Face à ces approches attentives au contexte, d'autres, fondées sur la sémiotique et les différentes méthodes structurales, se vouent au seul texte ; elles pâtiront davantage de la perte de prestige qui touche la théorie littéraire dans les années 1990. En effet, selon Robert Dion, les débats sur la postmodernité entraînent un éclectisme théorique qui succède aux partis pris nettement marqués des années précédentes. Dion relève cependant une « problématique d'ensemble : celle de l'identitaire », notion qui s'oppose à l'identité en ce qu'elle est envisagée sous l'angle des multiples différences (sexuelles, linguistiques, ethniques, etc.), dans la complexité et l'instabilité.

Les travaux savants se multiplient au cours de la période. Dans les départements de lettres des universités du Québec, le nombre de mémoires et de thèses, tous corpus confondus, double entre 1980 et 2000, ce qui s'explique en partie par l'abondance des mémoires et des thèses en création, qui représentent en 2000 près du tiers de ces travaux. La proportion de mémoires et de thèses dédiés spécifiquement à la littérature québécoise augmente légèrement durant la même période, atteignant près de 50 % du total de mémoires et de thèses en recherche. En outre, la littérature québécoise est désormais étudiée à l'étranger. Aux États-Unis, une association universitaire, le Council for Quebec Studies, publie à partir de 1983 la revue *Quebec Studies*. En Europe, la recherche sur la littérature québécoise est présente dans les centres d'études québécoises ou canadiennes qui voient le jour dans divers pays après 1980. Un des premiers livres sur l'œuvre de Ducharme, celui de Franca Marcato-Falzoni, *Du mythe au roman : une trilogie ducharmienne*, paraît à Bologne en 1983 (il est traduit au Québec en 1992).

Souvent présentée comme une preuve de la vitalité de la littérature québécoise, la recherche suscite aussi la méfiance, et un autre pan de la critique trouve une place dans l'essai. Ces deux pratiques définissent deux conceptions de la littérature qui se distinguent, voire s'opposent, surtout par le type de rapport que le critique entretient avec son objet, observation objective et application de grilles méthodologiques dans un cas, mise à l'épreuve d'une subjectivité dans l'autre. L'essai bénéficie au Québec d'une forte valorisation qu'accentue encore la théorisation dont il fait l'objet à la même période, depuis le dossier de la revue *Études littéraires* en 1972 et dans la foulée des travaux de Jean Marcel Paquette,

Jean Terrasse, Marc Angenot et Robert Vigneault. Genre hybride, longtemps laissé au discours politique ou philosophique, l'essai se trouve ainsi rattaché à la littérature par la mise en lumière de sa forme toujours en mouvement et surtout de la subjectivité de l'essayiste. La publication d'anthologies (notamment celle de Laurent Mailhot, *Essais québécois, 1837-1983*, 1984, et le tome VI de la collection « Archives des lettres canadiennes », *L'Essai et la Prose d'idées* préparé par Paul Wyczynski, François Gallays et Sylvain Simard, 1985) indique la nouvelle légitimité littéraire du genre. L'ouverture de plusieurs collections spécialisées (comme « Papiers collés » en 1984 chez Boréal) favorise également la publication de nombreux recueils de textes d'abord parus en revues. Plusieurs critiques littéraires vont ainsi passer d'une écriture sur la littérature à une écriture qui se revendique elle-même comme littéraire. Cette position se retrouve tout particulièrement à la revue *Liberté*, véritable pépinière des essayistes de la décennie 1980, dont le point commun est sans doute la défense de la littérature, moins comme ensemble patrimonial de textes que comme mode de connaissance (de soi et du monde) et d'intervention. C'est sur ce plan de la fonction de la littérature que l'essai littéraire s'écarte radicalement de la recherche.

Dans « Petite essayistique » (1983), André Belleau (1930-1986) fait de l'essayiste un écrivain au même titre que le romancier et le poète. Le parcours de Belleau témoigne bien des transformations survenues des années 1960 aux années 1980 : il passe de l'Office national du film, où il travaille d'abord comme producteur, à *Liberté*, dont il est en 1959 l'un des fondateurs, puis à la toute nouvelle Université du Québec à Montréal, où il commence à enseigner dès le début des années 1970, en même temps qu'il prépare une thèse de doctorat (*Le Romancier fictif. Essai sur la représentation de l'écrivain dans le roman québécois*, 1980). L'essai, exigeant à la fois la maîtrise de la culture et de ses signes et la distance critique, est, selon lui, un genre de la maturité – « l'essayiste », écrit-il dans « Petite essayistique », en pensant sans doute à son propre cas, « ne commence à se sentir écrivain que tard dans la vie ». Son œuvre d'essayiste est brève : elle se compose de deux recueils, dont le second, *Surprendre les voix* (1986), reprend en bonne partie le premier, *Y a-t-il un intellectuel dans la salle ?* (1984). Formé à *Liberté*, qu'il compare à une « taverne » à cause de son pluralisme et de la convivialité de sa pensée, André Belleau en incarne bien l'esprit. Il y peaufine, aux côtés de Fernand Ouellette notamment, l'écriture de l'essai : « L'essayiste travaille [...] avec les signes de la culture. Il a le bonheur d'habiter la sémiosphère », lit-on encore dans « Petite essayistique ». Belleau se passionne pour la sémiologie (étude des signes) et concilie dans l'essai la réflexion personnelle et la mise à l'épreuve de la théorie. Lecteur de Rabelais, il est fortement influencé par les travaux du théoricien russe Mikhaïl Bakhtine, à qui il reprend les concepts de « dialogisme » et de « polyphonie » pour caractériser le roman québécois, tiraillé, pense-t-il, entre un mode de représentation littéraire français et un mode de représentation sociale nord-américaine. À Bakhtine,

Belleau emprunte aussi la notion de « carnavalisation » pour décrire une tension entre culture populaire et culture savante à l'œuvre dans la littérature et la culture québécoises. Dans « L'effet Derome » (1980), il applique avec humour les principes de l'analyse sociolinguistique et les théories de l'énonciation à l'habitude qu'a le présentateur-vedette de la télévision de Radio-Canada d'adopter la prononciation anglaise pour tous les noms propres étrangers, habitude qu'il interprète comme un symptôme d'intériorisation du colonialisme. Après le référendum de 1980 et l'échec de l'option souverainiste qu'il avait soutenue, la position de Belleau sur les grands enjeux politiques du Québec se précise : il prône, à propos de la langue – « Pour un unilinguisme antinationaliste » (1983) –, un indépendantisme antinationaliste particulièrement sévère à l'égard de tout fétichisme de l'identité, et donc du français. « Nous n'avons pas besoin de parler français, nous avons besoin du français pour parler », écrit-il à ce sujet. Belleau participe également au mouvement d'ouverture sur les littératures et les cultures étrangères présent à *Liberté*. Ainsi, il cherche à élucider sa fascination pour l'Allemagne dans un texte de 1982, dédié à Fernand Ouellette, « L'Allemagne comme lointain et comme profondeur ». Cet essai, exemplaire de la pratique de Belleau, mêle les souvenirs communs avec Ouellette (le séminaire sur les romantiques allemands donné ensemble à l'université pendant la crise d'Octobre, leur rencontre à Constance avec le théoricien Hans Robert Jauss), mais aussi la lecture du livre de Ouellette, *Depuis Novalis* (1973), et la réflexion historique sur la solitude des intellectuels québécois au lendemain du référendum de 1980 qui fait écho à celle des romantiques allemands.

Jean-Pierre Issenhuth (né en 1947), auteur des recueils *Rêveries* (2001) et *Le Petit Banc de bois : lectures libres (1985-1999)* (2003), Yvon Rivard qui signe *Le Bout cassé de tous les chemins* (1993) et *Personne n'est une île* (2006), et Gilles Marcotte, chez qui le mode essayistique s'accentue dans les recueils des années 1980 (*L'Amateur de musique*, 1992, *Écrire à Montréal*, 1997), sont aussi passés par la revue *Liberté*. C'est également à *Liberté* que paraissent plusieurs textes de Jean Larose (né en 1948), dont la réflexion s'alimente de la psychanalyse et s'appuie sur son expérience de l'enseignement de la littérature à l'université. Son premier essai, *Le Mythe de Nelligan* (1981), analyse l'exemplarité pour la culture québécoise de la figure du poète, dont la folie correspond, selon Larose, à un assujettissement au seul pôle maternel. Il réunit ses essais ultérieurs dans deux recueils, *La Petite Noirceur* (1987) et *L'Amour du pauvre* (1991). Connu pour l'arrogance qu'il revendique dans « La littérature à distance » (*L'Amour du pauvre*), Larose apporte à l'essai une dimension polémique qui culmine dans *La Souveraineté rampante* (1994), écrit en partie comme une réponse au livre de Jacques Pelletier, *Les Habits neufs de la droite culturelle* (1994). Quels que soient les sujets qui le sollicitent, Larose les aborde à partir de la littérature, à la fois en tant qu'expérience intime et en tant que point de vue. Il en est ainsi de l'enseignement, alors qu'il oppose aux défenseurs d'une pédagogie du vécu la distance de la littérature, « seule voie d'échappement aux sentiments obligatoires comme aux communautés obligatoires. La littérature, en permettant de s'écarter de soi, permet d'accueillir l'autre en soi » (« Le fantôme de la littérature », dans *L'Amour du pauvre*). La littérature lui inspire aussi un regard durement critique et autocritique sur la société québécoise contemporaine, comme l'illustre le texte « Si tu reviens au Canada... » (*La Petite Noirceur*), lettre adressée à une amie québécoise résidant aux États-Unis, pour la dissuader de revenir au Québec (selon un dispositif qu'utilisait déjà Arthur Buies) : « Si tu reviens, [...] autour de toi, adversaires et amis se fondront en une seule masse glauque de gélatine. Il s'élèvera de cette lâcheté un chant de sirène qui t'appellera toi aussi vers l'absence de caractère. » Dans un premier roman qui paraît en 1998, *Première Jeunesse*, Jean Larose poursuit l'exploration critique de sa génération et de son milieu, qui est l'un des thèmes favoris de ses essais. François Ricard (né en 1947), professeur, éditeur, fondateur de la collection « Papiers collés » chez Boréal, directeur de *Liberté* de 1980 à 1986, auteur d'études marquantes sur Gabrielle Roy et sur Milan Kundera, poursuit le même objectif dans *La Génération lyrique. Essai sur la vie et l'œuvre des premiers-nés du baby-boom* (1992), description ironique des singularités d'une génération, où la réflexion se base sur l'histoire et la sociologie, mais d'abord et avant tout sur une approche proprement littéraire. Ricard dit « aimer dans la littérature non pas qu'elle soit la vérité, bien au contraire, mais plutôt ceci : qu'elle soit, parmi tout ce qui me trompe – et tout me trompe – la seule chose qui, me trompant, avoue en même temps sa tromperie » (*La Littérature contre elle-même*, 1985). Cet attachement à la littérature comme regard critique caractérise les essayistes de *Liberté*, en particulier au cours des années où Ricard la dirige. D'autres revues reprendront le flambeau de la littérature comme valeur dans les années 2000 : *L'Inconvénient*, fondée en 2000, où c'est l'ironie qui définit d'abord la littérature, et *Contre-jour*, fondée en 2003, qui oppose à cette conception la dimension éthique de l'art. Les deux revues s'entendent toutefois pour contrer la progressive éviction de la littérature de la scène sociale.

De la même génération que Jean Larose et François Ricard, Pierre Nepveu est moins un polémiste qu'un interprète : il est plus proche de l'attention critique aux œuvres, comme son aîné Gilles Marcotte, que de l'intervention au nom de la littérature dont André Belleau avait donné l'exemple. Né à Montréal en 1946, il étudie la littérature au Québec et en France. Il publie son premier recueil de poèmes, *Voies rapides*, en 1971, et devient professeur à l'Université de Montréal. Il se fait d'abord connaître comme critique, notamment à travers ses contributions à la revue *Lettres québécoises*, puis avec la publication de sa thèse de doctorat consacrée aux poètes Fernand Ouellette, Gaston Miron et Paul-Marie Lapointe (*Les Mots à l'écoute*, 1979). En 1981, il publie une anthologie intitulée *La Poésie québécoise, des origines à nos jours* avec Laurent Mailhot et devient critique de poésie à la revue *Spirale*, dont il sera le codirecteur de 1994 à 1998. Il publie aussi trois nouveaux recueils de poésie (notamment *Mahler et Autres Matières*, 1983) ainsi qu'un premier roman (*L'Hiver de Mira Christophe*, 1986). Avec la publication de *L'Écologie du réel. Mort et naissance de la littérature québécoise contemporaine* (1988), Pierre Nepveu s'impose comme un des essayistes majeurs du Québec contemporain. Cet essai rassemble des relectures de nombreuses œuvres poétiques et romanesques, de Saint-Denys Garneau à Jacques Poulin. Il développe l'idée selon laquelle la Révolution tranquille, loin de se réduire à une liberté enfin conquise et euphorique, est traversée et même constituée par une négativité profonde, une lucidité destructrice, comme si l'écrivain doutait sans cesse du pouvoir des mots qu'il célébrait pourtant au même moment.

Pierre Nepveu passe de la critique savante à l'essai littéraire sans rupture, par l'amplification d'un certain nombre de traits formels (digressions, rêveries sur les textes, inscription de plus en plus marquée du sujet) déjà présents dans *L'Écologie du réel* et de plus en plus nombreux jusqu'à son livre le plus ambitieux, *Intérieurs du Nouveau Monde* (1998). La question de la subjectivité, telle qu'elle s'exprime à travers les littératures du Nouveau Monde, constitue le fil conducteur de cet essai. La littérature québécoise est renvoyée non pas au contexte national, mais à celui de tout un continent. Les écrits de la Nouvelle-France sont étudiés en même temps que la littérature moderne ou contemporaine. La poésie, le roman et l'essai sont abordés tour à tour. Pas de frontières étanches entre les genres, entre les époques ou entre les littératures nationales : sont entremêlées les œuvres d'auteurs québécois (anciens et récents), canadiens-anglais, amérindiens, franco-ontariens, acadiens, juifs, américains et haïtiens. Ces études sont encadrées par un prologue et un épilogue écrits sur un ton personnel, et qui mêlent les souvenirs vécus lors de voyages aux États-Unis ou au Brésil à des lectures décisives. La méditation sur l'intériorité se développe par une série d'interrogations :

Au-delà des découvertes et des conquêtes, malgré la vision héroïque et exaltée que l'on a donnée trop souvent de l'expérience américaine, à rebours d'un nomadisme perpétuel érigé en nouvelle norme et d'une « nature sauvage » devenue le leitmotiv de toutes les conceptions anti-intellectualistes de l'Amérique, comment la subjectivité se donne-t-elle un lieu et élabore-t-elle une culture ? Comment l'immobilité relative que suppose l'habitation peut-elle en même temps ne pas signifier la pure paralysie ? Comment faire en sorte que le lieu, si restreint soit-il, demeure une possibilité d'aventure ? Comment surtout la littérature, dans son insatiable appétit de résistance, se détourne-t-elle des grands mythes de l'espace pour inventer, quelque part, dans une chambre, une maison, une ville, une autre manière d'être dans le Nouveau Monde ?

L'œuvre critique de Nepveu rejoint par ces questions les perspectives existentielles de ses romans et de ses poèmes des années 1990 et 2000. Dans le roman *Des mondes peu habités* (1992), la rencontre d'un homme avec sa fille, perdue de vue depuis dix-huit ans, ouvre une blessure et révèle d'un seul coup la détresse du personnage, qui s'en remet aux détails de la vie, aux objets familiers. Les recueils de poèmes *Romans-fleuves* (1997) et *Lignes aériennes* (2002) accordent aussi une place prépondérante à la vie la plus concrète. Dans *Lignes aériennes*, où la poésie se nourrit de témoignages et de documents, Nepveu se tourne vers Mirabel, d'où ses parents sont originaires, pour rendre compte de la dévastation qu'a causée l'expropriation absurde d'un vaste territoire agricole pour la construction d'un aéroport qui sera totalement désaffecté par la suite. Entre indignation et compassion, les poèmes s'attachent à la relation des événements et à l'exploration de leur effet sur les personnes. « Exister comme on recueille » : ce vers de *Lignes aériennes* résume l'orientation, à la fois éthique et esthétique, de toute l'œuvre de Pierre Nepveu.

La mise au premier plan de l'écriture, l'intégration de l'étude et de la fiction, du savoir et du vécu, sont aussi présentes chez de nombreux critiques contemporains. Selon Robert Dion et Frances Fortier, ce phénomène d'« esthétisation de la parole critique » est surtout frappant au tournant des années 1990. On l'observe déjà dans *La Visée critique. Essais autobiographiques et littéraires* (1988), où André Brochu met en retrait (et en question) ses ambitions scientifiques et s'attaque aux méfaits de la « recherche ». À partir de ce moment, Brochu se définira de moins en moins comme critique et de plus en plus comme écrivain, publiant, parallèlement à ses études, de nombreux recueils de poèmes et des romans. D'autres critiques ne se définissent ni comme chercheurs tenant la subjectivité à l'écart, ni comme pamphlétaires repoussant les prétentions de la science pour affirmer la valeur de la littérature, se rapprochant plutôt, plus encore que Nepveu lecteur d'Emmanuel Levinas, de l'ambition totalisante de la philosophie. C'est notamment le cas de Michel van Schendel qui, à partir de la fin des années 1970, intègre poésie, essai et roman dans une œuvre philosophique qui se veut d'abord intervention critique. Pierre Ouellet (né en 1950) se situe d'emblée dans cet horizon. Après avoir fait paraître trois recueils de poèmes en 1989, il publie deux études, *Chutes. La littérature et ses fins* en 1990 et *Voir et Savoir. La perception des univers du discours* en 1992. Le discours est à la fois lyrique et savant : il s'agit de porter la réflexion le plus loin par l'écriture tout en continuant les développements de la sémiotique et de la philosophie. Dans ses études, Ouellet se montre attentif au détail des textes, parmi lesquels les œuvres québécoises (Jean-Aubert Loranger, Pierre Vadeboncœur, Jacques Brault, Michel van Schendel, entre autres) figurent en bonne place. Par la suite, les recherches de Ouellet s'orienteront du côté de l'altérité (*Asiles*, 2002, *L'Esprit migrateur*, 2003) et il explorera les genres de la nouvelle (*L'Attrait*, 1994) et du roman (*Still. Tirs groupés*, 2000). Plusieurs autres recueils de poèmes (dont *L'Avancée seul dans l'insensé*, 2001) ou d'essais (*La Vie de mémoire*, 2002) ressortissent à une écriture plus intime par laquelle il s'inscrit aussi dans une veine importante de la poésie et de la fiction québécoises récentes.

10
La poésie et la fiction intimistes

Du côté de la poésie, les changements qui se produisent autour de 1980 sont plus diffus et plus discrets que dans le roman, la nouvelle ou le théâtre. Et cette discrétion désigne déjà en soi un déplacement majeur par rapport aux ambitions de la poésie des années 1960. La poésie occupe désormais un espace à part et s'organise autour d'activités qui, de plus en plus, sont réservées aux seuls poètes et à quelques amateurs de poésie. Sans doute avait-elle déjà, et depuis longtemps, acquis des habitudes qui lui étaient propres. De l'École littéraire de Montréal jusqu'à la fondation de l'Hexagone, la poésie a souvent été l'affaire de quelques-uns. Mais l'École littéraire de Montréal organisait des séances publiques, *Le Nigog* polémiquait avec les régionalistes et, plus encore, l'Hexagone a lancé un mouvement qui allait rapidement dépasser la poésie pour inclure toute la littérature québécoise. En 1970, *La Nuit de la poésie* était encore un événement social, une sorte de fête de la littérature. Le public était nombreux, à l'intérieur comme à l'extérieur de la salle du Gesù. Dix ans plus tard, lors de la seconde *Nuit de la poésie*, la portée n'est plus la même. Le spectacle s'adresse surtout à ceux qui y participent. Les poètes se sont professionnalisés et une nouvelle génération s'est imposée. Les poètes de l'Hexagone sont élevés au rang de modèles. À l'inverse, les poètes militants et avant-gardistes des années 1970 se trouvent marginalisés, et plusieurs d'entre eux délaissent un certain formalisme au profit d'une écriture plus personnelle, plus soucieuse de lisibilité et souvent qualifiée d'intimiste.

La poésie contemporaine a beaucoup à voir avec l'existence quotidienne, avec le corps, avec la mémoire et avec le paysage immédiat. Elle est aussi beaucoup plus inquiète de son propre avenir, comme si le poète doutait désormais de la place qu'il occupe au sein de la communauté. Ce décentrement n'est certes pas propre au Québec, mais il y est ressenti de façon peut-être plus aiguë dans la mesure où la poésie a été, peu auparavant, le vaisseau amiral de la littérature québécoise. Il s'ensuit une désacralisation de la poésie qui prolonge et accentue un mouvement commencé dès *Parti pris*. Le grand lyrisme d'un Miron cède la place au murmure d'un Jacques Brault. Les envolées abstraites des années 1970 sont frappées de suspicion, et la force révolutionnaire du poème semble devenue très relative. L'intimisme qui s'exprime chez un certain nombre de poètes au tournant des années 1980 n'est toutefois pas un courant homogène et il ne se limite d'ailleurs pas au seul genre de la poésie. C'est une tonalité qui caractérise également plusieurs romans contemporains. La distinction traditionnelle entre récit et poésie tend alors à se brouiller, la poésie se faisant volontiers prose narrative, et la fiction se découpant en fragments poétiques qui visent moins à raconter une histoire qu'à évoquer la discontinuité de la vie contemporaine.

Dans *Tableau du poème. La poésie québécoise des années quatre-vingt* (1994), André Brochu recense pas moins de 130 poètes différents (et autour de 250 recueils). Au total, remarque-t-il, la poésie a perdu l'allure polémique qu'elle avait durant les années 1970 : elle se cite beaucoup et multiplie les épigraphes, les hommages, les marques de reconnaissance. Mais le fait le plus évident et le plus déterminant paraît être une certaine indifférenciation de la poésie dans son ensemble : « C'est l'affirmation de la multiplicité, de l'*égalité* des voix qui constitue le grand événement de la décennie qui vient de prendre fin ». Sur les 130 poètes retenus, aucun ne joue un rôle comparable à celui que Gaston Miron exerçait dans les années 1960. Il est d'ailleurs assez significatif que le moment le plus mémorable de toute la période contemporaine ait été la mort de Miron en 1996, qui a donné lieu aux premières funérailles nationales accordées à un écrivain dans l'histoire du Québec. Avec lui, c'est une certaine idée de la poésie québécoise comme projet collectif qui semble mourir.

Cette idée avait déjà été mise à mal par les poètes des années 1970, marquées, on l'a vu, par des combats idéologiques de toutes sortes (du marxisme-léninisme au maoïsme en passant par le féminisme et l'indépendantisme) et par des expérimentations formalistes. Un des représentants les plus notoires des Herbes rouges, François Charron, illustre bien la rapide dépolitisation qui a lieu dès après le référendum de 1980. Après avoir fait de la poésie une « pratique militante », Charron s'en prend en 1982 au nationalisme (*La Passion d'autonomie. Littérature et nationalisme*) et, tout en se tournant vers la peinture (Borduas), il se réclame d'une poésie plus intérieure (Saint-Denys Garneau). *Je suis ce que je suis* (1983) se présente comme un journal mélancolique, *François* (1985) comme une autobiographie, *Le fait de vivre ou d'avoir vécu* (1986) ouvre la voie à une interrogation de plus en plus spirituelle, déjà présente dans *Mystère* (1981). Les poètes contemporains abandonnent la fonction de célébration de la poésie au profit de sa puissance d'interrogation. Selon la formule qu'André Brochu applique à François Charron, le poète « patrouille au large de nos certitudes confortables ». Mais il le fait de plus en plus à partir de sa propre expérience et non en s'appuyant sur des principes formels ou des visées idéologiques. À cet égard, le féminisme joue un rôle important en ce qu'il fait la transition entre la poésie formaliste et ce qu'on a appelé le « retour du sujet ».

C'est ainsi qu'on peut lire l'œuvre de Marie Uguay, qui illustre et même annonce le moment où, au Québec, la poésie intimiste va prendre le relais des expériences formalistes qui ont marqué les années 1970. Morte d'un cancer à l'âge de vingt-six ans, Marie Uguay (1955-1981) n'a eu le temps d'écrire que trois recueils, *Signe et Rumeur* (1976), *L'Outre-vie* (1979) et *Autoportraits*, paru de façon posthume en 1982. Son écriture tranche nettement par rapport à la poésie des années 1970. Elle cesse d'être un soliloque ou un dialogue pour initiés, et s'autorise à nouveau le plaisir et la chaleur de la séduction. Poésie du corps, de la sensation vive et du rythme, poésie également du lieu, riche d'images subtiles et lumineuses qui forment de petits tableaux harmonieux, minutieusement découpés, poésie enfin de l'amour qui en est le thème central. En 2005, les recueils seront réédités, augmentés de quelques dizaines de poèmes inédits. La même année paraît le journal de Marie Uguay écrit de 1977 à 1981, c'est-à-dire à partir du moment où l'on vient de lui amputer une jambe jusqu'à l'automne 1981, quelques semaines avant sa mort. Ce journal comprend une dizaine de cahiers qui enchâssent l'écriture poétique et l'inscrivent au plus près de l'expérience vécue, comme le journal de Saint-Denys Garneau auquel il est difficile de ne pas le comparer. On y voit le combat que Marie Uguay livre au romantisme et aux facilités du langage (poétique ou prosaïque). « J'aime l'extrême rigueur d'écriture que demande le poème », écrit-elle. C'est pourquoi elle rejette les images baroques et oppose aux approximations de l'imaginaire l'exactitude du vécu. Rigueur, clarté, limpidité : ce sont les mots qui reviennent le plus souvent sous la plume de Marie Uguay pour définir sa poétique. Elle se méfie de l'exaltation poétique à laquelle elle préfère l'évidence « taciturne » du réel, capté comme avec un appareil photographique. « La poésie m'agace de plus en plus », note-t-elle en 1980, au moment d'écrire les poèmes dépouillés d'*Autoportraits.* D'où le refus du lyrisme et de la métaphore :

Être toujours confronté à des faits, des événements, dans le poème. Des faits photographiques, des évidences : cela est, c'est ainsi, il y a cela. Éloigner la métaphore, le symbole, il y a une signification, mais elle est ouverte, offerte. Le réel est ici donné pour lui-même, pour son écriture qui est mouvement d'adhésion.

Il ne s'agit pas seulement de refléter le réel, mais d'y adhérer et d'en suivre le mouvement, le rythme. « Tout poème résiste et une fois écrit meurt d'inexactitude. » Au moment d'écrire cela, la poète n'a plus que quelques mois à vivre. Elle continue d'écrire presque jusqu'à la fin, cessant simplement d'inscrire les dates, car elles ne signifient plus rien. La matière se fige, le soleil devient « dur », l'arbre est « effeuillé », « le cœur ne bouge plus qu'en rêve », comme on le lit dans un des poèmes d'*Autoportraits* transcrits dans les dernières pages du journal. Mais une étrange sérénité se dégage des poèmes de la fin, parmi les plus beaux de son œuvre :

> nous ne parlons plus
> attirés par la fraîcheur de l'herbe et des nuages
> et tout ce qui passe
> projette ses ombres sur nos regards

la pièce sent le bois coupé et l'eau
dehors nous savons que tout se prépare
lentement à paraître

L'intimisme, chez Marie Uguay, n'a rien du repli sur soi : il procède d'un désir impossible, celui de faire coïncider l'écriture et le réel.

Sur un plan plus politique, l'intimisme constitue un prolongement de la mouvance féministe ; au moment où le mouvement se redéfinit et se diversifie, l'écriture des femmes se décloisonne et essaime dans la littérature contemporaine. C'est ce qu'illustrent les œuvres d'Anne-Marie Alonzo, Louise Dupré et Denise Desautels. *Geste*, le premier recueil d'Anne-Marie Alonzo (1951-2005), paraît d'abord aux Éditions des Femmes, à Paris, en 1979. Son œuvre, qui comprend une vingtaine de livres (poèmes, proses poétiques, lettres, textes dramatiques et essais), se caractérise par sa syntaxe souvent brisée et se singularise par des thématiques personnelles : le corps douloureux (inspiré de sa réalité de handicapée comme dans *L'Immobile. Lettre*, 1990), la relation avec la mère (*Une lettre rouge, orange et ocre*, 1984), les souvenirs de l'Égypte et de l'émigration (*Écoute, Sultane*, 1987), l'amour lesbien (*Galia qu'elle nommait amour*, un conte de 1992, *Seul le désir*, 1997) et les nombreuses références à la littérature et à la danse. Anne-Marie Alonzo se distingue aussi par son activité d'animatrice dans le milieu littéraire. Elle fonde avec Alain Laframboise et Richard Boutin les Éditions Trois en 1985, puis en 1989 le Festival de Trois, événement théâtral et littéraire qui fait une large place aux créations des femmes sans toutefois leur consacrer l'exclusivité de la programmation. Louise Dupré (née en 1949) est, comme on l'a vu, l'une des premières à proposer, au milieu des années 1980, une lecture critique du corpus des femmes. Son œuvre poétique composée d'une douzaine de recueils (notamment *La Peau familière*, 1983, *Où*, 1984, et *Quand on a une langue, on peut aller à Rome*, 1986, en collaboration avec Normand de Bellefeuille) est d'abord marquée par les recherches formelles de l'écriture des femmes et de *La Nouvelle Barre du jour*. Elle s'en éloigne ensuite au profit d'une écriture intimiste qui trouve son expression aussi bien dans la poésie que dans le roman. La tonalité qui domine désormais dans les poèmes est celle du petit, du détail ; les sentiments sont fugitifs, accrochés à des scènes à peine esquissées. Cette retenue est encore plus sensible dans le roman *La Memoria* (1996) qui, comme son titre l'indique, tourne autour du thème de la mémoire, celle d'une femme après une rupture amoureuse, mais aussi celle des lieux, comme cette maison où elle emménage et qui porte les traces d'un passé trouble.

Denise Desautels (née en 1945) est proche de Louise Dupré, avec qui elle signe en 2000 un « livre-objet » illustré par Jacques Fournier, *Parfois les astres*, et d'Anne-Marie Alonzo, avec qui elle écrit les *Lettres à Cassandre* en 1994. Son œuvre compte depuis 1975 une vingtaine de recueils de poésie, une dizaine de livres d'artiste, quelques textes dramatiques, ainsi qu'un récit autobiographique (*Ce fauve, le bonheur*, 1998). Denise Desautels se présente comme une « archéologue de l'intime » et poursuit une œuvre traversée par le thème du deuil et hantée par des figures féminines, comme l'amie (*La Promeneuse et l'Oiseau*, 1980, *Tombeau de Lou*, 2000) et surtout la mère, omniprésente jusqu'au recueil *Pendant la mort* (2002). Mais le territoire intime ne va pas chez elle sans une forte présence du monde extérieur, comme on le voit dans *Ce désir toujours. Un abécédaire* (2005), qui est, à bien des égards, un bilan de son itinéraire. Les autres arts, particulièrement les arts visuels, constituent une part importante de son inspiration, comme c'est le cas des sculptures de Michel Goulet dans *Leçons de Venise* (1990). Elle intègre à ses textes la parole des autres : « Les voix de Nicole Brossard et de France Théoret m'ont écorchée en passant, à ce moment de ma vie où j'avais besoin de l'être », lit-on à l'entrée « Réconciliations » de l'abécédaire. Enfin, même saisi au plus intime, le sujet oscille entre la grande et la petite histoire : « Irréconciliables, la petite et la grande, la première forcément recouverte par le fracas de la seconde, l'internationale, la déchaînée, la délirante. Et parce qu'aisément adaptable, à la fois souple et contemporaine, la télégénique » (entrée « Histoire » de l'abécédaire).

Parmi les voies de l'intimisme, il en est une qui n'est guère évoquée dans la critique contemporaine, même si plusieurs textes majeurs s'y rattachent. C'est celle de l'intimisme spirituel, présente chez des poètes comme Jacques Brault ou Pierre Ouellet. L'œuvre de Jean-Marc Fréchette (né en 1953) appartient plus encore que celles-ci à la poésie métaphysique. Même s'il a commencé à écrire en 1968 (*Le Corps de l'infini : poèmes 1968-1985*), Fréchette n'est pas influencé par la poésie formaliste et expérimentale des années 1970. Sa poésie mystique s'inscrit plutôt dans la tradition de Rina Lasnier, à qui Fréchette dédicace son septième recueil, *La Porte dorée* (2001). Ce recueil contient aussi une postface du poète français Robert Marteau, écrite sous la forme d'une lettre à son ami : « Serais-tu intemporel et ainsi de tous les temps ? Tes contemporains en tout cas ne sont pas parmi nous. » Toute la poésie de Fréchette se tient en effet à l'écart des modes poétiques et semble sereinement inactuelle, indifférente à la nouveauté, occupée à donner une forme musicale et simple à des tableaux bucoliques ou à des histoires connues, tirées de la culture la plus ancienne, celle de l'Inde notamment où Fréchette a vécu deux ans, puis de la tradition grecque et italienne. À partir de 1986, il revient au christianisme et s'inspire plus directement de la Bible dans des poèmes qui tendent vers le psaume.

Beaucoup plus connue que celle de Fréchette, l'œuvre d'Hélène Dorion (née en 1958) se range d'elle-même sous le signe de l'intimisme. Dans *Les Retouches de l'intime* (1987), le corps amoureux enregistre le moindre signe du réel et se projette dans la fragilité des choses. Les poèmes en prose d'*Un visage appuyé contre le monde* (1990) s'éloignent toutefois d'un intimisme strict et s'avancent à la rencontre du monde extérieur, mais c'est pour n'y trouver jamais qu'un sentiment d'étrangeté. À la différence de la poésie du pays, la parole y demeure sans écho. Le sujet poétique regarde le monde sans y participer vraiment, même lorsqu'il éprouve le désir d'affirmer sa présence, comme s'il était toujours renvoyé au silence de la nature ou à l'absence de l'être aimé. La vie est décrite comme « fragile et emplie de ruines » et donne lieu à une méditation sur « la fêlure du temps ». La poésie vise moins alors à saisir l'épaisseur du réel qu'à prendre la mesure de ce qui, dans l'infini du quotidien, est insaisissable, que ce soit l'ombre, le vent ou la beauté d'un visage. L'écriture renonce à l'ambition d'agir sur l'événement, de modifier le cours des choses. « Toute l'œuvre poétique d'Hélène Dorion, écrit François Paré, s'élabore à partir de ce constat d'inefficacité de la poésie – et de l'ensemble des discours humains – devant la force des déterminismes qui à la fois la fascinent et l'empêchent d'agir. » Une telle abstention s'exprime aussi par la banalité du langage, qui s'interdit la magie de l'image et s'en tient aux perceptions et aux émotions les plus immédiates. Celles-ci ne s'inscrivent pas dans une action suivie, mais semblent exister en elles-mêmes, comme des moments de vérité. La poésie aurait alors ce pouvoir de révéler à la lumière et même d'élever à une sorte de métaphysique du quotidien toute une série de petits gestes accomplis habituellement de façon inconsciente :

Fracas, bourdonnements, jour qui gémit dans le jour. À l'écart de ce qui sans cesse s'éloigne, j'écoute les commencements que traverse une seconde. Par tous les angles à la fois, la vie est là, – irréparable mouvement d'ombres et d'éclaircies, envers et endroit d'une même saison, d'une même parole. La vie est là, qui quelquefois se brise sur elle-même. Au milieu de notre commune banalité, je vous écris, – je vous aime.

De tels recueils pourraient s'apparenter à des romans que Pierre Nepveu associe à « la nouvelle subjectivité » et qui se caractérisent par « une sorte d'intensité discrète, une sorte de douceur stylistique souvent liée à une intimité tantôt fragile, tantôt fervente ». Il cite en amont les romans de deux écrivains déjà reconnus : André Major (*L'Hiver au cœur*) et Jacques Brault (*Agonie*). On est tenté d'ajouter l'œuvre de Jacques Poulin, tout entière placée sous le signe de cette « douceur stylistique ». L'intrigue en elle-même importe peu. Le plus souvent, il n'arrive rien, ou *Presque rien*, selon le titre que Francine D'Amour donne à son troisième roman (1996). S'il arrive quelque chose de dramatique, le roman se déroule après l'événement, comme pour en observer les effets sur la vie ordinaire des personnages. Bon nombre de romans et de poèmes contemporains jouent sur l'égalité de telles visions qui ont toutes le même coefficient d'authenticité. Face à un monde pluraliste, surchargé de signes et dépourvu de pôle identitaire stable, l'individu n'oppose pas la supériorité d'une vision du monde qui serait recentrée ou fondée sur un ordre nouveau. Il oppose plutôt le pouvoir d'interroger le monde. Faute de certitude et d'ambition véritable, cet individu se tourne vers l'impossible récit de soi, accumulant des morceaux de son passé, des souvenirs de famille, des images angoissées d'une origine toujours incertaine, mais aussi les fragments d'histoires infiniment variées de ceux qu'il côtoie. Ces micro-histoires sont souvent plus importantes, par les nombreux croisements qu'elles autorisent, que la fiction englobante qui les réunit.

Chez Élise Turcotte (née en 1957), poésie et fiction se répondent. Entre *La terre est ici* (1989), son cinquième recueil, et *Le Bruit des choses vivantes* (1991), son premier roman, la parenté stylistique et thématique saute aux yeux. Les objets familiers y prennent une importance nouvelle, comme autant de traces d'une histoire mille fois racontée à soi-même : « Les événements sont empilés sur un meuble », lit-on dans un poème. À ce monde trop connu s'ajoute celui des images qui « arrivent, chaudes, comme des catastrophes ». Le roman s'ouvre sur une formule similaire : « Plusieurs choses arrivent dans ce monde. » Il s'agira donc de décliner simplement ces choses qui arrivent, dans une sorte de désordre qui est le propre du quotidien. Ce projet minimaliste est rapidement pris en charge par une conscience subjective, et c'est le mouvement même de cette conscience qui devient l'enjeu du roman. Écrit au « je », *Le Bruit des choses vivantes* est raconté par une mère de trente ans, Albanie, qui élève seule sa fille Maria, âgée de trois ans. Elles regardent la télévision, où l'on voit un bébé iranien à deux têtes, et l'image se fixe, devient symbole d'un monde où même le corps est divisé, inapte à vivre. L'univers télévisuel est à la fois familier et étrange, chaque image y devient un signe de l'extérieur transporté au creux du foyer. Le monde se donne ainsi à voir, mais impossible d'y prendre vraiment part, d'où le caractère lointain, parfois irréel, de toutes ces choses qui arrivent ailleurs, n'importe où, et qui sont projetées au milieu du salon. Le travail d'Albanie dans une bibliothèque et ses sorties dans un bar avec son amie Jeanne la conduisent régulièrement à l'extérieur, mais là n'est pas l'essentiel. C'est chez elle, lorsqu'elle accueille les images du monde extérieur depuis son intériorité même, et surtout lorsqu'elle observe sa fille Maria, que le personnage acquiert une plénitude. Vivre seule avec sa fille devient le contraire d'une retraite : « C'est grâce à elle si les choses existent autour de moi. » Peu importe qu'une telle complicité, à la limite de la fusion, ne puisse pas durer : le personnage d'Albanie est bien conscient de la fragilité que suppose une telle relation. Mais cette fragilité devient la condition même de l'existence contemporaine. On la retrouve dans les autres livres d'Élise Turcotte, comme son recueil de nouvelles *Caravane* (1994), qui raconte quinze histoires d'un personnage appelé Marie, « cachée derrière une fenêtre ». De même pour son deuxième roman, *L'Île de la merci* (1997), qui se passe sur une île où vit une famille dont les enfants semblent désemparés, livrés au tragique de l'existence, dans une maison ancienne qui sera rénovée. Le texte répète que « le monde est un vaste territoire menaçant », que « la vie est un danger constant ». La maison-corps devient un véritable personnage à travers toute l'œuvre d'Élise Turcotte, comme on le voit encore avec *La Maison étrangère* (2002). Affligée par le chagrin, Élisabeth, la narratrice, scrute son enfance, « douce et froide comme une nouvelle neige », mais elle ne voit aucune explication à sa mélancolie, sinon une enfance trop heureuse, vécue comme une faute, et aucun remède, sinon le désir de capter le « plus infime mouvement d'humanité ».

Comme Élise Turcotte, Rachel Leclerc (née en 1955) et Christiane Frenette (née en 1954) ont d'abord écrit plusieurs recueils de poésie avant de publier des romans. Le deuxième roman de Rachel Leclerc, *Ruelle océan* (2001), complète le portrait du père esquissé dans *Rabatteurs d'étoiles* (1994), son quatrième recueil :

> Un jour il rabattait dans notre direction
> toutes les planètes et toutes les bêtes
> qu'on rassemblait au fond de la cour
> ou vibrantes au bas de l'escalier
> qui menait aux chambres et au grenier obscur
> où mûrissaient les paniers de tomates
> le lendemain il serait le centre éclaté
> la perte du vaisseau
> l'insomniaque qu'il faudrait asseoir
> à la place de notre père

Dans le roman, le père de la narratrice accumule, recycle et range les meubles et les objets abandonnés dans la « ruelle océan » qui jette ses déchets comme un océan crache ses poissons morts. « Tout le toc de la terre est ici », explique-t-elle dans une formule assez typique de l'écriture de Rachel Leclerc. Même la vie de cette narratrice semble en toc, comme si elle ne s'appartenait pas vraiment, ce qu'elle tente d'expliquer à son psychanalyste. Élevée dans des familles d'accueil, elle conduit son père de la Gaspésie à Montréal où elle lui offre la protection et les soins qu'il n'a jamais pu lui donner. Elle admire son innocence, sa capacité d'entrer en interaction avec le premier venu et surtout la beauté de son œuvre de « fouille-poubelle » : « une certaine énergie se dégage de l'ensemble, comme si dans la laideur naissait la beauté ». Mais il leur manque à tous les deux « le sens du temps, de sa continuité ». Le roman se construit par fragments et la narratrice, désespérément seule, se demande sans cesse où elle est, qui elle est. « Il n'y a que ce qui a été, que ce qui est, le passé, le présent, et ce qui a grandi entre les deux et qui s'appelle *moi*. »

Dans *La Terre ferme* (1997) de Christiane Frenette, l'influence de la poésie se fait nettement sentir. La terre ferme s'oppose à la mobilité chaotique des eaux du fleuve, où deux adolescents sont disparus à bord d'un radeau de fortune. Tel est le fait divers qui donne son unité dramatique au roman. La communauté est sous le choc, comme si ce drame inexplicable était celui de tout le monde, bien au-delà de la famille immédiate des victimes, laquelle est d'ailleurs absente du roman. Le drame est décrit à partir de ceux qui sont restés sur « la terre ferme », mais qui ne cessent de regarder du côté du fleuve : c'est une jeune fille tentée de rejoindre les deux adolescents au fond du fleuve ; la mère de cette fille, qui ne sait quoi faire après avoir lu la lettre que sa fille lui a adressée pour lui annoncer sa fugue ; c'est aussi une femme seule qui mène une « vie tiède, sans intérêt » et qui se rend, le dimanche, au café baptisé Le Radeau de la méduse par une sorte d'hommage cruel aux deux adolescents ; elle y rencontre un homme, un psychiatre venu prêter main-forte à l'hôpital de la ville, où les problèmes de santé mentale se sont multipliés à la suite du drame. La possibilité d'une nouvelle vie se confirme, mais sous le signe de l'inquiétude, de la fragilité la plus extrême. « Nous tremblons quand l'un de nous prononce les mots *promesses* ou *projets*. » C'est à la littérature que Christiane Frenette demandera des raisons de croire, malgré tout, à l'avenir de ses personnages, comme Jeanne qui se tourne vers René Char dans *La Nuit entière* (2000), ou ce personnage d'écrivain, au début du recueil de nouvelles *Celle qui marche sur du verre* (2002), qui s'inspire directement de Tennessee Williams.

Peut-être faut-il avoir recours aux habitudes de lecture de la poésie pour apprécier de tels romans où l'intrigue semble secondaire. On s'en convaincra un peu plus en lisant les romans de poètes comme Hélène Monette (*Unless*, 1995) ou Michael Delisle (*Le Désarroi du matelot*, 1998, *Dée*, 2002). Ces romans s'apparentent aux récits brefs de plus en plus nombreux à paraître depuis 1980. Andrée Mercier observe que ce type de récit tente avant tout de « traduire une présence au monde. S'il est porté par un mouvement narratif, il trouvera très souvent dans la poésie les ressources nécessaires pour raconter ce qui résiste au compte rendu. » C'est par exemple le cas dans *Petites Fins du monde* (1988), de Geneviève Amyot (1945-2000), dont les textes poétiques empruntent le ton du journal ou de la lettre, ou *Des airs de famille* (2000), de Paul Chanel Malenfant (né en 1950), chez qui on retrouve, dans les nombreux recueils qu'il a fait paraître et dans son roman *Quoi, déjà la nuit ?* (1998), le même univers thématique basé sur la description de sensations et de souvenirs intimes et le même style raffiné et sensuel. Chez ces poètes ou romanciers, l'écriture passe par la mise en avant d'une subjectivité à travers laquelle le monde extérieur est décrit. Chez d'autres écrivains contemporains, c'est le paysage en tant que tel qui prime, le regard étant mis au service d'une observation attentive des lieux les plus familiers.

11
Du pays au paysage

La question du paysage ou du lieu revient dans un grand nombre de textes contemporains, en particulier chez les poètes. Il est tentant de l'opposer à celle du pays, qui était au centre de la poésie québécoise des années 1960. En apparence, il est vrai que tout les sépare : la poésie du pays était lyrique, liée à un vaste projet politique et traversée par la thématique de la fondation ; la poésie du paysage, à l'inverse, se méfie du lyrisme et invoque la peinture davantage que le chant ; en outre, elle n'est guère interprétée en des termes politiques et substitue au rêve de fondation du territoire une ambition de décrire le monde présent sans chercher à le transformer par la magie du verbe. Du pays au paysage, d'une poésie historique à une poésie fortement spatialisée, la coupure semble donc évidente. Toutefois, il faut aussi observer que les poètes du paysage ne voient pas forcément les choses de cette façon. Ils s'opposent bien davantage au récent formalisme, jugé hermétique et abstrait, qu'à la poésie du pays avec laquelle ils se reconnaissent une parenté formelle et thématique. Formelle, dans la mesure où le poème revient à une sorte de simplicité du langage, à une lisibilité qui était déjà celle de la poésie du pays. Thématique, car il s'agit encore d'habiter le monde d'ici, celui de la nature comme celui de la ville nord-américaines.

Parmi ces poètes du paysage, on aurait pu inclure plusieurs poètes dits intimistes, comme Jacques Brault ou, parmi la génération suivante, Hélène Dorion ou Élise Turcotte. Mais l'importance du paysage se mesure encore plus nettement chez certains poètes qui ont fait de l'art de la description le cœur de leur poétique. C'est le cas de Gilles Cyr (né en 1940), l'une des figures les plus réservées de la poésie contemporaine. Il publie son premier recueil à trente-sept ans et demeure par la suite un poète rare, avec seulement six recueils en vingt-cinq ans, dont plusieurs extrêmement brefs. Ami de Gaston Miron avec qui il a travaillé aux Éditions de l'Hexagone où il publie tous ses recueils, Cyr ne se reconnaît toutefois guère de modèles dans la poésie québécoise. Il cite plutôt les poètes français Pierre Reverdy, Francis Ponge, Jean Tortel, André du Bouchet, Philippe Jaccottet et plusieurs autres poètes étrangers, dont Giuseppe Ungaretti, Eugenio Montale et le poète russe Ossip Mandelstam. À partir de 1998, il traduit la poésie coréenne, puis la poésie persane. À l'instar de nombreux contemporains, la poésie s'accompagne chez lui d'un intérêt marqué pour le dessin et la peinture, et son œuvre comprend plusieurs livres signés avec des artistes. Le lieu joue un rôle crucial dans l'élaboration de tous ses recueils. Il appelle le regard, et toute la poésie de Cyr semble justement se construire à partir de cet impératif visuel. Dès le début de *Sol inapparent* (1978), son premier recueil, le poète se trouve sur un seuil et se met en marche vers un dehors fragmenté qu'il détaille sobrement : la route, le sol, la montagne, la terre, le vent, la neige, l'arbre, etc. :

> [...]
> lentement, je regarde
>
> repris par l'idée simple de terre,
> alors je traverse les choses différentes.

Pour que ces choses se révèlent « différentes », il faut avoir l'ambition de les faire apparaître telles : « la bonne lumière n'a pas été dite ». Dans son troisième recueil, *Andromède attendra* (1991), c'est encore une fois le regard qui est d'emblée sollicité : « puis-je voir davantage », se demande le poète. Andromède est, on le sait, le nom d'une constellation. Mais le poète ne regarde justement pas au ciel. Il a plutôt les yeux tournés vers les choses qui l'entourent : la rue, l'arbre, le caillou dans la main, la table, une grosse racine, un insecte, ce qui traîne au sol, etc.

Le refus de la pesanteur, de la poésie grave et de l'intimisme douloureux s'accroît dans les recueils suivants, marqués par l'humour et l'autodérision. Dans *Songe que je bouge* (1994), les rares signes de ponctuation sont presque toujours des points d'interrogation : « à mi-chemin / il pleut ou pas ? » ; « est-ce vous / mes feuilles ? » ; « quoi encore ? » ; « sans rien voir / puis-je être sûr ? » ; « qu'est-ce que l'art ? ». Jamais d'affirmation péremptoire : les constats s'accompagnent d'adverbes ou de formules d'atténuation qui admettent la fragilité même de la perception, comme dans ce paysage hivernal de la section intitulée « La connaissance » :

> Les derniers fruits
> sont enlevés
>
>
> des flocons
> aussitôt se proposent
>
>
> et sur des têtes
> qui ont bougé
>
>
> ils descendent
> légers
>
>
> plus légers
> ou bien je me trompe

Dans *Erica je brise* (2003), plus long que les recueils précédents, Cyr recense les espèces d'arbres, comme l'avait fait Paul-Marie Lapointe dans son fameux poème « Arbres ». Il continue toutefois de se mettre lui-même en scène (« ai-je bien observé / ce qui se passe ici » ; « je vais me poster là / pour regarder les arbres »). Telle est la position préférée de ce poète qui, refusant le jeu des analogies, observe le monde de près, avec une exigence de justesse qui définit, au-delà de sa poétique, un certain art de vivre.

Dès ses premiers recueils publiés à la fin des années 1970, Robert Melançon (né en 1947), spécialiste de la Renaissance, se présente comme un écrivain-peintre. *Peinture aveugle* (publié d'abord en 1979, puis réécrit en 1985 avec le traducteur Philip Stratford dans une version bilingue intitulée *Blind Painting*), constitue un bel exemple de cette poésie picturale :

L'été

Le soleil fait ployer
Le lilas que remue le vent :
chaque feuille soutient
tout le ciel. Une fauvette,
fruit bref, l'ébranle,
fait crouler le bleu.

On retrouve le même art de voir dans *Le Dessinateur* (2001) et dans *Le Paradis des apparences* sous-titré significativement *Essai de poèmes réalistes* (2004). Ce dernier recueil, composé symétriquement de cent quarante-quatre poèmes de douze vers (des « quasi-sonnets »), s'inscrit plus fortement encore que les recueils précédents à rebours d'une certaine poésie moderne marquée par l'improvisation et l'expression de soi. La subjectivité n'en est pas pour autant absente, mais elle réinstalle la séparation entre le monde extérieur et le moi. Dans cet écart retrouvé, suggéré par le motif récurrent de la fenêtre, le sujet donne son point de vue au sens le plus littéral de l'expression. Il écrit de tel lieu précis, avec toute une tradition poétique en mémoire, et il n'en fait nul mystère. Le poème est même d'une clarté presque banale tant il paraît s'en tenir à la surface des choses. Le poète s'interdit de croire à « l'illusion de profondeur » ou à la magie des correspondances baudelairiennes. Il se méfie surtout des images toutes faites, des clichés poétiques : « Tout l'automne à la fin n'est qu'un sac / De lieux communs, regrets de ce qui fut » ; « Comment la lune peut-elle être / Plutôt qu'un poncif, un astre blanc / Qui fait de la nuit d'hiver un autre jour ? » L'impatience à l'égard des formes poétiques à la mode se manifeste aussi par le retour à un certain classicisme du vers, comme dans ce poème final inspiré d'Horace :

J'ai édifié un monument aussi fragile que l'herbe,
Aussi instable que le jour, aussi fuyant que l'air,
Mobile comme la pluie qu'on voit dans les rues.

Je l'ai couché sur du papier qui se desséchera,
Qui pourra brûler, ou que l'humidité ensemencera
De moisissures grises, roses et vertes,

Qui jetteront un parfum pénétrant de terre.
Je l'ai bâti de la matière impermanente d'une langue
Qu'on ne parlera plus, tôt ou tard, qu'on prononcera

Autrement, pour former d'autres mots qui porteront
D'autres pensées. Je l'ai voué à l'oubli qui enveloppera
Tout ce que ce jour baigne de sa douceur.

La passion de l'observation est affaire de promenade, c'est-à-dire de manière d'être, bien plus que de genre littéraire. L'écrivain qui est allé le plus loin dans l'art de la description est un poète en même temps qu'un prosateur. Il s'agit de Pierre Morency (né en 1942), un des fondateurs de la revue de poésie *Estuaire* et auteur de quelques recueils comme *Torrentiel* (1978) qui renouent avec le lyrisme des années 1960. Mais c'est surtout par sa connaissance profonde de la nature qu'il trouve une voix singulière. Naturaliste vulgarisateur, il présente une série d'émissions radiophoniques au début des années 1980, puis réunit ses *Histoires naturelles du Nouveau Monde* dans une trilogie en prose : *L'Œil américain* (1989), *Lumière des oiseaux* (1992) et *La Vie entière* (1996). Recueils de descriptions d'oiseaux, d'animaux, de plantes ou de lieux, ces méditations poétiques ont l'exactitude de traités scientifiques. L'écrivain propose une manière d'habiter le monde d'aujourd'hui, au plus près de la nature et porté non par la rêverie paresseuse, mais par une familiarité exigeante avec son environnement. Le style rappelle celui de Gabrielle Roy, que Morency a brièvement connue lorsqu'elle habitait Charlevoix à la fin de sa vie. Il s'en éloigne toutefois au profit d'autres langages, ceux du dictionnaire, de la tradition populaire, du chant des oiseaux : le Râle de Caroline a un « sifflement très doux, sur deux notes, d'une tonalité un peu triste » ; le Carouge à épaulettes est « à peine plus gros qu'une souris, mais pourvu d'une voix de sergent-major » ; le Pinson à queue aiguë produit un « chuintement explosif, comparable au décapsulage d'une bouteille de bière ». La fiction n'est pas absente de ces pages, mais elle s'appuie sur l'art de la description et sur la connaissance (de soi, du monde extérieur). C'est l'œil qui est d'abord sollicité, comme le suggère l'expression « l'œil américain », peu connue au Québec même si elle est entrée dans la langue française à l'époque de Fenimore Cooper. Morency insiste, tout au long de ses livres, sur cette aptitude à voir puis à entendre et à sentir ce qui se trouve dans les marais, les lacs, les forêts, les champs, les îles du fleuve, les rivages, etc. C'est comme s'il fallait réapprendre à habiter le monde, à en saisir le plus précisément possible la nouveauté grâce surtout à la faculté de perceptions sensorielles dont l'écrivain se fait l'interprète méticuleux. Le savoir conduit tout naturellement à un art de vivre fondé sur la patience et la curiosité, le sens de la mesure et celui de l'étonnement. La littérature va vers l'infiniment petit, se réclamant de la sagesse orientale, du frère Marie-Victorin ou de Henry David Thoreau. L'écrivain est aussi un moraliste, citant quelques maximes au passage : « La peau, dit le poète, est ce que nous avons de plus profond. » Dans *Lumière des oiseaux*, voici comment il finit le « Portrait de l'auteur en héron » : « Il attend. Il est fait pour attendre. Son être tout entier – une maigreur de muscles sous une enveloppe de plumes lâches – est constitué pour cette formidable tension. Puis, le moment venu, d'une détente fulgurante du corps, il fond sur le premier mot chargé de vie. »

L'art de voir caractérise aussi les carnets du comédien et romancier Robert Lalonde. *Le Monde sur le flanc de la truite* (1997) et *Le Vacarmeur* (1999) portent le sous-titre : *Notes sur l'art de voir, de lire et d'écrire*. À la différence des observations quasi scientifiques de Morency, les descriptions de Lalonde sont d'abord et avant tout littéraires. Elles sont indissociables d'un art de lire et d'écrire. Ses proses abondent en citations, notamment du romancier provençal Jean Giono : « Giono m'a donné la permission d'écrire, c'est-à-dire d'écrire comme j'en avais besoin, dense, serré, touffu, juteux, d'écrire en incarnant, en donnant chair et sueur, sang et effluves d'haleines. » Lalonde confie à la littérature la fonction de recueillir les sensations et de lui apprendre à voir, à sentir. Ses auteurs préférés sont tantôt français (Gustave Flaubert, Colette), tantôt américains (John Steinbeck, William Faulkner, Flannery O'Connor), tantôt québécois (Gabrielle Roy, Félix-Antoine Savard). Avant de se consacrer à un type de prose qui adopte la forme de notes, Robert Lalonde a publié une douzaine de romans depuis 1981, dont le plus connu s'intitule *Le Dernier Été des Indiens* (1982). Liés par une forte unité de ton, ces romans, en partie autobiographiques, explorent la mémoire amérindienne du narrateur. Dans ces romans comme dans les recueils de notes, ce sont les Amérindiens, les chasseurs ou les pêcheurs qui initient le héros enfant ou adolescent à la vie des sens. Chacun des livres de Robert Lalonde se déroule ainsi au milieu d'une nature vibrante et parfois mystique, soutenue par une mythologie de l'Amérique sauvage et de l'indianité.

Après 1980, les avant-gardes poétiques s'essoufflent au Québec comme ailleurs. En 1984, à la suite d'un compte rendu d'André Beaudet portant sur l'exposition de peinture de François Charron intitulée *Crucifixions*, trois membres de la revue *Spirale* (Bertrand Bergeron, Marcel Labine et Jacques Samson) démissionnent pour protester contre ce prétendu retour du religieux. La controverse, qui s'étend à la définition de la modernité, puis à celle de l'intellectuel, semble tourner cependant à vide, comme si l'esprit de l'époque n'était justement plus à ce type de débats théoriques. Aux yeux de plusieurs commentateurs, ce conflit marque le chant du cygne de l'avant-garde au Québec. Les principaux représentants des deux mouvances poursuivront en effet leur œuvre de façon individuelle, les différences idéologiques s'estompant peu à peu. *Les Herbes rouges* devient une maison d'édition et *La Nouvelle Barre du jour* se survit tant bien que mal jusqu'en 1990, mais l'activité poétique se détourne désormais des revues, pour se situer principalement dans les lancements, les lectures et les récitals organisés notamment par les maisons d'édition ou par la Maison de la poésie créée à Montréal en 2000. Des événements annuels comme le Festival international de poésie de Trois-Rivières ou le Marché francophone de la poésie de Montréal réunissent des poètes de toutes tendances et atténuent par conséquent les anciennes oppositions entre les groupes. Il s'agit alors de défendre non pas tel ou tel type de poésie (traditionnelle ou avant-gardiste), mais bien la poésie en tant que genre menacé par la logique de plus en plus commerciale du marché littéraire. La marginalisation de la poésie est ressentie vivement par l'ensemble des poètes. Elle produit en retour un œcuménisme esthétique et un sentiment de solidarité qui ressemblent à la situation existant à l'époque de la poésie du pays plutôt qu'aux polémiques de l'époque formaliste.

La critique a l'habitude d'interpréter cette fin des avant-gardes comme la conclusion de la tradition de la rupture traversant toute la modernité. Il faut toutefois remarquer aussi que les avant-gardes ont une importante postérité et qu'il est difficile de comprendre une part de la production contemporaine si on exagère la coupure de 1980. Les œuvres produites dans le sillage du formalisme et de la contre-culture sont nombreuses et, malgré de brusques retournements, elles n'en conservent pas moins des liens importants avec les audaces formelles et les thèmes abordés durant les années 1970. Cela se fait parfois sur le mode de la dérision ou de l'autocritique. Les plus ardents défenseurs de l'avant-garde formaliste, comme Roger Des Roches, Normand de Bellefeuille ou Hugues Corriveau, se moquent ainsi du caractère dogmatique et souvent arrogant de leurs prises de position antérieures. André Roy (né en 1944), publié aux Herbes rouges, résume dès 1985 les réserves propres à l'ancienne avant-garde: « Quand je relis ce qui a été écrit, une seule formule me revient en tête : nous avons fait de la littérature pour écrivains. Ce qui n'est pas en soi un tort, mais quand toute une génération, et la meilleure, se met à faire ça, c'est catastrophique. Nous avons fait pendant plusieurs années une poésie tout à fait abstraite, close sur elle-même, étanche, sans référent. » Malgré ce jugement sans équivoque, la plupart de ces poètes ne tournent pas le dos au formalisme, et plusieurs rééditent même leurs recueils des années 1970. C'est le cas justement d'André Roy, qui publie *Action Writing. Poésie et prose 1973-1985* où le thème de la révolution (politique et poétique) s'allie, dans une forme éclatée inspirée en partie du langage cinématographique, à celui du corps et du désir homosexuel. C'est aussi le cas de Roger Des Roches, dont la fantaisie érotique intitulée *Le Soleil tourne autour de la Terre* (1985) renoue avec l'humour surréaliste de ses livres précédents, mais sans leur hermétisme. Ses recueils plus tardifs, comme *Nuit, penser* (2001), sont cependant de plus en plus dépouillés :

> Je présente mes mains à moi :
> deux pouces opposables, huit fabricants gris.
> Virgules sous les doigts.
> Tu sais que je ne dors jamais.

L'héritier le plus naturel du formalisme demeure toutefois Normand de Bellefeuille (né en 1949), qui affirme vouloir « tenir le pas gagné », selon la formule de Rimbaud. Sa poétique fondée sur l'art de la répétition s'affirme dans une fiction consacrée à *Lascaux* (1985) et surtout dans *Catégoriques un deux et trois* (1986) : « nous sommes si peu préparés à la répétition », écrit-il plus d'une fois dans la première des trois parties, consacrée au temps et à la musique. Dans la deuxième partie, intitulée « Pas », c'est le corps qui avance dans le réel ou qui s'élance à la verticale dans une danse qui en constitue le motif principal. La dernière partie, « Touches », évoque la peinture avec ses « géométries simples » et sa capacité de « désencombrer le monde entier ». Dans une série de brèves réflexions parues d'abord en 1989, puis reprises dans un recueil intitulé *Lancers légers* (2001), Bellefeuille décrit la répétition comme l'état premier du langage et le fondement même de la réalité. Il en tire une vingtaine de propositions qui constituent l'un des rares arts poétiques à paraître durant la période contemporaine. Le dernier de ces aphorismes se lit ainsi : « La répétition est certes la forme la plus puissante, la plus éloquente de cette patience stupide qu'exige chaque fois l'acte d'écrire. » Le « plaisir de la répétition », par lequel Bellefeuille se rapproche de Paul-Marie Lapointe, également tenté par le formalisme, trouve une illustration poétique particulièrement réussie dans le recueil *La Marche de l'aveugle sans son chien* (1999), comme dans cette variation amoureuse sur le thème de la répétition :

Je fais tapage
échevelé de mots inlassables
définitifs
je fais tapage de mots légués
par les lèvres de tant
d'amoureux dont la langue
est tombée à force de
répétition

Même s'il a commencé à écrire dès 1972 dans la mouvance formaliste et s'il a collaboré à des revues contre-culturelles comme *Hobo-Québec* et *Mainmise*, Claude
Beausoleil (né en 1948) se fait surtout connaître à partir des années 1980. On pourrait l'associer à des poètes québécois plus anciens, comme Louis Fréchette ou Robert
Choquette, marqués par le goût de l'éloquence, du lyrisme et même par un certain
classicisme du vers qu'on retrouve dans les poèmes-fleuves de Beausoleil. L'abondance de son œuvre (une quarantaine de recueils depuis 1972) en constitue la première caractéristique. À eux seuls, ses deux livres intitulés *Une certaine fin de siècle*,
publiés respectivement en 1983 et 1991, font plus de huit cents pages. On y rencontre
le thème de la ville, qui traverse toute l'œuvre de Beausoleil. Cette ville, c'est d'abord
Montréal, qui occupe dans la poésie postformaliste la place que le pays tenait dans
la poésie des années 1960. Le poète s'y trouve parmi ses amis poètes :

je redescends la rue Saint-Denis
Louis Fréchette Gauvreau Nelligan
prennent un drink à côté

Montréal est « électrique », « mystique », « aquinienne baroque et nordique ». On
y est toujours en mouvement, que ce soit par la marche ou par l'écriture du poème
qui se nourrit de sa propre ivresse et ne cesse de se mettre en scène, mais dans un
souci de lisibilité qui contraste fortement avec la poésie des années 1970. « Nous
reviendrons comme des Nelligan / dans des paillettes et des espaces urbains », lance-
t-il en hommage au poète de « La romance du vin ». La confiance que Beausoleil
manifeste envers la poésie et le « tumulte incessant » des mots semble inépuisable. L'écriture, généreuse et quotidienne comme un « journal mobile », selon la
formule de Lucien Francœur en préface au recueil *Au milieu du corps l'attraction
s'insinue* (1980), est moins liée à une urgence particulière qu'à une « façon de
vivre de réfléchir de parler de faire ». Elle est *Le Chant du voyageur* (1998), selon
le titre d'un recueil de près de trois cents pages, dédié « aux poètes ».

L'expérience urbaine est également centrale chez Michael Delisle
(*Fontainebleau*, 1987), qui fonde avec Claude Beausoleil la revue de poésie *Lèvres
urbaines* (1983). On la retrouve aussi chez Jean-Marc Desgent (né en 1951), qui

suit un parcours analogue à celui de plusieurs poètes évoqués ci-dessus. Il publie ses premiers livres aux Éditions Cul Q (1974), puis passe aux Herbes rouges où il rassemble ses textes dans un recueil intitulé *Transfigurations. Poésie et prose 1981-1989*. La poésie et la prose narrative se superposent chez lui dans des fragments autobiographiques qui ne cherchent pas à reconstituer la linéarité d'une vie, comme si ces fragments « restés fragments » ne lui appartenaient pas vraiment. Le désordre de la vie intérieure semble normal, presque banal. Les images violentes hantent depuis longtemps le sujet poétique, comme une tempête qui ne cesse jamais et à laquelle il a fini par s'habituer. Pour parler de la solitude à laquelle le renvoie sa chambre vide ou tout autre lieu désert, il écrit dans *Ce que je suis devant personne* (1994) : « Il arrive qu'inadéquat au réel, je tombe amoureux d'une chaise, d'un lit, d'une boîte téléphonique. » Plus loin, il ajoute en un style heurté qui se souvient de Rimbaud : « Je ne suis pas chez moi. Je mets mes poings dans mes poches crevées. Le froid martèle le soleil. La mort gonfle au milieu de l'hiver. La mort aime ma manière de vivre. Cette étrangeté devient de la connaissance. » Comment savoir ce que l'on est réellement quand « [l]'expérience intérieure n'habite personne, n'est la chose de personne » ? Le corps est en danger, l'être est excessif, le poète est porté par un imaginaire fin de siècle qui s'exprime encore plus fortement dans les recueils suivants, *La Théorie des catastrophes* (2000) et surtout *Vingtièmes Siècles* (2005) où le passé intime rejoint le récit disloqué de l'Histoire :

J'ai l'histoire manquée, je n'ai plus un seul petit morceau de sucre. C'est le noir après, c'est le grand bruit qui va partout, le noir, c'est beaucoup d'anges kaki empêtrés, enlacés. De ce que j'avais à trembler, j'ai tremblé, j'ai brûlé. Moi-même très écolier, j'ai appris tout, j'ai appris le simple, donc la haine, j'ai appris tout, les débarquements, les plages, les noyés, les noyades longues, les conquêtes avec soldats pas de gants, pas de bottes et trop de survivants. Dans ma chemise d'été, on a mis les grands souvenirs : pensons séparément.

L'écriture fragmentée constitue l'une des caractéristiques les plus évidentes de cette poésie postformaliste. En même temps, ces fragments semblent souvent en quête d'une sorte de récit plus ou moins construit qui en assurerait l'unité et qui tirerait la poésie du côté de la fiction narrative. Ce récit peut être intime, comme chez Jean-Paul Daoust (né en 1946), dont *Les Cendres bleues* (1990) est un récit de soi dans lequel l'événement central est une série de viols subis dès l'âge de six ans et demi. Il peut aussi être un récit de voyage, comme chez Joël Pourbaix dont les *Voyages d'un ermite et Autres Révoltes* (1992) vont du Portugal à l'Irlande pour se terminer à Montréal.

Dans un registre plus métaphysique, Martine Audet (née en 1961) propose dans son troisième recueil, *Orbites* (2000), une méditation sur le lieu, la lumière et le vide. C'est une poésie épurée qui interroge les choses, petites et grandes, proches et lointaines, en un langage simple et inquiet qui rappelle Saint-Denys Garneau :

> les roses guettent
> cernées par le froid
> l'épuisant paysage
>
> ô devenir du cœur
> mangeoire pour les bêtes
> ô neiges de ta bouche
>
> que sont ces dernières tables
> les étoiles
> nos mains

Le recueil suivant, *Les Tables* (2001), constitue presque une étude du mot « tables », que Martine Audet exploite selon tous les sens possibles. Le caractère fragmentaire et formaliste de sa poésie se manifeste surtout dans *Les Mélancolies* (2003), notamment dans une étonnante section intitulée « Digression sur *Digression sur l'air* », où le poème se défait en syllabes ou en lettres placées les unes au-dessus des autres.

Chez les poètes plus jeunes, qui n'ont pas connu les mouvements avant-gardistes des années 1970, le goût pour la déconstruction se fait encore sentir, mais il trouve plutôt sa justification dans un répertoire poétique élargi, qui remonte au-delà du formalisme jusqu'au surréalisme. La revue *Gaz moutarde* (1989-1995), fondée par Jean-Sébastien Huot, rassemble de jeunes poètes montréalais qui, tout en revendiquant l'avant-garde, prennent leurs distances par rapport à la poésie formaliste ou intimiste. Ils multiplient les manifestes et renouent avec le lyrisme, mais le tirent vers une esthétique *trash* qui vise aussi à provoquer le lecteur. En 1995, *Gaz moutarde* se transforme en maison d'édition et publie la revue *Exit*, fondée par Tony Tremblay et dirigée ensuite par Denise Brassard puis Stéphane Despatie. Tournée vers la relève, cette revue rend aussi hommage à certains poètes des générations précédentes, comme Paul Chamberland ou Yves Boisvert dont l'œuvre s'est développée tardivement, sous le signe du mélange formel, du collage surréaliste et de la familiarité. En 2004 apparaît une nouvelle maison d'édition consacrée à « la poésie à risque », appelée Poètes de brousse, où sont d'abord publiés des poètes de moins de trente ans encore presque inconnus. D'autres lieux existent, comme Le Quartanier (2003), qui est à la fois un éditeur et une revue privilégiant, dans la poésie comme dans le roman, les audaces formelles. Malgré ce renouveau, le sentiment de précarité demeure extrêmement fort parmi les poètes qui émergent. La poésie a cessé d'être scandaleuse, et partant elle a peut-être perdu un certain pouvoir de fascination. Mais c'est aussi par là qu'elle retrouve une liberté de ton et un sens de l'autodérision, comme on le voit dans ce poème de Tania Langlais (née en 1979), tiré de son deuxième recueil, *La clarté s'installe comme un chat* (2004) :

> j'essaie d'être possible voyez
> la fin du monde est sans importance
> plus personne n'a peur des écrivains
> je n'aurais jamais dû croire
> le premier livre que j'ai lu

13
Les fictions de soi

Les thématiques liées à l'identité, nous l'avons vu, dominent toute la période contemporaine. Mais le récit de soi subit d'importantes mutations durant les années 1990 et 2000, et il ressemble de moins en moins à l'autobiographie traditionnelle. Le terme « autofiction » forgé par Serge Doubrovsky (*Fils*, 1977), associé à un type de textes apparus en France au tournant des années 1980, différencie ces récits de l'autobiographie en revendiquant la part de fiction (invention, travestissement, jeu) inhérente à tout récit de soi. L'engagement d'authenticité propre à la démarche autobiographique y est relayé par le désir de lever toute forme de censure afin de mettre au jour, par l'imagination autant que par la remémoration, ce qui relève du non-dit familial ou sexuel. La quête de soi s'y donne à voir avec une impudeur qui la distingue radicalement des récits intimistes. Mais cette obscénité délibérée va aussi de pair avec une mise en question plus générale des frontières entre le domaine privé et le domaine public, entre le soi et l'autre, entre des fictions et une réalité qui a perdu sa force d'évidence et son poids moral de « vérité ».

Ces récits autofictionnels explorent volontiers la question de la filiation, familiale aussi bien qu'artistique, souvent dans l'inquiétude et le trouble, car il n'y a plus de filiations assurées, comme l'écrit Régine Robin dans *Le Golem de l'écriture. De l'autofiction au cybersoi* (1997). Dès lors, écrire sur soi, c'est « faire jouer tous les autres qui sont en moi, me transformer en autre, laisser libre cours à tout processus de devenir-autre, devenir son propre être fictif ou, plus exactement, s'attacher à expérimenter dans le texte le fictif de l'identité ». Dans *L'Immense Fatigue des pierres* (1996), sous-titré *Biofictions*, Régine Robin invente un personnage appelé Nancy Nibor, anagramme et double de l'auteure qui explique au lecteur que son histoire est bel et bien un roman et qu'elle a délibérément triché avec la réalité : « Cela écartera les malentendus avec vous lecteur et les tentations de projections chez moi. » Mélangeant les souvenirs et les lectures, le récit est ainsi un méta-récit qui refuse de prendre forme et revendique une hétérogénéité commandée par la nature même de l'identité postmoderne, toujours en train de se reconfigurer au fur et à mesure qu'elle tente de se définir. Dans les années 2000, Régine Robin poussera l'expérimentation autobiographique jusqu'à créer un site Web dans lequel elle invite le lecteur à suivre son personnage de Rivka A autour de cinq rubriques (autobiographie, bistrots, citations, autobus, rues) « constituées de 52 fragments tous liés à du biographique, du social, des instantanés, des scénarios concernant mes deux lieux d'élection : Paris et Montréal ».

Au Québec, le terme « autofiction » n'a pas eu la même fortune qu'en France. Maxime-Olivier Moutier (né en 1971) ne l'emploie pas dans *Marie-Hélène au mois de mars* (1998), sous-titré *Roman d'amour* mais précédé d'une « note de l'auteur » qui, tout en attestant que les événements dont on va lire le récit (une rupture amoureuse suivie d'un internement dans un hôpital psychiatrique) sont effectivement arrivés dans sa propre vie, paraît les neutraliser en les renvoyant à « l'écriture ». Il faut attendre les années 2000 pour voir émerger les premiers textes qui s'associent explicitement à l'autofiction. Les rares auteurs à s'en réclamer sans réserve sont Marie-Sissi Labrèche (née en 1969), dans *Borderline* (2000) et *La Brèche* (2002), et surtout Nelly Arcan (née en 1975). Son premier livre, *Putain* (2001), raconte les expériences d'une étudiante en lettres de Montréal qui se prostitue. Ce premier récit paraît en France, où il est reçu, entre fiction et témoignage, dans la mouvance d'un nouveau discours des femmes sur le sexe, représenté surtout par Christine Angot et Catherine Millet. Pourtant, Arcan s'en distingue par une écriture animée d'un souffle tour à tour lyrique et rageur. La précision mécanique des scènes sexuelles, l'obsession d'un corps-objet, entretenu, refait jusqu'à la réification, sont aussi présentes dans le second livre, *Folle* (2004), récit de la passion amoureuse qu'une narratrice en tous points semblable à la romancière vit avec un journaliste français. La médiation technologique se mêle à la vie : le journaliste tombe amoureux de la romancière lorsqu'il la voit dans une émission de télévision et celle-ci devra rivaliser avec les filles virtuelles des sites pornographiques que fréquente son amant. Dans les deux récits, en cela surtout éminemment contemporains, la narratrice éprouve un vertigineux défaut d'existence, comme si aucune expérience vécue ne lui garantissait l'accès à la réalité.

Chez Catherine Mavrikakis (née en 1961), l'autofiction est un « récit empoisonné [...] genre qu'il nous faut réinventer », comme le dit la narratrice de son premier roman, *Deuils cannibales et mélancoliques* (2000). Le récit joue de la confusion entre cette narratrice iconoclaste, « Catherine », qui donne son adresse de courrier électronique, et la romancière elle-même. Un poème de Saint-Denys Garneau, « La mort grandissante », sert d'épigraphe au roman hanté par la figure de l'écrivain français Hervé Guibert ; une jeune femme doit affronter la mort de ses amis, tous prénommés Hervé, l'un fauché par un attentat terroriste, un autre par le sida, un autre par le suicide. Le roman suivant, *Ça va aller* (2002), s'éloigne de l'autofiction au profit de dispositifs plus complexes. Il creuse la question de l'héritage à travers les rapports houleux de la narratrice, Sapho-Didon Apostasias, avec un certain Laflamme, avatar de Réjean Ducharme, dont elle finit par avoir un enfant, une fille promise à devenir « le grand écrivain du Québec ». Ducharme se trouve ici non seulement mis en scène comme personnage, ce qui donne lieu à une satire de la critique locale, mais aussi pastiché, opposé à Hubert Aquin, puis finalement approprié par la narratrice.

De manière plus générale, une inflexion autobiographique est de plus en plus perceptible dans les textes de beaucoup d'écrivains. Parallèlement à des romans explicitement calqués sur sa vie, tel *L'homme qui entendait siffler une bouilloire* (2001),

Michel Tremblay poursuit la série de récits autobiographiques amorcée en 1990 avec *Les Vues animées*; il transpose même l'un de ces récits, *Bonbons assortis* (2005), au théâtre. Le mouvement vers l'écriture de soi s'observe également chez un écrivain comme André Major, passé du roman au carnet (*Le Sourire d'Anton ou l'adieu au roman. Carnets 1975-1992*, 2001). On le voit encore chez Normand de Bellefeuille, dans *Nous mentons tous* (1997), ou chez Francine Noël, dans *La Femme de ma vie* (2005), et même chez Réjean Ducharme, dans *Gros Mots* (1999), où le stratagème d'un manuscrit trouvé permet au romancier de mettre en scène un auteur invisible qui ressemble étrangement à sa propre image d'écrivain.

CONCLUSION

Que reste-t-il, à la lecture des textes qui la composent depuis ses débuts, de cette singularité de la littérature québécoise dont la revendication, la défense, l'affirmation constituent depuis le xixe siècle l'un des principaux enjeux de la critique ? La littérature québécoise ne peut plus se décrire aujourd'hui comme un projet en cours ou une littérature en émergence. C'est une petite littérature nationale comme il en existe plusieurs à travers le monde. Mais elle se caractérise par une situation doublement marginale. Marginale en premier lieu par rapport à la capitale littéraire de la francophonie qu'est Paris, ce qui a poussé le Québec à mettre sur pied une institution littéraire dont les moyens dépassent, depuis les années 1960, ceux qui existent ailleurs dans la francophonie littéraire. Marginale en second lieu par rapport à l'Amérique du Nord, dont la *lingua franca* est bien sûr l'anglais. Double effet d'insularité donc, mais qui entraîne, tout au long de l'histoire littéraire, un mouvement de va-et-vient entre le repli sur l'identité nationale et l'ouverture sur les cultures d'Europe et d'Amérique.

Les textes littéraires portent la trace de ces différents voisinages. En effet, la littérature québécoise se construit dès les débuts en relation étroite avec d'autres littératures avec lesquelles elle se compare et se confronte, par rapport auxquelles elle se définit. Le voisinage le plus manifeste reste, jusqu'à tout récemment, celui de la littérature française, les raisons institutionnelles se confondant avec les raisons esthétiques. Au-delà de l'importation de modèles français, le souci de la lisibilité en France et l'adaptation de l'écriture d'ici à un lectorat français traversent, sous différentes formes, l'histoire de la littérature québécoise. À différentes époques, et bien que la barrière de la langue occulte parfois ces emprunts, les écrivains québécois puisent aussi à la culture américaine, autant sur le plan des références que, d'un point de vue philosophique, par une certaine expérience du territoire. Cet ancrage américain marque directement de nombreuses œuvres. La littérature québécoise se développe également en parallèle avec la littérature canadienne de langue anglaise avec laquelle on observe des correspondances significatives, en particulier par le biais de traductions. Plus récemment, d'autres littératures francophones ont émergé au Canada en dehors de la littérature québécoise : la littérature acadienne et la littérature franco-ontarienne se situent par rapport à celle du Québec à la fois en adoptant certaines de ses pratiques et en s'efforçant de s'en distinguer. Ces voisinages ont toujours existé, mais ils ont été minimisés durant la période de la Révolution tranquille au profit d'une définition organique de la littérature québécoise qui mettait l'accent sur l'identité et la cohérence de cette littérature alors en pleine renaissance. Mais le projet qui a défini la littérature québécoise de la Révolution tranquille a débouché, depuis 1980, sur une situation différente où de nouvelles questions se posent. Il ne s'agit plus de se demander si la littérature québécoise existe ou non, comme on a pu le faire au début du XXᵉ siècle à propos de la littérature canadienne-française. C'est plutôt la place de la littérature et la définition de la nation qui sont devenues problématiques, alors même que l'institution littéraire québécoise est plus solidement établie que jamais.

La volonté d'organiser, de soutenir et de promouvoir l'activité littéraire au Québec apparaît très tôt, fût-ce à titre de projet. Elle est longtemps le fait d'hommes-orchestres qui, de l'abbé Casgrain à Gaston Miron, au-delà d'une œuvre personnelle, se dévouent à cette tâche et semblent incarner à eux seuls cette littérature. Ces animateurs successifs sont relayés, après les années 1960, par des organismes nés de l'étatisation de la culture dont les moyens et les effets sont évidemment beaucoup plus importants. Paradoxalement, cette institutionnalisation va de pair avec un fort sentiment de précarité qui se retrouve à plusieurs niveaux de la littérature québécoise : précarité des œuvres et plus encore de l'idée même d'œuvre. Si de nombreux textes se publient, peu d'écrivains conçoivent leur écriture dans la perspective de la construction d'une œuvre. Les différences parfois radicales de tons, de styles, de genres ne sont pas rares sous la même signature. Mais la précarité est aussi un thème ou un motif récurrent des textes eux-mêmes : celle d'un présent hasardeux qu'on lit dans les écrits de la Nouvelle-France ou dans la prose d'idées du XIXᵉ siècle ; celle de la tradition, relevée par nombre d'essayistes, à laquelle fait écho l'incertitude du présent et du pays thématisée par Jacques Ferron. La pauvreté, qui devient une manière d'écrire de Saint-Denys Garneau à Jacques Brault, désigne à la fois un héritage esthétique et une condition matérielle de l'écrivain-artisan. Elle s'étend au romancier et inclut aussi bien le bricolage de Réjean Ducharme que l'intimisme de Jacques Poulin. Sans doute faut-il en voir également un signe dans ces personnages d'amateurs, de dilettantes et d'écrivains autodidactes qui traversent tant de fictions du Québec et qui ne cessent de douter d'eux-mêmes.

Les textes insistent aussi sur la précarité de la langue d'écriture. D'Octave Crémazie à Jules Fournier, de Claude-Henri Grignon aux écrivains de *Parti pris*, de Réjean Ducharme à André Belleau, la question de la langue d'écriture se pose, se repose sans arrêt. S'il est une constante particulièrement évidente et déterminante de la littérature québécoise, c'est cette obsession linguistique, cette conscience exacerbée de la langue qui est au cœur même de l'identité nationale. La situation de l'écrivain québécois francophone au milieu d'un continent anglophone s'oublie difficilement. Pendant longtemps, la langue est surtout l'objet de réflexions normatives, la qualité grammaticale d'un texte servant à mesurer sa qualité littéraire. Mais à partir de la seconde moitié du XXᵉ siècle, la langue d'écriture est étroitement liée à une prise de conscience politique, symbolisée par le joual. S'opposent alors non plus un français local, teinté de régionalismes, et un français standard, presque toujours qualifié d'universel, mais la langue de culture et la langue populaire, ou encore la langue écrite et la langue orale.

Autre singularité de la situation de la littérature québécoise, celle-ci fait une large place à des genres souvent considérés ailleurs comme mineurs et repoussés aux limites de la littérature comme l'épistolaire, le récit de voyage ou la chronique journalistique. Il ne s'agit pas tant de sous-genres littéraires, comme peuvent l'être le récit policier ou le roman fantastique, tous deux relativement peu pratiqués au Québec, que de genres au statut incertain et qui font entendre une voix personnelle, un point de vue expressément subjectif où se mêlent des considérations sur la culture, la langue, la société, la politique, etc. On pense notamment aux tout débuts de la littérature en Nouvelle-France, aux journalistes du XIXe siècle et au développement de l'essai littéraire qui s'impose de façon particulière au Québec. Les frontières de la littérature y perdent en précision, mais c'est aussi une façon de rapprocher la littérature de la vie, selon un motif qui revient chez plusieurs écrivains.

Au cours des années récentes, ces frontières de la littérature se sont encore davantage brouillées, pour des raisons qui touchent moins à l'histoire du Québec qu'à un phénomène plus large de marginalisation de la littérature, observable dans l'ensemble des cultures modernes. Il y a en effet, un peu partout en Occident, une évidente dissémination de la culture, désormais ouverte à un ensemble hétérogène de traditions, nationales ou étrangères, contemporaines ou anciennes, savantes ou populaires. Alors même que les publications prolifèrent, la littérature semble avoir perdu une part de sa légitimité au profit de définitions plus larges qui la situent parmi une variété de pratiques culturelles, considérées comme toutes aussi valables les unes que les autres. On peut y voir le signe d'une démocratisation de la culture ou même d'un affranchissement par rapport aux normes anciennes ; toutefois, aux yeux de certains essayistes ou historiens, comme Pierre Nora, une telle banalisation ne peut aboutir qu'au « deuil éclatant de la littérature ». Au Québec, ce deuil est d'autant plus fortement ressenti qu'une telle situation survient immédiatement après une période où la littérature a été, plus qu'ailleurs, un vecteur de l'identité nationale. Mais la précarité actuelle de la tradition littéraire, nouvelle dans d'autres cultures, rejoint celle que l'on a observée tout au long de l'histoire de la littérature québécoise.

CHRONOLOGIE

	Vie politique et culturelle	Œuvres
1534	Premier voyage de Jacques Cartier au Canada. L'explorateur prend possession du territoire au nom du roi de France.	
1545		*Brief Récit et Succincte Narration* […] de Jacques Cartier.
1606		Représentation du *Théâtre de Neptune* de Marc Lescarbot.
1608	Samuel de Champlain fonde Québec. L'« Abitation » est construite et accueille 28 colons.	
1613		Samuel de Champlain fait paraître à Paris ses *Voyages*.
1615	Arrivée des premiers récollets.	
1625	Arrivée à Québec de cinq missionnaires jésuites.	
1627	Création de la Compagnie des Cent Associés.	
1629	Capitulation de Québec face à l'invasion anglaise. Champlain doit quitter la colonie.	
1632	Le traité de Saint-Germain-en-Laye confirme la restitution de la Nouvelle-France et de l'Acadie à la France.	*Le Grand Voyage du pays des Hurons* de Gabriel Sagard.
1632-1639		Paul Le Jeune écrit annuellement sa *Relation du voyage de la Nouvelle-France*.
1632		Marie de l'Incarnation commence la rédaction de ses *Écrits spirituels*, qu'elle achèvera en 1654.
1639	Arrivée de Marie de l'Incarnation qui fonde à Québec le premier collège des ursulines destiné à la formation des jeunes filles.	

1642	Les premiers colons, dirigés par Paul Chomedey de Maisonneuve, s'installent près du site de l'ancien village indien Hochelaga, qui deviendra Montréal.
1664	*Histoire véritable et naturelle des mœurs et productions du pays de la Nouvelle-France* de Pierre Boucher.
1672- 1673	*Histoire du Montréal, 1640-1672* de Dollier de Casson.
1694	Le gouverneur Frontenac projette de monter le *Tartuffe* de Molière, ce qui provoque la colère de l'évêque de Québec, Mgr de Saint-Vallier. Pour calmer les esprits, Louis xiv interdit les représentations théâtrales en Nouvelle-France.
1697	*Annales de l'Hôtel-Dieu de Montréal* de Marie Morin.
1701	Signature de la paix de Montréal entre la Nouvelle-France, ses alliés amérindiens et les cinq nations iroquoises des Grands Lacs.
1703	*Nouveaux voyages [...] dans l'Amérique septentrionale* de Louis-Armand de Lahontan.
1713	Signature du traité d'Utrecht qui met fin à la guerre de succession d'Espagne. L'Angleterre obtient Terre-Neuve, l'Acadie, la baie d'Hudson et un protectorat sur les Iroquois.
1724	*Mœurs des sauvages américains comparées aux mœurs des premiers temps* de Joseph-François Lafitau.
1744	*Histoire et Description générale de la Nouvelle-France avec le journal historique d'un voyage fait par ordre du roi dans l'Amérique septentrionale* de François-Xavier de Charlevoix.
1748	Début de la correspondance d'Élisabeth Bégon.

1755	En Nouvelle-Écosse commence la déportation des Acadiens.	
1756	L'Angleterre déclare la guerre à la France. Commence alors la guerre de Sept ans.	
1759	En juin commence le long siège de Québec par le général Wolfe et sa flotte de 39 000 hommes. La bataille des plaines d'Abraham a lieu le 13 septembre et confirme la défaite des troupes de Montcalm. Wolfe et Montcalm périssent à la suite de l'affrontement.	
1760	Au printemps, les troupes de Lévis tentent en vain de reprendre la ville de Québec. Le 8 septembre, la ville de Montréal capitule. Population de la Nouvelle-France : 70 000.	
1763	Le 10 février, la signature du traité de Paris par la France, l'Angleterre et le Portugal met fin à la guerre de Sept ans. Le traité consacre la victoire de l'Angleterre, qui obtient notamment le Canada. Constitution du gouvernement civil de la « Province of Quebec ». Pendaison de Marie-Josephte Corriveau déclarée coupable du meurtre de son mari.	
1764	Début de *La Gazette de Québec / The Quebec Gazette*.	
1765	Début de l'enseignement classique (Séminaire de Québec).	
1769		*The History of Emily Montague* de Frances Brooke.
1774	L'Acte de Québec rétablit les lois civiles françaises ; la langue française et la religion catholique sont officiellement reconnues, et la participation des Canadiens français au gouvernement colonial est permise. À Montréal, la première salle de théâtre francophone est inaugurée chez le notaire Antoine Foucher.	

1775	Début de la guerre de l'Indépendance américaine. Des troupes américaines tentent d'envahir Québec.
1776	Déclaration d'Indépendance de Jefferson.
1778	*La Gazette littéraire* de Fleury Mesplet commence à paraître.
1783	Arrivée au Québec des loyalistes.
1784	*Appel à la justice de l'État* de Pierre Du Calvet.
1785	Parution des premiers numéros de *La Gazette de Montréal / The Montreal Gazette.*
1789	Début de la Révolution française.
1791	Signature de l'Acte constitutionnel : Londres divise le territoire canadien en deux, la province française du Bas-Canada (du Labrador au lac Saint-François) et la province anglaise du Haut-Canada (du lac Saint-François aux territoires de la baie d'Hudson).
1805	Fondation du journal *Quebec Mercury,* qui devient l'organe des marchands anglais mécontents des privilèges accordés aux Canadiens français. Les auteurs du journal défendent, en plus de la primauté du commerce, l'idée d'une assimilation politique de la majorité francophone.
1806	Le premier exemplaire du journal *Le Canadien* circule le 22 novembre. Les fondateurs du journal, dont plusieurs sont députés de la Chambre d'assemblée, s'opposent aux rédacteurs du *Quebec Mercury.*
1814	Louis-Joseph Papineau devient le chef du Parti canadien.
1826	À Montréal, début du journal *La Minerve.*
1829	Fondation de l'Université McGill.
1830	*Épîtres, Satires, Chansons, Épigrammes et Autres Pièces de vers* de Michel Bibaud.

1831 Étienne Parent et Jean-Baptiste Fréchette relancent *Le Canadien*.

1834 Le 17 février, le Parti patriote propose à la Chambre d'assemblée 92 Résolutions qui formulent les requêtes et les insatisfactions des Canadiens.

1837 Le 6 mars, les 10 Résolutions Russell sont adoptées par le Parlement impérial et confirment le refus des 92 Résolutions de 1834 au grand mécontentement du Parti patriote. Des assemblées populaires ont lieu dans différents villages et sont rapidement interdites par le gouverneur Gosford. S'ensuivent les soulèvements armés de Saint-Denis, de Saint-Charles et de Saint-Eustache, qui sont sévèrement réprimés : certains patriotes sont condamnés à l'exil.

Parution du *Fantasque*, du *Libéral* et du *Télégraphe*.

Le premier roman canadien-français est publié : *L'Influence d'un livre* de Philippe Aubert de Gaspé fils.

1838 Dirigés par Robert Nelson, les patriotes proclament la République du Bas-Canada. Le soulèvement mène encore une fois à l'échec. Douze patriotes sont pendus, cinquante-huit sont déportés.

À Montréal, parution du *Literary Garland*, du *Temps* et du *Courrier canadien*.

1839 Après un séjour de six mois au Canada, John George Lambton, Lord Durham, rédige son rapport où il conclut à la nécessité d'assimiler les Canadiens français, « peuple sans histoire et sans littérature ».

Lettres de Chevalier de Lorimier.

1840 Sanction par le gouvernement anglais de l'Acte d'Union des deux provinces du Canada. La langue officielle du Canada-Uni est l'anglais.

1842 Début du *Journal de Québec*.

The Quebec Gazette devient une publication unilingue anglaise.

1844 Fondation de l'Institut canadien de Montréal.

À Québec, ouverture de la librairie des frères Crémazie.

« Un Canadien errant. Le proscrit » d'Antoine Gérin-Lajoie paraît dans *Charivari canadien*.

1845-1852		*Histoire du Canada depuis sa découverte jusqu'à nos jours* de François-Xavier Garneau (4 tomes).
1846		*La Terre paternelle* de Patrice Lacombe et *Charles Guérin* de Pierre-Joseph-Olivier Chauveau paraissent en feuilleton dans *L'Album littéraire et musical de la Revue canadienne*.
1847	Fondation de l'Institut canadien de Québec.	
1848	À Montréal, les jésuites fondent le Collège Sainte-Marie.	Parution des trois premiers tomes du *Répertoire national ou Recueil de littérature canadienne* de James Huston.
1849		*Une de perdue, deux de trouvées* de Pierre Boucher de Boucherville.
1850		*Discours prononcés devant l'Institut canadien de Montréal*, d'Étienne Parent.
1852	Fondation de l'Université Laval.	
1854	Abolition du régime seigneurial. À Montréal, ouverture de la librairie Beauchemin.	
1858	Une lettre pastorale de Mgr Ignace Bourget, évêque de Montréal, attaque les libéraux de l'Institut canadien.	
1860	Début du mouvement littéraire et patriotique de Québec animé par l'abbé Henri-Raymond Casgrain.	
1861	Début de parution des *Soirées canadiennes*.	
1862	Octave Crémazie s'exile en France.	Octave Crémazie fait paraître « Promenade de trois morts » dans *Les Soirées canadiennes*. *Jean Rivard, le défricheur canadien* d'Antoine Gérin-Lajoie.
1863	Début de la revue *Le Foyer canadien*.	*Les Anciens Canadiens* de Philippe Aubert de Gaspé père. *Forestiers et Voyageurs* de Joseph-Charles Taché.

1864		Premières *Lettres sur le Canada* d'Arthur Buies.
1867	Acte de l'Amérique du nord britannique (Confédération canadienne de quatre provinces : le Nouveau-Brunswick, la Nouvelle-Écosse, l'Ontario et le Québec).	
	Début du journal *The Gazette*.	
1868	Arthur Buies fonde *La Lanterne*.	
1869	Mgr Bourget excommunie les membres de l'Institut canadien de Montréal.	
1870	Début de *L'Opinion publique*.	
1873		*Chroniques, Humeurs et Caprices* d'Arthur Buies.
		Le Chevalier de Mornac. Chronique de la Nouvelle-France 1664 de Joseph Marmette.
1875		Les premiers épisodes de *Jeanne la fileuse* d'Honoré Beaugrand paraissent dans *La République*, publication américaine (Fall River, Massachusetts).
1876	Ouverture de la succursale de l'Université Laval à Montréal, qui deviendra l'Université de Montréal.	
1878		*Premières Poésies* d'Eudore Évanturel.
1879	Honoré Beaugrand fonde *La Patrie*.	
1880	Fermeture de la bibliothèque de l'Institut canadien de Montréal.	
1881		*Angéline de Montbrun* de Laure Conan.
1882		*Œuvres complètes* d'Octave Crémazie.
1884	Début du journal *La Presse*.	
1885	Révolte des Métis de l'Ouest canadien dirigés par Louis Riel. Le procès de Louis Riel a lieu à Regina. Accusé de haute trahison, il est pendu le 16 novembre.	
1887		*La Légende d'un peuple* de Louis Fréchette.

1890	Au Manitoba, promulgation des lois abolissant l'usage du français dans l'appareil administratif et judiciaire et interdisant le financement public des écoles catholiques.	
1891	À Montréal, début de *L'Écho des jeunes*.	
	Population du Québec : 1 448 535.	
1893	À Montréal, ouverture du théâtre du Monument-National.	
1895	Fondation de l'École littéraire de Montréal.	*Pour la patrie* de Jules-Paul Tardivel.
1896		*L'Avenir du peuple canadien-français* d'Edmond de Nevers.
1902	Fondation du *Bulletin du parler français au Canada*, revue mensuelle de Québec, consacrée à l'étude et à la défense de la langue française parlée au Canada.	
	Début du *Journal de Françoise*.	
1903	Olivar Asselin, Armand Lavergne et Omar Héroux fondent la Ligue nationaliste, qui se porte à la défense des Canadiens français hors Québec.	
	Fondation de la bibliothèque municipale de Montréal.	
1904	Olivar Asselin fonde le journal hebdomadaire *Le Nationaliste*.	*Émile Nelligan et son œuvre* édité par Louis Dantin.
	Fondation de l'Association catholique de la jeunesse canadienne-française (ACJC), mouvement d'action patriotique et catholique.	*Marie Calumet* de Rodolphe Girard.
		Les Gouttelettes de Pamphile Le May.
		Conférence de Camille Roy « La nationalisation de la littérature canadienne », publiée dans le *Bulletin du parler français au Canada*.
		Études de littérature canadienne-française de Charles ab der Halden
1906	Camille Roy donne son premier cours de littérature canadienne.	*Poésies*, recueil posthume d'Alfred Garneau.
	Ernest Ouimet ouvre la première salle de cinéma montréalaise, le Ouimetoscope.	

Une polémique sur l'existence de
la littérature canadienne oppose Jules
Fournier à Charles ab der Halden.

1907	Fondation du Théâtre populaire de Québec.	*L'Âme solitaire* d'Albert Lozeau. *Essais sur la littérature canadienne* et *Tableau de l'histoire de la littérature canadienne-française* de Camille Roy.
1909	Début de la revue *Le Terroir*, publiée par les membres de l'École littéraire de Montréal.	
1910	Henri Bourassa fonde le quotidien *Le Devoir*.	
1911	Jules Fournier fonde le journal hebdomadaire *L'Action*, qui paraîtra jusqu'en 1916. Les rédacteurs y accueillent les publications des écrivains « exotiques ». Marie Gérin-Lajoie est la première bachelière québécoise.	*Le Paon d'émail* de Paul Morin. Les premières « Lettres de Fadette » paraissent dans le journal *Le Devoir*.
1912	En Ontario, adoption du « Règlement XVII » qui limite l'enseignement du français aux deux premières années du primaire.	*« Mignonne, allons voir si la rose... » est sans épines* de Guy Delahaye.
1913		*Visions gaspésiennes* de Blanche Lamontagne-Beauregard.
1914	Début de la Première Guerre mondiale.	*Le Débutant* d'Arsène Bessette.
1915	À Montréal, l'abbé Lionel Groulx donne ses premiers cours d'histoire du Canada.	
1916		*Maria Chapdelaine* de Louis Hémon, d'abord paru en 1914 dans *Le Temps* à Paris, est publié au Québec. *Psyché au cinéma* de Marcel Dugas.
1917	Le parlement fédéral accorde le droit de vote aux femmes. Le parlement fédéral vote la conscription. Début de *L'Action française*, revue de la Ligue des droits du français qui lutte pour la reconnaissance du Canada français dans la Confédération.	

1918	Émeutes à Québec contre la conscription.	*La Scouine* d'Albert Laberge.
	Parution des douze numéros du *Nigog*.	*Manuel d'histoire de la littérature canadienne-française* de Camille Roy.
1919	Fondation du journal étudiant de l'Université de Montréal *Le Quartier latin*.	
	Fondation de *La Revue moderne*, remplacée par *Châtelaine* en 1960.	
1920	Lionel Groulx dirige *L'Action française*.	*Les Atmosphères* de Jean-Aubert Loranger.
	L'Université de Montréal se sépare de l'Université Laval et ouvre l'École des sciences sociales, économiques et politiques.	
1921		*Aurore, l'enfant martyre* de Léon Petitjean et Henri Rollin.
		Victor Barbeau fait paraître *Les Cahiers de Turc*.
1922	Propriété du journal *La Presse*, CKAC est la première station radiophonique française en Amérique du Nord.	*Mon encrier*, recueil posthume de Jules Fournier.
	Louis-Athanase David, secrétaire de la province, institue les Concours littéraire et scientifique du Québec afin d'offrir un soutien financier aux écrivains et aux chercheurs.	
1923	Fondation de l'Association canadienne-française pour l'avancement des sciences (ACFAS).	
	Construction de l'École des Beaux-Arts de Montréal.	
1924		*Notre maître le passé* de Lionel Groulx.
1929	Le krach de Wall Street a lieu le 24 octobre.	*À l'ombre de l'Orford* d'Alfred DesRochers.
1930	La première troupe professionnelle du Québec, dirigée par Fred Barry et Albert Duquesne, fonde le Théâtre Stella à Montréal.	
1931	Population du Québec : 2 874 662.	*La Chair décevante* de Jovette-Alice Bernier.
		Carquois d'Albert Pelletier.

1932	La publication du *Manifeste de la jeune génération* d'André Laurendeau préside à la fondation des Jeunes-Canada.	*Quand j'parl' tout seul* de Jean Narrache.
1933	La Ligue d'action nationale fait paraître le premier numéro de *L'Action nationale*.	*Un homme et son péché* de Claude-Henri Grignon.
	Albert Pelletier fonde les Éditions du Totem, qui publieront la revue *Les Idées* à partir de 1935.	*Né à Québec* d'Alain Grandbois.
1934	Fondation de la revue *La Relève*.	*Les Demi-civilisés* de Jean-Charles Harvey.
	Fondation de la Jeunesse étudiante catholique (JEC).	*Poëmes* [d'Hankéou] d'Alain Grandbois.
		Chaque heure a son visage de Medjé Vézina.
		Les Tentations de Simone Routier.
1935	Pour contrer les effets de la crise économique qui sévit depuis 1929, le gouvernement Taschereau promeut le retour à la terre en octroyant des subventions destinées à la colonisation des régions éloignées.	*La Flore laurentienne* du frère Marie-Victorin.
1936	Maurice Duplessis est élu premier ministre du Québec.	Claude-Henri Grignon fait paraître les premiers numéros des *Pamphlets de Valdombre*.
	Le frère Marie-Victorin fonde le Jardin botanique de Montréal.	
1937	L'Union nationale adopte la « loi du cadenas », qui interdit aux citoyens québécois de propager le communisme et le bolchevisme.	*Regards et Jeux dans l'espace* de Saint-Denys Garneau.
	Fondation de la troupe de théâtre Les Compagnons de Saint-Laurent dirigée par le père Émile Legault.	*Menaud, maître-draveur* de Félix-Antoine Savard.
	Fondation des Éditions Fides.	
1938		*Trente Arpents* de Ringuet.
		Les Engagés du Grand Portage de Léo-Paul Desrosiers.
		Création des *Fridolinades*, spectacle théâtral de Gratien Gélinas.
1939	Début de la Deuxième Guerre mondiale.	Création de la série radiophonique *Un homme et son péché* qui sera à l'antenne jusqu'en 1962.
	Fondation de l'École des sciences sociales et politiques de l'Université Laval par le père Georges-Henri Lévesque.	

Le peintre John Lyman fonde la Société d'art contemporain dont fait partie Paul-Émile Borduas.

1940   Au Québec, les femmes obtiennent le droit de vote.

1941   Fondation de la revue *La Nouvelle Relève*.

Fondation des Éditions de l'Arbre.

Population du Québec : 3 331 882.

1942   Le Québec vote non au plébiscite sur la conscription tout en étant la province qui envoie le plus grand nombre de volontaires avant la conscription de 1944.

Fondation du Conservatoire de musique et d'art dramatique du Québec.

1943   Loi de l'instruction obligatoire.

1944   Victor Barbeau fonde l'Académie canadienne-française.

Frank R. Scott fonde la revue *Preview*.

Les Îles de la nuit d'Alain Grandbois.

Au pied de la pente douce de Roger Lemelin.

Contes pour un homme seul d'Yves Thériault.

1945   Capitulation de l'Allemagne. Le 6 août, les Américains lancent une première bombe atomique sur Hiroshima ; trois jours plus tard, ils bombardent Nagasaki. Capitulation du Japon.

Bonheur d'occasion de Gabrielle Roy.

Le Survenant de Germaine Guèvremont.

Two Solitudes de Hugh MacLennan.

1946   Lionel Groulx fonde l'Institut d'histoire de l'Amérique française.

Début de parution de la revue *Lectures*, publiée par Fides.

Premières expositions des automatistes à Montréal et à New York.

Théâtre en plein air de Gilles Hénault.

Histoire de la littérature canadienne-française de Berthelot Brunet.

1947

Le Chant de la montée de Rina Lasnier.

Les Soirs rouges de Clément Marchand.

La France et nous de Robert Charbonneau.

1948

Refus global.

Le Vierge incendié de Paul-Marie Lapointe.

Tit-Coq de Gratien Gélinas.

1949	Grève de l'amiante à Asbestos.	*Mathieu* de Françoise Loranger.
	Fondation des Éditions Erta spécialisées dans la création de livres d'art.	*Faire naître* de Roland Giguère.
		Projections libérantes de Paul-Émile Borduas.
	À Montréal, fondation du Théâtre du Rideau Vert.	Édition des *Poésies complètes* de Saint-Denys Garneau.
1950	Pierre Elliott Trudeau et Gérard Pelletier fondent la revue *Cité libre*.	*La Fin des songes* de Robert Élie.
		Le Torrent d'Anne Hébert.
		Histoire du Canada français depuis la découverte (en 4 volumes) de Lionel Groulx.
1951	D'anciens membres de la troupe Les compagnons de Saint-Laurent, Jean Gascon, Jean-Louis Roux, Georges Groulx, Éloi de Grandmont et Guy Hoffman, fondent le Théâtre du Nouveau Monde.	
1952	Début de la télévision de Radio-Canada.	Édition des *Poésies complètes, 1896-1899* d'Émile Nelligan par Luc Lacourcière.
		L'Homme d'ici d'Ernest Gagnon.
1953	Fondation des Éditions de l'Hexagone.	*Poussière sur la ville* d'André Langevin.
		Le Tombeau des rois d'Anne Hébert.
		Zone de Marcel Dubé.
1954	Fondation des *Écrits du Canada français*.	*Journal* de Saint-Denys Garneau.
		Aaron d'Yves Thériault.
1955	Paul Buissonneau fonde le Théâtre de Quat'sous.	*Rue Deschambault* de Gabrielle Roy.
1957	Création du Conseil des Arts du Canada.	
	À Québec, fondation du Théâtre de l'Estoc.	
1958	Fondation des Éditions de l'Homme.	*Agaguk* d'Yves Thériault.
	L'équipe française de l'Office national du film est formée.	*Poèmes de l'Amérique étrangère* de Michel van Schendel.
1959	Décès du premier ministre Maurice Duplessis.	*La Belle Bête* de Marie-Claire Blais.
	Fondation de la revue *Liberté*.	*À la gueule du jour* de Gilbert Langevin.
		The Apprenticeship of Duddy Kravitz de Mordecai Richler.

1960	Le 22 juin, le Parti libéral de Jean Lesage est élu.	*Le Libraire* de Gérard Bessette.
	Fondation du Rassemblement pour l'indépendance nationale (RIN).	*Les Insolences du frère Untel* de Jean-Paul Desbiens.
	Fondation des Éditions HMH.	
	Fondation de l'École nationale de théâtre.	
1961	La fréquentation de l'école est obligatoire jusqu'à l'âge de seize ans.	*Convergences* de Jean Le Moyne.
	Début des travaux de la commission Parent sur l'éducation.	
	Création de l'Office de la langue française et du Conseil des Arts du Québec.	
	Fondation des Éditions du Jour.	
	Population du Québec : 5 259 211.	
1962	Fondation des Presses de l'Université de Montréal.	*Une littérature qui se fait* de Gilles Marcotte. *Contes du pays incertain* de Jacques Ferron.
1963	Début des travaux de la commission Laurendeau-Dunton sur le bilinguisme et le biculturalisme.	*La Ligne du risque* de Pierre Vadeboncœur. *Ode au Saint-Laurent* de Gatien Lapointe.
	Le Front de libération du Québec (FLQ) dépose sa première bombe à la station anglaise CKGM.	
	Jacques Ferron fonde le Parti Rhinocéros.	
	Fondation de la revue *Parti pris* (1963-1968).	
	Fondation de la maison d'édition Boréal Express, qui deviendra, en 1987, Les Éditions du Boréal.	
1964	Création du ministère de l'Éducation du Québec.	*Terre Québec* de Paul Chamberland. *Le Cassé* de Jacques Renaud.
	Création de la Nouvelle Compagnie théâtrale de Gilles Pelletier et Françoise Graton.	*La Jument des Mongols* de Jean Basile.
	Début du *Journal de Montréal*.	
1965	Création du Centre d'essai des auteurs dramatiques.	*Prochain Épisode* d'Hubert Aquin. *La Nuit* de Jacques Ferron.
	Fondation de la revue *Études françaises* publiée par l'Université de Montréal.	*Dans un gant de fer* de Claire Martin.

Fondation de *La Barre du Jour*.

L'Âge de la parole de Roland Giguère.

Mémoire de Jacques Brault.

Une saison dans la vie d'Emmanuel de Marie-Claire Blais.

1966

L'Avalée des avalés de Réjean Ducharme.

Beautiful Losers de Leonard Cohen.

1967   Le 24 juillet, le général de Gaulle lance « Vive le Québec libre ! » du haut du balcon de l'hôtel de ville de Montréal.

René Lévesque fonde le Mouvement souveraineté-association.

Ouverture des premiers cégeps (collèges d'enseignement général et professionnel).

En mai, inauguration à Montréal d'Expo 67.

Fondation de *Voix et Images du pays*, revue du collège Sainte-Marie consacrée à la littérature québécoise, qui deviendra *Voix et Images* à l'Université du Québec à Montréal en 1975.

Salut Galarneau ! de Jacques Godbout.

Les Cantouques de Gérald Godin.

1968   Le 25 juin, Pierre Elliott Trudeau est élu Premier ministre du Canada.

Fondation du Parti québécois.

Création du réseau de l'Université du Québec.

Fondation de la revue *Les Herbes rouges*.

Fondation d'*Études littéraires*, revue de l'Université Laval.

Création des *Belles-Sœurs* de Michel Tremblay.

Création du poème « Speak White » de Michèle Lalonde à l'occasion des spectacles *Poèmes et Chants de la résistance*.

Le Lieu de l'homme de Fernand Dumont.

Nègres blancs d'Amérique de Pierre Vallières.

1969   À Montréal, inauguration du Théâtre Centaur.

À Québec, création du Théâtre du Trident.

Le Ciel de Québec de Jacques Ferron.

Race de monde ! de Victor-Lévy Beaulieu.

1970   En octobre, le FLQ enlève le diplomate britannique James Cross et le ministre québécois du Travail Pierre Laporte. Le gouvernement fédéral applique la Loi sur les mesures de guerre. Pierre Laporte est assassiné.

La première *Nuit de la poésie* a lieu sur la scène du Gesù.

L'Homme rapaillé de Gaston Miron.

L'Amélanchier de Jacques Ferron.

Kamouraska d'Anne Hébert.

Suite logique de Nicole Brossard.

T'es pas tannée, Jeanne d'Arc ?, création collective du Grand Cirque ordinaire.

1971   Fondation des maisons d'édition Le
        Noroît et Les Écrits des Forges.

        Suicide de Claude Gauvreau.

Création de *À toi, pour toujours,
ta Marie-Lou* de Michel Tremblay.

Le Réel absolu. Poèmes 1948-1965
de Paul-Marie Lapointe.

Corps de gloire de Juan Garcia.

1972   Première Rencontre québécoise
        internationale des écrivains, organisée
        par la revue *Liberté*.

Représentation de la pièce *Les oranges
sont vertes* de Claude Gauvreau au TNM.

Signaux pour les voyants de Gilles Hénault.

1973   Fondation des revues *Brèches* et *Cul Q*.

L'Hiver de force de Réjean Ducharme.

1974   Fondation de l'Université Concordia.

        Fondation des Éditions Québec/Amérique.

        Fondation de la revue *Québec français*.

Pour les femmes et tous les autres
de Madeleine Gagnon.

De 1974 à 1976, André Major fait paraître
ses *Histoires de déserteurs*.

1975   Fondation des Éditions Quinze.

        Débuts de Radio-Québec.

Chemin faisant, *L'En dessous l'admirable*
et *Poèmes des quatre côtés* de Jacques
Brault.

1976   Fondation des revues *Jeu. Cahiers de
        théâtre*, *Possibles*, *Lettres québécoises* et
        Estuaire.

        Fondation de VLB éditeur.

        Le 15 novembre, le Parti québécois de
        René Lévesque est élu.

Création de la pièce *La Nef des sorcières* au
Théâtre du Nouveau Monde.

Le Roman à l'imparfait de Gilles Marcotte.

1977   Adoption de la Charte de la langue
        française (loi 101).

        Création de l'Union des écrivains
        québécois (UNEQ). Jacques Godbout
        en est le premier président.

        Fondation de *La Nouvelle Barre du Jour*.

        Suicide d'Hubert Aquin.

Publication aux Éditions Parti pris
des *Œuvres créatrices complètes*
de Claude Gauvreau.

Ces enfants de ma vie de Gabrielle Roy.

Bloody Mary de France Théoret.

1978   Fondation de la maison d'édition La
        courte échelle (littérature jeunesse).

Les Deux Royaumes
de Pierre Vadeboncœur.

Sol inapparent de Gilles Cyr.

Blessures de François Charron.

Les Grandes Marées de Jacques Poulin.

La grosse femme d'à côté est enceinte
de Michel Tremblay, premier roman
des *Chroniques du Plateau Mont-Royal*.

La pièce féministe *Les fées ont soif* de Denise Boucher fait scandale.

HA ha!..., pièce de Réjean Ducharme.

1979 Fondation de la revue *Spirale*.

Peinture aveugle de Robert Melançon.

1980 Le gouvernement de René Lévesque demande à la population québécoise le droit de négocier avec le gouvernement fédéral une entente devant mener à la souveraineté-association. Le référendum, tenu le 20 mai, consacre la victoire du camp du Non : 60 % des Québécois refusent la proposition du Parti québécois.

La Vie en prose de Yolande Villemaire.

1981 Population du Québec : 6 438 403.

Vie et Mort du Roi boiteux, pièce de Jean-Pierre Ronfard.

Le Matou d'Yves Beauchemin.

L'Homme invisible / The Invisible Man de Patrice Desbiens.

1982 Le 17 avril, la Loi de 1982 sur le Canada modifie l'Acte de l'Amérique du nord britannique et confirme l'adoption de la nouvelle Constitution. Le Québec refuse de signer l'entente.

À Québec, début de la revue *Nuit blanche*.

Autoportraits, recueil posthume de Marie Uguay.

Les Fous de Bassan d'Anne Hébert.

Gens du silence de Marco Micone.

1983 À Montréal, début du magazine *Vice versa* consacré aux problématiques transculturelles.

Maryse de Francine Noël.

La Québécoite de Régine Robin.

1984

Moments fragiles et *Agonie* de Jacques Brault.

Volkswagen Blues de Jacques Poulin.

La Détresse et l'Enchantement, autobiographie posthume de Gabrielle Roy.

Kaléidoscope ou les Aléas du corps grave de Michel Beaulieu.

1985 Premier Festival de la poésie à Trois-Rivières.

Comment faire l'amour avec un nègre sans se fatiguer de Dany Laferrière.

La Trilogie des dragons, spectacle théâtral de Robert Lepage.

Being at home with Claude, pièce de René-Daniel Dubois.

1986		*Surprendre les voix*, recueil d'essais posthume d'André Belleau.
		Le Souffle de l'harmattan de Sylvain Trudel.
		Catégoriques un deux et trois de Normand de Bellefeuille.
1987	Au lac Meech, le premier ministre du Canada, Brian Mulroney, et les premiers ministres des dix provinces canadiennes rédigent une entente de principe visant à respecter les exigences constitution-nelles du Québec.	*Les Heures* de Fernand Ouellette. *Le Désert mauve* de Nicole Brossard. *La Petite Noirceur* de Jean Larose.
1988		*L'Écologie du réel* de Pierre Nepveu. *Vamp* de Christian Mistral. *Le Dortoir*, spectacle théâtral de Gilles Maheu.
1989	Chute du Mur de Berlin et fin de la Guerre froide.	*La Rage* de Louis Hamelin. *Le Vieux Chagrin* de Jacques Poulin. *Copies conformes* de Monique LaRue. *L'Œil américain* de Pierre Morency.
1990	L'accord du lac Meech est rejeté. Six députés québécois, membres du Parti conservateur du Canada, démissionnent et fondent le Bloc québécois.	*Dévadé* de Réjean Ducharme. *Un visage appuyé contre le monde* d'Hélène Dorion. *L'Hiver de pluie* de Lise Tremblay.
1991		*Le Bruit des choses vivantes* d'Élise Turcotte. *L'Obéissance* de Suzanne Jacob. *Les Reines*, pièce de Normand Chaurette.
1992	Le 26 octobre, les Canadiens refusent l'accord constitutionnel de Charlottetown.	*La Génération lyrique* de François Ricard. *Les Littératures de l'exiguïté* de François Paré.
1993		*Genèse de la société québécoise* de Fernand Dumont.
1995	Le second référendum sur la souveraineté du Québec a lieu le 30 octobre. Le non l'emporte de justesse avec 50,6 % des suffrages.	*L'Ingratitude* de Ying Chen. *Soifs* de Marie-Claire Blais.

1996	Le 14 décembre, décès du poète Gaston Miron. Des funérailles nationales sont décrétées.	
1997		*Littoral*, pièce de Wajdi Mouawad.
		Barney's Version de Mordecai Richler.
1998		*La petite fille qui aimait trop les allumettes* de Gaétan Soucy.
		Intérieurs du Nouveau Monde de Pierre Nepveu.
		Pas pire de France Daigle.
1999		*Mille eaux* d'Émile Ollivier.
2000	Fondation de la revue *L'Inconvénient*.	
2001	Attentats terroristes contre le World Trade Center à New York.	*Life of Pi* de Yann Martel.
		Putain de Nelly Arcan.
2003	Fondation des cahiers littéraires *Contre-jour*.	
2005	Ouverture de la Grande Bibliothèque à Montréal.	*Vingtièmes Siècles* de Jean-Marc Desgent.
		Le Siècle de Jeanne d'Yvon Rivard.
		Nikolski de Nicolas Dickner.

AUTORISATIONS DE REPRODUCTION

Martine Audet, *Orbites*, « Les roses guettent… », Éditions du Noroît, 2000, p. 64. © 2000 Éditions du Noroît.

Michel Beaulieu, *Charmes de la fureur*, Éditions du Jour, coll. « Les poètes du Jour », 1970. © Tous droits réservés.

Michel Beaulieu, « le café l'herbe brûlée… » dans *Un orage et après, nᵒ 9, Kaléidoscope*, Éditions du Noroît, 1984, p. 32. © 1984 Éditions du Noroît.

Jacques Brault, « Cela s'est passé… », et « je me suis perdu en chemin… », dans *Poèmes, L'En dessous l'admirable*, Éditions du Noroît, 2000, p. 228, p. 239. © 2000 Éditions du Noroît.

Paul Chamberland, *Terre Québec* suivi de *L'afficheur hurle* et de *L'Inavouable*, Éditions Typo, 2003. © 2003 Éditions Typo et Paul Chamberland.

Dominic Champagne, Jean-Frédéric Messier, Pascale Rafie et Jean-François Caron, *Cabaret neiges noires*, VLB éditeur, 1994. © 1994 VLB éditeur et Dominic Champagne, Jean-Frédéric Messier, Pascale Rafie et Jean-François Caron.

François Charron, *Projet d'écriture pour l'été 76*, Les Herbes rouges, 1973. © 1973 Les Herbes rouges.

Leonard Cohen, *Flowers for Hitler*, McClelland and Stewart, 1964. © 1993 Stranger Music. Poème reproduit avec la permission de McClelland and Stewart.

Gilles Cyr, *Songe que je bouge*, Éditions de l'Hexagone, 1994. © 1994 Éditions de l'Hexagone et Gilles Cyr.

Alfred DesRochers, « City-Hôtel », dans *À l'ombre de l'Orford*, Fides, 1979. © 1979 Fides.

Juan Garcia, *Corps de gloire poèmes 1963-1988*, Éditions de l'Hexagone, 1989. © 1989 Éditions de l'Hexagone et Juan Garcia.

Claude Gauvreau, *Étal mixte et autres poèmes*, Éditions de l'Hexagone, 1994. © 1994 Éditions de l'Hexagone et succession Claude Gauvreau.

Roland Giguère, « Miror », dans *La Main au feu*, Éditions Typo, 1987. © 1987 Éditions Typo et succession Roland Giguère.

Roland Giguère, « Roses et ronces », dans *L'Âge de la parole*, Éditions de l'Hexagone, 1991. © 1991 Éditions de l'Hexagone.

Gérald Godin, « Cantouque du soir », dans *Ils ne demandaient qu'à brûler*, Éditions de l'Hexagone, 2001. © 2001 Éditions de l'Hexagone et succession Gérald Godin.

Alain Grandbois, « Avec ta robe » et « Fermons l'armoire… », dans *Poèmes*, Éditions de l'Hexagone, 2003. © 2003 Éditions de l'Hexagone et succession Alain Grandbois.

Germaine Guèvremont, *Le Survenant*, Éditions Fides, 1974. © Succession Germaine-Guèvremont et Éditions Fides, 1974.

Anne Hébert, « Le tombeau des rois », dans *Œuvre poétique 1950-1990*, Boréal, coll. « Boréal compact », 1992, p. 54. © 1992 Éditions du Boréal/ Éditions du Seuil.

Anne Hébert, *Kamouraska*, Seuil, coll. « Points », 1970, p. 203. © 1970 Éditions du Seuil.

Guillaume Lahaise (Guy Delahaye), *Les Phases. Tryptiques, Œuvres parues et inédites*, présentation par Robert Lahaise, Hurtubise HMH, 1988, p. 72-73. © 1988 Hurtubise HMH.

Michèle Lalonde, *Speak White*, 1968. © 1968 Michèle Lalonde. Tous droits réservés.

Tania Langlais, *La clarté s'installe comme un chat*, Les Herbes rouges, 2004, p. 74. © 2004 Les Herbes rouges.

226555

2662

BIBLIOGRAPHIE

OUVRAGES DE RÉFÉRENCE

Beaudoin, Réjean, *Le Roman québécois*, Montréal, Boréal, coll. « Boréal express », 1991, 125 p.

Bourassa, André G., *Surréalisme et Littérature québécoise : histoire d'une révolution culturelle*, Montréal, Les Herbes rouges, coll. « Typo », 1986, 613 p.

Brossard, Nicole et Lisette Girouard (dir.), *Anthologie de la poésie des femmes au Québec : des origines à nos jours*, Montréal, Éditions du Remue-ménage, 2003, 476 p.

Caccia, Fulvio et Antonio D'Alfonso, *Quêtes : textes d'auteurs italo-québécois*, Montréal, Guernica, 1983, 280 p.

Chartier, Daniel, *Guide de culture et de littérature québécoises : les grandes œuvres, les traductions, les études et les adresses culturelles*, Québec, Nota bene, 1999, 344 p.

Chassay, Jean-François (dir.), *Anthologie de l'essai au Québec depuis la Révolution tranquille*, Montréal, Boréal, 2003, 271 p.

DesRuisseaux, Pierre, *Hymnes à la Grande Terre. Rythmes, chants et poèmes des Indiens d'Amérique du Nord-Est*, Montréal et Bordeaux, Triptyque et Le Castor Astral, 1997, 265 p.

Dumont, Fernand, *Genèse de la société québécoise*, Montréal, Boréal, 1993, 393 p.

Dumont, François, *La Poésie québécoise*, Montréal, Boréal, coll. « Boréal express », 1999, 126 p.

Fleming, Patricia, Gilles Gallichan et Yvan Lamonde (dir.), *Histoire du livre et de l'imprimé au Canada. Volume I (Des origines à 1840)*, Montréal, Les Presses de l'Université de Montréal, 2004 ; Yvan Lamonde, Patricia Fleming et Fiona A. Black (dir.), *Volume II (1840-1918)*, 2005 ; Carole Gerson et Jacques Michon (dir.), *Volume III (1918-1980)*, 2007.

Fortin, André, *Passage de la modernité : les intellectuels québécois et leurs revues (1778-2004)*, Québec, Presses de l'Université Laval, 2005, 445 p.

Gallays, François, Sylvain Simard et Robert Vigneault (dir.), *Le Roman contemporain au Québec (1960-1985)*, Montréal, Fides, coll. « Archives des lettres canadiennes. Tome VIII », 1992, 548 p.

Gallays, François et Robert Vigneault (dir.), *La Nouvelle au Québec*, Montréal, Fides, coll. « Archives des lettres canadiennes », tome IX, 1996, 264 p.

Gauvin, Lise et Gaston Miron, *Écrivains contemporains du Québec : anthologie*, Montréal, L'Hexagone, coll. « Typo », 1998, 595 p.

Godin, Jean Cléo et Dominique Lafon, *Dramaturgies québécoises des années quatre-vingt*, Montréal, Leméac, 1999, 263 p.

Godin, Jean Cléo et Laurent Mailhot, *Théâtre québécois I. Introduction à dix dramaturges contemporains*, nouvelle édition, Montréal, Bibliothèque québécoise, 1988, 366 p.

Godin, Jean Cléo et Laurent Mailhot, *Théâtre québécois II. Nouveaux Auteurs, Autres Spectacles*, Montréal, Hurtubise HMH, 1980, 247 p.

Grandpré, Pierre de (dir.), *Histoire de la littérature française du Québec*, Montréal, Librairie Beauchemin, 4 volumes, 1967-1969.

Hamel, Réginald (dir.), *Panorama de la littérature québécoise contemporaine*, Montréal, Guérin, 1997, 822 p.

Hamel, Réginald, John Hare et Paul Wyczynski, *Dictionnaire des auteurs de langue française en Amérique du Nord*, Montréal, Fides, 1989, 1364 p.

Hare, John, *Anthologie de la poésie québécoise du XIXe siècle (1790-1890)*, Montréal, Hurtubise HMH, 1979, 410 p.

Laflèche, Guy, *Bibliographie littéraire de la Nouvelle-France*, Laval, Éditions du Singulier, coll. « Les cahiers universitaires du Singulier », 2000, 252 p.

Lafon, Dominique (dir.), *Théâtre québécois 1975-1995*, Montréal, Fides, coll. « Archives des lettres canadiennes », tome X, 2001, 523 p.

Lamonde, Yvan, *Histoire sociale des idées au Québec. Volume I (1760-1896)*, Montréal, Fides, 2000 ; *Volume II (1896-1929)*, 2004.

Lemieux, Denise (dir.), *Traité de la culture*, Québec, Les Presses de l'Université Laval / Éditions de l'IQRC, 2002, 1089 p.

Lemire, Maurice, Gilles Dorion, Aurélien Boivin (dir.), *Dictionnaire des œuvres littéraires du Québec*, Montréal, Fides, 1978-2005 ; sept tomes parus : I (jusqu'en 1900), II (1900-1939), III (1940-1959), IV (1960-1969), V (1970-1975), VI (1976-1980), VII (1981-1985).

Lemire, Maurice et Denis Saint-Jacques (dir.), *La Vie littéraire au Québec*, Québec, Les Presses de l'Université Laval, 1991-2005 ; cinq tomes parus : I (1764-1805), II (1806-1839), III (1840-1869), IV (1870-1894), V (1895-1918).

Lepage, Françoise, *Histoire de la littérature pour la jeunesse (Québec et francophonies du Canada)*, Orléans (Ontario), Éditions David, 2000, 826 p.

Linteau, Paul-André, René Durocher, Jean-Claude Robert et François Ricard, *Histoire du Québec contemporain*, Montréal, Boréal, coll. « Boréal compact », 1989, tome I (*De la confédération à la Crise (1867-1929)*) et tome II (*Le Québec depuis 1930*).

Lord, Michel, *Anthologie de la science-fiction québécoise contemporaine*, Montréal, Bibliothèque québécoise, 1988, 265 p.

Madore, Édith, *La Littérature pour la jeunesse au Québec*, Montréal, Boréal, coll. « Boréal express », 1994, 126 p.

Mailhot, Laurent, *L'Essai québécois depuis 1845 : étude et anthologie*, Montréal, Hurtubise HMH, coll. « Cahiers du Québec. Littérature », 2005, 357 p.

Mailhot, Laurent, *La Littérature québécoise depuis ses origines*, Montréal, Typo, 1997, 445 p.

Mailhot, Laurent et Pierre Nepveu, *La Poésie québécoise, des origines à nos jours. Anthologie*, Montréal, Typo, 1986, 642 p.

Marcotte, Gilles (dir.), *Anthologie de la littérature québécoise*, Montréal, L'Hexagone, coll. « Anthologies », 1994, tome 1 (1534-1895), tome 2 (1895-1952).

Michon, Jacques (dir.), *Histoire de l'édition littéraire au Québec au xxᵉ siècle*, Montréal, Fides ; deux volumes parus : *1 La Naissance de l'éditeur 1900-1939*, 1999, 487 p. ; *2 Le Temps des éditeurs 1940-1959*, 2004, 540 p.

New, William H. (ed.), *Encyclopedia of Literature in Canada*, Toronto, University of Toronto Press, 2002, 1347 p.

New, William H., *A History of Canadian Literature*, Montréal, McGill-Queen's University Press, 2003, 464 p.

Pellerin, Gilles, *Anthologie de la nouvelle québécoise actuelle*, Québec, L'Instant même, 2003, 282 p.

Royer, Jean, *Introduction à la poésie québécoise : les poètes et les œuvres des origines à nos jours*, Montréal, Bibliothèque québécoise, coll. « Littérature », 1989, 295 p.

Royer, Jean, *La Poésie québécoise contemporaine : anthologie*, Montréal/Paris, L'Hexagone/La Découverte, 1995, 255 p.

Wyczynski, Paul, François Gallays et Sylvain Simard (dir.), *L'Essai et la Prose d'idées au Québec*, Montréal, Fides, coll. « Archives des lettres canadiennes », tome VI, 1985, 921 p.

ÉTUDES CRITIQUES

Allard, Jacques, *Le Roman du Québec : histoire, perspectives, lectures*, Montréal, Éditions Québec Amérique, 2000, 446 p.

Allard, Jacques, *Le Roman mauve : micro-lectures de la fiction récente au Québec*, Montréal, Éditions Québec Amérique, 1997, 392 p.

Allard, Jacques, *Traverses de la critique littéraire au Québec*, Montréal, Boréal, coll. « Papiers collés », 1991, 212 p.

Allard, Pierre, Pierre Lépine et Louise Tessier, *Statistiques de l'édition au Québec, 1968-1982*, Montréal, Ministère des Affaires culturelles du Québec, Bibliothèque nationale du Québec, 1984, 200 p.

Andrès, Bernard, *Écrire le Québec : de la contrainte à la contrariété : essai sur la constitution des lettres*, Montréal, XYZ, coll. « Documents », 2001, 317 p.

Andrès, Bernard, et Marc André Bernier (dir.), *Portrait des arts, des lettres et de l'éloquence au Québec (1760-1840)*, Québec, Les Presses de l'Université Laval, coll. « La République des Lettres. Symposiums », 2002, 510 p.

Audet, René, *Des textes à l'œuvre : la lecture du recueil de nouvelles*, Québec, Nota bene, coll. « Études », 2000, 159 p.

Beaudet, Marie-Andrée, *Langue et Littérature au Québec, 1895-1914 : l'impact de la situation linguistique sur la formation du champ littéraire*, Montréal, L'Hexagone, coll. « Essais littéraires », 1991, 221 p.

Beaudoin, Réjean, *Naissance d'une littérature : essai sur le messianisme et les débuts de la littérature canadienne-française (1850-1890)*, Montréal, Boréal, 1989, 209 p.

Beaudoin, Réjean, *Une étude des* Poésies *d'Émile Nelligan*, Montréal, Boréal, coll. « Les classiques québécois expliqués », 1997, 109 p.

Bednarsky, Betty et Irène Oore (dir.), *Nouveaux Regards sur le théâtre québécois*, Montréal Halifax, XYZ, coll. « Documents / Dalhousie French Studies », 1997, 203 p.

Béguin, Albert, « Réduit au squelette », *Esprit*, XXI, n° 220, novembre 1954, p. 640-649. [sur Saint-Denys Garneau]

Belleau, André, *Le Romancier fictif : essai sur la représentation de l'écrivain dans le roman québécois*, Québec, Nota bene, coll. « Visées critiques », 1999, 229 p.

Belleau, André, *Surprendre les voix*, Montréal, Boréal, coll. « Papiers collés », 1986, 237 p.

Bernier, Frédérique, *Les Essais de Jacques Brault : de seuils en effacements*, Montréal, Fides, coll. « Nouvelles études québécoises », 2004, 181 p.

Berrouët-Oriol, Robert, « L'effet d'exil », *Vice versa*, n° 17, décembre 1986 – janvier 1987, p. 20-21.

Berrouët-Oriol, Robert et Robert Fournier, « L'émergence des écritures migrantes et métisses au Québec », *Québec Studies*, n° 14, 1992, p. 7-22.

Berthiaume, Pierre, *L'Aventure américaine au XVIIIe siècle : du voyage à l'écriture*, Ottawa, Les Presses de l'Université d'Ottawa, 1990, 487 p.

Berthiaume Pierre (éd.), *Journal d'un voyage* de François-Xavier Charlevoix, Montréal, Les Presses de l'Université de Montréal, coll. « Bibliothèque du Nouveau Monde », 1994, 2 vol., 1112 p.

Bessette, Gérard, « Préface », *Anthologie d'Albert Laberge*, Montréal, Le Cercle du livre de France, 1963, p. 7-33.

Bideaux, Michel (éd.), *Relations* de Jacques Cartier, Montréal, Les Presses de l'Université de Montréal, coll. « Bibliothèque du Nouveau Monde », 1986, 498 p.

Biron, Michel, *L'Absence du maître : Saint-Denys Garneau, Ferron, Ducharme*, Montréal, Les Presses de l'Université de Montréal, coll. « Socius », 2000, 320 p.

Blais, Jacques, *De l'ordre et de l'aventure : la poésie au Québec, de 1934 à 1944*, Québec, Les Presses de l'Université Laval, coll. « Vie des lettres québécoises », 1975, 410 p.

Blais, Jacques, *Parmi les hasards : dix études sur la poésie québécoise moderne*, Québec, Nota bene, coll. « Visées critiques », 2001, 276 p.

Blais, Jacques, *Présence d'Alain Grandbois avec quatorze poèmes parus de 1956 à 1969*, Québec, Les Presses de l'Université Laval, coll. « Vie des lettres québécoises », 1974, 260 p.

Bleton, Paul, *Ça se lit comme un roman policier : comprendre la lecture sérielle*, Québec, Nota bene, coll. « Études culturelles », 1999, 287 p.

Bleton, Paul, « Services secrets. Les espions de la paralittérature des années 1940-1960 », *Voix et Images*, vol. 18, n⁰ 52, automne 1992, p. 118-141.

Blodgett, E. D., *Five-part Invention : A History of Literary History in Canada*, Toronto, University of Toronto Press, 2003, 371 p.

Bouchard, Chantal, *La Langue et le Nombril : une histoire sociolinguistique du Québec*, Montréal, Fides, coll. « Nouvelles études québécoises », 2002, 289 p.

Bouchard, Gérard, *Genèse des nations et Cultures du Nouveau Monde. Essai d'histoire comparée*, Montréal, Boréal, 2000, 503 p.

Boucher, Jean-Pierre, *Le Recueil de nouvelles : études sur un genre littéraire dit mineur*, Montréal, Fides, 1992, 216 p.

Bourassa, André G., Jean Fisette et Gilles Lapointe (éd.), *Écrits* de Paul-Émile Borduas, Montréal, Les Presses de l'Université de Montréal, coll. « Bibliothèque du Nouveau Monde », 3 vol., 1987-1997.

Bourassa, André G., Jean Laflamme et Jean-Marc Larrue (dir.), « Le Théâtre au Québec. Mémoire et appropriation », *L'Annuaire théâtral*, n° 5-6, automne-printemps 1988-1989, 472 p.

Bourassa, André G. et Jean-Marc Larrue, *Les Nuits de la « Main ». Cent ans de spectacles sur le boulevard Saint-Laurent (1891-1991)*, Montréal, VLB, 1993, 361 p.

Bourbonnais, Nicole, « Les voix de l'intime dans *Angéline de Montbrun* de Laure Conan », *Croire à l'écriture. Études de littérature québécoise en hommage à Jean-Louis Major*, Orléans (Ontario), Éditions David, 2000, p. 75-94.

Bourbonnais, Nicole, « Vingt fois sur le métier... : *Angéline de Montbrun* ou la quête de la forme idéale », *Voix et Images*, vol. 29, n⁰ 86, 2004, p. 33-52.

Brault, Jacques, *Chemin faisant*, Montréal, Boréal, coll. « Papiers collés », 1995, 202 p. [sur Gaston Miron, Émile Nelligan, Saint-Denys Garneau et Juan Garcia, entre autres]

Brault, Jacques, *La Poussière du chemin*, Montréal, Boréal, coll. « Papiers collés », 1989, 249 p. [sur Suzanne Lamy, Gilles Archambault, André Belleau, Gaston Miron, entre autres]

Brisset, Annie, *Sociocritique de la traduction : théâtre et altérité au Québec, 1968-1988*, Longueuil, Le Préambule, coll. « L'univers des discours », 1990, 347 p.

Brissette, Pascal, *Nelligan dans tous ses états : un mythe national*, Montréal, Fides, coll. « Nouvelles études québécoises », 1998, 223 p.

Brochu, André, *Anne Hébert : le secret de vie et de mort*, Ottawa, Les Presses de l'Université d'Ottawa, coll. « Œuvres et auteurs », 2000, 284 p.

Brochu, André, *L'Évasion tragique : essai sur les romans d'André Langevin*, Montréal, Hurtubise HMH, 1985, 358 p.

Brochu, André, *L'Instance critique 1961-1973*, Montréal, Leméac, 1974, 373 p. [sur Gérard Bessette, Laure Conan, Yves Thériault, Gabrielle Roy, Félix-Antoine Savard, Roland Giguère, entre autres]

Brochu, André, *Rêver la lune : l'imaginaire de Michel Tremblay dans les Chroniques du Plateau Mont-Royal*, Montréal, Hurtubise HMH, 2002, 239 p.

Brochu, André, *Le Singulier pluriel*, Montréal, L'Hexagone, coll. « Essais littéraires », 1992, 232 p. [sur Rina Lasnier, Claude Gauvreau, Michel van Schendel, entre autres]

Brochu, André, *Tableau du poème. La poésie québécoise des années quatre-vingt*, Montréal, XYZ éditeur, coll. « Documents », 1994, 238 p.

Brochu, André, *La Visée critique. Essais autobiographiques et littéraires*, Montréal, Boréal, 1988, 250 p. [sur Gabrielle Roy et Félix-Antoine Savard, entre autres]

Cambron, Micheline (dir.), *Le journal Le Canadien : littérature, espace public et utopie, 1836-1845*, Montréal, Fides, coll. « Nouvelles études québécoises », 1999, 419 p.

Cambron, Micheline, *Une société, un récit : discours culturel au Québec, 1967-1976*, Montréal, L'Hexagone, coll. « Essais littéraires », 1989, 201 p.

Cambron, Micheline (dir.), *La Vie culturelle à Montréal vers 1900*, Montréal, Fides, 2005, 412 p.

Carpentier, André et Michel Lord (dir.), *La Nouvelle québécoise au xxᵉ siècle. De la tradition à l'innovation*, Québec, Nuit blanche, 1997, 161 p.

Chartier, Daniel, *L'Émergence des classiques : la réception de la littérature québécoise des années 1930*, Montréal, Fides, coll. « Nouvelles études québécoises », 2000, 307 p.

Chassay, Jean-François, *L'Ambiguïté américaine : le roman québécois face aux États-Unis*, Montréal, XYZ, coll. « Théorie et littérature », 1995, 197 p.

Cloutier, Raymond, *Le Beau Milieu : chronique d'une diatribe*, Montréal, Lanctôt éditeur, 1999, 142 p.

Cloutier-Wojciechowska, Cécile et Réjean Robidoux (dir.), *Solitude rompue (en hommage à David M. Hayne)*, Ottawa, Éditions de l'Université d'Ottawa, coll. « Cahiers du CRCCF », 1986, 429 p.

David, Gilbert (dir.), « Circulations du théâtre québécois : reflets changeants », *L'Annuaire théâtral*, n° 27, mai 2000, 292 p.

David, Gilbert et Hélène Beauchamp (dir.), *Théâtres québécois et canadiens-français au xxᵉ siècle : Trajectoires et territoires*, Québec, Presses de l'Université du Québec, 2003, 436 p.

David, Gilbert, *Un théâtre à vif : écritures dramatiques et pratiques scéniques au Québec, de 1930 à 1990*, thèse de doctorat, Université de Montréal, 1995, 451 f.

David, Gilbert et Pierre Lavoie (dir.), *Le Monde de Michel Tremblay*, tome 1 : *Théâtre*, Carnières (Belgique), Éditions Lansman, 2003, 345 p. ; tome 2 : *Romans et Récits*, 2005, 336 p.

Deschamps, Nicole, « Avant-propos » dans Louis Hémon, *Maria Chapdelaine*, Montréal, Boréal, 1988.

Deschamps, Nicole, « Présentation », *Lettres au cher fils : correspondance d'Élisabeth Bégon avec son gendre (1748-1753)*, Montréal, Boréal, coll. « Boréal compact classique », 1994, p.13-27.

Deschamps, Nicole et Jean Cléo Godin, *Livres et pays d'Alain Grandbois*, Montréal, Fides, coll. « Nouvelles études québécoises », 1995, 149 p.

Dion, Robert, *Le Moment critique de la fiction : les interprétations de la littérature que proposent les fictions québécoises contemporaines*, Québec, Nuit blanche, coll. « Essais critiques », 1997, 209 p.

Dion, Robert et Frances Fortier, « L'esthétisation de la parole critique : lieu commun, rupture épistémique ou dérive ? », *Études françaises*, vol. 36, n° 1, 2000, p. 165-177.

Dionne, René, (dir.), « La littérature régionale », *Revue d'histoire littéraire du Québec et du Canada français*, n° 3, 1981-1982. [sur les littératures acadienne et franco-ontarienne, notamment]

Djwa, Sandra, *F. R. Scott : une vie*, traduit de l'anglais par Florence Bernard, Montréal, Boréal, 2001, 686 p.

Dumont, François (dir.), *La Pensée composée : formes du recueil et constitution de l'essai québécois*, Québec, Nota bene, 1999, 286 p.

Dumont, François, *Usages de la poésie. Le discours des poètes québécois sur la fonction de la poésie (1945-1970)*, Québec, Les Presses de l'Université Laval, coll. « Vie des lettres québécoises », 1993, 248 p.

Dupré, Louise, *Stratégies du vertige : trois poètes, Nicole Brossard, Madeleine Gagnon, France Théoret*, Montréal, Éditions du Remue-ménage, coll. « Itinéraires féministes », 1989, 265 p.

Éthier-Blais, Jean, *Le Siècle de l'abbé Groulx : signets IV*, Montréal, Leméac, 1993, 261 p.

Fabre, Gérard et Stéphanie Angers, *Échanges intellectuels entre la France et le Québec, 1930-2000 : les réseaux de la revue* Esprit *avec* La Relève, Cité libre, Parti pris *et* Possibles, Paris, L'Harmattan, 2004, 248 p.

Filteau, Claude, *L'Espace poétique de Gaston Miron*, Limoges, Presses universitaires de Limoges, coll. « Francophonies », 2005, 310 p.

Filteau, Claude, *Poétiques de la modernité, 1895-1948*, Montréal, L'Hexagone, coll. « Essais littéraires », 1994, 382 p.

Fortier, Frances et Andrée Mercier, « La narration du sensible dans le récit contemporain », dans René Audet et Andrée Mercier (dir.), *La Narrativité contemporaine au Québec*, vol. 1 : *La Littérature et ses enjeux narratifs*, Québec, Les Presses de l'Université Laval, 2004, p. 173-202.

Fortin, Nicole, *Une littérature inventée : littérature québécoise et critique universitaire (1965-1975)*, Québec, Les Presses de l'Université Laval, coll. « Vie des lettres québécoises », 1994, 353 p.

Francoli, Yvette, « Introduction », *Essais critiques* de Louis Dantin, Montréal, Les Presses de l'Université de Montréal, coll. « Bibliothèque du Nouveau Monde », 2002, p. 7-74.

Garand, Dominique, *La Griffe du polémique : le conflit entre les régionalistes et les exotiques*, Montréal, L'Hexagone, coll. « Essais littéraires », 1989, 235 p.

Gauvin, Lise, *Langagement : l'écrivain et la langue au Québec*, Montréal, Boréal, 2000, 254 p.

Gauvin, Lise, « *Parti pris* » *littéraire*, Montréal, Les Presses de l'Université de Montréal, coll. « Lignes québécoises », 1975, 217 p.

Gauvin, Lise et Franca Marcato-Falzoni (dir.), *L'Âge de la prose : romans et récits québécois des années 80*, Rome/Montréal, Bulzoni/VLB, 1992, 229 p.

Giguère, Richard, *Exil, Révolte et Dissidence : étude comparée des poésies québécoise et canadienne (1925-1955)*, Québec, Les Presses de l'Université Laval, coll. « Vie des lettres québécoises », 1984, 283 p.

Giguère, Richard (dir.), « Les correspondants littéraires d'Alfred DesRochers », *Voix et Images*, vol. 16, nº 1, automne 1990, p. 5-78.

Godin, Jean Cléo, « Introduction », *Visages du monde* d'Alain Grandbois, Montréal, Les Presses de l'Université de Montréal, coll. « Bibliothèque du Nouveau Monde », 1990, p. 7-20.

Harel, Simon, *Les Passages obligés de l'écriture migrante*, Montréal, XYZ, coll. « Théorie et littérature », 2005, 250 p.

Harel, Simon, *Le Voleur de parcours : identité et cosmopolitisme dans la littérature québécoise contemporaine*, Montréal, XYZ, coll. « Documents », 1999, 334 p.

Harvey, Robert, *Poétique d'Anne Hébert : jeunesse et genèse, suivi de Lecture du* Tombeau des rois, Québec, L'Instant même, 2000, 343 p.

Hayward, Annette, *La Querelle du régionalisme au Québec (1904-1931). Vers l'autonomisation de la littérature québécoise*, Ottawa, Le Nordir, coll. « Roger-Bernard », 2007, 622 p.

Hayward, Annette et Agnès Whitfield (dir.), *Critique et Littérature québécoise : critique de la littérature, littérature de la critique*, Montréal, Triptyque, 1992, 422 p.

Hébert, Chantal et Irène Perelli-Contos (dir.), *La Narrativité contemporaine au Québec. Volume 2 : Le Théâtre et ses nouvelles dynamiques narratives*, Québec, Les Presses de l'Université Laval, « Les cahiers de l'IQRC », 2004, 318 p.

Hébert, Pierre, *Jacques Poulin : la création d'un espace amoureux*, Ottawa, Les Presses de l'Université d'Ottawa, coll. « Œuvres et auteurs », 1997, 205 p.

Hébert, Pierre avec la collaboration de Marilyn Baszczynski, *Le Journal intime au Québec : structure, évolution, réception*, Montréal, Fides, 1988, 209 p.

Hébert, Pierre avec la collaboration de Patrick Nicol et Élise Salün, *Censure et Littérature au Québec. Volume 1 : Le Livre crucifié (1625-1919)*, Montréal, Fides, 1997, 290 p. ; *Volume 2 : Des vieux couvents au plaisir de vivre, 1920-1959*, Montréal, Fides, 2004, 255 p.

Hotte, Lucie et Johanne Melançon (dir.), *Thèmes et Variations : regards sur la littérature franco-ontarienne*, Sudbury, Prise de parole, coll. « Agora », 2005, 393 p.

Issenhuth, Jean-Pierre, *Le Petit Banc de bois : lectures libres, 1985-1999*, Montréal, Trait d'Union, 2003, 441 p.

Janelle, Claude, *Les Éditions du Jour : une génération d'écrivains*, Montréal, Hurtubise HMH, coll. « Cahiers du Québec – Littérature », 1983, 338 p.

Kwaterko, Józef, *Le Roman québécois de 1960 à 1975 : idéologie et représentation littéraire*, Longueuil, Le Préambule, coll. « L'univers des discours », 1989, 268 p.

Lamonde, Yvan, *Je me souviens : la littérature personnelle au Québec, 1860-1980*, Québec, Institut québécois de recherche sur la culture, coll. « Instruments de travail », 1983, 275 p.

Lamonde, Yvan, *Louis-Antoine Dessaulles, 1818-1895 : un seigneur libéral et anticlérical*, Montréal, Fides, 1994, 369 p.

Lamontagne, André, *Les Mots des autres : la poétique intertextuelle des œuvres romanesques de Hubert Aquin*, Sainte-Foy, Les Presses de l'Université Laval, coll. « Vie des lettres québécoises », 1992, 311 p.

Lamontagne, André, *Le Roman québécois contemporain : les voix sous les mots*, Montréal, Fides, coll. « Nouvelles études québécoises », 2004, 281 p.

Lapierre, René, *L'Imaginaire captif : Hubert Aquin*, Montréal, L'Hexagone, coll. « Typo », 1991, 231 p.

Lapointe, Gilles, « Introduction », *Lettres à Paul-Émile Borduas* de Claude Gauvreau, Montréal, Les Presses de l'Université de Montréal, coll. « Bibliothèque du Nouveau Monde », 2002, p. 7-46.

Lapointe, Gilles et Ginette Michaud (dir.), « L'automatisme en mouvement », *Études françaises*, vol. 34, nᵒˢ 2-3, 1998, 292 p.

Larose, Jean, *Le Mythe de Nelligan*, Montréal, Quinze, coll. « Prose exacte », 1981, 140 p.

Larose, Karim, *La Langue de papier : spéculations linguistiques au Québec, 1957-1977*, Montréal, Les Presses de l'Université de Montréal, coll. « Espace littéraire », 2004, 451 p.

Larrue, Jean-Marc, *Le Théâtre à Montréal à la fin du XIXᵉ siècle*, Montréal, Fides, 1981, 139 p.

Leclerc, Catherine (dir.), « La littérature anglo-québécoise », *Voix et Images*, vol. 30, n° 3, printemps 2005, p. 13-132.

Legris, Renée, Jean-Marc Larrue, André G. Bourassa et Gilbert David, *Le Théâtre au Québec 1825-1980*, Montréal, VLB, Société d'histoire du théâtre du Québec, Ministère des Affaires culturelles, Bibliothèque nationale du Québec, 1988, 205 p.

Lemire, Maurice (dir.), *Le Romantisme au Canada*, Québec, Nuit blanche, coll. « Les cahiers du Centre de recherche en littérature québécoise », 1993, 341 p.

Lepage, Yvan G., « Introduction», *Menaud, maître-draveur* de Félix-Antoine Savard, Montréal, Les Presses de l'Université de Montréal, coll. « Bibliothèque du Nouveau Monde », 2004, p. 11-69.

Lepage, Yvan G., « Introduction », *Le Survenant* de Germaine Guèvremont, Montréal, Les Presses de l'Université de Montréal, coll. « Bibliothèque du Nouveau Monde », 1989, p. 9-52.

Lévesque, Robert, *L'Allié de personne : portraits, lectures, apartés*, Montréal, Boréal, coll. « Papiers collés », 2003, 335 p.

Lévesque, Robert, *La Liberté de blâmer : carnets et dialogues sur le théâtre*, Montréal, Boréal, coll. « Papiers collés », 1997, 194 p.

L'Hérault, Pierre, *Jacques Ferron, cartographe de l'imaginaire*, Montréal, Les Presses de l'Université de Montréal, coll. « Lignes québécoises », 1980, 293 p.

L'Hérault, Pierre, « L'intervention italo-québécoise dans la reconfiguration de l'espace identitaire québécois », dans Carla Fratta et Élisabeth Nardout-Lafarge (dir.), *Italies imaginaires du Québec*, Montréal, Fides, coll. « Nouvelles études québécoises », 2003, p. 179-202.

Lord, Michel et André Carpentier, « Lecture de nouvelles québécoises », *Tangence*, n° 50, mars 1996, p. 5-141.

Lucas, Gwénaëlle, *Minorations et Réseaux littéraires : le projet franco-québécois de Marie Le Franc (1906-1964)*, thèse de doctorat, Université de Montréal/Paris V, 2005, 369 f.

Mailhot, Laurent, *Ouvrir le livre*, Montréal, L'Hexagone, coll. « Essais littéraires », 1992, 351 p. [sur des classiques de la littérature québécoise]

Mailhot, Laurent, *Plaisirs de la prose*, Montréal, Les Presses de l'Université de Montréal, 2005, 296 p. [sur Gabrielle Roy, Claire Martin, Gilles Archambault, Pierre Morency, Gilles Marcotte, entre autres]

Mailhot, Laurent, « Un écrivain du XIXᵉ siècle aujourd'hui », *Anthologie. Arthur Buies*, Montréal, Bibliothèque québécoise, 1994, p. 9-44.

Major, Jean-Louis, « L'Hexagone : une aventure en poésie québécoise », *Archives des lettres canadiennes. Tome IV*, Ottawa, Fides, 1969, p. 175-203.

Major, Jean-Louis, *Paul-Marie Lapointe : la nuit incendiée*, Montréal, Les Presses de l'Université de Montréal, coll. « Lignes québécoises », 1978, 136 p.

Major, Jean-Louis, « Saint-Denys Garneau ou l'écriture comme projet de soi », *Voix et Images*, vol. 20, n° 1, automne 1994, p. 12-25.

Major, Robert, *Convoyages : essais critiques*, Orléans (Ontario), Éditions David, 1999, 334 p. [sur l'identité québécoise et franco-ontarienne et sur des classiques de la littérature québécoise, entre autres]

Major, Robert, *Jean Rivard ou l'Art de réussir : idéologie et utopie dans l'œuvre d'Antoine Gérin-Lajoie*, Québec, Les Presses de l'Université Laval, coll. « Vie des lettres québécoises », 1991, 338 p.

Major, Robert, *Parti pris : idéologies et littérature*, Montréal, Hurtubise HMH, coll. « Cahiers du Québec – Littérature », 1979, 341 p.

Malenfant, Paul Chanel, *La Partie et le tout : lecture de Fernand Ouellette et Roland Giguère*, Québec, Les Presses de l'Université Laval, coll. « Vie des lettres québécoises », 1983, 397 p.

Marcel, Jean, *Jacques Ferron malgré lui*, Montréal, Parti pris, coll. « Frères chasseurs », 1978, 285 p.

Marchand, Jacques, *Claude Gauvreau, poète et mythocrate*, Montréal, VLB, 1979, 443 p.

Marcotte, Gilles, *Écrire à Montréal*, Montréal, Boréal, coll. « Papiers collés », 1997, 179 p. [sur Hector Fabre, *Bonheur d'occasion*, *Le Matou*, Mordecai Richler, entre autres]

Marcotte, Gilles, « François-Xavier Garneau et son histoire », *Études françaises*, vol. 30, n° 3, hiver 1994, 172 p.

Marcotte, Gilles, *Le Lecteur de poèmes, précédé de Autobiographie d'un non-poète*, Montréal, Boréal, coll. « Papiers collés », 2000, 210 p. [sur Alain Grandbois, Anne Hébert, Rina Lasnier, Gaston Miron, Fernand Ouellette, Robert Melançon, entre autres]

Marcotte, Gilles, *Littérature et Circonstances*, Montréal, L'Hexagone, coll. « Essais littéraires », 1989, 359 p. [sur divers aspects de la littérature québécoise et, plus particulièrement, sur Octave Crémazie, Victor Barbeau, André Langevin, Jacques Brault, André Belleau, Jacques Ferron, Jacques Poulin, entre autres]

Marcotte, Gilles, « Mystères de Montréal : la ville dans le roman populaire au XIXᵉ siècle », dans Pierre Nepveu et Gilles Marcotte (dir.), *Montréal imaginaire*, Montréal, Fides, 1992, p. 97-148.

Marcotte, Gilles, « Postface », dans Philippe Aubert de Gaspé père, *Les Anciens Canadiens*, Montréal, Boréal, coll. « Boréal Compact », 2002, p. 477-491.

Marcotte, Gilles, *Le Roman à l'imparfait : la « révolution tranquille » du roman québécois*, Montréal, L'Hexagone, coll. « Typo », 1989, 257 p. [sur Gérard Bessette, Réjean Ducharme, Marie-Claire Blais et Jacques Godbout]

Marcotte, Gilles, *Le Temps des poètes : description critique de la poésie actuelle au Canada français*, Montréal, HMH, 1969, 247 p.

Marcotte, Gilles, *Une littérature qui se fait : essais critiques sur la littérature canadienne-française*, Montréal, Bibliothèque québécoise, 1994, 338 p.

Melançon, Benoît et Pierre Popovic (dir.), *Saint-Denys Garneau et La Relève*, Montréal, Fides, coll. « Nouvelles études québécoises », 1995, 132 p.

Melançon, Robert, « Lire, cette pratique... : lecture de "Un bon coup de guillotine" de Saint-Denys Garneau », *Voix et Images*, vol. 24, n° 2, hiver 1999, p. 289-300.

Melançon, Robert, *Paul-Marie Lapointe*, Paris, Seghers, coll. « Poètes d'aujourd'hui », 1987, 199 p.

Mercier, Andrée, « Poétique du récit contemporain : négation du genre ou émergence d'un sous-genre ? », *Voix et Images*, vol. 23, n° 3, printemps 1998, p. 461-480.

Mertens, Petra, *La Poésie des (im)migrants du Québec (1953-1970)*, thèse de doctorat, Université Laval, 2003, 505 f.

Michaud, Ginette, « De la *Primitive Ville* à la Place Ville-Marie : lectures de quelques récits de fondation de Montréal », dans Pierre Nepveu et Gilles Marcotte (dir.), *Montréal imaginaire : ville et littérature*, Montréal, Fides, 1992, p. 13-95.

Michaud, Ginette, « Récits postmodernes ? », *Études françaises*, vol. 21, n° 3, hiver 1985-1986, p. 67-88. [sur Jacques Poulin]

Michaud, Ginette et Élisabeth Nardout-Lafarge (dir.), *Constructions de la modernité au Québec*, Montréal, Lanctôt éditeur, 2004, 380 p.

Michaud, Ginette et Patrick Poirier (dir.), *L'Autre Ferron*, Montréal, Fides, coll. « Nouvelles études québécoises », 1995, 466 p.

Michon, Jacques, *Émile Nelligan : les racines du rêve*, Montréal/Sherbrooke, Les Presses de l'Université de Montréal / Éditions de l'Université de Sherbrooke, coll. « Lignes québécoises », 1983, 178 p.

Milot, Louise et Jaap Lintvelt (dir.), *Le Roman québécois depuis 1960 : méthodes et analyses*, Québec, Les Presses de l'Université Laval, 1992, 318 p.

Milot, Pierre, *Le Paradigme rouge : l'avant-garde politico-littéraire des années 70*, Candiac, Éditions Balzac, coll. « Littératures à l'essai », 1992, 291 p.

Moisan, Clément et Renate Hildebrand, *Ces étrangers du dedans : une histoire de l'écriture migrante au Québec (1937-1997)*, Québec, Nota bene, coll. « Études », 2001, 363 p.

Moyes, Lianne (dir.), « Écrire en anglais au Québec : un devenir minoritaire ? Postscript », *Québec Studies*, n° 26, 1998-1999.

Nardout-Lafarge, Élisabeth, « Histoire d'une querelle », dans Robert Charbonneau, *La France et Nous. Journal d'une querelle*, Montréal, Bibliothèque québécoise, 1993, p. 7-26.

Nardout-Lafarge, Élisabeth, *Réjean Ducharme : une poétique du débris*, Montréal, Fides, CÉTUQ, coll. « Nouvelles études québécoises », 2001, 308 p.

Nepveu, Pierre, *L'Écologie du réel : mort et naissance de la littérature québécoise contemporaine*, Montréal, Boréal, coll. « Compact », 1999, 241 p. [sur Saint-Denys Garneau, Octave Crémazie, Paul-Marie Lapointe, Paul Chamberland, Gilbert Langevin, Victor-Lévy Beaulieu, Nicole Brossard, entre autres]

Nepveu, Pierre, *Intérieurs du Nouveau Monde : essais sur les littératures du Québec et des Amériques*, Montréal, Boréal, coll. « Papiers collés », 1998, 378 p. [sur Marie de l'Incarnation, Laure Conan, Alain Grandbois, Anne Hébert, Saint-Denys Garneau, Paul-Marie Lapointe, Gérald Leblanc, Patrice Desbiens, A.M. Klein, Mordecai Richler, Dany Laferrière, entre autres]

Nepveu, Pierre, *Lectures des lieux*, Montréal, Boréal, coll. « Papiers collés », 2004, 270 p. [sur Jacques Ferron, Élise Turcotte, Pierre Morency, entre autres]

Nepveu, Pierre, *Les Mots à l'écoute : poésie et silence chez Fernand Ouellette, Gaston Miron et Paul-Marie Lapointe*, Québec, Nota bene, coll. « Visées critiques », 2002, 360 p.

Ouellet, Réal (dir.), *Rhétorique et Conquête missionnaire : le jésuite Paul Lejeune*, Sillery, Septentrion, coll. « Les nouveaux cahiers du CELAT », 1993, 137 p.

Ouellet, Réal avec la collaboration d'Alain Beaulieu (éd.), *Œuvres complètes* du Baron de Lahontan, Montréal, Les Presses de l'Université de Montréal, coll. « Bibliothèque du Nouveau Monde », 2 vol., 1990, 1474 p.

Paquin, Jacques, *L'Écriture de Jacques Brault : de la coexistence des contraires à la pluralité des voix*, Québec, Les Presses de l'Université Laval, coll. « Vie des lettres québécoises », 1997, 260 p.

Paré, François, « Hélène Dorion, hors champ », *Voix et Images*, vol. 24, n° 2, hiver 1999, p. 337-347.

Paré, François, *Les Littératures de l'exiguïté*, Hearst (Ontario), Le Nordir, coll. « BCF » 2001, 230 p. [sur les littératures franco-ontarienne, acadienne et québécoise, notamment]

Paterson, Janet, *Moments postmodernes dans le roman québécois*, Ottawa, Les Presses de l'Université d'Ottawa, 1993, 142 p.

Pellerin, Gilles, *Nous aurions un petit genre : publier des nouvelles*, Québec, L'Instant même, 1997, 217 p.

Pelletier, Jacques (dir.), *L'Avant-garde culturelle et littéraire des années 1970 au Québec*, Montréal, UQAM, coll. « Les Cahiers du Département d'études littéraires », 1986, 193 p.

Pelletier, Jacques, *Le Poids de l'histoire : littérature, idéologies, société du Québec moderne*, Québec, Nuit blanche, coll. « Essais critiques », 1995, 346 p.

Pelletier, Jacques, *Le Roman national : néo-nationalisme et roman québécois contemporain*, Montréal, VLB, coll. « Essais critiques », 1991, 237 p.

Pinchard, Bruno, « Une femme au milieu de la mer : Marie Guyart, dite Marie de l'Incarnation (Tours 1599 – Québec 1672) », *Études*, n° 3921, janvier 2000, p. 35-48.

Popovic, Pierre, *La Contradiction du poème : poésie et discours social au Québec de 1948 à 1953*, Candiac, Éditions Balzac, coll. « L'univers des discours », 1992, 455 p.

Popovic, Pierre, « Note provisoire sur une loquèle inachevée (*L'Homme rapaillé* de Gaston Miron) », *Voix et Images*, vol. 21, n° 3, printemps 1996, p. 507-517.

Proulx, Bernard, *Le Roman du territoire*, Montréal, Service des publications de l'Université du Québec à Montréal, coll. « Les Cahiers d'études littéraires », n° 8, 1987, 327 p.

Ricard, François (éd.), *La Chasse-galerie et Autres Récits* de Honoré Beaugrand, Montréal, Les Presses de l'Université de Montréal, coll. « Bibliothèque du Nouveau Monde », 1989, 362 p.

Ricard, François, *Gabrielle Roy, une vie*, Montréal, Boréal, coll. « Boréal compact », 2000, 646 p.

Ricard, François, *La Littérature contre elle-même*, préface de Milan Kundera, Montréal, Boréal, coll. « Boréal compact », 2002, 223 p. [sur Gabrielle Roy, André Major, Gilles Archambault, entre autres]

Robert, Lucie (dir.), « Dramaturgie », *L'Annuaire théâtral*, n° 21, printemps 1997, 186 p.

Robert, Lucie, *L'Institution du littéraire au Québec*, Québec, Les Presses de l'Université Laval, coll. « Vie des lettres québécoises », 1989, 272 p.

Robidoux, Réjean, *Connaissance de Nelligan*, Montréal, Fides, coll. « Le Vaisseau d'or », 1992, 183 p.

Robidoux, Réjean, « Fortunes et infortunes de l'abbé Casgrain », *Revue de l'Université d'Ottawa*, vol. 31, 1961, p. 209-229.

Rousseau, Guildo, *Préfaces des romans québécois du XIXᵉ siècle*, préface de David M. Hayne, Sherbrooke, Éditions Cosmos, 1970, 111 p.

Saint-Jacques, Denis, *Ces livres que vous avez aimés : les best-sellers au Québec de 1970 à aujourd'hui*, Québec, Nuit blanche, coll. « NBE poche », 1997, 350 p.

Saint-Martin, Lori, *Le Nom de la mère : mères, filles et écriture dans la littérature québécoise au féminin*, Québec, Nota bene, coll. « Essais critiques », 1999, 331 p.

Saint-Martin, Lori, *La Voyageuse et la Prisonnière : Gabrielle Roy et la question des femmes*, Montréal, Boréal, coll. « Cahiers Gabrielle Roy », 2002, 391 p.

Savoie, Chantal, « Persister et signer. Les signatures féminines et l'évolution de la reconnaissance sociale de l'écrivaine (1893-1929) », *Voix et Images*, vol. 30, nᵒ 1, automne 2004, p. 67-79.

Shek, Ben-Zion, *French-Canadian & Québécois novels*, Toronto, Oxford University Press, coll. « Perspectives on Canadian culture », 1991, 151 p.

Simon, Sherry, *Le Trafic des langues : traduction et culture dans la littérature québécoise*, Montréal, Boréal, 1994, 224 p.

Simon, Sherry et al., *Fictions de l'identitaire au Québec*, Montréal, XYZ, coll. « Études et documents », 1991, 185 p.

Smart, Patricia, *Écrire dans la maison du père : l'émergence du féminin dans la tradition littéraire du Québec*, Montréal, XYZ, 2003, 372 p.

Smart, Patricia, *Hubert Aquin, agent double : la dialectique de l'art et du pays dans* Prochain épisode *et* Trou de mémoire, Montréal, Les Presses de l'Université de Montréal, coll. « Lignes québécoises », 1973, 138 p.

Stratford, Philip, *Pôles et convergences : essai sur le roman canadien et québécois*, Montréal, Liber, 1991, 224 p.

Summers, Frances J., « La réception critique du *Matou* », *Voix et Images*, vol. 12, nᵒ 3, printemps 1987, p. 383-390.

Tellier, Christine, *Jeunesse et Poésie : de l'Ordre de Bon temps aux Éditions de l'Hexagone*, Montréal, Fides, coll. « Nouvelles études québécoises », 2003, 332 p.

Thériault, Yves et André Carpentier, *Yves Thériault se raconte. Entretiens avec André Carpentier*, Montréal, VLB Éditeur, 1985, 188 p.

Théry, Chantal, *De plume et d'audace. Femmes de la Nouvelle-France*, Montréal, Triptyque, 2006, 262 p.

Trépanier, Esther, *Peinture et Modernité au Québec, 1919-1939*, Québec, Nota bene, coll. « Essais critiques », 1998, 395 p.

Trépanier, Esther et Yvan Lamonde (dir.), *L'Avènement de la modernité culturelle au Québec*, Québec, Institut québécois de recherche sur la culture, 2007, 313 p.

Vachon, Georges-André, « Arthur Buies, écrivain », *Études françaises*, vol. 6, nᵒ 3, août 1970, p. 283-295.

Vachon, Georges-André, *Une tradition à inventer*, Montréal, Boréal, coll. « Papiers collés », 1997, 228 p. [sur la tradition littéraire au Québec et, entre autres, sur Dollier de Casson, Réjean Ducharme et Paul-Marie Lapointe]

Van Roey-Roux, Françoise, *La Littérature intime du Québec*, Montréal, Boréal, coll. « Boréal Express », 1983, 254 p.

Villemure, Fernand, « Aspects de la création collective au Québec », *Cahiers de théâtre Jeu*, nᵒ 4, hiver 1977, p. 57-71.

Vincent, Josée, *Les Tribulations du livre québécois en France (1959-1985)*, Québec, Nuit blanche, coll. « Études », 1997, 233 p.

Wall, Anthony, *Hubert Aquin entre référence et métaphore*, Candiac, Éditions Balzac, coll. « L'univers des discours », 1991, 238 p.

ABATENAU, Marie-Madeleine, 36
AB DER HALDEN, Charles, 152, 176-177, 284
Abitibi, 241, 243, 434, 595
Académie : canadienne d'art dramatique, 353 ; canadienne-française, 179, 272, 305 ; française, 109, 200
Acadie, 25, 27, 29, 39, 137, 231, 243, 484, 504, 510, 514, 568, *voir aussi* Littérature acadienne ; Grand Dérangement (1755), 568 ; mythification des origines, 569
ACREMANT, Germaine, 233
Acte : constitutionnel (1791), 60, 62, 70, 73, 78 ; de Québec (1774), 62 ; d'Union (1840), 57, 61, 73-74, 78, 89
Action catholique de la jeunesse canadienne-française (ACJC), 234
Âge : de la critique, 218 ; de la parole, 322-323, 330, 371, *voir aussi* Révolution tranquille
AIKMAN, Audrey, 334
ALBANI (cantatrice), 158
Album littéraire, 59
Aliénation, 265, 270, 341-344, 363-364, 371, 380, 384, 456, 539, 569
ALLARD, Jacques, 339
Allemagne, 483, 600
ALLÉGRET, Marc, 204
Alliance française, 183, 206
Alonié de Lestres, *voir* Groulx, Lionel
ALONZO, Anne-Marie, 607
Âme canadienne, 151, 203
American Scholar (modèle), 88
Amérindiens, 19-21, 25-26, 28, 30-36, 40, 44-48, 50, 78-79 ; Abénaquis, 36, 138 ; Algonquins, 34, 36, 44 ; dans la poésie, 371 ; dans le roman historique, 136-138 ; dans le théâtre, 359 ; et christianisme, 46 ; Hurons, 21, 24, 33-36, 40, 44, 46, 78 ; Iroquois, 21, 33-34, 36, 40, 44-46, 78 ; Montagnais, 32, 34, 36 ; mythe du bon Sauvage, 42-43, 138 ; Sauvages, 30-33, 36, 46-47, 70
Américains, *voir* États-Unis
Américanité, 274, 286, 375, 470, 474
Amérique, 22, 34, 43, 69, *voir aussi* États-Unis, Nouvelle-France ; appartenance de l'écrivain d'ici, 284 ; et littérature canadienne-française, 278 ; et poésie du pays, 375 ; influence de la contre-culture, 486 ; rôle du Canada français, 97, 175, 195
Amérique dans l'œuvre de : Buies (A.), 91, 94 ; DesRochers (A.), 221 ; Garneau (F.-X.), 77-78, 80, 82 ; Gérin-Lajoie (A.), 134-135 ; Fréchette (L.-H.), 108-109 ; Lalonde (R.), 617 ; Poulin (J.), 548 ; Ringuet, 245-246
Amis de l'histoire (Les), 81
AMISKOUEIAN, Madeleine, 36
Amour (thème), 234, 258-259, 261, 382, 594
AMYOT, Geneviève, 510, 612
Anarchisme, 290, 322
ANCTIL, Pierre, 574
ANDERSON, Patrick, 334
ANDRÈS, Bernard, 62, 582, 598
ANGENOT, Marc, 598-599
ANGERS, Félicité, 144-147, *voir aussi* Conan, Laure
ANGERS, François-Réal, 138
Anglais, 43, 51, 57, 59-60, 70, 87, 138, 196, 233, *voir aussi* Canada anglais, Conquête de 1763 ; imaginaire anglo-montréalais, 476-482
Angleterre, 19, 68, 73, 78, 87, *voir aussi* Grande-Bretagne
Anglicisation, 60, 64
Anglophones, *voir* Anglais, Canada anglais
ANGOT, Christine, 625
Animal (thème), 318, 346, 348, 577
Annales, 19
ANOUILH, Jean, 355
Anticléricalisme, 92, 94, 107, 121, 156, 320, 340, manifeste *Refus global*, 289
Anti-impérialisme, 333
Antisémitisme, 196, 480, *voir aussi* Juif
APOLLINAIRE, Guillaume, 191, 255, 262, 326
APRIL, Jean-Pierre, 595
AQUIN, Hubert, 292, 358, 364-365, 307, 414, 416, 421, 423, 426-431, 455, 457, 474, 510, 536, 540, 551, 555, 625 ; engagement politique, 427 ; essais, 426-427 ; fatigue culturelle, 426, 428 ; internement, 427 ; signification politique des romans, 428-429 ; sources, 426 ; symbole de la modernité, 426 ; violence dans l'œuvre, 428-431

Aragon, Louis, 274, 285-286
Arcan, Nelly, 625
Arcand, Gabriel, 516, 583
Archambault, François, 589
Archambault, Gilles, 504-506, 544, 550, 593
Archives nationales du Canada, 337
Aristocratie de l'intelligence, 70
Arsenault, Guy, 569
Art, 182, 289; abstrait, 281, 319, 322; de voyager, 19; moderne, 155; thème, 445, 538
Artaud, Antonin, 356, 491, 511, 515
Asselin, Émile, 214-215
Asselin, Jean, 584
Asselin, Olivar, 12, 72, 109, 151, 156-157, 172-174, 176, 182-184, 188, 191, 195, 227, 230
Assepanse, Nicole, 36
Atwood, Margaret, 404
Aubert de Gaspé, Philippe (père), 61, 98, 114, 116, 123-127, 316
Aubert de Gaspé, Philippe (fils), 71, 114, 116, 123, 128, 136, 593
Aubin, Napoléon, 70-72, 84, 89, 139
Aude, 592
Auden, Wystan Hugh, 334
Audet, Elmire, 138
Audet, Martine, 621
Audet, Noël, 542
Autochtones, voir Amérindiens
Autofiction, 624-626
Automatisme, 289-290, 356, 359, 369, 389-390, 490
Avant-garde, 483-485, 618-623
Aventure, 218, 221, 249, voir aussi Roman d'aventures

Baby-boomer, 278, 483, 540
Bachelard, Gaston, 418
Bacqueville de La Potherie, 43-44
Baillargé, Frédéric-Alexandre, 107
Baillargeon, Pierre, 273-274, 346
Bakhtine, Mikhaïl, 472, 599-600
Balzac, Honoré de, 129, 239, 272, 351, 537, 539
Bande dessinée, 14, 486
Barba, Eugenio, 583
Barbeau, Jean, 469, 512-514
Barbeau, Marius, 23, 155, 165, 241, 306
Barbeau, Victor, 72, 178-180, 183-184, 192, 226-227, 255-256, 272, 305, 456
Barcelo, François, 595
Barré, Raoul, 122

Barrès, Maurice, 193, 199
Barrette, Jacqueline, 469, 512
Barry, Fred, 353
Barry, Robertine, 151, 156, 160, 173, 233
Barthe, Joseph-Guillaume, 85
Barthes, Roland, 491, 519, 526
Bas-Canada, 60, 62, 64, 68, 70, 87
Basile, Jean, 365, 421, 467, 473-474, 486
Bataille, Georges, 274, 491
Baudelaire, Charles, 37, 158, 272, 397, 403
Bazin, Hervé, 345
Beauchemin, Nérée, 110, 184, 220, 490
Beauchemin, Yves, 536, 539-540, 542, 595
Beaudé, Henri, voir D'Arles, Henri
Beaudet, André, 292, 618
Beaudin, Jean, 539
Beaudoin, Réjean, 169, 203, 244, 341, 561
Beaugrand, Honoré, 60, 114-115, 135, 158, 207; contes et légendes, 121-122, 433
Beaulieu, Germain, 155, 173, 212
Beaulieu, Maurice, 370
Beaulieu, Michel, 474, 485, 499-501, 511
Beaulieu, Paul, 262, 342
Beaulieu, Victor-Lévy, 119, 438-439, 471, 474, 485, 499, 502, 506, 542, 544, 558, 583; essai ou lecture-fiction, 507; roman national, 506; saga, 506-507; sources, 506-507
Beaumier, Jean-Paul, 592
Beauregard, Alphonse, 165, 184
Beausoleil, Claude, 483, 490, 620
Beauvoir, Simone de, 517
Beckett, Samuel, 270, 586, 594
Bégon, Claude-Michel, 51
Bégon, Élisabeth, 21, 38, 50-53, 452, 534
Béguin, Albert, 312, 340
Bélair, Michel, 463
Bélanger, Gaétane, voir Montreuil, Gaëtane de
Bélanger, Henri, 462
Bélanger, Paul, 501
Belgique, 57, 158, 230, 325-326, 371, 591
Béliveau, Juliette, 212
Belle Époque, 153, 186
Belleau, André, 170, 342, 346, 416, 419, 472, 476, 568, 592, 599-601
Bellefeuille, Normand de, 483, 490, 494, 593, 607, 618-619, 626
Bellefleur, Léon, 324-325
Benazon, Michael, 575
Benda, Julien, 264
Benoit, Réal, 343, 422

BERGERON, Bertrand, 592-593, 618
BERNAGE, Berthe, 233
BERNANOS, Georges, 271, 310, 345
BERNARD, Harry, 193, 230
BERNHARD, Thomas, 586
BERNHARDT, Sarah, 158, 212
BERNIER, Frédérique, 405
BERNIER, Jovette-Alice, 156, 227, 234-236, 251
BERQUE, Jacques, 380
BERROUËT-ORIOL, Robert, 561
BERSIANIK, Louky, 376, 518, 522-523
BERTHELOT, Hector, 139
BERTHIAUME, André, 592-593
BERTRAND, Claude, 491
BERTRAND, Claudine, 527
BERTRAND, Pierre, 491
BESSETTE, Arsène, 156, 205, 209, 213
BESSETTE, Gérard, 208, 341, 361, 365, 418,
    421-423, 472-474, 509-510
BETHUNE, Norman, 333
BHABHA, Homi K., 561
BIARD, Pierre, 29, 31
BIBAUD, Michel, 63
Bibliothèque, 60, 73, 87 ; publique de
    Montréal, 87, 244
BIENVENUE, Yvan, 589
BIGOT, François (intendant), 51, 137
BIGRAS, Jean-Yves, 214
BISMUTH, Nadine, 594
Bison ravi, voir Staram, Patrick
BISSONNETTE, Lise, 72, 480
BISSOONDATH, Neil, 578-579
BLACKBURN, Marthe, 518
BLAIN, Maurice, 340
BLAIS, Jacques, 218, 260, 267
BLAIS, Jean-Éthier, 196, 223, 413, 427, 458, 484
BLAIS, Marie-Claire, 352, 364-365, 408, 421,
    440-447, 553 ; art comme thème, 445 ;
    critique, 442 ; évolution, 444 ; homo-
    sexualité, 442, 444 ; imaginaire religieux,
    445 ; place des États-Unis, 440, 446 ;
    poésie, 446 ; textes, 440, 442, 471 ; théâtre,
    446, 518 ; thèmes, 440, 442-446, 552 ;
    violence dans l'œuvre, 444
BLAKE, William, 397
BLANCHOT, Maurice, 550
BLETON, Paul, 339
Bloc populaire, 285
BLODGETT, E. D., 304, 404
BLOY, Léon, 226, 228
Blue Metropolis/Metropolis bleu, 575
BOISVERT, Edmond, voir Nevers, Edmond de

BOISVERT, Réginald, 370, 375
BOISVERT, Yves, 622
BOMBARDIER, Denise, 565
Boom éditorial, voir Édition littéraire, Éditions
BORDEAUX, Henry, 345
BORDUAS, Paul-Émile, 282, 289-292, 319-320,
    322, 324, 329, 409, 413, 436, 605
BORGES, Jorge Luis, 426, 593
Bosco, Monique, 419-420
BOSQUET, Alain, 365, 371
BOSSUET, Jacques Bénigne, 37
BOUCHARD, Chantal, 457
BOUCHARD, Michel Marc, 587, 596
BOUCHER, Denise, 515, 517-518
BOUCHER, Pierre, 44, 48
BOUCHER DE BOUCHERVILLE, Pierre, 141
BOUCHET, André du, 613
BOUCHETTE, Errol, 175, 210
BOUGAINVILLE, Louis-Antoine de, 40
BOULANGER, Denise, 584
BOURASSA, André-G., 212, 290
BOURASSA, Henri, 172-173, 195, 418
BOURASSA, Napoléon, 137
BOURDIEU, Pierre, 543, 598
Bourgeoisie : anglophone, 70 ; francophone,
    62, 64, 158, 193, 212, 262, 278, 358
BOURGET, Ignace (Mgr), 89, 92, 96
BOURGET, Paul, 253, 345
BOUTROUX, Émile, 200
BOUTHILLETTE, Jean, 407, 427
BOUTIN, Richard, 607
BRASSARD, Denise, 622
BRAULT, Jacques, 258, 260, 266, 270, 273, 298,
    303, 365, 368, 372-373, 380, 382, 401-406,
    460, 484, 490, 497, 499, 525, 603-604 ;
    découverte du Japon, 404 ; intimisme, 403,
    405, 608-609, 613 ; sources, 401 ; textes,
    401-403, 407, 412, 417, 535 ; thèmes, 401-
    406 ; traduction, 403-404
BRAULT, Michel, 463
BRÉBEUF, Jean de, 30, 33, 211, 482
BRECHT, Bertolt, 466, 468, 511, 583
BRETON, André, 320, 322, 326-328
BRIAND, Jean-Olivier (Mgr), 64
BROCH, Hermann, 508
BROCHU, André, 242-243, 303, 314, 339, 352,
    413, 416-418, 460, 474, 484, 491, 510, 593,
    603, 605
BRONTË, Emily Jane, 453
BROOKE, Frances, 60
BROSSARD, Nicole, 471, 474, 490, 493-494,
    499, 510, 517-527, 575

Brouillan (gouverneur), 40
Brouillet, Chrystine, 595
Bruchési, Paul (Mgr), 156
Bruchési, Jean, 234, 337
Brulotte, Gaëtan, 591-592, 594
Brunet, Berthelot, 81, 184, 201, 230-231, 262, 274, 285
Brunet, Michel, 412
Brunetière, Ferdinand, 170
Bugnet, Georges, 201, 204-205
Buies, Arthur, 58, 61, 71, 89-96, 111, 172, 176, 196, 375, 456, 505, 534, 601 ; lecture aujourd'hui, 94 ; sur l'exil, 92 ; thèmes, 95
Buissonneau, Paul, 356, 465
Burlesque, 151, 158, 207-208, 213, 353
Bussières, Arthur de, 159, 165, 173

Cabanis, José, 505
Caccia, Fulvio, 562
Cadieux, Anne-Marie, 589
Caillois, Roger, 274
Caisse, Camille, 123
Calvet, Pierre du, 63-64
Calvino, Italo, 559
Campagne, 131-132, 198, voir aussi Terroir
Campbell, Archibald, 73
Camus, Albert, 274, 300, 344, 416, 422
Canada, 53, 64, 66, 287 ; dans l'œuvre de F.-X. Garneau, 77-78 ; régionalisme, 193
Canada anglais, 14, 475 ; conflit avec le Québec, 483 ; crise de la conscription, 218, 333 ; évolution, 278, 365-366 ; imaginaire anglo-montréalais, 476-482 ; œuvre de G. Roy, 303 ; poètes, 283, 332 ; roman historique, 137
Canadianisme, 152, 220, 226-227, 229, 255, 312
Canadien de Montréal, 344, 353 ; émeute du Forum de Montréal (1955), 344
Canadiens-français : assimilation, 57 ; complexe d'infériorité, 286 ; conscience politique, 64 ; crise de la conscription, 218, 285, 333 ; critique de la mentalité, 408-410 ; l'« homme d'ici », 341
Carle, Gilles, 204, 367, 369
Carmichael, Franklin, 194
Carnavalisation, 600
Carné, Marcel, 583
Caron, Jean-François, 588
Caron, Louis, 504, 542
Carpentier, André, 347, 592-593
Carrefour international de théâtre de Québec (1984), 582

Carrier, Roch, 472
Carroll, Lewis, 559
Cartier, Jacques, 14, 19-20, 22-24, 77, 362, 375, 520
Carver, Raymond, 477, 547
Casgrain, Henri-Raymond, 58-59, 61, 73-76, 81, 84, 96-98, 100, 102-103, 106, 114, 117-118, 122-123, 125, 129, 136, 141, 145, 152, 170, 176, 195, 278, 284, 532
Casgrain, Thérèse, 333
Catholicisme, 30, 46-47, 60, 67, 96, 142, 262-263, 302, 305, 310, 315, voir aussi Église catholique ; pensée progressiste, 340
Cégep, 483
Céline, Louis-Ferdinand, 448, 461
Cendrars, Blaise, 254
Censure, 66, 94, 136, 156, 229 ; et roman, 207-211, 234
Centre : des femmes, 517 ; d'essai des auteurs dramatiques, 463, 511 ; national des Arts, 214, 463, 581
Cervantès, 243
Césaire, Aimé, 371, 426, 566
Chabdikouechich, Agnès, 36
Chabot, Cécile, 234, 238
Chamberland, Paul, 269, 330, 368, 371, 373-375, 412, 416-417, 490, 498, 525, 622 ; femme (thème), 376 ; langue, 458, 461
Champagne, Dominic, 588
Champlain, Samuel de, 20, 24-26, 28, 368
Chanson, 14, 39, 84, 114, 116, 168, 207, 222, 370, 453, 481-482
Chapman, William, 106, 109-110
Chapais, Thomas, 81, 107
Char, René, 375, 403, 416, 612
Charbonneau, Hélène, 234
Charbonneau, Jean, 155, 173, 212
Charbonneau, Robert, 262-264, 272, 278, 285-287, 342, 345, 436
Chardonne, Jacques, 505
Charlebois, Robert, 453, 486
Charlevoix, 146, 194, 241
Charlevoix, François-Xavier, 21, 34, 43-44, 47-50, 76-77
Charron, François, 292, 483, 489-493, 522, 525, 605, 618
Charte : de la langue française, 458 ; canadienne des droits et libertés, 336
Chassay, Jean-François, 474, 559
Château Ramesay, 151
Chateaubriand, François René, 37, 43, 67, 118, 144, 147

CHAURETTE, Normand, 168, 587-588

CHAUVEAU, Pierre-Joseph-Olivier, 96, 116-118, 132-133, 418

CHEN, Ying, 567

CHENELIÈRE, Évelyne de la, 590

CHÉNIER (docteur), 141, 211, 359

CHEVALIER, Henri-Émile, 139

CHIASSON, Herménégilde, 568-570

Chine, 483, 567

CHOPIN, René, 180, 184, 186, 189, 220, 255

CHOQUETTE, Robert, 205, 220, 222-225, 227, 230, 620

Christianisme, voir Catholicisme, Protestantisme

Chronique, 12, 14, 19, 29, 51, 71-72, 172 ; féminine, 156-157 ; historique, 116 ; judiciaire, 138

Chroniqueur, 91, 94, 142, 179

Cinéma, 14, 151, 157, 168, 204, 212, 214, 217, 239, 241, 298, 316-317, 355, 425, 453, 463, 474, 488, 539, 542, 586, 595

CIORAN, Emil Michel, 503

CIXOUS, Hélène, 517, 525

Classe sociale, 224, 278, voir aussi Bourgeoisie

Classicisme, 136, 315, 342, 420-421

CLAUDEL, Paul, 243, 264, 271, 305, 310, 355

Clergé, voir Anticléricalisme, Église catholique, Missionnaire, Prêtre

CLOUTIER, Cécile, 376

CLOUTIER, Eugène, 343-345

CLOUTIER, Guy, 501

CLOUTIER, Raymond, 582

Club du livre, 288

Cobra, 325, 328

COBURN, Frederick Simpson, 121

COCTEAU, Jean, 237, 272-273, 355

CODERRE, Émile, 225

COHEN, Leonard, 336, 366, 481-482, 572, 574, 580

COLBERT, Jean-Baptiste, 80

COLETTE, 420, 617

Collection, 20 ; Archives des lettres canadiennes, 599 ; Aspects, 412 ; Bibliothèque de la Pléiade, 597 ; Bibliothèque du Nouveau Monde, 261, 597 ; Bibliothèque québécoise, 81 ; Constantes, 407-408, 411-412, 414 ; Les romans de la jeune génération, 234 ; New Canadian Library, 303, 337 ; Papiers collés, 599, 601 ; Poésie, 382 ; Poètes d'aujourd'hui, 258 ; Présence du Futur, 595 ; Rétrospectives, 497 ; Roman canadien, 210 ;

Romanciers du Jour, 470-471 ; Série noire, 595 ; The McGill Poetry Series, 481 ; Typo, 382

Collège : classique, 59, 62-63, 170, 233, 253, 362, 483 ; d'enseignement supérieur pour jeunes filles Marguerite-Bourgeoys de Montréal, 233 ; Sainte-Marie, 155, 158, 262

COLLETTE, Jean Yves, 494

COLLINS, Aileen, 481

COLOMB, Christophe, 246, 256

Colonisation, 135, 201, 205, 241, voir aussi Nouvelle-France ; du Nord, 94, voir aussi Nord (thème) ; en Nouvelle-France, 20-21, 22, 26, 39, 44-46, 50

Comédie, 63, 84, 214 ; musicale, 213

Comité national des écrivains français (CNE), 285

Commerce, 33, 51, 60, 63, 69-70 ; traite des fourrures, 33, 51, 239

Commission : Laurendeau-Dunton sur le bilinguisme et le biculturalisme, 338, 457 ; Massey sur le développement des arts, des lettres et des sciences (1951), 337, 361 ; Parent, 362

Communisme, 217, 253, 285, 291, 333-334, 345, 372

Compagnie de Jésus, 29, 47, voir aussi Jésuites

CONAN, Laure, 20, 61, 144-147, 195, 234, 408

Concours littéraire, 184

Confédération canadienne (1867), 60, 89, 108, 126

Conquête de 1759-1760, 57, 62-64, 97, 125-126

Conscience : historique, 456 ; littéraire, 117 ; nationale, voir Nationalisme

Conscription, 218, 285, 333

Conseil : des Arts de la région métropolitaine de Montréal, 517 ; des Arts du Canada, 261, 288, 336-337, 342, 361-362, 573 ; du statut de la femme, 517

Conservateurs, 89-90, 109

Conservatisme, 134-135, 156

Conservatoire de Montréal, 463

CONSTANTIN-WEYER, Maurice, 201, 204-205, 255

CONSTANTINEAU, Gilles, 370

Conte, 58, 61, 70, 109, 114-122, 433, 591

CORMIER, Bruno, 289

CORMIER, Guy, 340

Contre-culture, 279, 470, 474, 483-485 ; et nouvelle écriture, 486-494

CORNEILLE, Pierre, 27, 452

Correspondance, 12, 14, 19, 21, 34, 36, 45, 48, 51, 98, 342

CORRIVEAU, Hughes, 483, 592, 618
CORRIVEAU, Marie-Josephte, 115-116, 125, 137, 318
CORRIVEAU, Monique, 595
CORTÁZAR, Julio, 593
COTNOIR, Louise, 518
Council for Quebec Studies, 598
Coureur des bois, 40, 45-46, 202, 244, 352, 504, 513
COURTEMANCHE, Gil, 543
COUSTURE, Arlette, 542
CRÉMAZIE, Joseph, 99
CRÉMAZIE, Octave, 58, 61, 96, 98-106, 109, 129-130, 166, 170, 278, 284, 415, 534; correspondance, 102; notes de voyages, 102; poésie, 99-101, 106, 113
Créole, 456, *voir aussi* Haïti
CRÊTE, Jacques, 516, 582
Crise : de 1929, 152-153, 197, 217, 224, 345; d'octobre (1970), 346-347, 374, 438, 483, 510, *voir aussi* Front de libération du Québec (FLQ); linguistique, *voir* Langue, Question linguistique
Critique littéraire, 103-104, 176-177, 179, 182-183, 218, 236, 262, 306, 488; de la littérature québécoise, 365, 413; du roman des années 1950, 339; du roman des années 1970, 502; esthétisation, 603; et langue littéraire, 226; intérêt pour la littérature dans l'autre langue, 573; méthode, 418; nouvelle, 491; poids de la, 413-418; savante, 597
CROFT, Esther, 592
Culture, 263, 411; canadienne, 337; canadienne-française, 103, 176, 253; d'élite, 153, 158, 174, 218; de masse, 153; des marchands, 60; du divertissement, 151; et nouveaux médias, 534; fin de siècle, 158; populaire, 84, 116, 151, 157, 239
CUMMINGS, e. e., 404
CYR, Gilles, 613
CYRANO DE BERGERAC, Savinien de, 71
DAGENAIS, Gérard, 273
DAIGLE, France, 568, 570
DAIGNEAULT, Pierre, *voir* Saurel, Pierre
D'ALFONSO, Antonio, 562-563, 575
DALPÉ, Jean-Marc, 571
D'AMOUR, Francine, 609
DANDURAND, Anne, 592, 594
DANIS, Daniel, 589-590
DANTIN, Louis, 152, 160, 164-165, 168, 173, 184, 189, 192, 205, 220, 222, 224, 232, 234,

236; œuvre critique, 227-229, 248; poésie, 227; roman autobiographique, 228
DAOUST, Jean-Paul, 621
DAOUST, Paul, 457
D'ARLES, Henri, 223, 230-231
DASSYLVA, Martial, 511
DAVELUY, Paule, 339
DAVERTIGE, 565
DAVIAU, Diane-Monique, 592
DAVID, Gilbert, 453, 511, 514
DAY, Margaret, 334
DÉ, Claire, 593-594
DEACON, William Arthur, 303
DEBORD, Guy, 488
Décolonisation, 380
Découvreur, *voir* Explorateur
DECROUX, Étienne, 583
DEFOE, Daniel, 134, 577
Défricheur, 201-202
DE GRANDPRÉ, Pierre, 11, 19, 362, 413
DELAGNY, *voir* Charbonneau, Jean
DELAHAYE, Guy, 155, 168, 180, 184, 186-189
DELISLE, Jeanne-Mance, 514
DELISLE, Michael, 593, 612, 620
DELLY, 157
DEMING, Barbara, 446
DERRIDA, Jacques, 491
DESAUTELS, Denise, 607
DESBIENS, Jean-Paul, 407, 456-457, 462, 470, *voir aussi* Frère Untel
DESBIENS, Patrice, 571
DESCHAMPS, Nicole, 51, 200
DESCHAMPS, Yvon, 512
Description, 30, 39, 44, 46, 48, 125, 255
Déserteur (thème), 503-504
DESGENT, Jean-Marc, 620
DESJARDINS, Henry, 155, 158
DESMARCHAIS, Rex, 251-252
DESPATIE, Stéphane, 622
DESROCHERS, Alfred, 118, 186, 198, 218, 220-222, 224-225, 227, 229-230, 234, 248, 252, 375; nouveauté, 220; sources d'inspiration, 221-222
DESROCHERS, Clémence, 512
DES ROCHES, Roger, 490-492, 494, 510, 618-619
DES ROSIERS, Joël, 565-567
DESROSIERS, Léo-Paul, 183-184, 219, 239, 244-245, 365
DESRUISSEAUX, Pierre, 21, 575
DESAULNIERS, Gonzalve, 159, 173
DESSAULLES, Henriette, 144, 156, 233, 534
DESSAULLES, Louis-Antoine, 88-89, 92

« Deux solitudes », 332, 573

DEYGLUN, Henri, 214

Diable (thème), 114-116, 142

DICKENS, Charles, 539

DICKINSON, Emily, 516

DICKNER, Nicolas, 559-560

DICKSON, Robert, 571

DIDEROT, Denis, 43

DION, Robert, 598, 603

DION-LÉVESQUE, Rosaire, 220, 224, 227

Discours, 59, 63-66 ; clérico-nationaliste, 171, 203, 248, 251 ; critique, *voir* Critique ; littéraire – politisation, 363

DOLLARD DES ORMEAUX, 197

DOLLIER DE CASSON, François, 21, 44-45, 48

Dominion Drama Festival, 463

DONCŒUR, Paul, 263

DORION, Hélène, 270, 501, 608-609, 613

DOS PASSOS, John Roderigo, 286

DOSTOÏEVSKI, Fedor Mikhaïlovitch, 583

DOUBROVSKY, Serge, 624

DOUCET, Louis-Joseph, 490

DOUTRE, Joseph, 136, 140-141

Dramaturgie, 59, 212, 214, 283, *voir aussi* Théâtre ; nationale, 353-359

Drave, 239

DRIEU LA ROCHELLE, Pierre, 285

Drogue (thème), 443, 474

DRUMMOND, William Henry, 121-122

DUBÉ, Marcel, 283, 288, 356, 358-359, 467, 469

DUBÉ, Rodolphe, *voir* Hertel, François

DUBOIS, Claude, 168

DUBOIS, Jacques, 598

DUBOIS, René-Daniel, 587

DUCASSE, Isidore, *voir* Lautréamont

DUCHARME, Réjean, 13, 168, 194, 346, 352, 362, 364-365, 421, 442, 448-455, 460-461, 469, 473, 533, 536, 540, 544, 557, 625 ; chanson, 453 ; critique, 453 ; esthétique, 454 ; étude, 598 ; influence, 455 ; personnage de roman, 455 ; scénarisation, 453 ; succès en France, 448 ; textes, 448-451, 453-455, 502, 626 ; théâtre, 452-453, 512, 516, 582

DUCHESNE, Christiane, 595

DUDEK, Louis, 333, 337, 476, 481

DUFOUR, Michel, 593

DUFRESNE, Jean, 274

DUGAS, Marcel, 109, 155, 168, 178-180, 184, 186, 189-190, 193, 213, 231, 255, 413

DUGUAY, Raoul, 488, 499

DUGUAY, Rodolphe, 194

DUHAMEL, Georges, 246, 256, 262

DUMAS, Alexandre, 137, 139, 211

DUMONT, Fernand, 66, 365, 370-371, 407-408, 410-413

DUMOUCHEL, Albert, 324-325

DUNTON, Davidson, 457

DUPLESSIS, Maurice, 217, 278, 281, 291, 328, 333, 340, 361, 480

Duplessisme, 514 ; opposition, 282, 291, 302, 338, 340, 409

DUPRÉ, Louise, 518, 597, 607

DUPUIS-MAILLET, Corinne, 273-274

DUQUESNE, Albert, 353

DURAND, Lucile, *voir* Bersianik, Louky

DURAND DE VILLEGAGNON, Nicolas, 22

DURAS, Marguerite, 519

DURHAM (Lord), 57, 59, 68, 74, 80

DUROCHER, René, 277

DURRELL, Lawrence, 473

DUVIVIER, Julien, 204

École : de Montréal, 412 ; des Hautes Études commerciales, 179, 272 ; des indigénistes, 174 ; nationale de théâtre, 463, 514 ; patriotique de Québec, 96

École littéraire de Montréal, 15, 109, 151, 157, 160, 170, 172-173, 184, 211, 227, 231, 604 ; admission des femmes, 233 ; création, 155 ; culture d'élite, 158-159, 180 ; éclectisme, 165-166

Économie, 69, 133-134, 217-218, 248

Écriture, 456-462, *voir aussi* Langue ; et contre-culture, 486-494

Écriture automatique, 321, 326-327

Écriture féminine ou des femmes, 517-518, 597, *voir aussi* Féminisme ; collectif, 518 ; mythologie, 523 ; thèmes, 518-519

Écriture migrante, 561-567 ; choc des cultures, 564 ; traduction, 574

Écrivain, *voir aussi* Langue, Nationalisme ; anglophone, 60 ; après la Seconde Guerre mondiale, 284 ; et modernité, 152-153 ; critique des élites traditionnelles, 282 ; engagement, 363, 365, 372 ; fonction politique, 57-58, 363 ; francophone, 60 ; nouvelle génération, 340, 484 ; question linguistique, 458 ; rapport avec la France, 533 ; résistance à la récupération idéologique, 363 ; revenu, 284

Écrivain-journaliste, 59, 72, 106, 140, 142, 172, 184, 189, 207, 248, 253, 293-294, 322, 343, 345-346, 419, 477, 543

Écrivain-professeur, 421, 483

Éditeur-imprimeur, 58

Édition : poétique, 287 ; religieuse, 287 ; scolaire, 271, 287

Édition littéraire, 271-274, 281, 338, 364 ; après la Seconde Guerre mondiale, 284 ; autonomie vis-à-vis la France, 284-287 ; distribution, 272, 288 ; francophonie canadienne, 484 ; production (1970-1980), 484 ; spécialisée, 484 ; traduction des auteurs canadiens-anglais, 573-580

Éditions : Albert Lévesque, 214, 234, 251, 271, 353 ; Alcan, 81 ; Anansi, 476 ; Atys, 368, 495 ; B. D. Simpson, 271 ; Beauchemin, 271, 312, 355, 484 ; Boréal, 599, 601 ; Cercle du livre de France, 287, 364, 427, 448, 471, 484 ; d'Acadie, 484, 569 ; de la courte échelle, 484 ; de la Pleine Lune, 518, 577 ; de l'Arbre, 81, 231, 271-272 ; de l'Aurore, 493, 506 ; de l'Hexagone, *voir* Éditions de l'Hexagone ; de l'Homme, 470 ; de Minuit, 547 ; Denoël, 595 ; Déom, 401 ; des Femmes, 607 ; de Trois-Pistoles, 506 ; du Blé, 484 ; du Jour, *voir* Éditions du Jour ; du Noroît, 484, 495, 501 ; du Remue-Ménage, 518 ; du Roseau, 577 ; du Seuil, 312, 314, 365, 423 ; du Totem, 230, 236, 271 ; du Zodiaque, 271 ; Erta, 287, 324-325, 368 ; Estérel, 474, 499 ; Fides, 271, 306 ; Flammarion, 246, 298 ; François Maspero, 382 ; Gallimard, 244, 365, 382, 420, 448, 595 ; Garand, 210-211, 271 ; Granger Frères, 271 ; Grasset, 199-200, 365, 401, 471, 473, 576 ; Guernica, 562 ; Hatier, 484 ; Havas, 174 ; Herbes rouges, 493-494 ; HMH, 288, 342, 364, 407, 474, 484, 573 ; Leméac, 515, 583 ; Lemerre, 186 ; Le Quartanier, 622 ; Les Cahiers de la file indienne, 287, 321, 356, 368 ; Les Écrits des Forges, 484, 495 ; L'Instant même, 592-593 ; Lumen, 271 ; Malte, 368 ; Mangin, 271 ; Marquis, 271 ; McClelland & Stewart, 303, 337 ; McGill-Queen's University Press, 573 ; Mithra-Mythe, 389 ; Orphée, 368 ; Parizeau, 271 ; Parti pris, 412, 484 ; Pascal, 271-272 ; Perce-Neige, 569 ; Pilon, 271 ; Poètes de brousse, 622 ; Pony, 271 ; Presses de l'Université de Montréal, 382, 597 ; Presses de l'Université d'Ottawa, 382 ; Prise de parole, 484, 571 ; Quinze, 475 ; Robert Laffont, 365, 437, 443 ; Seghers, 258, 423 ; Serge, 271 ; Trois, 607 ; Valiquette, 271-272 ; Variétés, 271 ; Véhicule Press, 573 ; VLB, 506 ; XYZ, 577, 592

Éditions de l'Hexagone, 254, 261, 287, 341, 364-365, 367-382, 416, 421, 470, 475, 482, 490, 495, 497, 604, 613 ; désir de créer un mouvement, 368 ; femme-pays (thème), 375-376 ; fonction politique du poème, 372 ; fondation (thème), 372, 374 ; lyrisme, 372, 376 ; originalité, 369-370 ; poésie du pays et Amérique, 375 ; poètes « mineurs », 370 ; production annuelle, 369 ; prospectus des œuvres, 369 ; publication de poètes majeurs, 368, 394, 397, 520 ; ressemblance des œuvres, 371

Éditions du Jour, 364-365, 470-475, 484, 506 ; formalisme, 474 ; nouvelle génération de romanciers, 470

Éducation, 69, 78, 174, 253, 362, 407, 483, 531

Église catholique, 29, 34-35, 50, 58, 67, 70, 79, 96, 217, 483 ; contrôle du discours publique, 63-64, 281 ; désaffection, 218 ; discours, 134 ; et Institut canadien, 87, 89 ; et roman, 156 ; et théâtre, 212 ; Jésuites, *voir* Jésuites ; manifeste *Refus global*, 289 ; moralisme, 152 ; Récollets, 29, 39-40 ; résistance à la modernisation de la société, 151, 155-156, 285, 340 ; Sulpiciens, 29, 45 ; Ursulines, 30, 34, 50, 144

ÉLIE, Robert, 262, 264, 266, 290, 342-343, 345

Élite, *voir aussi* Culture d'élite ; nouvelle élite, 340 ; traditionnelle, *voir* Conservatisme, Église catholique

ÉLUARD, Paul, 271, 274, 310, 321-322, 326-327, 387, 389

EMERSON, Ralph Waldo, 88, 133, 144

EMMANUEL, Pierre, 271, 274, 312, 314, 340

Enfant (thème), 350, 352, 440, 449

Enfermement (thème), 313

Environnement (thème), 425, 511

Épopée nationale, 23

Érotisme, 376, 567, 619

ESCHYLE, 583

Ésotérisme, 311, 315, 397, 430

Essai, 14, 365, 407-412 ; collection, 407 ; essor sous la Révolution tranquille, 407 ; et recherche, 597-603

État, 281, 356, 483 ; contrôle du discours public, 63 ; intervention en matière de culture, 361-362, 364, 531 ; Ministère des Affaires culturelles, 361-362 ; modernisation, 302

États-Unis, 57, 59, 65-66, 68-70, 77, 87-88, 133, 175-176, 196, 277, 334, 409, *voir aussi* Amérique ; annexion, 65, 68, 175 ; contre-culture, 484 ; dans l'œuvre de M.-C. Blais, 440, 446 ; émigration, 92, 135 ; étude de la littérature québécoise, 598 ; influence de la culture, 151, 157 ; influence sur la littérature, 286-287 ; influence sur le théâtre, 511 ; mouvements de contestation, 483 ; postcolonialisme, 561 ; succès de *Bonheur d'occasion*, 298

ÉTIENNE, Gérard, 564

Étranger (thème), 132, 201, 203, 246, 248, 268

Étudiant, 158, 178

Europe, 59-60, 69, 77-78, 94, 138 ; étude de la littérature québécoise, 598 ; influence sur les élites, 151, 155, 175-176 ; Seconde Guerre mondiale, 218 ; surréalisme, 325-326

Évangélisation, *voir* Missionnaire

ÉVANTUREL, Eudore, 107, 111-113, 162, 167

Excommunication, 89, 156

Exil (thème), 92, 102, 104, 135, 477, 562, 567

Existentialisme, 283, 300, 359

Exotique, 15, 152, 155, 165, 172, 174, 176, 180-185, 217, 230-231, 256, 305

Exotiste, *voir* Exotique

Explorateur, 19-20, 40, 44, 48, 255-256

Exposition universelle de 1967, 469

FABRE, Hector, 68, 71-72

FADETTE, *voir* Dessaulles, Henriette

FAGUET, Émile, 170

FALARDEAU, Jean-Charles, 413, 418

Famille (thème), 311, 344-345, 355, 440, 466, 542, 555, 581, *voir aussi* Maternité, Mère, Paternité, Père et fils

FANON, Frantz, 412

Fantastique, 116, 118, 143, 311, 313, 346, 537, 592-593, 595

FARHOUD, Abla, 564

FARKAS, Endre, 573

FARROW, John, *voir* Ferguson, Trevor

Fascisme, 152, 217, 252, 254, 285-286, 333, 444

FAULKNER, William, 286, 317, 426, 617

FAVREAU, Marc, 512

FAVREAU, Robert, 168

Fédéralisme, 302, 338, 409

FELLINI, Federico, 474

Féminisme, 38, 279, 302, 485, 489, 511, 517-527, 581 ; et intimisme, 607 ; influence, 517 ; mouvement, 517-518

Femme, 21, 34, 38, 50, 61, 70, 92, 202, 217, 282, 408 ; dans le milieu intellectuel

francophone, 144, 156 ; et poésie du pays, 375-376 ; libération sexuelle, 483 ; nouvelle génération de romancières, 471 ; réseau, 233 ; salon littéraire, 151 ; sur la scène littéraire (1930-1945), 218, 232-238 ; thème, 259, 261, 375

FÉNÉON, Félix, 592

FENNARIO, David, 322, 480

FERGUSON, Trevor, 572, 576-577

FERLAND, Albert, 165, 184

FERLAND, Jean-Baptiste, 73, 81, 96, 98

FERLINGHETTI, Lawrence, 486

FÉRON, Jean, 157, 211

FERRON, Jacques, 20, 195, 231, 269, 273, 290, 338, 356, 359, 365, 417, 421, 432-439, 457, 471, 490, 506-507, 559 ; contes, 433-435 ; engagement politique, 432 ; figure du fou, 432 ; roman, 436 ; textes, 307, 436-437, 439, 502, 534 ; thèmes, 433-438, 548

FERRON, Marcelle, 324-325

Festival : de théâtre des Amériques de Montréal, 582, 586 ; de Trois, 607 ; international de poésie de Trois-Rivières, 618

Feuilleton, 82, 138-141

FÉVAL, Paul, 138-139

FILIATRAULT, Jean, 344

FILION, Jean-Paul, 370, 490

FILION, Pierre, 509

Filles du Roy, 43

Fils de la liberté, 57

FILTEAU, Claude, 386

FISCHMAN, Sheila, 430

FLAUBERT, Gustave, 426, 507-508, 617

FLEURY, Claude, 495

Fleuve (thème), 167, 375, 377, 397

Fleuve Saint-Laurent, 24

Foi catholique, *voir* Catholicisme

FOLCH-RIBAS, Jacques, 562

Fondation (thème), 372, 374

Fondation Guggenheim, 440

Forêt (thème), 351, *voir aussi* Arbre (thème)

Formalisme, 279, 491-494, 506, 510, 518, 593

FORREZ, Marc, *voir* Asselin, Émile

FORTIER, Auguste, 140

FORTIER, Frances, 603

FORTIN, Marc-Aurèle, 194

FORTIN, Nicole, 418

FOUCAULT, Michel, 491, 525

FOURNIER, Claude, 370

FOURNIER, Jacques, 607

FOURNIER, Jules, 12, 72, 104, 109, 152, 156-157, 178, 180, 182, 186, 189, 191, 284, 456,

461, 505 ; critique de la littérature, 171-173, 176-177, 230

FOWLIE, Wallace, 272

France, 14, 15, 19, 22, 62, 73, 87, 92, 96, 99-100, 102, 114, 129, 397, 588 ; culture populaire, 157 ; dans le discours du clergé, 171-172 ; défaite de 1940, 218, 271 ; édition d'écrivains québécois, 365, 382 ; influence sur la littérature, 152-153, 157-158, 174, 229-230, 284-288 ; littérature québécoise, 421, 533 ; mouvements sociaux, 483 ; nouvelle, 591 ; poésie, 371 ; régime de Vichy, 285 ; régionalisme, 193 ; rôle de l'État dans la culture, 362 ; succès de *Maria Chapdelaine*, 200 ; succès de l'œuvre de R. Ducharme, 448

FRANCE, Anatole, 231

Franc-maçon, 66, 121, 142-143, 156, 209, 285

FRANCŒUR, Louis, 184

FRANCŒUR, Lucien, 488, 620

Francophonie canadienne, 568-572 ; maisons d'édition, 484

Francophonie littéraire, 284

FRANÇOISE, *voir* Barry, Robertine

FRANCOLI, Yvette, 227

Francophilie, 151, 155, 174, 176, *voir aussi* France

Francophones, 59-60, 62, 70, *voir aussi* Canadiens-français

FRANKLIN, Benjamin, 133, 144

FRÉCHETTE, Carole, 590

FRÉCHETTE, Jean-Marc, 608

FRÉCHETTE, Louis-Honoré, 22, 60, 71, 96, 106-109, 111, 155, 158, 196, 221, 359, 461, 620 ; anticléricalisme, 107-108, 121 ; conte, 109, 116, 119-122, 207, 433 ; poésie, 106, 108, 113, 167, 190 ; polémiste, 107, 109 ; portrait, 121 ; théâtre, 108, 212

FRÉGAULT, Guy, 412

FRÉNAUD, André, 274, 387

FRENETTE, Christiane, 611-612

FRÈRE UNTEL, 407, 456

FREUD, Sigmund, 525, 584

FRIEDMAN, Betty, 517

Front : de libération des femmes du Québec, 517 ; de libération du Québec (FLQ), 372, 412, 423, 427, 463, 525, *voir aussi* Crise d'octobre (1970)

FRONTENAC, Louis de Buade de, 27, 40, 211

FRYE, Northrop, 437, 476, 573

FÜHRER, Charlotte, 140

GAGNÉ, Paul, 578

GAGNON, Clarence, 193-194

GAGNON, Daniel, 592, 594

GAGNON, Ernest, 99, 116, 341, 407

GAGNON, François-Marc, 290

GAGNON, Jean-Louis, 288

GAGNON, Madeleine, 483, 490, 518, 524-526

GAGNON, Marcel-A., 94

GAGNON, Maurice, 339

GAGNON, Odette, 518

GAILLY, Christian, 547

GALLANT, Mavis, 366, 476-477, 574

GALLAYS, François, 599

GAMITIENS, Marie-Ursule, 36

GANZINI, Mathilde, 367, 369

GARAND, Édouard, 157, 210-211, 271, *voir aussi* Éditions Garand

GARCIA, Juan, 403, 485, 497-499, 562

GARIBALDI, Giuseppe, 92

GARNEAU, Alfred, 81, 94, 96, 107, 111, 162, 167, 415

GARNEAU, François-Xavier, 12, 21, 29, 47, 58-59, 61, 67, 71, 73-82, 84, 87-88, 91, 96, 99, 123, 127, 136, 144, 146, 176, 196, 375 ; notes de voyage, 82, 102 ; œuvre historique, 74 ; poésie, 73-74 ; polémique, 79

GARNEAU, Hector, 81

GARNEAU, Michel, 469, 481-482, 511-512, 516

GARNEAU, René, 256, 286, 413

GARNEAU, Sylvain, 370-371

GARNIER (père), 34

GASCON, Jean, 356

Gaspésie, 40, 198, 205-206, 233, 245, 434, 460

GAULIN, Huguette, 493

GAULLE, Charles de, 285, 302, 362, 468

GAUTHIER, Bertrand, 595

GAUTHIER, Conrad, 213

GAUTHIER, Louis, 509, 549-550

GAUTIER, Théophile, 100, 111, 118

GAUVIN, Lise, 468

GAUVREAU, Claude, 282, 289-291, 319-322, 324, 326, 330, 356, 369, 449, 466, 488, 490, 497, 515, 525, 582 ; femme (thème), 376, 519 ; langage exploréen, 319-320, 327, 390, 460, 514

GAUVREAU, Pierre, 290

GAY, Michel, 494

GÉLINAS, Gratien, 214, 283, 353-355, 359, 512

GÉLINAS, Pierre, 345, 421

Génération *beat*, 486

GEOFFROY, Louis, 489

GÉRIN, Léon, 155, 177

GÉRIN-LAJOIE, Antoine, 44, 85, 87-88, 96, 116, 118, 129, 133-135, 418

GÉRIN-LAJOIE, Marie, 233

GERMAIN, Alban, 155

GERMAIN, Jean-Claude, 467, 469, 511-514

GERVAIS, André, 490

GERVAIS, Guy, 326

GHÉON, Henri, 213, 355

GIDE, André, 272, 274, 420

GIGUÈRE, Roland, 273, 282-283, 287, 291, 324-331, 368, 374; adhésion au surréalisme, 326, 490, 497; critique, 415; femme (thème), 376; langage poétique, 326-327, 329, 378, 392; parole, 330, 371; pouvoir du noir, 326; révolte, 328-329

GILL, Charles, 158-159, 164, 166, 173

GINSBERG, Allen, 486

GIONO, Jean, 617

GIRARD, Jean-Pierre, 592

GIRARD, Rodolphe, 156, 195, 207-208, 212, 472

GIRAUDOUX, Jean, 274, 355

GIROUARD, Laurent, 417, 458

GIROUX, André, 343, 345

GLASSCO, John, 337

GLISSANT, Édouard, 382, 561, 566

GODBOUT, Jacques, 292, 365, 370, 407, 416, 422-425, 460, 472-473

GODIN, Diane, 589

GODIN, Gérald, 368, 373-374, 417, 458; langue, 460-462

GODIN, Jean Cléo, 515, 582

GOETHE, Johann Wolfgang von, 444

GOLD, Artie, 573

GOLDMAN, Lucien, 418

GOLL, Yvan, 274

GOSFORD (gouverneur), 141

GOULET, Michel, 608

GRACQ, Julien, 426

GRANDBOIS, Alain, 40, 153, 155, 219, 227, 231, 236, 254-262, 269, 273, 282, 302, 305, 319, 322, 330, 363, 369-370, 401, 403, 416; collection « Poètes d'aujourd'hui », 258; inédits, 258; langue, 256; originalité, 258; premier poète moderne du Québec, 254; thèmes, 258-261; voyageur, 254, 256

Grande-Bretagne, 57, 60, 62, 211, 285, 333

Grande noirceur, 281, 324, 515

GRANDMONT, Éloi de, 287, 321, 358-359

Grand Théâtre de Québec, 463

GRASS, Günter, 583

GRAVEL, François, 595

GRAVEL, Robert, 512, 516, 582

GREEN, Julien, 271, 345

GRENIER, Victor, 158

Grève de la mine d'Asbestos, 291, 340, 345

GRIGNON, Claude-Henri, 72, 152, 165, 173, 179, 198, 204, 219-220, 224-228, 248, 456-457, 468; classique du roman canadien-français, 225-227, 230-231, 239-241, 294; critique, 421

GROTOWSKI, Jerzy, 583

GROULX, Lionel, 22, 43, 152-153, 155, 157, 171, 174, 183-184, 193-198, 210, 217, 230, 241, 244, 255, 412-413, 427, 480, 571

Groupe : des Sept, 194, 334; des Six Éponges, 155, 158; d'études théoriques, 491; Haïti littéraire, 564

GROVE, Frederick P., 193

GUÉRIN, Eugénie de, 146

Guerre : civile espagnole, 217, 285, 333; thème, 339, 345, 444, 472, 526, *voir aussi* Fascisme

GUEVARA, Ernesto, 412

GUÈVREMONT, Germaine, 204, 219, 248-250, 288, 294, 302

GUÈVREMONT, Hyacinthe, 248

GUIBORD, Joseph, 89, 141

GUILBAULT, Muriel, 320, 515

GUILBEAULT, Luce, 518

GUIMOND, Olivier, 213

GURIK, Robert, 469, 512

GUAY, Jean-Pierre, 495

GUYARD, Marie, *voir* Marie de l'Incarnation

HAECK, Philippe, 483, 491

HAEFFELY, Claude, 324, 369-370, 372, 380, 461, 534

HAINES, John, 404

Haïti, 47, 227, 564-566

HALDIMAND (gouverneur), 66

HAMELIN, Louis, 455, 558

HAMMETT, Dashiell, 555

Happening, 511

HAREL, Simon, 561, 567

HARRIS, Lawren Stewart, 194

HARVEY, Jean-Charles, 156, 252-253, 293

HARVEY, Robert, 317

Haut-Canada, 62, 68, 70

HAYWARD, Annette, 180

HÉBERT, Adrien, 180, 194

HÉBERT, Anne, 13, 231, 245, 264, 266, 273, 281-283, 301, 303, 305, 310-319, 336, 339-340-341, 359, 365, 421, 423, 436, 440, 457,

477, 502, 559 ; critique, 312, 314, 340, 493 ;
écriture de la passion, 317-318 ; langage,
311-312 ; liberté formelle, 315 ; poésie du
mal, 317 ; sources de sa poésie, 310-311 ;
thèmes, 312-318, 344 ; violence de l'œuvre,
314
HÉBERT, Bruno, 455
HÉBERT, François, 490
HÉBERT, Jacques, 364, 470-471, 484, *voir
aussi* Éditions du Jour
HÉBERT, Louis, 194
HÉBERT, Louis-Philippe, 474, 499, 509
HÉBERT, Marcel, 490
HÉBERT, Marie-Francine, 595
HÉBERT, Maurice, 231, 310
HÉBERT, Pierre, 156, 545
HÉBERT, Yves, *voir* Sauvageau
HEMINGWAY, Ernest, 255, 547, 549
HÉMON, Louis, 198-203, 205, 243-244, 248,
296
HÉNAULT, Gilles, 21, 273, 282, 287, 290, 321-
324, 327, 368, 372, 375, 392
HENNEPIN, Louis, 40
HENRY, Marcel, *voir* Dugas, Marcel
Héroïsme, 20, 30, 195, 298
Héros, 23, 30, 38, 40, 63, 78, 168, 194, 197,
199, 211, 252, 300, 353, 355
HERTEL, François, 168, 253, 264, 273-274,
346, 459, 495
HILDEBRAND, Renate, 561
Hippies, 486
Histoire, 19, 81-82, 248, *voir aussi* Roman
historique, Roman d'aventures ; après
le rapport Durham, 59 ; décentrement
de la littérature, 532 ; enseignement, 196 ;
événementielle, 45 ; littéraire canadienne,
170-171 ; thème, 402
Historien, 59, 98 ; critique de l'œuvre de
Lahontan, 43 ; école de Montréal, 412 ; et
littérature québécoise, 277 ; œuvre de
F.-X. Garneau, 76-77, 99 ; œuvre de
L. Groulx, 194, 196 ; thèse du retard, 277
Historiographie, 47, 365
HITE, Shere, 517
Hiver (thème), 21, 28, 31-32, 52-53, 72, 162,
203, 205, 315-316
HOFFMANN, Ernst Theodor Amadeus, 118
HOMEL, David, 455, 572, 576
HOMÈRE, 566
Homosexualité (thème), 442, 444, 469, 474,
519, 536, 581, 587, 619
HORACE, 119

HORIC, Alain, 273, 368, 370
HOULÉ, Léopold, 213-214
HUDON, Émilie, 159
HUGO, Victor, 109, 166, 272, 467, 507
HUGUENIN, Anne-Marie, 151, 156-157
Huguenots, *voir* Protestants
Humanisme, 231, 245, 341, 363, 446
Humour, 139, 208, 236, 512, 588, 595
HUOT, Jean-Sébastien, 622
HURTUBISE, Claude, 220, 262, 264, 272, 288,
364, 407, 436, 484
HUSTON, James, 61, 73, 83-87
HUYSMANS, Joris-Karl, 209
Hybridité, 561, 574
Hyperréalisme, 466, 532, 555

IBERVILLE, *voir* Le Moyne d'Iberville
IBSEN, Henrik, 174
Idéalisation du passé, 98
Identité : canadienne, 59, 64, 246, 578 ;
canadienne-française, 152, *voir aussi*
Langue ; individuelle et collective, 286,
339 ; nationale, 277, 279, 284, 364, 531,
562 ; québécoise, 310, 348 ; thème, 624-626
Idéologie : de conservation, 277 ; de
développement, 277 ; de rattrapage, 277
Imaginaire québécois, 13, 116, *voir aussi*
Héros, Mythe
Immigration, 204, 564, *voir aussi* Écriture
migrante, Étranger
Imprimé de masse, 157
Imprimeur, 66, 71
Imprimerie, 62, 78 ; Pigeon, 139
Inceste (thème), 311, 317, 344
Indépendantisme, 302, 363, 380, 410, 417
Index, 88-89, 156, 272, *voir aussi* Censure
Individu, 283, 339, 502, 505
Industrialisation, 69, 151, 177
Institut : canadien de Montréal, *voir* Institut
canadien de Montréal ; canadien de
Québec, 88 ; des arts graphiques de
Montréal, 324 ; littéraire du Québec, 312 ;
québécois de recherche sur la culture
(IQRC), 411
Institut canadien de Montréal, 58, 60-61, 83,
86-90, 92, 96, 140-141 ; bibliothèque, 87 ;
conférenciers, 88 ; création, 87, 133 ;
excommunication des membres, 89 ;
radicalisation politique, 88-89
Intériorité, voir Intimisme
Internet, 534
Intertextualité, 492, 555

Intimisme, 258, 260, 262, 270, 315, 342, 403, 405, 485, 499, 503-505, 535, 544, 604-612
Inuits, 347-348
IONESCO, Eugène, 466
IRIGARAY, Luce, 517
Irlandais, 60, 68, 70, 87, 159
ISSENHUTH, Jean-Pierre, 309, 600
Italie, 483, 562-564

JACCOTTET, Philippe, 613
JACKSON, Alexander Young, 194
JACOB, Suzanne, 21, 553-555
JAMES, Will, 425
JAMET, Dom Albert, 36
JAMMES, Francis, 322
Jansénisme, 80, 286, 311
Japon, 404
JARRY, Alfred, 356, 448, 451, 586
JASMIN, Claude, 458, 460, 510
JAUSS, Hans Robert, 600
JAUTARD, Valentin, 66
Jazz, 375, 392, 486, 488
JEAN NARRACHE, 225, 462, voir aussi Coderre, Émile
JÉRÉMIE, Nicolas, 40
Jésuites, 19, 29-34, 36, 39-40, 42, 45, 48, 76, 92, 136-137, 253, 263, 341
Jeu : d'écriture et roman, 419-425 ; théâtral, 26, voir aussi Théâtre
Jeunesse étudiante catholique (JEC), 217-218
JOACHIM DU BELLAY, 387
JOGUES (père), 34
JOHNSTON, Franz, 194
JOLLIET, Louis, 40, 109, 255
JONASSAINT, Jean, 565
JONES, Doug, 337, 476, 573
Joual, 225, 365, 407, 421, 426-427, 432, 456-462, 474, 492, 502, 512, 525 ; bataille des Belles-sœurs, 463-469 ; débat, 457 ; définition, 456 ; engagement des écrivains, 458 ; et contre-culture, 489 ; littérarisation, 468
JOUHANDEAU, Marcel, 285
Journal, 19, 40, 48, 51 ; intime, 144, 342
Journalisme littéraire, 72
Journaliste, 61-62, 70-72, 89, 322, 343, 345, voir aussi Écrivain-journaliste, Journaux ; censure cléricale, 156 ; critique, 413, 415 ; essais, 407 ; femme, 144, 233 ; manifeste Refus global, 289 ; nouvelle génération, 281, 340 ; rôle dans l'histoire littéraire, 67
Journaux, 58-72, 96 ; à grand tirage, 72, 217, 233, 284 ; alternatifs, 486 ; bilinguisme, 66 ;

composante littéraire, 72, 99, 288, 365 ; contes, 114, 117 ; création d'un milieu intellectuel, 67 ; culture populaire, 151 ; d'opinion, 70, 72 ; et Église catholique, 156 ; feuilleton, 138 ; nouvelle, 591 ; pages féminines, 233 ; rôle des femmes, 233
JOUVE, Pierre Jean, 305, 346, 397, 416
JOYCE, James, 286, 426, 508
Juif, 196, 347-348, 478, 564, 574
JULIEN, Henri, 122
JULIEN, Pauline, 453
JUTRA, Claude, 316

KAFKA, Franz, 12, 270, 286, 426
KATTAN, Naïm, 562
KEROUAC, Jack, 345, 444, 486, 505, 507, 558
KIRBY, William, 110, 137
KIROUAC, Conrad, voir Marie-Victorin (frère)
KLEIN, Abraham Moses, 333-334, 574
KOENIG, Théodore, 325
KOKIS, Sergio, 564
KOLTÈS, Bernard-Marie, 586
KOMACHI, 404
KONYVES, Tom, 573
KRISTEVA, Julia, 492
KUNDERA, Milan, 601

LABELLE (curé), 58, 94
LABERGE, Albert, 156-157, 174, 192, 207-209, 472, 591
LABERGE, Marie, 542-543, 587
LABINE, Marcel, 618
LABRÈCHE, Marie-Sissi, 625
LACAN, Jacques, 491, 525
LACHANCE, Micheline, 542
LACOMBE, Patrice, 85, 116, 128, 130-131
LACOURCIÈRE, Luc, 118, 168, 241
LACROIX, Benoît, 266
Lac-Saint-Jean, 199, 205
LADOUCEUR, Louise, 573
LAFERRIÈRE, Dany, 565, 576
LAFITAU, Joseph-François, 21, 43-44, 46-48, 50
LAFON, Dominique, 453
LA FONTAINE, Louis-Hippolyte, 65
LAFRAMBOISE, Alain, 607
LA GALISSONIÈRE (gouverneur), 51
LAHAISE, Guillaume, voir Delahaye, Guy
LAHONTAN, baron de, 20, 40-43, 46, 48
Laïcité, 76, 217, 281, 340, 362, 417
LALEMANT, Charles, 29, 482
LALEMANT, Gabriel, 30, 33-34
LALEMANT, Jérôme, 33

Laliberté, Alfred, 180, 194

Lalonde, Michèle, 373, 376, 416, 563

Lalonde, Robert, 21, 617

Lamartine, Alphonse de, 89, 106, 166, 251

Lamennais, Félicité Robert de, 67, 136

Lamirande, Claire de, 471

Lamontagne, André, 430

Lamontagne-Beauregard, Blanche, 183, 198, 222, 233

Lamy, Suzanne, 483, 518, 526, 553, 597

Lanctot, Gustave, 43

Langevin, André, 283, 347, 350-352, 440, 461

Langevin, Gilbert, 368, 485, 495-497, 499

Langlais, Tania, 623

Langue, 58, 104-105, 119, 121, 125, 139, 142, 208, *voir aussi* Joual; anglicisme, 142, 144, 159; dans la littérature québécoise, 456-462; dans l'œuvre de R. Ducharme, 454; dans l'œuvre de C. Gauvreau, 319; dans l'œuvre de R. Giguère, 326; du théâtre, 353, 356, 359, 365; écrite, 230; et aliéna-tion, 364; et culture nationale, 173, 178-179; français québécois, 462; littéraire, 226-232, 256, 286, 364; livresque, 229-230; niveaux, 364; orale, 230; poésie, 461; poésie régionaliste, 221; politisation, 456-457; querelle régionaliste/exotique, 152, 180-185; réécriture, 200; révolte, 365

Languirand, Jacques, 356, 359

Lanson, Gustave, 170

Lapalme, Georges-Émile, 361

La petite Sarah, *voir* Béliveau, Juliette

Lapierre, René, 431

Lapointe, Gatien, 368, 375, 377-378

Lapointe, Jeanne, 339, 440

Lapointe, Paul-Marie, 21, 259, 282, 321, 326, 330, 365, 368, 371, 373, 375, 378, 389-395, 397, 401, 601, 619; femme (thème), 376, 394-395; influence du jazz, 392; sources, 389; thèmes, 393-395, 397

Laporte, Pierre-Arcade, 123

La Poune, *voir* Ouellette, Rose

Lapp, Claudia, 573

L'Arche, 178

Lareau, Edmond, 170-171

Laroche, Maximilien, 564

La Rocque, Gilbert, 474, 485, 502, 508-510

Larocque, Pierre-André, 582

Larose, Jean, 168, 270, 480, 494, 600-601

Larrue, Jean-Marc, 212-213

Larue, Hubert, 96

LaRue, Monique, 532, 555-556

La Salle, René-Robert Cavelier de, 40

Lasnier, Rina, 238, 281-283, 301, 305-310, 319, 362, 369, 397, 416, 493, 608; sources de sa poésie, 305; thèmes, 306-309

Laterrière, Pierre de Sales, 66

La Tour du Pin, Patrice de, 305

Laudonnière, René de, 22

Laure, Carole, 204

Laurendeau, André, 72, 196, 285, 289, 353, 407, 456-457, 573

Laurent, Albert, 339

Laurentides, 205, 246

Laurier, Wilfrid, 194

Lautréamont, comte de, 321, 441, 448-449, 451

Laval, Mgr de, 33, 79

La Vérendrye (famille), 40, 51

Layton, Irving, 334, 481

Leacock, Stephen, 332

Lebel, Joseph-Marc-Octave, *voir* Féron, Jean

Le Ber, Jeanne, 245

Le Blanc, Alonzo, 214

Leblanc, Gérald, 570

Leblanc, Isabelle, 589

Le Blanc, Raymond, 569

Leblanc, Maurice, 452

Leclerc, Annie, 525

Leclerc, Félix, 370, 573

Leclerc, Gilles, 407

Leclerc, Rachel, 501, 611

Leclercq, Chrestien, 40

Le Clézio, J.-M.G., 448

L'Écuyer, Eugène, 85, 140

Leduc, Fernand, 289-290, 324-325

Leduc, Ozias, 119, 180

Le Franc, Marie, 201, 204-206, 227, 293

Lefrançois, Alexis, 489, 577

Legault, Anne, 588

Legault, Émile, 355

Légende, 40, 58, 61, 97, 114-122, 125, 214, 239, 250, 254, 315; et roman historique, 136-137; œuvre de J. Ferron, 433; œuvre de L.-H. Fréchette, 106

Leibniz, Gottfried Wilhelm, 43

Leiris, Michel, 274

Leith, Linda, 575

Le Jeune, Paul, 20, 29-34, 36

Le May, Pamphile, 96, 110, 119, 122, 137, 220, 433; chronique judiciaire, 138; feuilleton, 140; théâtre, 212

Lemelin, Roger, 272, 288, 294, 312, 356

Le Mercier, François, 33

LEMIEUX, Jean-Paul, 168, 290
LEMIEUX-LÉVESQUE, Alice, 234
LEMIRE, Maurice, 11, 597
LEMOINE, Wilfrid, 370, 372
LE MOYNE, Gertrude, 370, 376
LE MOYNE, Jean, 262, 264, 340-342, 344, 365, 407-410, 414, 436, 573
LE MOYNE D'IBERVILLE, Pierre, 40
LENOIR, Joseph, 86
LEPAGE, Françoise, 596
LEPAGE, Robert, 583-586
LEPAGE, Roland, 514
LEPROHON, Rosanna Eleanor (Mullins), 60
LESAGE, Jean, 278
LESCARBOT, Marc, 24, 26-28, 44, 368
LESDIGUIÈRES, duchesse de, 48
LESPÉRANCE, Edgar, 470
LETONDAL, Henri, 213, 353
Lettre, *voir* Correspondance
LEVAC, Claude, 465
LÉVESQUE, Albert, 271
LÉVESQUE, Charles, 85
LÉVESQUE, Georges-Henri, 340
LÉVESQUE, Robert, 464, 515, 582
LEVINAS, Emmanuel, 603
LÉVI-STRAUSS, Claude, 491
LEWIS, Cecil Day, 334
LEYRAC, Monique, 168
Libéralisme, 58, 67-69, 76, 106, 108, 134-135, 142, 156, 175, 252, 340
Libération sexuelle, 483
Libéraux, 70, 89-90, 96, 109, 117, 121, 209, *voir aussi* Institut canadien, Rouges
Liberté : de la presse, 62-63, 67 ; et roman, 207-211
Libertés individuelles, 340, 412
Librairie, 58, 60, 288 ; Beauchemin, 164, 484, *voir aussi* Éditions : Beauchemin ; ecclésiastique de J. et O. Crémazie, 99 ; Garneau, 271 ; générale canadienne, 271 ; Tranquille, 289, 324
LINDBERGH, Charles, 255
Linguistique structurale, 491
LINTEAU, Paul-André, 277
LISMER, Arthur, 194
Literary and Historical Society of Quebec, 87
Literary Guild of America, 298
Littérature : autonomie, 281-283 ; choix des classiques, 13-14 ; conception universelle, 229 ; de divertissement, 89, *voir aussi* Roman ; de l'exiguïté, 571 ; de masse, 536 ; d'idées, 30 ; franco-ontarienne, 15, 568,

571-572 ; jeunesse, 595-596 ; marginalisation, 534 ; mystique chrétienne, 37 ; place dans le roman (1946-1960), 345 ; populaire, 339, 353, 539 ; recherche, 597 ; remise en cause, 279 ; sélection des œuvres, 13-14 ; spécialisation des genres, 591-596 ; transformation de la société, 363
Littérature acadienne, 15, 484, 504, 510, 568-571 ; maison d'édition, 569
Littérature anglo-québécoise – traduction, 573-580
Littérature canadienne, 14-15 ; enseignement, 337 ; et francophonie canadienne, 568 ; régionalisme, 193
Littérature canadienne-anglaise – institutionnalisation, 476
Littérature canadienne-française, 57, 61, 152, 277, 361-362, *voir aussi* Littérature québécoise ; comparaison avec les autres littératures, 285 ; enseignement, 170, 172, 241 ; fonction politique, 57 ; indépendance par rapport à Paris, 278, 286 ; influence clérico-nationale, 58, 170-172 ; influence de la France, *voir* France ; marché, 272
Littérature féminine, 234 ; mysticisme, 234, 238 ; regard sur l'amour, 234 ; sensualité, 234
Littérature nationale, 58, 83, 89, 97-98, 102, 104 ; contes et légendes, 114 ; et langue littéraire, 152 ; inventaire, 170
Littérature québécoise, 12, 15, 361-362, *voir aussi* Littérature canadienne-française ; autoréflexivité, 363 ; corpus, 362, 413, 484 ; crise de sens, 494 ; enseignement, 362, 483-484, 490 ; et nation, 494, 532 ; étude à l'étranger, 598 ; exposition, 365 ; histoire, 12-15 ; invention, 277-279 ; langue, 456-462 ; maisons d'édition, *voir* Édition, Éditions de l'Hexagone, Éditions du Jour ; marché, 364, 531 ; périodisation, 15-16 ; pluralisme, 531 ; reconnaissance internationale, 365 ; redécouverte des textes, 534 ; ruptures esthétiques, 16 ; sphère de grande production, 543
Little theater, 213
Living theater, 511
Livre – édition, *voir* Édition littéraire
Loi : 22, 458 ; 63, 458 ; 101, 458 ; de l'instruction obligatoire, 271 ; des mesures de guerre, 374 ; du cadenas, 291, 333 ; sur les langues officielles, 457
LONGCHAMPS, Renaud, 491

LONGFELLOW, Henry Wadsworth, 110, 137

LORANGER, Jean-Aubert, 157, 165, 180, 186, 190-192, 220, 603

LORANGER, Françoise, 344, 464-467, 469

LORIMIER, Chevalier de, 85, 427

L'Osstidcho (1968), 486

LOUIS XIV, 80

Louisiane, 40, 68, 141

LOWELL, Robert, 446

LOYOLA, Ignace de, 29, *voir aussi* Jésuites

Loyalistes, 59, 136

LOZEAU, Albert, 165-168, 173, 180, 188-189, 192, 205, 415

LUKÀCS, Georg, 418

LUSSIER, Charles, 336

LYOTARD, Jean-François, 561

MABIT, Jacqueline, 274

MACKENZIE KING (gouvernement), 271

MacDONALD, Edward Hervey, 194

MacEWEN, Gwendolyn, 404

MacLENNAN, Hugh, 332, 336, 438, 478, 481, 573-574

MacPHERSON, Jean Jay, 337

MADELEINE, 184, 233, *voir aussi* Huguenin, Anne-Marie

MADORE, Édith, 595

MAETERLINCK, Maurice, 586

MAGALI, 157

Magazine : populaire, 157 ; rôle des femmes, 233

MAGINI, Roger, 510

MAHEU, Gilles, 516, 583-584, 586

MAHEU, Pierre, 412, 416-417

MAILLET, Andrée, 273, 346-347, 471

MAILLET, Antonine, 504, 510-511, 514, 536, 568-569, 573

Maison d'édition, *voir* Éditions

MAISONNEUVE, Paul de Chomedey de, 50, 197, 245

MAILHOT, Laurent, 11, 19, 95, 201, 370, 409, 453, 467, 484, 518, 581, 599, 601

MAILHOT, Michèle, 471

MAJOR, André, 241, 416-417, 458, 460, 467, 471-472, 474, 485, 490, 504, 544, 550-551, 593, 609, 626 ; écriture réaliste, 502-503 ; intimisme, 503-504

MAJOR, Jean-Louis, 266, 367

MAJOR, Robert, 133, 503

MAJZELS, Robert, 575

Mal (thème), 317, 343-344, 440

MALENFANT, Paul Chanel, 612

MALLARMÉ, Stéphane, 566

MALOUIN, Reine, 339

MALRAUX, André, 256, 361

MANCE, Jeanne, 50

MANDELSTAM, Ossip, 613

Manifeste, 511

Manitoba, 204, 484

MANKIEWICZ, Francis, 453

Maoïsme, 493

MARCATO-FALZONI, Franca, 598

MARCEL, Gabriel, 264

MARCEL, Jean, 433, 462

MARCHAND, Clément, 224-225

MARCHAND, Olivier, 367, 369-370, 381

MARCHAND-DANDURAND, Joséphine, 233

Marché francophone de la poésie de Montréal, 618

MARCOTTE, Gilles, 339-340, 345, 361, 369-370, 413-415, 422, 428, 484, 539, 593, 600-601

MARCUSE, Herbert, 515

MARGUERITE BOURGEOYS, 50, 245

MARIE DE L'INCARNATION, 20, 21, 33-38, 47-48, 79, 98, 362

MARIE-VICTORIN (frère), 48, 194, 198, 436, 617

MARION, Séraphin, 231

MARITAIN, Jacques, 263, 271

MARITAIN, Raïssa, 264

MARLEAU, Denis, 586

MARMETTE, Joseph, 20, 84, 111, 136-137

MÁRQUEZ, Gabriel García, 583

MARSHALL, Joyce, 303, 476

MARTEAU, Robert, 308-309, 397, 608

MARTEL, Nicole et Émile, 577

MARTEL, Yann, 577-578

MARTIGNY, Paul de, 155

MARTIN, Claire, 420

MARTIN, Claude, 34, 36

MARTIN DU GARD, Roger, 246

MARTINO, Jean-Paul, 324, 326

Martyr, 30, 34, 211, 482

Marxisme, 372, 412, 418, 491, 493, 511

MASSICOTTE, Édouard-Zotique, 155, 158, 212

MASSICOTTE, Sylvie, 592

Maternité (thème), 597

MATHIEU, Claude, 593

MAUPASSANT, Guy de, 199, 209, 230

MAURIAC, François, 271, 310, 345

MAURON, Charles, 418, 421

MAURRAS, Charles, 200, 285

MAVRIKAKIS, Catherine, 455, 625

MAZO DE LA ROCHE, 193

McAULEY, John, 573

McCLELLAND, Jack, 303
McDONOUGH, John Thomas, 514
McLUHAN, Marshall, 407, 573
Mechanic's Institute, 60
Média de grande diffusion, 281, 284, 463, 534
MEIGS, Mary, 446
MEISSEN, Albert, 255
MELANÇON, Charlotte, 574
MELANÇON, Joseph-Marie, 159
MELANÇON, Robert, 265, 395, 404, 500, 574, 615
MELVILLE, Herman, 507, 577
MEMMI, Albert, 380, 412
Mémoire : littéraire, 362 ; nationale, 98, 116-117, 126-127
Mémoires, 19, 21, 40, 50
MERCIER, Andrée, 612
MERCIER-GOUIN, Yvette, 353
Mère (thème), 313, 344, 538, 553
MESPLET, Fleury, 66
Messianisme, 97, 174-175, 195-196, 278
MESSIER, Jean-Frédéric, 588
Métissage culturel, 561
Meurtre (thème), 311, 313, 316-317, 343
MEYERHOLD, Vsevolod Emilievitch, 356
MICHAUD, Ginette, 439, 545
MICHAUX, Henri, 329, 403
MICHELET, Jules, 40, 76
MICHON, Jacques, 168, 210, 271, 484, 598
MICONE, Marco, 563
MILETT, Kate, 517
MILLER, Arthur, 359
MILLER, Henry, 272, 398
MILLET, Catherine, 625
MIRON, Gaston, 99, 221, 259, 273, 282, 287, 321, 330, 364-365, 367-369, 372-374, 379-388, 399, 401, 403, 495, 497-498, 571, 580, 601, 604, 613, *voir aussi* Éditions de l'Hexagone ; aliénation (thème), 384-385 ; engagement politique, 380, 387 ; femme (thème), 376 ; interprétation de l'œuvre, 382-386 ; langue, 460-462 ; sources de sa poésie, 387 ; textes, 382, 383, 407, 417, 534
Missionnaire, 19-20, 29, 33, 36-37, 39, 76
Mississippi, 40, 108
MISTRAL, Christian, 558
MISTRAL, Frédéric, 193
Modernisation de la société, 151, 155-156, 158, 195, 217, 285, 302, 361, 410, 416
Modernité et modernisme, 16, 151-153, 186, 325, 426 ; et christianisme, 263 ; et édition littéraire, 287 ; et intimisme, 270 ; et

littérature québécoise, 277, 368 ; manifeste *Refus global*, 289-292 ; québécoise et nationalisme canadien, 334 ; tradition de la rupture, 533
MOISAN, Clément, 561
MOLIÈRE, Jean-Baptiste Poquelin, 27, 239
MONETTE, Hélène, 612
MONETTE, Madeleine, 556
MONTAIGNE, Michel Eyquem de, 22
MONTALE, Eugenio, 613
MONTCALM, marquis de, 40, 211
MONTESQUIEU, 40
MONTGOMERY, Lucy Maud, 193
MONTIGNY, Louvigny de, 155, 173, 178, 180, 200, 213, 227
MONTPETIT, Édouard, 155, 174-175, 183, 236, 272
Montréal, 24, 45, 50, 52, 60, 63, 66, 70, 87, 96, 175, 337, *voir aussi* École littéraire de Montréal, Institut canadien de Montréal ; associations à vocation intellectuelle, 87 ; chez les poètes d'avant-garde, 620 ; dans les romans, 209, 294, 347-348, 474-475, 520, 576 ; dans les feuilletons, 139 ; « deux solitudes », 336, 574 ; imaginaire anglo-montréalais, 476-482 ; modernisation de la société, 151, 158, 195, 217 ; rôle des femmes dans la vie littéraire, 233 ; théâtre, 212
MONTREUIL, Claire, *voir* Martin, Claire
MONTREUIL, Gaëtane de, 233
Monument-National, 151, 212-213, 353
Moralisme, 346, 505
MORAND, Paul, 254, 256
MORENCY, Pierre, 495, 616-617
MORIN, Léo-Pol, 178, 181
MORIN, Marie, 38, 50
MORIN, Michel, 491
MORIN, Paul, 155, 178, 180, 184-187, 189, 230, 413
MORRISSEY, Stephen, 573
Mort (thème), 30, 100, 205, 258, 267, 269, 308, 314-315, 406, 472
MOUAWAD, Wajdi, 589
MOUNIER, Emmanuel, 263, 340
MOUSSEAU, J.-M.-Alfred, 210, 241
MOUSSEAU, Jean-Paul, 290
MOUTIER, Maxime-Olivier, 624
Mouvement : décadent et symboliste, 158 ; fraternaliste, 495 ; laïque de langue française, 422
Mouvement littéraire : au XIXe siècle, 58 ; de 1860, 96-98

Mouvements sociaux, 483 ; dans le roman, 344-345

MÜLLER, Heiner, 584

Multiculturalisme, 578

MUNRO, Alice, 477

Music-hall, 151

Musique, 158, 181, 212, 264, 486

MUSSET, Alfred de, 111, 163

Mysticisme, 33-38, 80, 188, 234, 238, 245, 302, 305, 310, 398, 498, 570, 608

Mythe, 22, 28, 42-43, 77, 136, 160, 168, 186, 199, 201, 250, 321, 346, 420, 434, 478, 523, 569, 617, *voir aussi* Amérindiens (mythe du bon Sauvage) ; dans l'œuvre d'A. Hébert, 310, 312 ; manifeste *Refus global*, 292

NABOKOV, Vladimir, 426

NADEAU, Gabriel, 339

Nation, 68-69, 78, 152 ; et poésie du pays, 220

Nation canadienne-française, *voir aussi* Messianisme ; survivance, 97, 197, 277

Nationalisme, 57-60, 89, 94, 151, 183, 255, 332, 409, 417, 511, 605, *voir aussi* Projet national, Question nationale, Régionalisme ; avenir de la race, 183, 196, 286 ; canadien et modernité québécoise, 334 ; dans les journaux, 68 ; durcissement, 217, 337, 372-373, 483 ; et littérature québécoise, 494, 532 ; littéraire, 229, 334 ; pancanadien, 172-173 ; pensée de H. Aquin, 426 ; pensée de G. Miron, 380 ; question linguistique, 457 ; Révolution tranquille, 302

Naturalisme, 199, 208-209, 506

Nature (thème), 221, 302, 306-308, 316, *voir aussi* Hiver

Navigateur, 40

Nazisme, 285, *voir aussi* Fascisme

Négritude, 371

NELLIGAN, David, 159-160

NELLIGAN, Émile, 11-13, 99, 111, 113, 151-152, 156-171, 173, 175-176, 180, 189, 220, 228, 253, 257, 305, 310, 321, 363, 403, 449, 455, 538 ; héritiers, 167, 186-192 ; internement, 159-160, 187 ; naissance, 159 ; nouveauté, 160, 182, 186, 227, 261-262

Néonationalisme, 426

Néothomisme, 264

NEPVEU, Pierre, 266-267, 370, 374, 382, 389, 494, 501, 508, 531, 545, 561, 567, 574, 601-603, 609

NERVAL, Gérard de, 100

NEVERS, Edmond de, 151, 155, 158, 174-177, 197, 332

NOAILLES, Anna de, 186-187

NODIER, Charles, 117

NOËL, Francine, 493, 536, 539-542, 553, 626

Nord (thème), 23, 40, 352, 375, 480, 502-504

NORGE, Géo, 321

NORRIS, Ken, 573, 575

Notes de voyages, *voir* Récit de voyage

Nouveau média *voir* Média de grande diffusion

Nouveau Monde, 19-20, 22-23, 109, 245

Nouveau Roman, 351, 419, 422-423, 470, 473, 506, 593

Nouveau théâtre québécois, 463

Nouvelle, 477, 591-592 ; renouveau, 592 ; thèmes, 594

Nouvelle-Angleterre, 70, 78, 135, 227

Nouvelle Compagnie théâtrale, 463

Nouvelle critique, 491

Nouvelle-France, 14, 15, 19-21, 77, 245, 362, *voir aussi* Amérindiens, Colonisation ; appropriation du territoire, 19 ; au quotidien, 50-53 ; comme pays, 53 ; Conquête de 1759-1760, 57 ; histoire, 44-49, 79, 81, 136, 146 ; influence des Jésuites, 29 ; intégration du corpus, 19-20 ; lecteurs des œuvres, 21, 57 ; missions, 36 ; Port-Royal, 27-28 ; réédition des écrits, 58, 123, 534 ; rencontre des civilisations, 28, 30, 42-43, 46, 48 ; rôle des femmes, 38, 50 ; textes à caractère historique, 21 ; travail de relecture, 21, 362

NOVALIS, Friedrich, 394, 397

Nuit de la poésie, 321, 373, 491, 495, 604

NYSON, Bill, 248

O'CONNOR, Flannery, 617

Office national du film du Canada, 284, 337, 419-420, 426, 599

OHL, Paul, 542

O'LEARY, Dostaler, 339

OUIMET, Ernest, 151

OLIER, Jean-Jacques, 45

OLLIVIER, Émile, 565-566

Ontario, 193, 277, 337, 484, 568, 571-572

Opéra, 158, 168, 212

Opérette, 213

Oraison funèbre, 64

Ordre et aventure, 218

Ordre de Bon Temps, 28, 368, 380

OUELLET, Pierre, 603, 608

OUELLET, Réal, 30

OUELLETTE, Fernand, 254, 282, 365, 368, 397-401, 416, 461, 550, 599-601; femme (thème), 376; textes, 397-399, 407, 412, 510, 534; thèmes, 397-400
OUELLETTE, Francine, 542
OUELLETTE, Rose, 213
OURY, Dom Guy-Marie, 36
OUVRARD, Hélène, 471

PACEY, Desmond, 476
Paganisme, 315
PAGE, Patricia Kathleen, 334
Pamphlet, 58, 92, 94, 108, 172-173, 178, 252, 289, 456, 480, voir aussi Polémiste
PANNETON, Philippe, 178, 184, 245, voir aussi Ringuet
PAPINEAU, Louis-Joseph, 45, 64-66, 68, 73, 87-88, 92, 195, 427
PAQUETTE, Jean-Marcel, 484, 598
PAQUIN, Jacques, 404
PAQUIN, Ubald, 157, 178, 210
PARADIS, Suzanne, 370
PARÉ, François, 571, 609
PARENT, Étienne, 62, 67-70, 73, 85, 87, 89, 91, 96, 134, 174, 177
PARIS, Gaston, 170
Parisianiste, 15, 152, 157, 182-183, 286
PARIZEAU, Alice, 542
PARKMAN, Francis, 29, 76, 136
Parodie, 346
Parole (thème), 322-323, 330, 363, 371, 456-462
Parti: anglais, 67; CCF, 332; communiste, 322, 328, voir aussi Communisme; libéral du Québec, 278, 361, 483, voir aussi Révolution tranquille; patriote, 57, 68, voir aussi Rébellions de 1837-1838; politique et journaux, 70; québécois, 427, 458, 483, voir aussi Indépendantisme; Rhinocéros, 432; social démocratique, 432; socialiste, 427
PASCAL, Blaise, 30, 473
Paternité (thème), 505, voir aussi Père et fils
Patrie, 58, 109, voir aussi Projet national
Patriotes, 64, 68, 70, 117, voir aussi Rébellions de 1837-1838
Patriotisme, 108-109, 132, 155, 263, voir aussi Poésie patriotique
PAYANT, René, 292
Pays (thème), 352, 491, 506, 613
Paysage, 613-617
PAZ, Octavio, 533

PEARSON (gouvernement), 457
PÉGUY, Charles, 226
Peinture, 168, 178, 180, 193-194, 264, 281-282, 289, 319, 397, 605
PELLAN, Alfred, 289-290, 321, 324, 355
PELLERIN, Gilles, 592-593
PELLETIER, Albert, 229-230, 236
PELLETIER, Gérard, 289, 336, 340
PELLETIER, Jacques, 600
PELLETIER, Pol, 516, 518, 586
PELTRIE, Mme de la, 34
PENNÉE, Georgiana M., 123
Père et fils (thème), 358-359
PEREC, Georges, 397
PÉRET, Benjamin, 328
Péribonka, voir Lac-Saint-Jean
Périodique, 70, 156, voir aussi Magazine, Revue
PERRAULT, Pierre, 20, 23, 362, 368, 375, 463
PERRIER, Luc, 370-371, 374
PERROT, Nicolas, 40
Personnalisme, 263-264, 283, 339-340
PESSOA, Fernando, 586
PÉTAIN (maréchal), 285
PETITCLAIR, Pierre, 84
PETITJEAN, Léon, 214-215
Petit Théâtre, 213
Petites littératures, 12
PHELPS, Anthony, 564
Philosophie, 491; sociale d'É. Parent, 68-69
PICHÉ, Alphonse, 370
PILON, Jean-Guy, 337, 368, 371-372, 375, 379, 416, 489
Place des Arts, 463, 486
PINCHARD, Bruno, 37
PIOTTE, Jean-Marc, 412
Place à l'orgasme (1968), 511
PLANTE, Raymond, 595
PLANTE, Roch, voir Ducharme, Réjean
PLANTE, Willy, 214-215
PLATON, 523
PLESSIS, Joseph-Octave (Mgr), 64
PLEYNET, Marcelin, 491
POE, Edgar Allan, 119, 537
Poème – politisation, 373
Poèmes et Chants de la résistance (1968), 495
Poésie, 11-12, 20, 23, 26, 70, 73, 84-86, 219, voir aussi Poète; à risque, 622; avant-garde, 490, 618; canadienne-anglaise, 333, 579-580; déconstruction du langage, 493; de la négritude, 371; de la résistance, 328, 412; d'inspiration surréaliste, 319-323, voir

aussi Surréalisme; du pays, *voir* Éditions de l'Hexagone; du paysage, 613; édition, 287, 367, 490, 495; et modernité, 158, 182; et Révolution tranquille, 282, 365, 367; fonction révolutionnaire du langage poétique, 326; intimiste, 604-612; langue, 461; métaphysique, 608; patriotique, 61, 106-113, 168, 376; régionaliste, 220; satirique, 63, 142; urbaine, 224

Poète, 57, 59, 61, 99, 106, 233, *voir aussi* Poésie; femme, 233-238; fonction politique, 372; fraternité, 495-501; moderniste, 186-192; quête individuelle, 282

Poètes : de la Résistance, 328; de l'Hexagone, voir Éditions de l'Hexagone; sur parole, 495

Polémiste, 79, 92, 106-107, 109, 229, *voir aussi* Pamphlet

POLIQUIN, Daniel, 571

Politique et littérature, 57, 278

Pologne, 57, 68

PONGE, Francis, 491, 613

PONSON DU TERRAIL, Pierre Alexis, 118, 139

POPOVIC, Pierre, 385

Pornographie, 474

Portrait, 121, 224, 256

PORTUGAIS, Louis, 367

Postcolonialisme, 561

Postmodernité, 561

POTVIN, Damase, 184, 197, 210, 241

POULET, Georges, 418

POULIN, Jacques, 20, 471, 474, 504, 544-550, 552, 555, 557, 560, 570, 602, 609; sens de l'écriture, 547; sources, 547; thèmes sociopolitiques, 545

POULIOT, Louise, 376

POUND, Ezra, 334, 416, 481

POUPART, Jean-Marie, 474, 509

POURBAIX, Joël, 621

POUTRINCOURT (gouverneur), 27-28

PRÉFONTAINE, Fernand, 182

PRÉFONTAINE, Yves, 254, 368, 372, 375, 378-379, 416

Première Guerre mondiale, 246

Premiers textes, 22-28

Presse, *voir* Journaux

Prêtre, 59, 203, 241

PRÉVERT, Jacques, 321

Prix : Adrienne-Choquette, 591, 594; Athanase-David, 222, 224, 236, 256, 261, 305, 350, 361, 394, 420, 477; Booker, 577; d'Action intellectuelle, 224, 234; de la revue *Études françaises*, 497; du Cercle du livre

de France, 287, 350, 420; du Gouverneur général du Canada, 303, 361, 394; Femina, 205, 298, 316; France-Québec, 594; Goncourt, 204, 287, 365, 448, 510, 536, 569; Grand Prix du livre de la ville de Montréal, 579; Hugh-MacLennan, 577; Médicis, 365, 440, 471; Molson, 261; Montyon, 109

Production littéraire, 271, 281, *voir aussi* Édition

Projet national, 15, 57-59, 279, *voir aussi* Nationalisme, Question nationale

Propagande, *voir* Roman à thèse

Protestants, 30, 63, 70-71, 79, 81, 88

PROULX, Monique, 455, 576, 592, 594

PROUST, Marcel, 272, 274, 420, 454

Psychanalyse, 491, 526

Publiciste, 72, *voir aussi* Journaliste

PURDY, Anthony, 429

PYNCHON, Thomas, 448

Québec, *voir aussi* Littérature québécoise, Révolution tranquille; aide à la culture, 362; conflit avec le Canada anglais, 483; thèse du retard, 277-278

Québec (ville), 24, 27, 34, 60, 63, 70, 73, 87-88, 96, 117, 195, 294, 548-549, 557

Québécité et théâtre, 511-516

QUENEAU, Raymond, 448, 461

QUESNEL, Joseph, 63, 84

Question linguistique, 363, 456, 480, 483, 511, *voir aussi* Langue

Question nationale, 12, 68, 334, 372, 531, *voir aussi* Nationalisme, Projet national

Quête : de l'origine, 23; de soi, 624-626

RABELAIS, François, 22, 207, 472, 599

Race, *voir* Nationalisme

RACINE, Jean, 452, 473, 583

RACINE, Rober, 559

Radio, 217, 224, 236, 239, 248, 254, 284, 288, 294, 341, 353, 365, 463

Radio-Canada, 250, 341-342, 344, 350, 419-420, 426, 600

Radioroman, 224

RADISSON, Pierre-Esprit, 40

RAFIE, Pascale, 588

RAINIER, Lucien, 167, 173, *voir aussi* Melançon, Joseph-Marie

Rassemblement pour l'Indépendance nationale, 427

RAYMOND, Louis-Marcel, 262, 274

Réalisme, 315, 359, 419, *voir aussi* Roman réaliste

Rébellions de 1837-1838, 57, 68, 70, 85, 108, 141, 211, 359, 427, 514

Réconciliation nationale, 126-127, 138, 336

Récit de voyage, 11, 19-20, 22, 39-43, 82, 94, 102, 205

Référendum, 531, 581, 600

Refus global, 282, 289-292, 319-321, 324, 329, 368, 389, 511

Régime français, 11, *voir aussi* Nouvelle-France

Régionalisme, 15, 110, 151-152, 155, 165, 172, 179-186, 193-198, 217, 230-231, 255, 286, 332, 490 ; dans la peinture, 193-194 ; paysan, 198 ; roman, 199 ; sens du mot, 194

Relations, 19, 21, 29-30, 39-43, *voir aussi* Récit de voyage

Relations des Jésuites, 29-34, 37-40, 42, 45, 76, 136-137

Religion, 58, 144, 264, 270, 278, 302, 310, 408, 445, *voir aussi* Église catholique ; et féminisme, 517

RENARD, Jules, 449

RENAUD, André, 413

RENAUD, Jacques, 417, 458-460, 474, 508

RENAUD, Madeleine, 204

RENAUD, Thérèse, 319

Renouveau catholique français, 263

Retour à la terre, 152, 195, 197

REVERDY, Pierre, 613

Révolution : américaine, 57, 59, 66 ; française, 62, 64 ; théâtrale, 511 ; thème, 428-429, 474, 619

Révolution tranquille, 12-13, 19, 94, 194-195, 201, 224, 269-270, 277-278, 282, 291, 330, 340, 361-364, 407, 413, 483, 602

Revue, 58-60, 70, 114, 152, 272-274, 281, 601 ; critique littéraire, 415 ; spécialisée, 597

RIBAULT, Jean, 22

RICARD, André, 514

RICARD, François, 114, 176, 277, 298-299, 303, 484, 601

RICARDOU, Jean, 506

RICHARD, Jean-Jules, 273, 290, 324, 339, 345, 421

RICHARD, Jean-Pierre, 418

RICHARD, Maurice, 344, 478, 513

RICHELIEU (cardinal), 39

RICHLER, Mordecai, 348, 366, 478-481, 573-574

RICTUS, Jehan, 225

RILKE, Rainer Maria, 550-551

RIMBAUD, Arthur, 159, 272, 310, 321-322, 328, 389, 397, 412, 440-441, 444, 449, 453, 621

RINFRET, Jean-Claude, 367, 369

RINGUET, 184, 198, 204, 219, 224, 239, 245-248, 256, 365, 591, *voir aussi* Panneton, Philippe

RIOPELLE, Jean-Paul, 290, 324-325

RIOUX, Hélène, 592-593

RIOUX, Marcel, 277, 340, 412

RIVARD, Adjutor, 180, 193-194, 198

RIVARD, Yvon, 270, 510, 550-551, 600

ROBERT, Jean-Claude, 277

ROBERT, Lucie, 212

ROBERTS, Charles G. D., 123

ROBIDOUX, Réjean, 168, 413

ROBIN, Régine, 563-564, 624

ROCHE, Denis, 491

ROCHEFORT, Henri, 92

ROCHER, Guy, 412

ROCHON, Esther, 595

RODENBACH, Georges, 163

ROLAND, Marie-Gillette, 36

ROLLAND, Roger, 273, 340

ROLLIN, Henri, *voir* Plante, Willy

ROMAINS, Jules, 191

Roman, 12, 20, 58-61, 89, 123, 128-130, 218-219 ; agriculturiste, 241 ; arguments antiromanesques, 129, 142 ; à thèse, 131-135, 196-197, 210 ; baroque, 552-560 ; canadien-anglais – traduction, 575-578 ; chronique, 246 ; classique du roman canadien-français, 199, 239 ; contes et légendes, 116-117 ; contrôle de l'Église, 156 ; critique, 339, *voir aussi* Critique littéraire ; culture populaire, 157 ; d'apprentissage, 341-342 ; d'aventures, 61, 129, 131, 138-143 ; de la terre, 152, 193-198, 209, 239, 246, 419 ; de « l'homme d'ici », 339-352 ; de l'individu, 283 ; désenchantement (années 1970), 502-510 ; d'espionnage, 339 ; de ville, 283, 294, *voir aussi* Montréal, Québec (ville) ; d'initiation, 251-253 ; division du paysage romanesque, 510 ; édition, 287, *voir aussi* Édition ; engagé, 345 ; entre censure et liberté, 207-211 ; et fin d'un monde, 239-250 ; et jeux d'écriture, 419-425 ; feuilleton, *voir* Feuilleton ; gothique, 131, 136, 140, 593 ; historique, 20, 60-61, 123, 136-138, 146, 195, 255, 332, 339 ; intellectuel, 474, 510 ; intimiste, 604-612, *voir aussi* Intimisme ; langage, 419 ; national, 506 ; nouvelle génération d'écrivains, 340,

484; nouvelle subjectivité, 609; pédagogique, 132; policier, 595; populaire, 210; pour la jeunesse, 339; premier roman canadien, 60; premier roman canadien-français, 114; premier roman psychologique, 144; production (1946-1960), 339; psychologique, 144, 156, 251, 253, 419, 504; réaliste ou joualisant, 225, 294, 419, 421, 474; régionaliste ou rustique, 199, 233, *voir aussi* Régionalisme; Révolution tranquille, 365, 419, 470-475; sentimental, 233, 251, 339

Romancier, 59; nouvelle génération, 470-475; professeur, 421, 483

Romancière, 233

Romantisme, 67, 89, 100, 118, 136, 316, 397

RONFARD, Jean-Pierre, 452, 512, 515-516, 582-584, 586

ROQUEBRUNE, Robert Laroque de, 155, 168, 180, 182-184, 189, 230

Rouges, 87, 89, 96, 117, *voir aussi* Libéraux

ROUSSEAU, Jacques, 43

ROUSSEAU, Jean-Jacques, 43, 63

ROUTHIER, Adolphe-Basile, 98, 107

ROUTIER, Simone, 234, 236-238

ROUX, Jean-Louis, 356

ROUY, Maryse, 542

ROY, André, 490, 618-619

ROY, Camille, 12, 19, 96, 152, 155, 165, 170-172, 174, 178, 180, 183, 194-195, 203, 222, 229-231, 233, 241, 278, 286, 436

ROY, Elzéar, 213

ROY, Gabrielle, 13, 203, 206, 244, 272-273, 281-283, 293-304, 310, 319, 339, 344, 355-356, 362, 365, 421, 457, 478, 502, 547, 549, 591, 601, 616-617; autobiographie, 303, 534; correspondance, 303; critique, 418, 421; liens avec le Canada anglais, 303, 336; place dans le débat social et politique, 302

ROY, Hugo, 455

ROY, Michel, 569

ROYER, Jean, 495

RUDDICK, Bruce, 334

Rupture, 217, 277-278, 464, 533, *voir aussi* Révolution tranquille; influence de la contre-culture, 486, 490; *Refus global*, 289-292

RUTEBEUF, 387

SAGAN, Françoise, 274

SAGARD, Gabriel, 39

SAID, Edward, 561

SAINT-DENYS GARNEAU, Hector de, 16, 99, 153, 190, 219-220, 257, 261-270, 282, 290, 305, 310, 319, 321-322, 341-342, 362-363, 369, 374, 377, 401, 403, 408, 449, 534, 570, 602, 605-606, 622; catholicisme, 263; commencement perpétuel, 266; critique, 340, 414, 418; inachèvement dans l'œuvre, 268; langage, 267, 270; le mauvais pauvre, 269-270; mort prématurée, 264-265; nouveauté, 262; prose, 269; textes, 264, 266, 436, 535, 625

SAINT-EXUPÉRY, Antoine de, 271, 300, 449

SAINT-JACQUES, Denis, 11, 598

SAINT-JOHN PERSE, Alexis Léger, 260, 274, 305, 322, 566-567

SAINT-JOSEPH, Marie de, 34

SAINT-MARTIN, Lori, 303, 578, 597

SAINT-MARTIN, Fernande, 291-292

SAINT-MAURICE, Faucher de, 118-119

SAINT-PIERRE, Arthur, 591

SAINT-PIERRE, Marcel, 490-491

SAINT-SIMON, 231

SAINT-VALLIER, Mgr de, 27

SALINGER, J. D., 448, 547

Salon littéraire, 151, 233

SAMSON, Jacques, 618

SAND, George, 92

SANDHAM, Henry, 122

SARRAUTE, Nathalie, 419

SARTRE, Jean-Paul, 274, 300, 328, 341, 363, 372-373, 416, 422, 491, 507

Satire, 63, 209-210, 346, 434, 479-480, 505

SAUREL, Pierre, 339

SAUVAGEAU, 469, 514-515, 583

SAUVAGEAU, Claudine, 491

Sauvages, *voir* Amérindiens

SAVARD, Félix-Antoine, 22, 201, 204, 219, 239, 241-244, 302, 617

SAVOIE, Jacques, 570

SCARPETTA, Guy, 561

Science-fiction, 592, 595

Scolarisation, 58, 278

SCOTT, Frank R., 283, 332-338, 340, 436, 438, 476, 481, 532; conférence de Kingston (1955), 337; influence, 336; liens avec les écrivains francophones, 333, 336; place dans le débat social et politique, 333-334; thèmes, 334

SCOTT, Gail, 518, 575

SCOTT, Marian, 334

SCOTT, Walter, 136

Sculpteur, 180, 194

Seconde Guerre mondiale, 15, 217-218, 264, 333 ; et édition, 271-274, 281 ; et littérature, 361 ; et littérature québécoise, 277, 281, 339
Secret (thème), 314
SEERS, Eugène, 164, *voir aussi* Dantin, Louis
SEGAL, Jacob Isaac, 574
SEGHERS, Pierre, 271
SÉGUIN, Maurice, 412
Séminaire de Québec, 63
Sémiologie, 491
SENANCOURT, Étienne Pivert de, 118
SENÉCAL, Éva, 234, 251
SENGHOR, Léopold Sédar, 372
Série télévisée, *voir* Télévision
Sermon, 64
SERNINE, Daniel, 595
Sexualité (thème), 312, 314-316, 348, 429, 482, 506, 581, 625, *voir aussi* Homosexualité
SHAKESPEARE, William, 430, 453, 583, 586, 588
SHAW, Neufville, 334
SHEPPARD, Gordon, 431
Shoah, 443-444, 584, *voir aussi* Juif
SIMARD, Jean, 346, 478
SIMARD, Sylvain, 599
SIMENON, Georges, 271
SIMON, Claude, 422
SIMON, Sherry, 574
SIMONEAU, Yves, 317
SMART, Patricia, 597
SMITH, Arthur James Marshall, 333, 337
Socialisme, 363, 380, 417
Société : de géographie, 241 ; des écrivains canadiens, 591 ; du parler français au Canada, 157, 170-171, 174, 178, 180, 194, 233, 241 ; québécoise des études théâtrales, 597 ; royale du Canada, 233 ; Saint-Jean-Baptiste, 184, 212
Sociologie, 277, 340, 412, *voir aussi* Essai ; du fait littéraire, 598
Soirées : canadiennes, 117 ; de famille, 212
Solitude (thème), 270, 305, 312-314, 322, 363, 403, 410, 498, 504
SOLLERS, Philippe, 491, 493
SOLWAY, David, 579-580
SOPHOCLE, 583
Sorel (îles de), 248
SOUBLIÈRE, Roger, 490
SOUCY, Gaétan, 455, 558-559
SOUCY, Jean-Yves, 504
SOULIÉ, Frédéric, 129
SOULIÈRES, Robert, 595

SPENDER, Stephen, 334
Sport, 158, 212, 488
SPYCHALSKI, Téo, 516, 583
STAFFORD, Jean, 490-491
STEENHOUT, Ivan, 577, *voir aussi* Lefrançois, Alexis
STEINBECK, John, 617
STEVENSON, Robert Louis, 143
STRARAM, Patrick, 345, 488
STRATFORD, Philip, 573, 615
Structuralisme, 484, 491
SUE, Eugène, 129, 136, 139
Suisse, 230, 371, 591
SULLIVAN, Françoise, 289
SULTE, Benjamin, 43, 81
SUMMERS, Frances J., 539
SUPERVIELLE, Jules, 254, 310
Surréalisme, 281, 283, 290, 389, 473 ; œuvre de R. Giguère, 324-331, 490, 497 ; poésie, 319-323, 368 ; révolutionnaire, 328
SUTHERLAND, John, 334
SUZOR-CÔTÉ, Marc-Aurèle de Foy, 193-194, 200
SWIFT, Jonathan, 71
SYLVESTRE, Guy, 262, 272, 274
Symbolisme, 315
SYMONS, Scott, 337
Syndicalisme, 302, 322, 345, 409, 483, 511

TACHÉ, Joseph-Charles, 96, 117-119
TARDIVEL, Jules-Paul, 112, 142-143, 173, 178, 456
TARTE, Joseph-Israël, 107
TASSINARI, Lamberto, 562
TCHEKHOV, Anton Pavlovitch, 270
TEKAKWITHA, Catherine, 305, 482
Téléroman, 343
Téléthéâtre, 284
Télévision, 224, 236, 239, 241, 250, 284, 288, 294, 336, 359, 365, 446, 463, 542, 595
Témiscamingue, 205
Témoignage privé, 51
Temps (thème), 259, *voir aussi* Mort
TERRASSE, Jean, 599
Terre, 239-240, *voir aussi* Roman de la terre, Terroir
Territoire, 19, 23, 135, 193-194, 250, 562, *voir aussi* Régionalisme ; contes de J. Ferron, 434 ; et poésie du pays, 375, 426
Terroir, 193-198, 202, 208, 218, 221, 256, 286, 359, 434
Textes littéraires, 11-12

Théâtre, 14, 26-27, 59, 63, 108, 151, 158, 168, 179, 209-210, 283, *voir aussi* Troupe de théâtre ; classique, 355-356 ; création (thème), 588 ; création collective, 511-512, 515, 518 ; d'agitation-propagande, 511 ; d'avant-garde, 516 ; de boulevard, 356, 463 ; de l'absurde, 356, 359 ; de participation, 465 ; d'improvisation, 512, 588 ; et québécité, 511-516 ; évolution, 356, 485, 511 ; festival, 582 ; fonction politique, 511 ; humour, 512, 588 ; langage, 464 ; loisir, 212-215 ; metteurs en scène, 582-586 ; miroir de la société, 355 ; national, 353-359 ; nouvelles troupes, 213-214 ; performance, 581-590 ; politique, 511 ; populaire, 213 ; Révolution tranquille, 365, 463 ; rupture, 464 ; satirique, 356 ; subvention, 582
Théoret, France, 483, 490-491, 518, 523, 575
Thériault, Marie José, 592-593
Thériault, Yves, 21, 288, 347-350, 359, 421, 471, 591
Thibault, Norbert, 103
Thibodeau, Serge-Patrice, 570
Thomas d'Aquin, 264
Thomas, Dylan, 334
Thoreau, Henry David, 617
Thwaites, Reuben Gold, 29
Tisseyre, Pierre, 287-288, 339, 364, 448
Tocqueville, Alexis de, 60
Todorov, Tzvetan, 561
Tolstoï, Léon, 539
Toronto, 337, 476
Tortel, Jean, 613
Tougas, Gérard, 19, 118
Tournier, Michel, 577
Toussaint, Jean-Philippe, 547
Tradition, 110, 219, 264, 277, *voir aussi* Patriotisme ; de la rupture, 533 ; orale, 14, 21, 59, 84, 114, 117, 433 ; paysanne, 224 ; poésie du pays, 220 ; populaire, 114
Tradition de lecture, 13-14, 413 ; textes de la Nouvelle-France, 20
Traduction et traducteur, 73, 106, 174, 571 ; de la littérature anglo-canadienne, 110, 403-404, 407 ; de la littérature anglo-québécoise, 60, 322, 478, 481-482, 573-580 ; de la littérature québécoise, 250, 298, 303-304, 336, 347, 355, 430, 439, 442, 455, 468, 539, 543, 615 ; professionnalisation, 573
Tragédie, 85
Traité de Paris (1763), 19, 57, 62
Tremblay, Gemma, 370, 376

Tremblay, Gérard, 324
Tremblay, Larry, 590
Tremblay, Lise, 455, 557, 595
Tremblay, Michel, 168, 365, 471-472, 511-514, 516, 533, 542, 583, 587 ; bataille des *Belles-sœurs*, 462-469 ; œuvre romanesque, 536-539, 625-626
Tremblay, Rémi, 142
Tremblay, Tony, 622
Tribu des Casoars, 178-179
Tribun, 64
Trottier, Pierre, 370
Troupe de théâtre, *voir aussi* Théâtre ; amateur, 213 ; appartenance au jeune théâtre, 511 ; Apprentis-Sorciers, 356, 463, 466, 511 ; avant-gardiste, 356 ; Carbone 14, 516, 583-584 ; Club, 356 ; Compagnie Jean-Duceppe, 511, 581 ; Compagnons de Saint-Laurent, 355-356 ; d'Aujourd'hui, 511, 581 ; de Quat'Sous, 356, 463, 486, 511, 582 ; de Société, 63 ; des Variétés, 212-213 ; du Gesù, 358-359, 495, 515 ; du Même Nom, 512 ; du Nouveau Monde, 321, 356, 433, 463, 511, 515, 517, 581 ; du Rideau Vert, 356, 463, 465, 511, 581 ; du Trident, 511, 514, 581 ; Eskabel, 516, 582 ; Espace Go, 582 ; Estoc, 356 ; Euh!, 511, 512, 514-515 ; Ex Machina, 586 ; français du Centre national des arts, 214, 463, 581 ; Groupe de la Veillée, 516, 583 ; La Ligue nationale d'improvisation, 512, 588 ; Le Grand Cirque ordinaire, 512, 515 ; Les Enfants de Chénier, 512 ; Les Enfants du Paradis, 516, 583 ; L'Espace libre, 583-584 ; L'Usine C, 584 ; Mime Omnibus, 583 ; National, 151 ; Nouveau Théâtre expérimental, 516, 582, 584, 586 ; Nouvelle Compagnie théâtrale, 581 ; Opéra-Fête, 582 ; populaire du Québec, 463 ; professionnelle, 355, 511, 516 ; quotidien de Québec, 513 ; Repère, 583-584 ; Saltimbanques, 511 ; Stella, 353, 356 ; Théâtre expérimental de Montréal, 512, 516 ; Théâtre expérimental des femmes, 516, 518, 582, 586 ; UBU, 586
Trudeau, Pierre Elliott, 336, 340, 416, 426, 438
Trudel, Sylvain, 455, 557-558, 595
Turc, *voir* Barbeau, Victor ; Dugas, Marcel
Turcotte, Élise, 610, 613
Turcotte, Louis-Philippe, 81
Turgeon, Pierre, 474, 504

Uguay, Marie, 605-607
Ultramontanisme, 96, 112, 142-143

UNGARETTI, Giuseppe, 405, 613
Union nationale, 217, 278, *voir aussi*
Duplessis, Maurice ; Duplessisme
Universalisme, 255, 278, 286, 319, *voir aussi*
Canadianisme, Langue (littéraire)
Université : de Montréal, 245, 272, 341, 412,
414, 420, 601 ; d'Ottawa, 231, 413 ; du
Québec à Montréal, 599 ; enseignement de
la littérature québécoise, 484 ; Laval, 241,
340, 411, 440, 578 ; Laval de Montréal, 196 ;
McGill, 332, 336, 413, 476, 481 ; Queen's de
Kingston, 421 ; recherche dans le domaine
de la littérature, 362, 484 ; travaux savants,
598
Urbanisation, 151, 233, *voir aussi* Ville
Utopie, 67, 143, 174-175, 287, 442, 571 ;
américaine, 135 ; capitaliste, 134 ;
commerciale, 69 ; religieuse, 29-30, *voir*
aussi Missionnaire

VACHON, Georges-André, 13, 45, 94, 362, 382,
413, 484, 491
VADEBONCŒUR, Pierre, 292, 340, 365, 407-
410, 413, 457, 603
VAILLANCOURT, Jean, 339
VALÉRY, Paul, 274, 322, 370, 537
VALIQUETTE, Bernard, 272
VALLIÈRES, Pierre, 412
Vancouver, 476
VANIER, Denis, 488
VAN SCHENDEL, Michel, 368, 370, 372, 375,
562, 603
VAN TOORN, Peter, 575
VARÈSE, Edgard, 397
VARLEY, Frederick Horsman, 194
Vaudeville, 158
Veillées du Bon Vieux Temps, 213
Vent (thème), 236, 317, *voir aussi* Nature
VERHAEREN, Émile, 187, 225
VERLAINE, Paul, 155, 158-159, 163, 231, 258, 272
VERREAULT, Gisèle, 395
VESPUCCI, Amerigo, 246, 256
VÉZINA, Medjé, 234, 236
VIAN, Boris, 488
VIAU, Roger, 345, 421
Vie culturelle : au XIXe siècle, 58, 70 ; en
Nouvelle-France, 27, 51-52 ; et débats
idéologiques, 70
Vie intérieure (thème), 339
Vieux-Colombier (Paris), 213
VIGER, Denis-Benjamin, 73
VIGER, Jacques, 83

VIGNEAULT, Gilles, 370-372
VIGNEAULT, Guillaume, 558
VIGNEAULT, Robert, 549, 599
Village, 239, 246, *voir aussi* Campagne
Ville, 158 ; dans le feuilleton, 140 ; dans le
roman, 209-210, 283, 294, 348 ; et campagne,
131-132, 202, 209, 218 ; initiation, 251 ;
moderne, 224-225 ; pauvreté, 224
VILLEBOIS DE LA ROUVILLIÈRE, Honoré-
Michel, 51-53
VILLEMAIRE, Yolande, 483, 490, 511, 520, 552
Ville-Marie, 197, *voir aussi* Montréal
VILLEMURE, Fernand, 512
VILLENEUVE (cardinal), 156
VILLON, François, 370
VIMONT, Barthelemy, 33
Violence (thème), 30, 314, 345, 429-430, 440,
458, 489, 502, 508, 552, 567
VOLTAIRE, 30, 47, 66, 71, 80
VONARBURG, Élisabeth, 595
VONNEGUT, Kurt, 547
Voyage, 254-256, *voir aussi* Étranger,
Explorateur, Récit de voyage ; thème, 375,
382
Vues animées, 212, *voir aussi* Cinéma

WALL, Anthony, 430
WHITMAN, Walt, 224
WILLIAMS, Tennessee, 612
WILLIAMS, William Carlos, 334
WILSON, Edmund & Elena, 440, 446
WITTGENSTEIN, Ludwig, 559
WOOLF, Virginia, 519, 551
WYCZYNSKI, Paul, 168, 599

YANACOPOULO, Andrée, 431
YERGEAU, Pierre, 594-595
YVON, Josée, 489

ZOLA, Émile, 129, 199, 208-209, 253

JOURNAUX, PÉRIODIQUES ET REVUES

Amérique française, 273-274, 346
Arcade. L'Écriture au féminin, 527
Bulletin de la Société du parler français, 170,
180
Bulletin des agriculteurs, 294
Cahiers de théâtre Jeu, 511-512, 563, 597
Canadian Colonist, 67
Canadian Literature, 337

Canadian Review, 70

Châtelaine, 157

Chroniques, 488

Cité libre, 282, 340, 363, 409-410, 426, 432

CIV/n, 476, 481

Combat, 290

Contre-Jour, 601

Courrier de Saint-Hyacinthe, 142

Cul-Q, 488, 621

Dérives. Revue interculturelle, 565

Écrits du Canada français, 288, 592

Ellipse, 573

Éloizes, 569

Esprit, 263, 312, 340

Estuaire, 495, 616

Études françaises, 94, 418, 497

Études littéraires, 418, 598

Exit, 622

First Statement, 334, 476

Gants du ciel, 272

Gaz Moutarde, 622

Hobo-Québec. Journal d'information culturelle et littéraire, 488, 495, 620

Imagine, 595

Jeu, voir Cahiers de théâtre Jeu

La Barre du Jour, 330, 483, 490-494, 499, 518-520, 523

L'Abeille canadienne, 73

La Bonne Parole, 157

L'Action, 180, 182, 190

L'Action française, 157, 174, 183-184, 195, 230

L'Action nationale, 195-196, 353

L'Actualité, 414

La Gazette de Québec, 66, 70

La Gazette des femmes, 518

La Gazette littéraire, 66-67

L'Album de la Minerve, 141

L'Album littéraire et musical de la Revue canadienne, 131-132

La Lanterne canadienne, 92

L'Ami du peuple, de l'ordre et des lois, 70

La Minerve, 65, 67, 70, 72, 89, 92, 131, 138, 142

L'Annuaire théâtral, 597

La Nouvelle Barre du jour, 490, 494, 522, 592-593, 607, 618

La Nouvelle Relève, 231, 264, 272-274, 285, 310, 322, 342, 409

La Patrie, 72, 121-122, 140, 156, 160, 231, 248

La Presse, 72, 156, 179, 183, 208, 414, 491

La Quotidienne, 70

La Relève, 231, 262-266, 269, 272, 285, 310, 322, 340, 342, 345, 408

La République, 135

La Revue canadienne, 144, 176-177

La Revue de Montréal, 144

La Revue moderne, 157, 184, 193, 205, 227, 233, 293, 344

La Revue nationale, 184

La Revue populaire, 157

La Semaine, 208

L'Autorité, 426

L'Avenir, 87-89

L'Avenir du Nord, 227

La Vérité, 142

La Vie en rose, 527

La Voix du Précieux-Sang, 146

Le Canada, 227

Le Canada français, 231

Le Canadien, 67-68, 70, 72-73, 142

L'Écho des jeunes, 155, 158

Le Coin du feu, 146

Le Courrier de Sorel, 248

Le Courrier du Canada, 117

Le Devoir, 156, 173, 179-180, 195-196, 274, 282, 291, 407, 413-414, 427, 432, 446, 448, 456, 499

Le Fantasque, 71

Le Foyer canadien, 97, 133

Le Glaneur, 155

Le Jour, 253, 293

Le Journal de Françoise, 146, 173, 233

Le Journal de Québec, 82

Le Ménestrel, 140

Le Monde illustré, 146, 158

Le Moniteur canadien, 139

Le Nationaliste, 156, 172-174, 179-180, 182, 184

Le Nigog, 152, 157, 162, 165, 168, 180-184, 186, 190, 193, 604

Le Pays, 87, 92, 156

Le Populaire, 70-71

Le Quartier latin, 178, 195, 490

Le Rosaire, 146

Le Réveil, 94

Les Cahiers des arts graphiques, 324

L'Escholier, 178

Les Débats, 156, 164, 172, 180, 227

Les Herbes rouges, 483, 490-494, 518, 552, 605, 618

Les Idées, 230

Les Soirées canadiennes, 96-97, 117, 123, 133

Le Soleil, 253

Le Terroir, 165

Lettres québécoises, 601

Le Vrai Canard, 139

Lèvres urbaines, 620

Liberté, 254, 302, 369, 373, 380, 392, 397, 401, 405, 415-417, 422, 426-427, 429, 432, 470, 476, 489, 498, 504, 592, 599-601

L'Inconvénient, 601

L'Indépendant, 94

L'Information médicale et paramédicale, 432

Literary Garland, 70

Literary Miscellany, 70

Logos, 486

L'Opinion publique, 72

Maclean, 350, 407

Mainmise. Organe québécois du rock international, de la pensée magique et du gay sçavoir, 486, 620

Maintenant, 380, 410

McGill Fortnightly Review, 333

Montreal Herald, 67

Montreal Standard, 477

Northern Review, 334

Paris-Canada, 71

Parti Pris, 277, 302, 341, 365, 368, 373-374, 380, 384, 387, 401, 403, 412, 415-418, 421-422, 426-427, 432, 458-460, 463, 470, 472, 484, 486, 488, 490, 502, 504, 531, 604

Paysanna, 248

Petit Journal, 346

Phases, 325

Photo-Journal, 346

Place publique, 324

Preview, 333-334, 476

Prism, 337

Quaderni culturali, 562

Quartier latin, 426, 470

Québécoises deboutte!, 517

Quebec Studies, 575, 598

Quoi, 499

Regards, 343

Scribbler, 70

Situations, 291, 432

Socialisme, 417

Solaris, 595

Spirale, 576, 601, 618

Stop, 592

Stratégies, 493

Tessera, 576

Têtes de pioches, 518

The Canadian Magazine, 70

The Gazette of Montreal, 248

The Mercury, 67

The Quebec Gazette / La Gazette de Québec, 66

Tish, 476

Vice Versa, 562-563

Voix et Images du pays, 418

XYZ. La Revue de la nouvelle, 592

MISE EN PAGES ET TYPOGRAPHIE :
GLENN GOLUSKA

ACHEVÉ D'IMPRIMER EN AOÛT 2007
SUR LES PRESSES DE MARQUIS IMPRIMEUR
À CAP-SAINT-IGNACE (QUÉBEC).